세상이 변해도
배움의 즐거움은
변함없도록

시대는 빠르게 변해도
배움의 즐거움은
변함없어야 하기에

어제의 비상은
남다른 교재부터
결이 다른 콘텐츠
전에 없던 교육 플랫폼까지

변함없는 혁신으로
교육 문화 환경의 새로운 전형을
실현해왔습니다.

비상은 오늘, 다시 한번
새로운 교육 문화 환경을 실현하기 위한
또 하나의 혁신을 시작합니다.

오늘의 내가 어제의 나를 초월하고
오늘의 교육이 어제의 교육을 초월하여
배움의 즐거움을 지속하는 혁신,

바로, 메타인지 기반 완전 학습을.

상상을 실현하는 교육 문화 기업 비상

메타인지 기반 완전 학습

초월을 뜻하는 meta와 생각을 뜻하는 인지가 결합한 메타인지는
자신이 알고 모르는 것을 스스로 구분하고 학습계획을 세우도록 하는
궁극의 학습 능력입니다. 비상의 메타인지 기반 완전 학습 시스템은
잠들어 있는 메타인지를 깨워 공부를 100% 내 것으로 만들도록 합니다.

완자

기출 PICK

지구과학 I

724제

완자 기출 PICK 차례

Ⅲ 우주

완자 기출 PICK 구성 - 기출 문제를 분석하여 핵심을 빠짐 없이 담았다!

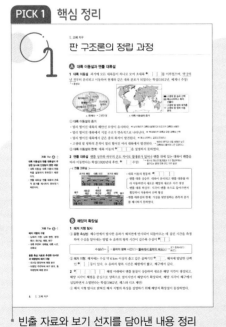

• 빈출 자료와 보기 선지를 담아낸 내용 정리

• 빈출 문제를 주제별, 난이도별로 구성

• 1등급 달성을 위해 꼭 풀어봐야 하는 도전 문제

판 구조론의 정립 과정

Ⓐ 대륙 이동설과 맨틀 대류설

1 대륙 이동설 과거에 모든 대륙들이 하나로 모여 초대륙 ❶□□□를 이루었으며, 약 2억
년 전부터 분리되고 이동하여 현재와 같은 대륙 분포가 되었다는 학설(1912년, 베게너 주장)
└─ 중생대

▲ 판게아 → 고생대 말

■ 고생대 말 습곡 산맥
▨ 메소사우루스 화석
  산출지
□ 고생대 말 빙하 퇴적층
\⎯/ 고생대 말 빙하 이동
  흔적

▲ 대륙 이동설의 증거

① 대륙 이동설의 증거

• 멀리 떨어진 대륙의 해안선 모양이 유사하다. 예 남아메리카 대륙의 동해안과 아프리카 대륙의 서해안

• 멀리 떨어진 대륙에서 지질 구조가 연속적으로 나타난다. 예 북아메리카 대륙과 유럽 대륙의 산맥

• 멀리 떨어진 대륙에서 같은 종의 화석이 발견된다. 예 메소사우루스, 글로소프테리스

• 고생대 말 빙하의 흔적이 멀리 떨어진 여러 대륙에서 발견된다. → 빙하의 흔적과 이동 방향은 남극
  대륙에서 흩어져 나간 모양이다.

② 대륙 이동설의 한계: 대륙 이동의 ❷□□□을 설명하지 못하였다.

기출 Tip Ⓐ-2
대륙 이동설과 맨틀 대류설이 주
장한 당시에 인정받지 못한 까닭
• 대륙 이동설: 대륙 이동의 원동
력을 설명하지 못하였기 때문
이다.
• 맨틀 대류설: 맨틀 대류의 관측
적 증거를 제시하지 못하였기
때문이다.

2 맨틀 대류설 맨틀 상부와 하부의 온도 차이로 열대류가 일어나 맨틀 위에 있는 대륙이 맨틀을
따라 이동한다는 학설(1920년대 후반, ❸□□ 주장) → 방사성 원소의 붕괴열과 지구 중심부에서
올라오는 열에 의해 온도 차이 발생

┌─ **맨틀 대류설** ─┐

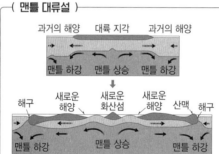

• 대륙 이동의 원동력: ❹□□□□
┌ 맨틀 대류 상승부: 대륙이 분리되고 맨틀 대류를 따
│ 라 이동하면서 새로운 해양과 새로운 지각 생성
└ 맨틀 대류 하강부: 지각이 맨틀 속으로 들어가면서
  횡압력이 작용하여 산맥 형성
• 맨틀 대류설의 한계: 가설을 뒷받침하는 관측적 증거
  를 제시하지 못하였다.

Ⓑ 해양저 확장설

기출 Tip Ⓑ-1
해저 지형의 구분
• 심해저 지형: 심해 평원, 평정
해산, 화산섬, 해령, 해구
• 대륙 주변부: 대륙붕, 대륙 사면,
대륙대

음향 측심 자료로 추정한 대서양
과 태평양의 해저 지형
• 대서양 중앙부에 해령 분포
• 태평양 주변부에 해구 분포, 동
태평양에 해령 분포

1 해저 지형 탐사

① 음향 측심법: 해수면에서 발사한 음파가 해저면에 반사되어 되돌아오는 데 걸린 시간을 측정
하여 수심을 알아내는 방법 ➡ 음파의 왕복 시간이 길수록 수심이 ❺□□.

$$수심(d) = \frac{1}{2} \times 음파의\ 왕복\ 시간(t) \times 물속에서\ 음파의\ 속도(v)$$
→ 공기 중에서보다
  빠르다.

② 해저 지형: 해저에는 수심 약 6 km 이상의 좁고 깊은 골짜기인 ❻□□, 해저에 발달한 산맥
인 ❼□□ 등이 있다. ➡ 음파의 왕복 시간은 해령에서 짧고, 해구에서 길다.

2 ❽□□□□ □□□ 해령 아래에서 맨틀 물질이 상승하여 새로운 해양 지각이 생성되고,
해양 지각이 해령을 중심으로 양쪽으로 멀어지면서 해양저가 확장되며, 해양 지각이 해구에서
섭입하면서 소멸된다는 학설(1962년, 헤스와 디츠 제안)

① 해저 지형 탐사로 밝혀진 해저 지형의 특징을 설명하기 위해 해양저 확장설이 등장하였다.

② 해양저 확장설의 증거: 탐사 기술의 발달로 해양저 확장설의 증거가 관측되었다.

해양 지각의 나이, 해저 퇴적물의 두께 분포

- 탐사 기술: 해양 시추선이 채취한 시료의 방사성 동위 원소를 분석하여 해양 지각의 나이 측정
- 증거: 해령에서 멀어질수록 해양 지각의 나이와 해저 퇴적물의 두께가 ⑨◻◻ 한다.

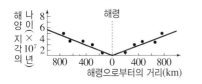

해령으로부터의 거리(km)

고지자기 줄무늬의 대칭적 분포

- 탐사 기술: 자력계 이용
- 증거: 고지자기 줄무늬가 해령을 축으로 ⑩◻◻ 적으로 나타난다.

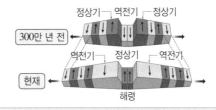

정상기 ─ 역전기 ─ 정상기
300만 년 전
역전기 ─ 정상기 ─ 역전기
현재
해령

열곡과 변환 단층의 발견

- 탐사 기술: 음향 측심법을 이용한 해저 지형도 작성, 해령 부근의 지진 자료 축적 ┐─ V자 모양의 골짜기
- 증거: 해양 지각이 멀어지면서 열곡이 형성되고, 해양 지각의 확장 속도 차이로 해령이 끊어져 변환 단층이 형성된다. 윌슨이 해령과 해령 사이 단층에 붙인 명칭

변환 ── 지진이 자주 발생한다.
단열대 단층 단열대 ── 지진이 거의 발생하지 않는다.

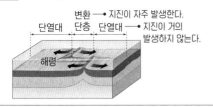

해령

섭입대 주변 지진의 진원 깊이 분포

- 탐사 기술: 표준화된 지진 관측망 구축
- 증거: 섭입대를 따라 지진이 발생하며, 진원의 깊이가 해구에서 대륙 쪽으로 갈수록 ⑪◻◻ 진다. → 해양 지각의 소멸을 설명할 수 있다.

밀도가 큰 판이 밀도가 작은 판 아래로 섭입한다.

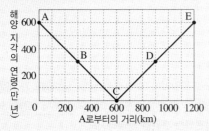

해구 대륙
섭입대
· 지진
주로 밀도가 작은 판 쪽에서 화산 활동이 일어난다.

ⓒ 판 구조론의 정립 과정

1 판 구조론의 정립 대륙 이동설이 발전하여 여러 이론을 거쳐 하나의 통합 이론인 판 구조론으로 정립되었다(1970년대). ➡ 대륙 이동설 → 맨틀 대류설 → 해양저 확장설 → 판 구조론
① 윌슨은 해령과 변환 단층으로 구분되는 땅 덩어리에 판이라는 용어를 사용하였다.
② 아이작스는 판의 구조를 설명하였고, 모건과 매켄지는 판 구조론이라는 용어를 도입하였다.

2 판 구조론 지구의 표면은 10여 개의 크고 작은 ⑫◻으로 이루어져 있으며 판들의 상대적인 운동에 따라 지각 변동이 일어난다는 이론 ➡ 판 이동의 원동력: 맨틀 대류

기출 Tip Ⓑ-2

해령에서 멀어질수록 증가하는 값
- 해양 지각의 나이(연령)
- 해저 퇴적물의 두께
- 해저 퇴적물 최하층의 나이
- 수심
- 음파의 왕복 시간

고지자기와 지구 자기장의 방향
- 고지자기: 암석에 기록된 과거 지구 자기 흔적이다. 마그마가 식어 암석이 생성될 때 자성을 띤 광물이 지구 자기장의 방향을 따라 배열되어 생성되고, 지구 자기장이 변해도 그대로 남아 있다.
- 정상기(정자극기): 지구 자기장의 방향이 현재와 같다.
- 역전기(역자극기): 지구 자기장의 방향이 현재와 반대이다.

대륙 이동설의 증거와 해양저 확장설의 증거 구분

대륙이동설	• 해안선 모양의 유사성 • 지질 구조의 연속성 • 같은 종의 화석 발견 • 고생대 말 빙하의 흔적
해양저확장설	• 해양 지각의 나이 대칭성 • 해저 퇴적물의 두께 대칭성 • 고지자기 줄무늬의 대칭성 • 열곡과 변환 단층의 발견 • 섭입대 주변의 진원 깊이 분포

답 ❶ 판게아 ❷ 원동력 ❸ 홈스
❹ 맨틀 대류 ❺ 깊다 ❻ 해구
❼ 해령 ❽ 해양저 확장설 ❾ 증가 ❿ 대칭 ⓫ 깊어 ⓬ 판

빈출 자료 보기

○ 정답과 해설 2쪽

1 그림은 어느 해양에서 해령을 가로질러 측정한 A~E 지점의 거리와 해양 지각의 연령을 나타낸 것이다.

해양 지각의 연령(만 년)
A로부터의 거리(km)

이에 대한 설명으로 옳은 것은 ○, 옳지 않은 것은 ×로 표시하시오.

(1) A~E 지점 중 해령은 C 지점에 분포한다. ( )
(2) C 지점은 맨틀 대류가 하강하는 곳이다. ( )
(3) C 지점을 중심으로 해양 지각은 양쪽 방향으로 멀어진다. ( )
(4) 해저 퇴적물의 두께는 A에서 E 지점으로 갈수록 두껍다. ( )
(5) A와 E가 속한 해양 지각은 600만 년 동안 일정한 속도로 확장하였다. ( )
(6) B 지점의 암석이 정자극기에 생성되었다면, D 지점의 암석도 정자극기에 생성되었다. ( )
(7) 해양 지각의 연령 자료는 해양저 확장설의 증거가 된다. ( )
(8) 해양 지각의 연령은 음향 측심법으로 알아낼 수 있다. ( )

A 대륙 이동설과 맨틀 대류설

빈출
2 하 중 상

베게너가 주장한 대륙 이동설에 대한 설명으로 옳지 <u>않은</u> 것은?

① 당시 많은 학자들에게 지지를 받지 못하였다.
② 대륙 이동의 원동력을 맨틀 대류라고 주장하였다.
③ 하나였던 대륙이 분리되어 현재의 대륙 분포가 되었다고 주장하였다.
④ 인도 대륙 등에서 발견된 빙하의 흔적을 대륙 이동의 증거로 제시하였다.
⑤ 서로 멀리 떨어진 대륙의 해안선 모양이 유사하다는 점에서 착안한 학설이다.

빈출
3 하 중 상
● 서술형

베게너가 주장한 대륙 이동설의 증거를 <u>세 가지</u>만 서술하시오.

4 하 중 상

1920년대 후반, 맨틀에서 열대류가 일어나고 대류의 상승부에서 대륙 지각이 분리되어 맨틀이 대류하는 방향으로 이동한다고 주장한 과학자는?

① 윌슨　　　　② 헤스　　　　③ 홈스
④ 베게너　　　⑤ 아이작스

5 하 중 상

맨틀 대류설에 대한 설명으로 옳은 것은?

① 방사성 원소의 붕괴열에 의해 맨틀이 열대류를 한다.
② 맨틀 대류의 상승부에서는 산맥이 생성된다.
③ 맨틀 대류의 하강부에서는 새로운 지각이 생성된다.
④ 홈스는 맨틀 대류의 관측적 증거를 제시하였다.
⑤ 등장한 당시에 인정받는 이론이었다.

빈출
6 하 중 상
多 보기

베게너가 주장한 대륙 이동설의 증거가 <u>아닌</u> 것만을 모두 고르면? (3개)

① 화산대와 지진대가 띠 모양으로 분포한다.
② 남아메리카와 아프리카 대륙의 해안선이 일치한다.
③ 해령에서 멀어질수록 해양 지각의 나이가 증가한다.
④ 과거에 모든 대륙이 하나로 모여 판게아를 이루었다.
⑤ 고생대 말 빙하의 흔적이 현재 적도 부근에서 나타난다.
⑥ 서로 멀리 떨어진 대륙에서 글로소프테리스 화석이 발견된다.
⑦ 떨어져 있는 대륙들을 모으면 빙하의 흔적이 남극을 중심으로 분포한다.
⑧ 유럽과 북아메리카 대륙에 분포하는 산맥의 지질 구조가 연속적으로 나타난다.

빈출
7 하 중 상

그림은 대륙 이동을 뒷받침할 수 있는 자료를 지도에 나타낸 것이다.

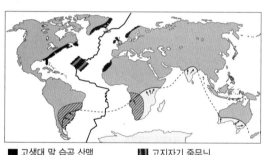

■ 고생대 말 습곡 산맥　　　▥ 고지자기 줄무늬
▨ 메소사우루스 화석 산출지　□ 고생대 말 빙하 퇴적층
〰 고생대 말 빙하 이동 흔적

표시된 자료 중 베게너가 제시한 대륙 이동의 증거로 옳은 것만을 〈보기〉에서 있는 대로 고른 것은?

〈 보기 〉
ㄱ. 해령을 축으로 고지자기 줄무늬가 대칭적이다.
ㄴ. 멀리 떨어져 있는 습곡 산맥의 분포가 연속적이다.
ㄷ. 북아메리카 대륙의 동해안과 아프리카 대륙의 남서부 해안의 모양이 유사하다.

① ㄱ　　　　② ㄴ　　　　③ ㄱ, ㄷ
④ ㄴ, ㄷ　　　⑤ ㄱ, ㄴ, ㄷ

8 하 중 상
●● 서술형

인도, 오스트레일리아, 아프리카 남부, 남아메리카 대륙은 현재 아열대 및 열대 기후대에 속한다. 이 대륙들에서 고생대 말의 빙하 퇴적층이 발견되는 까닭을 서술하시오.

I

9 (하)(중)(상)

그림은 현재 대륙에 남아 있는 고생대 말의 빙하 퇴적층의 분포와 빙하의 이동 방향을 나타낸 것이다.

이에 대한 설명으로 옳은 것만을 〈보기〉에서 있는 대로 고른 것은?

〈 보기 〉
ㄱ. 고생대 말에 인도 대륙은 남극 대륙 부근에 있었다.
ㄴ. 고생대 말에 빙하는 극지역과 적도 지역에 분포하였다.
ㄷ. 남아메리카 대륙과 아프리카 대륙에서는 같은 종류의 화석이 발견될 수 있다.

① ㄱ   ② ㄴ   ③ ㄱ, ㄷ
④ ㄴ, ㄷ   ⑤ ㄱ, ㄴ, ㄷ

10 (하)(중)(상)

그림은 홈스의 맨틀 대류설을 나타낸 모형이다.

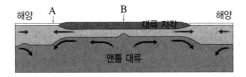

이에 대한 설명으로 옳지 않은 것은?

① A에서는 해령이 발달한다.
② A에서는 횡압력이 작용한다.
③ B에서는 새로운 해양이 생성된다.
④ 맨틀 대류는 대륙 이동의 원동력이다.
⑤ 맨틀 상부와 하부의 온도 차이로 대류가 일어난다.

11 (하)(중)(상)   ••서술형

다음은 대륙의 이동에 대한 두 학설의 내용이다.

(가) 맨틀 내부에서는 매우 느리게 열대류가 일어난다.
(나) 판게아가 분리되고 이동하여 현재와 같은 대륙 분포가 되었다.

(가)와 (나) 학설이 등장했던 당시에 지지받지 못했던 까닭을 각각 서술하시오.

12 (하)(중)(상)

그림 (가)는 판게아가 형성되었을 때 산맥의 분포를, (나)는 현재 메소사우루스 화석의 분포를 나타낸 것이다.

        (가)   (나)

이에 대한 설명으로 옳은 것만을 〈보기〉에서 있는 대로 고른 것은?

〈 보기 〉
ㄱ. 중생대 말에 애팔래치아산맥과 칼레도니아산맥은 서로 연결되어 있었다.
ㄴ. 메소사우루스 화석은 대서양의 심해 퇴적층에서는 발견되기 어렵다.
ㄷ. 메소사우루스는 남아메리카 대륙과 아프리카 대륙이 분리된 후에 출현하였다.
ㄹ. (가)와 (나)는 대륙 이동설의 증거가 된다.

① ㄱ, ㄴ   ② ㄴ, ㄹ   ③ ㄷ, ㄹ
④ ㄱ, ㄴ, ㄷ   ⑤ ㄱ, ㄷ, ㄹ

B 해양저 확장설

해저 지형 탐사

13 (하)(중)(상)

해수면에서 해저면으로 발사한 음파의 왕복 시간이 4.5초일 때 수심은 몇 m인가? (단, 물속에서 음파의 평균 속도는 1500 m/s이고, 음파의 속도는 일정하다.)

① 1687.5 m   ② 3375 m   ③ 6750 m
④ 13500 m   ⑤ 33750 m

14 (하)(중)(상)

해저 지형을 대륙 주변부와 심해저 지형으로 구분할 때 심해저 지형만을 〈보기〉에서 있는 대로 고르시오.

〈 보기 〉
ㄱ. 해령   ㄴ. 대륙붕   ㄷ. 대륙 사면
ㄹ. 심해 평원   ㅁ. 평정해산

15 하 중 상

그림은 음파를 이용하여 수심을 측정하는 모습을 나타낸 것이다. 이에 대한 설명으로 옳지 않은 것은?

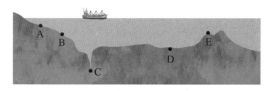

① 음파가 해저면에 반사되어 되돌아오는 데 걸린 시간을 측정한다.
② 측정한 시간이 길수록 수심이 깊다.
③ 수심은 '음파의 왕복 시간×음파의 속도'로 구한다.
④ 물속에서 음파의 속력은 공기에서보다 빠르다.
⑤ 음향 측심법으로 밝혀진 해저 지형은 해양저 확장설의 기초 자료가 되었다.

16 하 중 상

그림은 해령과 해구를 포함한 해저 지형의 모식도를 나타낸 것이다.

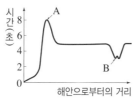

이에 대한 설명으로 옳은 것만을 〈보기〉에서 있는 대로 고른 것은?

〈 보기 〉
ㄱ. 음파의 왕복 시간은 B 지점이 A 지점보다 길다.
ㄴ. C 지점에는 해구가, E 지점에는 해령이 분포한다.
ㄷ. D 지점은 C 지점보다 해양 지각의 나이가 많다.

① ㄱ　　　　② ㄴ　　　　③ ㄷ
④ ㄱ, ㄴ　　　⑤ ㄴ, ㄷ

17 하 중 상

그림은 어느 해양 탐사선이 직선 구간을 따라 이동하면서 해저에 발사한 음파의 왕복 시간을 측정한 것이다. 이에 대한 설명으로 옳은 것만을 〈보기〉에서 있는 대로 고른 것은? (단, 물속에서 음파의 평균 속도는 1500 m/s이다.)

〈 보기 〉
ㄱ. 수심이 가장 깊은 곳은 A이다.
ㄴ. B에는 열곡이 발달한다.
ㄷ. 암석의 연령은 A가 B보다 많다.

① ㄱ　　　　② ㄴ　　　　③ ㄱ, ㄷ
④ ㄴ, ㄷ　　　⑤ ㄱ, ㄴ, ㄷ

18 하 중 상

표는 어느 해양 탐사선에서 측정한 기준점으로부터의 거리와 음파가 해저면에서 반사되어 되돌아오는 데 걸린 시간을 나타낸 것으로, 측정 구간에는 해령이 존재한다.

거리(km)	5	10	15	20	25	30	35	40	45	50
시간(s)	6.6	6.7	6.7	4.4	3.5	2.4	2.4	4.5	6.6	6.7

이에 대한 설명으로 옳은 것만을 〈보기〉에서 있는 대로 고른 것은? (단, 물속에서 음파의 평균 속도는 약 1500 m/s이다.)

〈 보기 〉
ㄱ. 기준점으로부터 5 km 지점의 수심은 4950 m이다.
ㄴ. 30 km~35 km 구간에 해령이 존재한다.
ㄷ. 25 km~30 km 구간은 35 km~40 km 구간보다 해저 지형의 평균 경사가 급하다.

① ㄱ　　　　② ㄷ　　　　③ ㄱ, ㄴ
④ ㄱ, ㄷ　　　⑤ ㄱ, ㄴ, ㄷ

19 하 중 상

• •서술형

다음은 음향 측심 자료를 이용하여 A와 B 해역의 해저 지형을 알아보기 위한 탐구 과정을 나타낸 것이다.

표는 A와 B 해역에서 직선 구간을 따라 일정한 간격으로 측정한 음향 측심 자료이다. A와 B 해역에는 각각 해령 또는 해구가 존재한다.

A 해역	탐사 지점	A_1	A_2	A_3	A_4	A_5	A_6
	음파 왕복 시간(s)	5.6	9.4	6.2	5.9	5.7	5.6
B 해역	탐사 지점	B_1	B_2	B_3	B_4	B_5	B_6
	음파 왕복 시간(s)	5.5	5.2	4.8	4.2	4.7	5.1

(가) A와 B 해역의 각 지점의 수심을 구한다. (단, 물속에서 음파의 이동 속도는 약 1500 m/s이다.)
(나) 가로축은 탐사 지점, 세로축은 수심인 그래프를 그린다.

(1) A와 B 해역에서 수심이 가장 깊은 지점을 고르고, 수심이 몇 m인지 식을 세워 구하시오.

(2) A와 B 해역에서 수심이 가장 얕은 지점을 고르고, 수심이 몇 m인지 식을 세워 구하시오.

(3) A와 B 해역 중 ㉠해구가 존재하는 해역과 ㉡해령이 존재하는 해역을 각각 고르시오.

20 하 중 상

그림은 대서양 해저면에서 판의 경계를 가로지르는 P_1-P_6 구간을, 표는 각 지점의 연직 방향에 있는 해수면에서 음파를 발사하여 해저면에 반사되어 되돌아오는 데 걸린 시간을 나타낸 것이다.

지점	P_1로부터의 거리 (km)	시간 (초)
P_1	0	7.70
P_2	420	7.36
P_3	840	6.14
P_4	1260	3.95
P_5	1680	6.55
P_6	2100	6.97

이에 대한 설명으로 옳은 것은? (단, 해수에서 음파의 평균 속도는 약 1500 m/s이다.)

① 수심이 가장 얕은 지점은 P_1이다.
② P_2 지점의 수심은 9000 m보다 깊다.
③ P_3-P_5 지점 사이에 해구가 분포한다.
④ 해양 지각의 나이는 P_5 지점이 P_4 지점보다 많다.
⑤ P_1-P_6 구간에 있는 판의 경계는 맨틀 대류의 하강부로, 해양 지각이 소멸된다.

해양저 확장설

21 하 중 상

해양저 확장설에 대한 설명으로 옳은 것만을 〈보기〉에서 있는 대로 고르시오.

〈 보기 〉

ㄱ. 해령에서 새로운 해양 지각이 생성되어 해령을 기준으로 양쪽으로 확장된다.
ㄴ. 해령에서 멀어질수록 해저 퇴적물의 두께가 얇다.
ㄷ. 섭입대에서는 대륙에서 해구 쪽으로 갈수록 지진이 발생하는 깊이가 깊어진다.

22 하 중 상

다음 설명에 해당하는 과학자는?

• 해령이 끊어져 어긋나는 구간에서 천발 지진이 발생하는 것을 발견하였다.
• 변환 단층이 형성되는 까닭을 설명하였다.

① 윌슨　　　② 헤스　　　③ 홈스
④ 베게너　　　⑤ 아이작스

23 하 중 상

탐사 기술의 발전과 발견된 내용을 옳게 짝 지은 것은?

① 자력계 개발 – 해양 지각의 나이 측정
② 해양 시추선의 음향 측심 탐사 – 해저 지형 조사
③ 방사성 동위 원소 – 변환 단층 발견
④ 대서양 중앙 해령 연구 – 섭입대 주변의 진원 깊이 분석
⑤ 전 세계 지진 관측망 구축 – 해양 지각의 고지자기 분석

24 빈출 하 중 상

그림은 판 경계가 발달한 어느 해양에서 판 경계에 수직 방향으로 거리에 따른 해양 지각의 연령 분포를 나타낸 것이다.

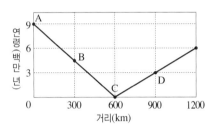

이에 대한 설명으로 옳은 것은?

① A에서 C로 갈수록 해저 퇴적물의 두께가 두껍다.
② C는 해양 지각이 소멸하는 곳이다.
③ A는 D와 같은 판에 속한다.
④ B와 D 지점 사이의 거리는 점점 멀어질 것이다.
⑤ 최근 3백만 년 동안 판의 평균 이동 속력은 B가 속한 판이 D가 속한 판보다 빠르다.

25 빈출 하 중 상　　　　多 보기

그림은 해양 지각의 나이와 고지자기 줄무늬를 나타낸 모식도이다.

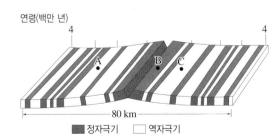

이에 대한 설명으로 옳지 않은 것만을 모두 고르면? (2개)

① 해령을 기준으로 고지자기 줄무늬가 대칭을 이룬다.
② A~C 중 해령에 가장 가까운 지점은 B이다.
③ A의 암석은 C의 암석과 같은 시기에 생성되었다.
④ C의 암석이 생성될 때 지구 자기장의 방향은 현재와 같다.
⑤ A와 B에서 해양 지각의 이동 방향은 서로 반대이다.
⑥ 판의 평균 이동 속력은 1 cm/년이다.

26 (하중상)

그림은 어느 해령 부근의 고지자기 분포를 나타낸 것이다.

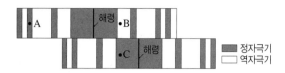

이에 대한 설명으로 옳은 것만을 〈보기〉에서 있는 대로 고른 것은?

─〈 보기 〉─

ㄱ. 해양 지각의 나이를 비교하면, A>B=C이다.

ㄴ. B와 C가 위치한 해양 지각의 이동 방향은 서로 같다.

ㄷ. A와 C의 암석이 생성될 당시에 지구 자기장의 방향은 같았다.

① ㄱ   ② ㄷ   ③ ㄱ, ㄴ

④ ㄴ, ㄷ   ⑤ ㄱ, ㄴ, ㄷ

빈출 27 (하중상)

그림은 해령 주변의 지형을 나타낸 것이다. 이에 대한 설명으로 옳은 것만을 〈보기〉에서 있는 대로 고른 것은?

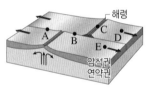

─〈 보기 〉─

ㄱ. A는 변환 단층에 해당한다.

ㄴ. B에서는 지진이 거의 발생하지 않는다.

ㄷ. C는 맨틀 대류의 상승부로 화산 활동이 활발하다.

ㄹ. E는 D보다 해양 지각의 나이가 많다.

① ㄱ, ㄴ   ② ㄱ, ㄷ   ③ ㄱ, ㄹ

④ ㄴ, ㄷ   ⑤ ㄷ, ㄹ

빈출 28 (하중상)

그림은 판의 경계가 나타나는 어느 지역에서 동서 방향의 진원 분포를 나타낸 것이다. 이에 대한 설명으로 옳지 <u>않은</u> 것은?

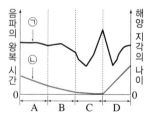

① 맨틀 대류의 하강부에 위치한 지역이다.

② 동쪽에 있는 판의 밀도가 서쪽에 있는 판의 밀도보다 크다.

③ 서쪽에 있는 판 아래에 섭입대가 형성된다.

④ 화산 활동은 동쪽에 있는 판에서 활발하게 일어난다.

⑤ 해구에서 해양 지각이 소멸하는 곳으로, 해양저 확장설의 증거가 된다.

29 (하중상) ••서술형

섭입대 주변에서 해구에서 대륙 쪽으로 갈수록 진원의 깊이가 깊어지는 까닭을 다음 내용을 모두 포함하여 서술하시오.

> 맨틀 대류, 판의 밀도

빈출 30 (하중상)

그림은 우리나라 주변의 판 경계와, 수평 거리가 같은 A−A′ 구간과 B−B′ 구간에서 발생한 지진의 진원 분포를 나타낸 것이다.

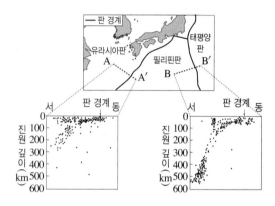

이에 대한 설명으로 옳은 것만을 〈보기〉에서 있는 대로 고른 것은?

─〈 보기 〉─

ㄱ. A−A′ 구간에서 유라시아판은 필리핀판 아래로 섭입한다.

ㄴ. B−B′ 구간에서 화산 활동은 필리핀판에서 주로 일어난다.

ㄷ. 섭입대의 경사는 A−A′ 구간이 B−B′ 구간보다 작다.

① ㄱ   ② ㄴ   ③ ㄱ, ㄷ

④ ㄴ, ㄷ   ⑤ ㄱ, ㄴ, ㄷ

31 (하중상)

그림은 어느 해양에서 해령을 수직으로 횡단하면서 직선 구간을 따라 관측한 음파의 왕복 시간과 해양 지각의 나이를 순서 없이 ㉠, ㉡으로 나타낸 것이다. 이에 대한 설명으로 옳은 것만을 〈보기〉에서 있는 대로 고른 것은? (단, A~D 구간의 거리 간격은 같다.)

─〈 보기 〉─

ㄱ. 해양 지각의 나이는 ㉠이다.

ㄴ. 평균 수심은 A 구간이 B 구간보다 깊다.

ㄷ. 퇴적물의 두께는 B 구간이 C 구간보다 두껍다.

ㄹ. 판의 이동 속력은 C 구간이 D 구간보다 빠르다.

① ㄱ, ㄴ   ② ㄱ, ㄷ   ③ ㄷ, ㄹ

④ ㄱ, ㄴ, ㄹ   ⑤ ㄴ, ㄷ, ㄹ

32 하⟨중⟩상

그림은 북대서양에서 해양 지각의 나이를 나타낸 것이다.

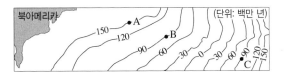

이에 대한 설명으로 옳은 것만을 〈보기〉에서 있는 대로 고른 것은?

〈 보기 〉
ㄱ. A에서 B 지점으로 갈수록 수심이 얕아진다.
ㄴ. B와 C 지점 사이에 해령이 분포한다.
ㄷ. B와 C 지점에서 암석의 잔류 자기 방향은 같다.

① ㄱ   ② ㄴ   ③ ㄱ, ㄷ
④ ㄴ, ㄷ   ⑤ ㄱ, ㄴ, ㄷ

33 하⟨중⟩상

그림은 여러 해양에서 관측한 고지자기 분포를 해령으로부터의 거리와 해양 지각의 나이에 따라 나타낸 것이다.

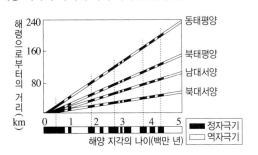

이에 대한 설명으로 옳은 것만을 〈보기〉에서 있는 대로 고른 것은?

〈 보기 〉
ㄱ. 해령에서 멀어질수록 해양 지각의 나이가 증가한다.
ㄴ. 지구 자기장의 역전 주기는 불규칙하다.
ㄷ. 해저 확장 속도는 동태평양에서 가장 빠르다.

① ㄱ   ② ㄷ   ③ ㄱ, ㄴ
④ ㄴ, ㄷ   ⑤ ㄱ, ㄴ, ㄷ

ⒸC 판 구조론의 정립 과정

34 하⟨중⟩상

〈보기〉는 판 구조론이 정립되기까지 제시된 학설이다.

〈 보기 〉
ㄱ. 맨틀 대류설   ㄴ. 해양저 확장설   ㄷ. 대륙 이동설

등장한 순서대로 옳게 나열한 것은?

① ㄱ→ㄴ→ㄷ   ② ㄱ→ㄷ→ㄴ   ③ ㄴ→ㄷ→ㄱ
④ ㄷ→ㄱ→ㄴ   ⑤ ㄷ→ㄴ→ㄱ

빈출 35 하⟨중⟩상

대륙 이동설이 발전하여 판 구조론이 정립되기까지의 과정에 대한 설명으로 옳은 것만을 〈보기〉에서 있는 대로 고른 것은?

〈 보기 〉
ㄱ. 베게너는 맨틀 대류에 의해 대륙이 이동한다고 주장하였다.
ㄴ. 판 구조론의 정립으로 지권의 변동을 통합적으로 이해할 수 있게 되었다.
ㄷ. 해령, 해구 등 해저 지형의 발견은 해양저 확장설의 발달에 도움을 주었다.
ㄹ. 변환 단층의 발견은 해양저 확장의 증거가 되었다.

① ㄱ, ㄴ   ② ㄱ, ㄷ   ③ ㄷ, ㄹ
④ ㄱ, ㄴ, ㄹ   ⑤ ㄴ, ㄷ, ㄹ

빈출 36 하⟨중⟩상   多 보기

표는 판 구조론이 정립되기까지 발표된 학설의 내용이다.

학설	내용
(가)	⊙초대륙이 분리되고 이동하여 현재와 같은 대륙 분포를 이루었다.
(나)	해령을 중심으로 해양저가 확장한다.
(다)	방사성 동위 원소의 붕괴열로 맨틀이 대류한다.

이에 대한 설명으로 옳은 것만을 모두 고르면? (3개)

① (가)는 해양저 확장설에 대한 내용이다.
② (나)는 홈스가 제안한 학설이다.
③ (다)는 대륙을 이동시키는 원동력을 설명하였다.
④ 등장한 순서는 (가) → (나) → (다)이다.
⑤ (가)의 ⊙은 판게아이다.
⑥ 베게너는 해양 지각의 나이를 증거로 (가)를 주장하였다.
⑦ 음향 측심법을 통한 연구 자료는 (나)의 바탕이 되었다.
⑧ (다)는 등장한 당시에 맨틀 대류의 관측적 증거를 제시하였다.
⑨ 윌슨은 해령과 해령 사이에 발달한 단층은 (다)에 의해 형성되었다고 설명하였다.

판 구조론

A 판의 구조

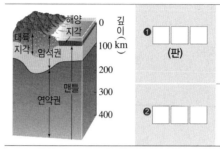

❶ ☐☐☐ (판)	지각과 상부 맨틀의 일부를 포함한 두께 약 100 km의 단단한 부분으로, 암석권의 조각을 판이라고 한다. ➡ 판 ┌ 대륙판: 대륙 지각 + 상부 맨틀 일부 　　　└ 해양판: 해양 지각 + 상부 맨틀 일부
❷ ☐☐☐	암석권 아래의 깊이 약 100 km~400 km 구간 ➡ 고체 상태이지만, 맨틀 물질의 부분 용융으로 유동성이 있어 대류가 일어난다.

B 판 경계의 종류와 지각 변동

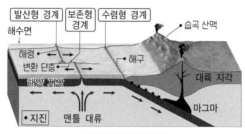

▲ 판 경계의 종류와 지형

▲ 전 세계 판 경계

구분	발산형 경계	보존형 경계	수렴형 경계	
판의 상대적인 이동 방향	이웃한 두 판이 서로 멀어지는 경계 ➡ 판 생성, 맨틀 대류 상승부	이웃한 두 판이 서로 어긋나는 경계	이웃한 두 판이 서로 모여드는 경계 ➡ 판 소멸, 맨틀 대류 하강부	
지각 변동	❸ ☐☐ 지진, 화산 활동, 정단층 _장력이 작용하여 형성_	❹ ☐☐ 지진	섭입형	천발 지진, 중발 지진, 심발 지진, 화산 활동, 역단층 _횡압력이 작용하여 형성_
			충돌형	천발 지진, 중발 지진, 역단층
지형	해령, 열곡대 例 · 동태평양 해령(F) · 대서양 중앙 해령(H) · 아이슬란드 열곡대(I) · 동아프리카 열곡대(A)	변환 단층 例 산안드레아스 단층(❺☐)	섭입형	해구, 호상 열도, 습곡 산맥 例 · 일본 해구, 일본 열도(C) · 알류샨 해구, 알류샨 열도(D) · 페루 해구, 안데스산맥(G)
			충돌형	습곡 산맥 例 히말라야산맥(❻☐)

빈출 자료 보기

정답과 해설 6쪽

37 그림은 판의 경계 부근에서 발달한 지형 A, B, C를 나타낸 것이다.

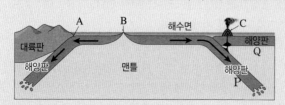

이에 대한 설명으로 옳은 것은 ○, 옳지 <u>않은</u> 것은 ×로 표시하시오.

(1) A는 해구, B는 해령, C는 호상 열도이다. ( )
(2) A는 맨틀 대류가 하강하는 곳이다. ( )
(3) B는 보존형 경계에 해당한다. ( )
(4) B에서는 화산 활동이 활발하고, 판이 생성된다. ( )
(5) C 부근에서는 심발 지진이 발생한다. ( )
(6) 해양판 Q는 해양판 P보다 밀도가 크다. ( )
(7) B에서 A로 갈수록 해양 지각의 나이가 증가한다. ( )
(8) A에서는 정단층이 우세하게 나타난다. ( )

A 판의 구조

빈출
38 하중상
多 보기

판 구조론에 대한 설명으로 옳지 <u>않은</u> 것만을 모두 고르면? (3개)

① 판 구조론은 해양저 확장설의 근거가 되었다.
② 판은 지각과 상부 맨틀의 일부를 포함한다.
③ 해양 지각은 주로 화강암질 암석으로 이루어져 있다.
④ 해양판은 대륙판보다 밀도가 크다.
⑤ 암석권은 부분 용융되어 있어 유동성이 있다.
⑥ 연약권에서 일어나는 대류를 따라 판이 이동한다.
⑦ 암석권은 연약권보다 밀도가 작다.
⑧ 판의 경계에는 수렴형, 발산형, 보존형 경계가 있다.

빈출
39 하중상

그림은 판의 구조를 나타낸 것이다. 이에 대한 설명으로 옳은 것만을 〈보기〉에서 있는 대로 고른 것은?

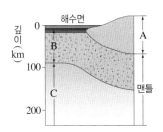

〈 보기 〉
ㄱ. A는 암석권에 포함된다.
ㄴ. B의 평균 밀도는 대륙보다 해양에서 크다.
ㄷ. C는 액체 상태로, 대류가 일어난다.

① ㄱ   ② ㄴ   ③ ㄷ
④ ㄱ, ㄴ   ⑤ ㄴ, ㄷ

B 판 경계의 종류와 지각 변동

40 하중상

그림은 판의 경계를 나타낸 것이다.

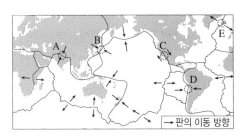

A~E 중 발산형 경계만을 모두 고른 것은?

① C   ② E   ③ A, C   ④ C, E   ⑤ A, B, D

41 하중상
多 보기

해양판과 대륙판이 모여드는 경계의 특징이 <u>아닌</u> 것만을 모두 고르면? (2개)

① 해구 발달   ② 화산 활동
③ 심발 지진   ④ 정단층 우세
⑤ 습곡 산맥 발달   ⑥ 맨틀 대류 상승부

[42~43] 그림은 판의 경계와 판의 이동 방향을 나타낸 모식도이다.

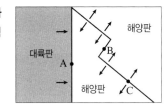

42 하중상

이에 대한 설명으로 옳은 것만을 〈보기〉에서 있는 대로 고른 것은?

〈 보기 〉
ㄱ. A는 발산형 경계에 해당한다.
ㄴ. B에서는 A보다 화산 활동이 활발하게 일어난다.
ㄷ. C에서는 A보다 정단층이 우세하게 관측된다.

① ㄱ   ② ㄴ   ③ ㄷ
④ ㄱ, ㄷ   ⑤ ㄴ, ㄷ

43 하중상
• 서술형

B와 C 경계에서 일어나는 지각 변동의 공통점과 차이점을 한 가지씩만 서술하시오.

빈출
44 하중상

그림은 판의 경계와 주변 지형을 나타낸 모식도이다.

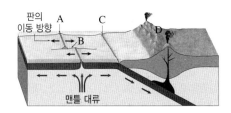

이에 대한 설명으로 옳은 것만을 〈보기〉에서 있는 대로 고른 것은?

〈 보기 〉
ㄱ. A와 B에서는 화산 활동이 활발하게 일어난다.
ㄴ. B에서는 판이 생성되거나 소멸되지 않는다.
ㄷ. C에서 D로 갈수록 진원의 깊이가 깊어진다.

① ㄱ   ② ㄴ   ③ ㄷ
④ ㄱ, ㄷ   ⑤ ㄴ, ㄷ

45 하 중 상

그림 (가)는 두 대륙판이 만나는 경계 지역의 단면을, (나)는 두 해양판이 만나는 경계 지역의 단면을 나타낸 것이다.

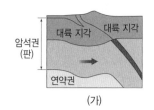 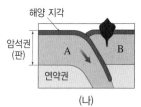

(가)   (나)

이에 대한 설명으로 옳은 것만을 〈보기〉에서 있는 대로 고른 것은?

〈 보기 〉

ㄱ. (가)에서 대륙판과 대륙판이 충돌하여 해구와 습곡 산맥이 발달한다.

ㄴ. (나)에서 A는 B보다 판의 밀도가 크다.

ㄷ. 화산 활동은 (가)보다 (나)에서 활발하게 일어난다.

① ㄱ   ② ㄴ   ③ ㄱ, ㄷ
④ ㄴ, ㄷ   ⑤ ㄱ, ㄴ, ㄷ

46 (빈출) 하 중 상

그림은 어느 판 경계 부근의 해역에서 발생한 지진의 진앙 분포를 나타낸 것이다. A와 B는 서로 다른 판에 속한 두 지점이고, 판 경계는 ㉠과 ㉡ 중 한 곳에 위치한다.

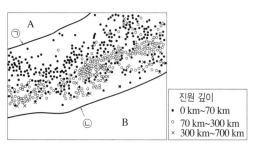

이에 대한 설명으로 옳은 것만을 〈보기〉에서 있는 대로 고른 것은? (단, 진앙은 진원의 바로 위에 있는 지표면의 지점이다.)

〈 보기 〉

ㄱ. 발산형 경계 부근의 해역이다.

ㄴ. ㉠에 해구가 발달한다.

ㄷ. 판의 밀도는 A가 속한 판이 B가 속한 판보다 크다.

ㄹ. 화산 활동은 A가 속한 판 쪽에서 발생한다.

① ㄱ, ㄴ   ② ㄱ, ㄷ   ③ ㄴ, ㄷ
④ ㄴ, ㄹ   ⑤ ㄷ, ㄹ

[47~48] 그림은 전 세계 주요 판의 경계와 이동 방향을 나타낸 것이다.

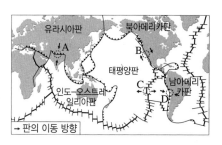

47 하 중 상   ••서술형

A~D 지역의 판 경계 유형을 발산형, 보존형, 수렴형으로 구분하고, 해당 지역에서 발달하는 지형을 각각 한 가지씩 서술하시오.

48 (빈출) 하 중 상

이에 대한 설명으로 옳은 것만을 〈보기〉에서 있는 대로 고른 것은?

〈 보기 〉

ㄱ. A는 맨틀 대류의 상승부에 위치한다.

ㄴ. B에서는 판이 생성되거나 소멸되지 않는다.

ㄷ. C에서는 주로 천발 지진이 발생한다.

ㄹ. 판 경계에 이웃하는 두 판의 밀도 차이는 D가 A보다 크다.

① ㄱ, ㄷ   ② ㄱ, ㄹ   ③ ㄴ, ㄹ
④ ㄱ, ㄴ, ㄷ ⑤ ㄴ, ㄷ, ㄹ

49 하 중 상

그림은 태평양 어느 해역의 판 경계를 나타낸 것이다.

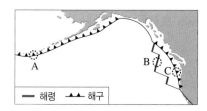

이에 대한 설명으로 옳은 것만을 〈보기〉에서 있는 대로 고른 것은?

〈 보기 〉

ㄱ. A에서는 새로운 해양 지각이 생성된다.

ㄴ. B에서는 해저 퇴적물의 두께가 가장 얇다.

ㄷ. A, B, C 부근에서는 모두 화산 활동이 활발하다.

① ㄱ   ② ㄷ   ③ ㄱ, ㄴ
④ ㄴ, ㄷ   ⑤ ㄱ, ㄴ, ㄷ

50 하(중)상

그림은 어느 두 판의 경계를 나타낸 것이다.

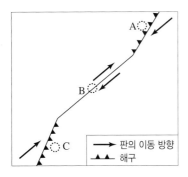

A~C 지역에 대한 설명으로 옳은 것만을 〈보기〉에서 있는 대로 고른 것은?

〈 보기 〉

ㄱ. A의 하부에는 섭입대가 분포한다.

ㄴ. A~C 지역에서는 모두 천발 지진이 발생한다.

ㄷ. 화산 활동은 C보다 B 지역에서 활발하게 발생한다.

① ㄴ 　　　② ㄷ 　　　③ ㄱ, ㄴ

④ ㄱ, ㄷ 　　⑤ ㄱ, ㄴ, ㄷ

51 하/중(상)

그림은 판의 경계 A~C를 구분하는 과정을 나타낸 것이다.

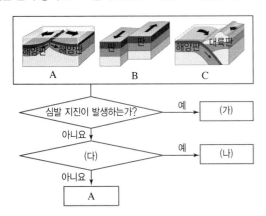

이에 대한 설명으로 옳은 것만을 〈보기〉에서 있는 대로 고른 것은?

〈 보기 〉

ㄱ. (가)에 해당하는 경계는 C이다.

ㄴ. (나)에 해당하는 경계에서는 화산 활동이 활발하다.

ㄷ. '해양 지각이 생성되는가?'는 (다)에 적합한 질문이다.

① ㄱ 　　　② ㄴ 　　　③ ㄱ, ㄷ

④ ㄴ, ㄷ 　　⑤ ㄱ, ㄴ, ㄷ

52 하(중)상

그림 (가)는 판 Ⅰ과 판 Ⅱ의 경계 부근을, (나)는 두 판의 이동 방향과 밀도를 나타낸 것이다.

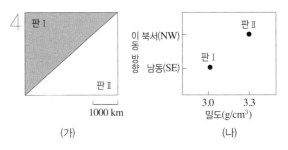

이에 대한 설명으로 옳은 것만을 〈보기〉에서 있는 대로 고른 것은? (단, 판 Ⅱ는 해양판이다.)

〈 보기 〉

ㄱ. 이 지역은 맨틀 대류가 상승하는 지역이다.

ㄴ. 판 Ⅰ와 판 Ⅱ는 서로 가까워지고 있다.

ㄷ. 화산 활동은 판 Ⅱ보다 판 Ⅰ에서 더 활발하다.

ㄹ. 판의 경계에서 판 Ⅱ 쪽으로 갈수록 진원의 깊이가 깊어진다.

① ㄱ, ㄴ 　　② ㄱ, ㄷ 　　③ ㄴ, ㄷ

④ ㄴ, ㄹ 　　⑤ ㄷ, ㄹ

53 하/중(상)

그림은 두 해양판 A와 B의 분포를, 표는 판의 이동 방향과 이동 속력을 나타낸 것이다.

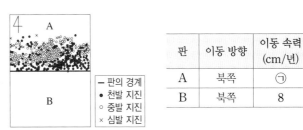

판	이동 방향	이동 속력 (cm/년)
A	북쪽	㉠
B	북쪽	8

이에 대한 설명으로 옳은 것만을 〈보기〉에서 있는 대로 고른 것은?

〈 보기 〉

ㄱ. 판의 밀도는 A가 B보다 크다.

ㄴ. 호상 열도는 판 A에서 형성될 수 있다.

ㄷ. 판 A의 이동 속력 ㉠은 8보다 크다.

① ㄴ 　　　② ㄷ 　　　③ ㄱ, ㄴ

④ ㄱ, ㄷ 　　⑤ ㄱ, ㄴ, ㄷ

고지자기와 대륙 분포의 변화

A 지구 자기장

지구 자기장	지구 자기력이 미치는 공간 ➡ 나침반의 자침은 자기력선에 나란하게 배열된다.	
지자기 북극	지구 중심에 거대한 막대자석이 있다고 가정할 때, 막대 자석의 S극 방향축과 지표가 만나는 지점	
지리상 북극	지구의 자전축과 북반구의 지표면이 만나는 지점 ➡ 지리상 북극은 지자기 북극과 일치하지 않는다.	
복각	나침반의 자침이 수평면과 이루는 각 • 자북극: 복각이 ❶ [ ][ ]°가 되는 지점 • 자남극: 복각이 ❷ [ ][ ]°가 되는 지점 • 자기 적도: 복각 ❸ [ ]° ➡ 자기 적도에서 자극으로 갈수록 복각의 크기 증가	
❹ [ ][ ]	지구 표면의 한 수평면 위의 관측 지점에서 진북과 자북이 이루는 각 • 진북: 지리상 북극 방향 • 자북: 나침반 자침의 N극이 가리키는 방향	

▲ 지구 자기장과 복각

▲ 위도에 따른 복각의 크기

B 고지자기와 대륙의 이동

1 고지자기 해석 지질 시대에 생성된 암석의 잔류 자기를 측정한다.
— 암석이 생성될 당시의 자기장이 남아 있는 것
① 과거 지구 자기장의 방향, 자극의 위치, 대륙의 위치 및 이동 등을 추정할 수 있다.
② 암석의 나이와 복각 측정: 암석이 생성될 당시의 ❺ [ ][ ]를 추정할 수 있다.

2 지질 시대 대륙의 이동 복원

자북극의 이동 경로	유럽 대륙과 북아메리카 대륙 암석의 고지자기를 해석하면, 자북극의 이동 경로가 서로 일치하지 않고 두 갈래로 나타난다. • 지질 시대 동안 자북극은 ❻ [ ]개 뿐이었으므로 두 경로를 일치시켜 보면 대륙이 모인다. • 현재 두 대륙에서 관측된 자북극의 이동 경로가 일치하지 않는 까닭: 유럽 대륙과 북아메리카 대륙이 과거에 서로 붙어 있었다가 이동하였기 때문이다. ➡ 관측된 자북극의 이동 경로는 대륙이 이동하여 나타난 겉보기 이동 경로이다.	▲ 현재의 대륙 분포와 자북극의 이동 경로　　▲ 대륙이 붙어 있을 때 자북극의 이동 경로 (단위: 억 년 전)
인도 대륙의 이동	고지자기 ❼ [ ][ ] 자료로부터 위도를 추정하여 복원하였다. • 인도 대륙의 위치: 7100만 년 전에는 ❽ [ ]반구에 있었고, 북상하여 현재는 북반구에 위치한다. • 인도 대륙이 아시아 대륙과 충돌하여 히말라야산맥이 형성되었다. ➡ 아시아 대륙과 인도 대륙 사이에 수렴형 경계 존재 • 평균 이동 속력: 인도 대륙은 7100만 년 전부터 현재까지 위도 상으로 약 50° 이동하였고, 위도 1° 사이의 거리가 110 km 라고 할 때 평균 이동 속력은 약 7.7 cm/년이다. 인도 대륙은 거의 북쪽으로만 이동했다고 가정한다.	

C 대륙 분포의 변화

1 지질 시대 대륙 분포의 변화

판게아(북반구에 로라시아 대륙, 남반구에 곤드와나 대륙 분포) 주변의 바다를 판탈라사, 로라시아 대륙과 곤드와나 대륙 사이의 바다를 테티스해라고 한다.

| 12억 년 전 | 2억4천만 년 전 | 1억5천만 년 전 | 5천만 년 전 | 현재 |

① 약 12억 년 전(선캄브리아 시대): ⑨ [   ]라는 초대륙이 있었고, 이후 분리되었다.

② 약 2억 4천만 년 전(고생대 말): ⑩ [   ]라는 초대륙이 형성되었다. → 북아메리카 대륙과 유럽 및 아프리카 대륙이 충돌하여 애팔래치아산맥 형성

③ 약 2억 년 전(중생대 초): 판게아가 분리되기 시작하였다.

④ 약 1억 5천만 년 전: 대서양이 열리면서 로라시아 대륙과 곤드와나 대륙이 거의 분리되었고, 다른 대륙들이 남극 대륙에서 분리되어 북쪽으로 이동하였다.

⑤ 약 1억 년 전: 남대서양이 열리면서 남아메리카 대륙과 아프리카 대륙이 분리되었다.
└→ 이후 아프리카 대륙에서 인도 대륙과 마다가스카르가 분리되었고, 남극 대륙에서 오스트레일리아 대륙이 분리되어 북쪽으로 이동하였다.

⑥ 약 6천만 년 전 이후(신생대): 인도 대륙이 아시아 대륙과 충돌하여 ⑪ [   ]산맥을 형성하였고, 지중해가 형성되었다.
└→ 산맥의 높이는 현재도 상승하고 있다.

2 미래의 대륙 분포의 변화
초대륙의 형성 주기는 약 3억 년~5억 년으로 추정된다.
① 초대륙의 형성과 분리: 대륙이 합쳐지고 분리되는 과정이 반복된다.

| 초대륙 중심에서 마그마 활동이 일어나 초대륙 분리 | → | 새로운 해양 형성, 해저에서 해령이 형성되어 해저 확장 | → | 대륙 주변부에서 해구와 섭입대가 형성되어 해양 지각 소멸 | → | 대륙과 대륙이 다시 가까워져 충돌하여 초대륙 형성 |

② 미래의 대륙 분포: 현재의 대륙 분포에서 수렴형 경계가 많아지면서 초대륙이 형성될 것이다.

• 로디니아 전에도 초대륙은 있었다.

기출 Tip ⓒ-1

대륙 분포의 변화 순서
로디니아 → 판게아 형성(판탈라사, 테티스해, 애팔래치아산맥 형성) → 판게아 분리 → 대서양 형성, 북아메리카 대륙과 유럽 대륙 분리 → 남대서양 확장, 남아메리카 대륙과 아프리카 대륙 분리 → 인도 대륙 북상 → 히말라야산맥 형성

기출 Tip ⓒ-2

지구 지각 전체의 표면적
판의 경계에서 판이 생성되거나 소멸되는 지각의 비율은 거의 일정하기 때문에 지각 전체의 표면적은 일정하게 유지된다.

답 ❶ +90 ❷ -90 ❸ 0 ❹ 편각
❺ 위도 ❻ 1 ❼ 복각 ❽ 남
❾ 로디니아 ❿ 판게아 ⑪ 히말라야

빈출 자료 보기

○ 정답과 해설 9쪽

54 그림은 위도가 다른 두 지역의 자기력선을 나타낸 것이다.

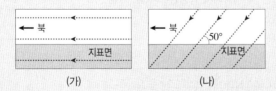

이에 대한 설명으로 옳은 것은 ○, 옳지 않은 것은 ×로 표시하시오.

(1) (가) 지역은 자기 적도에 위치한다. (   )

(2) (가) 지역의 복각은 90°이다. (   )

(3) (나) 지역은 남반구에 위치한다. (   )

(4) (나)에 표시된 각도는 편각을 나타낸 것이다. (   )

(5) (나) 지역에서 복각의 부호는 (+)이다. (   )

(6) (나) 지역에서 복각의 크기는 (가) 지역보다 작다. (   )

(7) (가) 지역에서 북쪽으로 이동하면 복각의 크기는 커진다. (   )

55 그림 (가)는 과거 약 7100만 년 동안 인도 대륙의 위치 변화와 복각 자료를, (나)는 복각과 위도의 관계를 나타낸 것이다.

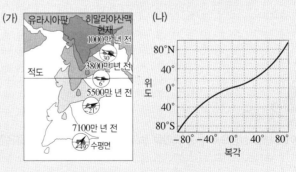

이에 대한 설명으로 옳은 것은 ○, 옳지 않은 것은 ×로 표시하시오.

(1) 7100만 년 전에 인도 대륙은 30°S 부근에 위치하였다. (   )

(2) 고위도에서 저위도로 갈수록 복각의 크기는 증가한다. (   )

(3) 이 기간 동안 인도 대륙은 북쪽으로 이동하였다. (   )

(4) 유라시아판과 인도 대륙 사이에 수렴형 경계가 있다. (   )

(5) 히말라야산맥의 높이는 점점 낮아질 것이다. (   )

A 지구 자기장

빈출
56 하중상
多 보기

지구 자기장에 대한 설명으로 옳은 것만을 모두 고르면? (3개)

① 지구의 자전축과 북반구의 지표면이 만나는 지점을 지자기 북극이라고 한다.

② 지자기 북극은 막대자석의 N극에 해당한다.

③ 현재 지리상 북극에 지자기 북극이 위치한다.

④ 나침반의 자침은 자기력선을 따라 배열된다.

⑤ 자북극에서 복각은 +90°이다.

⑥ 지리상 북극 방향을 자북이라고 한다.

⑦ 진북과 자북 사이의 각을 복각이라고 한다.

⑧ 복각의 크기는 자기 적도에서 고위도로 갈수록 커진다.

[57~58] 그림은 위도가 다른 세 지역의 자기력선을 나타낸 것이다.

(가)   (나)   (다)

57 하중상

(가)~(다) 지역의 복각을 각각 쓰시오.

빈출
58 하중상

이에 대한 설명으로 옳은 것만을 <보기>에서 있는 대로 고른 것은?

〈 보기 〉

ㄱ. (가)는 남반구에 위치한다.

ㄴ. (나)에서 나침반의 자침은 지표면에 나란하다.

ㄷ. (다)는 (나)에 비해 고위도에 위치한다.

① ㄱ   ② ㄷ   ③ ㄱ, ㄴ

④ ㄴ, ㄷ   ⑤ ㄱ, ㄴ, ㄷ

빈출
59 하중상

그림 (가)는 지구의 자기장의 모형을, (나)는 A와 B 지역에서 자기력선의 분포를 나타낸 것이다.

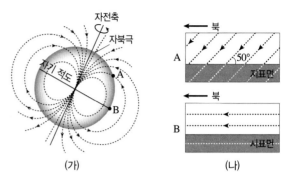

(가)   (나)

이에 대한 설명으로 옳은 것만을 <보기>에서 있는 대로 고른 것은?

〈 보기 〉

ㄱ. 지구 자기장의 축은 지구 자전축과 일치한다.

ㄴ. A 지역의 복각은 +50°이다.

ㄷ. B에서 A로 갈수록 복각은 작아진다.

① ㄱ   ② ㄴ   ③ ㄱ, ㄷ

④ ㄴ, ㄷ   ⑤ ㄱ, ㄴ, ㄷ

60 하중상

표는 세 지역에서 측정한 복각을, 그림은 A~C 중 한 지역의 자기력선 모습을 나타낸 것이다.

지역	A	B	C
복각	−35°	0°	+20°

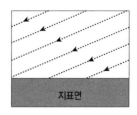

이에 대한 설명으로 옳은 것만을 <보기>에서 있는 대로 고른 것은?

〈 보기 〉

ㄱ. A~C 중 자북극에 가장 가까운 지역은 A이다.

ㄴ. A~C 중 가장 저위도인 지역은 B이다.

ㄷ. 그림은 C 지역의 자기력선 모습이다.

① ㄱ   ② ㄴ   ③ ㄷ

④ ㄱ, ㄷ   ⑤ ㄴ, ㄷ

61 (하 중 상)

그림은 지리상 북극과 자북극의 위치, 임의의 지점 A~C의 위치를 나타낸 것이다.

지리상 북극

자북극

A
B C

이에 대한 설명으로 옳은 것만을 〈보기〉에서 있는 대로 고른 것은?

〈 보기 〉

ㄱ. 복각은 A가 B보다 크다.

ㄴ. 복각은 B와 C 지점에서 같다.

ㄷ. A~C 지점에서 모두 나침반의 자침은 지리상 북극을 가리킨다.

① ㄱ   ② ㄴ   ③ ㄱ, ㄷ

④ ㄴ, ㄷ   ⑤ ㄱ, ㄴ, ㄷ

62 (하 중 상)

표는 북반구의 두 지점 (가)와 (나)에서 측정한 복각과 편각을 나타낸 것이다.

지점	복각	편각
(가)	+60°	5°W
(나)	+50°	10°E

이에 대한 설명으로 옳은 것만을 〈보기〉에서 있는 대로 고른 것은?

〈 보기 〉

ㄱ. 나침반의 자침이 수평면에서 기울어진 각도는 (가)가 (나)보다 크다.

ㄴ. 진북과 자북 사이의 각도는 (가)가 (나)보다 작다.

ㄷ. (나)에서 볼 때 진북은 자북의 동쪽에 위치한다.

① ㄱ   ② ㄷ   ③ ㄱ, ㄴ

④ ㄴ, ㄷ   ⑤ ㄱ, ㄴ, ㄷ

63 (하 중 상)

그림 (가)는 북극 주변의 편각 분포와 세 지점 A~C의 위치를, (나)의 ㉠~㉢은 A~C 지점에서 관측한 나침반의 모습을 각각 순서 없이 나타낸 것이다.

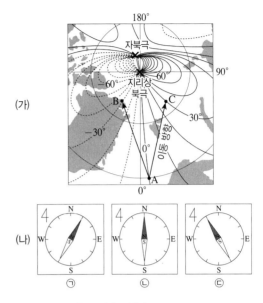

(가)

180°

자북극

지리상
북극

B   C

-60°

-30°

90°

30°

0°

(나)

㉠   ㉡   ㉢

이에 대한 설명으로 옳지 않은 것은?

① A 지점에서는 진북과 자북의 방향이 같다.

② A 지점에서 B 지점으로 이동하면 복각이 증가한다.

③ (나)에서 ㉠의 편각은 30°E이다.

④ ㉠~㉢ 중 C 지점에서 관측한 것은 ㉢이다.

⑤ A 지점에서 C 지점으로 이동하면 나침반의 자침이 진북에 대해 시계 방향으로 움직인다.

B 고지자기와 대륙의 이동

64 (하 중 상)   多 보기

고지자기에 대한 설명으로 옳지 않은 것만을 모두 고르면? (2개)

① 현재 지자기 북극은 1개이다.

② 과거에는 지자기 북극이 2개이던 때도 있었다.

③ 지질 시대의 암석에 남아 있는 잔류 자기를 고지자기라고 한다.

④ 암석에 남아 있는 잔류 자기를 측정하면 과거 자극의 위치를 추정할 수 있다.

⑤ 고기자기 편각 자료를 이용하여 과거 대륙의 위도를 추정할 수 있다.

⑥ 고지자기 연구로 과거 대륙이 이동한 경로를 알 수 있다.

65 하중상

그림은 암석이 생성될 때 잔류 자기가 형성되는 과정을 나타낸 것이다.

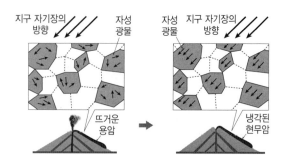

이에 대한 설명으로 옳은 것만을 〈보기〉에서 있는 대로 고른 것은?

〈 보기 〉
ㄱ. 막 분출한 고온의 마그마에서 자성 광물은 지구 자기장의 방향을 따라 배열된다.
ㄴ. 암석이 생성된 후 지구 자기장의 방향이 바뀌면 자성 광물의 자화 방향도 바뀐다.
ㄷ. 잔류 자기를 통해 과거 자극의 위치를 추정할 수 있다.

① ㄱ ② ㄷ ③ ㄱ, ㄴ
④ ㄴ, ㄷ ⑤ ㄱ, ㄴ, ㄷ

★빈출 66 하중상 &보기

그림은 위도 50°S에 위치한 어느 해령 부근의 고지자기 분포를 나타낸 모식도이다.

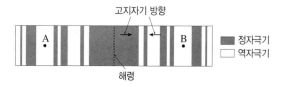

이에 대한 설명으로 옳지 않은 것만을 모두 고르면? (2개)

① 이 해령에서 측정한 복각의 부호는 (−)이다.
② A와 B 지점에서 해양 지각의 나이는 같다.
③ A와 B 지점의 고지자기 복각은 같다.
④ A 지점에서 고지자기 방향은 남쪽을 가리킨다.
⑤ B 지점은 A 지점보다 고위도에 위치한다.
⑥ B 지점의 해양 지각은 남쪽으로 이동하고 있다.

67 하중상

그림은 1900년부터 2015년까지 자북극의 이동 경로를 나타낸 것이다.

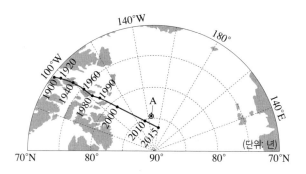

이에 대한 설명으로 옳은 것만을 〈보기〉에서 있는 대로 고른 것은?

〈 보기 〉
ㄱ. 1900년부터 2015년까지 자북극이 이동한 속력은 일정하지 않았다.
ㄴ. A에서 측정한 복각은 1900년에 최대이다.
ㄷ. 자북극은 지리상 북극과 일치하지 않는다.

① ㄱ ② ㄴ ③ ㄱ, ㄷ
④ ㄴ, ㄷ ⑤ ㄱ, ㄴ, ㄷ

★빈출 68 하중상

그림 (가)는 A와 B 대륙에서 측정한 고지자기 북극의 이동 경로를 나타낸 것이고, (나)는 두 대륙에서 측정한 고지자기 북극의 이동 경로를 일치시켰을 때 나타나는 대륙 분포이다.

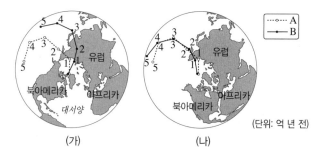

(가) (나)

이에 대한 설명으로 옳은 것은? (단, A와 B는 각각 북아메리카와 유럽 대륙 중 하나이다.)

① 3억 년 전에는 지자기 북극이 2개였다.
② 과거에 두 대륙이 하나로 붙어 있었다.
③ 유럽에서 측정한 고지자기 북극의 이동 경로는 B이다.
④ 유럽과 북아메리카 대륙이 합쳐지면서 대서양의 면적이 넓어졌다.
⑤ 유럽과 북아메리카 대륙이 분리되면서 두 대륙 사이에 습곡 산맥이 형성되었다.

69 (하 **중** 상) ●●서술형

그림은 유럽 대륙과 북아메리카 대륙에서 측정한 과거 약 5억 년 동안의 자북극의 이동 경로를 나타낸 것이다. 두 대륙에서 조사한 자북극의 이동 경로가 서로 다르게 나타나는 까닭을 서술하시오.

(단위: 억 년 전)

70 (하 **중** 상)

그림은 7100만 년 전부터 현재까지 인도 대륙의 위치 변화를 나타낸 것이다. 이에 대한 설명으로 옳은 것은?

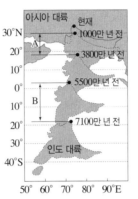

① 7100만 년 전에 히말라야산맥이 형성되었다.

② 5500만 년 전에는 인도 대륙과 아시아 대륙 사이에 바다가 있었다.

③ 인도 대륙과 아시아 대륙 사이에는 발산형 경계가 존재하였다.

④ A 구간에서 생성된 암석과 B 구간에서 생성된 암석의 복각은 같다.

⑤ A 구간에서 인도 대륙의 이동 속력은 B 구간에서 인도 대륙의 이동 속력보다 빠르다.

71 (하 **중** 상) ●●서술형

표는 지질 시대 동안 인도 대륙의 위도를 나타낸 것이다.

시기(만 년 전)	7100	5500	3800	1000	현재
위도	30°S	11°S	3°N	16°N	20°N

(1) 위도 1° 사이의 거리가 110 km라고 할 때, 7100만 년 동안 인도 대륙의 평균 이동 속력은 몇 cm/년인지 풀이 과정과 함께 구하시오. (단, 인도 대륙은 남북 방향으로만 이동했다고 가정하며, 이동 속력은 소수점 둘째 자리에서 반올림한다.)

(2) 3800만 년 전부터 현재까지 인도 대륙의 복각 변화를 서술하시오. (단, 자북극과 지리상 북극의 위치는 현재와 같다고 가정한다.)

72 (하 **중** 상)

표는 인도 대륙을 이루는 암석의 고지자기 연구로 알아낸 시기별 복각을, 그래프는 복각과 위도의 관계를 나타낸 것이다.

시기(만 년 전)	복각
7100	−49°
5500	−21°
3800	6°
1000	30°
현재	36°

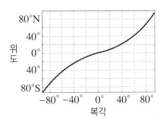

이에 대한 설명으로 옳은 것만을 〈보기〉에서 있는 대로 고른 것은?

〈 보기 〉

ㄱ. 7100만 년 전에 인도 대륙은 남반구에 있었다.

ㄴ. 이 기간 동안 인도 대륙은 남쪽으로 이동하였다.

ㄷ. 이 기간 동안 인도 대륙은 자기 적도를 통과하였다.

① ㄱ   ② ㄴ   ③ ㄱ, ㄷ

④ ㄴ, ㄷ   ⑤ ㄱ, ㄴ, ㄷ

73 (하 중 **상**)

그림은 서로 다른 두 해역 (가)와 (나)의 해저 퇴적물 시추 코어에서 측정한 잔류 자기의 복각과 자극기를 깊이에 따라 나타낸 것이다. 점선은 두 해저 퇴적물의 나이가 같은 깊이를 연결한 것이다.

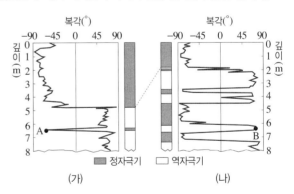

(가)   (나)

이에 대한 설명으로 옳은 것만을 〈보기〉에서 있는 대로 고른 것은?

〈 보기 〉

ㄱ. 현재 (가)는 남반구에 위치한다.

ㄴ. A가 생성될 당시에 자북극은 현재의 북반구에 있었다.

ㄷ. B가 생성될 당시에 (나)는 북반구에 위치하였다.

ㄹ. 퇴적물 0 m~5 m 구간이 퇴적되는 데 걸린 시간은 (가)가 (나)보다 길다.

① ㄱ, ㄴ   ② ㄱ, ㄷ   ③ ㄴ, ㄷ

④ ㄴ, ㄹ   ⑤ ㄷ, ㄹ

74 하중상

그림 (가)는 현재 대륙 A, B의 위치와 대륙 A에서 측정한 겉보기 자북극의 이동 경로를, (나)는 과거 어느 시점에 대륙 A, B의 위치를 나타낸 것이다.

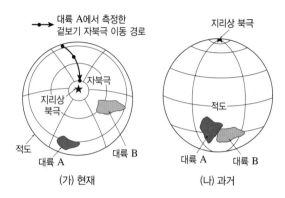

(가) 현재   (나) 과거

이에 대한 설명으로 옳지 않은 것은?

① 현재 복각의 크기는 대륙 B가 A보다 크다.
② 대륙 A와 B에 기록된 고지자기 복각을 연구하면 과거 각 시기에 암석이 생성된 위도를 알 수 있다.
③ (나) → (가) 기간 동안 대륙 A와 B는 모두 복각이 0°였던 적이 있다.
④ (나) → (가) 기간 동안 대륙의 남북 방향 평균 이동 속력은 대륙 B가 A보다 빠르다.
⑤ (가)의 대륙 B에서 측정한 겉보기 자북극의 이동 경로는 대륙 A에서 측정한 것과 같을 것이다.

75 하중상

그림은 어떤 대륙의 현재 위치와 6000만 년 전부터 현재까지 고지자기로 추정한 지리상 북극을 나타낸 것이다. 이 기간 동안 실제 지리상 북극의 위치는 변하지 않았다.

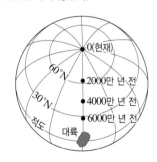

이에 대한 설명으로 옳은 것만을 〈보기〉에서 있는 대로 고른 것은?

〈 보기 〉
ㄱ. 대륙에서 측정한 복각은 6000만 년 전에 가장 작았다.
ㄴ. 이 기간 동안 대륙은 고위도로 이동하였다.
ㄷ. 이 기간 동안 대륙의 이동 속력은 점점 빨라졌다.

① ㄴ   ② ㄷ   ③ ㄱ, ㄴ
④ ㄱ, ㄷ   ⑤ ㄱ, ㄴ, ㄷ

C 대륙 분포의 변화

76 하중상

지질 시대 대륙 분포의 변화에 대한 설명으로 옳지 않은 것은?

① 최초의 초대륙은 로디니아였다.
② 로디니아는 선캄브리아 시대에 존재했던 초대륙이다.
③ 고생대 말에 초대륙인 판게아가 형성되었다.
④ 판게아가 형성되면서 애팔래치아산맥이 형성되었다.
⑤ 인도 대륙은 과거 남반구에 위치했던 적이 있다.

77 하중상

지질 시대별 대륙 분포의 변화 과정을 순서대로 옳게 나열한 것은?

(가) 인도 대륙과 아시아 대륙이 충돌하기 시작하였고, 지중해가 형성되었다.
(나) 북아메리카 대륙이 아프리카 대륙과 충돌하여 애팔래치아산맥이 형성되었다.
(다) 대서양이 확장되면서 남아메리카 대륙과 아프리카 대륙이 분리되기 시작하였고, 남극 대륙에서 오스트레일리아 대륙이 분리되었다.

① (가) → (다) → (나)   ② (나) → (가) → (다)
③ (나) → (다) → (가)   ④ (다) → (가) → (나)
⑤ (다) → (나) → (가)

78 하중상 多 보기

그림은 서로 다른 시기의 대륙 분포를 순서 없이 나타낸 것이다.

(가)   (나)   (다)

이에 대한 설명으로 옳지 않은 것만을 모두 고르면? (3개)

① (가) → (나) → (다) 순서로 변화하였다.
② 대륙이 이동한 원동력은 맨틀 대류이다.
③ 히말라야산맥은 (가) 시기에 형성되었다.
④ (다)에서 인도 대륙은 북쪽으로 이동하고 있다.
⑤ 현재 인도 대륙에서는 빙하의 흔적이 발견될 수 있다.
⑥ 과거 지구에는 초대륙이 한 번 존재하였다.
⑦ (나)와 (다) 사이에 대서양의 면적이 넓어졌다.

[79~80] 그림 (가)~(라)는 고생대 말 이후 대륙 분포의 변화를 순서 없이 나타낸 것이다.

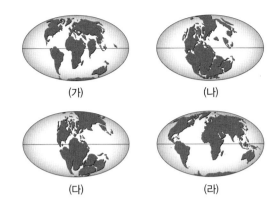

(가)   (나)

(다)   (라)

79 하❰중❱상

(가)~(라)를 오래된 것부터 시간 순서대로 나열하시오.

80 하❰중❱상

이에 대한 설명으로 옳은 것만을 〈보기〉에서 있는 대로 고른 것은?

〈 보기 〉
ㄱ. (나)에서 형성된 초대륙은 로디니아이다.
ㄴ. (라)는 (나)보다 해안선의 전체 길이가 길다.
ㄷ. (가)~(라) 이후에 새로운 초대륙이 다시 형성될 것이다.

① ㄴ   ② ㄷ   ③ ㄱ, ㄴ
④ ㄱ, ㄷ   ⑤ ㄴ, ㄷ

81 하❰중❱상

그림 (가)에서 (나)로 변화하는 과정은 초대륙이 형성되는 과정의 일부를 나타낸 것이다.

(가)   (나)

이에 대한 설명으로 옳은 것만을 〈보기〉에서 있는 대로 고른 것은?

〈 보기 〉
ㄱ. (가)에는 발산형 경계가 존재한다.
ㄴ. (나) 과정이 반복되며 초대륙이 형성된다.
ㄷ. A에서는 해구가, B에서는 해령이 발달한다.

① ㄱ   ② ㄴ   ③ ㄱ, ㄷ
④ ㄴ, ㄷ   ⑤ ㄱ, ㄴ, ㄷ

82 하❰중❱상

그림은 아프리카 동부 지역의 판 경계와 판의 이동 방향, 화산의 분포를 나타낸 것이다.

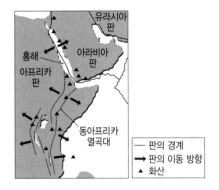

이에 대한 설명으로 옳은 것만을 〈보기〉에서 있는 대로 고른 것은?

〈 보기 〉
ㄱ. 동아프리카 열곡대에서는 하부에 섭입대가 형성되어 화산 활동이 활발하다.
ㄴ. 시간이 지남에 따라 동아프리카 열곡대에서 대륙과 대륙이 충돌하여 초대륙이 형성될 것이다.
ㄷ. 시간이 지남에 따라 홍해는 점점 넓어질 것이다.

① ㄴ   ② ㄷ   ③ ㄱ, ㄴ
④ ㄱ, ㄷ   ⑤ ㄴ, ㄷ

83 하❰중❱상

그림은 판의 이동 방향과 이동 속력을 나타낸 것이다.

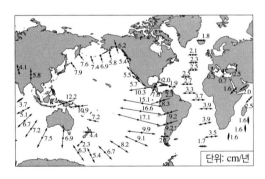

이에 대한 설명으로 옳은 것만을 〈보기〉에서 있는 대로 고른 것은?

〈 보기 〉
ㄱ. 판의 이동 속력이 가장 빠른 곳은 태평양에 위치한다.
ㄴ. 태평양 주변부에는 섭입대가 형성되어 해양 지각이 소멸한다.
ㄷ. 태평양의 면적은 점점 넓어지고, 대서양의 면적은 점점 좁아질 것이다.

① ㄱ   ② ㄷ   ③ ㄱ, ㄴ
④ ㄴ, ㄷ   ⑤ ㄱ, ㄴ, ㄷ

I. 고체 지구

맨틀 대류와 플룸 구조론

A 맨틀 대류와 판의 이동

1 맨틀 대류 맨틀 내에 존재하는 방사성 원소의 붕괴열과 맨틀 상하부의 깊이에 따른 ❶◻◻◻ 차이 때문에 맨틀 대류가 발생한다. ➡ 상부 맨틀에서 일어나는 모형과 맨틀 전체에 걸쳐 일어나는 모형이 있다.

① 맨틀 대류의 상승부: 해령에서 마그마가 분출하여 새로운 해양 지각이 생성되며, 양쪽으로 이동한다.

② 맨틀 대류의 하강부: 해양판이 대륙판과 만나 해구에서 섭입되어 침강한다.

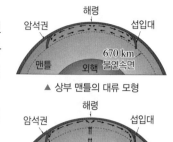

▲ 상부 맨틀의 대류 모형

▲ 맨틀 전체의 대류 모형

2 판의 이동 상부 맨틀에서 연약권의 대류를 따라 판이 이동한다. ➡ 암석권 바로 아래에 있는 ❷◻◻◻은 고체이지만 맨틀 물질의 부분 용융으로 유동성이 있어 대류가 일어난다.

① 판 이동의 원동력: 맨틀 대류, 섭입하는 판이 잡아당기는 힘, 해령에서 밀어내는 힘 등

❸◻◻하는 판이 잡아당기는 힘	❹◻◻에서 밀어내는 힘
냉각되어 밀도가 커진 해양판이 해구에서 섭입대를 따라 침강하면서 판의 무게 때문에 연결된 기존의 판을 잡아당긴다.	맨틀 대류가 상승하여 해양 지각이 생성되면서 해령에서 멀어지는 방향으로 판을 밀어내는 힘이 작용한다.

② 판의 이동 속력: 섭입대가 있는 경우는 섭입대가 없는 경우보다 이동 속력이 ❺◻◻◻.

③ 맨틀 대류로 설명하는 판 구조론의 한계점: 판 경계의 지각 변동은 잘 설명할 수 있지만, 판 내부에서 일어나는 지각 변동(⑩ 하와이섬의 화산 활동)은 설명할 수 없다.

기출 Tip Ⓐ-2
판 이동의 원동력과 섭입대 유무에 따른 판의 이동 속력 비교

구분	남아메리카판	오스트레일리아판
맨틀 대류	○	○
해령	○	○
판을 밀어내는 힘	○	○
판에 연결된 섭입대	×	○
판을 잡아당기는 힘	×	○
판의 이동 속력	느리다.	빠르다.

B 플룸 구조론

1 플룸 구조론 맨틀과 외핵의 경계에서 지각까지 열기둥 모양으로 일어나는 물질과 에너지의 흐름인 ❻◻◻의 상승이나 하강으로 지구 내부의 변동이 일어난다는 이론

① 지구 내부의 거대한 수직 운동을 잘 설명할 수 있다.

② 판 내부에서 일어나는 지각 변동을 설명할 수 있다.

③ 차가운 플룸과 뜨거운 플룸

▲ 플룸 구조론

기출 Tip Ⓑ-1
차가운 플룸과 뜨거운 플룸 비교

구분	차가운 플룸	뜨거운 플룸
수직 운동	하강	상승
발생 지역	섭입대	맨틀 최하부
온도	낮다.	높다.
밀도	크다.	작다.
지진파 속도	빠르다.	느리다.

구분	차가운 플룸	뜨거운 플룸
플룸의 형성	섭입대에서 냉각되어 침강한 물질이 상부 맨틀과 하부 맨틀의 경계에 쌓이다가 밀도가 커지면 맨틀과 ❼◻◻의 경계까지 가라앉아 형성되는 플룸 하강류	차가운 플룸이 맨틀과 ❼◻◻의 경계(맨틀 최하부)에 도달하면서 온도 교란이 일어나고 물질을 밀어 올리는 힘이 작용하여 형성되는 플룸 상승류
지진파 단층 촬영	차가운 플룸은 주변 맨틀에 비해 온도가 낮고 밀도가 크다. ➡ 통과하는 지진파 속도가 ❽◻◻.	뜨거운 플룸은 주변 맨틀에 비해 온도가 높고 밀도가 작다. ➡ 통과하는 지진파 속도가 ❾◻◻◻.

▲ 차가운 플룸과 뜨거운 플룸의 형성

2 **⑩**☐☐ 뜨거운 플룸이 상승하여 지표면과 만나는 지점 아래에 마그마가 생성되는 곳

기출 Tip ⓑ-2

열점에서 생성된 화산섬의 나이와 판의 이동 방향
화산섬의 나이가 증가하는 방향으로 판이 이동하였다.

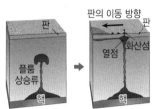

▲ 열점과 화산섬의 생성

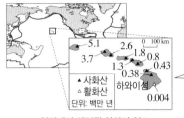

▲ 열점에서 생성된 하와이 열도

• 하와이섬 하부에 열점 분포
• 판의 이동 방향: 북서쪽

화산섬의 나이 증가 방향	판의 이동 방향
북서쪽(＼)	북서쪽(＼)
북동쪽(／)	북동쪽(／)
남서쪽(／)	남서쪽(／)
남동쪽(＼)	남동쪽(＼)

① 플룸 운동: 뜨거운 플룸(플룸 상승류)이 있는 곳에 열점이 분포한다.

② 지각 변동: 열점에서 지표로 마그마가 분출하여 화산섬이나 해산이 생성된다.

③ 판의 이동과 열점의 위치: 열점의 위치는 변하지 않으며, 열점에서 생성된 화산섬은 판의 이동 방향을 따라 배열되어 열도를 이룬다.

④ 화산섬의 나이: 열점에서 멀어질수록 열도를 이루는 화산섬의 나이가 **⑪**☐☐진다.

⑤ 판의 이동 방향: 화산섬의 나이가 **⑫**☐☐지는 방향으로 이동하였다.

⑥ 판의 이동 속력: 화산섬의 나이(연령)와 위치로 알 수 있다.

⑦ 새로운 화산섬이 생성되는 위치: 열점이 있는 곳

⑧ 판 경계와 열점의 분포: 열점은 판 경계와 관계없이 판 내부에도 분포한다.

3 상부 맨틀의 운동과 플룸 운동 비교

상부 맨틀의 운동	플룸 운동
• 연약권에서의 대류 • 판의 수평 운동, 섭입대 부근의 수직 운동 설명 • 판 경계의 지각 변동 설명 예 해령, 해구, 호상 열도 등 • 일반적으로 해령에서 판이 생성되어 해구에서 소멸되기 전까지는 판 구조론으로 설명	• 맨틀 전체에서의 상승류와 하강류 • 지구 내부의 대규모 수직 운동 설명 • 판 내부의 지각 변동 설명 가능 예 열점 • 일반적으로 판이 섭입된 이후 지구 내부에서의 변화는 플룸 구조론으로 설명

답 ❶ 온도 ❷ 연약권 ❸ 섭입 ❹ 해령 ❺ 빠르다 ❻ 플룸 ❼ 외핵 ❽ 빠르다 ❾ 느리다 ❿ 열점 ⓫ 많아 ⓬ 많아

빈출 자료 보기

정답과 해설 12쪽

84 그림은 플룸 구조론을 모식적으로 나타낸 것이다.

이에 대한 설명으로 옳은 것은 ○, 옳지 않은 것은 ×로 표시하시오.

(1) A는 차가운 플룸을, B는 뜨거운 플룸을 나타낸 것이다. (　　)

(2) 뜨거운 플룸은 핵과 맨틀의 경계 부근에서 생성된다. (　　)

(3) 같은 깊이에서 밀도는 B보다 A가 더 크다. (　　)

(4) B에서는 주변 맨틀에 비해 지진파의 속도가 빠르다. (　　)

(5) 열점은 B에 의해 형성된다. (　　)

(6) 하와이 열도의 형성은 플룸 구조론으로 설명할 수 있다. (　　)

85 그림은 하와이 열도를 이루는 섬 A~E와 구성 암석의 생성 시기를 나타낸 것이다.

이에 대한 설명으로 옳은 것은 ○, 옳지 않은 것은 ×로 표시하시오.

(1) 화산 활동이 가장 활발한 섬은 A이다. (　　)

(2) 열점에서 가장 가까운 섬은 E이다. (　　)

(3) 열점은 맨틀 대류의 하강부에 있다. (　　)

(4) 열점에서 멀어질수록 화산섬의 나이가 증가한다. (　　)

(5) 태평양판의 이동 방향은 북서쪽이다. (　　)

(6) 새로운 화산섬은 A의 북서쪽에 생성될 것이다. (　　)

A 맨틀 대류와 판의 이동

86 하 중 상

상부 맨틀의 운동에 대한 설명으로 옳지 <u>않은</u> 것은?

① 방사성 원소의 붕괴열에 의해 발생한다.

② 맨틀과 외핵의 경계로부터 공급되는 열에 의한 맨틀 상하부의 깊이에 따른 온도 차이에 의해 발생한다.

③ 판이 섭입되기 전까지 판의 운동을 설명할 수 있다.

④ 해구와 해령에서 일어나는 지각 변동을 설명할 수 있다.

⑤ 열점에서 일어나는 화산 활동을 설명할 수 있다.

87 하 중 상

•●서술형

판을 움직이는 힘, 즉 판 이동의 원동력을 <u>두 가지</u>만 서술하시오.

88 하 중 상

그림은 지구 내부의 맨틀 대류를 설명하는 두 가지 모형을 나타낸 것이다.

(가)   (나)

이에 대한 설명으로 옳은 것만을 〈보기〉에서 있는 대로 고른 것은?

〈 보기 〉

ㄱ. (가)와 (나)는 모두 맨틀 상하부의 온도 차이에 의해 대류가 발생한다.

ㄴ. (가)에서는 해령과 해구에서 판의 생성과 소멸을 설명할 수 있다.

ㄷ. (가)는 판 내부에서 일어나는 화산 활동을 설명할 수 있다.

① ㄱ   ② ㄷ   ③ ㄱ, ㄴ

④ ㄴ, ㄷ   ⑤ ㄱ, ㄴ, ㄷ

89 하 중 상

그림은 판의 운동을 일으키는 힘 A, B, C를 나타낸 것이다.

이에 대한 설명으로 옳지 <u>않은</u> 것은?

① A는 주로 상부 맨틀에서 나타난다.

② B는 상대적으로 밀도가 큰 판이 잡아당기는 힘이다.

③ C는 냉각된 해양판이 침강하면서 작용하는 힘이다.

④ B가 작용하는 곳에서는 새로운 해양 지각이 생성된다.

⑤ C는 수렴형 경계에서 나타난다.

빈출 90 하 중 상

•●서술형

그림은 남아메리카판과 오스트레일리아판의 단면을 맨틀 대류와 함께 나타낸 모식도이다.

두 판 중 평균 이동 속력이 더 빠른 것을 고르고, 그 까닭을 판을 이동시키는 힘과 관련하여 서술하시오.

91 하 중 상

그림은 판의 경계와 이동 방향, 판 경계 부근의 두 지점 A와 B를 나타낸 것이다. 이에 대한 설명으로 옳은 것만을 〈보기〉에서 있는 대로 고른 것은?

〈 보기 〉

ㄱ. A에서는 남아메리카판이 나스카판 아래로 섭입한다.

ㄴ. A에서는 나스카판을 잡아당기는 힘이 작용한다.

ㄷ. B에서는 남아메리카판을 밀어내는 힘이 작용한다.

ㄹ. 판의 평균 이동 속력은 남아메리카판이 나스카판보다 빠르다.

① ㄱ, ㄷ   ② ㄱ, ㄹ   ③ ㄴ, ㄷ

④ ㄱ, ㄴ, ㄹ   ⑤ ㄴ, ㄷ, ㄹ

B 플룸 구조론

플룸 구조론

92

플룸 구조론에 대한 설명으로 옳은 것은?

① 플룸의 상승과 하강은 주로 상부 맨틀에서 일어난다.
② 뜨거운 플룸은 판이 섭입하는 곳에서 형성된다.
③ 열점은 차가운 플룸이 외핵과 만나는 지점에서 마그마가 생성되는 곳이다.
④ 플룸 상승류가 있는 곳은 주변보다 지진파의 속도가 빠르다.
⑤ 판의 내부에서 일어나는 화산 활동을 설명할 수 있다.

93 多 보기

그림은 플룸 구조론을 모식적으로 나타낸 것이다.

이에 대한 설명으로 옳지 **않은** 것만을 모두 고르면? (2개)

① 아시아 대륙 하부에서는 플룸이 하강한다.
② 플룸은 내핵에서부터 올라오는 물질과 에너지 흐름이다.
③ 뜨거운 플룸은 맨틀과 외핵의 경계에서 형성된다.
④ 아프리카 대륙 하부에서는 아시아 대륙 하부에 비해 지진파의 평균 속도가 빠르다.
⑤ 플룸 구조론은 하와이섬의 화산 활동을 설명할 수 있다.
⑥ 플룸 구조론은 지구 내부의 대규모 수직 운동을 주로 설명한다.

94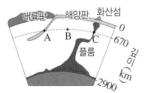

그림은 지구 내부의 플룸 구조를 나타낸 것이다. 세 지점 A, B, C에 대한 설명으로 옳은 것만을 〈보기〉에서 있는 대로 고른 것은?

〈 보기 〉
ㄱ. 지구 내부의 온도는 A가 B보다 높다.
ㄴ. 통과하는 지진파의 속도는 B보다 A에서 빠르다.
ㄷ. 일본 열도는 C 위의 화산섬과 같은 원리로 생성되었다.

① ㄱ
② ㄴ
③ ㄱ, ㄷ
④ ㄴ, ㄷ
⑤ ㄱ, ㄴ, ㄷ

95

그림은 차가운 플룸이 형성되는 과정을 나타낸 것이다.

이에 대한 설명으로 옳은 것만을 〈보기〉에서 있는 대로 고른 것은?

〈 보기 〉
ㄱ. 차가운 지각 용융물은 상부 맨틀과 하부 맨틀의 경계에 쌓이다가 밀도가 커지면 내핵까지 침강한다.
ㄴ. 차가운 플룸이 하강하여 뜨거운 플룸의 생성을 유도한다.
ㄷ. 차가운 플룸은 주로 발산형 경계에서 생성된다.

① ㄴ
② ㄷ
③ ㄱ, ㄴ
④ ㄱ, ㄷ
⑤ ㄱ, ㄴ, ㄷ

96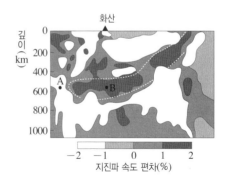

그림은 어느 지역에서 측정한 지진파 단층 촬영 영상을 나타낸 것이다.

이 자료에 대한 설명으로 옳은 것만을 〈보기〉에서 있는 대로 고른 것은?

〈 보기 〉
ㄱ. A 지점은 B 지점보다 온도가 높다.
ㄴ. A 지점은 B 지점에 비해 밀도가 작다.
ㄷ. B 지점은 섭입하는 판에 포함되어 지진파 속도 편차가 크다.
ㄹ. 이 지역의 화산은 열점에서 생성된 것이다.

① ㄱ, ㄴ
② ㄱ, ㄹ
③ ㄷ, ㄹ
④ ㄱ, ㄴ, ㄷ
⑤ ㄴ, ㄷ, ㄹ

97 하(중)상

그림은 (가)와 (나) 지역에서 지하의 온도 분포와 판의 구조를 나타 낸 것이다. (가)와 (나) 지역에서는 각각 플룸 상승류와 플룸 하강류 중 하나가 나타난다.

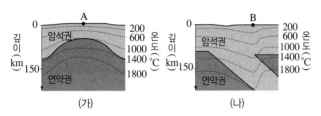

(가)   (나)

이에 대한 설명으로 옳은 것만을 〈보기〉에서 있는 대로 고른 것은?

〈 보기 〉

ㄱ. A보다 B의 하부에서 깊이에 따른 암석권의 온도 변화가 크다.

ㄴ. 플룸 상승류가 존재하는 지역은 (가)이다.

ㄷ. (나)에서는 냉각되어 밀도가 커진 판이 연결된 판을 잡아 당기는 힘이 작용한다.

① ㄱ   ② ㄷ   ③ ㄱ, ㄴ
④ ㄴ, ㄷ   ⑤ ㄱ, ㄴ, ㄷ

열점

98 하(중)상

다음은 지구 내부의 운동에 대한 설명이다.

맨틀과 핵의 경계에서 지각으로 상승하거나 하강하는 물질과 에너지의 흐름을 (가)라 하고, 판의 이동과 관계없이 고정된 위치에서 마그마를 분출하는 곳을 (나)라고 한다.

(가)와 (나)에 알맞은 말을 옳게 짝 지은 것은?

	(가)	(나)		(가)	(나)
①	열점	플룸	②	플룸	열곡
③	플룸	열점	④	마그마	열점
⑤	마그마	플룸			

99 하(중)상

열점에 대한 설명으로 옳은 것은?

① 열점은 주로 맨틀 대류의 상승부에서 생성된다.

② 열점은 판 경계를 따라 분포한다.

③ 열점은 판의 이동 방향을 따라 이동한다.

④ 열점에서 생성된 화산섬은 판의 이동 방향으로 배열된다.

⑤ 열점에서 멀어질수록 화산섬의 화산 활동이 활발하다.

100 하(중)상

그림은 어느 지역에서 화산섬이 생성되는 과정을 순서 없이 나타낸 것이다.

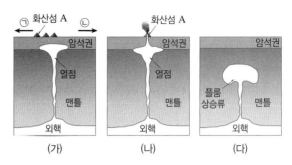

(가)   (나)   (다)

이에 대한 설명으로 옳은 것만을 〈보기〉에서 있는 대로 고른 것은?

〈 보기 〉

ㄱ. 화산섬은 (다) → (나) → (가) 순으로 생성되었다.

ㄴ. 차가운 플룸이 형성되는 지역이다.

ㄷ. (가)에서 화산섬 A는 앞으로 ⓛ 방향으로 이동할 것이다.

① ㄱ   ② ㄷ   ③ ㄱ, ㄴ
④ ㄴ, ㄷ   ⑤ ㄱ, ㄴ, ㄷ

빈출 101 하(중)상

그림은 태평양에 위치한 하와이 열도 지역을 나타낸 모식도이다. ㉠, ㉡, ㉢은 서로 다른 시기에 생성된 화산섬이고, A와 B는 판의 이동 방향 중 하나이다.

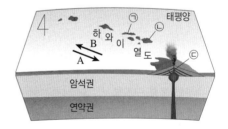

이에 대한 설명으로 옳은 것만을 〈보기〉에서 있는 대로 고른 것은?

〈 보기 〉

ㄱ. 열점은 ㉢의 아래에 분포한다.

ㄴ. 화산섬의 나이를 비교하면 ㉠>㉡>㉢이다.

ㄷ. 태평양판은 A 방향으로 이동하였다.

ㄹ. 열점의 위치는 ㉠ → ㉡ → ㉢으로 이동하였다.

① ㄱ, ㄴ   ② ㄱ, ㄹ   ③ ㄴ, ㄷ
④ ㄴ, ㄹ   ⑤ ㄷ, ㄹ

[102~106] 그림은 하와이 열도와 엠퍼러 해산 열도를 이루는 화산섬들의 분포와 암석의 나이를 나타낸 것이다.

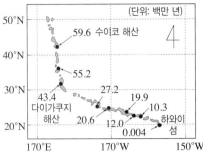

빈출
102 (하 ❷ 상)

이에 대한 설명으로 옳은 것만을 〈보기〉에서 있는 대로 고른 것은?

〈 보기 〉
ㄱ. 열도는 태평양판의 경계에 나란하게 배열된다.
ㄴ. 하와이섬 아래 깊은 곳에는 플룸 상승류가 존재한다.
ㄷ. 열도를 이루는 화산섬의 위치와 암석의 나이로 판의 평균 이동 속력을 구할 수 있다.

① ㄱ   ② ㄷ   ③ ㄱ, ㄴ
④ ㄴ, ㄷ   ⑤ ㄱ, ㄴ, ㄷ

103 (하 ❷ 상)

화산섬들의 분포로 알 수 있는 태평양판의 이동 방향은?

104 (하 ❷ 상)   •서술형

하와이섬의 생성 원인을 열점과 관련지어 서술하시오.

105 (하 ❷ 상)   •서술형

하와이섬 부근의 섬들이 나란하게 배열된 까닭과, 30°N 부근에서 섬들이 배열된 방향이 변한 까닭을 각각 서술하시오.

106 (하 ❷ 상)   •서술형

새로운 섬이 만들어지는 위치를 하와이섬을 기준으로 서술하고, 그 위치에서 생성되는 까닭을 서술하시오.

107 (하 ❷ 상)

그림은 전 세계의 열점 분포를 나타낸 것이다. 이에 대한 설명으로 옳은 것만을 〈보기〉에서 있는 대로 고른 것은?

〈 보기 〉
ㄱ. 열점은 판 경계와 관계없이 분포한다.
ㄴ. 열점은 해양판에만 분포한다.
ㄷ. A 지점 부근에서는 열도가 생성된다.

① ㄱ   ② ㄴ   ③ ㄱ, ㄷ
④ ㄴ, ㄷ   ⑤ ㄱ, ㄴ, ㄷ

108 (하 ❷ 상)

다음은 상부 맨틀의 운동과 플룸 운동에 대한 대화 내용이다.

• 학생 A: 상부 맨틀의 운동은 판이 섭입되기 전까지 판 경계에서 발생하는 지각 변동을 잘 설명할 수 있어.
• 학생 B: 하와이섬과 같이 판의 내부에서 일어나는 화산 활동은 상부 맨틀의 대류 운동으로 설명할 수 있어.
• 학생 C: 플룸 운동은 지각에서 맨틀 하부까지 지구 내부에 일어나는 대규모 수직 운동을 설명할 수 있어.

대화 내용이 옳은 학생만을 있는 대로 쓰시오.

109 (하 중 ❸)

그림 (가)는 열점에서 생성된 화산섬들을, (나)는 섬 A로부터의 거리에 따른 화산섬의 연령을 나타낸 것이다.

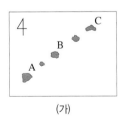
(가)

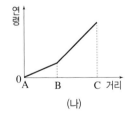
(나)

이에 대한 설명으로 옳은 것만을 〈보기〉에서 있는 대로 고른 것은?

〈 보기 〉
ㄱ. (가)에서 열점은 A의 아래에 위치한다.
ㄴ. 판은 북동쪽으로 이동하였다.
ㄷ. B가 생성된 이후 판의 이동 속력은 느려졌다.
ㄹ. 섬 A, B, C 사이의 거리는 앞으로 점점 더 멀어질 것이다.

① ㄱ, ㄴ   ② ㄴ, ㄹ   ③ ㄷ, ㄹ
④ ㄱ, ㄴ, ㄷ   ⑤ ㄱ, ㄷ, ㄹ

마그마 활동과 화성암

A 마그마의 종류

┌ 지구 내부에서 지각이나 맨틀이 부분 용융되어 생성된 물질

┌ 화강암질 마그마라고도 한다.

특징	❶ ☐☐☐ 마그마	안산암질 마그마	❷ ☐☐☐ 마그마
SiO_2 함량	52 % 이하	52 %~63 %	63 % 이상
온도	높다(약 1000 ℃ 이상).	중간	낮다(약 800 ℃ 이하).
점성	작다.	중간	크다.
유동성	크다.	중간	작다.
휘발 성분	적다.	중간	많다.
분출 유형	조용히 분출	분출과 폭발 반복	폭발적으로 분출
화산체의 경사	완만하다(순상 화산, 용암 대지).	중간(성층 화산)	급하다(종상 화산).

(마그마의 특징 비교)

- SiO_2 함량 52 % 이하
  ➡ 현무암질 마그마
- 경사가 완만한 화산체 형성

▲ 순상 화산   ▲ 용암 대지

- SiO_2 함량 63 % 이상
  ➡ 유문암질 마그마
- 경사가 급한 화산체 형성

▲ 종상 화산

B 마그마의 생성 조건과 생성 장소

┌ 용융점이 낮은 광물부터 녹아 마그마가 만들어지는 과정

1 마그마의 생성 조건 암석의 온도가 암석의 용융점에 도달하면 <u>부분 용융</u>으로 마그마 생성

온도 ❸ ☐☐	(㉠)	대륙 지각이 가열되어 용융점에 도달 → 화강암의 부분 용융 ➡ 유문암질 마그마 생성
	(㉣)	맨틀이 가열되어 용융점에 도달 → 맨틀의 부분 용융 ➡ 현무암질 마그마 생성
압력 ❹ ☐☐	(㉡)	맨틀 물질 상승으로 압력 감소, 용융점 하강 → 맨틀의 부분 용융 ➡ 현무암질 마그마 생성
❺ ☐의 공급(㉢)		맨틀에 물이 공급되어 용융점 하강 → 맨틀의 부분 용융 ➡ 현무암질 마그마 생성

└ 화강암이 부분 용융되면 주로 유문암질 마그마가 생성되고, 맨틀 물질이 부분 용융되면 주로 현무암질 마그마가 생성된다.

온도(℃)
0 500 1000 1500
깊이(km)
0 / 50 / 100
물이 포함된 화강암의 용융 곡선
물이 포함되지 않은 맨틀의 용융 곡선
지하 온도 분포
물이 포함된 맨틀의 용융 곡선
㉠ ㉡ ㉢ ㉣

2 마그마의 생성 장소

열점(A)	플룸 상승류를 따라 맨틀 물질이 상승하여 압력 감소 ➡ ❻ ☐☐☐ 마그마가 생성되어 분출
❼ ☐☐(B)	맨틀 대류를 따라 맨틀 물질이 상승하여 압력 감소 ➡ 현무암질 마그마가 생성되어 분출
섭입대 부근 맨틀(C)	섭입되는 해양 지각의 함수 광물에서 물이 빠져나와 맨틀(연약권)에 공급 ➡ 현무암질 마그마가 생성되어 상승 └ 수산화 이온(OH^-)을 포함하고 있는 광물로, 가열하면 물이 빠져나온다. 예 각섬석, 운모 등
섭입대 부근의 대륙 지각 하부(D)	• 상승하는 현무암질 마그마에 의해 대륙 지각 하부의 온도 상승 ➡ 유문암질 마그마 생성 • 현무암질 마그마와 유문암질 마그마의 혼합 ➡ 안산암질 마그마 생성 • 지표 부근에서는 주로 ❽ ☐☐☐ 마그마 분출

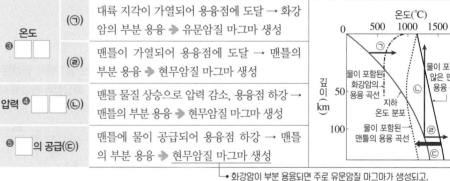

A   B   D
암석권   연약권   C
→ 판의 이동 방향

C 화성암

1 화성암 마그마가 냉각되어 만들어진 암석

2 화성암의 종류 화학 조성과 조직에 따라 분류한다.

① 화학 조성(SiO_2 함량)에 따른 분류: 염기성암, 중성암, 산성암

② 조직(산출 상태)에 따른 분류: 화산암, 반심성암, 심성암

· 화산암: 마그마가 지표 부근에서 빠르게 냉각되어 생성 → 입자가 작다.

· 반심성암: 마그마가 비교적 얕은 깊이에서 냉각되어 생성 → 암상, 암맥

· 심성암: 마그마가 지하 깊은 곳에서 천천히 냉각되어 생성 → 입자가 크다.

▲ 화성암의 산출 상태

특징		종류	염기성암	중성암	산성암
화학 조성에 따른 분류	SiO_2 함량		52 % 이하	↔	63 % 이상
	유색 광물의 함량 ⌐ 유색 광물: 휘석, 감람석, 각섬석, 흑운모 등 └ 무색 광물: 석영, 장석(정장석, 사장석) 등		❾ ☐☐ (어두운색)	↔	❿ ☐☐ (밝은색)
	많이 포함된 원소		Ca, Fe, Mg (고철질암)	↔	Na, K, Si (규장질암)
	밀도		약 3.2 g/cm³	↔	약 2.7 g/cm³

종류	특징	마그마 냉각 속도	조직	대표적인 암석		
⓫ ☐☐		빠르다.	세립질, 유리질	현무암	안산암	유문암
반심성암		↕	반상 조직	휘록암	섬록 반암	석영 반암
⓬ ☐☐		느리다.	조립질	반려암	섬록암	화강암

3 한반도의 화성암 지형 한반도에 분포하는 화성암은 중생대 화강암이 대부분을 차지한다.

화산암 지형	심성암 지형
주로 ⓭ ☐☐☐에 생성된 현무암 분포 [예] 제주도, 한탄강 일대, 백두산, 울릉도 등	주로 중생대에 생성된 ⓮ ☐☐☐ 분포 [예] 북한산 인수봉, 설악산 울산바위, 도봉산 등
지표로 분출된 마그마가 빨리 식으면서 기둥 모양의 주상 절리가 발달하기도 한다. 제주도 주상 절리	심성암이 지표로 드러나면서 압력이 감소하여 ⓯ ☐☐ 절리가 발달하기도 한다. 북한산 인수봉

기출 Tip ⑥-2

현무암과 화강암 비교

현무암	화강암
·염기성암	·산성암
·어두운색	·밝은색
·고철질암	·규장질암
·화산암	·심성암
·세립질 조직	·조립질 조직

현무암과 반려암 비교

공통점	·염기성암 ·어두운색(유색 광물 많다.) ·고철질암

차이점	현무암	반려암
	·화산암	·심성암
	·세립질 조직	·조립질 조직

기출 Tip ⑥-3

한반도의 현무암 지형과 화강암 지형 비교

구분	현무암 지형	화강암 지형
생성 시기	신생대	중생대
주요 절리	주상 절리	판상 절리
암석의 색	어둡다.	밝다.

답 ❶ 현무암질 ❷ 유문암질 ❸ 상승
❹ 감소 ❺ 물 ❻ 현무암질
❼ 해령 ❽ 안산암질 ❾ 많다
❿ 적다 ⓫ 화산암 ⓬ 심성암
⓭ 신생대 ⓮ 화강암 ⓯ 판상

빈출 자료 보기

정답과 해설 15쪽

110 그림 (가)는 마그마의 생성 장소를, (나)는 마그마의 생성 조건을 나타낸 것이다.

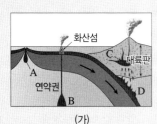

(가)

온도(℃)
(나)

이에 대한 설명으로 옳은 것은 ○, 옳지 않은 것은 ×로 표시하시오.

(1) A에서는 유문암질 마그마가 생성된다. ( )

(2) B에서는 ㉡의 과정으로 마그마가 생성된다. ( )

(3) C의 지표에서는 주로 안산암질 마그마가 분출된다. ( )

(4) D에서는 ㉠의 과정으로 마그마가 생성된다. ( )

(5) 하와이섬은 B와 같은 곳에서 주로 현무암질 마그마가 분출하여 생성된 화산섬이다. ( )

(6) 발산형 경계에서는 ㉡과 같은 과정으로 마그마가 생성된다. ( )

A 마그마의 종류

111 하중상

유문암질 마그마와 현무암질 마그마의 특징을 비교한 것으로 옳지 않은 것은?

		유문암질 마그마	현무암질 마그마
①	SiO₂ 함량	많다.	적다.
②	온도	높다.	낮다.
③	점성	크다.	작다.
④	분출 유형	폭발적 분출	조용한 분출
⑤	화산체	종상 화산	순상 화산

빈출
112 하중상

그림 (가)와 (나)는 순상 화산과 종상 화산을 순서 없이 나타낸 것이다.

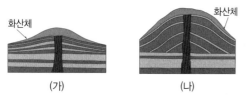

화산체

화산체

(가)   (나)

이에 대한 설명으로 옳은 것만을 〈보기〉에서 있는 대로 고른 것은?

〈 보기 〉
ㄱ. 화산을 형성한 용암의 유동성은 (가)가 (나)보다 컸다.
ㄴ. (나)는 (가)보다 마그마가 폭발적으로 분출하였다.
ㄷ. (가)는 현무암질 마그마가, (나)는 유문암질 마그마가 분출하여 형성된다.

① ㄱ   ② ㄷ   ③ ㄱ, ㄴ
④ ㄴ, ㄷ   ⑤ ㄱ, ㄴ, ㄷ

113 하중상   ●●서술형

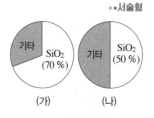

그림은 서로 다른 두 마그마 (가)와 (나)의 성분비를 나타낸 것이다. 두 마그마의 온도와 마그마가 분출하여 형성되는 화산체의 경사를 비교하고, 형성되는 화산의 형태를 서술하시오.

기타 SiO₂ (70 %)

(가)

기타 SiO₂ (50 %)

(나)

빈출
114 하중상   ●●서술형

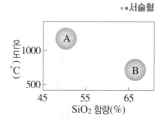

그림은 서로 다른 종류의 마그마 A와 B의 SiO₂ 함량과 온도를 나타낸 것이다.

(1) A와 B 마그마의 종류를 각각 쓰시오.

(2) A와 B 마그마의 점성과 유동성을 비교하여 서술하시오.

115 하중상

그림 (가)는 산방산, (나)는 한라산의 모습을 나타낸 것이고, 그래프는 (가)와 (나)를 형성한 마그마의 성질을 A, B로 순서 없이 나타낸 것이다.

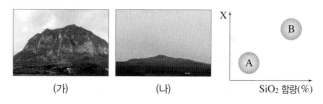

(가)   (나)   SiO₂ 함량(%)

이에 대한 설명으로 옳은 것만을 〈보기〉에서 있는 대로 고른 것은?

〈 보기 〉
ㄱ. (가)는 (나)보다 휘발 성분이 많은 마그마가 분출되었다.
ㄴ. (나)는 A가 분출하여 형성된 화산체이다.
ㄷ. X에 적합한 물리량에는 온도가 있다.

① ㄴ   ② ㄷ   ③ ㄱ, ㄴ
④ ㄱ, ㄷ   ⑤ ㄱ, ㄴ, ㄷ

B 마그마의 생성 조건과 생성 장소

116 하중상

해령 하부와 열점에서 마그마가 생성되는 주요 조건과 생성되는 마그마의 종류를 옳게 짝 지은 것은?

	해령 하부	열점
①	온도 상승, 현무암질	온도 상승, 유문암질
②	온도 상승, 유문암질	온도 상승, 현무암질
③	압력 감소, 현무암질	온도 상승, 유문암질
④	압력 감소, 유문암질	압력 감소, 현무암질
⑤	압력 감소, 현무암질	압력 감소, 현무암질

117 •서술형

하와이 열도를 형성한 마그마의 종류를 쓰고, 마그마가 생성되는 조건을 서술하시오.

118 빈출 하중상

그림은 깊이에 따른 지하의 온도 분포와 암석의 용융 곡선을 나타낸 것이다.

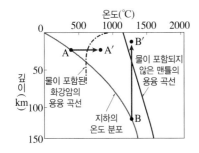

이에 대한 설명으로 옳지 <u>않은</u> 것은?

① 지구 내부로 갈수록 지하의 온도는 상승한다.

② A → A′ 과정으로 마그마가 생성되는 곳은 해령이다.

③ B → B′ 과정으로 열점에서 마그마가 생성된다.

④ 물이 포함된 화강암은 지하 50 km에서 마그마 상태로 존재한다.

⑤ A → A′ 과정으로 생성된 마그마는 B → B′ 과정으로 생성된 마그마보다 SiO_2 함량이 많다.

119 하중상 •서술형

그림은 지구 내부의 온도 분포와 맨틀의 용융 곡선 ㉠과 ㉡을 나타낸 것이다. A는 섭입대 부근 연약권의 한 지점이다.

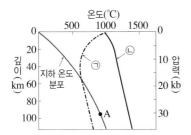

(1) ㉠, ㉡ 곡선의 물의 포함 여부를 서술하시오.

(2) A 지점에서 ㉡ → ㉠의 변화로 마그마가 생성되는 과정과 생성되는 마그마의 종류를 서술하시오.

120 빈출 하중상 多 보기

그림은 지구 내부의 깊이에 따른 온도 분포와 화강암과 맨틀의 용융 곡선을 나타낸 것이다.

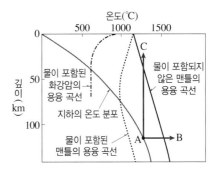

이에 대한 설명으로 옳은 것만을 모두 고르면? (2개)

① 지하 깊은 곳으로 갈수록 물이 포함된 화강암의 용융점은 높아진다.

② 지하 깊은 곳으로 갈수록 물이 포함되지 않은 맨틀의 용융점은 높아진다.

③ 물이 포함된 맨틀은 물이 포함되지 않은 맨틀보다 용융점이 높다.

④ A → B 과정은 맨틀 물질이 상승할 때 일어난다.

⑤ 해령에서 마그마는 주로 A → C 과정으로 생성된다.

⑥ 변환 단층에서는 주로 A → B 과정으로 마그마가 생성된다.

⑦ 섭입대 부근에서 생성되는 현무암질 마그마는 주로 A → C 과정으로 생성된다.

121 빈출 하중상

그림은 판의 운동에 따라 화성 활동이 일어나는 장소를 나타낸 것이다.

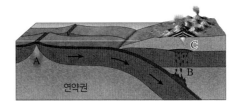

이에 대한 설명으로 옳은 것만을 〈보기〉에서 있는 대로 고른 것은?

〈 보기 〉
ㄱ. A에서는 압력이 감소하여 마그마가 생성된다.
ㄴ. B에서는 해양 지각의 함수 광물에서 빠져나온 물이 맨틀의 용융점을 높인다.
ㄷ. B에서 상승한 마그마에 의해 열을 공급받아 C에서 대륙 지각이 녹으면 유문암질 마그마가 생성된다.

① ㄴ   ② ㄷ   ③ ㄱ, ㄴ
④ ㄱ, ㄷ   ⑤ ㄱ, ㄴ, ㄷ

122 하중상

그림 (가)는 섭입대 부근에서 생성된 마그마의 위치를, (나)는 마그마 A와 B의 성질을 P와 Q로 순서 없이 나타낸 것이다.

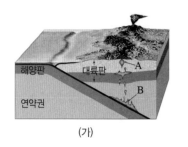
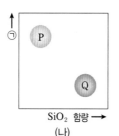

(가)   (나)

이에 대한 설명으로 옳은 것만을 〈보기〉에서 있는 대로 고른 것은?

〈 보기 〉

ㄱ. A는 현무암질 마그마와 안산암질 마그마가 혼합되어 생성된 유문암질 마그마이다.

ㄴ. B의 성질을 나타낸 것은 P이다.

ㄷ. ㉠에 적합한 물리량에는 점성이 있다.

① ㄱ　　　　　② ㄴ　　　　　③ ㄱ, ㄷ

④ ㄴ, ㄷ　　　⑤ ㄱ, ㄴ, ㄷ

123 하중상

그림 (가)는 쿠릴 열도와 하와이 열도 지역의 단면을, (나)는 깊이에 따른 지하의 온도 분포와 암석의 용융 곡선을 나타낸 것이다.

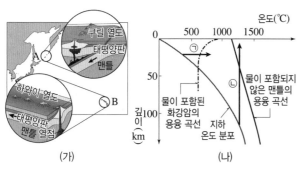

(가)   (나)

이에 대한 설명으로 옳은 것만을 〈보기〉에서 있는 대로 고른 것은?

〈 보기 〉

ㄱ. A와 B 지역은 모두 판의 경계에 위치한다.

ㄴ. A 지역의 화산섬은 주로 안산암질 마그마가 분출하여 형성되었다.

ㄷ. B 지역에서 마그마는 (나)의 ㉡ 과정으로 생성되었다.

① ㄱ　　　　　② ㄴ　　　　　③ ㄱ, ㄷ

④ ㄴ, ㄷ　　　⑤ ㄱ, ㄴ, ㄷ

124 하중상

그림 (가)는 지하 온도 분포와 암석의 용융 곡선 ㉠, ㉡, ㉢을, (나)는 지각 변동이 활발한 지역 A, B, C를 나타낸 것이다.

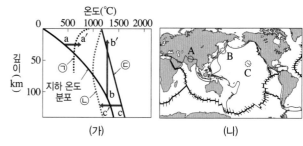

(가)   (니)

이에 대한 설명으로 옳은 것만을 〈보기〉에서 있는 대로 고른 것은?

〈 보기 〉

ㄱ. (가)에서 물이 포함된 맨틀의 용융 곡선은 ㉠이다.

ㄴ. c → c′ 과정으로 마그마가 생성되는 장소는 A이다.

ㄷ. C보다 B 지역에서 마그마가 폭발적으로 분출한다.

① ㄴ　　　　　② ㄷ　　　　　③ ㄱ, ㄴ

④ ㄱ, ㄷ　　　⑤ ㄱ, ㄴ, ㄷ

125 하중상

그림은 남아메리카 주변에서 나타나는 진원의 깊이 분포를 나타낸 것이다.

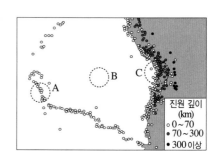

이에 대한 설명으로 옳은 것은?

① A에는 판의 수렴형 경계가 존재한다.

② 해양 지각의 나이는 A가 B보다 많다.

③ 수심은 A가 B보다 깊다.

④ 인접한 판의 밀도 차이는 A가 C보다 크다.

⑤ 분출되는 마그마의 SiO_2 함량은 C가 A보다 많다.

C 화성암

화성암의 종류

126 하 중 상

다음은 화학 조성에 따른 암석의 특징을 설명한 것이다.

- SiO_2 함량이 많을수록 고철질 광물의 함량이 (㉠)
- 철과 마그네슘이 많은 조암 광물에는 (㉡) 등이 있다.

㉠과 ㉡에 알맞은 말을 옳게 짝 지은 것은?

	㉠	㉡		㉠	㉡
①	많다.	석영	②	많다.	휘석
③	많다.	각섬석	④	적다.	정장석
⑤	적다.	감람석			

127 하 중 상

다음은 어느 화성암을 관찰한 내용을 기록한 것이다.

- SiO_2 함량이 약 50 %이다.
- Ca, Fe, Mg 등의 원소를 많이 포함한다.
- 세립질이나 유리질 조직이 나타난다.

관찰한 암석은 무엇인가?

① 반려암   ② 안산암   ③ 유문암

④ 화강암   ⑤ 현무암

128 하 중 상

유문암에 대한 설명으로 옳은 것만을 〈보기〉에서 있는 대로 고른 것은?

〈 보기 〉
ㄱ. SiO_2 함량이 약 63 % 이상이다.
ㄴ. 맨눈으로 구분할 수 있을 만큼 광물의 입자가 크다.
ㄷ. 석영, 장석 등의 광물을 많이 포함하고 있다.

① ㄱ   ② ㄴ   ③ ㄱ, ㄷ

④ ㄴ, ㄷ   ⑤ ㄱ, ㄴ, ㄷ

129 하 중 상

화성암에 대한 설명으로 옳은 것은?

① 화강암은 SiO_2 함량이 63 % 이상이다.
② 반려암에는 유색 광물의 함량이 적다.
③ 화산암은 심성암에 비해 광물 입자가 크다.
④ 섬록암이 안산암보다 마그마의 냉각 속도가 빨랐다.
⑤ 심성암에는 화강암, 안산암, 반려암이 있다.

130 하 중 상

표는 마그마의 냉각 속도와 SiO_2 함량에 따라 화성암을 분류한 것이다.

마그마의 냉각 속도 \ SiO_2 함량	52 % 이하	52 %~63 %	63 % 이상
빠르다.	A		C
느리다.	B	섬록암	D

화성암 A~D에 대한 설명으로 옳은 것은?

① A는 산성암이다.
② B는 화산암이다.
③ C는 D보다 지하 깊은 곳에서 만들어졌다.
④ B에서는 세립질 조직이 나타난다.
⑤ 유색 광물의 함량은 B가 D보다 많다.

131 하 중 상   ••서술형

표는 화성암을 분류한 것이다.

구분	염기성암	중성암	산성암
화산암		B	C
심성암	A		

(1) A, B, C의 대표적인 암석을 각각 쓰시오.

(2) A와 B를 생성한 마그마의 냉각 속도와 생성된 암석의 조직을 각각 서술하시오.

(3) A와 C의 SiO_2 함량, 주요 조암 광물을 비교하여 서술하시오.

132 하중상

그림은 화성암을 구성하는 주요 조암 광물의 부피비를 나타낸 것이다.

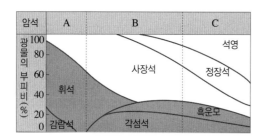

이에 대한 설명으로 옳지 <u>않은</u> 것은?

① SiO_2 함량은 A<B<C 순으로 많다.
② 온도가 가장 높은 마그마가 굳은 암석은 A이다.
③ A~C가 지하 깊은 곳에서 생성되었다면 B는 안산암이다.
④ Ca, Fe, Mg 등의 원소는 A가 가장 많다.
⑤ 암석의 색은 C가 가장 밝다.

134 하중상

그림은 세 암석을 구분하는 과정을 나타낸 것이다.

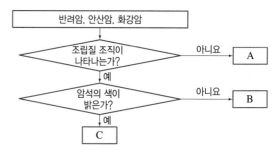

A~C에 해당하는 암석을 옳게 짝 지은 것은?

	A	B	C
①	반려암	안산암	화강암
②	반려암	화강암	안산암
③	안산암	화강암	반려암
④	안산암	반려암	화강암
⑤	화강암	반려암	안산암

133 하중상

그림 (가)와 (나)는 화강암과 현무암의 조직을 관찰한 모습을 순서 없이 나타낸 것이다.

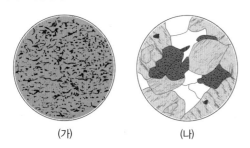

(가)　　　　　　(나)

이에 대한 설명으로 옳은 것만을 <보기>에서 있는 대로 고른 것은?

< 보기 >
ㄱ. 마그마의 냉각 속도는 (가)가 (나)보다 빨랐다.
ㄴ. 암석이 생성된 깊이는 (가)가 (나)보다 깊었다.
ㄷ. 암석의 색은 (가)가 (나)보다 어둡다.

① ㄱ　　　　② ㄴ　　　　③ ㄱ, ㄷ
④ ㄴ, ㄷ　　　⑤ ㄱ, ㄴ, ㄷ

135 하중상

그림 (가)는 화성암 A와 B를 구성하는 원소의 함량을, (나)는 두 화성암이 생성된 위치를 나타낸 것이다.

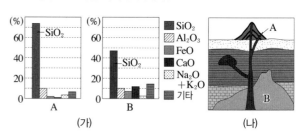

(가)　　　　　　(나)

이에 대한 설명으로 옳은 것만을 <보기>에서 있는 대로 고른 것은?

< 보기 >
ㄱ. A는 규장질 암석이다.
ㄴ. B는 A보다 어두운색을 띤다.
ㄷ. A는 화강암, B는 현무암이다.

① ㄴ　　　　② ㄷ　　　　③ ㄱ, ㄴ
④ ㄱ, ㄷ　　　⑤ ㄱ, ㄴ, ㄷ

136 하중상

그림은 마그마의 SiO_2 함량과 냉각 속도에 따라 화성암 A~D를 분류한 것이다.

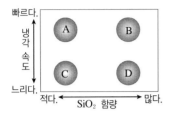

이에 대한 설명으로 옳지 <u>않은</u> 것은?

① A와 B에는 세립질이나 유리질 조직이 나타난다.

② 암석의 생성 깊이는 C가 A보다 깊다.

③ 암석의 $\dfrac{Fe의\ 질량비}{Na의\ 질량비}$ 는 C가 B보다 높다.

④ D는 고철질암에 속한다.

⑤ 해양 지각은 주로 A, C와 같은 암석으로 이루어져 있다.

137 하중상

그림은 화성암 A, B, C를 세 가지 기준에 따라 분류하여 나타낸 것이다. 이에 대한 설명으로 옳은 것만을 〈보기〉에서 있는 대로 고른 것은? (단, A, B, C는 각각 반려암, 유문암, 현무암 중 하나이다.)

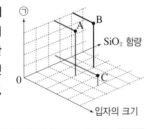

〈보기〉

ㄱ. 밀도는 A가 B보다 크다.

ㄴ. C는 A보다 지표 가까이에서 생성된다.

ㄷ. 마그마의 냉각 속도는 ㉠에 적합한 물리량이다.

ㄹ. A는 현무암, B는 반려암, C는 유문암이다.

① ㄱ, ㄷ   ② ㄴ, ㄷ   ③ ㄴ, ㄹ

④ ㄱ, ㄴ, ㄹ   ⑤ ㄱ, ㄷ, ㄹ

한반도의 화성암 지형

138 하중상

화산암으로 구성된 지형이 <u>아닌</u> 것은?

① 백두산   ② 설악산   ③ 울릉도

④ 제주도   ⑤ 한탄강 일대

139 하중상

한반도의 화성암 지형에 대한 설명으로 옳지 <u>않은</u> 것은?

① 신생대에 생성된 화성암은 대부분 화산암이다.

② 한반도의 심성암은 대부분 중생대의 화강암이다.

③ 화강암이 지표로 드러나면서 절리가 나타나기도 한다.

④ 울릉도, 독도는 중생대에 만들어진 화산섬이다.

⑤ 북한산 인수봉은 화강암으로 이루어져 있다.

140 하중상

그림은 설악산 울산바위의 모습이다. 이 암석의 특징으로 옳은 것만을 〈보기〉에서 있는 대로 고른 것은?

〈보기〉

ㄱ. 중생대에 생성되었다.

ㄴ. 마그마가 지표 부근에서 빠르게 식어서 생성되었다.

ㄷ. 주요 구성 광물은 휘석, 감람석이다.

① ㄱ   ② ㄴ   ③ ㄱ, ㄷ

④ ㄴ, ㄷ   ⑤ ㄱ, ㄴ, ㄷ

빈출 141 하중상   多 보기

그림 (가)는 제주도 지삿개의 모습을, (나)는 북한산 인수봉의 모습을 나타낸 것이다.

(가)   (나)

이에 대한 설명으로 옳은 것만을 모두 고르면? (3개)

① (가)와 (나)는 모두 화산암이다.

② (가)는 (나)보다 먼저 생성되었다.

③ (가)는 (나)보다 구성 광물 입자의 크기가 크다.

④ (나)는 (가)보다 SiO_2 함량이 많다.

⑤ (가)와 (나)에는 모두 절리가 나타난다.

⑥ (나)에는 판상 절리가 나타난다.

⑦ (나)의 절리는 용암이 급격히 식으면서 만들어진다.

142

그림 (가)는 고생대 말에 생성된 빙하 퇴적층의 분포를, (나)는 고생대 말에 생성된 석탄층의 분포를 나타낸 것이다.

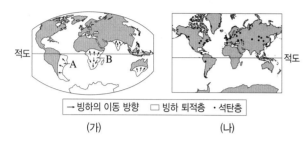

→ 빙하의 이동 방향 □ 빙하 퇴적층 ·석탄층

(가)   (나)

이에 대한 설명으로 옳은 것은? (단, 석탄은 주로 고온 다습한 열대 기후대에서 만들어진다.)

① 고생대 말에는 적도 지역까지 빙하가 분포하였다.
② A와 B에서는 같은 종류의 고생대 말 화석이 발견될 수 없다.
③ 고생대 말 A와 B가 붙어 있었을 때의 초대륙은 로디니아이다.
④ 고생대 말에 중위도 지역은 열대 기후였을 것이다.
⑤ 고생대 말 이후 빙하 퇴적층과 석탄층이 분포하는 대륙은 대체로 북쪽으로 이동하였다.

143

그림은 태평양과 대서양의 세 해역을, 표는 각 해역에서 직선 구간을 따라 일정한 간격의 각 지점에서 음파가 해저면에 반사되어 되돌아오는 데 걸린 시간을 측정한 것이다.

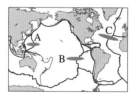

A	지점	1	2	3	4	5	6	7	8	9	10
해역	시간(s)	7.2	8.0	6.8	6.4	5.1	10.0	6.1	7.6	7.8	7.1
B	지점	1	2	3	4	5	6	7	8	9	10
해역	시간(s)	5.5	5.6	5.0	4.8	4.7	4.3	4.5	5.1	5.4	5.5
C	지점	1	2	3	4	5	6	7	8	9	10
해역	시간(s)	4.8	6.4	7.6	4.8	6.0	4.8	2.8	6.8	6.6	1.2

이에 대한 설명으로 옳은 것만을 〈보기〉에서 있는 대로 고른 것은? (단, 각 지점 사이의 거리는 해역마다 다르고, 물속에서 음파의 속도는 1500 m/s이다.)

〈 보기 〉

ㄱ. 측정 지점 중 A 해역 6 지점의 수심이 가장 깊다.
ㄴ. B 해역에서는 주로 현무암질 마그마가 생성된다.
ㄷ. C 해역에서 5 지점의 수심은 9000 m이다.
ㄹ. A~C 해역에는 모두 해구가 분포한다.

① ㄱ, ㄴ   ② ㄴ, ㄷ   ③ ㄷ, ㄹ
④ ㄱ, ㄴ, ㄹ   ⑤ ㄱ, ㄷ, ㄹ

144

그림은 우리나라 부근의 지진 분포를 나타낸 것이다.

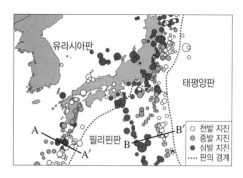

이에 대한 설명으로 옳은 것만을 〈보기〉에서 있는 대로 고른 것은? (단, A-A′ 구간과 B-B′ 구간의 거리는 같다.)

〈 보기 〉

ㄱ. A-A′ 부근에서 판의 밀도는 유라시아판이 필리핀판보다 크다.
ㄴ. 섭입하는 판의 경사는 A-A′ 구간이 B-B′ 구간보다 크다.
ㄷ. 일본 열도를 형성한 마그마는 주로 압력 감소 과정으로 맨틀의 용융점이 낮아져서 생성되었다.

① ㄱ   ② ㄴ   ③ ㄱ, ㄷ
④ ㄴ, ㄷ   ⑤ ㄱ, ㄴ, ㄷ

145

그림은 서로 반대 방향으로 이동하고 있는 두 해양판의 경계와 판의 이동 속도를 나타낸 것이다. 이 지역에서는 해령을 축으로 고지자기 줄무늬가 대칭을 이룬다.

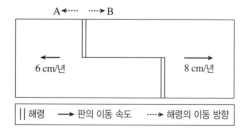

‖ 해령   → 판의 이동 속도   ┈→ 해령의 이동 방향

이에 대한 설명으로 옳은 것만을 〈보기〉에서 있는 대로 고른 것은?

〈 보기 〉

ㄱ. 해령에서 두 해양판은 1년에 각각 6 cm, 8 cm씩 생성된다.
ㄴ. 해령과 해령 사이 구간에서는 판이 생성되지 않는다.
ㄷ. 해령은 1년에 1 cm씩 B 방향으로 이동한다.

① ㄱ   ② ㄴ   ③ ㄱ, ㄷ
④ ㄴ, ㄷ   ⑤ ㄱ, ㄴ, ㄷ

146

그림은 남반구 중위도에 위치한 해령 A, B, C의 해령으로부터의 거리에 따른 해양 지각의 나이와 고지자기 분포를 나타낸 것이다.

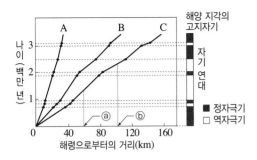

이에 대한 설명으로 옳지 <u>않은</u> 것은?

① 150만 년 전, 자북극은 현재의 지리상 남극 근처에 있었다.

② 해령 A에서 나이가 150만 년인 해양 지각의 고지자기 복각의 부호는 (+)이다.

③ 해령 C로부터 80 km 지점은 40 km 지점보다 해저 퇴적물의 두께가 두껍다.

④ 해양 지각의 평균 확장 속도는 $\dfrac{\text{해령으로부터의 거리}}{\text{해양 지각의 나이}}$ 로 구할 수 있다.

⑤ 최근 3백만 년 동안 해양 지각의 평균 확장 속도는 해령 A에서 가장 빨랐다.

147

표는 대륙의 이동을 알아보기 위해 어느 지각의 암석에 기록된 시기별 고지자기 복각과 고지자기로 추정한 진북 방향을 나타낸 것이다.

시기	2억 년 전	1억4천만 년 전	7천만 년 전	2백만 년 전
복각	+25°	+36°	+44°	+50°
진북 방향	지각 63°	35°	17°	0°

(◀--- 진북 방향 ◀ 고지자기로 추정한 진북 방향)

이에 대한 설명으로 옳은 것만을 〈보기〉에서 있는 대로 고른 것은? (단, 진북의 위치는 변하지 않았다.)

〈 보기 〉

ㄱ. 이 기간 동안 이 지각은 점점 고위도로 이동하였다.

ㄴ. 이 기간 동안 이 지각은 시계 반대 방향으로 회전하였다.

ㄷ. 2억 년 전 암석에 기록된 잔류 자기 방향은 시계 방향으로 변하였다.

① ㄱ   ② ㄴ   ③ ㄱ, ㄷ

④ ㄴ, ㄷ   ⑤ ㄱ, ㄴ, ㄷ

148

그림 (가)는 어느 화산섬 아래의 지진파 단층 촬영 영상을, (나)는 지하의 온도 분포 및 암석의 용융 곡선을 나타낸 것이다. (가)에서 지진파 속도 편차는 맨틀에서의 평균 속도에 비해 느리면 (−), 빠르면 (+)로 나타내었다.

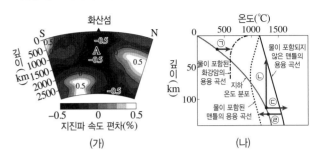

(가)   (나)

이에 대한 설명으로 옳은 것만을 〈보기〉에서 있는 대로 고른 것은?

〈 보기 〉

ㄱ. A 지점의 온도는 주변 맨틀에 비해 낮다.

ㄴ. A 지점에서는 맨틀과 핵의 경계까지 하강하는 흐름이 형성된다.

ㄷ. (가)의 화산섬은 (나)에서 ⓒ 과정으로 생성된 마그마가 분출하여 형성되었다.

① ㄱ   ② ㄷ   ③ ㄱ, ㄴ

④ ㄴ, ㄷ   ⑤ ㄱ, ㄴ, ㄷ

149

그림 (가)는 지하의 온도 분포와 암석의 용융 곡선을, (나)는 북한산의 화강암을, (다)는 한탄강 일대의 현무암을 나타낸 것이다.

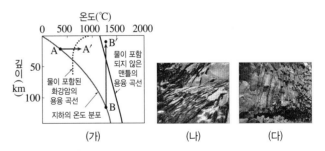

(가)   (나)   (다)

이에 대한 설명으로 옳은 것만을 〈보기〉에서 있는 대로 고른 것은?

〈 보기 〉

ㄱ. A→A′ 과정으로 생성된 마그마는 B→B′ 과정으로 생성된 마그마보다 점성이 크다.

ㄴ. 해령에서는 A→A′ 과정으로 마그마가 생성된다.

ㄷ. (나)는 B→B′ 과정으로 생성된 마그마가 굳은 암석이다.

ㄹ. (다)의 암석은 마그마가 급격히 식으면서 주상 절리가 발달하였다.

① ㄱ, ㄹ   ② ㄴ, ㄷ   ③ ㄴ, ㄹ

④ ㄱ, ㄴ, ㄷ   ⑤ ㄱ, ㄷ, ㄹ

06

퇴적 구조

A 퇴적암

→ 암석이 풍화, 침식 작용을 받아 생긴 쇄설물, 호수나 바다에 녹아 있던 물질의 침전물, 생물의 유해 등이 물이나 바람에 운반되어 쌓인 것

1 퇴적암 퇴적물이 다져지고 굳어져서 만들어진 암석, 화석이나 층리가 발견되기도 한다.

2 ❶□□ 작용 퇴적암이 생성되는 전체 과정으로, 다짐 작용과 교결 작용을 포함한다.

기출 Tip ⓐ-2

속성 과정에서의 변화
· 퇴적물의 무게 증가
· 퇴적물에 의한 압력 증가
· 입자 사이의 공극 감소
· 공극률 감소
· 퇴적물의 밀도 증가

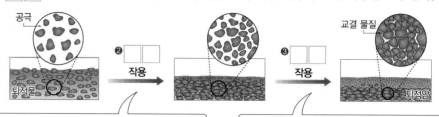

퇴적물이 위에 쌓인 퇴적물의 무게에 눌려 다져지는 작용 ➡ 입자 사이의 공극 감소, 퇴적물의 밀도 증가
└ 퇴적물 입자 사이의 틈

지하수에 녹아 있던 석회 물질, 규질, 산화철 등(교결 물질)이 퇴적물 사이에 침전되어 입자들을 붙여 굳어지게 하는 작용

3 퇴적암의 종류 퇴적물의 기원에 따라 구분한다.

① 쇄설성 퇴적암: 암석이 풍화, 침식 작용을 받아 생성된 입자나 화산 분출물이 쌓여 생성된다.

② 화학적 퇴적암: 물속에 녹아 있던 물질이 침전되거나, 물이 증발함에 따라 잔류하여 생성된다.

③ 유기적 퇴적암: 생물의 유해나 골격의 일부가 쌓여서 생성된다.

기출 Tip ⓐ-3

화학적 퇴적암 및 유기적 퇴적암으로 모두 생성되는 퇴적암
물에 녹아 있던 어떤 성분이 침전되어 생성되거나, 그 성분으로 이루어진 생물체의 유해가 쌓여 생성된다.
· 석회암(탄산 칼슘 성분)
· 처트(규질 성분) └ 묽은 염산에 반응한다.

퇴적물	퇴적암
점토	이암(셰일)
모래, 점토	사암
자갈, 모래, 점토	❹□□
화산재	응회암

▲ ❺□□□ 퇴적암
퇴적물 입자의 크기에 따라 구분

퇴적물	퇴적암
탄산 칼슘 (침전)	석회암
규질 (침전)	처트
염화 나트륨 (증발)	❻□□
황산 칼슘 이수화물 (증발)	석고

▲ ❼□□□ 퇴적암

퇴적물	퇴적암
석회질 생물체(산호, 유공충, 조개 껍데기)	석회암
규질 생물체	❽□□
식물체	석탄

▲ ❾□□□ 퇴적암

B 퇴적 구조와 퇴적 환경

→ 경사가 급한 곳에서 퇴적물이 빠르게 흘러내리는 흐름(저탁류)이 나타날 때 잘 형성된다. 크고 무거운 입자는 빠르게, 작고 가벼운 입자는 천천히 가라앉으므로 한 층 내에서 입자의 크기가 점진적으로 변한다.

1 퇴적 구조 퇴적 당시의 환경을 추정하거나 지층의 상하 관계를 밝히는 데 이용된다.

기출 Tip ⓑ-1

사층리에서 물이 흐른 방향
바람이나 물에 운반된 퇴적물이 경사면에 쌓이면서 생성되므로 경사면 방향으로 흐른다.

지층의 상하 판단(위쪽)
· 사층리: 층리의 폭이 넓은 쪽
· 점이 층리: 입자가 작은 쪽
· 건열: 쐐기 모양(V)의 틈이 넓은 쪽
· 연흔: 모양이 뾰족한 쪽

구분	사층리	점이 층리	❿□□	⓫□□
형성 과정	흐르는 물이나 바람을 따라 퇴적물이 비스듬히 쌓인 구조	다양한 크기의 퇴적물이 한꺼번에 쌓여 위로 갈수록 입자가 작아지는 구조	건조한 환경에 노출되어 점토와 같은 입자가 작은 퇴적물 표면이 갈라진 구조	잔물결이나 파도의 영향으로 퇴적물 표면에 물결 모양이 남은 구조
형성 환경	사막이나 하천 사막, 삼각주, 범람원, 해빈	수심이 깊은 곳 깊은 호수, 대륙대, 심해저	건조한 기후 지역 사막, 범람원	수심이 얕은 곳 얕은 호수, 대륙붕
정상 지층	물·바람의 방향 (상/하)	(상/하)	(상/하)	(상/하)
역전된 지층	물·바람의 방향 (하/상)	(하/상)	(하/상)	(하/상)

2 퇴적 환경

① 육상 환경: 빙하, 선상지, 호수, 사막, 강, 범람원 등
→ 주로 ⑫ ☐☐ 퇴적물이 퇴적되며, 강 하류로 갈수록 유속이 감소하여 입자의 크기가 작다.

② ⑬ ☐☐ 환경: 해빈, 삼각주, 석호, 사주 등
→ 육상 환경과 해양 환경이 만나는 곳

③ 해양 환경: 대륙붕, 대륙 사면, 대륙대, 심해저 등
→ 퇴적 환경 중 가장 넓은 면적을 차지한다.

▲ 퇴적 환경

기출 Tip ❸-2

퇴적 환경에서 주로 생성되는 퇴적암 및 퇴적 구조
· 빙하: 역암(빙퇴석)
· 호수: 점이 층리, 건열, 연흔
· 사막: 사암, 사층리, 건열
· 범람원: 사층리, 건열
· 삼각주: 사층리
· 해빈(모래사장): 연흔
· 대륙붕: 연흔
· 대륙대, 심해저: 점이 층리

선상지와 삼각주
· 선상지: 경사가 급한 골짜기에서 경사가 완만한 평야로 물이 흐를 때 유속이 급격히 느려지면서 부채꼴 모양으로 퇴적물이 쌓인 지형 → 퇴적물의 분급이 불량하다.
· 삼각주: 강물이 바다나 호수로 유입될 때 유속이 느려지면서 삼각형 모양으로 입자가 작은 퇴적물이 쌓인 지형

C 한반도의 퇴적암 지형

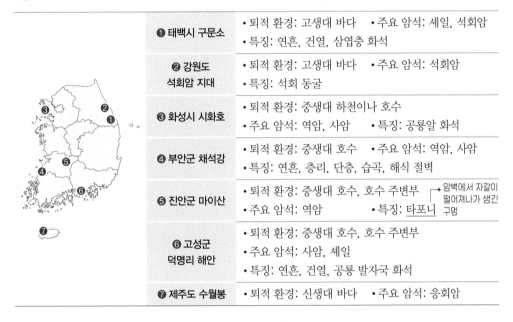

❶ 태백시 구문소	· 퇴적 환경: 고생대 바다　· 주요 암석: 셰일, 석회암 · 특징: 연흔, 건열, 삼엽충 화석
❷ 강원도 석회암 지대	· 퇴적 환경: 고생대 바다　· 주요 암석: 석회암 · 특징: 석회 동굴
❸ 화성시 시화호	· 퇴적 환경: 중생대 하천이나 호수 · 주요 암석: 역암, 사암　· 특징: 공룡알 화석
❹ 부안군 채석강	· 퇴적 환경: 중생대 호수　· 주요 암석: 역암, 사암 · 특징: 연흔, 층리, 단층, 습곡, 해식 절벽
❺ 진안군 마이산	· 퇴적 환경: 중생대 호수, 호수 주변부 —┐암벽에서 자갈이 떨어져나가 생긴 구멍 · 주요 암석: 역암　· 특징: 타포니
❻ 고성군 덕명리 해안	· 퇴적 환경: 중생대 호수, 호수 주변부 · 주요 암석: 사암, 셰일 · 특징: 연흔, 건열, 공룡 발자국 화석
❼ 제주도 수월봉	· 퇴적 환경: 신생대 바다　· 주요 암석: 응회암

답 ❶ 속성 ❷ 다짐 ❸ 교결 ❹ 역암
❺ 쇄설성 ❻ 암염 ❼ 화학적
❽ 처트 ❾ 유기적 ❿ 건열
⓫ 연흔 ⓬ 쇄설성 ⓭ 연안

빈출 자료 보기

○ 정답과 해설 21쪽

150 표는 퇴적암 A, B, C의 생성 원인을 나타낸 것이다.

퇴적암	생성 원인
A	생물의 유해나 골격이 쌓여 생성되었다.
B	해수의 증발로 염류가 침전되어 생성되었다.
C	기존 암석의 파편이 굳어져 생성되었다.

이에 대한 설명으로 옳은 것은 ○, 옳지 않은 것은 ×로 표시하시오.

(1) A는 화학적 퇴적암이다. ( )

(2) B는 건조한 환경에서 생성되었다. ( )

(3) C는 입자의 크기에 따라 구분할 수 있다. ( )

(4) 암염은 A에 해당한다. ( )

(5) 처트, 석탄, 석회암은 B에 해당한다. ( )

(6) C 중 모래와 자갈이 굳어서 생성된 암석은 역암이다. ( )

151 그림 (가)~(라)는 서로 다른 퇴적 구조를 나타낸 것이다.

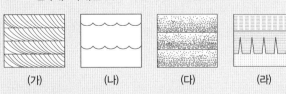

(가)　　　(나)　　　(다)　　　(라)

이에 대한 설명으로 옳은 것은 ○, 옳지 않은 것은 ×로 표시하시오.

(1) (가)는 연흔, (나)는 사층리이다. ( )

(2) (가)로 물이 흐른 방향이나 바람의 방향을 알 수 있다. ( )

(3) (다)는 저탁류에 의해 운반된 퇴적물에서 잘 나타난다. ( )

(4) (라)는 건조한 환경에서 형성되었다. ( )

(5) (라)는 이암층보다 역암층에서 잘 나타난다. ( )

(6) (가)~(라)는 모두 지층의 역전 여부를 판단할 수 있다. ( )

(7) (가)~(라) 중 지층이 역전된 것은 (가)이다. ( )

(8) (가)~(라) 중 가장 깊은 곳에서 형성된 것은 (나)이다. ( )

A 퇴적암

퇴적암의 생성 과정

152 하**중**상

퇴적암에 대한 설명으로 옳지 <u>않은</u> 것은?

① 퇴적물이 굳어서 만들어진 암석이다.

② 퇴적물은 물이나 바람과 함께 운반된다.

③ 생성 과정에서 압력이 작용하지 않는다.

④ 화석이나 층리가 발견되기도 한다.

⑤ 방사성 동위 원소를 이용하여 암석의 나이를 정확하게 측정할 수 없다.

153 하**중**상   多 보기

그림은 퇴적암이 생성되는 과정을 나타낸 것이다.

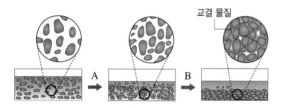

이에 대한 설명으로 옳지 <u>않은</u> 것만을 모두 고르면? (2개)

① A와 B 과정 전체를 속성 작용이라고 한다.

② A는 다짐 작용, B는 교결 작용이다.

③ A 과정은 퇴적물의 무게 때문에 일어난다.

④ A 과정에서 퇴적물의 공극률과 밀도가 증가한다.

⑤ B 과정은 석회질, 규질, 철질 성분이 침전되어 일어난다.

⑥ B 과정에서 교결 물질은 퇴적물을 서로 붙인다.

⑦ 이와 같은 과정으로 생성된 암석으로 유문암이 있다.

퇴적암의 종류

154 하중상   多 보기

퇴적물과 생성된 퇴적암을 옳게 짝 지은 것만을 모두 고르면? (2개)

① 모래 – 이암

② 모래, 자갈 – 역암

③ 점토 – 응회암

④ 화산재 – 석회암

⑤ 식물체 – 석탄

⑥ 산호, 조개껍데기 – 암염

155 하중상

쇄설성 퇴적암을 이암, 사암, 역암으로 분류한 기준을 쓰시오.

156 하중상

그림 (가)~(다)는 서로 다른 종류의 퇴적암을 나타낸 것이다.

(가) 셰일   (나) 암염   (다) 석회암

이에 대한 설명으로 옳은 것만을 〈보기〉에서 있는 대로 고른 것은?

〈 보기 〉

ㄱ. (가)는 유기적 퇴적암이다.

ㄴ. (나)는 물이 증발하고 남은 물질이 굳어져 생성되었다.

ㄷ. (다)는 유기물의 퇴적이나 화학 성분의 침전으로 모두 만들어질 수 있다.

① ㄱ   ② ㄷ   ③ ㄱ, ㄴ

④ ㄴ, ㄷ   ⑤ ㄱ, ㄴ, ㄷ

157 하중상

그림은 퇴적암을 특징에 따라 분류하는 과정이다.

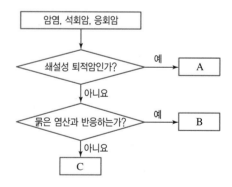

이에 대한 설명으로 옳은 것만을 〈보기〉에서 있는 대로 고른 것은?

〈 보기 〉

ㄱ. A는 응회암이다.

ㄴ. B는 규질 성분이 침전되어 만들어진다.

ㄷ. C는 유기적 퇴적암에 해당한다.

① ㄱ   ② ㄷ   ③ ㄱ, ㄴ

④ ㄴ, ㄷ   ⑤ ㄱ, ㄴ, ㄷ

158 ⑥중상 •●서술형

다음은 여러 가지 퇴적암을 나타낸 것이다.

사암, 석고, 석탄, 암염, 이암

(1) 위 암석을 쇄설성, 화학적, 유기적 퇴적암으로 분류하시오.

(2) 유기적 퇴적암의 생성 과정을 서술하시오.

159 ⑥중상 多보기

그림은 여러 가지 퇴적암을 쇄설성, 유기적, 화학적 퇴적암으로 순서 없이 분류한 것이다.

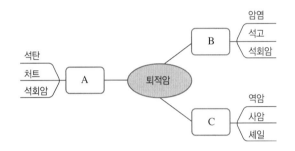

이에 대한 설명으로 옳지 않은 것만을 모두 고르면? (2개)

① A는 화학적 퇴적암이다.
② 응회암은 B에 해당한다.
③ 암염은 건조한 환경에서 잘 생성된다.
④ 석고는 물이 증발하고 남은 물질이 굳어서 만들어진다.
⑤ C는 빙하 퇴적물이 쌓이는 곳에서 만들어지기도 한다.
⑥ C의 역암, 사암, 셰일은 입자의 크기에 따라 분류한 것이다.

160 ⑥중상

그림은 퇴적암이 생성되는 과정 일부를 나타낸 것이다. 이에 대한 설명으로 옳은 것만을 〈보기〉에서 있는 대로 고른 것은?

〈 보기 〉
ㄱ. A와 C 과정을 거쳐 화학적 퇴적암이 생성된다.
ㄴ. 석회암은 B와 C 과정을 거쳐 생성된다.
ㄷ. C는 속성 작용으로, 퇴적물의 공극률이 감소한다.

① ㄱ　　　　② ㄴ　　　　③ ㄱ, ㄷ
④ ㄴ, ㄷ　　　⑤ ㄱ, ㄴ, ㄷ

B 퇴적 구조와 퇴적 환경

퇴적 구조

161 ⑥중상

얕은 물 밑에 쌓여 있던 입자가 작은 퇴적물의 표면이 수면 위의 건조한 환경에 노출되어 갈라진 퇴적 구조는?

① 건열　② 단층　③ 연흔　④ 사층리　⑤ 점이 층리

162 ⑥중상

그림은 여러 가지 퇴적 구조를 나타낸 것이다.

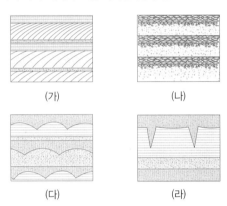

(가)　　　　　(나)

(다)　　　　　(라)

(가)~(라) 중 지층이 퇴적된 이후 역전된 퇴적 구조를 모두 골라 쓰시오.

163 ⑥중상

그림은 어떤 퇴적 구조를 나타낸 것이다.

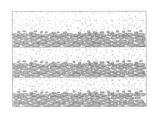

이에 대한 설명으로 옳은 것만을 〈보기〉에서 있는 대로 고른 것은?

〈 보기 〉
ㄱ. 수심이 깊은 곳에서 잘 형성된다.
ㄴ. 다양한 크기로 이루어진 퇴적물에서 나타난다.
ㄷ. 지층이 역전된 모습이다.
ㄹ. 퇴적물이 쌓일 당시의 바람 방향이나 물이 흐른 방향을 알 수 있다.

① ㄱ, ㄴ　　　② ㄴ, ㄹ　　　③ ㄷ, ㄹ
④ ㄱ, ㄴ, ㄷ　　⑤ ㄱ, ㄷ, ㄹ

164 하**중**상

그림 (가)와 (나)는 서로 다른 퇴적 구조의 단면을 나타낸 것이다.

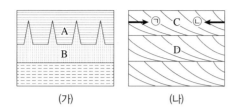

(가)   (나)

이에 대한 설명으로 옳지 않은 것만을 모두 고르면? (2개)

① (가)는 건열, (나)는 연흔이다.

② (가)의 A층은 건조한 환경에 노출된 적이 있다.

③ A는 B보다 오래된 층이다.

④ (가)는 사암층보다 셰일층에서 잘 나타난다.

⑤ (가)에서는 쇄설성 퇴적암이 발견될 수 있다.

⑥ (나)에서 물이 흐른 방향은 ㉠이다.

⑦ C는 D보다 오래된 층이다.

165 하**중**상

• 서술형

그림은 어느 지역의 지질 단면도를 스케치한 것이다.

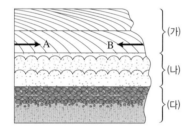

(1) (가)~(다)층에서 나타나는 퇴적 구조의 이름을 각각 쓰시오.

(2) (가)층에서 A와 B 중 과거에 물이 흐른 방향을 고르시오.

(3) (나)층이 생성될 당시 환경을 서술하시오.

(4) (다)와 같은 퇴적 구조가 만들어지는 과정을 서술하시오.

퇴적 환경

166 하**중**상

퇴적 환경에서 주로 만들어지는 퇴적암 또는 퇴적 구조가 옳지 않은 것은?

① 빙하 – 역암

② 대륙대 – 점이 층리

③ 호수 – 연흔, 건열

④ 사막 – 사층리, 사암

⑤ 삼각주 – 점이 층리

167 하**중**상

〈보기〉에서 퇴적물이 퇴적되는 환경을 (가) 육상 환경, (나) 연안 환경, (다) 해양 환경으로 구분하여 각각의 기호를 쓰시오.

┌─ 보기 ┐

ㄱ. 빙하   ㄴ. 석호   ㄷ. 해빈   ㄹ. 호수

ㅁ. 대륙대   ㅂ. 대륙붕   ㅅ. 삼각주   ㅇ. 선상지

168 **하**중상

퇴적 환경에 대한 설명으로 옳지 않은 것은?

① 육상 환경에서는 주로 쇄설성 퇴적물이 생성된다.

② 대륙붕은 연안 환경으로, 연흔이 형성되기도 한다.

③ 대륙대에는 대륙 사면의 급경사를 따라 이동한 다양한 크기의 퇴적물이 쌓인다.

④ 선상지에서는 다양한 크기의 퇴적물들이 부채꼴 모양으로 퇴적된다.

⑤ 해양 환경은 육상 환경이나 연안 환경보다 넓은 면적을 차지한다.

169 하**중**상

그림 (가)는 퇴적 환경을, (나)와 (다)는 어떤 퇴적 구조의 모습을 나타낸 것이다.

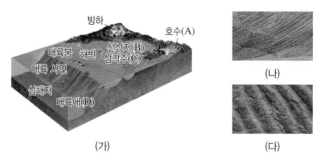

(가)   (나)   (다)

이에 대한 설명으로 옳은 것만을 〈보기〉에서 있는 대로 고른 것은?

┌─ 보기 ┐

ㄱ. A는 육상 환경, C는 연안 환경이다.

ㄴ. A에서는 (다)보다 (나)가 발달하기 쉽다.

ㄷ. B는 C보다 입자가 큰 퇴적물이 퇴적된다.

ㄹ. D에는 저탁류가 생성되어 (다)가 잘 발달한다.

① ㄱ, ㄷ   ② ㄴ, ㄷ   ③ ㄴ, ㄹ

④ ㄱ, ㄴ, ㄹ   ⑤ ㄱ, ㄷ, ㄹ

C 한반도의 퇴적암 지형

빈출 170 (하 중 상)

다음은 태백시 구문소의 지층을 관찰한 내용이다.

- 석회암과 셰일층으로 이루어져 있다.
- 삼엽충 화석이 발견되었다.
- 연흔, 건열이 발견되었다.

이 지층에 대한 설명으로 옳은 것만을 〈보기〉에서 있는 대로 고른 것은?

〈 보기 〉
ㄱ. 고생대에 퇴적되었다.
ㄴ. 쇄설성 퇴적암으로 이루어진 층이 있다.
ㄷ. 수심이 얕은 물 밑에서 퇴적된 적이 있다.

① ㄱ
② ㄷ
③ ㄱ, ㄴ
④ ㄴ, ㄷ
⑤ ㄱ, ㄴ, ㄷ

171 (하 중 상)

그림 (가)와 (나)는 우리나라에서 볼 수 있는 대표적인 퇴적암 지형을 나타낸 것이다.

(가) 진안 마이산

(나) 고성 덕명리 해안

이에 대한 설명으로 옳은 것만을 〈보기〉에서 있는 대로 고른 것은?

〈 보기 〉
ㄱ. (가)와 (나)는 모두 중생대에 생성되었다.
ㄴ. (가)는 쇄설성 퇴적암으로 구성되어 있다.
ㄷ. (나)에서는 연흔과 건열이 관찰되기도 한다.

① ㄱ
② ㄷ
③ ㄱ, ㄴ
④ ㄴ, ㄷ
⑤ ㄱ, ㄴ, ㄷ

172 (하 중 상)

그림 (가)는 제주도에서 볼 수 있는 퇴적암 지형을, (나)는 화성시 시화호 주변에서 볼 수 있는 퇴적암 지형을 나타낸 것이다.

(가) 수월봉

(나) 시화호 공룡알 화석지

이에 대한 설명으로 옳은 것만을 〈보기〉에서 있는 대로 고른 것은?

〈 보기 〉
ㄱ. (가)의 구성 암석은 화산재가 쌓여서 생성되었다.
ㄴ. (나)의 지층은 육상 환경에서 퇴적되었다.
ㄷ. (가)는 (나)보다 먼저 생성되었다.

① ㄱ
② ㄷ
③ ㄱ, ㄴ
④ ㄴ, ㄷ
⑤ ㄱ, ㄴ, ㄷ

빈출 173 (하 중 상)   多 보기

그림은 우리나라의 대표적인 퇴적암 지형의 위치를 나타낸 것이다.

시화호 ❶   ❸ 석회암 지대   ❷ 구문소
채석강 ❹   ❺ 마이산   ❻ 덕명리 해안
수월봉 ❼

이에 대한 설명으로 옳지 않은 것만을 모두 고르면? (2개)

① ❶은 육지에서, ❷는 바다에서 퇴적되었다.
② ❸은 고생대에 주로 퇴적되었고, 석회 동굴이 있다.
③ ❹에서는 해안 절벽이 관찰된다.
④ ❺는 호수에서 생성되었으며, 타포니가 관찰된다.
⑤ ❻은 ❷보다 먼저 생성된 퇴적암 지형이다.
⑥ ❻에서는 삼엽충과 산호 화석이 발견된다.
⑦ ❼에서는 층리가 관찰된다.

I. 고체 지구

지질 구조

A 습곡과 단층

1 습곡 지층이 지하 깊은 곳에서 횡압력을 받아 휘어진 구조
└ 고온 고압 환경이므로 지층이 끊어지기보다 휘어지기 쉽다.

① 습곡의 구조

• 습곡축: 습곡 구조에서 가장 많이 휘어진 중앙 축

• ❶[　　] : 지층이 위로 볼록하게 휘어진 부분

• ❷[　　] : 지층이 아래로 볼록하게 휘어진 부분

② 습곡의 종류: 수평면에 대한 습곡축면의 기울기에 따라 구분

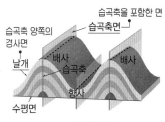

▲ 습곡의 구조

정습곡		경사 습곡		횡와 습곡	
	습곡 축 면 이 수평면에 대 해 거의 수직 인 습곡		습곡 축 면 이 수평면에 대 해 기울어진 습곡		습곡축면이 수 평면에 대해 거의 수평으로 누운 습곡

2 단층 지층이나 암석이 힘을 받아 끊어지면서 생긴 단층면을 경계로 양쪽의 지층이나 암석이 상대적으로 이동한 구조

① 습곡에 비해 비교적 얕은 곳에서 형성된다.

② 단층의 종류: 상반과 하반의 상대적인 이동에 따라 구분 ─┌ 상반: 단층면 위에 놓인 지층
└ 하반: 단층면 아래에 놓인 지층

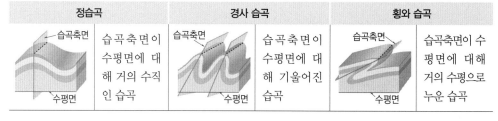

❸[　] 단층	❹[　] 단층	❺[　　　] 단층
장력이 작용하여, 단층면에 대해 상반이 아래로 이동한 단층	횡압력이 작용하여, 단층면에 대해 상반이 위로 이동한 단층	단층면을 따라 상반과 하반이 수평 방향으로 이동한 단층

└ 변환 단층은 주향 이동 단층에 속한다.

B 부정합

1 부정합 퇴적이 오랫동안 중단된 후 다시 퇴적되어 상하 지층 사이에 큰 시간 간격이 있는 관계

① 부정합의 형성 과정: 퇴적 → ❻[　　] → ❼[　　] → 침강 → 퇴적

② 부정합면: 부정합 관계인 지층의 경계면 ➡ 부정합면 위쪽에서 기저 역암이 발견되기도 한다.

2 부정합의 종류 ─ 정합과 구분하기 어렵다.

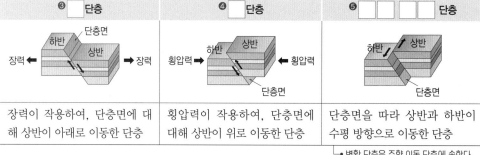

❽[　　] 부정합	❾[　　] 부정합	❿[　] 정합
• 부정합면을 경계로 상하 지층의 경사가 나란한 부정합 • 대부분 조륙 운동으로 형성 └ 넓은 범위에 걸쳐 융기하거나 침강하는 운동	• 부정합면을 경계로 상하 지층의 경사가 서로 다른 부정합 • 대부분 조산 운동으로 형성 └ 습곡 산맥을 만드는 운동	• 부정합면의 아래에 심성암이나 변성암이 분포하는 부정합 • 다른 부정합에 비해 상하 지층의 시간 차이가 크다.

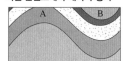

C 절리

1 절리 암석에 생긴 틈이나 균열 ➡ 단층과 달리 갈라진 면을 경계로 암석의 이동이 없다.

2 절리의 종류 갈라진 모양에 따라 구분한다.

주상 절리	판상 절리

• 다각형(4각형~6각형) 기둥 모양 • 형성 원리: 용암이 분출하여 급격히 식을 때, 가장자리부터 빠르게 냉각되어 ⓫▢▢하면서 기둥 모양으로 갈라진다.	• 얇은 판 모양 • 형성 원리: 지하 깊은 곳에서 생성된 암석이 지표로 드러날 때 암석을 누르는 ⓬▢▢이 감소하여 암석이 팽창하면서 판 모양으로 갈라진다.

D 관입과 포획

관입	포획
• 관입: 마그마가 지층이나 암석을 뚫고 들어가는 것 • 관입암: 마그마가 관입하여 식어서 굳은 암석 　┌관입암상: 지층에 평행하게 뚫고 들어가 굳은 것 　└암맥: 지층을 가로질러 뚫고 들어가 굳은 것	• 포획: 마그마가 관입할 때 주변의 암석이나 지층에서 떨어져 나온 암석 조각들이 마그마 속으로 들어가는 것 • 포획암: 마그마에 포획된 암석
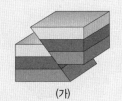 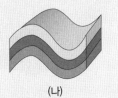 관입당한 암석: 마그마의 열에 의해 변성되기도 한다. ⓭▢▢암	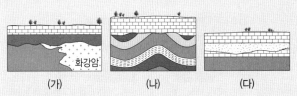 ⓮▢▢암 / 관입암

빈출 자료 보기

○ 정답과 해설 24쪽

174 그림 (가)와 (나)는 서로 다른 지질 구조를 나타낸 것이다.

(가)　　　　　(나)

이에 대한 설명으로 옳은 것은 ○, 옳지 <u>않은</u> 것은 ×로 표시하시오.

(1) (가)에서는 상반이 아래로 이동하였다. 　　　(　)

(2) (가)는 장력이 작용하여 형성된 정단층이다. 　(　)

(3) (나)는 양쪽에서 미는 힘을 받아 형성되었다. 　(　)

(4) (나)에서 위로 볼록한 부분을 향사라고 한다. 　(　)

(5) (나)는 정습곡이다. 　　　　　　　　　　(　)

(6) (가)와 (나)는 모두 습곡 산맥에서 잘 발달한다. (　)

175 그림 (가)~(다)는 서로 다른 종류의 부정합을 나타낸 것이다.

(가)　　　(나)　　　(다)

이에 대한 설명으로 옳은 것은 ○, 옳지 <u>않은</u> 것은 ×로 표시하시오.

(1) (가)는 경사 부정합이다. 　　　　　　　(　)

(2) (가)~(다)는 모두 최소 2회의 융기가 있었다. (　)

(3) (가)에서는 항상 기저 역암이 발견된다. 　(　)

(4) (나)는 형성 과정에서 횡압력을 받은 적이 있다. (　)

(5) 다른 부정합에 비해 상하 지층의 시간 차이가 큰 부정합은 (다)이다.
　　　　　　　　　　　　　　　　　(　)

(6) (다)는 정합과 구분하기 어려워 다른 부정합에 비해 부정합면을 찾기 어렵다. 　　　　　　　　　　　　(　)

A 습곡과 단층

176 하중상

지층에 횡압력이 작용하여 만들어진 지질 구조만을 〈보기〉에서 있는 대로 고르시오.

〈 보기 〉

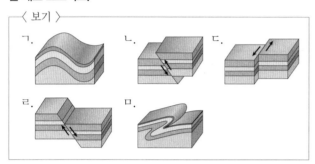

ㄱ. ㄴ. ㄷ. ㄹ. ㅁ.

177 하중상

그림은 어느 지역에서 형성된 지질 구조를 나타낸 것이다. 이에 대한 설명으로 옳지 <u>않은</u> 것은?

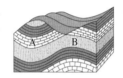

① A는 배사, B는 향사가 나타난다.
② 이 지역은 횡압력을 받은 적이 있다.
③ 이 지역의 습곡축은 기울어지지 않았다.
④ 지층이 역전되지 않았다면 B는 A보다 나이가 많다.
⑤ 판의 수렴형 경계에서 잘 나타난다.

178 하중상 (빈출)

그림 (가)와 (나)는 두 종류의 단층을 나타낸 것이다.

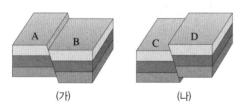

(가)   (나)

이에 대한 설명으로 옳은 것만을 〈보기〉에서 있는 대로 고른 것은?

〈 보기 〉

ㄱ. A와 D는 상반에 해당한다.
ㄴ. (가)는 정단층, (나)는 역단층이다.
ㄷ. 발산형 경계에서는 주로 (나)와 같은 단층이 발달한다.

① ㄱ   ② ㄴ   ③ ㄱ, ㄷ
④ ㄴ, ㄷ   ⑤ ㄱ, ㄴ, ㄷ

179 하중상 (빈출)

•서술형

그림은 서로 다른 힘을 받아 형성된 두 종류의 단층을 나타낸 것으로, 화살표는 지층이 단층면을 따라 이동한 방향이다.

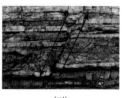 

(가)   (나)

(가)와 (나) 단층의 종류와 단층이 형성될 때 작용한 힘을 각각 서술하시오.

180 하중상

그림은 어느 단층의 구조를 모식적으로 나타낸 것이다. 이에 대한 설명으로 옳은 것만을 〈보기〉에서 있는 대로 고른 것은?

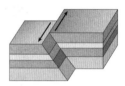

〈 보기 〉

ㄱ. 지층이 단층면을 기준으로 수평으로 이동하였다.
ㄴ. 역단층이다.
ㄷ. 산안드레아스 단층은 이 단층에 해당한다.

① ㄱ   ② ㄴ   ③ ㄱ, ㄷ
④ ㄴ, ㄷ   ⑤ ㄱ, ㄴ, ㄷ

181 하중상

그림은 어느 지역의 지질 구조를 모식적으로 나타낸 것으로, 화살표는 지층의 이동 방향이다.

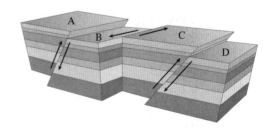

이에 대한 설명으로 옳은 것만을 〈보기〉에서 있는 대로 고른 것은?

〈 보기 〉

ㄱ. A와 B 사이의 단층면을 경계로 A는 상반, B는 하반이다.
ㄴ. B와 C 사이에는 정단층이 발달한다.
ㄷ. C와 D 사이의 단층은 횡압력이 작용하여 형성되었다.

① ㄱ   ② ㄴ   ③ ㄱ, ㄷ
④ ㄴ, ㄷ   ⑤ ㄱ, ㄴ, ㄷ

182 하(중)상

그림 (가)와 (나)는 서로 다른 종류의 지질 구조를 나타낸 것이다.

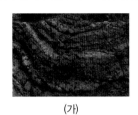 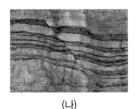

(가)   (나)

이에 대한 설명으로 옳은 것만을 〈보기〉에서 있는 대로 고른 것은?

〈 보기 〉
ㄱ. (가)에서 향사 구조가 나타난다.
ㄴ. (나)는 상반이 아래로 내려간 정단층이다.
ㄷ. (가)와 (나)는 모두 장력의 작용으로 형성되었다.
ㄹ. (가)는 (나)에 비해 지하 깊은 곳에서 형성된다.

① ㄱ, ㄴ   ② ㄴ, ㄷ   ③ ㄷ, ㄹ
④ ㄱ, ㄴ, ㄹ   ⑤ ㄱ, ㄷ, ㄹ

183 하(중)상

그림 (가)와 (나)는 서로 다른 지질 구조를, (다)는 어느 지역에서 판의 경계와 판의 이동 방향을 나타낸 것이다.

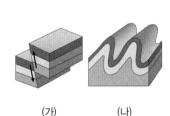 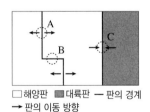

(가)   (나)   (다)

□ 해양판 ■ 대륙판 ― 판의 경계
→ 판의 이동 방향

이에 대한 설명으로 옳지 않은 것은?

① (가)는 역단층, (나)는 경사 습곡의 모습이다.
② (가)와 같은 단층으로 해일이 일어날 수 있다.
③ (다)의 A, B, C에서는 모두 천발 지진이 발생한다.
④ A에서는 (가)가, C에서는 (나)가 잘 발달한다.
⑤ B에서는 주향 이동 단층이 잘 발달한다.

B 부정합

184 하(중)상

부정합에 대한 설명으로 옳지 않은 것은?

① 부정합면 위에 기저 역암이 나타나기도 한다.
② 부정합면은 과거에 육지로 드러났던 적이 있다.
③ 부정합면을 경계로 상하 지층에서 발견되는 화석의 종류는 비슷하다.
④ 평행 부정합은 부정합면을 찾기 어렵다.
⑤ 평행 부정합은 조륙 운동만을 받은 지역에서 주로 나타난다.

185 하(중)상
● ● 서술형

그림은 어느 부정합의 단면을 나타낸 것이다.

(1) 이 부정합의 종류를 쓰고, 부정합 외에 발견되는 지질 구조를 쓰시오.

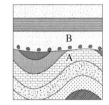

(2) 이 부정합의 형성 과정을 다음 단어를 모두 포함하여 서술하시오.

융기, 침강, 침식, 퇴적

(3) 부정합면을 경계로 A층과 B층 사이에 시간적 단절이 생기는 까닭을 서술하시오.

186 하(중)상

그림 (가)~(다)는 부정합의 형성 과정을 순서대로 나타낸 것이다.

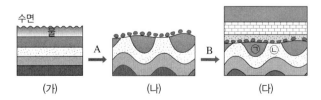

(가)   (나)   (다)

이에 대한 설명으로 옳지 않은 것은?

① A에서 침강이, B에서 융기가 있었다.
② (나)에서 기저 역암이 나타날 수 있다.
③ 경사 부정합의 형성 과정이다.
④ ㉠은 ㉡보다 나중에 퇴적된 지층이다.
⑤ ㉡에서는 배사 구조가 나타난다.

187 (하)중(상)

그림은 어느 지역의 지질 단면을 나타낸 것이다.

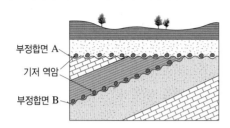

부정합면 A
기저 역암
부정합면 B

이에 대한 설명으로 옳은 것만을 〈보기〉에서 있는 대로 고른 것은?

〈 보기 〉
ㄱ. A는 평행 부정합, B는 경사 부정합이다.
ㄴ. 이 지역은 B가 형성되기 전에 조산 운동을 받았을 것이다.
ㄷ. 이 지역에는 최소 3회의 융기가 있었다.

① ㄱ   ② ㄷ   ③ ㄱ, ㄴ
④ ㄴ, ㄷ   ⑤ ㄱ, ㄴ, ㄷ

절리

188 (하)중(상)

다음 설명에 해당하는 지질 구조를 옳게 짝 지은 것은?

(가)	• 암석 내에 형성된 틈이나 균열 • 틈을 경계로 암석의 이동이 일어나지 않는다.
(나)	• 지층이 힘을 받아 끊어지면서 형성된 지질 구조 • 끊어진 양쪽의 암석이 이동한다.

	(가)	(나)		(가)	(나)
①	단층	습곡	②	단층	절리
③	단층	부정합	④	절리	단층
⑤	절리	부정합			

189 (하)중(상)

•• 서술형

그림은 두 종류의 절리를 나타낸 것이다.

 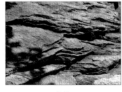

(가)   (나)

(가)와 (나) 절리의 종류와 절리가 만들어지는 과정을 각각 서술하시오.

190 (하)중(상)

그림 (가)와 (나)는 우리나라의 지질 명소에서 발견된 절리를 나타낸 것이다.

(가) 북한산   (나) 제주도

이에 대한 설명으로 옳은 것만을 〈보기〉에서 있는 대로 고른 것은?

〈 보기 〉
ㄱ. (가)는 용암이 급격히 식으면서 수축하여 형성된다.
ㄴ. (나)의 암석은 (가)의 암석보다 지하 깊은 곳에서 형성된다.
ㄷ. (가)와 (나)는 모두 화성암에서 관찰될 수 있다.

① ㄱ   ② ㄷ   ③ ㄱ, ㄴ
④ ㄴ, ㄷ   ⑤ ㄱ, ㄴ, ㄷ

191 (하)중(상)

그림은 화성암에서 서로 다른 종류의 절리가 형성되는 원리를 나타낸 것이다.

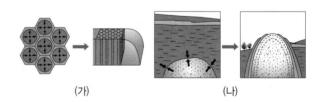

(가)   (나)

이에 대한 설명으로 옳은 것만을 〈보기〉에서 있는 대로 고른 것은?

〈 보기 〉
ㄱ. (가)의 과정으로 주상 절리가 형성된다.
ㄴ. (나)의 과정으로 암석이 융기하여 암석에 작용하는 압력이 증가하면서 절리가 형성된다.
ㄷ. (가)의 암석에서는 주로 세립질 조직이, (나)의 암석에서는 주로 조립질 조직이 나타난다.

① ㄱ   ② ㄴ   ③ ㄷ
④ ㄱ, ㄷ   ⑤ ㄴ, ㄷ

192 하 중 상

그림은 서로 다른 지역에서 발견된 암석을 나타낸 것이다.

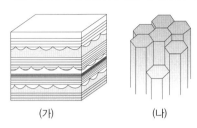

(가)   (나)

이에 대한 설명으로 옳은 것은?

① (가)는 횡압력을 받아 형성된다.
② (가)는 수심이 깊은 물속에서 만들어진다.
③ (나)는 암석이 융기하면서 압력이 감소하여 형성된다.
④ 지층의 상하 판단에 이용되는 것은 (가)이다.
⑤ (가)는 퇴적암에서, (나)는 심성암에서 잘 발견된다.

193 하 중 상

그림은 우리나라의 지질 명소를 나타낸 것이다.

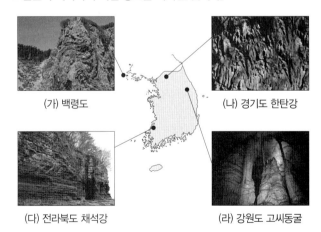

(가) 백령도   (나) 경기도 한탄강

(다) 전라북도 채석강   (라) 강원도 고씨동굴

이에 대한 설명으로 옳지 않은 것은?

① (가)는 장력의 작용으로 형성되었다.
② (나)는 지표 부근에서 용암이 식어 생성되었다.
③ (다)에서는 층리가 발견된다.
④ (라)는 지하수의 용해 작용으로 형성되었다.
⑤ (라)의 석회암층은 (나)의 절리보다 먼저 형성되었다.

D 관입과 포획

194 하 중 상

관입과 포획에 대한 설명으로 옳지 않은 것은?

① 마그마가 주변 암석을 뚫고 들어가는 것을 관입이라고 한다.
② 관입한 암석은 관입당한 암석보다 먼저 생성되었다.
③ 마그마가 주변 암석의 층상 구조와 평행하게 흘러 들어가 식어 굳어진 것을 관입암상이라고 한다.
④ 관입암은 포획암보다 나중에 생성되었다.
⑤ 관입이 일어나면 기존의 암석이 변성되기도 한다.

빈출 195 하 중 상

그림 (가)와 (나)는 관입암과 포획암을 나타낸 것이다.

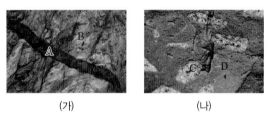

(가)   (나)

이에 대한 설명으로 옳은 것만을 〈보기〉에서 있는 대로 고른 것은?

〈 보기 〉
ㄱ. (가)에서 관입암은 A이고, (나)에서 포획암은 C이다.
ㄴ. A는 B보다 나중에 생성되었다.
ㄷ. C는 D보다 나중에 생성되었다.
ㄹ. B는 A에 의해 변성 작용을 받는다.

① ㄱ, ㄷ   ② ㄴ, ㄷ   ③ ㄴ, ㄹ
④ ㄱ, ㄴ, ㄹ   ⑤ ㄱ, ㄷ, ㄹ

196 하 중 상

그림은 마그마의 관입으로 생성된 심성암을 나타낸 것이다. 이에 대한 설명으로 옳은 것만을 〈보기〉에서 있는 대로 고른 것은?

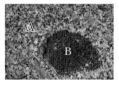

〈 보기 〉
ㄱ. 포획암은 A이다.
ㄴ. B는 A보다 SiO_2 함량이 많다.
ㄷ. 암석의 나이는 B가 A보다 많다.

① ㄱ   ② ㄴ   ③ ㄷ
④ ㄱ, ㄷ   ⑤ ㄴ, ㄷ

지층의 나이

A 지사학 법칙 → 지사학 법칙의 기본 원리: 동일 과정설 ➡ 현재 일어나고 있는 자연 현상은 과거에도 동일한 과정으로 일어났을 것이다(현재는 과거의 열쇠이다.).

동물군 천이의 법칙과 표준 화석
• 표준 화석: 지층의 생성 시대를 알려 주는 화석
• 지질 시대와 표준 화석

구분	시기 (억 년 전)	표준 화석
고생대	5.41 ~2.52	삼엽충, 필석, 갑주어, 방추충
중생대	2.52 ~0.66	공룡, 암모나이트
신생대	0.66~	화폐석, 매머드

수평 퇴적의 법칙	일반적으로 퇴적물은 중력의 영향으로 수평으로 쌓인다. ➡ 지층이 휘어져 있다면 과거에 지각 변동을 받은 적이 있다.
❶ ☐☐☐☐의 법칙	지층의 역전이 없었다면, 아래에 있는 지층이 위에 있는 지층보다 먼저 퇴적되었다.
❷ ☐☐의 법칙	관입한 암석은 관입당한 암석보다 나중에 생성되었다. ➡ 관입당한 기존의 암석은 관입한 마그마의 열에 의해 변성되기도 한다. ➡ 관입암에서 기존의 암석이 포획암으로 발견될 수 있다. ➡ 화성암 위쪽에 퇴적암이 덮여 있을 경우 관입과 분출의 판단은 다음과 같다.

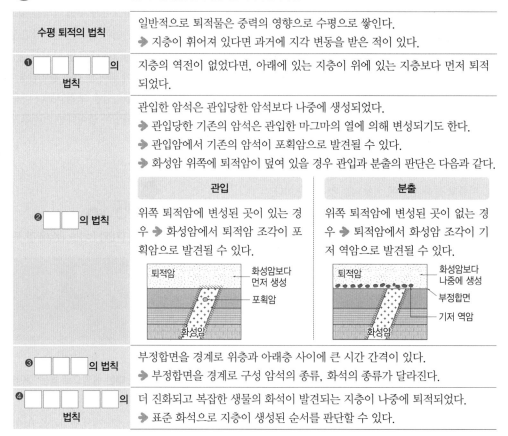

	관입	분출
	위쪽 퇴적암에 변성된 곳이 있는 경우 ➡ 화성암에서 퇴적암 조각이 포획암으로 발견될 수 있다.	위쪽 퇴적암에 변성된 곳이 없는 경우 ➡ 퇴적암에서 화성암 조각이 기저 역암으로 발견될 수 있다.

❸ ☐☐☐의 법칙	부정합면을 경계로 위층과 아래층 사이에 큰 시간 간격이 있다. ➡ 부정합면을 경계로 구성 암석의 종류, 화석의 종류가 달라진다.
❹ ☐☐☐☐의 법칙	더 진화되고 복잡한 생물의 화석이 발견되는 지층이 나중에 퇴적되었다. ➡ 표준 화석으로 지층이 생성된 순서를 판단할 수 있다.

B 상대 연령

1 지층의 대비 여러 지역에 있는 지층들을 비교하여 상대적인 선후 관계를 밝히는 것

지층의 대비와 부정합
여러 지역의 지층을 연결할 때 일부 지역에서만 상하 지층에 누락된 지층이 있다면, 그 경계면은 부정합면이다. 따라서 그 지역은 과거에 침식을 받은 적이 있다.

암상에 의한 대비	화석에 의한 대비
• 암석의 성분, 조직, 색, 건층 등을 이용하여 비교 • 건층(열쇠층): 넓은 지역에 분포하여 지층의 대비에 기준이 되는 층 예 ❺ ☐☐☐층, 석탄층 • 비교적 가까운 거리에 있는 지층 비교에 이용	• 같은 ❻ ☐☐ 화석이 발견된 지층을 연결하여 비교 ➡ 암석의 종류는 달라도 지층이 생성된 시기는 같다. • 비교적 먼 거리에 있는 지층의 비교에도 이용

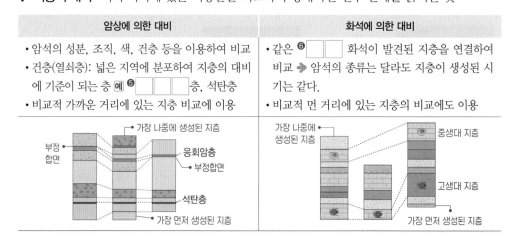

2 상대 연령 지층이나 암석의 생성 시기와 지질학적 사건의 발생 순서를 상대적으로 나타낸 것
① 한 지역에서 서로 접촉하고 있는 지층이나 암석의 생성 순서를 나타낼 때 이용한다.
② 상대 연령을 결정하는 데 이용되는 것
• 지사학 법칙: 한 지역에서 상대적인 지층의 생성 순서를 결정할 수 있다.
• 퇴적 구조: 사층리, 점이 층리, 건열, 연흔 등이 발견되면 지층의 역전 여부를 알 수 있다.
• 지질 구조: 습곡, 단층 등을 지질학적 사건의 발생 순서를 판단하는 데 이용할 수 있다.

C 절대 연령 → 방사성 동위 원소의 반감기를 이용하여 절대 연령을 알아낸다.

1 절대 연령 암석의 생성 시기, 지질학적 현상의 발생 시기를 수치로 나타낸 것

2 방사성 동위 원소 자연 상태에서 불안정하여 방사선을 방출하면서 안정한 원소로 변하는 원소

① ❼ ☐☐☐ : 붕괴하는 원래의 방사성 동위 원소

② ❽ ☐☐☐ : 붕괴하여 새로 생성된 안정한 원소

③ 반감기: 방사성 동위 원소가 붕괴하여 처음 양의 절반으로 줄어드는 데 걸린 시간

➡ 반감기는 외부 온도나 압력의 변화에 관계없이 일정하다.

④ 반감기가 n회 지났을 때 남아 있는 모원소의 양: 처음 모원소 양의 $\left(\dfrac{1}{2}\right)^n$

⑤ 절대 연령: 방사성 동위 원소의 ❾ ☐☐☐ × 반감기 횟수

기출 Tip ⒞-2

반감기
= 모원소의 양이 처음 양의 50 %가 되는 데 걸린 시간
= 모원소의 양이 처음 양의 $\dfrac{1}{2}$이 되는 데 걸린 시간
= '모원소 : 자원소'가 '1 : 1'이 되는 데 걸린 시간

시간이 지남에 따른 양의 변화
• 모원소의 양: 감소
• 자원소의 양: 증가
• $\dfrac{\text{모원소의 양}}{\text{처음 모원소의 양}}$: 감소
• $\dfrac{\text{모원소의 양}}{\text{자원소의 양}}$: 감소
• $\dfrac{\text{자원소의 양}}{\text{모원소의 양}}$: 증가

― **방사성 동위 원소의 붕괴 곡선** ―

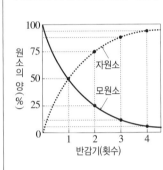

반감기 횟수	모원소 비율	모원소의 양	모원소 : 자원소
1회	❿☐ %	처음 양의 $\dfrac{1}{2}$	1 : 1
2회	25 %	처음 양의 ⓫☐	1 : 3
3회	12.5 %	처음 양의 $\dfrac{1}{8}$	1 : ⓬☐
4회	6.25 %	처음 양의 $\dfrac{1}{16}$	1 : 15

3 방사성 동위 원소의 이용

① 화성암이나 변성암의 절대 연령 측정에 이용한다.

② 퇴적암의 절대 연령은 정확히 측정할 수 없다. ➡ 퇴적물이 기원한 암석의 생성 시기가 측정되기 때문이다.

③ 고고학과 같은 가까운 과거의 연구에는 반감기가 짧은 방사성 동위 원소를 이용한다. 예 ^{14}C (탄소)
반감기가 짧아 가까운 과거의 정확한 연대 측정에 유리하다.

모원소	자원소	반감기(년)
^{238}U(우라늄)	^{206}Pb(납)	약 45억
^{235}U(우라늄)	^{207}Pb(납)	약 7억
^{232}Th(토륨)	^{208}Pb(납)	약 141억
^{40}K(칼륨)	^{40}Ar(아르곤)	약 13억
^{87}Rb(루비듐)	^{87}Sr(스트론튬)	약 492억
^{14}C(탄소)	^{14}N(질소)	약 5730

기출 Tip ⒞-3

퇴적암의 생성 시기
퇴적암의 절대 연령 측정은 퇴적암의 생성 시기가 아닌 퇴적 시기의 상한선을 알려 준다. 따라서 퇴적암의 생성 시기는 화성암이나 변성암과 선후 관계를 판단하여 추정할 수 있다.

답 ❶ 지층 누중 ❷ 관입 ❸ 부정합 ❹ 동물군 천이 ❺ 응회암 ❻ 표준 ❼ 모원소 ❽ 자원소 ❾ 반감기 ❿ 50 ⓫ $\dfrac{1}{4}$ ⓬ 7

빈출 자료 보기

🔆 정답과 해설 27쪽

197 그림 (가)는 어느 지역의 지질 단면도와 산출되는 화석을, (나)는 방사성 동위 원소 X의 붕괴 곡선을 나타낸 것이다. 화성암 P, Q에 포함된 X의 양은 각각 처음 양의 $\dfrac{1}{2}$, $\dfrac{1}{4}$이고, 이 지역에서 지층의 역전은 없었다.

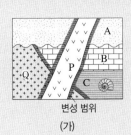

변성 범위

(가)　(나)

이에 대한 설명으로 옳은 것은 ○, 옳지 않은 것은 ×로 표시하시오.

(1) 지층 누중의 법칙에 따라 C는 B보다 먼저 생성되었다. (　)

(2) 관입의 법칙에 따라 B는 Q보다 먼저 생성되었다. (　)

(3) 암석의 생성 순서는 C → B → Q → P → A이다. (　)

(4) 방사성 동위 원소 X의 반감기는 1억 년이다. (　)

(5) 화성암 P에 포함된 모원소 : 자원소=1 : 2이다. (　)

(6) 화성암 P의 절대 연령은 0.5억 년이다. (　)

(7) 화성암 Q는 반감기가 2회 지났다. (　)

(8) 화성암 Q는 중생대에 관입하였다. (　)

(9) C는 중생대 바다에서 생성된 지층이다. (　)

(10) B에서는 삼엽충 화석이 발견될 수 있다. (　)

A 지사학 법칙

198 하 중 상
多 보기

지사학 법칙에 대한 설명으로 옳은 것만을 모두 고르면? (2개)

① 지층 누중의 법칙에 따라 기울어져 있는 지층은 생성된 이후 지각 변동을 받은 적이 있다.

② 지질학적 변화는 과거에도 현재와 동일하게 일어났을 것이다.

③ 지층의 역전이 없을 경우 아래 지층일수록 먼저 생성되었다.

④ 진화된 화석이 발견되는 지층일수록 먼저 생성되었다.

⑤ 관입한 암석은 관입당한 암석보다 먼저 생성되었다.

⑥ 부정합면의 아래층과 위층은 연속적으로 생성되었다.

199 하 중 상
••서술형

그림 (가)와 (나)는 화성암이 관입한 지역과 분출한 지역을 순서 없이 나타낸 것이다. (단, 지층의 역전은 없었다.)

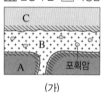
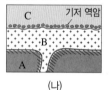

(가)   (나)

(1) (가) 지역의 화성암이 관입한 경우인지 분출한 경우인지 쓰고, 암석 A, B, C를 생성 순서대로 나열하시오.

(2) (나) 지역의 화성암이 관입한 경우인지 분출한 경우인지 쓰고, 암석 A, B, C를 생성 순서대로 나열하시오.

(3) 관입과 분출을 구분하는 방법을 각각 서술하시오.

200 하 중 상

그림은 어느 지역의 지질 단면도이다. A, B, C는 퇴적암이고, P는 화성암이다. 이에 대한 설명으로 옳은 것은?

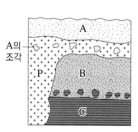

① A의 조각은 기저 역암이다.

② P는 마그마가 분출하여 생성된 암석이다.

③ 지층의 생성 순서는 C→B→P→A이다.

④ C가 퇴적된 후 이 지역은 융기한 적이 있다.

⑤ A는 P의 마그마에 의해 열 변성 작용을 받지 않았다.

201 하 중 상
빈출

그림 (가)와 (나)는 어느 두 지역의 지질 단면을 나타낸 것이다.

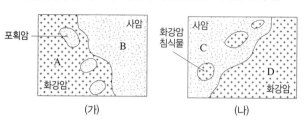

(가)   (나)

이에 대한 설명으로 옳은 것만을 〈보기〉에서 있는 대로 고른 것은? (단, 두 지역에서 화강암의 절대 연령은 같다.)

〈 보기 〉

ㄱ. (가) 지역에서 B는 열 변성 작용을 받을 수 있다.

ㄴ. (나) 지역에서 C와 D의 생성 순서를 결정하는 데 관입의 법칙이 적용된다.

ㄷ. (가)와 (나) 지역의 사암은 같은 시기에 생성되었다.

① ㄱ   ② ㄷ   ③ ㄱ, ㄴ
④ ㄴ, ㄷ   ⑤ ㄱ, ㄴ, ㄷ

202 하 중 상

그림은 서로 다른 두 지역 (가)와 (나)의 지질 단면도를 나타낸 것이다.

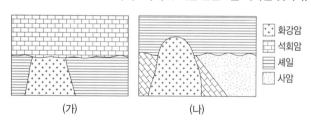

화강암
석회암
셰일
사암

(가)   (나)

이에 대한 설명으로 옳은 것만을 〈보기〉에서 있는 대로 고른 것은? (단, 두 지역에서 부정합의 형성 시기는 같다.)

〈 보기 〉

ㄱ. (가) 지역에서 화강암은 석회암보다 먼저 생성되었다.

ㄴ. (나) 지역에서는 난정합이 나타난다.

ㄷ. 화강암의 절대 연령은 (나) 지역이 (가) 지역보다 많다.

ㄹ. (나) 지역은 부정합이 형성되기 전에 지각 변동을 받은 적이 있다.

① ㄱ, ㄹ   ② ㄴ, ㄷ   ③ ㄴ, ㄹ
④ ㄱ, ㄴ, ㄷ   ⑤ ㄱ, ㄷ, ㄹ

B 상대 연령

지층의 대비

[203~204] 그림은 비교적 가까운 거리에 위치한 세 지역 (가)~
(다)의 지층 단면을 나타낸 것이다. (단, 지층의 역전은 없었다.)

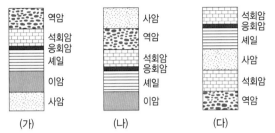

★빈출
203 ㉠중㉡

이에 대한 설명으로 옳은 것만을 〈보기〉에서 있는 대로 고른 것은?

〈 보기 〉
ㄱ. 건층으로 가장 적합한 지층은 역암층이다.
ㄴ. (가)와 (나) 지역의 사암층은 같은 시기에 생성되었다.
ㄷ. (다) 지역에서는 지층의 퇴적이 중단된 시기가 있었다.

① ㄱ   ② ㄷ   ③ ㄱ, ㄴ
④ ㄴ, ㄷ   ⑤ ㄱ, ㄴ, ㄷ

204 ㉠중㉡

(가)~(다) 지역의 지질 단면도에 나타나는 지층의 총 개수와 가장
젊은 지층이 분포하는 지역을 옳게 짝 지은 것은?

① 6, (가)   ② 6, (나)   ③ 7, (다)   ④ 9, (나)   ⑤ 9, (다)

205 ㉠중㉡

그림은 인접한 세 지역 (가)~(다)의 지층의 단면을 나타낸 것이다.

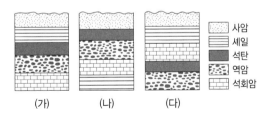

이에 대한 설명으로 옳은 것만을 〈보기〉에서 있는 대로 고른 것은?
(단, 지층의 역전은 없었다.)

〈 보기 〉
ㄱ. (가)~(다) 지역에 생성된 석탄층은 같은 층이다.
ㄴ. (나)와 (다) 지역에 생성된 셰일층은 같은 층이다.
ㄷ. 가장 오래된 지층은 (다)에 있다.

① ㄱ   ② ㄷ   ③ ㄱ, ㄴ
④ ㄴ, ㄷ   ⑤ ㄱ, ㄴ, ㄷ

206 ㉠중㉡

그림은 세 지역 (가), (나), (다)의 지질 단면도와 각 지층에서 산출
되는 화석을 나타낸 것이다.

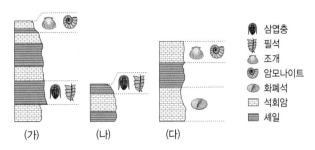

이에 대한 설명으로 옳은 것만을 〈보기〉에서 있는 대로 고른 것은?

〈 보기 〉
ㄱ. (가)에는 가장 오래된 지층이 있다.
ㄴ. (나)의 최상부 지층은 바다에서 퇴적되었다.
ㄷ. (다)에는 역전된 지층이 있다.
ㄹ. (가)~(다)에는 모두 고생대 지층이 있다.

① ㄱ, ㄴ   ② ㄴ, ㄷ   ③ ㄷ, ㄹ
④ ㄱ, ㄴ, ㄹ   ⑤ ㄱ, ㄷ, ㄹ

207 ㉠중㉡

그림은 서로 떨어져 있는 두 지역 (가)와 (나)의 지질 단면과 산출된
화석을 나타낸 것으로, P는 화성암이다.

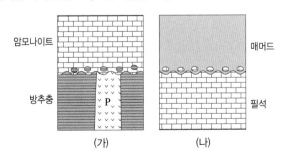

이에 대한 설명으로 옳은 것은?

① (가) 지역에는 육지에서 퇴적된 지층이 있다.
② (나) 지역의 지층은 모두 신생대에 퇴적되었다.
③ P는 매머드가 산출된 지층보다 나중에 생성되었다.
④ 퇴적이 중단된 기간은 (가) 지역이 (나) 지역보다 짧다.
⑤ (나) 지역에서는 지층의 역전이 나타났다.

208 하(중)상

그림은 어느 지역의 지질 단면도를 나타낸 것이다.

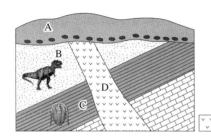

화성암

지층의 생성 순서를 정하는 데 이용되는 지사학 법칙을 옳게 짝 지은 것은?

	A와 D 사이	B와 C 사이	B와 D 사이
①	지층 누중의 법칙	동물군 천이의 법칙	부정합의 법칙
②	부정합의 법칙	관입의 법칙	지층 누중의 법칙
③	관입의 법칙	부정합의 법칙	지층 누중의 법칙
④	부정합의 법칙	동물군 천이의 법칙	관입의 법칙
⑤	지층 누중의 법칙	부정합의 법칙	관입의 법칙

[209~210] 그림은 어느 지역의 지질 단면도를 나타낸 것이다. (단, B는 화성암이다.)

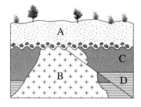

209 하(중)상

지층 A~D와 단층을 생성된 순서대로 옳게 나열한 것은?

① B → D → C → A → 단층
② B → D → C → 단층 → A
③ D → C → A → B → 단층
④ D → C → B → 단층 → A
⑤ D → C → 단층 → B → A

210 하(중)상

이 지질 단면도에 나타나는 지질 구조만을 〈보기〉에서 있는 대로 고르시오.

〈 보기 〉
ㄱ. 관입   ㄴ. 절리   ㄷ. 습곡
ㄹ. 부정합   ㅁ. 역단층   ㅂ. 정단층

211 하(중)상   多 보기

그림은 어느 지역의 지질 단면도를 나타낸 것이다.

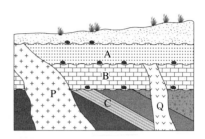

이에 대한 설명으로 옳지 않은 것만을 모두 고르면? (단, P와 Q는 화성암이다.) (2개)

① 지층의 생성 순서는 C → B → Q → A → P이다.
② Q는 P보다 절대 연령이 많다.
③ 이 지역은 최소 3회의 융기가 있었다.
④ B와 C 사이에 경사 부정합이 나타난다.
⑤ A에서는 P의 암석 조각이 기저 역암으로 발견될 수 있다.
⑥ Q에서는 B의 암석 조각이 포획암으로 발견될 수 있다.

212 하(중)상

그림은 어느 지역의 지질 단면을 나타낸 것이다.

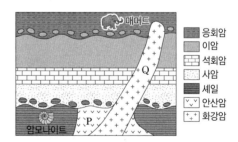

▨	응회암
▦	이암
▥	석회암
▤	사암
▨	셰일
⌄	안산암
+	화강암

이에 대한 설명으로 옳은 것만을 〈보기〉에서 있는 대로 고른 것은?

〈 보기 〉
ㄱ. 이 지역에서 최소 2회 이상 퇴적이 중단된 적이 있다.
ㄴ. P는 고생대에 관입하였다.
ㄷ. Q에서는 응회암이 포획암으로 발견될 수 있다.

① ㄱ   ② ㄴ   ③ ㄱ, ㄷ
④ ㄴ, ㄷ   ⑤ ㄱ, ㄴ, ㄷ

빈출
213 하 중 상
•• 서술형

그림은 어느 지역에서 지층의 단면을 나타낸 것이다. (단, 지층의 역전은 없었다.)

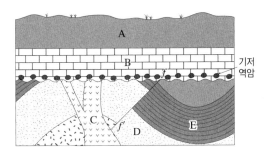

(1) 암석 A~E가 생성된 순서를 단층 $f-f'$와 습곡이 생성된 순서를 포함하여 나열하시오.

(2) 암석의 상대 연령 파악에 이용한 지사학 법칙을 모두 쓰시오.

(3) 융기와 침강은 각각 최소 몇 회씩 일어났는지 쓰시오.

(4) 단층 $f-f'$의 종류와 E에 나타나는 습곡의 종류를 쓰고, 지질 구조가 형성될 때 이 지역에 작용한 힘을 서술하시오.

214 하 중 상

그림은 어느 지역의 지질 단면도를 나타낸 것이다.

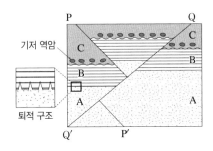

이에 대한 설명으로 옳은 것만을 〈보기〉에서 있는 대로 고른 것은?

─〈 보기 〉─

ㄱ. A → B → C → P−P′ → Q−Q′ 순으로 생성되었다.

ㄴ. P−P′는 역단층, Q−Q′는 정단층이다.

ㄷ. B는 과거 건조한 환경에 노출된 적이 있다.

① ㄱ   ② ㄷ   ③ ㄱ, ㄴ

④ ㄴ, ㄷ   ⑤ ㄱ, ㄴ, ㄷ

215 하 중 상

그림은 어느 지역의 지질 단면을 나타낸 것이다. X−Y 구간에 해당하는 암석의 연령을 옳게 나타낸 것은?

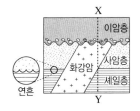

C 절대 연령

216 하 중 상

방사성 동위 원소에 대한 설명으로 옳은 것은?

① 퇴적암의 연대 측정에 주로 이용한다.

② 지층의 상대 연령을 정하는 데 주로 이용한다.

③ 자연적으로 붕괴하여 안정한 원소로 변한다.

④ 방사성 동위 원소가 붕괴되어 생성된 원소를 모원소라고 한다.

⑤ 오래된 암석의 연대 측정에는 반감기가 짧은 것을 이용한다.

217 하 중 상

어느 화성암에 포함된 방사성 동위 원소 X의 모원소와 자원소의 함량비가 1 : 3이었다. X의 반감기가 1억 년일 때, 이 화성암의 절대 연령은?

① 1억 년   ② 2억 년   ③ 3억 년

④ 4억 년   ⑤ 8억 년

218 하 중 상
•• 서술형

고고학자들이 우라늄(^{238}U)보다 주로 탄소(^{14}C)를 이용하여 연대를 측정하는 까닭을 서술하시오.

219 (하)중상

표는 주요 방사성 동위 원소의 반감기를 나타낸 것이다. 이에 대한 설명으로 옳은 것은?

모원소	자원소	반감기
^{238}U	^{206}Pb	45억 년
^{235}U	^{207}Pb	7억 년
^{40}K	^{40}Ar	13억 년
^{87}Rb	^{87}Sr	492억 년
^{14}C	^{14}N	5730년

① ^{238}U은 ^{206}Pb보다 안정하다.

② ^{40}K은 ^{235}U보다 빠르게 붕괴한다.

③ 반감기가 길수록 연대 측정에 유리하다.

④ 고고학적 유물의 연대 측정에 가장 적합한 것은 ^{14}C이다.

⑤ 온도와 압력 조건이 변하면 반감기도 달라진다.

220 (하)중상

표는 화성암 (가)~(라)의 생성 당시 암석 속에 포함된 방사성 동위 원소의 양을 나타낸 것이다.

암석	(가)	(나)	(다)	(라)
방사성 동위 원소	X	Y	Y	X
생성 당시 방사성 동위 원소의 양	40 g	24 g	12 g	20 g

암석이 생성된 후 2억 년이 지났을 때, 남아 있는 모원소의 양이 가장 많은 것과 가장 적은 것을 옳게 짝 지은 것은? (단, 방사성 동위 원소 X의 반감기는 1억 년, Y의 반감기는 2억 년이다.)

① (가), (다) ② (가), (라) ③ (나), (다)

④ (나), (라) ⑤ (라), (나)

221 (하)중상

•서술형

그림은 어떤 방사성 동위 원소가 붕괴할 때 모원소와 자원소의 함량 변화를 나타낸 것이다.

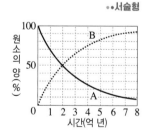

(1) A와 B 중 모원소와 자원소를 각각 쓰고, 방사성 동위 원소의 반감기를 구하시오.

(2) 어떤 암석 속에 모원소의 양이 25 % 남아 있을 때, A와 B의 함량비(A : B)를 쓰시오.

(3) 모원소와 자원소의 함량비가 1 : 7인 암석의 절대 연령을 구하고, 풀이 과정을 함께 서술하시오.

222 (하)중상

그림은 방사성 동위 원소 X의 붕괴 곡선을, 표는 두 암석 (가)와 (나)에 포함된 방사성 동위 원소 X와 X가 붕괴되어 생성된 원소 Y의 함량비를 나타낸 것이다.

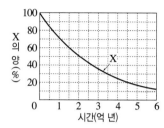

암석	(가)	(나)
함량비 (X : Y)	1 : 1	3 : 1

이에 대한 설명으로 옳은 것만을 〈보기〉에서 있는 대로 고른 것은?

〈 보기 〉

ㄱ. X의 반감기가 세 번 지나는 데 6억 년이 걸린다.

ㄴ. (가)의 절대 연령은 2억 년이다.

ㄷ. (나)의 절대 연령은 (가)의 2배이다.

① ㄱ ② ㄷ ③ ㄱ, ㄴ

④ ㄴ, ㄷ ⑤ ㄱ, ㄴ, ㄷ

223 (하)중상

多 보기

그림은 서로 다른 방사성 원소 A, B, C의 붕괴 곡선을 나타낸 것이다.

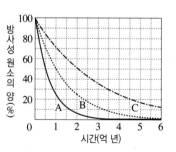

이에 대한 설명으로 옳은 것만을 모두 고르면? (2개)

① 반감기는 A가 가장 짧다.

② 자원소의 생성 속도는 C가 가장 빠르다.

③ B가 처음 양의 $\frac{1}{4}$이 되는 데 걸리는 시간은 3억 년이다.

④ 절대 연령이 6억 년인 암석 속에 포함된 C의 양은 처음 양의 12.5 %가 남았다.

⑤ 4억 년 후에 $\dfrac{자원소의 양}{모원소의 양}$ 은 C가 B의 5배이다.

⑥ 선사 시대 유물의 연대 측정에 가장 적합한 것은 C이다.

224 하중상

그림은 시간에 따른 방사성 동위 원소 X의 함량과 X가 붕괴되어 생성된 원소 Y의 함량을, 표는 화성암 (가)와 (나)에 포함된 X와 Y의 함량비와 화성암의 절대 연령을 나타낸 것이다.

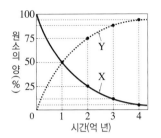

화성암	(가)	(나)
X : Y	1 : 15	㉠
절대 연령	㉡	2억 년

이에 대한 설명으로 옳은 것만을 〈보기〉에서 있는 대로 고른 것은?

〈 보기 〉
ㄱ. 화성암 (가)에서 X는 반감기를 3회 지났다.
ㄴ. ㉠은 1 : 3이다.
ㄷ. ㉡은 4억 년이다.
ㄹ. 시간이 지날수록 $\dfrac{Y}{X}$는 감소한다.

① ㄱ, ㄴ   ② ㄴ, ㄷ   ③ ㄷ, ㄹ
④ ㄱ, ㄴ, ㄹ   ⑤ ㄱ, ㄷ, ㄹ

빈출 226 하중상

그림은 어느 지역의 지질 단면도를, 표는 화성암 P와 Q에 포함된 방사성 동위 원소 X와 자원소 Y의 함량을 나타낸 것이다.

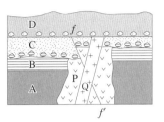

구분	X	Y
P	25 %	75 %
Q	50 %	50 %

이에 대한 설명으로 옳은 것만을 〈보기〉에서 있는 대로 고른 것은? (단, X의 반감기는 1억 년이다.)

〈 보기 〉
ㄱ. P가 관입한 시기는 3억 년 전이다.
ㄴ. 단층 $f-f'$는 중생대에 형성되었다.
ㄷ. Q에는 P의 조각이 포획암으로 발견될 수 있다.
ㄹ. 이 지역은 판의 발산형 경계에 있었을 가능성이 크다.

① ㄱ, ㄹ   ② ㄴ, ㄷ   ③ ㄴ, ㄹ
④ ㄱ, ㄴ, ㄷ   ⑤ ㄱ, ㄷ, ㄹ

빈출 225 하중상

•• 서술형

그림 (가)는 어느 지역의 지질 단면도 일부를, (나)는 화성암 D와 E에 포함되어 있는 방사성 동위 원소 X의 붕괴 곡선을 나타낸 것이다. 화성암 D와 E에 포함된 방사성 동위 원소 X의 함량은 각각 처음 양의 $\dfrac{1}{4}$, $\dfrac{1}{16}$이다.

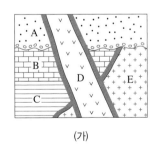
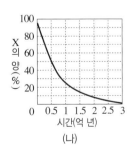

(가)   (나)

(1) (가)에서 암석 A~E를 생성 순서대로 나열하시오.

(2) 화성암 D와 E의 절대 연령을 각각 풀이 과정을 포함하여 구하시오.

(3) 암석 A가 생성된 지질 시대(고생대, 중생대, 신생대)를 쓰시오.

227 하중상

그림 (가)는 어느 지역의 지질 단면도를, (나)는 화성암 P와 Q에 포함되어 있는 방사성 동위 원소 X와 Y의 붕괴 곡선을 나타낸 것이다. 화성암 P와 Q에는 원소 X와 Y 중 한 가지씩만 포함되어 있으며, 모원소와 자원소의 비는 모두 1 : 1이다.

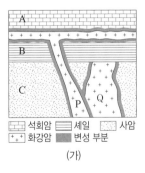
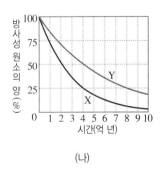

석회암 셰일 사암
화강암 변성 부분
(가)   (나)

이에 대한 설명으로 옳지 않은 것은?

① 암석의 생성 순서는 C → Q → B → A → P이다.
② P에 포함되어 있는 방사성 동위 원소는 X이다.
③ Q는 고생대에 생성되었다.
④ A에서는 화폐석이 발견될 수 있다.
⑤ B와 Q 사이의 부정합은 난정합이다.

I. 고체 지구

지질 시대의 환경과 생물

A 화석

└→ 예 생물의 뼈, 이빨, 껍데기, 줄기, 발자국, 배설물 등

1 화석 고생물의 유해나 흔적이 지층 속에 보존된 것 ➡ 단단한 부분이 있을수록, 빨리 묻힐수록, 지각 변동이나 변성 작용을 적게 받을수록 화석으로 남기 쉽다.

2 표준 화석과 시상 화석

기출 Tip ⓐ-2

지질 시대 구분에 유용한 화석
· 표준 화석
· 생존 기간이 짧은 화석
· 삼엽충, 갑주어, 방추충, 공룡, 암모나이트, 화폐석, 매머드 등
┌ 삼엽충: 고생대 전 기간 생존
├ 갑주어: 고생대 중기 생존
└ 방추충: 고생대 말기 생존

구분	❶ ☐☐ 화석	❷ ☐☐ 화석
정의	특정한 시기에만 번성하였다가 멸종한 생물의 화석	특정한 환경에서만 분포하고 지금까지도 생존하는 생물의 화석
조건	생존 기간이 ❸ ☐고, 분포 면적이 넓어야 한다.	생존 기간이 길고, 분포 면적이 ❹ ☐아야 한다.
예	· 삼엽충, 갑주어, 방추충: 고생대 · 공룡, 암모나이트: 중생대 · 화폐석, 매머드: 신생대	· 고사리: 따뜻하고 습한 육지 · 산호: 따뜻하고 얕은 바다
이용	지층의 대비, 지질 시대 구분	지질 시대 기후 및 환경 연구

▲ 표준 화석과 시상 화석의 조건

B 고기후 연구 방법

→ 나무의 나이테 연구는 수십 년 전~1만 년 전까지의 기후를, 빙하 코어 연구는 수십만 년 단위의 기후를, 화석 연구는 수억 년 단위의 기후를 알 수 있다.

기출 Tip ⓑ

온난한 기후일 때
· 나이테의 간격이 넓다.
· 빙하 속 $^{18}O/^{16}O$가 높다.
· 해수 속 $^{18}O/^{16}O$가 낮다.
· 해양 생물 속 $^{18}O/^{16}O$가 낮다.
· 산호가 고위도에서도 발견된다.

나무 나이테	· 기온이 높고 강수량이 많을수록 나이테의 간격이 ❺ ☐다.
빙하 코어 (빙하 시추물)	· 빙하 속 공기 방울을 연구하여 과거의 대기 조성(성분)을 알 수 있다. · 온난한 시기에 빙하 속 산소 동위 원소비($^{18}O/^{16}O$)가 ❻ ☐다. → ^{18}O와 ^{16}O를 포함한 물 분자는 모두 온난한 시기에 증발이 더 잘 일어난다. · 빙하에 포함된 꽃가루 화석을 연구하여 기후를 추정할 수 있다.
화석	· 시상 화석 등으로 과거의 기후를 추정할 수 있다. · 유공충 화석: 온난한 시기에 껍데기의 산소 동위 원소비($^{18}O/^{16}O$)가 ❼ ☐다.
산호	· 산호는 하루에 하나씩 성장선을 만들며, 수온이 높을수록 산호의 성장률이 높다.
동굴 생성물	· 석순, 종유석: 따뜻하고 강수량이 많은 시기에 잘 자란다. 탄소 방사성 동위 원소로 생성 시기를 알 수 있고, 산소 동위 원소비로 기온을 추정할 수 있다.
지층, 암석	· 사막이나 고온 건조한 환경에서 증발암이 잘 생성된다.

C 지질 시대의 환경과 생물

1 지질 시대의 구분

① 지질 시대: 지구가 탄생한 약 46억 년 전부터 현재까지의 시대

② 구분 기준: 생물계의 급격한 변화(화석), 대규모 지각 변동(부정합) 등

③ 구분 단위: ❽ ☐☐ → 대 → 기

· 시생 누대, 원생 누대: 화석이 거의 발견되지 않는다. ➡ 지질 시대의 구분이 자세하지 않다.

· 현생 누대: 발견되는 화석이 많다. ➡ 생물계의 변화를 기준으로 고생대, 중생대, 신생대로 구분한다.

④ 상대적 길이: 선캄브리아 시대>현생 누대

(❾ ☐생대>❿ ☐생대>⓫ ☐생대)

기출 Tip ⓒ-1

지질 시대의 상대적 길이
· 선캄브리아 시대(시생 누대+원생 누대)>고생대>중생대>신생대
· 46억 년을 24시간으로 환산할 때, 지질 시대의 시작 시각

원생 누대	약 10시 57분
고생대	약 21시 10분
중생대	약 22시 41분
신생대	약 23시 39분

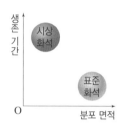

지질 시대		절대 연대 (백만 년 전)	지질 시대	
누대	대		대	기
현생 누대	신생대	—66—	신생대	제4기
				네오기
	중생대	—252—		팔레오기
	고생대	—541—	중생대	백악기
원생 누대	신원생대			쥐라기
	중원생대			트라이아스기
	고원생대		고생대	페름기
선캄브리아시대		—2500—		석탄기
시생 누대	신시생대			데본기
	중시생대			실루리아기
	고시생대			오르도비스기
	초시생대			캄브리아기

▲ 지질 시대의 구분과 절대 연대

2 지질 시대의 기후와 수륙 분포

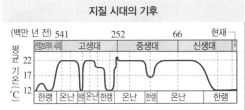

지질 시대의 기후

(백만 년 전) 541　252　66　현재

평균기온(℃) 22　17　12

선캄브리아 시대 | 고생대 | 중생대 | 신생대

한랭 | 온난 | 한랭 | 온난 | 한랭 | 온난 | 한랭 | 온난 | 한랭

• 고생대: 말기에 빙하기
• 중생대: 빙하기 없이 전반적으로 온난
• 신생대: 후기에 여러 번의 빙하기와 간빙기 반복

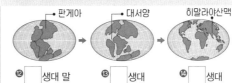

지질 시대(현생 누대)의 수륙 분포

판게아　→　대서양　→　히말라야산맥

⑫ [　]생대 말　　⑬ [　]생대　　⑭ [　]생대

• 고생대 말: 초대륙인 판게아 형성
• 중생대: 판게아 분리, 대서양, 인도양 형성 시작
• 신생대: 히말라야산맥 형성, 현재와 비슷한 분포

기출 Tip ⓒ-2

지질 시대의 기후
• 빙하기가 없었던 시기: 중생대
• 빙하기가 있었던 시기: 선캄브리아 시대, 고생대, 신생대

현생 누대의 수륙 분포 변화
판게아 형성 → 판게아 분리 → 현재와 비슷한 수륙 분포

3 지질 시대의 환경과 생물

→ 해양과 대기에 산소가 축적되기 시작하였다.

선캄브리아 시대	• 시생 누대에 바다에서 최초의 생명체가 출현, 광합성 생물(⑮ [　　]) 출현 • 원생 누대 후기에 최초의 다세포 생물 출현 → 에디아카라 동물군 화석 └ 스트로마톨라이트 형성
고생대	• 해양 무척추동물(삼엽충, 필석, 방추충), 어류(갑주어), 양서류, 양치식물 번성 　– 캄브리아기에 생물이 폭발적으로 증가, 오르도비스기에 최초의 척추동물인 원시 어류 출현 　– 실루리아기에 최초의 육상 식물 출현 ➡ ⑯ [　　]이 자외선을 차단하였기 때문 　– 데본기에 어류 번성, 석탄기에 양치식물이 거대한 삼림 형성 • 파충류, 겉씨식물 출현
중생대	• 암모나이트, 파충류(공룡 등), ⑰ [　　]식물(소철류, 은행류 등) 번성 • 시조새, 포유류, 속씨식물 출현
신생대	• 화폐석, 포유류(매머드), 조류, 속씨식물 번성　　• 최초의 인류 출현

기출 Tip ⓒ-3

생물의 육상 진출 시기
고생대 실루리아기 ➡ 오존층이 자외선을 차단하였기 때문

생물의 번성 순서
• 동물: 해양 무척추동물 → 어류 → 양서류 → 파충류 → 조류, 포유류
• 식물: 양치식물 → 겉씨식물 → 속씨식물

(생물의 대멸종)

해양 생물 과의 수　800　600　400　200　0

⚪ 대멸종

고생대　중생대　신생대

→ 원인: 운석 충돌, 화산 폭발 등 지구 환경의 급격한 변화

• 현생 누대에 약 5번의 대멸종이 있었다.(오르도비스기 말, 데본기 말, 페름기 말, 트라이아스기 말, 백악기 말) └ 갑주어 멸종
• 고생대 페름기 말: 가장 큰 규모의 대멸종, 삼엽충, 방추충 등 멸종
• 중생대 백악기 말: 암모나이트, 공룡 등 멸종

답 ❶ 표준 ❷ 시상 ❸ 짧 ❹ 좁 ❺ 넓 ❻ 높 ❼ 낮 ❽ 누대 ❾ 고 ❿ 중 ⓫ 신 ⓬ 고 ⓭ 중 ⓮ 신 ⓯ 남세균 ⓰ 오존층 ⓱ 겉씨

빈출 자료 보기

정답과 해설 31쪽

228 표는 과거의 기후를 연구하는 방법을 나타낸 것이다.

(가)	화석으로 발견된 생물의 서식 환경을 조사한다.
(나)	나무의 나이테로 기후에 따른 식물의 생장 속도를 조사한다.
(다)	빙하 속 공기 방울 연구로 과거 대기 성분을 조사한다.

이에 대한 설명으로 옳은 것은 ○, 옳지 않은 것은 ×로 표시하시오.

(1) (가)에서 고사리 화석은 온난 다습했던 환경에서 퇴적된 지층에서 발견된다. (　　)
(2) (나)에서 나무의 나이테 간격은 한랭한 시기에 넓다. (　　)
(3) (다)로 과거 대기 중의 이산화 탄소 농도를 알 수 있다. (　　)
(4) (다)로 지질 시대 전 기간의 기후를 알아낼 수 있다. (　　)

229 그림 (가)~(라)는 지질 시대의 화석을 나타낸 것이다.

(가) 암모나이트　　(나) 화폐석　　(다) 필석　　(라) 삼엽충

이에 대한 설명으로 옳은 것은 ○, 옳지 않은 것은 ×로 표시하시오.

(1) (가)~(라)는 모두 바다에 살았던 생물이다. (　　)
(2) (가)가 번성한 시기에 빙하기와 간빙기가 반복되었다. (　　)
(3) (나)가 번성한 시기에 겉씨식물이 번성하였다. (　　)
(4) (다)가 번성한 시기에 최초의 척추동물이 출현하였다. (　　)
(5) (라)가 번성한 기간은 (가)가 번성한 기간보다 길었다. (　　)

A 화석

230 하중상

화석에 대한 설명으로 옳은 것은?

① 고생물이 지층에 묻히면 모두 화석이 될 수 있다.
② 생물이 죽고 미생물에 의해 분해된 후 빨리 묻혀야 한다.
③ 생물체에 뼈, 줄기, 껍데기 등이 있으면 화석이 되기 쉽다.
④ 생물이 퇴적물에 묻힌 후 변성 작용을 받으면 화석이 된다.
⑤ 고생물의 흔적이 지층에 보존된 것은 화석이 아니다.

빈출 231 하중상

그림은 생물의 분포 면적과 생존 기간에 따라 화석을 구분한 것이다. 이에 대한 설명으로 옳은 것만을 모두 고르면? (2개)

多 보기

① A는 표준 화석이다.
② 산호는 A보다 B에 가깝다.
③ 삼엽충, 공룡은 B에 해당한다.
④ B는 A보다 환경 변화에 민감하다.
⑤ B는 A에 비해 여러 지질 시대의 지층에서 발견된다.
⑥ 지층의 대비에는 A보다 B의 화석이 적합하다.

232 하중상

그림 (가)와 (나)는 표준 화석과 시상 화석의 예를 순서 없이 나타낸 것이다.

(가)

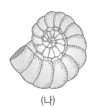
(나)

이에 대한 설명으로 옳은 것만을 〈보기〉에서 있는 대로 고른 것은?

〈 보기 〉

ㄱ. (가)는 고생대 표준 화석에 해당한다.
ㄴ. (나)를 포함하는 지층은 해성층이다.
ㄷ. (나)는 (가)보다 생존 기간이 길고 분포 면적이 넓다.

① ㄱ　　　　　② ㄴ　　　　　③ ㄱ, ㄷ
④ ㄴ, ㄷ　　　　⑤ ㄱ, ㄴ, ㄷ

233 하중상

그림 (가)는 표준 화석과 시상 화석의 조건을 순서 없이 나타낸 것이고, (나)와 (다)는 각각 A와 B 중 하나에 해당한다.

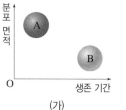
(가)

(나) 산호

(다) 화폐석

이에 대한 설명으로 옳은 것만을 〈보기〉에서 있는 대로 고른 것은?

〈 보기 〉

ㄱ. 지층의 생성 순서 판단에는 A가 B보다 유용하다.
ㄴ. A에 해당하는 화석은 (나)이다.
ㄷ. (나)는 따뜻하고 습한 육지에서 서식하였다.
ㄹ. (다)가 번성한 시기에 육지에서는 포유류가 번성하였다.

① ㄱ, ㄴ　　　　② ㄱ, ㄹ　　　　③ ㄴ, ㄷ
④ ㄴ, ㄹ　　　　⑤ ㄷ, ㄹ

B 고기후 연구 방법

빈출 234 하중상 ●●서술형

한랭한 시기에 비해 온난한 시기에 빙하 속 물 분자를 이루는 산소 동위 원소비 $\left(\dfrac{^{18}O}{^{16}O}\right)$가 어떻게 변하는지 서술하시오.

빈출 235 하중상

고기후 연구 방법에 대한 설명으로 옳지 않은 것만을 모두 고르면? (2개)

多 보기

① 산호의 성장률을 연구하여 과거의 기후를 알 수 있다.
② 고온 다습한 기후에는 나무의 나이테가 조밀하다.
③ 탄소 동위 원소로 석순의 생성 시기를 알 수 있다.
④ 빙하 속 공기 방울의 CO_2 농도가 높았던 시기에 기온이 높았을 것이다.
⑤ 증발암이 발견되는 지층이 퇴적될 당시에는 한랭한 기후였을 것이다.
⑥ 간빙기는 빙하기보다 빙하를 이루는 물 분자의 산소 동위 원소비 $\left(\dfrac{^{18}O}{^{16}O}\right)$가 높았다.
⑦ 해수를 이루는 물 분자의 산소 동위 원소비 $\left(\dfrac{^{18}O}{^{16}O}\right)$는 한랭한 시기가 온난한 시기보다 높았다.

236 (하 중 상)

다음은 고기후 연구 방법을 나타낸 것이다.

> (가) 나무의 나이테
> (나) 산호 화석
> (다) 빙하를 이루는 물 분자의 산소 동위 원소비$\left(\dfrac{^{18}O}{^{16}O}\right)$

이에 대한 설명으로 옳은 것만을 〈보기〉에서 있는 대로 고른 것은?

〈 보기 〉
ㄱ. (가)의 간격이 좁은 시기는 강수량이 많아 나무의 성장 속
　도가 빠른 시기였다.
ㄴ. (나)는 과거에 따뜻하고 얕은 바다였음을 알려준다.
ㄷ. (다)가 높은 시기에는 해수에서 ^{16}O를 포함한 물 분자의
　증발은 잘 일어나지 않았다.

① ㄱ　　　　　② ㄴ　　　　　③ ㄱ, ㄷ
④ ㄴ, ㄷ　　　　⑤ ㄱ, ㄴ, ㄷ

238 (하 중 상)

다음은 빙하기일 때 산소 동위 원소비($^{18}O/^{16}O$)의 비율 변화를 나타낸 것이다.

> 해수 속 물 분자의 $^{18}O/^{16}O$는 평년에 비해 높아진다. → 고위도에서는 평년에 비해 $^{18}O/^{16}O$가 낮은 구름이 형성된다. → $^{18}O/^{16}O$가 낮은 눈이 쌓여 빙하를 이룬다.

이에 대한 설명으로 옳은 것만을 〈보기〉에서 있는 대로 고른 것은?

〈 보기 〉
ㄱ. 빙하 코어의 산소 동위 원소비($^{18}O/^{16}O$)를 측정하여 과거
　의 기온 변화를 추정할 수 있다.
ㄴ. 빙하기일 때 산소 동위 원소비($^{18}O/^{16}O$)의 편차(관측값−
　평년값)는 빙하에 비해 해수에서 높다.
ㄷ. 해양 유공충 화석 속의 산소 동위 원소비($^{18}O/^{16}O$)는 간
　빙기일 때가 빙하기일 때보다 높을 것이다.

① ㄱ　　　　　② ㄴ　　　　　③ ㄷ
④ ㄱ, ㄴ　　　　⑤ ㄱ, ㄷ

빈출 237 (하 중 상)

그림은 빙하 코어를 분석하여 얻은 산소 동위 원소비$\left(\dfrac{^{18}O}{^{16}O}\right)$를 나타낸 것이다.

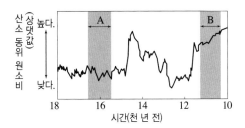

이에 대한 설명으로 옳은 것만을 〈보기〉에서 있는 대로 고른 것은?

〈 보기 〉
ㄱ. A 시기는 B 시기보다 온난한 기후였다.
ㄴ. 해수에서 증발한 수증기의 ^{18}O의 양은 A 시기가 B 시기
　보다 많았다.
ㄷ. 지구 전체의 빙하 면적은 A 시기가 B 시기보다 넓었을
　것이다.

① ㄱ　　　　　② ㄷ　　　　　③ ㄱ, ㄴ
④ ㄴ, ㄷ　　　　⑤ ㄱ, ㄴ, ㄷ

빈출 239 (하 중 상)

그림은 지질 시대에 따른 해양 생물 화석에 포함된 산소 동위 원소비($^{18}O/^{16}O$)를 나타낸 것이다.

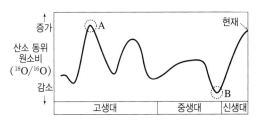

이에 대한 설명으로 옳은 것만을 〈보기〉에서 있는 대로 고른 것은?

〈 보기 〉
ㄱ. 해수면의 높이는 A 시기가 B 시기보다 높았다.
ㄴ. 극지역 빙하의 산소 동위 원소비($^{18}O/^{16}O$)는 B 시기가 A
　시기보다 높았다.
ㄷ. 고위도 지층에서 산호 화석은 A 시기보다 B 시기에 발견
　되기 쉽다.

① ㄱ　　　　　② ㄷ　　　　　③ ㄱ, ㄴ
④ ㄴ, ㄷ　　　　⑤ ㄱ, ㄴ, ㄷ

지질 시대의 구분

240 하 **중** 상

지질 시대에 대한 설명으로 옳은 것은?

① 지질 시대를 구분하는 가장 큰 시간 단위는 '대'이다.
② 부정합은 지질 시대 구분의 기준이 될 수 없다.
③ 원생 누대는 현생 누대보다 오래 지속되었다.
④ 중생대에는 현재보다 진화된 생물의 화석이 발견된다.
⑤ 원생 누대에는 생물이 출현하지 않아 화석이 산출되지 않는다.

241 하 **중** 상

그림은 어느 지역의 지층에서 발견되는 화석의 종류를 나타낸 것으로, 이 지역의 지층은 역전되지 않았다.

화석\지층	A	B	C	D	E	F
(가)	■		■			
(나)	■	■			■	■
(다)	■		■			
(라)		■			■	
(마)				■		

이에 대한 설명으로 옳은 것만을 〈보기〉에서 있는 대로 고른 것은?

〈 보기 〉
ㄱ. 표준 화석으로 가장 적합한 것은 C이다.
ㄴ. (가)~(마) 중 부정합 관계일 가능성이 가장 큰 경계는 (가)와 (나)의 경계이다.
ㄷ. (가)~(마) 지층을 두 지질 시대로 구분한다면 (나)와 (다)의 경계가 가장 적합하다.

① ㄱ   ② ㄴ   ③ ㄱ, ㄷ
④ ㄴ, ㄷ   ⑤ ㄱ, ㄴ, ㄷ

242 하 **중** 상

•• 서술형

그림은 지구의 역사를 선캄브리아 시대, 고생대, 중생대, 신생대로 구분하여 상대적 길이에 따라 순서 없이 나타낸 것이다.

(1) A~D에 해당하는 지질 시대를 각각 쓰시오.

(2) B를 '기' 수준으로 구분하여 오래된 시대부터 나열하시오.

(3) A는 B, C, D에 비해 지질 시대의 구분이 자세하지 않다. 그 까닭을 서술하시오.

지질 시대의 기후와 수록 분포

빈출
243 하 **중** 상

그림은 지질 시대의 평균 기온을 나타낸 것이다.

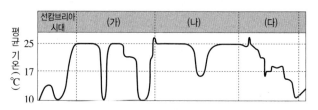

이에 대한 설명으로 옳은 것만을 〈보기〉에서 있는 대로 고른 것은?

〈 보기 〉
ㄱ. (가) 시기 말에는 빙하기가 있었다.
ㄴ. (나) 시기는 (가) 시기보다 전반적으로 온난하였다.
ㄷ. (다) 시기에는 빙하기와 간빙기가 여러 번 반복되었다.

① ㄱ   ② ㄷ   ③ ㄱ, ㄴ
④ ㄴ, ㄷ   ⑤ ㄱ, ㄴ, ㄷ

244 하 **중** 상

그림은 현생 누대의 빙하 분포와 기후 변화를 나타낸 것이다.

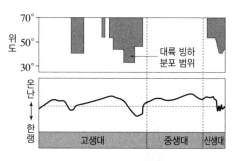

이에 대한 설명으로 옳은 것만을 〈보기〉에서 있는 대로 고른 것은?

〈 보기 〉
ㄱ. 산호의 서식지는 고생대 초기보다 말기에 고위도까지 확대되었다.
ㄴ. 중생대에는 빙하기가 없었다.
ㄷ. 신생대 전기에는 후기보다 해수면의 높이가 높았을 것이다.

① ㄱ   ② ㄷ   ③ ㄱ, ㄴ
④ ㄴ, ㄷ   ⑤ ㄱ, ㄴ, ㄷ

I

245 하 중 상

그림은 현생 누대 동안 지구의 평균 해수면과 평균 기온 변화를 나타낸 것이다.

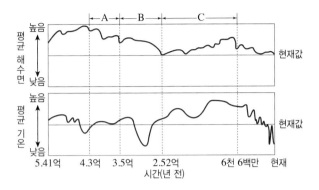

이에 대한 설명으로 옳은 것만을 〈보기〉에서 있는 대로 고른 것은?

〈 보기 〉

ㄱ. B 시기는 A 시기에 비해 빙하의 면적이 넓었을 것이다.

ㄴ. B 시기는 C 시기보다 빙하 속 산소 동위 원소비($^{18}O/^{16}O$)가 높을 것이다.

ㄷ. 지질 시대 기후는 전반적으로 온난한 기후가 지속되었다.

① ㄱ   ② ㄴ   ③ ㄴ, ㄷ

④ ㄱ, ㄷ   ⑤ ㄱ, ㄴ, ㄷ

246 하 중 상

多 보기

그림 (가)~(다)는 고생대, 중생대, 신생대 수륙 분포를 순서 없이 나타낸 것이다.

(가)   (나)   (다)

이에 대한 설명으로 옳지 않은 것만을 모두 고르면? (3개)

① 순서대로 배열하면 (다) → (가) → (나)이다.

② (가) 시기에는 여러 번의 빙하기가 있었다.

③ (나) 시기에 해양에서 방추충이 번성하였다.

④ (나) 시기에 히말라야산맥이 형성되었다.

⑤ (다) 시기에 겉씨식물이 출현하였다.

⑥ (다) 시기에 양치식물이 번성하였다.

⑦ (가)와 (다) 시기 사이에 해안선의 길이가 감소하면서 해양 생물의 서식지가 좁아졌다.

247 하 중 상

그림 (가)는 현생 누대 동안 대륙 수의 변화를, (나)는 ㉠, ㉡, ㉢ 시기의 대륙 분포를 순서 없이 나타낸 것이다.

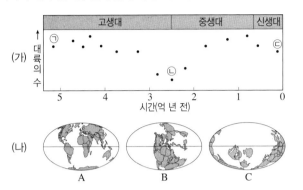

이에 대한 설명으로 옳은 것만을 〈보기〉에서 있는 대로 고른 것은?

〈 보기 〉

ㄱ. ㉠ 시기의 대륙 분포는 A이다.

ㄴ. 해안선의 길이는 ㉢ 시기가 ㉡ 시기보다 길었다.

ㄷ. B와 C 시기 사이에 최초의 육상 식물이 출현하였다.

① ㄱ   ② ㄷ   ③ ㄱ, ㄴ

④ ㄴ, ㄷ   ⑤ ㄱ, ㄴ, ㄷ

지질 시대의 환경과 생물

248 하 중 상

지질 시대의 환경과 생물에 대한 설명으로 옳지 않은 것은?

① 선캄브리아 시대에는 오존층이 형성되기 시작하였다.

② 고생대 초기에는 생물이 폭발적으로 증가하였다.

③ 고생대 실루리아기에 최초의 육상 식물이 등장하였다.

④ 대서양과 인도양이 형성되기 시작한 시기는 중생대이다.

⑤ 겉씨식물이 번성한 시기는 신생대이다.

249 하 중 상

다음 설명에 해당하는 지질 시대의 표준 화석은?

• 판게아가 형성되면서 대규모 조산 운동이 일어났다.

• 오존층이 자외선을 차단하여 육상 식물이 출현하였다.

① 매머드   ② 삼엽충   ③ 시조새

④ 화폐석   ⑤ 암모나이트

250 (하 중 상)

多 보기

그림은 선캄브리아 시대, 고생대, 중생대, 신생대를 상대적 길이에 따라 순서 없이 나타낸 것이다. 이에 대한 설명으로 옳지 않은 것만을 모두 고르면? (2개)

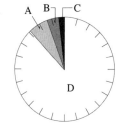

① A 시기 전 기간에 걸쳐 삼엽충이 번성하였다.

② B 시기는 현재에 비해 빙하의 분포 면적이 넓었다.

③ C 시기에 속씨식물이 번성하였다.

④ C 시기에 다세포 생물이 출현하였다.

⑤ D 시기에 에디아카라 동물군 화석이 생성되었다.

⑥ D 시기에 시생 누대와 원생 누대가 포함된다.

251 (하 중 상)

표에서 A~F는 고생대를 '기' 수준으로 세분한 것이다.

대	고생대					
기	A	B	C	D	E	F
	시간 →					

이에 대한 설명으로 옳은 것만을 〈보기〉에서 있는 대로 고른 것은?

〈 보기 〉

ㄱ. C 시기에 최초의 육상 식물이 출현하였다.

ㄴ. 대기 중의 산소 농도는 A 시기가 D 시기보다 높았다.

ㄷ. F 시기에 판게아가 분리되었고, 삼엽충이 멸종하였다.

① ㄱ   ② ㄷ   ③ ㄱ, ㄴ

④ ㄴ, ㄷ   ⑤ ㄱ, ㄴ, ㄷ

252 (하 중 상)

그림 (가)~(라)는 현생 누대의 화석을 나타낸 것이다.

| (가) | (나) | (다) | (라) |

이에 대한 설명으로 옳지 않은 것은?

① (가)는 데본기에 번성하였다.

② (나)는 중생대 지층에서 발견되었다.

③ (다)가 번성한 시대에 현재와 비슷한 수륙 분포가 되었다.

④ (라)는 석탄기 말에 판게아가 형성되면서 멸종하였다.

⑤ (라)가 발견된 지층에서 삼엽충 화석이 발견될 수 있다.

253 (하 중 상)

그림은 현생 누대에 번성한 동물계의 변화를 나타낸 것이다.

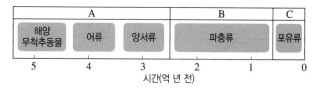

이에 대한 설명으로 옳은 것만을 〈보기〉에서 있는 대로 고른 것은?

〈 보기 〉

ㄱ. 최초의 척추동물은 A 시기에 출현하였다.

ㄴ. 양치식물은 B 시기에 출현하였다.

ㄷ. C 시기에 바다에서는 암모나이트가 번성하였다.

ㄹ. 오존층은 약 3억 년 전 이전에 형성되었다.

① ㄱ, ㄹ   ② ㄴ, ㄷ   ③ ㄴ, ㄹ

④ ㄱ, ㄴ, ㄷ   ⑤ ㄱ, ㄷ, ㄹ

254 (하 중 상)

多 보기

그림은 현생 누대에 번성한 주요 생물을 나타낸 것이다.

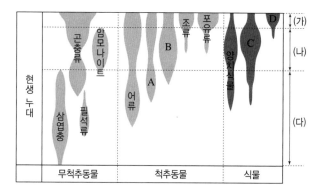

이에 대한 설명으로 옳은 것만을 모두 고르면? (2개)

① (가)는 고생대, (나)는 중생대, (다)는 신생대이다.

② A는 파충류이다.

③ C는 속씨식물이다.

④ 양치식물은 현재까지도 생존한다.

⑤ 육상 생물은 (나) 시기에 출현하였다.

⑥ 삼엽충은 (다) 시기의 표준 화석이다.

255 (하 중 상)

그림은 지질 시대의 평균 기온 변화와 생물계에서 번성한 생물의 변화를 나타낸 것이다.

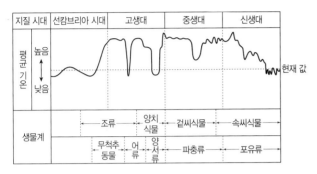

이에 대한 설명으로 옳지 <u>않은</u> 것은?

① 선캄브리아 시대의 화석으로는 남세균이 쌓여 생성된 스트로마톨라이트가 있다.

② 오존층은 양치식물이 번성하기 전에 형성되었다.

③ 겉씨식물이 번성한 시대에는 큰 빙하기가 있었다.

④ 인류의 조상은 속씨식물이 번성한 시대에 출현하였다.

⑤ 포유류가 번성한 시대에 히말라야산맥이 형성되었다.

생물의 대멸종

256 (하 중 상) ●●서술형

그림은 지질 시대 동안 일어난 해양 생물 과의 수 변화를 나타낸 것이다.

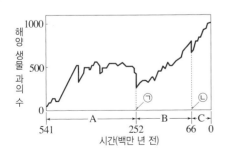

(1) A, B, C에 해당하는 지질 시대를 '대' 단위로 쓰시오.

(2) ㉠과 ㉡ 시기에 멸종한 생물을 한 가지씩만 쓰시오.

---

257 빈출 (하 중 상) 多 보기

그림은 현생 누대에 생존했던 생물 과의 수와 생물 A, B, C의 생존 시기를 나타낸 것이다.

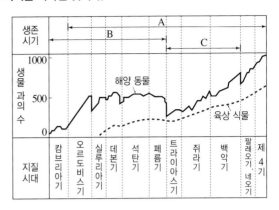

이에 대한 설명으로 옳은 것만을 모두 고르면? (2개)

① A는 B보다 표준 화석에 적합하다.

② 백악기 말에 판게아 형성으로 C가 멸종하였다.

③ 페름기 말과 백악기 말에 지구 환경이 급변하였다.

④ 해양 생물 과의 감소 비율은 백악기 말보다 페름기 말에 컸다.

⑤ 육상 식물은 해양 동물보다 지질 시대 구분에 적합하다.

⑥ 실루리아기에 최초의 광합성 생물이 등장하였다.

---

258 (하 중 상)

그림은 현생 누대 동안 시간에 따른 생물 과의 멸종 비율을 나타낸 것이다.

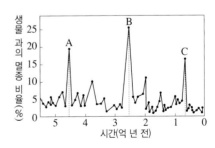

이에 대한 설명으로 옳은 것만을 〈보기〉에서 있는 대로 고른 것은?

〈 보기 〉

ㄱ. A 시기에 판게아가 존재하였다.

ㄴ. B 시기에 갑주어가 멸종하였다.

ㄷ. C 시기를 기준으로 중생대와 신생대로 구분한다.

① ㄱ ② ㄷ ③ ㄱ, ㄴ

④ ㄴ, ㄷ ⑤ ㄱ, ㄴ, ㄷ

259

그림 (가)~(다)는 수평으로 쌓인 지층이 서로 다른 힘을 받아 형성된 지질 구조를 나타낸 것이다.

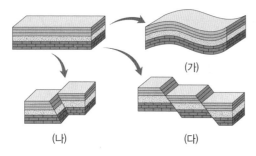

(가)~(다)와 같은 지질 구조가 주로 나타나는 판 경계 지역을 옳게 짝 지은 것은?

	(가)	(나)	(다)
①	히말라야산맥	동아프리카 열곡대	산안드레아스 단층
②	안데스산맥	산안드레아스 단층	대서양 중앙 해령
③	대서양 중앙 해령	산안드레아스 단층	동아프리카 열곡대
④	동아프리카 열곡대	안데스산맥	히말라야산맥
⑤	히말라야산맥	동아프리카 열곡대	대서양 중앙 해령

260

그림은 서로 다른 두 지역의 지질 단면과 지층에서 관찰된 퇴적 구조를 나타낸 것이다. (가)와 (나)의 퇴적층은 각각 해수면이 상승하는 동안과 하강하는 동안에 생성된 것 중 하나이다.

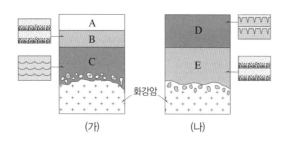

이에 대한 설명으로 옳은 것만을 〈보기〉에서 있는 대로 고른 것은? (단, 두 지역에서 화강암의 절대 연령은 약 1억 년이다.)

〈 보기 〉
ㄱ. B는 크기가 다른 입자들의 침강 속도 차이로 형성된다.
ㄴ. 해수면이 하강하는 동안 생성된 퇴적층은 (가)이다.
ㄷ. (가)에서 암석의 생성 순서는 화강암 → C → B → A이다.
ㄹ. E에서는 화폐석이 발견될 수 있다.

① ㄱ, ㄷ   ② ㄴ, ㄷ   ③ ㄴ, ㄹ
④ ㄱ, ㄴ, ㄹ   ⑤ ㄱ, ㄷ, ㄹ

261

•• 서술형

그림은 어느 지역의 지질 단면도를 나타낸 것이다.

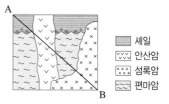

▨	셰일
✓✓	안산암
✕✕	섬록암
≈≈	편마암

(1) 암석이 생성된 순서대로 나열하시오.

(2) A−B 구간에 해당하는 암석의 연령을 그래프에 그리시오.

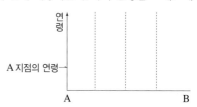

262

그림 (가)는 육지로 드러난 어느 지역의 지질 단면을, (나)는 방사성 동위 원소 X의 붕괴 곡선을, 표 (다)는 화성암 P와 Q에 포함되어 있는 X의 모원소와 자원소의 함량비를 나타낸 것이다.

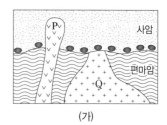

(가)

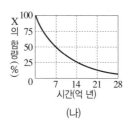

(나)

구분	화성암 P	화성암 Q
모원소	50 %	25 %
자원소	50 %	75 %

(다)

이에 대한 설명으로 옳은 것만을 〈보기〉에서 있는 대로 고른 것은?

〈 보기 〉
ㄱ. Q가 관입한 지질 시대에 생물은 바다에서만 서식하였다.
ㄴ. P가 생성된 이후 이 지역은 최소 2회의 융기가 있었다.
ㄷ. 방사성 동위 원소를 이용하여 사암층의 정확한 생성 연대를 알 수 있다.

① ㄱ   ② ㄷ   ③ ㄱ, ㄴ
④ ㄴ, ㄷ   ⑤ ㄱ, ㄴ, ㄷ

263

그림은 어느 지역의 지질 단면을 나타낸 것이다. P와 Q에는 반감기가 다른 방사성 동위 원소 ㉠과 ㉡이 각각 포함되어 있으며, P에 포함된 ㉠의 $\dfrac{\text{자원소}}{\text{모원소}}=1$이고, Q에 포함된 ㉡의 $\dfrac{\text{자원소}}{\text{모원소}}=7$이다.

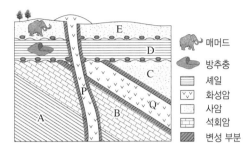

매머드
방추층
셰일
화성암
사암
석회암
변성 부분

이에 대한 설명으로 옳은 것은?

① 암석의 생성 순서는 A→B→Q→C→D→E→P이다.
② D와 E는 모두 육성층이다.
③ Q가 관입한 시기에 겉씨식물이 번성하였다.
④ 반감기는 ㉡이 ㉠보다 길다.
⑤ 지층 D와 E는 정합 관계이다.

264

다음은 방사성 동위 원소 중 탄소(^{14}C)를 이용하여 절대 연령을 측정하는 원리를 나타낸 것이다.

(가) 대기 중의 방사성 동위 원소 ^{14}C와 안정한 원소 ^{12}C의 비율은 거의 일정하게 유지된다.
(나) 살아 있는 생물체 내의 ^{14}C와 ^{12}C의 비율은 대기와 같다.
(다) 생물체가 죽으면 ^{14}C가 ^{14}N로 붕괴되는 과정은 진행되지만, ^{14}C와 ^{12}C의 공급은 중단된다.
(라) 대기 중의 ^{14}C/^{12}C와 죽은 생물체 내의 ^{14}C/^{12}C를 이용하여 절대 연령을 측정할 수 있다.

이에 대한 설명으로 옳은 것만을 〈보기〉에서 있는 대로 고른 것은?

〈 보기 〉
ㄱ. 대기 중의 탄소는 대부분 ^{14}C로 존재한다.
ㄴ. (나)에서 살아 있는 생물체 내의 ^{14}C/^{12}C가 대기 중의 ^{14}C/^{12}C와 같은 비율을 유지하는 까닭은 호흡 및 광합성 때문이다.
ㄷ. (다)에서 죽은 생물체 내의 ^{14}C/^{12}C는 대기 중의 ^{14}C/^{12}C 보다 작다.

① ㄱ
② ㄷ
③ ㄱ, ㄴ
④ ㄴ, ㄷ
⑤ ㄱ, ㄴ, ㄷ

265

그림 (가)~(다)는 고기후를 연구하는 방법을 나타낸 것이다.

 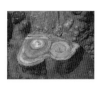

(가) 빙하 코어　　(나) 유공충 화석　　(다) 석순

이에 대한 설명으로 옳은 것만을 〈보기〉에서 있는 대로 고른 것은?

〈 보기 〉
ㄱ. (가)로 지질 시대 전체의 기후를 추정할 수 있다.
ㄴ. (나)의 유공충 화석 껍데기의 산소 동위 원소비(^{18}O/^{16}O)가 높은 시기에는 수온이 높았다.
ㄷ. (다)는 따뜻하고 강수량이 많은 간빙기에 잘 자랐다.
ㄹ. (다)의 탄소 동위 원소를 분석하여 석순의 생성 시기를 알 수 있다.

① ㄱ, ㄴ
② ㄱ, ㄷ
③ ㄴ, ㄷ
④ ㄴ, ㄹ
⑤ ㄷ, ㄹ

266

다음은 지질 시대의 상대적 길이를 100 cm 길이의 종이 띠에 나타내는 탐구 과정이다.

(가) 지구의 나이(46억 년)를 92 cm라고 할 때, 지질 시대별 시작 연대를 계산한다.

지질 시대	시작 연대	시작 시기(cm)
신생대	0.66억 년 전	
중생대	2.52억 년 전	㉠
고생대	5.41억 년 전	
선캄브리아 시대	46억 년 전	0

(나) 종이 띠에 지질 시대의 시작 시기를 표시한다.

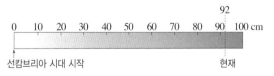

0　10　20　30　40　50　60　70　80　90　100 cm
92
선캄브리아 시대 시작　　　　　　　　　　현재

이에 대한 설명으로 옳은 것만을 〈보기〉에서 있는 대로 고른 것은?

〈 보기 〉
ㄱ. 1억 년은 2 cm에 해당한다.
ㄴ. ㉠은 5.04 cm에 해당한다.
ㄷ. 삼엽충이 번성했던 기간은 전체 지질 시대 중 약 11.8 %를 차지한다.

① ㄱ
② ㄷ
③ ㄱ, ㄴ
④ ㄴ, ㄷ
⑤ ㄱ, ㄴ, ㄷ

기압과 날씨

A 일기도와 기상 영상

1 일기도 날씨를 예측하기 위해 수집한 기상 요소를 등압선과 일기 기호로 나타낸 것

① **고기압과 저기압**: 바람은 고기압에서 저기압으로 불고, 등압선 간격이 좁을수록 강하게 분다.

고기압(H)		저기압(L)
• 주위보다 기압이 높은 곳 • 북반구 지상에서 바람이 시계 방향으로 불어나간다. ➡ ❶□□ 기류 발달, 날씨 맑음.	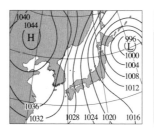	• 주위보다 기압이 낮은 곳 • 북반구 지상에서 바람이 시계 반대 방향으로 불어 들어온다. ➡ ❷□□ 기류 발달, 구름 형성, 흐리거나 비

기출 Tip Ⓐ-1

북반구 저기압에서의 날씨
지상에서 저기압 중심부로 공기가 수렴하므로 상승 기류가 발달한다. ➡ 단열 팽창으로 기온이 하강하여 상대 습도가 증가한다. ➡ 구름이 만들어지고, 흐리거나 비가 내린다.

② **일기 기호**

일기	● 비	✳ 눈	⌐ 뇌우	☰ 안개	❶ 가랑비	☟ 소나기
운량	○ ◔ 0　1	◑ 2~3	◕ ◑ 4　5	◕ ◕ 6　7~8	◕ 9	● ⊗ 10 불분명
풍속 (m/s)	◎ ╱ ┌ ┌ 0 2 5 7	┲ ┗ ┗ 12 25 27		Ⓗ 고기압 Ⓛ저기압 ● 태풍		

```
          4          풍속(12 m/s)
풍향(북서풍)
기온(18 ℃)              기압
일기(안개) ─ 18        (1028.0 hPa)
              ☰ 280
                운량
```

기출 Tip Ⓐ-2

가시 영상과 적외 영상
• 가시 영상에서 밝다.
　➡ 구름의 두께가 두껍다.
• 적외 영상에서 밝다.
　➡ 구름 최상부의 고도가 높다.

2 기상 영상 해석

기상 위성 영상	가시 영상	• 구름과 지표면에서 반사된 햇빛의 세기에 따라 나타낸 영상 ➡ 야간에는 촬영 불가능 • 구름이 두꺼울수록 햇빛을 강하게 반사하여 밝게 보인다. ➡ 구름의 ❸□□ 판단
	적외 영상	• 물체가 방출하는 적외선 에너지양에 따라 나타낸 영상 ➡ 24시간 촬영 가능 • 대체로 구름의 고도가 높을수록 온도가 낮아 밝게 보인다. ➡ 구름의 ❹□□ 판단
기상 레이더 영상		• 대기 중에 전파를 발사해 구름이나 물방울에 부딪혀 되돌아오는 반사파를 나타낸 영상 • 일반적으로 물방울이 크거나 많으면 강하게 나타난다. ➡ 강수 구역과 강수량 판단

└➡ 강수 입자라고 표현하기도 한다.

B 기단과 날씨

1 기단 넓은 지역에 걸쳐 있는 성질(기온, 습도 등)이 비슷한 큰 공기 덩어리

2 우리나라 주변 기단 우리나라 계절별 날씨에 영향을 준다.

기출 Tip Ⓑ-2

기단의 성질
• 고위도에서 형성된 기단은 한랭하고, 저위도에서 형성된 기단은 따뜻하다.
• 대륙에서 형성된 기단은 건조하고, 해양에서 형성된 기단은 다습하다. ➡ 대륙성 기단, 해양성 기단으로 표현하기도 한다.

기단과 장마 전선
북쪽의 찬 기단과 남쪽의 따뜻한 기단이 만날 때 오랫동안 비를 내려 장마가 나타난다.
㉮ 초여름에는 북태평양 기단과 오호츠크해 기단의 영향으로 장마 전선이 형성될 수 있다.

기단	기단의 성질	영향을 주는 계절
시베리아 기단	❺□□□□	겨울
오호츠크해 기단	한랭 다습	초여름, 가을
북태평양 기단	고온 다습	❻□□
양쯔강 기단	온난 건조	봄, 가을

└➡ 고온 다습하고, 여름에 태풍과 함께 북상한다.

영향을 주는 기단	시베리아 기단		양쯔강 기단			북태평양 기단			양쯔강 기단	시베리아 기단	
월	1	2	3	4	5	6	7	8	9	10	11	12
계절	겨울		봄			여름			가을		겨울
주요 기상 현상	폭설·한파		황사 온난			장마	무더위			온난		폭설· 한파
	건조					다습		태풍 호우		건조	

▲ 우리나라 주변 기단과 날씨

3 기단의 변질 기단이 발원지를 떠나 이동하면 지표면의 영향을 받아 성질이 변한다.

찬 기단이 따뜻한 바다를 통과할 때	 따뜻한 바다의 영향으로 기단 하층이 가열되고, 수증기를 공급받는다. → 기층이 ❼□□□해진다. → 강한 상승 기류 발달 → 적운형 구름 발생 ⓔ 시베리아 기단의 확장으로 따뜻한 황해를 지나면서 서해안에 폭설이 발생한다.

ⓒ 고기압과 날씨

1 정체성 고기압과 이동성 고기압 이동 상태에 따라 구분한다.

① 정체성 고기압: 한자리에 머무르면서 수축과 확장을 하며 주위 지역에 영향을 미치는 규모가 큰 고기압 ⓔ 북태평양 고기압, 시베리아 고기압

② 이동성 고기압: 시베리아 기단에서 일부가 떨어져 나오거나 양쯔강 기단에서 발달하는 규모가 작은 고기압

2 계절별 일기도와 날씨 특징

여름철 일기도	겨울철 일기도	봄철, 가을철 일기도
← 남고 북저형 기압 배치	← 서고 동저형 기압 배치	
	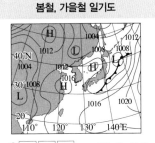	
• ❽□□□□ 고기압의 영향으로 남동 계절풍이 분다.	• ❾□□□□ 고기압의 영향으로 북서 계절풍이 분다.	• ❿□□□ 고기압의 영향으로 날씨 변화가 심하다.
• 무더위, 열대야 └고온 다습	• 폭설, 한파, 삼한사온 └한랭 건조	• 봄철에 황사, 꽃샘추위

기출 Tip ⓒ-1
온난 고기압과 한랭 고기압
• 온난 고기압: 중위도 상공에서 대기 대순환으로 수렴한 공기가 하강하면서 단열 압축으로 기온이 상승하여 고기압 중심부의 기온이 주변부보다 높은 고기압이다. 북태평양 고기압이 이에 해당한다.
• 한랭 고기압: 고위도 지역의 대륙에서 찬 지표면의 영향으로 냉각된 공기가 하강하여 형성된 고기압으로, 중심부의 기온이 주위보다 낮은 고기압이다. 시베리아 고기압이 이에 해당한다.

답 ❶ 하강 ❷ 상승 ❸ 두께 ❹ 고도 ❺ 한랭 건조 ❻ 여름 ❼ 불안정 ❽ 북태평양 ❾ 시베리아 ❿ 이동성

빈출 자료 보기

정답과 해설 37쪽

267 그림은 우리나라 주변 기단을 나타낸 것이다.

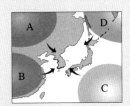

이에 대한 설명으로 옳은 것은 ○, 옳지 <u>않은</u> 것은 ×로 표시하시오.

(1) A, B는 대륙성 기단이다. ( )
(2) D 기단은 한랭 건조한 성질을 나타낸다. ( )
(3) B 기단의 영향으로 여름철에 무더위가 나타난다. ( )
(4) C 기단은 양쯔강 기단이다. ( )
(5) C와 D 기단이 만나 장마 전선을 형성한다. ( )
(6) 황사는 A 기단이 영향을 미치는 계절에 주로 발생한다. ( )

268 그림 (가)와 (나)는 서로 다른 시기의 일기도이다.

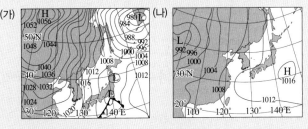

이에 대한 설명으로 옳은 것은 ○, 옳지 않은 것은 ×로 표시하시오.

(1) (가)는 가을철 일기도이다. ( )
(2) (나) 시기에는 이동성 고기압의 영향을 받는다. ( )
(3) (가) 시기에는 북서 계절풍이 분다. ( )
(4) (나) 시기에 열대야 현상이 나타난다. ( )
(5) 우리나라에서 풍속은 (가)보다 (나) 시기에 약하다. ( )
(6) 서고 동저형 기압 배치가 나타나는 일기도는 (나)이다. ( )

A 일기도와 기상 영상

269 하 **중** 상

그림의 일기 기호를 해석하여 쓰시오.

(1) 풍향: (2) 풍속:

(3) 기온: (4) 기압:

(5) 현재 일기:

270 하 **중** 상

多 보기

그림 (가)와 (나)는 어느 두 지역에 형성된 고기압과 저기압을 순서 없이 모식적으로 나타낸 것이다.

(가) (나)

이에 대한 설명으로 옳은 것만을 모두 고르면? (2개)

① 북반구에서 형성되었다.

② (가)는 저기압, (나)는 고기압이다.

③ (가) 중심부에는 상승 기류가 나타난다.

④ (가) 지역에서는 날씨가 흐리거나 비가 내린다.

⑤ (나) 중심부에서 상승하는 공기 덩어리의 부피는 감소한다.

⑥ (나)의 상공에서는 단열 팽창이 일어나 상대 습도가 감소한다.

⑦ (나) 지역은 (가) 지역보다 구름이 활발하게 만들어진다.

271 하 **중** 상

그림은 북반구 어느 지역의 지상 일기도에서 등압선 분포와 바람의 방향을 나타낸 것이다.

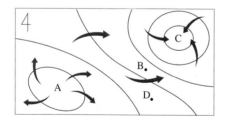

이에 대한 설명으로 옳은 것만을 〈보기〉에서 있는 대로 고른 것은?

— 〈 보기 〉—

ㄱ. 기압은 A보다 C에서 낮다.

ㄴ. 풍속은 B보다 D에서 빠르다.

ㄷ. A에서는 하강 기류가 발달하고, C에서는 상승 기류가 발달한다.

ㄹ. 상공에 구름이 형성될 가능성은 A보다 C에서 높다.

① ㄱ, ㄴ ② ㄱ, ㄷ ③ ㄴ, ㄹ

④ ㄱ, ㄷ, ㄹ ⑤ ㄴ, ㄷ, ㄹ

[272~273] 그림 (가)와 (나)는 어느 날의 일기도와 같은 날, 같은 시각의 가시 영상을 나타낸 것이다.

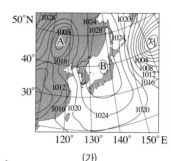 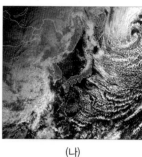

(가) (나)

272 하 **중** 상

빈출

그림 (가)에 대한 설명으로 옳은 것만을 〈보기〉에서 있는 대로 고른 것은?

— 〈 보기 〉—

ㄱ. A는 저기압이다.

ㄴ. B 지역에는 상승 기류가 발달하여 날씨가 흐릴 것이다.

ㄷ. 이날 우리나라에는 북풍 계열의 바람이 분다.

① ㄱ ② ㄷ ③ ㄱ, ㄴ

④ ㄴ, ㄷ ⑤ ㄱ, ㄴ, ㄷ

273 하 **중** 상

그림 (가)와 (나)에 대한 설명으로 옳은 것만을 〈보기〉에서 있는 대로 고른 것은?

— 〈 보기 〉—

ㄱ. 저기압이 있는 지역은 구름이 많고, 고기압이 있는 지역은 구름이 없다.

ㄴ. 독도는 날씨가 맑을 것이다.

ㄷ. (나) 영상은 밤에도 촬영이 가능하다.

① ㄱ ② ㄷ ③ ㄱ, ㄴ

④ ㄴ, ㄷ ⑤ ㄱ, ㄴ, ㄷ

274 하 **중** 상

•• 서술형

강수 지역을 판단할 때는 기상 레이더 영상을 활용한다. 가시 영상이나 적외 영상보다 기상 레이더 영상이 강수 지역 판단에 더 적합한 까닭을 서술하시오.

275 하 중 상

그림 (가)와 (나)는 어느 날 같은 시각에 한반도 부근의 구름 분포를 가시광선과 적외선으로 촬영한 영상이다.

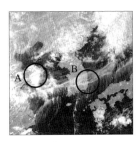 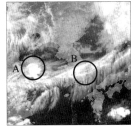

(가) 가시 영상   (나) 적외 영상

이에 대한 설명으로 옳은 것만을 〈보기〉에서 있는 대로 고른 것은?

〈 보기 〉
ㄱ. 가시 영상에서 밝게 보이는 구름일수록 온도가 높다.
ㄴ. A는 B보다 구름의 두께가 더 얇다.
ㄷ. A는 B보다 구름 윗부분의 고도가 더 높다.
ㄹ. 밤과 낮에 모두 촬영이 가능한 것은 적외 영상이다.

① ㄱ, ㄴ   ② ㄱ, ㄹ   ③ ㄴ, ㄷ
④ ㄴ, ㄹ   ⑤ ㄷ, ㄹ

B 기단과 날씨

276 하 중 상

그림은 우리나라에 영향을 미치는 기단을 특징에 따라 구분하는 과정을 나타낸 것이다.

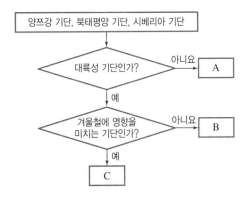

A, B, C에 해당하는 기단을 옳게 짝 지은 것은?

	A	B	C
①	양쯔강 기단	북태평양 기단	시베리아 기단
②	양쯔강 기단	시베리아 기단	북태평양 기단
③	북태평양 기단	양쯔강 기단	시베리아 기단
④	북태평양 기단	시베리아 기단	양쯔강 기단
⑤	시베리아 기단	북태평양 기단	양쯔강 기단

277 하 중 상

그림은 우리나라 주변에 있는 기단의 성질을 나타낸 것이다. 이에 대한 설명으로 옳은 것만을 〈보기〉에서 있는 대로 고른 것은?

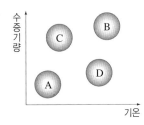

〈 보기 〉
ㄱ. A와 C는 습도가 높은 기단이다.
ㄴ. A 기단은 한랭 건조한 성질이 있다.
ㄷ. C는 한랭 다습한 오호츠크해 기단이다.
ㄹ. B와 D 기단이 만나면 지속적인 비가 내린다.

① ㄱ, ㄴ   ② ㄱ, ㄹ   ③ ㄴ, ㄷ
④ ㄴ, ㄹ   ⑤ ㄷ, ㄹ

278 하 중 상   多 보기

그림은 우리나라에 영향을 주는 기단을 나타낸 것이다. 이에 대한 설명으로 옳지 않은 것만을 모두 고르면? (2개)

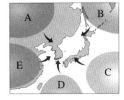

① A 기단의 영향으로 겨울철에 북서풍이 분다.
② B 기단은 한랭하며, 우리나라 초여름에 영향을 준다.
③ C 기단의 영향으로 여름철 무더위가 나타난다.
④ D 기단은 태풍과 함께 우리나라에 영향을 준다.
⑤ E 기단의 영향으로 봄, 가을에 날씨 변화가 심하다.
⑥ A 기단은 C 기단보다 기온이 높다.
⑦ 황사는 B 기단이 영향을 미치는 계절에 주로 발생한다.
⑧ 겨울철에 A 기단이 확장하면서 서해안에 폭설이 내릴 수 있다.

279 하 중 상

그림은 기단 A~D가 우리나라에 영향을 미치는 시기를 나타낸 것이다.

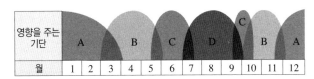

이에 대한 설명으로 옳은 것만을 〈보기〉에서 있는 대로 고른 것은?

〈 보기 〉
ㄱ. 기단 A의 영향으로 한파가 나타난다.
ㄴ. 기단 D가 영향을 줄 때는 주로 남풍 계열의 바람이 분다.
ㄷ. 기단 C와 D의 영향으로 장마가 발생한다.

① ㄱ   ② ㄷ   ③ ㄱ, ㄴ
④ ㄴ, ㄷ   ⑤ ㄱ, ㄴ, ㄷ

[280~281] 그림은 우리나라로 이동해 오는 기단의 변질을 나타 낸 것이다.

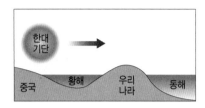

280 _{하 중 상}

이에 대한 설명으로 옳은 것은?

① 우리나라에 층운형 구름이 형성된다.
② 우리나라의 겨울철에 자주 발생한다.
③ 한대 기단은 황해를 지나면서 건조해진다.
④ 한대 기단은 황해를 지나면서 안정해진다.
⑤ 기단의 변질로 우리나라에 대규모 안개가 발생한다.

281 _{하 중 상}   ••서술형

위와 같은 기단의 변질 과정으로 우리나라에 나타날 수 있는 기상 현상을 제시된 용어의 내용을 모두 포함하여 서술하시오.

수증기량 변화, 안정도, 구름의 종류, 강수 형태, 지역

282 _{하 중 상}

그림 (가)는 우리나라에 영향을 주는 기단을, (나)는 (가)의 A~D 기단 중 한 기단이 우리나라로 이동하는 동안 일어난 기단 하층부 의 물리량 변화를 나타낸 것이다.

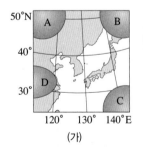 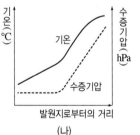

이에 대한 설명으로 옳은 것만을 〈보기〉에서 있는 대로 고른 것은?

〈 보기 〉
ㄱ. 이동한 기단이 형성된 발원지의 위도는 우리나라보다 저 위도일 것이다.
ㄴ. (나)는 (가)의 B 기단이 이동할 때 나타나는 변화이다.
ㄷ. 이동하는 기단은 하층이 불안정해졌다.

① ㄱ   ② ㄷ   ③ ㄱ, ㄴ
④ ㄴ, ㄷ   ⑤ ㄱ, ㄴ, ㄷ

283 _{하 중 상}

그림은 우리나라에 영향을 주는 어느 한 기단이 A~C 지역으로 이 동하는 동안 기단 하층부의 변화를 나타낸 것이다.

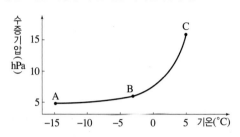

이에 대한 설명으로 옳은 것만을 〈보기〉에서 있는 대로 고른 것은?

〈 보기 〉
ㄱ. 기단이 A → B → C 지역으로 이동하는 동안 하층은 불 안정해지고 상승 기류가 나타날 것이다.
ㄴ. C 지역 부근에서는 적운형 구름이 형성될 것이다.
ㄷ. 시베리아 기단이 황해를 지날 때 나타날 수 있는 변화이다.

① ㄱ   ② ㄷ   ③ ㄱ, ㄴ
④ ㄴ, ㄷ   ⑤ ㄱ, ㄴ, ㄷ

C 고기압과 날씨

284 _{하 중 상}

다음은 우리나라 계절의 날씨를 설명한 것이다.

(가) 시베리아 고기압의 영향으로 춥고 건조하다.
(나) 북태평양 고기압의 영향을 받아 무덥고 다습하다.
(다) 이동성 고기압과 저기압이 자주 통과하여 날씨가 바뀐다.

(가)~(다)에 해당하는 계절을 쓰시오.

285 _{하 중 상}

그림은 우리나라 어느 계절의 일기 도이다. 이에 대한 설명으로 옳은 것만을 〈보기〉에서 있는 대로 고른 것은?

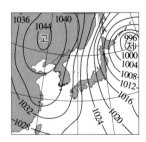

〈 보기 〉
ㄱ. 이러한 기압 배치가 나타나는 계절은 봄이다.
ㄴ. 이 계절에 우리나라는 북서 계절풍이 분다.
ㄷ. 우리나라 서쪽의 고기압은 정체성 고기압이다.

① ㄱ   ② ㄷ   ③ ㄱ, ㄴ
④ ㄴ, ㄷ   ⑤ ㄱ, ㄴ, ㄷ

286 하중상

그림 (가)와 (나)는 우리나라 주변의 서로 다른 시기의 일기도이다.

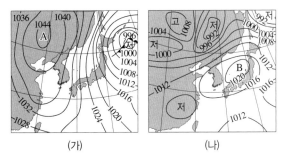

(가) (나)

이에 대한 설명으로 옳은 것만을 〈보기〉에서 있는 대로 고른 것은?

〈 보기 〉

ㄱ. A는 이동성 고기압, B는 정체성 고기압이다.

ㄴ. A는 B보다 규모가 크다.

ㄷ. (가)는 여름철에 자주 나타나는 일기도이다.

ㄹ. (나)는 (가)에 비해 날씨가 비교적 자주 바뀐다.

① ㄱ, ㄴ   ② ㄱ, ㄹ   ③ ㄴ, ㄷ
④ ㄴ, ㄹ   ⑤ ㄷ, ㄹ

287 하중상

그림 (가)와 (나)는 우리나라에 영향을 주는 두 고기압의 높이에 따른 등압면 분포를 나타낸 것이다.

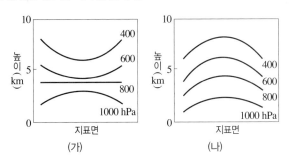

(가) (나)

이에 대한 설명으로 옳은 것만을 〈보기〉에서 있는 대로 고른 것은?

〈 보기 〉

ㄱ. (나)는 시베리아 고기압에 해당한다.

ㄴ. (가)는 (나)보다 고위도 지역에서 형성된 것이다.

ㄷ. 지표 부근에서 고기압 중심부의 기온은 (가)보다 (나)에서 높다.

① ㄱ   ② ㄷ   ③ ㄱ, ㄴ
④ ㄴ, ㄷ   ⑤ ㄱ, ㄴ, ㄷ

288 하중상   多 보기

그림 (가)와 (나)는 우리나라의 여름철 일기도와 겨울철 일기도를 순서 없이 나타낸 것이다.

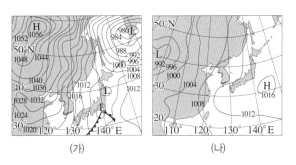

(가) (나)

이에 대한 설명으로 옳은 것만을 모두 고르면? (3개)

① (가)와 (나)는 모두 정체성 고기압의 영향을 받는다.

② (가) 계절에 삼한사온 현상이 나타난다.

③ (나) 시기에는 양쯔강 기단의 영향으로 황사가 발생한다.

④ 여름철 일기도는 (가)이다.

⑤ 우리나라에서 풍속은 (가)가 (나)보다 느리다.

⑥ (가) 계절에 영향을 미치는 고기압은 대기 대순환으로 중위도 상공에 수렴한 공기가 하강하여 형성된다.

⑦ (나) 시기 전에 장마 전선의 영향을 받는다.

289 하중상

그림 (가)와 (나)는 어느 해에 8일 간격으로 작성된 우리나라 주변의 지상 일기도를 순서대로 나타낸 것이다.

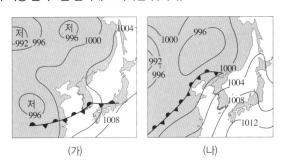

(가) (나)

이에 대한 설명으로 옳은 것만을 〈보기〉에서 있는 대로 고른 것은?

〈 보기 〉

ㄱ. 이 기간 동안 장마 전선이 우리나라에 영향을 주고 있다.

ㄴ. 이 기간 동안 북태평양 기단의 세력이 강해졌다.

ㄷ. 우리나라 중부 지방의 기온은 (나) 시기보다 (가) 시기에 더 높았다.

① ㄱ   ② ㄷ   ③ ㄱ, ㄴ
④ ㄴ, ㄷ   ⑤ ㄱ, ㄴ, ㄷ

온대 저기압과 날씨

A 전선과 날씨

1 전선과 전선면 성질(기온, 습도 등)이 크게 다른 두 기단의 경계면을 전선면이라 하고, 전선면과 지표면이 만나서 이루는 경계선을 ❶[ ][ ][ ]이라고 한다.

2 전선의 종류

① 한랭 전선과 온난 전선   일기도에 표시되는 전선 기호이다.

구분	한랭 전선(▲▲▲▲)	온난 전선(●●●●)
모식도	적란운 / 따뜻한 공기 / 찬 공기 → 소나기 ← 한랭 전선	난층운 고층운 권층운 권운 / 따뜻한 공기 / 온난 전선 지속적인 비 찬 공기
정의	찬 공기가 따뜻한 공기를 밀어 올리면서 형성된 전선	따뜻한 공기가 찬 공기 위를 타고 올라가면서 형성된 전선
전선의 이동 속도	❷[ ][ ][ ].	❸[ ][ ][ ].
전선면의 기울기	급하다.	완만하다.
구름	적운형(적운, 적란운)	층운형(권운, 권층운, 고층운, 난층운)
강수 구역과 형태	전선 뒤쪽의 좁은 지역에 소나기성 비	전선 앞쪽의 넓은 지역에 지속적인 비
전선 통과 후 변화	• 기온 하강, 기압 상승 • 남서풍 → 북서풍으로 풍향 변화	• 기온 상승, 기압 하강 • 남동풍 → 남서풍으로 풍향 변화

② 정체 전선(▲▼▲▼): 전선을 형성하는 두 기단의 세력이 비슷하여 한곳에 오랫동안 머물러 형성된 전선 예 장마 전선

③ 폐색 전선(▲▲▲▲): 한랭 전선과 온난 전선이 만나 겹쳐지면서 형성된 전선

한랭형 폐색 전선		온난형 폐색 전선	
한랭 전선면 온난 전선면 / 따뜻한 공기 / 더 찬 공기 → 찬 공기	한랭 전선 쪽 더 찬 공기가 온난 전선 쪽 찬 공기 아래로 파고들면서 형성된다.	한랭 전선면 온난 전선면 / 따뜻한 공기 / 찬 공기 → 더 찬 공기	한랭 전선 쪽 찬 공기가 온난 전선 쪽 더 찬 공기 위쪽으로 타고 상승하면서 형성된다.

B 온대 저기압과 날씨

1 온대 저기압의 특징   저기압 중심의 남서쪽에 한랭 전선, 남동쪽에 온난 전선을 동반한다.

① 온대 저기압: 중위도 ❹[ ][ ] 지방에서 발생하여 전선을 동반하는 저기압

② 에너지원: 찬 공기와 따뜻한 공기가 만나 섞이면서 감소한 위치 에너지 → 운동 에너지로 전환된다.

③ 이동: ❺[ ][ ][ ]의 영향으로 서쪽에서 동쪽으로 이동한다.

2 온대 저기압의 발생과 소멸 → 중심 기압이 낮을수록 세력이 강하다.

 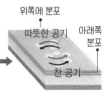

| | | | | | 위쪽에 분포 / 따뜻한 공기 / 아래쪽 분포 / 찬 공기 |

찬 공기와 따뜻한 공기가 만나 정체 전선이 형성된다. → 남북 간의 기온 차이로 불안정해져 파동이 형성되어 발달한다. → 한랭 전선과 온난 전선이 형성되면서 발달한다. → 한랭 전선이 온난 전선과 겹쳐져 폐색 전선이 형성된다. → 폐색 전선이 뚜렷하게 나타난다. → 따뜻한 공기와 찬 공기가 분리되어 소멸된다.

3 온대 저기압의 구조와 날씨

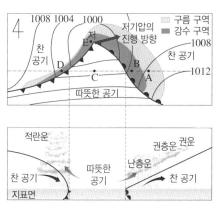

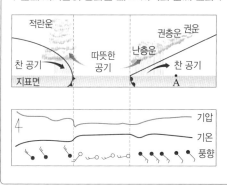

지역	위치	풍향	날씨
A	온난 전선 앞쪽	남동풍	권층운(햇무리)
B			⑥ [ ] 지역에 지속적인 비(약한 비)
C	온난 전선과 한랭 전선 사이	남서풍	기온이 높고, 대체로 맑음.
D	한랭 전선 뒤쪽	북서풍	⑦ [ ] 지역에 소나기성 비
E	저기압 중심	북풍 계열	흐리고 비

(온대 저기압이 통과할 때 A 지역의 날씨 변화)

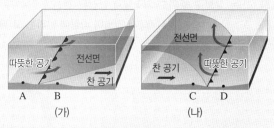

- 날씨 변화: 권층운에서 햇무리가 보인다. → 넓은 지역에 지속적인 비(약한 비)가 내린다. → 날씨가 맑아진다. → 좁은 지역에 소나기성 비가 내린다.
- 온난 전선 통과 후에는 기압이 ⑧ [ ]하고, 기온이 상승한다.
- 한랭 전선 통과 후에는 기압이 상승하고, 기온이 ⑨ [ ]한다.
- 풍향 변화: 남동풍 → 남서풍 → 북서풍 ➡ 시계 방향으로 변한다.

기출 Tip Ⓐ-3

온대 저기압의 중심 위치
- 온대 저기압의 중심이 어느 지역의 북쪽으로 지나면 이 지역은 온난 전선과 한랭 전선이 차례로 통과하면서 풍향이 시계 방향으로 변한다.
- 온대 저기압의 중심이 어느 지역의 남쪽으로 지나면 이 지역은 전선이 통과하지 않으며 풍향이 시계 반대 방향으로 변한다.

답 ❶ 전선 ❷ 빠르다 ❸ 느리다 ❹ 온대 ❺ 편서풍 ❻ 넓은 ❼ 좁은 ❽ 하강 ❾ 하강

빈출 자료 보기

○ 정답과 해설 40쪽

290 그림 (가)와 (나)는 두 종류의 전선을 나타낸 것이다.

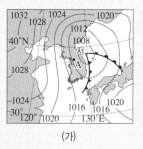

이에 대한 설명으로 옳은 것은 ○, 옳지 않은 것은 ×로 표시하시오.

(1) (가)는 온난 전선, (나)는 한랭 전선이다. ( )

(2) 구름의 평균 두께는 (가)보다 (나)에서 더 두껍다. ( )

(3) (가)에 비해 (나)에서 좁은 지역에 비가 내린다. ( )

(4) 전선의 이동 속도는 (가)보다 (나)가 더 느리다. ( )

(5) (가)에서 기온은 A 지역이 B 지역보다 낮다. ( )

(6) (가)와 (나)에서 강수 현상이 있는 곳은 B와 C 지역이다. ( )

(7) (가) 전선이 통과하는 동안 풍향은 시계 방향으로 변한다. ( )

(8) (가)의 B 지역에서는 소나기, (나)의 C 지역에서는 약한 비가 내린다. ( )

291 그림 (가)와 (나)는 12시간 간격으로 작성된 우리나라 주변 일기도를 순서 없이 나타낸 것이다.

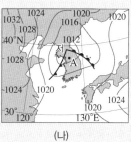

이에 대한 설명으로 옳은 것은 ○, 옳지 않은 것은 ×로 표시하시오.

(1) 온대 저기압은 편서풍을 따라 서쪽에서 동쪽으로 이동한다. ( )

(2) (나)는 (가)보다 12시간 전의 일기도이다. ( )

(3) 온대 저기압의 세력은 (가)가 (나)보다 약하다. ( )

(4) 이 기간 동안 한랭 전선이 A 지역을 통과하였다. ( )

(5) A 지역의 기온은 (가)보다 (나)에서 더 낮다. ( )

(6) (나) 시각에 A 지역은 소나기가 내렸다. ( )

(7) 이 기간 동안 A 지역의 풍향은 남서풍에서 북서풍으로 바뀌었다. ( )

난이도별 필수 기출

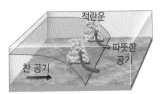

상 6문항
중 20문항
하 4문항

A 전선과 날씨

292 하중상

그림은 무엇을 나타낸 것인가?

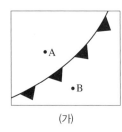

① 온난 전선
② 한랭 전선
③ 정체 전선
④ 폐색 전선
⑤ 온대 저기압

빈출
293 하중상

그림 (가)와 (나)는 성질이 다른 기단이 만나 생기는 두 종류의 전선을 나타낸 것이다.

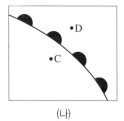

(가)   (나)

이에 대한 설명으로 옳은 것만을 〈보기〉에서 있는 대로 고른 것은?

〈 보기 〉
ㄱ. 강수 현상이 나타나는 곳은 A와 D이다.
ㄴ. A는 B보다 기온이 낮다.
ㄷ. 전선의 이동 속도는 (가)가 (나)보다 빠르다.
ㄹ. (나) 전선의 앞쪽에는 적운형 구름이 형성된다.

① ㄱ, ㄴ   ② ㄱ, ㄹ   ③ ㄷ, ㄹ
④ ㄱ, ㄴ, ㄷ   ⑤ ㄴ, ㄷ, ㄹ

294 하중상   ●●서술형

그림 (가)와 (나)는 한랭 전선과 온난 전선을 순서 없이 모식적으로 나타낸 것이다.

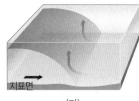 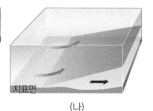

(가)   (나)

(가)와 (나)에 형성된 전선의 이름을 쓰고, 통과한 후 각각 기압과 풍향이 어떻게 변할지 서술하시오.

295 하중상

그림은 우리나라를 통과하는 어느 온대 저기압에 동반된 한랭 전선과 온난 전선을 물리량에 따라 구분한 것이다.

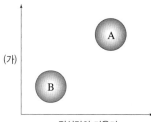

(가)

전선면의 기울기

이에 대한 설명으로 옳은 것만을 〈보기〉에서 있는 대로 고른 것은?

〈 보기 〉
ㄱ. 온난 전선은 A이다.
ㄴ. 구름의 두께는 (가)에 해당하는 물리량이다.
ㄷ. B가 통과할 때 풍향은 시계 방향으로 변한다.

① ㄱ   ② ㄷ   ③ ㄱ, ㄴ
④ ㄴ, ㄷ   ⑤ ㄱ, ㄴ, ㄷ

296 하중상

그림 (가)는 북반구 중위도 지역에서 형성된 전선과 강수 구역을, (나)는 A∼C 중 어느 한 지역에서 깃발이 바람에 날리는 모습을 나타낸 것이다.

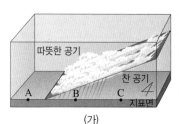 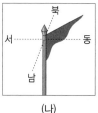

(가)   (나)

이에 대한 설명으로 옳은 것만을 〈보기〉에서 있는 대로 고른 것은?

〈 보기 〉
ㄱ. B 지역에는 소나기성 비가 내린다.
ㄴ. (나)는 (가)의 A 지역에서 관측한 것이다.
ㄷ. (가)에서 전선 뒤쪽에 층운형 구름이 형성되었다.

① ㄱ   ② ㄴ   ③ ㄱ, ㄷ
④ ㄴ, ㄷ   ⑤ ㄱ, ㄴ, ㄷ

[297~298] 그림은 어느 전선의 동서 단면을 나타낸 모식도이다.

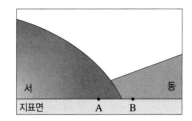

297 (하 중 상)

이에 대한 설명으로 옳은 것만을 〈보기〉에서 있는 대로 고른 것은?

〈 보기 〉

ㄱ. A와 B 사이에 형성된 전선은 한랭형 폐색 전선이다.

ㄴ. B 지역에만 강수 현상이 있다.

ㄷ. 이 전선은 온난 전선이 한랭 전선보다 이동 속도가 빨라 형성된 것이다.

① ㄱ   ② ㄴ   ③ ㄷ

④ ㄱ, ㄴ   ⑤ ㄴ, ㄷ

298 (하 중 상)

●●서술형

A와 B 지역에서 상대적인 공기의 온도를 포함하여 이 전선의 형성 과정을 서술하시오.

빈출
299 (하 중 상)

그림 (가), (나), (다)는 우리나라에 영향을 미치는 전선을 나타낸 것이다.

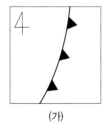 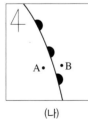 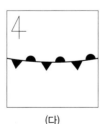

(가)   (나)   (다)

이에 대한 설명으로 옳은 것만을 〈보기〉에서 있는 대로 고른 것은?

〈 보기 〉

ㄱ. 전선 (가)와 (나)의 이동 속도 차이로 전선 (다)가 만들어진다.

ㄴ. (나)에서 기온은 B 지역보다 A 지역에서 높다.

ㄷ. 온대 저기압이 소멸할 때 전선 (다)를 관측할 수 있다.

① ㄱ   ② ㄴ   ③ ㄷ

④ ㄱ, ㄴ   ⑤ ㄴ, ㄷ

300 (하 중 상)

그림 (가)는 우리나라의 어느 지역에 전선이 통과할 때 기온과 기압 변화를, (나)는 이날 18시경 이 지역에서 부는 바람의 방향을 나타낸 것이다.

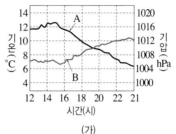 

(가)   (나)

이에 대한 설명으로 옳은 것만을 〈보기〉에서 있는 대로 고른 것은?

〈 보기 〉

ㄱ. 이 지역에서 전선은 15시경에 통과하였다.

ㄴ. A는 기압, B는 기온 분포를 나타낸 것이다.

ㄷ. 이 지역에서 통과한 전선은 한랭 전선이다.

ㄹ. 15시경 이후보다 15시경 이전에 비가 많이 내렸을 것이다.

① ㄱ, ㄴ   ② ㄱ, ㄷ   ③ ㄴ, ㄷ

④ ㄴ, ㄹ   ⑤ ㄷ, ㄹ

301 (하 중 상)

그림 (가)는 우리나라 초여름의 일기도이고, (나)는 (가)에 나타난 전선의 모습을 나타낸 모식도이다.

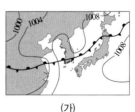 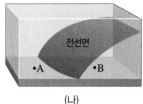

(가)   (나)

이에 대한 설명으로 옳은 것만을 〈보기〉에서 있는 대로 고른 것은?

〈 보기 〉

ㄱ. A 지역보다 B 지역에 강수량이 많다.

ㄴ. 우리나라 동서 방향으로 폐색 전선이 형성되어 있다.

ㄷ. A 지역에 영향을 주는 기단의 세력이 더 커지면 전선은 북상한다.

① ㄱ   ② ㄴ   ③ ㄱ, ㄴ

④ ㄱ, ㄷ   ⑤ ㄴ, ㄷ

B 온대 저기압과 날씨

온대 저기압의 특징

302 하중상

온대 저기압에 대한 설명으로 옳지 않은 것은?

① 온대 저기압은 온대 지방에서 발생한다.
② 편서풍을 따라 서쪽에서 동쪽으로 이동한다.
③ 온대 저기압의 에너지원은 위치 에너지의 감소이다.
④ 온대 저기압의 중심 기압이 낮을수록 세력이 강하다.
⑤ 온대 저기압은 중심의 남서쪽에 온난 전선을, 남동쪽에 한랭 전선을 동반한다.

303 하중상

그림 (가)와 (나)는 24시간 간격으로 작성된 일기도를 순서 없이 나타낸 것이다.

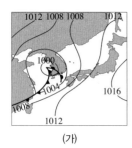
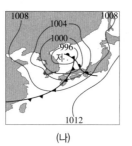

(가)   (나)

이에 대한 설명으로 옳은 것만을 〈보기〉에서 있는 대로 고른 것은?

〈 보기 〉
ㄱ. (가)는 (나)보다 먼저 작성된 일기도이다.
ㄴ. 저기압의 세력은 (나)보다 (가)에서 약하다.
ㄷ. (가)에서 제주도 지역의 날씨는 맑을 것이다.

① ㄱ   ② ㄷ   ③ ㄱ, ㄴ
④ ㄴ, ㄷ   ⑤ ㄱ, ㄴ, ㄷ

온대 저기압의 발생과 소멸

304 하중상

그림은 우리나라를 지나는 온대 저기압을 나타낸 것이다. A, B, C에 해당하는 전선의 이름을 쓰시오.

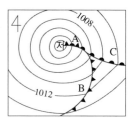

[305~306] 그림 (가)~(라)는 온대 저기압의 발생과 소멸 과정을 순서 없이 나타낸 것이다.

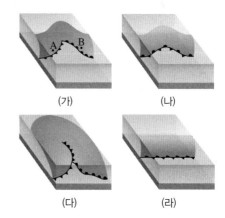

(가)   (나)

(다)   (라)

305 하중상

온대 저기압의 생성 순서대로 옳게 나열한 것은?

① (가) → (나) → (다) → (라)
② (나) → (가) → (라) → (다)
③ (다) → (가) → (나) → (라)
④ (라) → (가) → (나) → (다)
⑤ (라) → (나) → (가) → (다)

★빈출 306 하중상

이에 대한 설명으로 옳은 것만을 모두 고르면? (2개)

① (가)에서 구름 발생 지역은 A가 B보다 더 넓다.
② (가)에서 소나기가 내릴 가능성이 큰 지역은 B이다.
③ (다)에서는 정체 전선이 나타난다.
④ 중위도 지역에서 고위도의 따뜻한 공기와 저위도의 찬 공기가 만나 (라)를 형성한다.
⑤ 한랭 전선은 온난 전선보다 이동 속도가 빠르다.
⑥ 온대 저기압은 편서풍의 영향으로 동쪽에서 서쪽으로 이동한다.
⑦ 온대 저기압은 찬 공기는 아래로, 따뜻한 공기는 위로 이동해 층을 이루며 소멸한다.

307 하 중 상

그림 (가)와 (나)는 온대 저기압의 일생 중 서로 다른 시기의 모습을 순서 없이 나타낸 것이다.

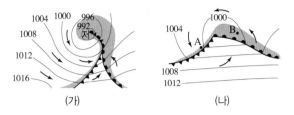

이에 대한 설명으로 옳은 것만을 〈보기〉에서 있는 대로 고른 것은?

〈 보기 〉

ㄱ. 온대 저기압은 (나)에서 (가)로 발달한다.
ㄴ. (나)의 A 지역에서는 소나기성 강수가, B 지역에서는 약한 강수가 나타난다.
ㄷ. (가) 이후에 따뜻한 공기는 상층, 찬 공기는 하층으로 분리되면서 정체 전선이 형성된다.

① ㄱ   ② ㄷ   ③ ㄱ, ㄴ
④ ㄴ, ㄷ   ⑤ ㄱ, ㄴ, ㄷ

온대 저기압의 구조와 날씨

[308~309] 그림은 온대 저기압을 나타낸 것이다.

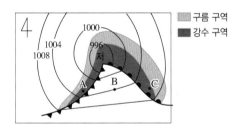

308 하 중 상   多 보기

이에 대한 설명으로 옳은 것만을 모두 고르면? (2개)

① A에는 층운형 구름이 발달한다.
② B에서는 남동풍이 분다.
③ C에서는 소나기가 내린다.
④ C에서는 북서풍이 분다.
⑤ 기압은 C보다 B에서 낮다.
⑥ B는 날씨가 비교적 맑다.
⑦ 기온이 가장 높은 지역은 A이다.

309 하 중 상   •서술형

온대 저기압이 이동함에 따라 C 지역의 풍향은 어떻게 변하는지 서술하시오.

310 하 중 상

그림은 온대 저기압이 발달하는 과정에서 나타나는 두 종류의 전선면을 나타낸 모식도이다.

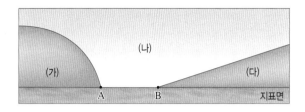

이에 대한 설명으로 옳지 않은 것은?

① (가)와 (다)는 찬 공기이다.
② (나) 공기는 전선면을 따라 상승한다.
③ A는 한랭 전선이고, 층운형 구름이 발달한다.
④ B는 온난 전선이고, 약한 비가 내린다.
⑤ A가 B보다 이동 속도가 빠르다.

[311~312] 그림 (가)는 어느 날 우리나라 주변에 위치한 온대 저기압을, (나)는 이날 C 지역에서 관측한 일기 기호를 순서 없이 나타낸 것이다.

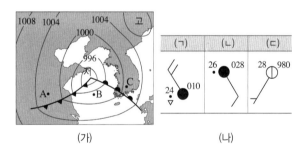

311 하 중 상   •서술형

(나)의 기상 요소를 관측 순서에 따라 나열하고, 그 까닭을 서술하시오.

312 하 중 상

이에 대한 설명으로 옳은 것만을 〈보기〉에서 있는 대로 고른 것은?

〈 보기 〉

ㄱ. A보다 C에서 넓은 지역에 비가 내린다.
ㄴ. C 지역에서 온난 전선이 통과한 후 풍속이 약해졌다.
ㄷ. C → B → A로 갈수록 기압이 낮아진다.

① ㄱ   ② ㄷ   ③ ㄱ, ㄴ
④ ㄴ, ㄷ   ⑤ ㄱ, ㄴ, ㄷ

313 (하 중 상)

그림은 어느 날 온대 저기압이 형성된 북반구 중위도 지역에서 측정한 기상 요소를 나타낸 것이다.

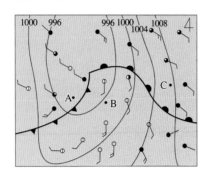

이에 대한 설명으로 옳은 것만을 〈보기〉에서 있는 대로 고른 것은?

〈 보기 〉
ㄱ. A 지역보다 B 지역의 기온이 더 낮다.
ㄴ. B에는 적운형 구름이 발달해 있다.
ㄷ. C 지역에서 풍향은 시계 방향으로 변한다.

① ㄱ　　　　　② ㄷ　　　　　③ ㄱ, ㄴ
④ ㄴ, ㄷ　　　　⑤ ㄱ, ㄴ, ㄷ

314 (하 중 상)

그림은 온대 저기압이 통과한 어느 날 서울에서 관측한 기온과 기압의 변화를 나타낸 것이다.

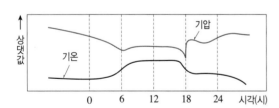

이에 대한 설명으로 옳은 것만을 〈보기〉에서 있는 대로 고른 것은?

〈 보기 〉
ㄱ. 5시경에는 남풍 계열의 바람이 불었다.
ㄴ. 0시~6시경에 적운형 구름이 형성되었다.
ㄷ. 18시경에 한랭 전선이 지나갔다.
ㄹ. 온대 저기압이 통과하는 동안 서울의 풍향은 시계 반대방향으로 변했다.

① ㄱ, ㄴ　　　② ㄱ, ㄷ　　　③ ㄱ, ㄹ
④ ㄴ, ㄷ　　　⑤ ㄷ, ㄹ

315 (하 중 상)

다음은 온대 저기압의 영향을 받고 있는 우리나라 부근의 세 지역 A, B, C의 위치와 날씨를 나타낸 것이다.

지역	A	B	C
풍향	북서풍	남동풍	남서풍
구름	적운형	층운형	없음.
강수	소나기	약한 비	없음.

이에 대한 설명으로 옳은 것만을 〈보기〉에서 있는 대로 고른 것은?

〈 보기 〉
ㄱ. 이후 C 지역의 기압은 높아질 것이다.
ㄴ. 현재 기온은 A 지역이 C 지역보다 높다.
ㄷ. 온난 전선은 A와 C 지역 사이에 형성되어 있다.

① ㄱ　　　　　② ㄷ　　　　　③ ㄱ, ㄴ
④ ㄴ, ㄷ　　　　⑤ ㄱ, ㄴ, ㄷ

[316~317] 그림 (가)와 (나)는 12시간 간격으로 작성된 우리나라 주변 일기도를 순서 없이 나타낸 것이다.

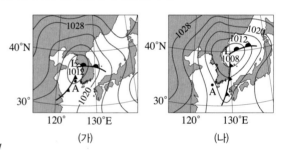

(가)　　　　　　　(나)

빈출 316 (하 중 상)

이에 대한 설명으로 옳은 것만을 〈보기〉에서 있는 대로 고른 것은?

〈 보기 〉
ㄱ. 일기도는 (가) → (나) 순으로 작성되었다.
ㄴ. 이 기간 동안 A 지역에는 소나기가 내렸다.
ㄷ. (가)의 A 지역에는 북동풍이 분다.

① ㄱ　　　　　② ㄷ　　　　　③ ㄱ, ㄴ
④ ㄴ, ㄷ　　　　⑤ ㄱ, ㄴ, ㄷ

317 (하 중 상)

12시간 동안 A 지역의 기압과 기온 변화를 옳게 나타낸 것은?

	기압	기온		기압	기온
①	상승	상승	②	상승	하강
③	하강	하강	④	하강	상승
⑤	변화 없다.	변화 없다.			

318 하/중/상

그림 (가)는 어느 날 9시에 우리나라 부근을 지나는 온대 저기압의 위치와 예상 경로를, (나)는 이 온대 저기압이 우리나라를 통과하는 동안 P 지점에서 관측한 풍향과 풍속을 시간별로 나타낸 것이다.

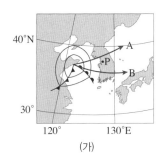 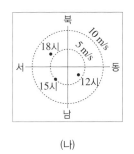

이에 대한 설명으로 옳은 것만을 〈보기〉에서 있는 대로 고른 것은?

〈 보기 〉

ㄱ. 온대 저기압의 중심은 B 경로로 이동하였다.

ㄴ. 12시보다 15시에 기온이 더 낮았다.

ㄷ. 15시와 18시 사이에 소나기가 내렸다.

① ㄱ   ② ㄴ   ③ ㄷ

④ ㄱ, ㄴ   ⑤ ㄴ, ㄷ

319 하/중/상

그림 (가)는 어느 날 온대 저기압이 우리나라 어느 관측소를 통과하는 동안 관측한 기온과 기압을, (나)는 이날 6시, 12시, 18시에 관측한 풍향과 풍속을 ㉠, ㉡, ㉢으로 순서 없이 나타낸 것이다.

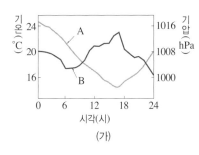 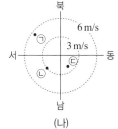

이에 대한 설명으로 옳은 것만을 〈보기〉에서 있는 대로 고른 것은?

〈 보기 〉

ㄱ. 온난 전선은 17시 무렵에 통과하였다.

ㄴ. 12시에 관측한 바람은 ㉡이다.

ㄷ. 이 온대 저기압의 중심은 관측소의 남쪽을 통과하였다.

① ㄴ   ② ㄷ   ③ ㄱ, ㄴ

④ ㄱ, ㄷ   ⑤ ㄱ, ㄴ, ㄷ

320 하/중/상

그림은 폐색 전선을 동반한 온대 저기압의 모습을 인공위성에서 촬영한 가시광선 영상이다. 이에 대한 설명으로 옳은 것만을 〈보기〉에서 있는 대로 고른 것은?

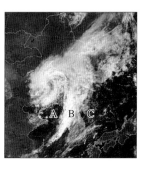

〈 보기 〉

ㄱ. A 지역보다 C 지역의 기온이 높다.

ㄴ. B 지역에 형성된 구름의 두께는 두껍다.

ㄷ. C 지역에는 주로 남풍 계열의 바람이 불 것이다.

① ㄱ   ② ㄴ   ③ ㄱ, ㄷ

④ ㄴ, ㄷ   ⑤ ㄱ, ㄴ, ㄷ

321 하/중/상

표의 (가)는 1일 강수량 분포를, (나)는 지점 A의 1일 풍향 빈도를 나타낸 것이다. $D_1 \rightarrow D_2$는 하루 간격이고, 이 기간 동안 우리나라는 정체 전선의 영향권에 있었다.

	D_1일	D_2일
(가)	강수량(mm) 0 30 150	강수량(mm) 0 30 150
(나)	N W E S (단위: %) 20 40	N W E S (단위: %) 20 40

이에 대한 설명으로 옳은 것만을 〈보기〉에서 있는 대로 고른 것은?

〈 보기 〉

ㄱ. 정체 전선은 D_1일보다 D_2일에 더 북쪽에 위치한다.

ㄴ. A 지점에서 D_2일에 남서풍의 빈도는 남동풍의 빈도보다 크다.

ㄷ. A 지점에서 북태평양 기단의 영향을 더 크게 받을 때는 D_2일이다.

① ㄱ   ② ㄴ   ③ ㄱ, ㄷ

④ ㄴ, ㄷ   ⑤ ㄱ, ㄴ, ㄷ

II. 대기와 해양

태풍과 우리나라 주요 악기상

A 태풍

1 태풍 중심 부근의 최대 풍속이 17 m/s 이상인 열대 저기압 → 적도 부근에서는 전향력이 약하기 때문에 태풍이 발생하지 않는다.

① 에너지원: 수증기가 응결될 때 방출되는 **❶**〔 〕〔 〕〔 〕 → 수증기의 응결열

② 발생 지역: 수온 26 ℃~27 ℃ 이상인 <u>위도 5°~25°</u>의 열대 해상 → 수증기 공급이 충분한 곳이다.

③ 태풍의 구조: 중심 부근으로 갈수록 두꺼운 적운형 구름이 형성되어 있다. → 많은 비와 강풍을 동반한다.

기출 Tip A-1

열대 저기압의 발생 지역과 이름
열대 해역 상공에서 발생하는 모든 태풍형 폭풍을 열대 저기압이라 하고, 발생 지역에 따라 이름이 달라진다.
• 북서 태평양에서 발생 ➔ 태풍
• 북대서양과 북태평양 동부에서 발생 ➔ 허리케인
• 인도양과 오스트레일리아 북부 해역에서 발생 ➔ 사이클론

태풍의 구조	태풍의 풍속과 기압 분포

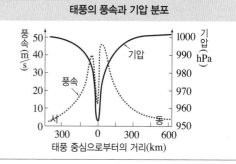

• **❷**〔 〕〔 〕〔 〕: 약한 하강 기류가 나타나고, 날씨가 맑으며, 바람이 약하다. → 태풍 중심에서 반경 약 50 km

• 중심 부근에는 강한 대류 활동이 있는 눈벽이 있으며, 이곳에서 풍속이 가장 빠르다.

• 풍속: 태풍의 중심부로 갈수록 빨라지다가 태풍의 눈에서는 약해진다.

• 기압: 태풍의 중심으로 갈수록 낮아지며, 태풍의 중심에서 가장 **❸**〔 〕〔 〕. → 기압만 고려했을 때 태풍의 중심부의 해수면 높이가 주변보다 높다.

(온대 저기압과 태풍(열대 저기압) 비교)

등압선이 타원형이다. / 등압선이 조밀한 원형이다.

저기압	온대 저기압(A)	태풍(B)
전선	**❹**〔 〕〔 〕.	**❺**〔 〕〔 〕.
에너지원	위치 에너지 감소	수증기의 숨은열
발생 지역	중위도 온대 지방	열대 해상(위도 5°~25°)
이동 방향	서 → 동	남 → 북(포물선)

기출 Tip A-2

안전 반원과 위험 반원에서 풍향 변화
• 안전 반원: 태풍이 통과하는 동안 풍향이 시계 반대 방향으로 변한다.
• 위험 반원: 태풍이 통과하는 동안 풍향이 시계 방향으로 변한다.

2 태풍의 이동과 소멸 → 우리나라는 주로 7월~9월에 태풍의 영향을 받는다.

전향점은 북위 25°~30°에서 생긴다.

태풍의 이동	태풍의 소멸

• 주로 포물선 궤도를 그린다. ➔ 무역풍대에서는 북서쪽으로, 전향점 이후 편서풍대에서는 북동쪽으로 이동
• 북태평양 고기압의 가장자리를 따라 이동한다. → 북태평양 고기압이 발달할 때
→ 전향점 부근에서 태풍의 이동 속도가 느려지다가 전향점 이후 빨라진다.

• 수온이 **❻**〔 〕〔 〕 해역을 통과할 때 열과 수증기의 공급이 감소하여 소멸한다.
• **❼**〔 〕〔 〕에 상륙할 때 지표면과 마찰이 작용하고 수증기의 공급이 감소하여 소멸한다.

(안전 반원과 위험 반원)

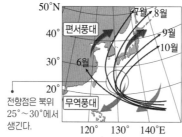

❽〔 〕〔 〕 반원

• 태풍 진행 방향의 왼쪽 부분: 풍속이 비교적 느리다. ➔ 위험 반원보다 피해가 적다. → 태풍 내 바람 방향이 태풍의 진행 방향 및 대기 대순환의 바람 방향과 반대

❾〔 〕〔 〕 반원

• 태풍 진행 방향의 오른쪽 부분: 풍속이 비교적 빠르다. ➔ 피해가 크다. → 태풍 내 바람 방향이 태풍의 진행 방향 및 대기 대순환의 바람 방향과 동일

B 뇌우와 황사

└→ 일기도에 나타나지 않는 국지적인 현상으로, 예측하기가 어렵다.

1 뇌우 강한 상승 기류로 적란운이 발달하면서 천둥, 번개와 함께 소나기가 내리는 현상

① 발생: 대기가 매우 불안정할 때 발생한다.

• 여름철 강한 햇빛으로 국지적으로 가열된 공기가 빠르게 상승할 때

• 한랭 전선에서 찬 공기 위로 따뜻한 공기가 빠르게 상승할 때

• 온대 저기압이나 태풍으로 강한 상승 기류가 발달할 때

② 피해: 침수 피해, 농작물 피해, 낙뢰 피해, 인명 피해 등

③ 대책: 낙뢰 피해를 줄이기 위한 피뢰침 설치 등

─(뇌우의 발달 과정)─

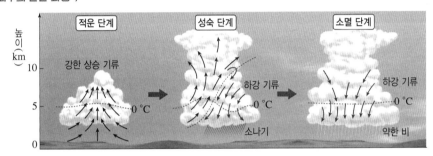

• 적운 단계: 강한 상승 기류 발생 ➡ 비는 거의 내리지 않는다.
                                                                  └→ 낙뢰 피해 발생
• ⓞ☐☐ 단계: 상승 기류와 하강 기류가 존재 ➡ 돌풍, 천둥, <u>번개</u>, 소나기, 우박 등을 동반한다.
                                                                  └→ 국지성 호우
• 소멸 단계: 하강 기류가 우세하여 구름이 사라지고 소멸 ➡ 약한 비가 내리다가 멈춘다.

2 황사 중국과 몽골의 사막 지대와 황토 지대에서 발생한 모래 먼지가 상승하여 편서풍을 타고 이동하다가 서서히 내려오는 현상

① 발생: 발원지에서 강풍이 불거나 햇빛이 강하게 비추어 저기압이 형성될 때

② 피해: 일사량 감소, 천식 등 호흡기 질환 증가, 항공기 운항 지연 및 결항, 정밀 산업 기계 고장 및 제품 품질 저하, 농작물 생장 장애 등

③ 대책: 황사 예보, 외출할 때 황사 마스크 착용, 실외 활동 자제, 중국과 몽골의 사막화 억제 등

─(황사의 발생과 이동)─

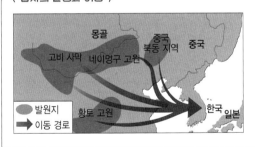

• 발원지: 고비 사막, 네이멍구 고원, 황토 고원, 중국 북동 지역 등

• 이동 경로: ⓫☐☐☐을 따라 이동   서→동

➡ 발원지에 저기압이, 우리나라에 고기압이 형성될 때 주로 황사가 발생한다.

➡ 중국 내륙의 사막화가 진행될수록 황사 발생 빈도가 증가한다.

C 폭설, 국지성 호우, 우박, 강풍

1 폭설 짧은 시간에 많은 눈이 내리는 현상

① 발생: 찬 대륙 고기압의 확장으로 ⓬☐☐이 변질될 때, 산악에서 눈구름이 생성될 때, 온대 저기압에서 눈구름이 생성될 때

② 피해: 도로 교통 마비, 시설물 붕괴 등

③ 대책: 신속한 제설 작업, 눈 무게를 견디도록 시설물 설치, 도로면에 모래나 염화 칼슘 준비 등

기출 Tip Ⓑ-1

뇌우의 발달 과정 판단
• 상승 기류 ➡ 적운 단계
• 상승 기류+하강 기류 ➡ 성숙 단계
• 하강 기류 ➡ 소멸 단계

기출 Tip Ⓑ-2

황사 대책
황사가 발생할 때 황사 예보를 하거나 실외에서 마스크 착용 등과 같은 대책도 필요하지만 황사의 발원지인 중국과 몽골의 사막화를 억제하는 근본적인 대책을 마련하는 것이 중요하다.

기압과 황사 발생
• 발원지에 저기압 발달 ➡ 모래 먼지가 상승 기류를 타고 상공으로 올라가기 쉽다.
• 우리나라에 고기압 발달 ➡ 상공의 모래 먼지가 하강 기류를 타고 내려와 황사가 나타나기 쉽다.

답 ❶ 숨은열 ❷ 태풍의 눈 ❸ 낮다 ❹ 있다 ❺ 없다 ❻ 낮은 ❼ 육지 ❽ 안전 ❾ 위험 ❿ 성숙 ⓫ 편서풍 ⓬ 기단

2 국지성 호우 1시간에 30 mm 이상 또는 하루에 80 mm 이상의 비가 내리거나 연 강수량의 10 % 정도의 비가 하루 동안 내리는 현상

① 발생: 주로 강한 상승 기류로 ⑬ ☐☐☐이 발생할 때, 장마 전선 또는 태풍의 영향을 받거나 대기가 불안정할 때

② 규모: 수십 분~수 시간 지속되며, 반경 10 km~20 km인 좁은 지역에 내린다.

③ 피해: 가옥과 농경지 및 도로 침수, 산사태 발생 등

④ 대책: 저지대나 상습 침수 지역에서는 신속히 대피, 사전에 배수로나 하수구 정비 등

3 우박 눈의 결정 주위에 차가운 물방울이 얼어붙어 땅으로 떨어지는 얼음 덩어리

① 발생: 적란운 내에서 생성된 얼음 덩어리가 강한 상승 기류를 타고 ⑭ ☐☐과 ⑮ ☐☐을 반복하면서 크기가 커지고, 무거워지면 지표면으로 떨어진다.

② 구조: 불투명한 핵을 중심으로 투명한 얼음층과 불투명한 얼음층이 번갈아 둘러싸고 있는 층상 구조이다.

③ 크기: 보통 지름이 1 cm 미만이지만, 이보다 훨씬 큰 것도 있다.

④ 피해: 농작물 피해, 비닐하우스와 같은 시설물 파괴 등

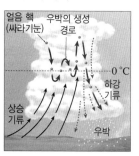

▲ 우박의 생성 과정

4 강풍 10분 동안의 평균 풍속이 ⑯ ☐ m/s 이상인 바람

① 발생: 겨울철 시베리아 고기압의 영향을 받을 때, 여름철 태풍의 영향을 받을 때 등

② 피해: 농작물 피해, 시설물 파괴, 높은 파도로 선박 파괴, 양식장 피해 등

③ 대책: 가급적 외출 자제, 건물의 유리창이 파손되지 않도록 주의, 파도에 휩쓸릴 위험이 있으므로 바닷가에 접근 자제

기출 Tip ⓒ-3
우박 생성 과정
적란운 내 과냉각 물방울과 빙정이 함께 있는 구간에서 과냉각 물방울과 빙정의 포화 수증기압 차이로 과냉각 물방울에서 증발한 수증기가 승화되어 빙정 표면에 얼어붙으면서 커진다. 커진 얼음 덩어리가 강한 상승 기류로 상승과 하강을 반복하여 커지면 우박이 된다.

답 ⑬ 적란운 ⑭ 상승 ⑮ 하강 ⑯ 14

빈출 자료 보기

정답과 해설 44쪽

322 그림은 우리나라를 통과하는 태풍의 이동 경로를 나타낸 것이다.

이에 대한 설명으로 옳은 것은 ○, 옳지 **않은** 것은 ×로 표시하시오.

(1) 태풍의 에너지원은 수증기의 응결열이다. ( )

(2) 태풍이 우리나라를 통과할 때 태풍의 이동에 영향을 주는 바람은 편서풍이다. ( )

(3) 태풍의 세력은 A보다 B에 있을 때 더 강하다. ( )

(4) 태풍은 육지에 상륙한 후 중심 기압이 낮아진다. ( )

(5) 서울은 위험 반원에 속한다. ( )

(6) 태풍이 통과할 때 서울보다 부산에서 피해가 더 컸다. ( )

(7) 태풍이 이동하는 동안 서울에서 풍향은 시계 방향으로 변하였다. ( )

323 그림 (가)~(다)는 뇌우의 발달 과정을 순서 없이 나타낸 것이다.

(가) (나) (다)

이에 대한 설명으로 옳은 것은 ○, 옳지 **않은** 것은 ×로 표시하시오.

(1) (가)는 적운 단계이다. ( )

(2) (나)는 소멸 단계이다. ( )

(3) (다)는 성숙 단계이다. ( )

(4) 뇌우의 발달 과정은 (나) → (다) → (가)이다. ( )

(5) 천둥이나 우박이 나타나는 단계는 (가)이다. ( )

(6) 뇌우는 여름철 강한 햇빛으로 국지적으로 가열된 공기가 빠르게 상승할 때 잘 발생한다. ( )

(7) 국지성 호우나 낙뢰 피해는 (가)보다 (다) 단계일 때 잘 발생한다. ( )

A 태풍

태풍

324 하(중)상

수온이 27 °C 이상인 열대 해상에서 발생하여 중심 부근의 최대 풍속이 17 m/s 이상으로 성장한 것을 무엇이라고 하는가?

① 태풍
② 토네이도
③ 온대 저기압
④ 한랭 고기압
⑤ 정체성 고기압

빈출 325 (하)중상 多 보기

태풍에 대한 설명으로 옳지 <u>않은</u> 것만을 모두 고르면? (2개)

① 열대 저기압에 속한다.
② 전선을 동반하지 않는다.
③ 많은 비와 강풍을 동반한다.
④ 에너지원은 수증기의 숨은열이다.
⑤ 적도 지역의 열대 해상에서 발생한다.
⑥ 대부분 포물선 궤도를 이루며 이동한다.
⑦ 태풍의 눈에서는 약한 상승 기류가 나타난다.
⑧ 태풍의 등압선은 거의 원형으로 조밀하게 나타난다.

326 (하)중상

북대서양과 북태평양 동부에서 생성되는 열대 저기압을 무엇이라고 하는가?

① 태풍
② 토네이도
③ 허리케인
④ 사이클론
⑤ 이동성 고기압

327 (하)중상

태풍과 온대 저기압의 특징을 옳게 비교한 것은?

	구분	태풍	온대 저기압
①	전선	있다.	없다.
②	발생지	열대 해상	편서풍대
③	이동 경로	서 → 동	포물선 궤도
④	등압선 모양	곡선 및 타원형	원형
⑤	주요 에너지원	위치 에너지 감소	수증기의 숨은열

빈출 328 (하)중상 多 보기

그림은 북반구 해상에서 북상하는 태풍의 동서 방향 단면을 나타낸 것이다.

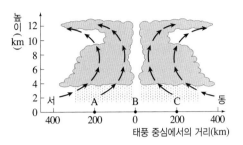

이에 대한 설명으로 옳은 것만을 모두 고르면? (2개)

① A는 위험 반원에 속한다.
② A는 B보다 기압이 낮다.
③ B에서 기압이 가장 높다.
④ 풍속은 A보다 C에서 느리다.
⑤ 태풍의 에너지원은 수증기의 응결열이다.
⑥ B의 상공에서는 약한 상승 기류가 나타난다.
⑦ C에서 풍향은 태풍이 이동함에 따라 시계 방향으로 변한다.

[329~330] 그림 (가)는 어느 태풍의 단면을, (나)는 동일한 태풍의 기압과 풍속을 나타낸 것이다.

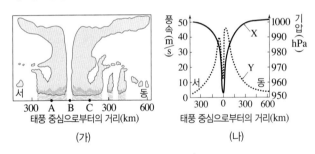

(가)   (나)

329 (하)중상

이에 대한 설명으로 옳은 것만을 〈보기〉에서 있는 대로 고른 것은?

〈 보기 〉
ㄱ. (나)의 X는 기압, Y는 풍속이다.
ㄴ. (가)의 B는 태풍의 눈으로, 하강 기류가 나타난다.
ㄷ. (가)에서 A는 위험 반원, C는 안전 반원에 속한다.

① ㄱ
② ㄷ
③ ㄱ, ㄴ
④ ㄴ, ㄷ
⑤ ㄱ, ㄴ, ㄷ

330 (하)중상

기압의 영향만을 고려할 때 B 해역과 C 해역의 해수면 높이를 부등호로 비교하시오.

331 (하중상)

그림은 태풍의 구름과 풍속 분포를 나타낸 것이다. 이에 대한 설명으로 옳은 것만을 〈보기〉에서 있는 대로 고른 것은? (단, 중심 O에서 A~D 각 지점까지의 거리는 같다.)

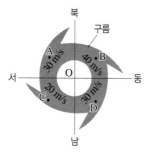

〈 보기 〉

ㄱ. 태풍의 이동 속도는 30 m/s이다.
ㄴ. 무역풍의 영향을 받아 이동하고 있다.
ㄷ. B 지역에는 서풍 계열의 바람이 분다.

① ㄱ   ② ㄴ   ③ ㄱ, ㄷ
④ ㄴ, ㄷ   ⑤ ㄱ, ㄴ, ㄷ

[332~333] 그림 (가)는 우리나라에 나타난 두 종류의 저기압을, (나)는 중위도에서 관측한 어느 저기압의 구조를 나타낸 것이다.

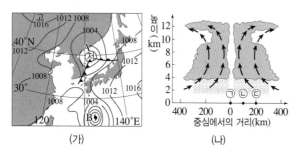

(가)   (나)

332 (하중상) ••서술형

(가)에서 A, B 저기압의 종류를 쓰고, 일기도 상에서 나타난 두 저기압의 차이점을 비교하여 서술하시오.

333 (하중상)

이에 대한 설명으로 옳은 것만을 〈보기〉에서 있는 대로 고른 것은?

〈 보기 〉

ㄱ. (나)는 (가)의 B 구조를 나타낸 것이다.
ㄴ. (나)에서 비교적 맑은 지역은 ㉡이다.
ㄷ. (나)에서 풍속이 가장 빠른 곳은 ㉠이다.

① ㄱ   ② ㄷ   ③ ㄱ, ㄴ
④ ㄴ, ㄷ   ⑤ ㄱ, ㄴ, ㄷ

태풍의 이동과 소멸

334 (하중상)

그림은 북반구에서 태풍의 진행 방향과 태풍 내 바람의 방향을 나타낸 것이다. A~D를 위험 반원과 안전 반원으로 각각 옳게 짝 지은 것은?

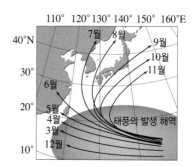

	위험 반원	안전 반원
①	A, B	C, D
②	A, C	B, D
③	A, D	B, C
④	B, C	A, D
⑤	B, D	A, C

[335~336] 그림은 태풍의 발생 해역과 월별 이동 경로를 나타낸 것이다.

335 (하중상) ••서술형

북위 25° 이상인 해역에서는 태풍이 발생하기 어려운 까닭을 서술하시오.

빈출 336 (하중상)

이에 대한 설명으로 옳은 것만을 〈보기〉에서 있는 대로 고른 것은?

〈 보기 〉

ㄱ. 태풍의 이동 경로를 볼 때 북태평양 고기압의 세력은 7월보다 10월에 더 강할 것이다.
ㄴ. 우리나라에 영향을 주는 태풍의 이동 경로는 무역풍과 편서풍의 영향을 모두 받는다.
ㄷ. 태풍의 이동 속도는 전향점 부근에서 느려진다.

① ㄱ   ② ㄷ   ③ ㄱ, ㄴ
④ ㄴ, ㄷ   ⑤ ㄱ, ㄴ, ㄷ

II

337  (하중상)

•• 서술형

태풍이 발생한 후 이동하다가 소멸하는 두 가지 경우를 쓰고, 그 까닭을 각각 서술하시오.

338 (하중상) 빈출

그림은 2017년 8월 우리나라 주변을 통과한 태풍의 이동 경로와 중심 기압의 변화를 나타낸 것이다.

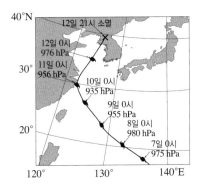

이에 대한 설명으로 옳은 것만을 〈보기〉에서 있는 대로 고른 것은?

〈 보기 〉

ㄱ. 이 태풍은 8일에 편서풍의 영향을 받았다.

ㄴ. 12일에 제주도는 위험 반원에 위치하였다.

ㄷ. 12일 0시 이후 태풍의 중심 기압은 높아졌을 것이다.

ㄹ. 태풍이 황해를 지나는 동안 서울 지역의 풍향은 시계 반대 방향으로 바뀌었을 것이다.

① ㄱ, ㄴ   ② ㄱ, ㄷ   ③ ㄴ, ㄷ

④ ㄴ, ㄹ   ⑤ ㄷ, ㄹ

339 (하중상)

그림은 어느 태풍의 이동 경로를, 표는 이 태풍이 이동하는 동안 관측소에서 관측한 풍향과 태풍의 중심 기압을 나타낸 것이다.

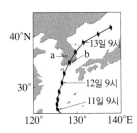

일시	풍향	중심 기압 (hPa)
11일 9시	동	955
12일 9시	남동	960
13일 9시	남남서	970

이에 대한 설명으로 옳은 것만을 〈보기〉에서 있는 대로 고른 것은?

〈 보기 〉

ㄱ. a 지역보다 b 지역에서 풍속이 빠르다.

ㄴ. 관측소의 위치는 a에 해당한다.

ㄷ. 우리나라를 지나는 동안 태풍의 세력은 약해졌을 것이다.

① ㄱ   ② ㄴ   ③ ㄱ, ㄷ

④ ㄴ, ㄷ   ⑤ ㄱ, ㄴ, ㄷ

340 (하중상)

그림 (가)는 어느 태풍의 이동 경로를, (나)는 이 태풍의 중심 기압과 최대 풍속의 변화를 나타낸 것이다.

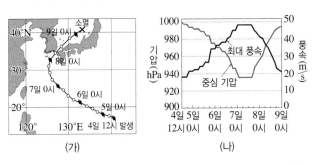

(가)   (나)

이에 대한 설명으로 옳은 것만을 〈보기〉에서 있는 대로 고른 것은?

〈 보기 〉

ㄱ. 이 태풍은 편서풍대에서 발생하였다.

ㄴ. 태풍 발생 이후 세력이 가장 강한 시기는 7일이었다.

ㄷ. 태풍이 대한 해협을 통과할 때 부산의 풍향은 시계 반대 방향으로 변했다.

① ㄱ   ② ㄴ   ③ ㄷ

④ ㄱ, ㄴ   ⑤ ㄴ, ㄷ

341 (하중상)

다음은 기상 관측소에서 측정한 어느 태풍의 관측 자료를 나타낸 것이다.

일시 (월/일 시 : 분)	중심 위치 위도(°N)	중심 위치 경도(°E)	중심 기압 (hPa)	이동 속도 (km/h)
06/30 09:00	20.1	129.8	990	4
07/01 09:00	23.7	127.4	985	21
07/02 09:00	27.2	127.1	975	19
07/03 09:00	31.9	128.2	975	24
07/04 09:00	37.4	132.4	985	52
07/04 18:00	40.1	135.8	990	50

이에 대한 설명으로 옳은 것만을 〈보기〉에서 있는 대로 고른 것은? (단, 이 관측소의 위치는 33.3°N, 138.5°E이다.)

〈 보기 〉

ㄱ. 7월 1일 9시에는 태풍이 무역풍의 영향을 받으며 이동하였다.

ㄴ. 태풍의 세력은 7월 1일 9시보다 7월 2일 9시에 더 강해졌다.

ㄷ. 태풍이 이동함에 따라 관측소에서 측정한 풍향은 시계 반대 방향으로 변했을 것이다.

① ㄱ   ② ㄴ   ③ ㄷ

④ ㄱ, ㄴ   ⑤ ㄴ, ㄷ

342 하중상

그림은 태풍의 영향을 받은 우리나라 관측소 A와 B에서 $T_1 \sim T_5$ 동안 측정한 기온, 기압, 풍향을 순서 없이 나타낸 것이다.

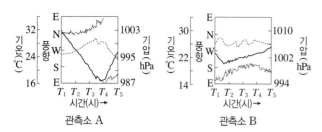

관측소 A   관측소 B

이에 대한 설명으로 옳은 것만을 〈보기〉에서 있는 대로 고른 것은?

〈 보기 〉
ㄱ. 관측소 A는 태풍 이동 경로의 왼쪽에 위치한다.
ㄴ. 관측소 B에서 풍향은 W → S → W로 변한다.
ㄷ. $T_4 \sim T_5$ 동안 A와 B 지역의 기온은 하강한다.

① ㄱ   ② ㄴ   ③ ㄷ
④ ㄱ, ㄴ   ⑤ ㄴ, ㄷ

343 하중상

그림 (가)는 어느 해 우리나라에 영향을 준 태풍 A와 B의 이동 경로를, (나)는 A와 B 중 어느 하나의 영향을 받을 때 ㉠ 지역에서의 기상 관측 자료를 나타낸 것이다.

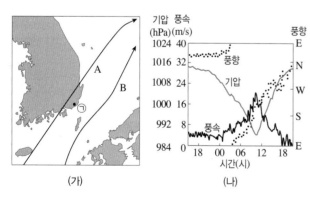

(가)   (나)

이에 대한 설명으로 옳은 것만을 〈보기〉에서 있는 대로 고른 것은?

〈 보기 〉
ㄱ. (나)는 태풍 A의 영향을 받을 때 관측 자료이다.
ㄴ. (나)에서 대체로 기압이 낮을수록 풍속이 빠르다.
ㄷ. 태풍 B의 영향을 받을 때 ㉠ 지역은 위험 반원에 속한다.

① ㄱ   ② ㄴ   ③ ㄷ
④ ㄱ, ㄴ   ⑤ ㄴ, ㄷ

B 뇌우, 황사

344 하중상

그림은 뇌우의 발달 과정을 나타낸 것이다.

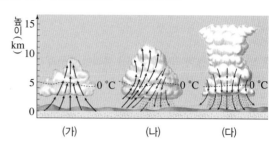

(가)   (나)   (다)

뇌우의 발달 단계별 이름을 옳게 짝 지은 것은?

	(가)	(나)	(다)
①	적운 단계	소멸 단계	성숙 단계
②	적운 단계	성숙 단계	소멸 단계
③	성숙 단계	적운 단계	소멸 단계
④	성숙 단계	소멸 단계	적운 단계
⑤	소멸 단계	적운 단계	성숙 단계

[345~347] 그림 (가)~(다)는 뇌우의 발달 단계를 순서 없이 나타낸 것이다.

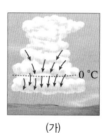 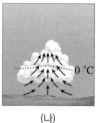 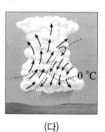

(가)   (나)   (다)

345 하중상

뇌우의 발달 단계를 순서대로 옳게 나열한 것은?

① (가) → (나) → (다)   ② (가) → (다) → (나)
③ (나) → (가) → (다)   ④ (나) → (다) → (가)
⑤ (다) → (나) → (가)

346 하중상

(다) 단계에 대한 설명으로 옳은 것만을 〈보기〉에서 있는 대로 고른 것은?

〈 보기 〉
ㄱ. 소나기, 우박, 번개 등을 동반한다.
ㄴ. 하강 기류는 나타나지 않는다.
ㄷ. 규모가 커서 예측이 쉽다.

① ㄱ   ② ㄴ   ③ ㄱ, ㄷ
④ ㄴ, ㄷ   ⑤ ㄱ, ㄴ, ㄷ

347 한 **중** 상

多 보기

이에 대한 설명으로 옳은 것만을 모두 고르면? (2개)

① (가) 단계에서 강수량이 가장 많다.

② (나) 단계에서 뇌우가 소멸된다.

③ 적운 단계는 (다)이다.

④ 낙뢰 위험이 가장 큰 단계는 (나)이다.

⑤ 성숙 단계에서는 상승 기류와 하강 기류가 모두 나타난다.

⑥ 뇌우는 온난 전선이 통과할 때 발생할 수 있다.

⑦ 뇌우는 여름철보다 겨울철 새벽에 잘 발생한다.

⑧ 뇌우는 한랭 전선면에서 공기가 급격히 상승하는 경우에 발생할 수 있다.

348 한 **중** 상

그림은 최근 12년 동안 우리나라에 영향을 준 황사의 발원지와 이동 경로를 나타낸 것이다.

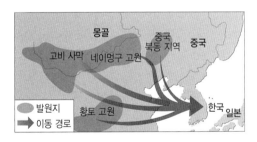

이에 대한 설명으로 옳은 것만을 〈보기〉에서 있는 대로 고른 것은?

〈 보기 〉

ㄱ. 황사는 동풍 계열의 바람을 타고 우리나라로 이동한다.

ㄴ. 중국과 몽골의 사막화가 진행될수록 황사의 발생 빈도가 증가할 것이다.

ㄷ. 고비 사막에 저기압이 형성되고, 우리나라에 저기압이 위치할 때 황사가 잘 발생한다.

① ㄱ   ② ㄴ   ③ ㄱ, ㄷ

④ ㄴ, ㄷ   ⑤ ㄱ, ㄴ, ㄷ

349 한 **중** 상

그림 (가)는 우리나라에 영향을 미치는 황사의 발원지를, (나)는 지난 40년 동안 서울과 부산에서 관측된 월별 황사 일수를 나타낸 것이다.

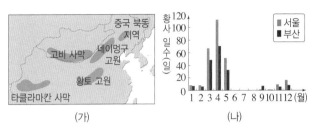

(가)   (나)

이에 대한 설명으로 옳은 것만을 〈보기〉에서 있는 대로 고른 것은?

〈 보기 〉

ㄱ. 편서풍의 영향으로 우리나라에 황사가 나타난다.

ㄴ. 황사는 주로 봄철에 발생한다.

ㄷ. 겨울철의 황사 일수는 서울보다 부산이 많다.

① ㄱ   ② ㄷ   ③ ㄱ, ㄴ

④ ㄴ, ㄷ   ⑤ ㄱ, ㄴ, ㄷ

350 한 **중** 상

다음은 우리나라의 역사서에 나타난 어떤 기상 관련 기록을 나타낸 것이다.

• 하늘의 신이 화가 나서 비나 눈이 아닌 흙가루를 땅으로 뿌린 것으로 믿어 먼지 현상이 나타나면 왕과 신하들이 몹시 두려워하였다. 『삼국사기』

• 하늘이 캄캄하게 흙비가 내렸는데 마치 티끌이 쏟아져 내리는 것 같았다. 『조선왕조실록』

이에 대한 설명으로 옳은 것만을 〈보기〉에서 있는 대로 고른 것은?

〈 보기 〉

ㄱ. 황사에 대한 기록이다.

ㄴ. 이 시기에 우리나라는 주로 양쯔강 기단의 영향을 받았을 것이다.

ㄷ. 우리나라에 상승 기류가 형성되면 이 현상으로 발생하는 피해가 더 클 것이다.

① ㄱ   ② ㄷ   ③ ㄱ, ㄴ

④ ㄴ, ㄷ   ⑤ ㄱ, ㄴ, ㄷ

351 하중상

그림 (가)는 우리나라 부근의 일기도이고, (나)는 이날 어느 지역에서 관측된 기상 현상이다.

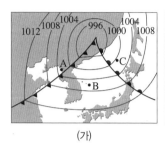 

(가)   (나)

이에 대한 설명으로 옳은 것만을 〈보기〉에서 있는 대로 고른 것은?

〈 보기 〉

ㄱ. (나) 기상 현상은 (가)의 B 지역에서 나타난다.
ㄴ. (나)는 소나기, 우박을 동반하여 짧은 시간 동안 큰 피해를 줄 수 있다.
ㄷ. (나)는 뇌우의 발달 과정 중 성숙 단계에서 주로 나타난다.

① ㄱ   ② ㄴ   ③ ㄱ, ㄷ
④ ㄴ, ㄷ   ⑤ ㄱ, ㄴ, ㄷ

C 폭설, 국지성 호우, 우박, 강풍

352 하중상

그림 (가)와 (나)는 어느 해 12월, 눈이 많이 내린 날의 일기도와 구름 사진을 나타낸 것이다.

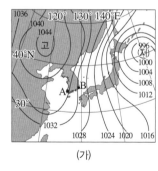 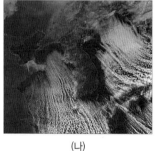

(가)   (나)

이에 대한 설명으로 옳은 것만을 〈보기〉에서 있는 대로 고른 것은?

〈 보기 〉

ㄱ. 이날 우리나라에서는 북서풍이 강하게 불었다.
ㄴ. 기단이 황해를 지나는 동안 점차 안정해졌다.
ㄷ. B 지역보다 A 지역에서 눈이 많이 내렸을 것이다.

① ㄱ   ② ㄴ   ③ ㄱ, ㄷ
④ ㄴ, ㄷ   ⑤ ㄱ, ㄴ, ㄷ

353 하중상

•• 서술형

그림은 우박의 생성 과정을 나타낸 것이다.

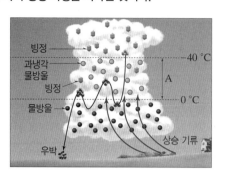

우박의 생성 과정 중 A 구간에서 빙정이 커지는 단계를 다음의 용어를 포함하여 서술하시오.

과냉각 물방울, 빙정, 포화 수증기압

354 하중상

그림 (가)는 1971년부터 2010년까지 우리나라에서 관측한 월별 우박 발생 일수를, (나)는 뇌우의 발달 과정 중 일부를 순서 없이 나타낸 것이다.

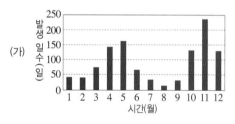

(가)

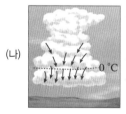 

A   B

(나)

이에 대한 설명으로 옳은 것만을 〈보기〉에서 있는 대로 고른 것은?

〈 보기 〉

ㄱ. 우박은 북태평양 고기압의 영향으로 잘 나타난다.
ㄴ. (나)에서 B보다 A가 먼저 나타난다.
ㄷ. 우박과 뇌우 모두 대기가 불안정할 때 잘 나타난다.
ㄹ. 우박은 (나)의 A보다 B에서 잘 발생한다.

① ㄱ, ㄴ   ② ㄱ, ㄷ   ③ ㄴ, ㄷ
④ ㄴ, ㄹ   ⑤ ㄷ, ㄹ

355 (하)(중)(상)

多 보기

우리나라의 주요 악기상에 대한 설명으로 옳지 <u>않은</u> 것만을 모두 고르면? (2개)

① 악기상은 정확하게 예보하기 어렵다.

② 황사는 천둥과 번개를 동반하는 폭풍우이다.

③ 뇌우는 모래 먼지가 우리나라로 불어오는 현상이다.

④ 태풍의 등압선은 동심원 모양이고, 전선을 동반하지 않는다.

⑤ 10분 동안 평균 풍속이 14 m/s 이상인 바람을 강풍이라고 한다.

⑥ 시간당 30 mm 이상의 비가 내리는 현상을 국지성 호우라고 한다.

⑦ 시베리아 고기압이 우리나라 쪽으로 확장하면 서해안에 폭설이 내릴 수 있다.

⑧ 우박은 구름 속 얼음 덩어리가 상승과 하강을 반복하며 크기가 커져 무거워지면 지표로 떨어지는 것이다.

356 (하)(중)(상)

그림 (가)와 (나)는 우리나라에서 일어날 수 있는 악기상을 나타낸 것이다.

(가)

(나)

이에 대한 설명으로 옳은 것만을 〈보기〉에서 있는 대로 고른 것은?

── 〈 보기 〉──

ㄱ. (가)는 폭설, (나)는 황사이다.

ㄴ. (가)는 황해를 지나며 변질된 시베리아 고기압의 영향으로 우리나라 서해안에서 발생할 수 있다.

ㄷ. (나)는 주로 봄에 편서풍의 영향을 받아 나타난다.

① ㄱ   ② ㄴ   ③ ㄱ, ㄷ

④ ㄴ, ㄷ   ⑤ ㄱ, ㄴ, ㄷ

357 (하)(중)(상)

그림 (가)는 우리나라에 국지성 호우가 발생했을 때의 기상 레이더 영상이고, (나)와 (다)는 (가)와 같은 시각의 기상 위성 영상이다.

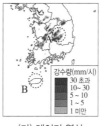
(가) 레이더 영상

(나) 가시 영상

(다) 적외 영상

이에 대한 설명으로 옳은 것만을 〈보기〉에서 있는 대로 고른 것은?

── 〈 보기 〉──

ㄱ. 국지성 호우는 태풍에 동반된 비구름 때문에 발생할 수 있다.

ㄴ. (가)~(다) 영상은 낮에 촬영한 것이다.

ㄷ. A 지역의 대기는 불안정하다.

ㄹ. 구름 정상부의 고도는 A 지역보다 B 지역이 높다.

① ㄱ, ㄴ   ② ㄱ, ㄹ   ③ ㄷ, ㄹ

④ ㄱ, ㄴ, ㄷ   ⑤ ㄴ, ㄷ, ㄹ

해수의 성질

A 해수의 화학적 성질

1 해수의 염분 해수 1 kg 속에 녹아 있는 염류의 총량을 g 수로 나타낸 것(단위: psu)

① 전 세계 해수의 평균 염분: 약 35 psu

② 염분비 일정 법칙: 염분은 장소나 계절에 따라 다르지만 염류 사이의 비율은 항상 ❶[ ]하다. ➡ 한 가지 염류의 양을 알면 다른 염류의 양이나 염분을 알 수 있다.

┌이온 중에는 Cl⁻이 가장 많이 녹아 있다.

염류	NaCl	MgCl₂	MgSO₄	CaSO₄	기타	합계
함량비(%)	77.74	10.89	4.74	3.60	3.03	100

③ 표층 염분을 변화시키는 요인: 가장 큰 영향을 주는 요인은 증발량과 강수량이다.

• 증발량과 강수량: 증발량이 많을수록, 강수량이 적을수록 염분이 높다. ➡ (증발량−강수량) 값이 클수록 높다.

• 강물의 유입: 담수인 강물은 염분이 매우 낮으므로 강물이 유입되는 곳은 염분이 낮다.

• 해수의 결빙과 해빙: 해수가 얼면 염류가 주위로 빠져 나와 해수의 염분이 높아지고, 빙하가 녹으면 염류가 적은 물이 해수에 공급되어 염분이 낮아진다.

┌ 전 세계 해양의 표층 염분 분포와 위도별 (증발량−강수량) 분포 ┐

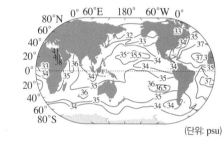

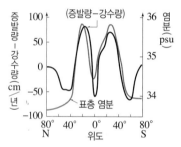

(단위: psu)

• 적도, 위도 60° 해역: 저압대가 위치하므로 강수량이 증발량보다 많아 표층 염분이 낮다.

• 위도 30° 해역: 고압대가 위치하므로 ❷[ ]이 ❸[ ]보다 많아 표층 염분이 높다.

• 극 해역: 해빙으로 표층 염분이 낮지만, 결빙이 일어나는 곳은 비교적 표층 염분이 높다.
└증발량, 강수량보다 빙하의 영향이 더 크다.

2 해수의 용존 기체 해수에 용해되어 있는 기체 ─기체의 용해도는 수온이 낮을수록, 염분이 낮을수록, 수압이 클수록 증가한다.

① 용존 산소: 해양 생물의 생명 활동에 반드시 필요하며, 대기에서 해수 표면으로 녹아 들어오거나 해양 생물의 ❹[ ]으로 공급된다.

② 용존 이산화 탄소: 해수 중에 중탄산염 이온(HCO_3^-)이나 탄산염 이온(CO_3^{2-})의 형태로 존재하며, 대기 중 이산화 탄소의 양을 조절하는 데 해수가 중요한 역할을 한다.

용존 산소량		용존 이산화 탄소량
• 표층: 많다. ➡ 대기와 식물성 플랑크톤의 광합성 때문 • 수심 100 m~1000 m: 급격히 감소 ➡ 생물의 호흡 때문 • 심층: 점차 증가 ➡ 극 해역 표층 해수의 침강, 생물 소비 감소 때문	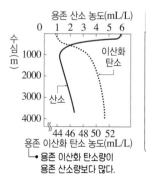	• 수심 100 m 이내: 적다. ➡ 식물성 플랑크톤의 광합성 때문 • 수심 100 m 이상: 수심이 깊어질수록 점차 증가 ➡ 광합성량의 감소 때문

└용존 이산화 탄소량이 용존 산소량보다 많다.

B 해수의 물리적 성질

1 해수의 수온

① 표층 수온: 가장 큰 영향을 미치는 요인은 태양 복사 에너지이다. ➡ 고위도로 갈수록 대체로 낮아진다.

② 해양의 층상 구조: 깊이에 따른 수온 변화에 따라 구분

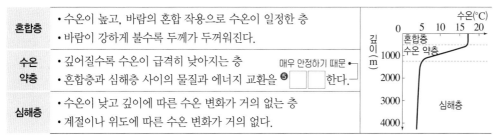

혼합층	• 수온이 높고, 바람의 혼합 작용으로 수온이 일정한 층 • 바람이 강하게 불수록 두께가 두꺼워진다.
수온 약층	• 깊어질수록 수온이 급격히 낮아지는 층 • 혼합층과 심해층 사이의 물질과 에너지 교환을 ❺ ☐☐한다. 매우 안정하기 때문
심해층	• 수온이 낮고 깊이에 따른 수온 변화가 거의 없는 층 • 계절이나 위도에 따른 수온 변화가 거의 없다.

┌─ 위도별 해양의 층상 구조 ─┐

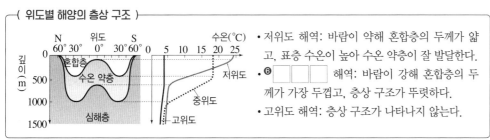

• 저위도 해역: 바람이 약해 혼합층의 두께가 얇고, 표층 수온이 높아 수온 약층이 잘 발달한다.
• ❻ ☐☐☐ 해역: 바람이 강해 혼합층의 두께가 가장 두껍고, 층상 구조가 뚜렷하다.
• 고위도 해역: 층상 구조가 나타나지 않는다.

③ 우리나라 주변 해역의 표층 수온 분포: 연평균 수온은 남해가 가장 높고, 수온의 연교차가 가장
└─ 연중 난류가 흐른다.
큰 곳은 황해, 남북 간의 수온 차가 가장 큰 곳은 동해이다.
└─ 대륙의 영향을 크게 받는다.   └─ 한류와 난류가 만난다.

2 해수의 밀도 → 주로 수온과 염분으로 결정되고, 밀도 분포는 대체로 수온 분포와 반대로 나타난다.

① 영향을 주는 요인: 수온이 ❼ ☐☐을수록, 염분이 ❽ ☐☐을수록, 수압이 클수록 밀도가 증가한다.

② 수온 염분도(T−S도): 해수의 수온(T)을 세로축, 염분(S)을 가로축으로 하여 해수의 수온, 염분, 밀도를 함께 나타낸 그래프 → A, B는 수온과 염분이 달라도 밀도가 ❾ ☐☐ 해수이다.

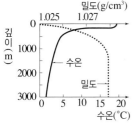
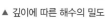
▲ 깊이에 따른 해수의 밀도

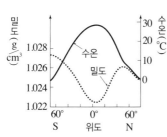
▲ 위도에 따른 해수의 밀도

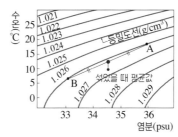

▲ 수온 염분도(T−S도)

기출 Tip ❸-1
우리나라의 계절에 따른 해양의 층상 구조
• 여름철은 겨울철보다 수온 약층이 잘 발달한다. ➡ 표층 수온이 높아 표층과 심층의 수온 차가 크기 때문
• 겨울철은 여름철보다 혼합층이 두껍다. ➡ 바람이 강해 해수의 혼합이 잘 일어나기 때문

기출 Tip ❸-2
수온과 염분이 다르고 밀도는 같은 두 해수를 같은 양으로 섞었을 때
• 수온, 염분: 두 해수의 평균값이 된다.
• 밀도: 섞기 전보다 조금 커진다.
└─ 수온 염분도에서 두 지점을 이은 직선의 $\frac{1}{2}$ 지점이다.

답 ❶ 일정 ❷ 증발량 ❸ 강수량
❹ 광합성 ❺ 차단 ❻ 중위도
❼ 낮 ❽ 높 ❾ 같은

빈출 자료 보기

◌ 정답과 해설 49쪽

358 그림은 해수의 용존 산소량과 용존 이산화 탄소량을 A와 B로 나타낸 것이다. 이에 대한 설명으로 옳은 것은 ○, 옳지 <u>않은</u> 것은 ×로 표시하시오.

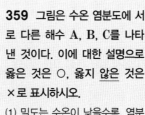

(1) 용존 산소량은 A이다. ( )
(2) 산소가 이산화 탄소보다 많이 녹아 있다. ( )
(3) 수온이 높을수록 기체의 용해도는 증가한다. ( )
(4) 심해층의 A는 극 해역의 표층 해수로부터 공급된다. ( )
(5) 광합성과 대기 성분의 용해로 표층에서는 A가 높다. ( )
(6) 광합성이 활발하기 때문에 표층에서는 B가 낮다. ( )

359 그림은 수온 염분도에 서로 다른 해수 A, B, C를 나타낸 것이다. 이에 대한 설명으로 옳은 것은 ○, 옳지 <u>않은</u> 것은 ×로 표시하시오.

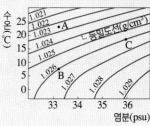

(1) 밀도는 수온이 낮을수록, 염분이 높을수록 커진다.( )
(2) A는 B보다 밀도가 크다. ( )
(3) A는 B보다 수온과 염분이 높다. ( )
(4) B와 C는 밀도가 같다. ( )
(5) C에 하천수가 유입되면 밀도가 작아질 것이다. ( )
(6) B와 C를 같은 양만큼 섞으면 해수의 밀도는 그대로이다. ( )

A 해수의 화학적 성질

해수의 염분

360 하 중 상 多 보기

염분에 대한 설명으로 옳지 않은 것만을 모두 고르면? (2개)

① 염분은 해수 1 kg에 녹아 있는 염류의 총량을 g 수로 나타낸 것이다.

② 전 세계 해수의 평균 염분은 약 30 psu이다.

③ 해수 속에 가장 많이 녹아 있는 이온은 Na^+이다.

④ 해수에 녹아 있는 주요 성분의 상대비는 모든 해양에서 거의 일정하다.

⑤ 어느 해역에서 한 가지 염류의 양을 알면 염분을 알 수 있다.

⑥ 염분에 영향을 미치는 요인으로 강수량과 증발량, 담수의 유입, 해빙과 결빙 등이 있다.

361 하 중 상

그림은 북극해, 동해, 홍해의 해수 1 kg 속에 녹아 있는 염류의 총량을 나타낸 것이다.

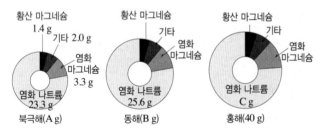

A, B, C의 값을 구하시오. (단, 소수점 첫째 자리에서 반올림하시오.)

362 하 중 상

표는 서로 다른 두 해역에서 채취한 A 해수와 B 해수 1 kg에 포함된 주요 이온의 함량(psu)을 나타낸 것이다.

이온	Cl^-	Na^+	SO_4^{2-}	Mg^{2+}	Ca^{2+}	기타
A 해수	16.3	9.1	2.3	1.1	0.3	0.9
B 해수	21.7	12.1	3.1	1.5	0.4	1.2

이에 대한 설명으로 옳은 것만을 〈보기〉에서 있는 대로 고른 것은?

─〈 보기 〉─

ㄱ. A 해역의 염분은 30 psu이다.

ㄴ. 두 해역에서 주요 이온의 상대비는 일정하다.

ㄷ. A와 B 해수를 같은 양으로 혼합한 해수 1 kg에는 Na^+이 21.2 g 들어 있다.

① ㄱ   ② ㄴ   ③ ㄷ

④ ㄱ, ㄴ   ⑤ ㄴ, ㄷ

363 빈출 하 중 상 多 보기

그림은 위도에 따른 (증발량−강수량) 분포와 해수의 표층 염분을 나타낸 것이다.

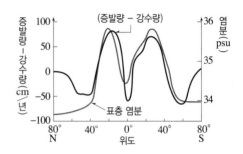

이에 대한 설명으로 옳은 것만을 모두 고르면? (2개)

① 30° 부근 해역에서 표층 염분이 가장 높다.

② 적도 해역은 저압대가 위치하여 표층 염분이 높다.

③ 극 해역에서 해수의 결빙은 표층 염분을 낮추는 요인이다.

④ 중위도 해역은 적도 해역보다 (증발량−강수량) 값이 더 작다.

⑤ 적도 해역과 60° 부근 해역은 증발량보다 강수량이 더 적은 편이다.

⑥ 표층 염분과 (증발량−강수량) 값은 비슷한 경향을 보인다.

⑦ 중위도 해역은 적도 해역보다 표층 염분이 낮다.

364 하 중 상

그림 (가)는 위도별 증발량과 강수량 분포를, (나)는 표층 염분 분포를 나타낸 것이다.

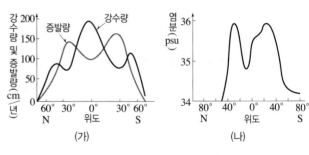

(가)   (나)

이에 대한 설명으로 옳은 것만을 〈보기〉에서 있는 대로 고른 것은?

─〈 보기 〉─

ㄱ. 적도 해역은 고압대가 분포하여 강수량이 많다.

ㄴ. 증발량이 강수량보다 많은 곳에서 표층 염분이 높게 나타난다.

ㄷ. 고위도로 갈수록 증발량과 강수량이 표층 염분에 더 큰 영향을 미친다.

① ㄱ   ② ㄴ   ③ ㄷ

④ ㄱ, ㄴ   ⑤ ㄴ, ㄷ

365 하 중 상

그림은 전 세계 해양의 표층 염분 분포를 나타낸 것이다.

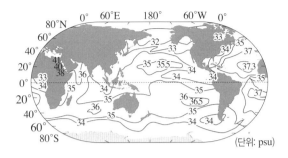

(단위: psu)

이에 대한 설명으로 옳은 것만을 〈보기〉에서 있는 대로 고른 것은?

〈 보기 〉

ㄱ. 표층 염분이 높은 위도의 육지에서는 사막이 발달할 수
있다.

ㄴ. 대서양 중앙 해역은 태평양 중앙 해역보다 전체 염류 중
Cl^- 비율이 높을 것이다.

ㄷ. 대양의 연안 해역은 담수의 유입량이 많아 염분이 낮다.

① ㄱ   ② ㄴ   ③ ㄱ, ㄷ

④ ㄴ, ㄷ   ⑤ ㄱ, ㄴ, ㄷ

366 하 중 상

그림은 우리나라 부근에서 2월과 8월의 표층 염분 분포를 나타낸
것이다.

 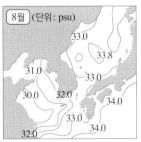

이에 대한 설명으로 옳은 것만을 〈보기〉에서 있는 대로 고른 것은?

〈 보기 〉

ㄱ. 표층 염분은 육지에서 멀어질수록 대체로 낮아진다.

ㄴ. 2월과 8월 모두 동해보다 황해의 표층 염분이 높다.

ㄷ. 8월에 황해의 표층 염분이 2월보다 낮은 까닭은 강수량
이 많아져 강물의 유입량이 많기 때문이다.

① ㄱ   ② ㄴ   ③ ㄷ

④ ㄱ, ㄴ   ⑤ ㄴ, ㄷ

해수의 용존 기체

[367~368] 그림은 해수에 녹아 있는 산소와 이산화 탄소의 양
을 수심에 따라 나타낸 것이다.

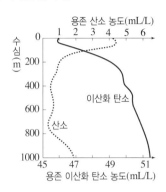

367 하 중 상 ● 서술형

표층에서 용존 이산화 탄소량이 적은 까닭을 서술하시오.

368 하 중 상 ● 서술형

수심 약 800 m 이상에서 용존 산소량이 증가하는 까닭을 서술하
시오.

[369~370] 그림은 해수에 녹아 있는 두 기체 A와 B의 수심에
따른 농도를 나타낸 것이다. A와 B 중 하나는 산소이고, 하나는 이
산화 탄소이다.

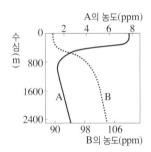

369 하 중 상

이에 대한 설명으로 옳은 것만을 〈보기〉에서 있는 대로 고른 것은?

〈 보기 〉

ㄱ. A는 산소이다.

ㄴ. 표층에서 B의 농도가 낮은 까닭은 생물의 호흡 때문이다.

ㄷ. 심해층의 A는 극 해역의 해수로부터 공급된다.

ㄹ. A가 B보다 용해도가 더 크다.

① ㄱ, ㄴ   ② ㄱ, ㄷ   ③ ㄱ, ㄹ

④ ㄴ, ㄷ   ⑤ ㄷ, ㄹ

370 하 중 상 ● 서술형

표층에서 A의 농도가 높게 나타나는 까닭을 두 가지로 서술하시오.

371 하 중 상

그림은 북태평양 표층 해수의 연평균 용존 산소량 분포를 나타낸 것이다.

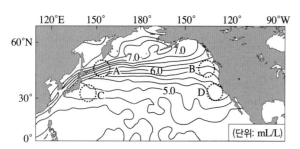

(단위: mL/L)

이에 대한 설명으로 옳은 것만을 〈보기〉에서 있는 대로 고른 것은?

〈 보기 〉
ㄱ. C 해역은 D 해역보다 염분이 높을 것이다.
ㄴ. 위도에 따른 표층 수온의 변화는 B 해역이 A 해역보다 크다.
ㄷ. 표층 해수의 용존 산소량은 수권과 기권의 상호 작용에 영향을 받는다.

① ㄱ　　　　　② ㄴ　　　　　③ ㄱ, ㄷ
④ ㄴ, ㄷ　　　　⑤ ㄱ, ㄴ, ㄷ

B 해수의 물리적 성질

해수의 수온

372 하 중 상

그림은 깊이에 따른 수온 분포를 나타낸 것이다.

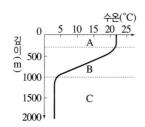

A, B, C층의 이름을 옳게 짝 지은 것은?

	A	B	C
①	혼합층	심해층	수온 약층
②	혼합층	수온 약층	심해층
③	심해층	수온 약층	혼합층
④	수온 약층	심해층	혼합층
⑤	수온 약층	혼합층	심해층

373 빈출 하 중 상　　　多 보기

그림은 위도별 해양의 층상 구조를 나타낸 것이다. 이에 대한 설명으로 옳지 않은 것만을 모두 고르면? (2개)

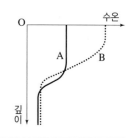

① A층은 태양 복사 에너지를 대부분 흡수한다.
② A층은 저위도 해역일수록 두께가 두꺼워진다.
③ B층은 깊이에 따른 수온 변화가 가장 크고, 안정한 층이다.
④ B층은 A층과 C층의 물질 교환을 차단한다.
⑤ C층은 수온이 가장 높고, 수온 변화가 거의 없다.
⑥ 해수의 혼합은 A층에서 가장 활발하다.
⑦ 30°N 해역은 적도 해역보다 바람이 강하게 분다.

374 빈출 하 중 상

그림은 위도가 다른 A, B 두 해역에서 깊이에 따른 수온의 분포를 나타낸 것이다. 이에 대한 설명으로 옳은 것만을 〈보기〉에서 있는 대로 고른 것은?

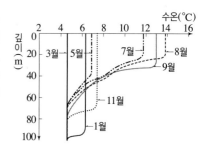

〈 보기 〉
ㄱ. A 해역이 B 해역보다 고위도에 있다.
ㄴ. 바람의 세기는 A 해역이 B 해역보다 강하다.
ㄷ. 수온 약층은 B 해역이 A 해역보다 뚜렷하게 발달하였다.

① ㄱ　　　　　② ㄴ　　　　　③ ㄱ, ㄷ
④ ㄴ, ㄷ　　　　⑤ ㄱ, ㄴ, ㄷ

375 하 중 상

그림은 북태평양 어느 해역의 월별 수온 연직 분포를 나타낸 것이다. 이에 대한 설명으로 옳은 것만을 〈보기〉에서 있는 대로 고른 것은?

〈 보기 〉
ㄱ. 8월보다 11월에 월평균 풍속이 더 빠르다.
ㄴ. 5월보다 7월에 혼합층이 두껍게 나타난다.
ㄷ. 수온 약층이 뚜렷하게 발달한 시기는 3월이다.

① ㄱ　　　　　② ㄷ　　　　　③ ㄱ, ㄴ
④ ㄴ, ㄷ　　　　⑤ ㄱ, ㄴ, ㄷ

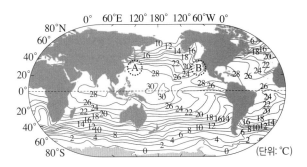

376

그림은 전 세계 표층 수온 분포를 나타낸 것이다.

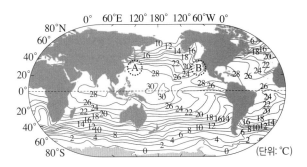

(단위: °C)

이에 대한 설명으로 옳은 것만을 〈보기〉에서 있는 대로 고른 것은?

〈 보기 〉
ㄱ. 대양에서 등수온선은 대체로 위도와 나란하다.
ㄴ. 수온의 분포는 증발량과 강수량의 차이에 가장 큰 영향을 받는다.
ㄷ. A 해역은 B 해역보다 용존 산소량이 적다.

① ㄱ   ② ㄴ   ③ ㄱ, ㄷ
④ ㄴ, ㄷ   ⑤ ㄱ, ㄴ, ㄷ

377

그림은 2월과 8월에 우리나라 주변 해역의 표층 수온 분포를 나타낸 것이다.

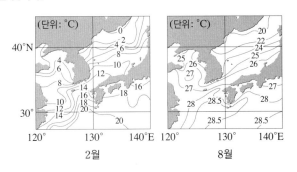

2월   8월

이에 대한 설명으로 옳은 것만을 〈보기〉에서 있는 대로 고른 것은?

〈 보기 〉
ㄱ. 연중 표층 수온이 가장 높은 바다는 남해이다.
ㄴ. 동해는 한류와 난류의 영향을 모두 받는다.
ㄷ. 표층 수온의 연교차가 가장 크게 나타나는 바다는 황해이다.

① ㄱ   ② ㄷ   ③ ㄱ, ㄴ
④ ㄴ, ㄷ   ⑤ ㄱ, ㄴ, ㄷ

378

그림 (가)는 저위도, 중위도, 고위도 해역에서 깊이에 따른 수온 분포를, (나)는 깊이에 따른 용존 산소와 용존 이산화 탄소의 농도를 나타낸 것이다.

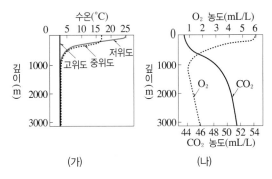

(가)   (나)

이에 대한 설명으로 옳은 것만을 〈보기〉에서 있는 대로 고른 것은?

〈 보기 〉
ㄱ. 저위도에서 수온 약층이 가장 뚜렷하게 발달한다.
ㄴ. 표층에서 용존 산소 농도는 용존 이산화 탄소 농도보다 더 높다.
ㄷ. 혼합층에서는 광합성의 영향으로 용존 이산화 탄소의 농도가 낮다.
ㄹ. 약 100 m~1000 m 사이에서 용존 산소 농도가 낮아지는 까닭은 광합성 때문이다.

① ㄱ, ㄴ   ② ㄱ, ㄷ   ③ ㄱ, ㄹ
④ ㄴ, ㄷ   ⑤ ㄷ, ㄹ

해수의 밀도

379

그림은 수온 염분도를 나타낸 것이다.

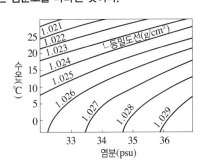

수온과 염분이 서로 다른 여러 해수 중 밀도가 가장 큰 해수는 무엇인가?

	①	②	③	④	⑤
수온(°C)	10	10	15	20	20
염분(psu)	33	35	34	33	35

[380~381] 그림은 수온 염분도에 해수 A, B, C의 수온과 염분을 나타낸 것이다.

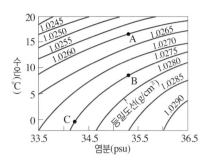

380 (하 중 상) • 서술형

수온 염분도에서 밀도가 큰 값을 갖기 위한 조건을 서술하시오.

381 빈출 (하 중 상)

이에 대한 설명으로 옳은 것만을 〈보기〉에서 있는 대로 고른 것은?

〈 보기 〉

ㄱ. 해수 A는 해수 B보다 밀도가 작다.
ㄴ. 해수 B는 해수 C보다 수온이 높고, 염분이 낮다.
ㄷ. 해수 C에서 결빙이 일어나면 밀도가 커진다.
ㄹ. 해수 B와 C를 같은 양으로 섞었을 때 이 해수의 밀도는 1.0275 g/cm³이다.

① ㄱ, ㄴ   ② ㄱ, ㄷ   ③ ㄱ, ㄹ
④ ㄴ, ㄷ   ⑤ ㄷ, ㄹ

382 (하 중 상)

그림은 동해에서 측정한 수괴 A, B, C의 수온과 염분 분포이다. 이에 대한 설명으로 옳은 것만을 〈보기〉에서 있는 대로 고른 것은?

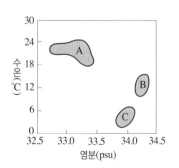

〈 보기 〉

ㄱ. 밀도는 A가 C보다 작다.
ㄴ. 해수 1 kg에 녹아 있는 NaCl의 양은 A가 B보다 많다.
ㄷ. 수온이 높은 수괴일수록 염분이 높다.

① ㄱ   ② ㄷ   ③ ㄱ, ㄴ
④ ㄴ, ㄷ   ⑤ ㄱ, ㄴ, ㄷ

383 (하 중 상)

그림 (가)는 제주도 남쪽의 A, B, C 해역을 나타낸 것이고, (나)는 각 해역에서 계절에 따라 측정한 표층 수온과 염분의 평균값을 수온 염분도에 나타낸 것이다.

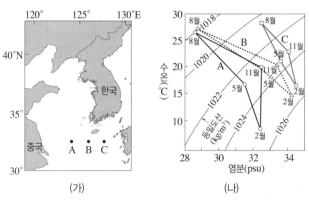

(가)   (나)

이에 대한 설명으로 옳은 것만을 〈보기〉에서 있는 대로 고른 것은?

〈 보기 〉

ㄱ. 중국 연안수의 영향이 가장 큰 시기는 8월이다.
ㄴ. 연간 밀도 변화가 가장 큰 해역은 C이다.
ㄷ. 쿠로시오 해류의 영향은 B 해역보다 C 해역이 더 많이 받는다.

① ㄱ   ② ㄴ   ③ ㄱ, ㄷ
④ ㄴ, ㄷ   ⑤ ㄱ, ㄴ, ㄷ

384 빈출 (하 중 상) 多 보기

그림은 어느 해역의 수심 150 m~5000 m에서 측정한 수온과 염분을 수온 염분도에 나타낸 것이다.

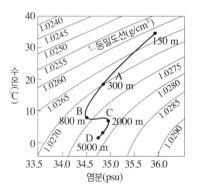

이에 대한 설명으로 옳은 것만을 모두 고르면? (2개)

① B−C 구간에서는 해수의 연직 운동이 활발하게 일어난다.
② A−B 구간은 C−D 구간보다 밀도 변화가 크다.
③ B−C 구간에서 밀도 변화는 염분보다 수온의 영향이 크다.
④ A보다 D에서 밀도가 큰 까닭은 수온이 낮기 때문이다.
⑤ 수온 약층은 C−D 구간에 형성되었다.
⑥ 수심이 깊어질수록 밀도가 일정하게 증가한다.

385 하중상

그림은 서로 다른 A와 B 해역에서 측정한 수심에 따른 수온과 염분 분포를 수온 염분도에 나타낸 것이다.

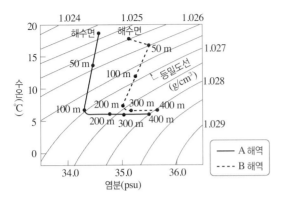

이에 대한 설명으로 옳은 것만을 〈보기〉에서 있는 대로 고른 것은?

〈 보기 〉

ㄱ. 수심 50 m 이내에서 해수의 혼합은 A 해역이 B 해역보다 활발하다.

ㄴ. 수심 300 m 이상에서 밀도는 수온보다 염분의 영향을 많이 받는다.

ㄷ. 수심이 깊어질수록 두 해역의 밀도 차는 작아진다.

① ㄱ   ② ㄴ   ③ ㄷ
④ ㄱ, ㄴ   ⑤ ㄴ, ㄷ

빈출
386 하중상

그림은 위도에 따른 표층 해수의 밀도, 수온, 염분의 분포를 순서 없이 나타낸 것이다.

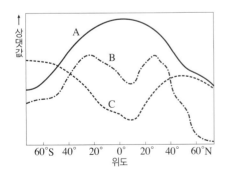

이에 대한 설명으로 옳지 않은 것은?

① C는 표층 해수의 밀도이다.

② C는 A와 B의 영향을 받아 그 값이 변한다.

③ A에 가장 큰 영향을 미치는 요인은 태양 복사 에너지이다.

④ 남반구에서 C는 대체로 수온과 반비례하는 경향을 보인다.

⑤ B의 분포는 대체로 (강수량-증발량) 값의 분포와 일치한다.

387 하중상

표는 서로 다른 해역 A, B, C에서 표층 해수의 물리량을 나타낸 것이다.

해역	수온(°C)	염분(psu)	밀도(g/cm³)
A	㉠	36.5	1.027
B	10	35.0	1.027
C	10	33.0	㉡

이에 대한 설명으로 옳은 것만을 〈보기〉에서 있는 대로 고른 것은? (단, 증발과 강수 이외의 염분 변화 요인은 고려하지 않고, 밀도는 수온과 염분으로만 결정된다고 가정한다.)

〈 보기 〉

ㄱ. ㉠은 10보다 작다.

ㄴ. ㉡은 1.027보다 크다.

ㄷ. (증발량-강수량) 값은 A에서 가장 크다.

① ㄱ   ② ㄴ   ③ ㄷ
④ ㄱ, ㄴ   ⑤ ㄴ, ㄷ

388 하중상

그림 (가)와 (나)는 우리나라 동해에서 측정한 수온과 염분의 연직 분포를 순서 없이 나타낸 것이다. 점선과 실선 중 하나는 2월, 다른 하나는 8월에 해당한다.

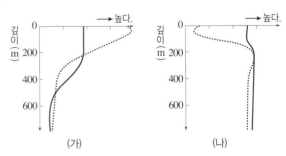

이에 대한 설명으로 옳은 것만을 〈보기〉에서 있는 대로 고른 것은?

〈 보기 〉

ㄱ. (가)는 수온, (나)는 염분 분포이다.

ㄴ. 표층 해수의 밀도는 2월이 8월보다 크다.

ㄷ. 염분 변화의 정도는 깊이가 깊어질수록 커진다.

① ㄱ   ② ㄴ   ③ ㄷ
④ ㄱ, ㄴ   ⑤ ㄴ, ㄷ

389

그림 (가)는 어느 날 우리나라 주변의 지상 일기도이고, (나)는 같은 시각에 기상 위성에서 촬영한 위성 영상이다.

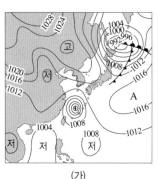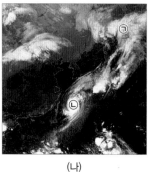

(가)   (나)

이에 대한 설명으로 옳은 것만을 〈보기〉에서 있는 대로 고른 것은?

〈 보기 〉
ㄱ. (가)의 A 지역은 북태평양 고기압의 영향을 받는다.
ㄴ. (나)의 ㉠ 구름은 찬 기단과 따뜻한 기단이 만나는 곳에서 발생한 것이다.
ㄷ. (나)의 ㉡에 생성된 구름은 적운형이다.

① ㄱ   ② ㄷ   ③ ㄱ, ㄴ
④ ㄴ, ㄷ   ⑤ ㄱ, ㄴ, ㄷ

390

그림은 어느 날 우리나라 주변의 지상 일기도를 나타낸 것이다.

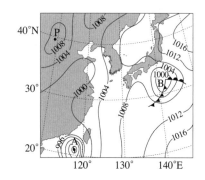

이에 대한 설명으로 옳지 않은 것은?

① P 지역에는 하강 기류가 나타난다.
② A는 육지에 상륙하면 중심 기압이 높아질 것이다.
③ B는 편서풍의 영향으로 이후에 더 동쪽으로 이동할 것이다.
④ 최대 풍속은 A가 B보다 빠르다.
⑤ A와 B는 모두 찬 기단과 따뜻한 기단이 만나 발생한 것이다.

391

그림은 북반구의 어느 지역에서 온대 저기압에 동반된 전선면의 동서 방향 단면과 연직 등온선 분포를 나타낸 것이다.

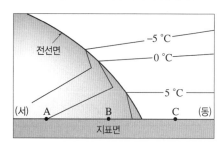

이에 대한 설명으로 옳은 것만을 〈보기〉에서 있는 대로 고른 것은?

〈 보기 〉
ㄱ. 이 지역에 발달한 전선은 한랭 전선이다.
ㄴ. B 지점에서는 높아질수록 기온이 계속 낮아진다.
ㄷ. 지상의 평균 기압은 A 지점보다 B 지점에서 높다.

① ㄱ   ② ㄷ   ③ ㄱ, ㄴ
④ ㄴ, ㄷ   ⑤ ㄱ, ㄴ, ㄷ

392

그림은 북반구 중위도 지역에서 전선을 동반하는 온대 저기압이 통과하는 동안 시간에 따른 기온, 기압, 강수량의 변화를 나타낸 것이다.

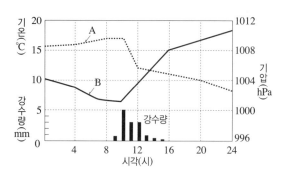

이에 대한 설명으로 옳은 것만을 〈보기〉에서 있는 대로 고른 것은?

〈 보기 〉
ㄱ. A는 기온, B는 기압이다.
ㄴ. 12시에는 북풍 계열의 바람이 불었다.
ㄷ. 16시 이후 온대 저기압의 중심과 더 가까워졌다.

① ㄱ   ② ㄷ   ③ ㄱ, ㄴ
④ ㄴ, ㄷ   ⑤ ㄱ, ㄴ, ㄷ

393

그림은 북반구 해상에서 관측한 태풍의 하층(고도 2 km 수평면) 풍속 분포를 나타낸 것이다.

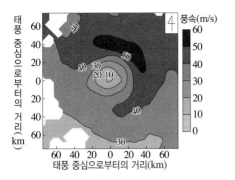

이에 대한 설명으로 옳은 것만을 〈보기〉에서 있는 대로 고른 것은?

〈 보기 〉
ㄱ. 태풍은 북서 방향으로 이동하고 있다.
ㄴ. 태풍 중심 부근의 해역에서 수온 약층의 차가운 물이 용승한다.
ㄷ. 태풍의 눈벽에서 기압이 가장 낮다.

① ㄱ ② ㄷ ③ ㄱ, ㄴ
④ ㄴ, ㄷ ⑤ ㄱ, ㄴ, ㄷ

394

그림 (가)는 어느 해 7월에 관측된 태풍의 위치를 24시간 간격으로 표시한 이동 경로이고, (나)는 이 시기의 해양 열용량 분포를 나타낸 것이다. 해양 열용량은 태풍에 공급할 수 있는 해양의 단위 면적당 열량이다.

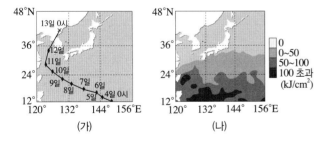

이에 대한 설명으로 옳은 것만을 〈보기〉에서 있는 대로 고른 것은?

〈 보기 〉
ㄱ. 12일에 태풍은 편서풍의 영향을 받고 있다.
ㄴ. 11일~13일 동안 제주도에서는 풍향이 시계 반대 방향으로 변한다.
ㄷ. 해양에서 이 태풍으로 공급되는 에너지양은 11일에 가장 많았다.

① ㄱ ② ㄷ ③ ㄱ, ㄴ
④ ㄴ, ㄷ ⑤ ㄱ, ㄴ, ㄷ

395

그림은 중위도 어느 해역에서 깊이에 따른 수온 변화를 월별로 나타낸 것이다.

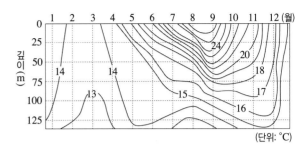

이에 대한 설명으로 옳은 것만을 〈보기〉에서 있는 대로 고른 것은?

〈 보기 〉
ㄱ. 수온 약층은 2월보다 8월에 뚜렷하게 발달한다.
ㄴ. 깊이가 깊어질수록 수온의 연교차가 크다.
ㄷ. 25 m 깊이까지는 3월보다 8월에 연직 방향의 혼합 작용이 활발하다.

① ㄱ ② ㄷ ③ ㄱ, ㄴ
④ ㄴ, ㄷ ⑤ ㄱ, ㄴ, ㄷ

396

그림은 같은 시기에 관측한 두 해역의 표층에서 심층까지의 수온과 염분을 수온 염분도에 나타낸 것이다. A와 B는 각각 저위도와 고위도 해역 중 하나이고, ㉠과 ㉡은 밀도가 같은 해수이다.

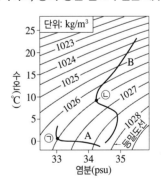

이에 대한 설명으로 옳은 것만을 〈보기〉에서 있는 대로 고른 것은?

〈 보기 〉
ㄱ. A는 고위도 해역이다.
ㄴ. 같은 부피의 ㉠과 ㉡이 혼합되어 형성된 해수의 밀도는 ㉠보다 작다.
ㄷ. 염분이 일정할 때, 수온 변화에 따른 밀도 변화는 수온이 높을 때가 낮을 때보다 크다.

① ㄱ ② ㄴ ③ ㄱ, ㄷ
④ ㄴ, ㄷ ⑤ ㄱ, ㄴ, ㄷ

해수의 표층 순환

A 대기 대순환

1 위도에 따른 에너지 불균형
지구가 ❶ ☐☐ 이므로 위도별 태양 복사 에너지 흡수량이 다르다.

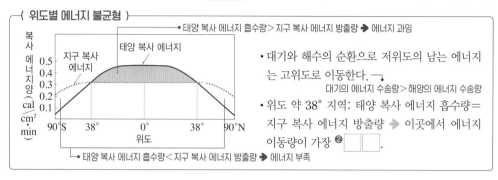

(위도별 에너지 불균형)

→ 태양 복사 에너지 흡수량 > 지구 복사 에너지 방출량 ➡ 에너지 과잉

복사 에너지양 (cal/cm²·min)
0.5 0.4 0.3 0.2 0.1
지구 복사 에너지
태양 복사 에너지
90°S 38° 0° 38° 90°N
위도

→ 태양 복사 에너지 흡수량 < 지구 복사 에너지 방출량 ➡ 에너지 부족

- 대기와 해수의 순환으로 저위도의 남는 에너지는 고위도로 이동한다. ┐
  └ 대기의 에너지 수송량 > 해양의 에너지 수송량
- 위도 약 38° 지역: 태양 복사 에너지 흡수량 = 지구 복사 에너지 방출량 ➡ 이곳에서 에너지 이동량이 가장 ❷ ☐☐.

2 대기 대순환
① 발생 원인: 위도에 따른 에너지 불균형과 지구 자전에 따른 전향력
② 영향: 위도에 따른 에너지 불균형을 해소하고, 해수의 표층 순환을 일으킨다.
③ 순환 세포: 3개의 순환 세포를 형성한다. → 지구가 자전하지 않으면 1개의 순환 세포만 생긴다.

모형	순환 세포	특징
극고압대 극순환 60°N 극동풍 한대 전선대 페렐 순환 편서풍 아열대 고압대 해들리 순환 북동 무역풍 0° 적도 저압대 30°S 남동 무역풍 편서풍	극순환	• 극에서 냉각된 공기가 하강하여 저위도로 이동하다가 위도 60°에서 상승하는 순환 ➡ 직접 순환 └ 열대류 원리로 생성 • 지표에서 부는 바람: 극동풍
	페렐 순환	• 위도 30°에서 하강한 공기의 일부가 고위도로 이동하여 위도 60°에서 상승하는 순환 ➡ ❸ ☐☐ 순환 • 지표에서 부는 바람: 편서풍
	해들리 순환	• 적도에서 가열된 공기가 상승하고 위도 30° 부근에서 하강하는 순환 ➡ 직접 순환 → 열대류 원리로 생성 • 지표에서 부는 바람: ❹ ☐☐☐

기출 Tip Ⓐ-2

대기 대순환과 날씨
- 적도 부근: 적도 저압대 형성. 상승 기류로 구름 형성, 강수량 많음.
- 위도 30° 부근: 아열대 고압대 형성, 하강 기류, 강수량 적음.
- 위도 60° 부근: 한대 전선대 형성, 상승 기류로 구름 형성, 강수량 많음.
- 극 부근: 극고압대 형성, 하강 기류, 강수량 적음.

B 해수의 표층 순환

1 표층 해류
수온 약층 위에서 대기 대순환으로 생기는 해수의 지속적인 흐름

구분	이동 방향	수온	염분	밀도	용존 산소량	영양 염류
❺ ☐☐	저위도 → 고위도	높다.	높다.	작다.	적다.	적다.
❻ ☐☐	고위도 → 저위도	낮다.	낮다.	크다.	많다.	많다.

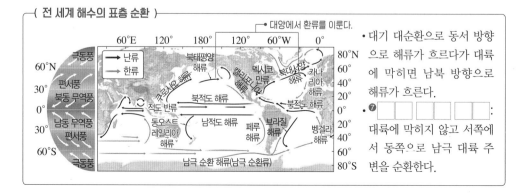

(전 세계 해수의 표층 순환)

→ 대양에서 환류를 이룬다.

60°E 120° 180° 120° 60°W 0°
극동풍 60°N
편서풍 30°N
북동 무역풍 0°
남동 무역풍 30°S
편서풍 60°S
극동풍

난류 / 한류
북태평양 해류
쿠로시오 해류
멕시코 만류 캘리포니아 해류 북대서양 해류 카나리아 해류
적도 반류
북적도 해류
동오스트레일리아 해류 남적도 해류 페루 해류 브라질 해류 벵겔라 해류 북적도 해류
남극 순환 해류(남극 순환류)

80°N 60° 40° 20° 0° 20° 40° 60° 80°S

- 대기 대순환으로 동서 방향으로 해류가 흐르다가 대륙에 막히면 남북 방향으로 해류가 흐른다.
- ❼ ☐☐☐☐☐: 대륙에 막히지 않고 서쪽에서 동쪽으로 남극 대륙 주변을 순환한다.

2 아열대 순환 중위도에서 표층 해류가 형성하는 큰 순환 → 위도별 표층 순환 중 규모가 가장 크고 뚜렷하다.

기출 Tip **B**-2

		시계 방향으로 순환한다.	
북반구	북태평양	북적도 해류 → **❽** ☐☐☐☐☐ → 북태평양 해류 → 캘리포니아 해류	
	북대서양	북적도 해류 → 멕시코 만류 → 북대서양 해류 → 카나리아 해류	
남반구	남태평양	남적도 해류 → 동오스트레일리아 해류 → 남극 순환 해류 → 페루 해류	
	남대서양	남적도 해류 → 브라질 해류 → 남극 순환 해류 → 벵겔라 해류	

└ 시계 반대 방향으로 순환한다.

북대서양의 아열대 순환

콜롬버스가 신대륙인 북아메리카 대륙을 탐험할 때 이용한 항로가 북대서양 아열대 순환이다.
- 유럽에서 북아메리카 대륙으로 향할 때: 무역풍과 북적도 해류를 이용하였다.
- 북아메리카 대륙에서 유럽으로 되돌아올 때: 편서풍과 북대서양 해류를 이용하였다.

C 우리나라 주변 해류

난류	• 쿠로시오 해류: 우리나라 주변 난류의 근원 • 동한 난류: 쿠로시오 해류에서 갈라져 나와 동해로 흐른다. • 황해 난류: 쿠로시오 해류에서 갈라져 나와 황해로 흐른다.
한류	• 연해주 한류: 우리나라 주변 한류의 근원 • 북한 한류: 연해주 한류에서 갈라져 나와 동해로 흐른다.
조경 수역	• 난류와 한류가 만나는 해역 ➡ **❾** ☐☐ 에 형성된다. • 영양 염류와 플랑크톤이 풍부해 좋은 어장이 된다.

〔 계절에 따른 우리나라 주변 해류 변화 〕

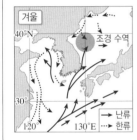 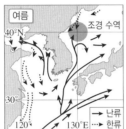

• 겨울철에는 한류가 강해지고, 여름철에는 난류가 강해진다. ➡ 조경 수역의 위치가 계절에 따라 달라진다.
• 동해에서 조경 수역의 위치 변화: 겨울철에는 **❿** ☐☐ 하고, 여름철에는 **⓫** ☐☐ 한다.

답 ❶ 구형 ❷ 많다 ❸ 간접 ❹ 무역풍 ❺ 난류 ❻ 한류 ❼ 남극 순환 해류 ❽ 쿠로시오 해류 ❾ 동해 ❿ 남하 ⓫ 북상

빈출 자료 보기

정답과 해설 54쪽

397 그림은 북태평양의 표층 해류를 나타낸 것이다.

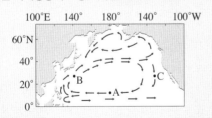

이에 대한 설명으로 옳은 것은 ○, 옳지 않은 것은 ×로 표시하시오.

(1) A는 북태평양 해류이다. ( )
(2) B 해류는 난류이다. ( )
(3) A는 편서풍의 영향을 받아 형성된 해류이다. ( )
(4) B 해류의 수온과 염분은 C 해류에 비해 낮다. ( )
(5) 용존 산소량은 B 해류가 C 해류보다 많다. ( )
(6) 아열대 순환의 방향은 시계 방향이다. ( )
(7) 북대서양에서도 이와 같은 방향의 순환이 발생한다. ( )
(8) B 해류의 일부가 우리나라로 유입되어 동한 난류가 된다. ( )

398 그림은 우리나라 주변 해류를 나타낸 것이다. 이에 대한 설명으로 옳은 것은 ○, 옳지 않은 것은 ×로 표시하시오.

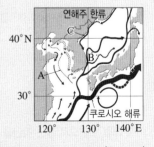

(1) A 해류는 한류이다. ( )
(2) 수온은 A 해류가 C 해류보다 높다. ( )
(3) B 해류는 C 해류보다 용존 산소량이 많다. ( )
(4) 조경 수역은 황해에서 형성된다. ( )
(5) B 해류의 근원은 쿠로시오 해류이다. ( )
(6) C 해류의 영향으로 연안 지역 기후는 주변보다 따뜻하다. ( )
(7) 부산 앞바다에서 적조가 발생하면 황해보다 동해로 확산될 가능성이 크다. ( )

A 대기 대순환

399 하중상

그림은 서로 다른 위도의 지표면 A, B에 입사되는 태양 복사 에너지를 나타낸 것이다. 이에 대한 설명으로 옳은 것만을 〈보기〉에서 있는 대로 고른 것은?

〈 보기 〉

ㄱ. 연평균 기온은 A 지점이 B 지점보다 높다.

ㄴ. 열에너지는 A 지점에서 B 지점으로 이동한다.

ㄷ. 태양 복사 에너지는 대기 대순환을 일으키는 주요 에너지이다.

① ㄱ   ② ㄷ   ③ ㄱ, ㄴ
④ ㄴ, ㄷ   ⑤ ㄱ, ㄴ, ㄷ

[400~401] 그림은 위도에 따른 태양 복사 에너지 흡수량과 지구 복사 에너지 방출량을 나타낸 것이다.

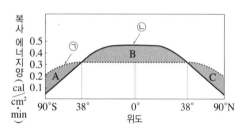

400 하중상
●●서술형

㉠과 ㉡ 중 태양 복사 에너지 흡수량인 것을 쓰고, 그 까닭을 서술하시오.

401 빈출 하중상
 多 보기

이에 대한 설명으로 옳은 것만을 모두 고르면? (2개)

① ㉡은 지구 복사 에너지에 해당한다.

② A+C=B이다.

③ A는 에너지 과잉, B는 에너지 부족이다.

④ 고위도에서는 방출량보다 흡수량이 더 많다.

⑤ 위도별 에너지 출입은 모든 위도에서 균형을 이루고 있다.

⑥ 대기와 해수는 저위도의 남는 열에너지를 고위도로 운반한다.

⑦ 에너지의 흡수량과 방출량이 같은 위도에서는 열에너지의 이동이 일어나지 않는다.

402 하중상

그림은 북반구 지역의 대기 대순환을 나타낸 것이다. A~C 중 열대류의 원리로 발생하는 순환 세포의 기호와 이름을 모두 쓰시오.

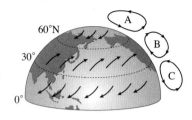

403 빈출 하중상
多 보기

그림은 북반구의 대기 대순환을 모식적으로 나타낸 것이다.

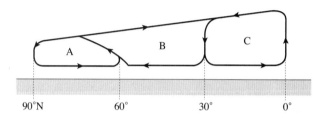

이에 대한 설명으로 옳은 것만을 모두 고르면? (3개)

① A는 해들리 순환이다.

② B는 지구가 자전하지 않는다면 나타나지 않는다.

③ B 순환의 지상에서는 동풍 계열의 바람이 분다.

④ C 순환의 지상에서는 무역풍이 분다.

⑤ A~C 중 간접 순환에 해당하는 것은 C이다.

⑥ A~C는 위도별 에너지 불균형을 해소하는 역할을 한다.

⑦ 위도 30° 부근에서는 저기압이 발달한다.

⑧ 연평균 강수량은 위도 30° 지역이 적도 지역보다 많다.

404 하중상

그림은 대기와 해양에서 남북 방향으로의 연평균 에너지 수송량을 나타낸 것이다. A와 B는 각각 대기와 해양 중 하나이다.

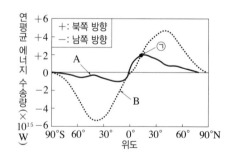

이에 대한 설명으로 옳은 것만을 〈보기〉에서 있는 대로 고른 것은?

〈 보기 〉

ㄱ. A는 해양이다.

ㄴ. 적도에서는 에너지 수송이 거의 일어나지 않는다.

ㄷ. A와 B가 교차하는 ㉠ 위도에서 복사 평형을 이루고 있다.

① ㄱ   ② ㄷ   ③ ㄱ, ㄴ
④ ㄴ, ㄷ   ⑤ ㄱ, ㄴ, ㄷ

405 (하)(중)(상)

그림 (가)와 (나)는 북반구에서 지구가 자전하지 않을 경우와 자전할 경우 평균 지상 풍계를 순서 없이 나타낸 모식도이다.

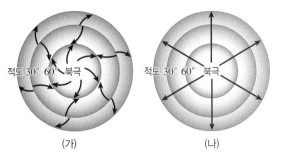

이에 대한 설명으로 옳은 것만을 〈보기〉에서 있는 대로 고른 것은? (단, 지표는 물로 덮여 있고, 태양은 적도 상에 있으며 동일한 위도에 입사하는 태양 에너지양은 같다고 가정한다.)

〈 보기 〉
ㄱ. (가)는 지구의 자전 때문에 세 개의 풍계로 나뉜다.
ㄴ. (나)의 지상에서는 북풍 계열의 바람이 분다.
ㄷ. (가)와 (나) 모두 북극에서는 하강 기류가 나타난다.

① ㄱ   ② ㄷ   ③ ㄱ, ㄴ
④ ㄴ, ㄷ   ⑤ ㄱ, ㄴ, ㄷ

B 해수의 표층 순환

406 (하)(중)(상)

난류와 한류를 비교한 내용으로 옳지 <u>않은</u> 것은?

	구분	난류	한류
①	밀도	크다.	작다.
②	염분	높다.	낮다.
③	영양 염류	적다.	많다.
④	이동 방향	저위도 → 고위도	고위도 → 저위도
⑤	용존 산소량	적다.	많다.

[407~408] 그림은 전 세계 표층 해류의 분포와 대기 대순환을 나타낸 것이다.

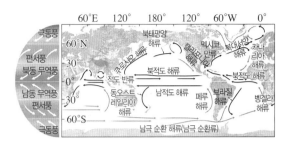

407 (하)(중)(상)   ••서술형

표층 해류가 생기는 주요한 원인과 대양에서 표층 해류가 환류를 이루는 까닭을 서술하시오.

빈출
408 (하)(중)(상)

이에 대한 설명으로 옳은 것만을 〈보기〉에서 있는 대로 고른 것은?

ㄱ. 남극 순환 해류는 주로 편서풍의 영향으로 형성된다.
ㄴ. 북반구와 남반구에서 해류의 이동 방향은 같다.
ㄷ. 동일 위도에서 쿠로시오 해류는 캘리포니아 해류에 비해 용존 산소량이 적다.

① ㄱ   ② ㄷ   ③ ㄱ, ㄴ
④ ㄱ, ㄷ   ⑤ ㄴ, ㄷ

빈출
409 (하)(중)(상)

그림은 북태평양의 표층 순환을 나타낸 것이다.

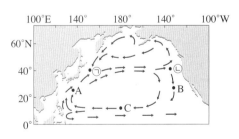

이에 대한 설명으로 옳은 것은?

① ㉠ 해역에는 조경 수역이 형성될 수 있다.
② 위도에 따른 수온 변화는 ㉠ 해역이 ㉡ 해역보다 작다.
③ A 해류는 한류, B 해류는 난류이다.
④ C 해류는 편서풍의 영향으로 형성된 것이다.
⑤ 용존 산소량은 A 해류가 B 해류보다 많다.

410 하중상

그림은 북반구의 주요 표층 해류가 흐르는 해역을 나타낸 것이다.

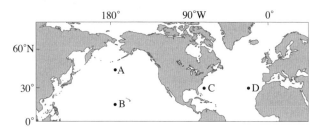

이에 대한 설명으로 옳은 것만을 〈보기〉에서 있는 대로 고른 것은?

〈 보기 〉

ㄱ. 해류 A는 편서풍의 영향으로 형성되어 동쪽으로 흐른다.
ㄴ. 해류 B는 무역풍의 영향으로 형성되어 서쪽으로 흐른다.
ㄷ. 해류 D는 저위도에서 고위도로 흐른다.
ㄹ. 해류 C는 해류 D보다 수온과 염분이 높다.

① ㄱ, ㄴ   ② ㄱ, ㄷ   ③ ㄷ, ㄹ
④ ㄱ, ㄴ, ㄹ   ⑤ ㄴ, ㄷ, ㄹ

[411~412] 그림은 1492년~1493년에 콜럼버스가 바람과 해류를 이용하여 북대서양을 왕복 항해한 경로와 지점 A, B, C를 나타낸 것이다.

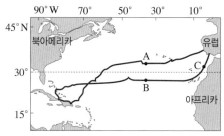

★빈출
411 하중상
••서술형

콜럼버스가 유럽 대륙으로 돌아올 때 A와 B 중 통과한 지점을 이용한 바람 및 표층 해류와 함께 서술하시오.

---

412 하중상

이에 대한 설명으로 옳은 것만을 〈보기〉에서 있는 대로 고른 것은?

〈 보기 〉

ㄱ. B 지점을 항해할 때는 편서풍을 이용하였다.
ㄴ. C 지점에 흐르는 해류는 한류이다.
ㄷ. 북대서양 아열대 순환은 시계 방향으로 흐른다.

① ㄱ   ② ㄷ   ③ ㄱ, ㄴ
④ ㄴ, ㄷ   ⑤ ㄱ, ㄴ, ㄷ

---

413 하중상

그림은 남태평양의 표층 해류를 나타낸 것이다.

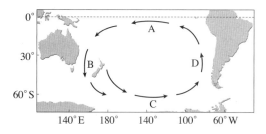

이에 대한 설명으로 옳은 것만을 〈보기〉에서 있는 대로 고른 것은?

〈 보기 〉

ㄱ. 남북 방향의 열에너지 수송량은 A 해류가 가장 많다.
ㄴ. B 해류는 무역풍의 영향으로 형성된다.
ㄷ. 페렐 순환의 지상에 부는 바람으로 형성된 해류는 C이다.
ㄹ. 북태평양의 캘리포니아 해류와 유사한 성질을 나타내는 해류는 D이다.

① ㄱ, ㄴ   ② ㄱ, ㄹ   ③ ㄴ, ㄷ
④ ㄴ, ㄹ   ⑤ ㄷ, ㄹ

---

414 하중상

그림은 적도 부근의 해역에서 흐르는 해류를 모식적으로 나타낸 것이다.

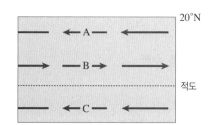

이에 대한 설명으로 옳은 것만을 〈보기〉에서 있는 대로 고른 것은?

〈 보기 〉

ㄱ. A와 B는 아열대 순환을 이루는 해류이다.
ㄴ. B는 편서풍의 영향으로 형성된 해류이다.
ㄷ. C 해류의 유속은 무역풍이 강할수록 빨라진다.

① ㄱ   ② ㄷ   ③ ㄱ, ㄴ
④ ㄴ, ㄷ   ⑤ ㄱ, ㄴ, ㄷ

415 (하/중/상)

그림은 북태평양의 연평균 표층 용존 산소량을 나타낸 것이다.

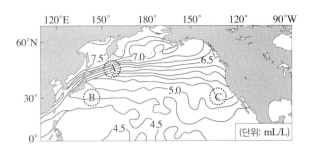

이에 대한 설명으로 옳은 것만을 〈보기〉에서 있는 대로 고른 것은?

〈 보기 〉

ㄱ. A 해역에서 등치선이 조밀한 까닭은 수온이 급격히 변하기 때문이다.

ㄴ. 연평균 수온은 B 해역이 C 해역보다 낮다.

ㄷ. C 해역에 흐르는 해류는 카나리아 해류이다.

① ㄱ   ② ㄷ   ③ ㄱ, ㄴ

④ ㄴ, ㄷ   ⑤ ㄱ, ㄴ, ㄷ

C 우리나라 주변 해류

[416~417] 그림은 우리나라 주변의 해류 분포를 나타낸 것이다.

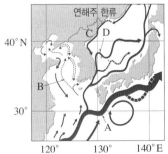

416 (하/중/상)

동해에 형성된 해류에 대한 설명으로 옳은 것만을 〈보기〉에서 있는 대로 고른 것은?

〈 보기 〉

ㄱ. C 해류는 D 해류보다 용존 산소량이 많다.

ㄴ. C와 D 해류가 만나 조경 수역이 형성된다.

ㄷ. D 해류는 열에너지를 방출하면서 주변 지역의 기후를 변화시킨다.

① ㄱ   ② ㄷ   ③ ㄱ, ㄴ

④ ㄴ, ㄷ   ⑤ ㄱ, ㄴ, ㄷ

417 (하/중/상)

이에 대한 설명으로 옳지 <u>않은</u> 것은?

① A는 쿠로시오 해류이다.

② A는 우리나라 주변 난류의 근원이다.

③ 영양 염류는 B보다 C가 풍부하다.

④ 조경 수역은 동해에 형성된다.

⑤ 부산 앞바다에서 유조선 사고로 기름이 유출되면 황해로 확산될 가능성이 크다.

[418~419] 그림 (가)와 (나)는 겨울철과 여름철 우리나라 부근의 표층 해류 분포를 순서 없이 나타낸 것이다.

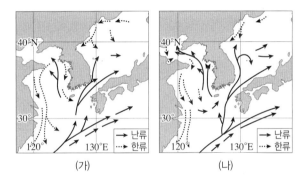

(가)   (나)

418 (하/중/상)

이에 대한 설명으로 옳은 것만을 〈보기〉에서 있는 대로 고른 것은?

〈 보기 〉

ㄱ. (가)는 겨울철, (나)는 여름철이다.

ㄴ. 남해는 연중 표층 수온이 높다.

ㄷ. 여름철에는 동해에 한류가 나타나지 않는다.

① ㄱ   ② ㄷ   ③ ㄱ, ㄴ

④ ㄴ, ㄷ   ⑤ ㄱ, ㄴ, ㄷ

419 (하/중/상)

•●서술형

우리나라 주변 해역에서 여름철과 겨울철에 따라 조경 수역의 위치가 어떻게 달라지는지 해류를 언급하여 서술하시오.

해수의 심층 순환

Ⓐ 심층 순환의 발생

1 심층 순환 해양의 심층에서 일어나는 전 지구적인 해수의 순환

① 발생 원리: 극 해역에서 해수가 냉각되거나 결빙으로 염분이 증가하여 해수의 ❶◻◻가 커지면 침강이 일어나 심층 순환이 발생한다. → 수온과 염분의 변화로 일어나 열염 순환이라고도 한다.

② 특징: 수온 약층 아래에서 매우 느리게 이동하며, 해양 전체 수심에 걸쳐 일어난다.

[심층 순환의 발생 실험]

(가) 얼음물을 부을 때
└ 해수의 냉각이 일어난 경우

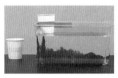
(나) 소금물을 부을 때
└ 해수의 결빙으로 염분이 증가한 경우

• (가): 얼음물을 부으면 가라앉은 후 수조 바닥을 따라 천천히 퍼져 나간다. ➔ ❷◻◻으로 밀도가 커지기 때문

• (나): 소금물을 부으면 가라앉은 후 수조 바닥을 따라 천천히 퍼져 나간다. ➔ 염분이 ❸◻◻하여 밀도가 커지기 때문

2 심층 순환 발생 과정

침강	• 극 해역에서 표층 해수가 냉각되거나 결빙으로 염분이 높아지면 밀도가 커져 침강이 일어난다. • 침강한 해수는 매우 느린 속도로 저위도로 이동한다.	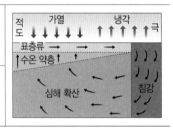
용승	• 저위도로 이동한 심층 해수는 온대나 열대 해역에서 천천히 ❹◻◻한다. • 용승한 해수는 표층을 따라 극 해역으로 이동한다.	

Ⓑ 대서양의 심층 순환
┌• 수온, 염분 등이 거의 균일한 해수의 덩어리로, 주변 해수와 잘 섞이지 않는다.

1 대서양 수괴 남극 저층수, 북대서양 심층수, 남극 중층수

남극 저층수	• ❺◻◻에서 결빙으로 밀도가 커진 해수가 침강하여 북쪽으로 이동한다. • 밀도가 가장 큰 해수로, 해저를 따라 위도 30°N 부근까지 흐른다. ─┐
북대서양 심층수	• ❻◻◻ 부근 해역에서 침강한 해수가 남쪽으로 이동한다. •— 심해에 산소를 공급한다. • 남극 저층수보다 밀도가 작아 남극 저층수 위에서 위도 60°S 부근까지 흐른다.
남극 중층수	• 위도 50°S~60°S 해역에서 형성되어 북쪽으로 이동한다. • 북대서양 심층수보다 밀도가 작아 북대서양 심층수 위에서 흐른다.

기출 Tip Ⓑ-1

대서양 수괴의 밀도
대서양에 분포하는 수괴에는 남극 저층수, 남극 중층수, 북대서양 심층수가 있고, 세 수괴의 밀도 관계는 다음과 같다.
➔ 남극 저층수>북대서양 심층수>남극 중층수

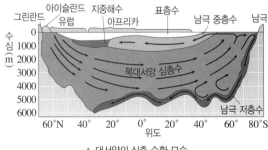
▲ 대서양의 심층 순환 모습

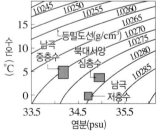
▲ 대서양 수괴의 수온 염분도

2 심층 순환의 관측 심층 순환은 매우 느리게 일어나 직접 관측이 어려우므로 수온 염분도 (T−S도)를 이용한 수괴 분석을 통해 간접적으로 흐름을 알아낸다.

C 심층 순환과 표층 순환

1 전 세계 해수의 순환 심층 순환과 표층 순환은 컨베이어 벨트와 같이 연결되어 전 지구를 순환하고 있으며, 한 번 순환하는 데 약 1000년이 걸린다.

(심층 순환과 표층 순환)

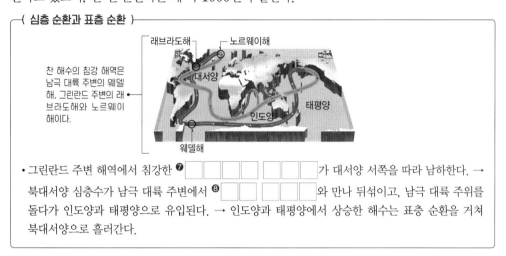

찬 해수의 침강 해역은 남극 대륙 주변의 웨델해, 그린란드 주변의 래브라도해와 노르웨이해이다.

• 그린란드 주변 해역에서 침강한 ❼ ☐☐☐☐☐가 대서양 서쪽을 따라 남하한다. → 북대서양 심층수가 남극 대륙 주변에서 ❽ ☐☐☐와 만나 뒤섞이고, 남극 대륙 주위를 돌다가 인도양과 태평양으로 유입된다. → 인도양과 태평양에서 상승한 해수는 표층 순환을 거쳐 북대서양으로 흘러간다.

2 심층 순환의 역할

① 표층 순환과 연결되어 저위도의 열에너지를 고위도로 운반한다.

② 전 수심과 위도에 걸쳐 일어나므로 해수의 물질과 에너지를 순환시킨다.

③ 심층 순환이 약해지면 표층 순환도 약해져 전 지구의 ❾ ☐☐에 영향을 준다.

기출 Tip ⒞-2
심층 순환과 빙하기
약 13000년 전에 나타난 소빙하기인 '영거 드라이아스기'는 해수의 순환 변화로 기후 변화가 생길 수 있음을 알려 준다.
지구의 기온 상승 → 해빙으로 해수 염분 감소 및 해수 밀도 감소 → 해수의 침강 약화 → 심층 순환 약화 → 표층 순환 약화 → 고위도 기온 하강 → 빙하기 도래

답 ❶ 밀도 ❷ 냉각 ❸ 증가 ❹ 용승 ❺ 웨델해 ❻ 그린란드 ❼ 북대서양 심층수 ❽ 남극 저층수 ❾ 기후

빈출 자료 보기

정답과 해설 57쪽

420 그림 (가)는 대서양의 심층 순환 모습을, (나)는 대서양의 수괴를 수온 염분도에 나타낸 것이다.

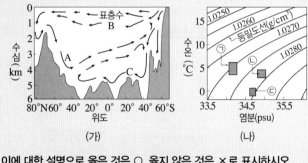

(가)　　　　(나)

이에 대한 설명으로 옳은 것은 ○, 옳지 <u>않은</u> 것은 ×로 표시하시오.

(1) (가)의 순환을 열염 순환이라고도 한다. 　　　(　　)

(2) (가)에서 C의 밀도가 가장 크다. 　　　(　　)

(3) 남위 60° 부근 해역에서 용승 현상이 일어난다. 　　　(　　)

(4) (가)의 A는 북대서양 심층수이다. 　　　(　　)

(5) (가)의 B는 그린란드 주변 해역에서 만들어진다. 　　　(　　)

(6) (가)의 C는 (나)에서 ⓒ에 해당한다. 　　　(　　)

(7) (나)에서 염분이 가장 높은 ⓛ은 북대서양 심층수에 해당한다. 　　　(　　)

421 그림은 전 지구적인 해수의 순환을 나타낸 것이다.

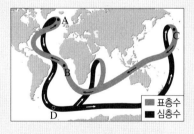

이에 대한 설명으로 옳은 것은 ○, 옳지 <u>않은</u> 것은 ×로 표시하시오.

(1) A～C 중 가장 따뜻한 해수는 B이다. 　　　(　　)

(2) A에서는 차갑고 염분이 높은 해수가 침강한다. 　　　(　　)

(3) A 해역에서 침강한 해수는 북대서양 심층수가 된다. 　　　(　　)

(4) A에서 침강한 해수는 심층에 산소를 공급한다. 　　　(　　)

(5) C는 북태평양 심해에서 상승한 물이 표층수가 되는 곳이다. 　　　(　　)

(6) D에서는 북대서양에서 침강하여 남하한 해수가 남극 대륙 주변의 더 차가운 해수와 혼합된다. 　　　(　　)

(7) 유속은 대체로 표층 해류가 심층 해류보다 느리다. 　　　(　　)

(8) 전 지구적인 해수의 순환을 통해 위도별 에너지 불균형이 줄어든다. 　　　(　　)

난이도별
필수 기출

A 심층 순환의 발생

422 하 중 상

그림은 해수의 심층 순환 원리를 알아보기 위한 실험이다.

[실험 과정]

(가) 수조에 따뜻한 물을 채우고, 밑면에 구멍이 뚫린 종이컵을 그림과 같이 수조의 한쪽에 고정시킨다.

(나) 소금 3 g을 녹인 10 °C의 물 100 mL에 빨간색 잉크를 떨어뜨려 섞은 후, 수조의 종이컵에 천천히 부으면서 소금물이 침강하는 모습을 관찰한다.

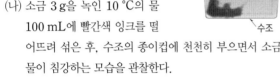

소금 3 g을 녹인 10 °C의 물
종이컵
수조

침강이 더 잘 일어나게 하는 실험 조건으로 옳은 것만을 〈보기〉에서 있는 대로 고른 것은?

〈 보기 〉

ㄱ. (가)에서 수조의 물에 소금을 녹인다.
ㄴ. (나)에서 종이컵에 넣는 물에 얼음을 넣는다.
ㄷ. (나)에서 종이컵에 넣는 물에 소금을 더 많이 녹인다.

① ㄱ   ② ㄷ   ③ ㄱ, ㄴ
④ ㄴ, ㄷ   ⑤ ㄱ, ㄴ, ㄷ

423 하 중 상

그림은 바다에서 형성되는 순환을 모식적으로 나타낸 것이다.

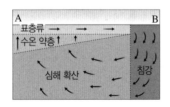

A   B
표층류
수온 약층
심해 확산   침강

이에 대한 설명으로 옳은 것만을 〈보기〉에서 있는 대로 고른 것은?

〈 보기 〉

ㄱ. 밀도 차로 형성된다.
ㄴ. A 해역이 B 해역보다 고위도이다.
ㄷ. B 해역의 염분이 높아지면 침강이 강화된다.

① ㄱ   ② ㄴ   ③ ㄱ, ㄷ
④ ㄴ, ㄷ   ⑤ ㄱ, ㄴ, ㄷ

빈출
424 하 중 상

다음은 북대서양 심층수와 남극 저층수의 발생 원리를 알아보기 위한 모형 실험을 나타낸 것이다.

[실험 과정]

(가) 수조에 20 °C의 수돗물을 넣는다.

(나) 농도가 15 %인 4 °C와 15 °C의 소금물을 만든다.

(다) 소금물 중 하나는 용기 A에, 나머지 하나는 용기 B에 넣는다.

(라) 두 개의 콕을 동시에 열고 소금물의 이동을 관찰한다.

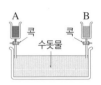

A   B
콕   콕
수돗물

[실험 결과]

• 소금물이 그림과 같이 이동한다.

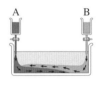

A   B

이에 대한 설명으로 옳은 것만을 〈보기〉에서 있는 대로 고른 것은?

〈 보기 〉

ㄱ. A와 B 소금물이 가라앉는 까닭은 소금물의 밀도가 수돗물보다 크기 때문이다.
ㄴ. 밀도는 A가 B보다 크다.
ㄷ. A는 남극 저층수, B는 북대서양 심층수에 해당한다.

① ㄱ   ② ㄷ   ③ ㄱ, ㄴ
④ ㄴ, ㄷ   ⑤ ㄱ, ㄴ, ㄷ

B 대서양의 심층 순환

[425~426] 그림은 대서양에서의 심층 순환을 모식적으로 나타낸 것이다.

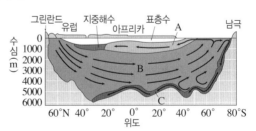

그린란드 지중해수 표층수
유럽   아프리카   A   남극
수심(m)
0 1000 2000 3000 4000 5000 6000
B
C
60°N 40° 20° 0° 20° 40° 60° 80°S
위도

425 하 중 상

A~C 해수의 밀도를 옳게 비교한 것은?

① A>B>C   ② B>A>C   ③ B>C>A
④ C>A>B   ⑤ C>B>A

426 하(중)상 · 多 보기

이에 대한 설명으로 옳은 것만을 모두 고르면? (2개)

① 남극 저층수는 B이다.

② A는 북대서양 심층수이다.

③ B는 남극 쪽으로 흐른다.

④ C는 침강하여 심해에 산소를 공급한다.

⑤ A는 B보다 밀도가 크다.

⑥ C는 A보다 수온이 높다.

⑦ 바람이 불면 A와 B 해수는 뒤섞인다.

⑧ 심층 순환은 표층 순환보다 유속이 빠르다.

427 하(중)상

그림 (가)는 대서양 심층 순환을, (나)는 대서양의 수괴를 수온 염분도에 나타낸 것이다.

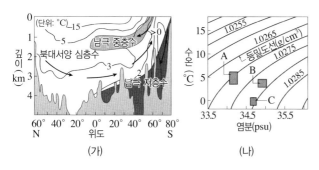

(가)   (나)

이에 대한 설명으로 옳은 것만을 〈보기〉에서 있는 대로 고른 것은?

〈 보기 〉

ㄱ. A는 남극 중층수로, 염분이 가장 낮다.

ㄴ. C는 남극 저층수로, 밀도가 가장 크다.

ㄷ. 지구 온난화가 지속되면 심층 순환이 약해질 수 있다.

① ㄱ   ② ㄷ   ③ ㄱ, ㄴ

④ ㄴ, ㄷ   ⑤ ㄱ, ㄴ, ㄷ

428 하(중)상

그림은 대서양의 심층 순환을 이루는 주요 심층 해류의 수온과 염분의 범위를 수온 염분도에 나타낸 것이다. A, B, C는 각각 남극 저층수, 북대서양 심층수, 남극 중층수 중 하나이다.

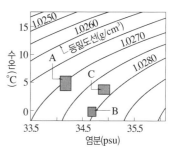

이에 대한 설명으로 옳은 것만을 〈보기〉에서 있는 대로 고른 것은?

〈 보기 〉

ㄱ. A는 남극 웨델해에서 침강하여 형성된 심층수이다.

ㄴ. B는 남극 중층수이다.

ㄷ. C는 그린란드 주변 해역에서 만들어진다.

① ㄱ   ② ㄷ   ③ ㄱ, ㄴ

④ ㄴ, ㄷ   ⑤ ㄱ, ㄴ, ㄷ

429 하(중)상

그림 (가)와 (나)는 각각 대서양에서 수온과 염분의 연직 분포와 해수의 이동 방향을 나타낸 것이다.

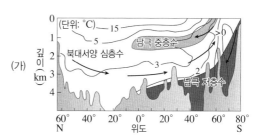

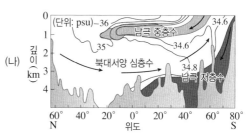

이에 대한 설명으로 옳은 것만을 〈보기〉에서 있는 대로 고른 것은?

〈 보기 〉

ㄱ. 북대서양 심층수는 그린란드 주변 해역에서 형성된다.

ㄴ. 남극 저층수의 밀도는 염분보다 수온의 영향이 더 크다.

ㄷ. 남극 중층수는 북대서양 심층수보다 평균 염분이 높다.

① ㄱ   ② ㄷ   ③ ㄱ, ㄴ

④ ㄴ, ㄷ   ⑤ ㄱ, ㄴ, ㄷ

C 심층 순환과 표층 순환

[430~432] 그림은 표층 순환과 심층 순환의 관계를 모식적으로 나타낸 것이다.

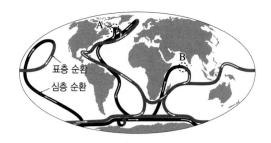

430 하 중 상
•서술형

심층 순환은 해수의 밀도와 관련이 있다. 밀도 차이를 유발하는 요인 두 가지를 쓰고, 해수의 밀도가 커지려면 어떤 조건이어야 하는지 두 요인을 언급하여 서술하시오.

431 하 중 상
•서술형

심층 순환 중 남극 저층수, 북대서양 심층수, 남극 중층수의 발생 지역과 각 심층 해류 간 밀도 관계를 서술하시오.

빈출
432 하 중 상
多 보기

이에 대한 설명으로 옳지 않은 것만을 모두 고르면? (2개)

① 이 순환으로 위도별 에너지 불균형이 줄어든다.
② 유속은 대체로 표층 해류가 심층 해류보다 빠르다.
③ A 해역에서 침강한 해수는 심해에 산소를 공급한다.
④ B 해역에서 차갑고 염분이 높은 해수가 침강한다.
⑤ B 해역에서 침강한 해수는 남극 중층수를 형성할 것이다.
⑥ 지구 온난화가 심해지면 A 해역에서 침강이 약해질 것이다.
⑦ A 해역에서는 침강이, B 해역에서는 용승이 일어난다.
⑧ B 해역에서는 유속이 느린 심층 순환이 유속이 빠른 표층 순환으로 이어진다.

433 하 중 상

그림은 전 지구적인 해수의 순환을 나타낸 것이다.

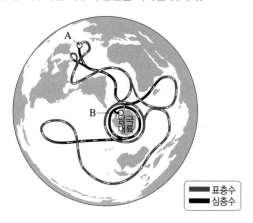

이에 대한 설명으로 옳은 것만을 〈보기〉에서 있는 대로 고른 것은?

〈 보기 〉

ㄱ. A 해역에서 북대서양 심층수가 형성되어 남쪽으로 흘러 간다.
ㄴ. B 해역에서 침강한 해수는 남극 저층수를 형성한다.
ㄷ. 지구의 평균 기온이 상승하면 심층 순환은 강해진다.

① ㄱ   ② ㄷ   ③ ㄱ, ㄴ
④ ㄴ, ㄷ   ⑤ ㄱ, ㄴ, ㄷ

434 하 중 상

그림 (가)는 북대서양에서의 해수의 순환을, (나)는 과거 30년간 A, B 두 해역에서 표층 염분 변화를 나타낸 것이다.

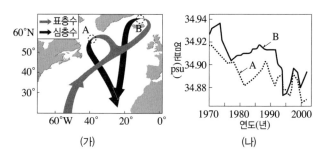

(가)   (나)

이에 대한 설명으로 옳은 것만을 〈보기〉에서 있는 대로 고른 것은?

〈 보기 〉

ㄱ. (가)에서 A와 B 해역은 남극 저층수가 만들어지는 곳이다.
ㄴ. (나)와 같은 염분 변화 경향으로 북대서양의 열염 순환이 약해진다.
ㄷ. 빙하가 녹아 A와 B 해역에 유입되면 심층 순환이 강해진다.

① ㄱ   ② ㄴ   ③ ㄱ, ㄷ
④ ㄴ, ㄷ   ⑤ ㄱ, ㄴ, ㄷ

435 하(중)상

그림은 북대서양의 해수 흐름과 침강 해역을 나타낸 것이다. A와 B는 각각 표층수와 심층수의 흐름 중 하나이다.

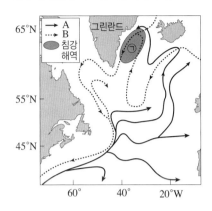

이에 대한 설명으로 옳은 것만을 〈보기〉에서 있는 대로 고른 것은?

〈 보기 〉

ㄱ. A는 표층수의 흐름이다.

ㄴ. 유속은 B가 A보다 느리다.

ㄷ. ⊙ 해역으로 빙하가 녹은 물이 유입되면 해수의 침강이 약해진다.

① ㄱ
② ㄷ
③ ㄱ, ㄴ
④ ㄴ, ㄷ
⑤ ㄱ, ㄴ, ㄷ

★빈출
436 하(중)상
⊕ 보기

심층 순환에 대한 설명으로 옳지 <u>않은</u> 것만을 모두 고르면? (2개)

① 열염 순환이라고도 한다.

② 표층에 산소를 운반하여 생물이 살 수 있게 한다.

③ 심층 순환의 변화는 지구 기후에 영향을 줄 수 있다.

④ 거의 전 수심에 걸쳐 일어나면서 해수를 순환시킨다.

⑤ 수온과 염분 변화에 따른 해수의 밀도 차이로 발생한다.

⑥ 이동 속도가 매우 빠르므로 유속계로 직접 관측할 수 있다.

⑦ 표층 순환과 심층 순환은 컨베이어 벨트처럼 연결되어 있다.

⑧ 심층수에 많이 포함되어 있는 영양 염류 등을 표층으로 운반한다.

437 하(중)상

그림 (가)는 북대서양에서 일어나는 해수의 순환을 나타낸 모식도이고, (나)는 최근 30년간 북극해에서 얼음 면적 변화를 나타낸 것이다.

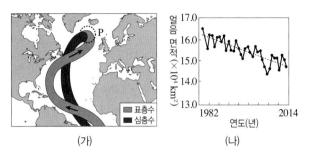

(가)   (나)

(나)와 같은 현상이 지속될 때에 대한 설명으로 옳은 것만을 〈보기〉에서 있는 대로 고른 것은?

〈 보기 〉

ㄱ. P 해역에서 해수의 침강이 약해진다.

ㄴ. 북대서양에서 심해의 용존 산소량이 증가한다.

ㄷ. 해수의 순환으로 저위도에서 고위도로 운반되는 에너지양이 많아진다.

① ㄱ
② ㄷ
③ ㄱ, ㄴ
④ ㄴ, ㄷ
⑤ ㄱ, ㄴ, ㄷ

438 하중(상)

다음은 지금으로부터 13000년 전에 나타났던 영거 드라이아스 빙하기에 대한 설명이다.

지구 기온 상승

→ (가) 북극 부근 빙하가 녹아 북대서양으로 흘러간다.

→ 북대서양의 난류인 (⊙)이/가 북상하지 못한다.

→ 유럽 지역에서 기온 하강이 일어난다.

→ 전 지구적인 빙하기가 도래한다.

이에 대한 설명으로 옳지 <u>않은</u> 것은?

① ⊙은 멕시코 만류이다.

② (가) 때문에 북대서양 해수의 밀도는 작아졌다.

③ (가) 때문에 북대서양 해수의 염분은 높아졌다.

④ (가) 때문에 북대서양 해역에서 해수의 침강이 약해졌다.

⑤ 심층 순환이 약화되면 표층 순환도 약해진다.

해양 변화와 기후 변화

Ⓐ 용승과 침강

1 표층 해수의 이동 표층 해수는❶▢▢▢으로 부는 바람의 영향으로 북반구에서는 풍향의 ❷▢▢▢ 직각 방향, 남반구에서는 풍향의 ❸▢▢ 직각 방향으로 흐른다.

2 용승 표층 해수의 이동으로 생긴 빈 자리를 채우기 위해 심층의 찬 해수가 표층으로 올라오는 현상 ➡ 용승의 영향: 주변보다 표층 수온이 낮아짐, 좋은 어장 형성, 안개가 자주 발생

연안 용승 (북반구)	대륙의 서안: ❹▢▢ 이 불면 표층 해수가 서쪽으로 이동하여 용승이 일어난다.	대륙의 동안: ❺▢▢ 이 불면 표층 해수가 동쪽으로 이동하여 용승이 일어난다.
적도 용승	• 적도 해역에서 ❻▢▢▢ 때문에 일어나는 용승 • 북반구에서는 북동 무역풍 때문에 표층 해수가 북쪽으로 이동하고, 남반구에서는 남동 무역풍 때문에 표층 해수가 남쪽으로 이동한다. ➡ 적도에서는 표층 해수가 발산하므로 용승이 일어난다.	
저기압 에서의 용승	북반구의 저기압에서는 바람이 시계 반대 방향으로 불고, 표층 해수는 저기압 중심에서 바깥쪽으로 이동하여 저기압 중심에서 용승이 일어난다. ┗풍향의 오른쪽 직각 방향	

(전 세계 주요 용승 발생 지역)

■ 용승 지역

캘리포니아 연안

아프리카 서해안   적도 부근

페루 연안

• 연안 용승은 주로 대륙의 ❼▢▢ 해안에서 일어난다. ➡ 북반구에서는 주로 북풍 때문에, 남반구에서는 주로 남풍 때문에 일어난다.
• 적도 지역에서는 북동 무역풍과 남동 무역풍 때문에 적도 용승이 일어난다.

3 침강 지속적인 바람 때문에 계속 쌓인 표층 해수가 심층으로 가라앉는 현상
➡ 침강의 영향: 용존 산소 공급, 수온 약층 변화

연안 침강 (북반구)	대륙의 서안: ❽▢▢ 이 불면 표층 해수가 동쪽으로 이동하여 침강이 일어난다.	대륙의 동안: ❾▢▢ 이 불면 표층 해수가 서쪽으로 이동하여 침강이 일어난다.
고기압 에서의 침강	북반구의 고기압에서는 바람이 시계 방향으로 불고, 표층 해수는 고기압 중심 쪽으로 이동하여 침강이 일어난다. ┗풍향의 오른쪽 직각 방향	

Ⓑ 엘니뇨 남방 진동

1 엘니뇨와 라니냐
① 엘니뇨: ❿▢▢▢ ▢▢로 적도 부근 태평양에서 중앙태평양까지의 표층 수온이 평년보다 0.5 ℃ 이상 높은 상태로 5개월 이상 지속되는 현상

기출 Tip Ⓐ-2
남반구에서의 연안 용승
• 남반구 대륙의 서안: 남풍이 지속적으로 불면 표층 해수가 서쪽으로 이동하여 용승이 일어난다.
• 남반구 대륙의 동안: 북풍이 지속적으로 불면 표층 해수가 동쪽으로 이동하여 용승이 일어난다.

기출 Tip Ⓐ-3
남반구에서의 연안 침강
• 남반구 대륙의 서안: 북풍이 지속적으로 불면 표층 해수가 동쪽으로 이동하여 침강이 일어난다.
• 남반구 대륙의 동안: 남풍이 지속적으로 불면 표층 해수가 서쪽으로 이동하여 침강이 일어난다.

② 라니냐: ⑪ [ ][ ] [ ][ ]로 적도 부근 태평양에서 중앙태평양까지의 표층 수온이 평년보다 0.5 °C 이상 낮은 상태로 5개월 이상 지속되는 현상

구분	표층 수온과 해양 변화
평상시	(20°N~20°S, 100°E~60°W, 30, 22 표시 그래프 / 적도, 무역풍, 온난 수역, 한랭 수역, 수온 약층, 용승 그림) • 서태평양은 표층 수온이 높고, 동태평양은 표층 수온이 낮다. • 서태평양은 온난 수역의 두께가 두껍다. → 수온 약층의 시작 깊이가 깊다. • 동태평양은 용승이 일어나고, 서태평양에 비해 온난 수역의 두께가 얇다.
⑫ [ ][ ][ ] 시기	(20°N~20°S, 100°E~60°W, 30, 30, 22 표시 그래프 / 적도, 무역풍 약화, 온난 수역, 한랭 수역, 수온 약층, 용승 그림) • 무역풍 약화로 동태평양의 표층 수온이 평상시보다 높아진다. ┐ • 서태평양은 온난 수역의 두께가 얇아진다. 동서 해수면의 기울기는 평상시보다 작아진다. • 동태평양은 용승이 약화되고, 온난 수역의 두께가 두꺼워진다.
⑬ [ ][ ][ ] 시기	(20°N~20°S, 100°E~60°W, 30, 22 표시 그래프 / 적도, 무역풍 강화, 온난 수역, 한랭 수역, 수온 약층, 용승 그림) • 무역풍 강화로 동태평양의 표층 수온이 평상시보다 낮아진다. ┐ • 서태평양은 온난 수역의 두께가 평상시보다 더 두꺼워진다. 동서 해수면의 기울기는 평상시보다 커진다. • 동태평양은 용승이 강화되고, 온난 수역의 두께가 더 얇아진다.

기출 Tip B-1
평상시와 비교할 때 엘니뇨 시기의 변화
• 무역풍 세기는 약해진다.
• 서태평양으로 해류 흐름은 약해진다.
• 동서 해수면의 기울기가 작아진다.
• 동태평양에서 용승은 약해진다.
• 동태평양의 표층 수온은 높아진다.
• 동태평양의 어획량이 줄어든다.
• 따뜻한 해수층 두께는 서태평양에서 얇아지고, 동태평양에서 두꺼워진다.
• 수온 약층의 시작 깊이가 서태평양에서는 얕아지고, 동태평양에서는 깊어진다.
• 서태평양에서 고기압이, 동태평양에서 저기압이 형성된다.
• 서태평양에서 가뭄이, 동태평양에서 홍수가 발생한다.

2 엘니뇨 남방 진동

① ⑭ [ ][ ][ ] [ ]: 평상시 적도 부근 서태평양에 저기압이 발달하여 따뜻한 공기가 상승하고, 동태평양에 고기압이 발달하여 찬 공기가 하강하는 동서 방향의 거대한 순환을 말한다.

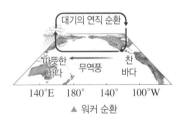

▲ 워커 순환

엘니뇨 시기의 대기 순환	라니냐 시기의 대기 순환
(140°E, 180°, 140°, 100°W / 평상시보다 차가워진 바다, 무역풍, 평상시보다 따뜻해진 바다, 평상시보다 약하다 그림) • 서태평양에는 고기압이, 동태평양에는 저기압이 발달한다. • 서태평양에서는 가뭄이, 동태평양에서는 홍수가 발생한다.	(140°E, 180°, 140°, 100°W / 평상시보다 따뜻해진 바다, 무역풍, 평상시보다 차가워진 바다, 평상시보다 강하다 그림) • 서태평양에는 평상시보다 더 강한 저기압이, 동태평양에는 평상시보다 더 강한 고기압이 발달한다. • 서태평양에서는 홍수나 태풍이, 동태평양에서는 가뭄이 발생한다.

② **남방 진동**: 엘니뇨 시기와 라니냐 시기에 동태평양과 서태평양 사이의 기압 변화가 시소와 같이 서로 반대로 나타나는 현상

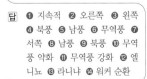

답 ❶ 지속적 ❷ 오른쪽 ❸ 왼쪽 ❹ 북풍 ❺ 남풍 ❻ 무역풍 ❼ 서쪽 ❽ 남풍 ❾ 북풍 ❿ 무역풍 약화 ⑪ 무역풍 강화 ⑫ 엘니뇨 ⑬ 라니냐 ⑭ 워커 순환

16 해양 변화와 기후 변화

③ **⑮**☐☐☐ ☐☐ ☐☐ : 엘니뇨와 라니냐는 표층 수온의 변화이고, 남방 진동은 대기의 기압 분포 변화인데, 이들은 대기와 해양의 상호 작용으로 관련되어 있으므로 함께 일컬어 엘니뇨 남방 진동 또는 엔소(ENSO)라고 한다.

(남방 진동 지수 해석)

▲ 타히티와 다윈의 위치

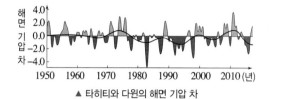

▲ 타히티와 다윈의 해면 기압 차

• 남방 진동 지수: 남방 진동의 강도를 나타내는 값으로, (타히티의 해면 기압－다윈의 해면 기압) 값으로 나타낸다. → 평상시 남방 진동 지수는 (＋) 값이다.
• 엘니뇨 시기: 평상시보다 타히티의 수온이 상승하여 기압이 낮아지므로 타히티의 해면 기압이 다윈의 해면 기압보다 **⑯**☐☐ . ➡ 남방 진동 지수가 (－) 값이다.
• 라니냐 시기: 평상시보다 타히티의 수온이 하강하여 기압이 높아지므로 타히티의 해면 기압이 다윈의 해면 기압보다 **⑰**☐☐ . ➡ 남방 진동 지수가 (＋) 값이다.

3 엘니뇨와 라니냐의 영향 수온의 변화, 해양 생물의 감소 등 해양 환경이 변하고, 기압 배치의 변화로 가뭄, 홍수, 태풍 등 **⑱**☐☐ ☐☐ 가 일어난다.
① 엘니뇨 시기: 서태평양의 필리핀, 인도네시아, 오스트레일리아 동북부 지역에서는 가뭄이 심해지고, 중앙태평양, 멕시코 북부, 미국 남부 등지에서는 홍수가 일어난다.
② 라니냐 시기: 인도네시아, 필리핀 등의 동남아시아에서는 장마가 일어나고, 페루 등 남아메리카에서는 가뭄이 일어난다.

기출 Tip B-2
남방 진동 지수 해석

구분	남방 진동 지수	해면 기압
엘니뇨	(－)	타히티 ＜다윈
라니냐	(＋)	타히티 ＞다윈

기출 Tip B-3
우리나라에서 엘니뇨와 라니냐의 영향
겨울에 엘니뇨의 영향을 받으면 평년보다 따뜻하고 강수량이 많아지고, 겨울에 라니냐의 영향을 받으면 한파가 생기기도 한다.

답 ⑮ 엘니뇨 남방 진동 ⑯ 낮다 ⑰ 높다 ⑱ 기상 변화

빈출 자료 보기

○ 정답과 해설 60쪽

439 그림은 태평양에서 용승이 활발하게 발생하는 해역을 나타낸 것이다.

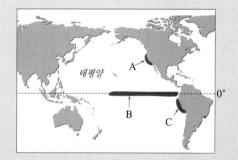

이에 대한 설명으로 옳은 것은 ○, 옳지 않은 것은 ×로 표시하시오.

(1) A 해역에서 용승은 남풍 계열의 바람으로 나타난다. ( )
(2) B 해역에서 용승은 무역풍 때문에 해수가 발산되어 나타난다. ( )
(3) C 해역에서 표층 해수의 이동 방향은 풍향의 오른쪽 방향이다.( )
(4) A 해역에서는 안개가 자주 발생한다. ( )
(5) A, C 해역에서는 영양 염류가 풍부하여 좋은 어장을 형성한다. ( )
(6) A, B, C 해역 모두 주변 해역에 비해 표층 수온이 낮다. ( )

440 그림 (가)와 (나)는 열대 태평양에서 나타날 수 있는 엘니뇨와 라니냐를 순서 없이 나타낸 것이다.

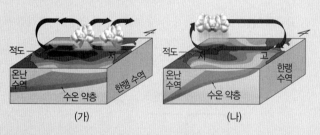

이에 대한 설명으로 옳은 것은 ○, 옳지 않은 것은 ×로 표시하시오.

(1) (가)는 엘니뇨, (나)는 라니냐이다. ( )
(2) (가)에서 서태평양 해역은 홍수가 발생한다. ( )
(3) (가)에서 동태평양 해역의 표층 수온은 평년보다 높다. ( )
(4) (나)에서 서태평양 해역에는 고기압이 형성된다. ( )
(5) 무역풍의 세기는 (가)보다 (나)일 때 더 강하다. ( )
(6) 서태평양 쪽으로 이동하는 표층 해수의 흐름은 (가)보다 (나)일 때 더 강하다. ( )
(7) 동서 해수면의 기울기는 (가)보다 (나)에서 더 급하다. ( )
(8) (가)보다 (나)일 때 동태평양 해역에서 용승이 잘 일어난다. ( )

난이도별
필수 기출
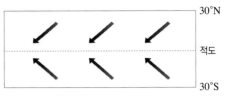
상 3문항
중 16문항
하 5문항

정답과 해설 60쪽

A 용승과 침강

441 하 중 상

그림에서 표시된 해역은 용승 또는 침강 현상이 활발하게 일어나는 곳이다.

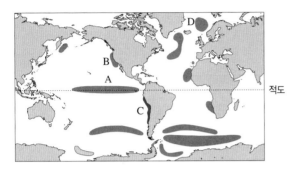

A~D 중 용승이 일어나는 해역만을 모두 고른 것은?

① A
② A, C
③ B, D
④ A, B, C
⑤ B, C, D

442 하 중 상

다음은 저기압과 고기압의 영향으로 일어나는 용승과 침강에 대한 설명이다.

- 북반구의 저기압에서는 바람이 (㉠) 방향으로 불고, 표층 해수는 중심에서 바깥으로 이동하기 때문에 (㉡)이 일어난다.
- 북반구의 고기압에서는 바람이 (㉢) 방향으로 불고, 표층 해수는 바깥에서 중심으로 이동하기 때문에 (㉣)이 일어난다.

㉠~㉣에 들어갈 내용으로 옳게 짝 지은 것은?

	㉠	㉡	㉢	㉣
①	시계	침강	시계	용승
②	시계	침강	시계 반대	침강
③	시계 반대	용승	시계	용승
④	시계 반대	용승	시계	침강
⑤	시계 반대	침강	시계 반대	용승

443 하 중 상
•• 서술형

북반구의 해수면 위를 이동하고 있는 태풍의 중심에서 나타나는 해수면의 변화와 그 영향을 바람의 작용과 관련지어 서술하시오.

444 하 중 상

그림은 적도 부근 해양에서 부는 바람을 나타낸 것이다.

이에 대한 설명으로 옳은 것만을 〈보기〉에서 있는 대로 고른 것은?

〈 보기 〉

ㄱ. 적도와 30°N 사이에서 표층 해수의 평균 이동 방향은 북서쪽이다.
ㄴ. 적도와 30°S 사이에서 표층 해수의 평균 이동 방향은 남동쪽이다.
ㄷ. 적도에서는 해수의 용승이 일어난다.

① ㄱ
② ㄴ
③ ㄱ, ㄷ
④ ㄴ, ㄷ
⑤ ㄱ, ㄴ, ㄷ

빈출
445 하 중 상

그림은 태평양에서 용승이 일어나고 있는 해역을 나타낸 것이다. 이에 대한 설명으로 옳은 것만을 〈보기〉에서 있는 대로 고른 것은?

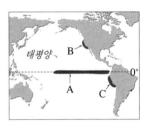

〈 보기 〉

ㄱ. A 해역의 용승은 무역풍 때문에 일어난다.
ㄴ. B 해역의 용승은 북풍 계열의 바람 때문에 일어난다.
ㄷ. 용승이 일어나는 해역은 주변보다 수온이 높다.

① ㄱ
② ㄷ
③ ㄱ, ㄴ
④ ㄴ, ㄷ
⑤ ㄱ, ㄴ, ㄷ

446 하 중 상

그림은 어느 해, 어느 계절에 동해에서 관측한 표층 수온의 분포를 나타낸 것이다. 이에 대한 설명으로 옳은 것만을 〈보기〉에서 있는 대로 고른 것은?

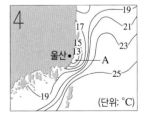

〈 보기 〉

ㄱ. 여름에 관측한 것이다.
ㄴ. 울산 앞바다에는 용승이 일어났다.
ㄷ. 이 시기에 북풍 계열의 바람이 불었다.

① ㄱ
② ㄴ
③ ㄷ
④ ㄱ, ㄴ
⑤ ㄴ, ㄷ

[447~448] 그림 (가)와 (나)는 북반구의 서로 다른 해안에서 지속적으로 부는 바람을 나타낸 것이다.

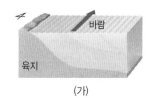 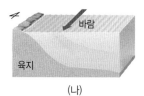

(가)　　　　　　　　(나)

447 하중상
••서술형

(가)에서 일어나는 해수의 움직임을 쓰고, 육지에서 바다 쪽으로 가면서 표층 수온은 어떻게 변하는지 서술하시오.

448 하중상
多 보기

이에 대한 설명으로 옳지 <u>않은</u> 것만을 모두 고르면? (3개)

① (가)에서는 안개가 자주 발생한다.
② (가)에서 표층 해수는 동쪽으로 이동한다.
③ (가)에서는 영양 염류가 풍부하여 좋은 어장이 형성된다.
④ (나)에서 표층 해수는 서쪽으로 이동한다.
⑤ (나)에서는 해안 지역의 기온이 낮아진다.
⑥ 육지 부근 해수의 용존 산소량은 (가)보다 (나)에서 많다.
⑦ 육지 부근 해수면의 수온은 (가)보다 (나)에서 높다.
⑧ 남반구에서 이러한 바람이 분다면 용승은 (가)에서 일어난다.

449 하중상

그림 (가)는 바람이 지속적으로 부는 북반구 중위도 어느 해역을, (나)는 적도 부근 해역을 나타낸 것이다.

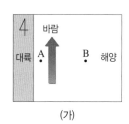 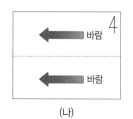

(가)　　　　　　　　(나)

이에 대한 설명으로 옳은 것만을 〈보기〉에서 있는 대로 고른 것은?

〈 보기 〉
ㄱ. (가)와 (나)에서 모두 침강이 일어난다.
ㄴ. (가)에서 해수면의 수온은 B가 A보다 높다.
ㄷ. (나)에서 바람이 약해지면 적도 해역의 해수면은 평상시보다 낮아질 것이다.

① ㄱ　　　　② ㄴ　　　　③ ㄷ
④ ㄱ, ㄴ　　　⑤ ㄴ, ㄷ

B 엘니뇨 남방 진동

450 하중상

다음은 대기와 해양 사이에서 일어나는 상호 작용 현상에 대한 설명이다.

> 엘니뇨와 라니냐는 (㉠)의 세기 변화로 적도 부근 태평양에서 나타나는 해수의 표층 수온 변화와 관련된 현상이고, (㉡)은/는 해수의 표층 수온 변화로 적도 부근 태평양에서 나타나는 기압 분포의 변화이다. 이처럼 대기와 해양의 변화가 서로 영향을 주고받으면서 나타나는 현상을 함께 일컬어 (㉢)(이)라고 한다.

㉠~㉢에 들어갈 알맞은 말을 쓰시오.

451 하중상

그림은 태평양 적도 해역의 연직 단면에 평상시와 엘니뇨 시기의 해수면과 수온 약층을 나타낸 것이다.

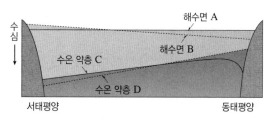

엘니뇨 시기에 대한 설명으로 옳은 것만을 〈보기〉에서 있는 대로 고른 것은?

〈 보기 〉
ㄱ. 해수면은 A이다.
ㄴ. 수온 약층은 D이다.
ㄷ. 평상시보다 엘니뇨 시기에 연안 용승이 강해진다.

① ㄱ　　　　② ㄴ　　　　③ ㄱ, ㄴ
④ ㄱ, ㄷ　　　⑤ ㄴ, ㄷ

[452~453] 그림은 적도 부근 태평양에서 평상시에 볼 수 있는 대기와 해양의 순환을 나타낸 모식도이다.

452 하중상

워커 순환과 관련된 설명으로 옳은 것만을 〈보기〉에서 있는 대로 고른 것은?

〈 보기 〉
ㄱ. 적도 부근 태평양에서 형성되는 동서 방향의 거대한 대기 순환이다.
ㄴ. 해양과 대기의 상호 작용으로 형성된다.
ㄷ. 평상시에 적도 부근 동태평양에서는 고기압이 형성된다.

① ㄱ   ② ㄴ   ③ ㄱ, ㄷ
④ ㄴ, ㄷ   ⑤ ㄱ, ㄴ, ㄷ

453 하중상

무역풍이 평상시보다 약해질 때 동태평양 적도 해역에서 나타나는 변화 중 감소하는 것을 모두 고르면? (2개)

① 기압   ② 강수량   ③ 어획량
④ 표층 수온   ⑤ 수온 약층의 시작 깊이

빈출 454 하중상   多 보기

그림 (가)와 (나)는 열대 태평양에서 해수의 동서 방향 연직 단면과 해수의 이동 방향(→)을 나타낸 것이다. 점선은 평상시 해수의 경계이다.

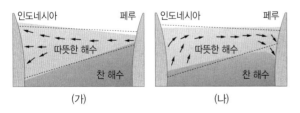

(가)   (나)

이에 대한 설명으로 옳은 것만을 모두 고르면? (2개)

① (가)는 엘니뇨, (나)는 라니냐 때의 모습이다.
② (가)에서 인도네시아에는 하강 기류가 나타난다.
③ (나)에서 페루 연안에는 수온 약층의 시작 깊이가 깊어진다.
④ 페루 연안의 영양 염류는 (가)보다 (나)에서 풍부하다.
⑤ 페루 연안의 용승은 (나)보다 (가)에서 강하게 일어난다.
⑥ 동서 방향의 해수면 높이 차는 (가)보다 (나)에서 크다.
⑦ 동태평양과 서태평양의 수온 차이는 (나)보다 (가)에서 작다.

455 하중상

그림 (가)와 (나)는 서로 다른 시기에 관측된 적도 부근 태평양의 수온 편차를 나타낸 것이다. 편차는 (관측값−평년값)이다.

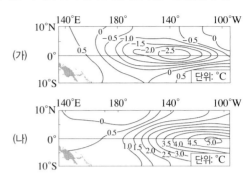

이에 대한 설명으로 옳은 것만을 〈보기〉에서 있는 대로 고른 것은?

〈 보기 〉
ㄱ. (가) 시기에 무역풍이 평상시보다 약하다.
ㄴ. (나) 시기에 동태평양의 기압은 평상시보다 낮다.
ㄷ. 동태평양 해역의 용승은 (나) 시기가 (가) 시기보다 강하다.

① ㄱ   ② ㄴ   ③ ㄱ, ㄷ
④ ㄴ, ㄷ   ⑤ ㄱ, ㄴ, ㄷ

빈출 456 하중상

그림 (가)와 (나)는 적도 부근 동태평양에서 엘니뇨와 라니냐 시기의 수온 연직 분포를 순서 없이 나타낸 것이다.

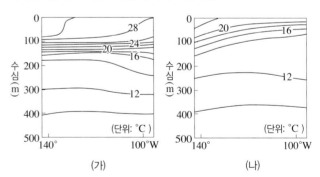

(가)   (나)

이에 대한 설명으로 옳은 것은?

① (가)는 라니냐 시기, (나)는 엘니뇨 시기이다.
② 이 해역의 평균 해수면은 (가)보다 (나) 시기에 높다.
③ 이 해역의 용승은 (나)보다 (가) 시기에 더 활발하다.
④ 이 해역에서 수심 100 m~200 m 구간의 깊이에 따른 수온 감소율은 (가)보다 (나) 시기에 작다.
⑤ 이 해역에서 수온 약층이 시작되는 깊이는 (가)보다 (나) 시기에 깊다.

457 (하중상)

그림 (가)와 (나)는 엘니뇨와 라니냐 시기에 열대 태평양의 대기 순환을 순서 없이 나타낸 것이다.

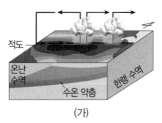 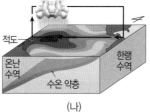

이에 대한 설명으로 옳은 것만을 〈보기〉에서 있는 대로 고른 것은?

〈 보기 〉
ㄱ. (가)는 라니냐 시기, (나)는 엘니뇨 시기이다.
ㄴ. (가)보다 (나)일 때 서태평양 쪽으로 표층 해수의 흐름이 강하다.
ㄷ. (가)보다 (나)일 때 서태평양과 동태평양의 기압 차이가 크다.

① ㄱ   ② ㄷ   ③ ㄱ, ㄴ
④ ㄴ, ㄷ   ⑤ ㄱ, ㄴ, ㄷ

458 (하중상)

그림은 1951년부터 2011년까지 동태평양 적도 해역의 해수면 수온 편차(관측 수온−평균 수온)를 나타낸 것이다.

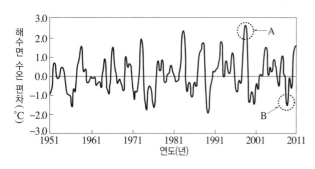

이에 대한 설명으로 옳은 것만을 〈보기〉에서 있는 대로 고른 것은?

〈 보기 〉
ㄱ. A는 엘니뇨 시기이다.
ㄴ. 무역풍의 세기는 A보다 B일 때 강하다.
ㄷ. 남적도 해류의 세기는 A보다 B일 때 약하다.
ㄹ. 동태평양 적도 해역의 강수량은 A보다 B일 때 많다.

① ㄱ, ㄴ   ② ㄱ, ㄷ   ③ ㄱ, ㄹ
④ ㄴ, ㄷ   ⑤ ㄷ, ㄹ

459 (하중상)

그림 (가)는 태평양에서 다윈과 타히티의 위치를, (나)는 1997년부터 20년간 다윈과 타히티에서의 기압 편차(관측된 기압−평상시 기압)를 나타낸 것이다.

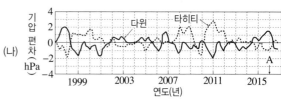

이에 대한 설명으로 옳은 것만을 〈보기〉에서 있는 대로 고른 것은?

〈 보기 〉
ㄱ. (나)와 같이 수년에 걸쳐 나타나는 해수면 기압의 주기적인 진동 현상을 남방 진동이라고 한다.
ㄴ. 다윈과 타히티의 기압 변화는 대체로 반대로 나타난다.
ㄷ. A 시기에 다윈의 해수면 기압은 평년보다 상승했다.
ㄹ. A 시기에 페루 연안에서는 용승이 활발하게 일어난다.

① ㄱ, ㄴ   ② ㄱ, ㄹ   ③ ㄷ, ㄹ
④ ㄱ, ㄴ, ㄷ   ⑤ ㄴ, ㄷ, ㄹ

460 (하중상)

그림 (가)는 엘니뇨 감시 해역 A를, (나)는 A에서 관측한 해수면의 수온 편차를 나타낸 것이다.

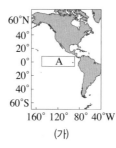 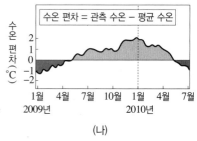

이에 대한 설명으로 옳은 것만을 〈보기〉에서 있는 대로 고른 것은?

〈 보기 〉
ㄱ. 2010년 1월은 엘니뇨가 발생한 시기이다.
ㄴ. 2010년 1월에 A 해역에는 저기압이 형성되고, 강수량이 많아진다.
ㄷ. 수온 변화는 A 해역에만 한정되어 나타나며, 수온 변화는 기압 분포와 관련이 없다.

① ㄱ   ② ㄴ   ③ ㄷ
④ ㄱ, ㄴ   ⑤ ㄴ, ㄷ

461 하(중)상

그림 (가)와 (나)는 동태평양 페루 연안에서 평상시와 엘니뇨나 라니냐가 발생한 경우 수온과 플랑크톤 양의 변화를 비교하여 나타낸 것이다.

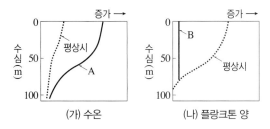

(가) 수온 (나) 플랑크톤 양

이에 대한 설명으로 옳은 것만을 〈보기〉에서 있는 대로 고른 것은?

〈 보기 〉

ㄱ. A는 엘니뇨가 발생했을 때 수온 변화이다.

ㄴ. B는 라니냐가 발생했을 때 플랑크톤 양 변화이다.

ㄷ. A 시기에는 페루 연안에 좋은 어장이 형성된다.

① ㄱ   ② ㄷ   ③ ㄱ, ㄴ
④ ㄴ, ㄷ   ⑤ ㄱ, ㄴ, ㄷ

462 하(중)상

그림 (가)는 동태평양 적도 해역에서 표층 해류의 평년 속도를, (나)는 엘니뇨 또는 라니냐가 일어난 어느 시기 표층 해류의 속도 편차(관측 속도−평년 속도)를 나타낸 것이다.

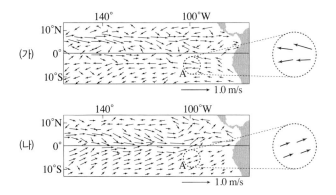

이에 대한 설명으로 옳은 것만을 〈보기〉에서 있는 대로 고른 것은?

〈 보기 〉

ㄱ. (나)에서 A 해역의 해류 속도는 평상시보다 약해졌다.

ㄴ. 동풍 계열의 바람은 (가)보다 (나)에서 더 강해졌다.

ㄷ. A 해역의 기압은 (가)보다 (나)가 더 높다.

① ㄱ   ② ㄴ   ③ ㄷ
④ ㄱ, ㄴ   ⑤ ㄴ, ㄷ

463 하(중)(상)

그림 (가)는 태평양 적도 해역에서 (동태평양 해수면 기압−서태평양 해수면 기압) 값을, (나)는 ㉠과 ㉡ 중 한 시기에 관측된 따뜻한 해수층의 두께 편차(관측값−평년값)를 나타낸 것이다. ㉠과 ㉡은 각각 엘니뇨와 라니냐 시기 중 하나이다.

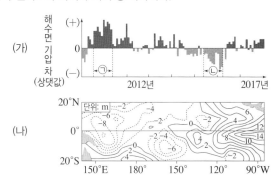

이에 대한 설명으로 옳은 것만을 〈보기〉에서 있는 대로 고른 것은?

〈 보기 〉

ㄱ. (가)의 ㉡은 엘니뇨 시기이다.

ㄴ. (나)에서 동태평양의 표층 수온은 평년보다 낮다.

ㄷ. (나)는 (가)의 ㉠에 해당한다.

① ㄱ   ② ㄴ   ③ ㄷ
④ ㄱ, ㄴ   ⑤ ㄴ, ㄷ

464 하(중)(상)

그림 (가)는 태평양 적도 해역에서 무역풍의 동서 성분 풍속 편차를, (나)는 해역 A와 B의 기압 편차를 나타낸 것이다. a와 b 시기는 각각 엘니뇨와 라니냐 중 하나이고, A와 B는 각각 동태평양 해역과 서태평양 해역 중 하나이다. 편차는 (관측값−평년값)이다.

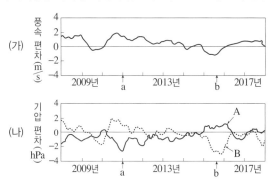

이에 대한 설명으로 옳은 것만을 〈보기〉에서 있는 대로 고른 것은? (단, (가)에서 서쪽으로 향하는 방향을 양(+)으로 한다.)

〈 보기 〉

ㄱ. A는 서태평양 해역이다.

ㄴ. a 시기에 표층 수온 편차가 음(−)의 값인 해역은 B이다.

ㄷ. a 시기보다 b 시기에 서태평양 쪽으로 표층 해수의 흐름이 강하다.

① ㄱ   ② ㄷ   ③ ㄱ, ㄴ
④ ㄴ, ㄷ   ⑤ ㄱ, ㄴ, ㄷ

지구 기후 변화

Ⓐ 기후 변화의 요인

1 자연적 요인-지구 외적 요인

세차 운동 방향

자전축 | 자전 방향

현재 | 6500년 후 | 13000년 후

① **지구 자전축 경사 방향의 변화**: 지구 자전축이 약 26000년을 주기로 팽이처럼 회전하는 현상 ── 세차 운동이라고도 하며, 지구 자전 방향과 반대인 시계 방향으로 회전한다.

┌─ **(세차 운동)** ─────────────────────────────

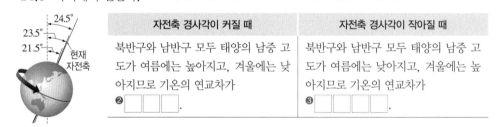

북반구는 기온의 연교차가 작다.
남반구는 기온의 연교차가 크다.

여름 / 겨울 / 원일점 ── 지구 ── 겨울 / 여름 / 근일점 / 태양

▲ 현재

겨울 / 여름 / 원일점 ── 지구 ── 여름 / 겨울 / 근일점 / 태양

▲ 13000년 후

13000년 후에는 지구 자전축의 경사 방향이 현재와 반대가 되므로 근일점과 원일점에서 계절이 현재와 반대가 된다. ➡ 북반구에서는 근일점일 때 여름이고, 원일점일 때 겨울이기 때문에 기온의 연교차가 현재보다 ❶☐☐☐. ── 남반구에서는 기온의 연교차가 작아진다.

└───

② **지구 자전축의 경사각 변화**: 지구 자전축의 경사각(기울기)이 약 41000년을 주기로 $21.5°$~$24.5°$ 사이에서 변한다. ── 현재 자전축의 경사각은 약 $23.5°$이고, 이때 자전축 방향에 북극성이 있다.

$24.5°$
$23.5°$
$21.5°$
현재 자전축

자전축 경사각이 커질 때	자전축 경사각이 작아질 때
북반구와 남반구 모두 태양의 남중 고도가 여름에는 높아지고, 겨울에는 낮아지므로 기온의 연교차가 ❷☐☐☐.	북반구와 남반구 모두 태양의 남중 고도가 여름에는 낮아지고, 겨울에는 높아지므로 기온의 연교차가 ❸☐☐☐.

③ **지구 공전 궤도 이심률 변화**: 지구 공전 궤도는 약 10만 년을 주기로 원에 가까운 모양에서 긴 타원 모양으로 변한다. ── 이심률이 클수록 긴 타원 모양이다.

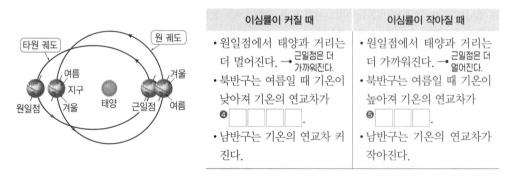

타원 궤도 / 원 궤도

여름 / 지구 / 겨울 / 원일점 / 태양 / 근일점 / 겨울 / 여름

이심률이 커질 때	이심률이 작아질 때
• 원일점에서 태양과 거리는 더 멀어진다. ── 근일점은 더 가까워진다. • 북반구는 여름일 때 기온이 낮아져 기온의 연교차가 ❹☐☐☐. • 남반구는 기온의 연교차 커진다.	• 원일점에서 태양과 거리는 더 가까워진다. ── 근일점은 더 멀어진다. • 북반구는 여름일 때 기온이 높아져 기온의 연교차가 ❺☐☐☐. • 남반구는 기온의 연교차가 작아진다.

④ **태양 활동의 변화**: 흑점 수가 많은 시기에는 태양 활동이 활발하여 지구에 도달하는 태양 복사 에너지양이 ❻☐☐한다. ➡ 흑점 수가 적었던 1600년대에 지구에는 소빙하기가 있었다.

2 자연적 요인-지구 내적 요인

지표면의 상태 변화	• 빙하 면적이 감소하면 지표면 반사율이 감소한다. ➡ 기온 ❼☐☐ • 숲이 감소하면 지표면 반사율이 증가한다. ➡ 기온 하강
대기의 투과율 변화	대규모 화산 분출로 방출된 화산재는 대기의 투과율을 감소시켜 지표에 도달하는 태양 복사 에너지양이 감소한다. ➡ 기온 ❽☐☐
수륙 분포의 변화	• 대륙이 분리되면 해양성 기후 지역이 늘어나고, 해류의 흐름이 복잡해져 다양한 기후가 나타난다. 예 판게아의 분리 • 해양에서 판이 벌어질 때 열과 이산화 탄소가 대기로 방출되어 기후를 변화시킨다.

3 인위적 요인

❾ ⬜⬜⬜⬜ 배출	화석 연료의 사용으로 대기에 배출된 온실 기체 때문에 지구 기온이 상승한다.
에어로졸 배출	대기로 배출된 에어로졸은 태양 빛을 차단하여 지구의 기온을 낮춘다.
과도한 토지 이용	지표면 반사율이 변하여 기후가 변한다. → 삼림 훼손, 도로 건설, 고층 건물 신축, 도시화 등

ⓑ 지구의 열수지와 온실 효과

1 지구의 열수지 ┌→ 태양 복사 에너지 중 자외선 영역은 성층권의 오존이, 적외선 영역은 온실 기체가 흡수한다.

① 태양 복사 에너지: 주로 파장이 짧은 가시광선으로, 지구 대기에 일부만 흡수된다.

② 지구 복사 에너지: 주로 파장이 긴 ❿ ⬜⬜⬜으로, 지구 대기에 대부분 흡수된다.

③ 지구는 태양 복사 에너지를 흡수한 양만큼 지구 복사 에너지를 방출하여 복사 평형을 이룬다.

2 온실 효과 대기 중 온실 기체가 지표에서 방출되는 복사 에너지의 일부를 흡수하였다가 재복사하여 지표 온도가 높게 나타나는 현상

① 온실 기체: 수증기(H_2O), 이산화 탄소(CO_2), 메테인(CH_4) 등이다. ┌→ 온실 효과를 일으키는 기체로, 주로 적외선을 흡수한다.

② 영향: 지구의 평균 기온을 약 15 °C로 유지시키고, 기온의 일교차와 연교차를 줄인다.

┌─ **지구 열수지 해석** ─┐

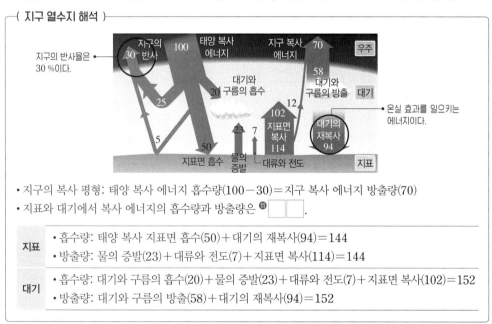

• 지구의 복사 평형: 태양 복사 에너지 흡수량(100−30)=지구 복사 에너지 방출량(70)
• 지표와 대기에서 복사 에너지의 흡수량과 방출량은 ⓫ ⬜⬜.

지표	• 흡수량: 태양 복사 지표면 흡수(50)+대기의 재복사(94)=144 • 방출량: 물의 증발(23)+대류와 전도(7)+지표면 복사(114)=144
대기	• 흡수량: 대기와 구름의 흡수(20)+물의 증발(23)+대류와 전도(7)+지표면 복사(102)=152 • 방출량: 대기와 구름의 방출(58)+대기의 재복사(94)=152

ⓒ 지구 온난화

1 지구 온난화 온실 효과가 강화되어 지구의 평균 기온이 점점 상승하는 현상

① 지구 온난화의 원인: 대기 중의 ⓬ ⬜⬜⬜⬜ 농도 증가 → 특히 이산화 탄소 농도 증가가 주된 원인이다.

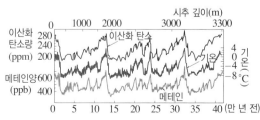

▲ 남극 빙하 코어 연구 ┐
온실 기체 농도와 기온이 밀접한 관련이 있다.

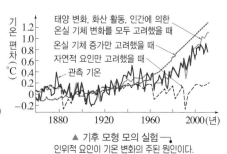

▲ 기후 모형 모의 실험 ┐
인위적 요인이 기온 변화의 주된 원인이다.

기출 Tip ⓑ-2

복사 평형
지구의 복사 평형을 이루는 지구의 열수지 수치는 자료마다 다를 수 있지만 우주, 대기, 지표 각각에서 모두 에너지 흡수량과 방출량이 같으므로 이를 고려하여 계산하도록 한다.

대기의 유무에 따른 지구의 평균 기온

	복사 평형	평균 기온
대기가 없을 때	이룬다.	낮다. (약 −18 °C)
대기가 있을 때	이룬다.	높다. (약 15 °C)

답 ❶ 커진다 ❷ 커진다 ❸ 작아진다 ❹ 작아진다 ❺ 커진다 ❻ 증가 ❼ 상승 ❽ 하강 ❾ 온실 기체 ❿ 적외선 ⓫ 같다 ⓬ 온실 기체

17 지구 기후 변화

② 지구 온난화의 영향

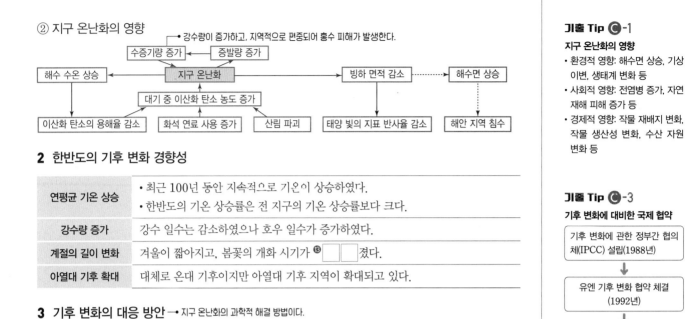

2 한반도의 기후 변화 경향성

연평균 기온 상승	• 최근 100년 동안 지속적으로 기온이 상승하였다. • 한반도의 기온 상승률은 전 지구의 기온 상승률보다 크다.
강수량 증가	강수 일수는 감소하였으나 호우 일수가 증가하였다.
계절의 길이 변화	겨울이 짧아지고, 봄꽃의 개화 시기가 ⑬[　]졌다.
아열대 기후 확대	대체로 온대 기후이지만 아열대 기후 지역이 확대되고 있다.

3 기후 변화의 대응 방안 → 지구 온난화의 과학적 해결 방법이다.

온실 기체 배출량 감소	• 화석 연료의 사용을 억제하고, 신재생 에너지 사용을 ⑭[　]한다. • 에너지 효율성을 개선하고, 환경 친화 기술을 개발한다.
대기 중의 이산화 탄소 제거	• 산업 시설에서 발생하는 이산화 탄소를 포집하여 지층이나 심해저에 저장한다. • 해양 ⑮[　]로 광합성량을 늘려 대기 중 이산화 탄소를 해수에 흡수시킨다.
태양 복사 에너지의 흡수량 감소	• 성층권에 에어로졸을 뿌려 태양 복사 에너지의 반사율을 높인다. • 우주에 반사막을 설치하여 태양 복사 에너지를 반사시킨다.

기출 Tip C-1
지구 온난화의 영향
• 환경적 영향: 해수면 상승, 기상 이변, 생태계 변화 등
• 사회적 영향: 전염병 증가, 자연 재해 피해 증가 등
• 경제적 영향: 작물 재배지 변화, 작물 생산성 변화, 수산 자원 변화 등

기출 Tip C-3
기후 변화에 대비한 국제 협약

기후 변화에 관한 정부간 협의체(IPCC) 설립(1988년)
↓
유엔 기후 변화 협약 체결 (1992년)
↓
교토 의정서 채택(1997년)
↓
파리 기후 변화 협약 체결 (2015년)

답 ⑬ 빨라 ⑭ 확대
⑮ 비옥화

빈출 자료 보기

 정답과 해설 63쪽

465 그림 (가)는 현재 모습이고, (나)와 (다)는 자전축의 경사 방향과 경사각의 변화를 나타낸 것이다.

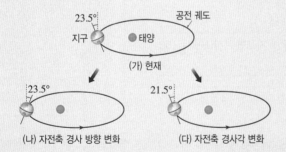

이에 대한 설명으로 옳은 것은 ○, 옳지 않은 것은 ×로 표시하시오.

(1) (나)는 약 26000년 후의 모습이다. (　　)

(2) (나)에서 북반구 기온의 연교차는 현재보다 커진다. (　　)

(3) (나)에서 기온의 연교차는 북반구가 남반구보다 크다. (　　)

(4) (나)에서 근일점일 때 우리나라는 겨울이다. (　　)

(5) (다)일 때 연간 지구에 입사하는 태양 복사 에너지양은 현재와 같다. (　　)

(6) (다)일 때 우리나라 겨울은 현재보다 더 따뜻해진다. (　　)

(7) (다)일 때 남반구에서 기온의 연교차는 커진다. (　　)

466 그림은 복사 평형 상태에 있는 현재 지구의 열수지를 나타낸 것이다.

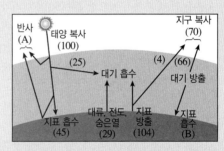

이에 대한 설명으로 옳은 것은 ○, 옳지 않은 것은 ×로 표시하시오.

(1) A는 30이다. (　　)

(2) B는 88이다. (　　)

(3) 지표에서 방출되는 에너지는 가시광선 형태이다. (　　)

(4) 지구의 대기는 적외선보다 가시광선을 잘 흡수한다. (　　)

(5) 지구에 대기가 없다면 지표 방출량은 늘어난다. (　　)

(6) B 때문에 온실 효과가 일어난다. (　　)

(7) 대기 중 온실 기체의 양이 많아지면 지표에서 방출되는 에너지양만 증가한다. (　　)

A 기후 변화의 요인

자연적 요인 – 지구 외적 요인

빈출
467 하중상
多 보기

그림 (가)와 (나)는 현재와 13000년 후 지구 공전 궤도이다.

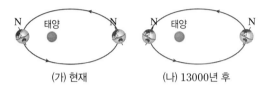

(가) 현재   (나) 13000년 후

이에 대한 설명으로 옳은 것만을 모두 고르면? (단, 지구 자전축의 경사 방향 변화 이외의 요인은 변하지 않는다고 가정한다.) (3개)

① (가)의 근일점에서 우리나라는 겨울이다.
② (가)에서 지구가 받는 태양 복사 에너지양은 근일점보다 원일점에서 더 많다.
③ 북반구 기온의 연교차는 (가)보다 (나)에서 더 크다.
④ (나)에서 기온의 연교차는 북반구가 남반구보다 크다.
⑤ 원일점일 때 우리나라에서 태양의 남중 고도는 (나)가 (가)보다 높다.
⑥ 근일점일 때 우리나라에서 낮의 길이는 (가)가 (나)보다 길다.
⑦ 남반구 중위도에서 기온의 연교차는 (가)가 (나)보다 작다.
⑧ (가)와 (나) 모두 자전축 방향에 북극성이 있다.

468 하중상

그림 (가)는 현재 지구 자전축의 경사 방향과 공전 궤도를, (나)는 원일점에서 세차 운동으로 지구 자전축의 경사 방향이 바뀌는 모습을 순서 없이 나타낸 것이다. 세차 운동의 주기는 약 26000년이다.

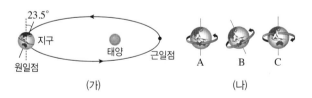

(가)   (나)

이에 대한 설명으로 옳은 것만을 〈보기〉에서 있는 대로 고른 것은? (단, 세차 운동 이외의 요인은 변하지 않는다고 가정한다.)

〈 보기 〉
ㄱ. 약 6500년 후 지구 자전축의 경사 방향은 A이다.
ㄴ. 약 6500년 후 북반구에서 기온의 연교차는 현재보다 커진다.
ㄷ. 약 13000년 후 지구가 태양과 가장 먼 위치에서 남반구는 여름이다.

① ㄱ   ② ㄴ   ③ ㄱ, ㄷ   ④ ㄴ, ㄷ   ⑤ ㄱ, ㄴ, ㄷ

[469~470] 그림 (가)와 (나)는 지구 자전축의 경사각이 24.5°와 21.5°일 때 근일점에 있는 지구와 태양의 모습을 나타낸 것이다. 이때 지구 자전축의 경사각 이외의 요인은 고려하지 않는다.

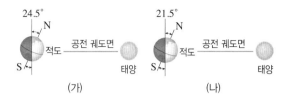

(가)   (나)

469 하중상
•서술형

현재와 비교하여 (나) 시기에 우리나라에서 기온의 연교차가 어떻게 변하는지 서술하시오.

빈출
470 하중상

이에 대한 설명으로 옳은 것만을 〈보기〉에서 있는 대로 고른 것은?

〈 보기 〉
ㄱ. 연간 지구에 입사하는 태양 복사 에너지양은 (가)와 (나)에서 같다.
ㄴ. 적도 지역의 연평균 기온은 (가)보다 (나)일 때 높다.
ㄷ. 원일점일 때 우리나라에서 태양의 남중 고도는 (가)보다 (나)일 때 낮다.
ㄹ. (가)에서 (나)로 변하는 데 걸리는 시간은 41000년이다.

① ㄱ, ㄴ   ② ㄱ, ㄹ   ③ ㄷ, ㄹ
④ ㄱ, ㄴ, ㄷ   ⑤ ㄴ, ㄷ, ㄹ

471 하중상

그림 (가)와 (나)는 지구 자전축의 경사 방향과 경사각의 변화를 현재와 비교하여 나타낸 것이다.

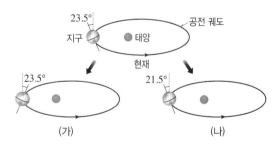

(가)   (나)

이에 대한 설명으로 옳은 것만을 〈보기〉에서 있는 대로 고른 것은? (단, 지구 자전축의 경사 방향과 경사각 이외의 요인은 변하지 않는다고 가정한다.)

〈 보기 〉
ㄱ. (나)일 때 우리나라의 연교차는 현재보다 커진다.
ㄴ. 현재에서 (가)로 변하면 북반구의 계절은 달라진다.
ㄷ. 현재에서 (나)로 변하면 남반구 지역은 여름철 평균 기온이 낮아질 것이다.

① ㄱ   ② ㄴ   ③ ㄱ, ㄷ   ④ ㄴ, ㄷ   ⑤ ㄱ, ㄴ, ㄷ

[472~473] 그림은 이심률이 다른 지구 공전 궤도 A와 B를 나타낸 것이다.

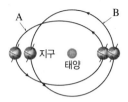

472 하중상
●●서술형

지구 공전 궤도가 B에서 A로 변할 때 이심률 변화를 서술하고, 북반구 기온의 연교차가 어떻게 변하는지 서술하시오.

빈출
473 하중상

이에 대한 설명으로 옳은 것만을 〈보기〉에서 있는 대로 고른 것은?

〈 보기 〉

ㄱ. 공전 궤도 이심률은 A보다 B가 크다.

ㄴ. 북반구의 여름철 기온은 A보다 B에서 높다.

ㄷ. 이심률이 A에서 B로 변하면 원일점에서 태양이 가까워지고 근일점에서는 멀어진다.

① ㄱ   ② ㄷ   ③ ㄱ, ㄴ

④ ㄴ, ㄷ   ⑤ ㄱ, ㄴ, ㄷ

474 하중상

그림은 지구 기후 변화에 영향을 주는 지구 외적 요인 중 한 가지를 나타낸 것이다.

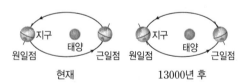

기후 변화의 지구 외적 요인에 대한 설명으로 옳은 것만을 〈보기〉에서 있는 대로 고른 것은?

〈 보기 〉

ㄱ. 13000년 후 다른 조건이 동일하고 자전축의 경사 방향만 변한다면 북반구에서 기온의 연교차는 커진다.

ㄴ. 다른 조건이 동일할 때, 지구 공전 궤도의 이심률이 현재보다 커지면 북반구 기온의 연교차는 커진다.

ㄷ. 다른 조건이 동일할 때, 지구 자전축의 경사각이 현재보다 커지면 북반구 기온의 연교차는 작아진다.

① ㄱ   ② ㄴ   ③ ㄱ, ㄷ

④ ㄴ, ㄷ   ⑤ ㄱ, ㄴ, ㄷ

475 하중상

그림은 지구 자전축 경사각의 변화를 나타낸 것이다. 이에 대한 설명으로 옳은 것만을 〈보기〉에서 있는 대로 고른 것은? (단, 지구 자전축 경사각 이외의 요인은 고려하지 않는다.)

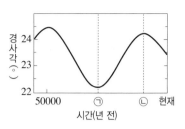

〈 보기 〉

ㄱ. 30°S에서 기온의 연교차는 현재가 ⓒ 시기보다 작다.

ㄴ. 30°N에서 겨울철 태양의 남중 고도는 ⑤ 시기가 현재보다 높다.

ㄷ. 일 년 동안 지구에 입사하는 평균 태양 복사 에너지양은 ⑤ 시기가 ⓒ 시기보다 많다.

① ㄱ   ② ㄷ   ③ ㄱ, ㄴ

④ ㄴ, ㄷ   ⑤ ㄱ, ㄴ, ㄷ

476 하중상
●●서술형

그림은 2016년 미국항공우주국(NASA)에서 제공한 태양 흑점 수의 변화를 나타낸 것이다.

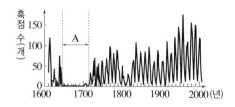

A 시기에 태양의 활동과 지구의 연평균 기온 변화를 서술하시오.

477 하중상

그림은 지구 공전 궤도 이심률의 변화와 지구 자전축 기울기의 변화를 나타낸 것이다.

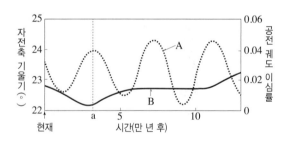

이에 대한 설명으로 옳은 것만을 〈보기〉에서 있는 대로 고른 것은?

〈 보기 〉

ㄱ. 자전축 기울기의 변화는 A이다.

ㄴ. 10만 년 후 근일점에 위치할 때 우리나라는 겨울이다.

ㄷ. a 시기에 우리나라에서 기온의 연교차는 현재보다 커진다.

① ㄱ   ② ㄷ   ③ ㄱ, ㄴ

④ ㄴ, ㄷ   ⑤ ㄱ, ㄴ, ㄷ

478 하(중)상

그림 (가)는 현재 지구 자전축의 경사 방향과 공전 궤도를, (나)는 지구 공전 궤도 이심률의 변화를 나타낸 것이다. 세차 운동의 주기는 약 26000년이고, 방향은 지구의 공전 방향과 반대이다.

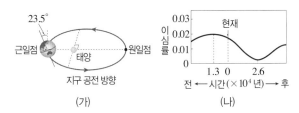

(가) (나)

이에 대한 설명으로 옳은 것만을 〈보기〉에서 있는 대로 고른 것은? (단, 지구 자전축의 경사 방향과 공전 궤도 이심률 이외의 요인은 변하지 않는다고 가정한다.)

〈 보기 〉
ㄱ. 13000년 전 남반구 기온의 연교차는 현재보다 컸다.
ㄴ. 현재로부터 약 6500년 후 지구가 근일점 부근에 있을 때 남반구는 가을철이 된다.
ㄷ. 북반구가 여름일 때, 지구에 입사하는 태양 복사 에너지양은 13000년 전이 26000년 후보다 많다.

① ㄱ   ② ㄷ   ③ ㄱ, ㄴ
④ ㄴ, ㄷ   ⑤ ㄱ, ㄴ, ㄷ

자연적 요인 – 지구 내적 요인

479 하(중)상

기후 변화의 자연적인 요인 중 지구 내적 요인만을 〈보기〉에서 있는 대로 고른 것은?

〈 보기 〉
ㄱ. 위도별 수륙 분포
ㄴ. 화산 폭발로 발생한 화산재
ㄷ. 지구 공전 궤도 이심률의 변화

① ㄱ   ② ㄷ   ③ ㄱ, ㄴ
④ ㄴ, ㄷ   ⑤ ㄱ, ㄴ, ㄷ

480 하(중)상

기후 변화를 유발하는 요인에 대한 설명으로 옳지 <u>않은</u> 것은?

① 화산 기체가 방출되면 지구의 기온이 상승할 수 있다.
② 발산형 경계에서 이산화 탄소가 방출되면 기후가 변한다.
③ 화산재가 방출되면 지표에 도달하는 태양 복사 에너지양은 감소한다.
④ 빙하의 면적이 감소하면 지표에 흡수되는 태양 복사 에너지양이 감소한다.
⑤ 대륙에 많이 있던 빙하가 녹아 바다에 유입되면 해수의 순환이 바뀌고 기후가 변한다.

---

481 하(중)상

그림은 1991년 6월에 일어난 어떤 화산 폭발에 따른 지구의 평균 기온 변화를 나타낸 것이다.

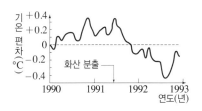

이에 대한 설명으로 옳은 것만을 〈보기〉에서 있는 대로 고른 것은?

〈 보기 〉
ㄱ. 지권과 기권의 상호 작용에 해당한다.
ㄴ. 분출된 화산재는 지표에 입사하는 태양 복사 에너지양을 증가시킨다.
ㄷ. 화산 활동은 지구의 평균 기온을 낮추는 역할을 한다.

① ㄱ   ② ㄴ   ③ ㄱ, ㄷ
④ ㄴ, ㄷ   ⑤ ㄱ, ㄴ, ㄷ

인위적 요인

482 하(중)상

그림은 지구 기후 변화의 요인을 구분하는 과정을 나타낸 것이다.

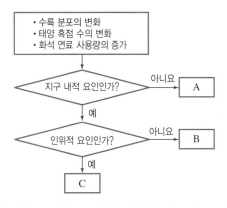

이에 대한 설명으로 옳은 것만을 〈보기〉에서 있는 대로 고른 것은?

〈 보기 〉
ㄱ. 지구 기후에 영향을 주는 속도는 A가 B보다 빠르다.
ㄴ. B 때문에 표층 해류의 순환 양상이 달라질 수 있다.
ㄷ. C 때문에 지구의 평균 기온이 급격히 상승한다.

① ㄱ   ② ㄴ   ③ ㄱ, ㄷ
④ ㄴ, ㄷ   ⑤ ㄱ, ㄴ, ㄷ

483

표는 지표면 상태에 따른 반사율을 나타낸 것이다.

구분	새 아스팔트	오래된 아스팔트	침엽수림
반사율(%)	4	12	8~15
구분	토양	녹색 잔디	사막 모래	콘크리트
반사율(%)	17	25	40	55

지표면 평균 반사율이 감소하는 경우만을 〈보기〉에서 있는 대로 고른 것은?

〈 보기 〉
ㄱ. 운동장에 잔디를 심어 잔디 구장을 만들었다.
ㄴ. 오래된 아스팔트를 걷어내고 새 아스팔트를 깔았다.
ㄷ. 콘크리트 건물을 허물고 잔디 공원을 조성하였다.

① ㄱ　　　　② ㄴ　　　　③ ㄷ
④ ㄱ, ㄴ　　　⑤ ㄴ, ㄷ

484

다음은 지구의 기후 변화를 일으키는 요인에 대한 설명이다.

기후 변화 요인	내용
(가)	지구 공전 궤도 이심률이 약 10만 년을 주기로 변한다.
(나)	판의 운동으로 수륙 분포가 변한다.
(다)	화석 연료의 사용으로 대기 중 이산화 탄소 농도가 증가한다.

이에 대한 설명으로 옳은 것만을 〈보기〉에서 있는 대로 고른 것은?

〈 보기 〉
ㄱ. (가)는 지구 내적 요인 중 하나이다.
ㄴ. (나)는 대기와 해수의 순환에 영향을 준다.
ㄷ. (다) 때문에 온실 효과가 증대된다.

① ㄱ　　　　② ㄴ　　　　③ ㄷ
④ ㄱ, ㄴ　　　⑤ ㄴ, ㄷ

Ⓑ 지구의 열수지와 온실 효과

485

다음은 온실 기체에 대한 설명이다.

대기 중에 있는 온실 기체는 주로 파장이 짧은 (㉠)의 태양 복사 에너지는 거의 투과시키고, 파장이 긴 (㉡)의 지구 복사 에너지는 흡수하여 지표로 재복사한다.

㉠와 ㉡에 알맞은 말을 쓰시오.

486

그림은 지구에 입사하는 태양 복사 에너지의 세기를 나타낸 것이다.

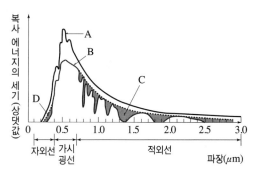

이에 대한 설명으로 옳은 것만을 〈보기〉에서 있는 대로 고른 것은?

〈 보기 〉
ㄱ. A는 지표면에서의 태양 복사 에너지이고, B는 대기 밖에서의 태양 복사 에너지이다.
ㄴ. C는 주로 온실 기체가 흡수한다.
ㄷ. D는 주로 오존이 흡수한다.

① ㄱ　　　　② ㄴ　　　　③ ㄱ, ㄷ
④ ㄴ, ㄷ　　　⑤ ㄱ, ㄴ, ㄷ

487

그림은 지구 열수지를 나타낸 것이다.

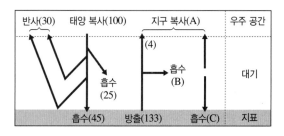

이에 대한 설명으로 옳은 것만을 〈보기〉에서 있는 대로 고른 것은?

〈 보기 〉
ㄱ. A는 B보다 크다.
ㄴ. C는 88이다.
ㄷ. 화석 연료의 사용이 증가하면 B가 감소한다.

① ㄱ　　　　② ㄴ　　　　③ ㄱ, ㄷ
④ ㄴ, ㄷ　　　⑤ ㄱ, ㄴ, ㄷ

[488~489] 그림은 지구에 도달하는 태양 복사 에너지를 100이라고 할 때, 복사 평형 상태에 있는 지구의 열수지를 나타낸 것이다.

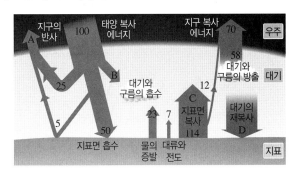

488 하⬤상

A~D를 구하고, 이 중 온실 효과를 일으키는 에너지를 쓰시오.

489 하⬤상

이에 대한 설명으로 옳은 것만을 〈보기〉에서 있는 대로 고른 것은?

〈 보기 〉
ㄱ. 빙하 면적이 감소하면 A는 감소한다.
ㄴ. 대기가 흡수하는 에너지는 모두 가시광선 영역이다.
ㄷ. 대기가 없다면 우주로 방출되는 지구 복사 에너지양은 증가할 것이다.

① ㄱ ② ㄴ ③ ㄱ, ㄷ
④ ㄴ, ㄷ ⑤ ㄱ, ㄴ, ㄷ

490 하⬤상 多보기

그림은 태양 복사 에너지를 100으로 하였을 때 복사 평형을 이루고 있는 지구의 열수지를 나타낸 것이다.

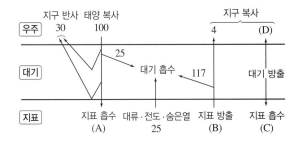

이에 대한 설명으로 옳은 것만을 모두 고르면? (3개)

① A+C=B+25이다.
② B는 가시광선 형태로 방출된다.
③ C는 103이다.
④ D는 70이다.
⑤ 온실 기체가 증가하면 C가 감소한다.
⑥ 성층권의 오존 감소는 A를 증가시킨다.
⑦ D는 지표에서 우주로 직접 방출되는 에너지양이다.
⑧ 대기가 지표로 방출하는 에너지양이 대기가 우주로 방출하는 에너지양보다 많다.

491 하⬤상

그림 (가)는 대기가 없을 때, (나)는 대기가 있을 때 지구 열수지를 나타낸 것이다.

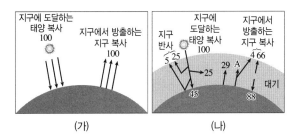

이에 대한 설명으로 옳은 것만을 〈보기〉에서 있는 대로 고른 것은?

〈 보기 〉
ㄱ. (가)에서는 복사 평형이 일어나고, (나)에서는 복사 평형이 일어나지 않는다.
ㄴ. 지구의 평균 기온은 (나)가 (가)보다 높다.
ㄷ. (나)에서 A의 값은 100이다.

① ㄱ ② ㄷ ③ ㄱ, ㄴ
④ ㄱ, ㄷ ⑤ ㄴ, ㄷ

492 하⬤상

그림 (가)는 복사 평형 상태에 있는 지구의 열수지를, (나)는 파장에 따른 대기의 지구 복사 에너지 흡수도를 나타낸 것이다. ㉠, ㉡, ㉢은 파장 영역에 해당한다.

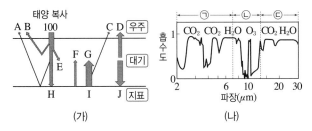

이에 대한 설명으로 옳은 것만을 〈보기〉에서 있는 대로 고른 것은?

〈 보기 〉
ㄱ. E−D=C−H이다.
ㄴ. C는 대부분 ㉡으로 방출되는 에너지양이다.
ㄷ. 대규모 화산 분출로 발생한 화산재는 C+D의 값을 증가시킨다.

① ㄱ ② ㄷ ③ ㄱ, ㄴ
④ ㄴ, ㄷ ⑤ ㄱ, ㄴ, ㄷ

493 하중상

그림은 1993년부터 2010년까지 평균 해수면의 높이 변화를 나타낸 것이다.

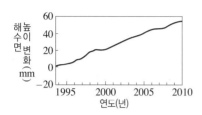

이 현상과 가장 관련이 깊은 것은?

① 대기 중 에어로졸 농도 증가
② 지구 온난화로 해수의 수온 상승
③ 화산 폭발로 다량의 화산재 방출
④ 빙하의 증가로 지표면 반사율 증가
⑤ 수륙 분포 변화에 따른 해수의 흐름 변화

494 하중상

그림은 지구 온난화와 관련된 현상들의 순환 과정을 모식도로 나타낸 것이다.

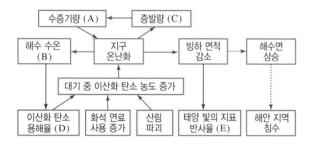

A~E 현상 중 지구 온난화가 진행될 때 값이 감소하는 것은?

① A, B   ② A, E   ③ B, C
④ C, D   ⑤ D, E

495 하중상
•●서술형

그림은 1900년부터 2010년까지 북극해 얼음 면적과 전 지구의 평균 해수면 높이를 A와 B로 순서 없이 나타낸 것이다.

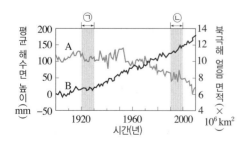

A와 B가 각각 무엇을 뜻하는지 쓰고, ㉠ 기간과 ㉡ 기간에 북극해역의 평균 기온을 비교하여 서술하시오.

496 하중상

그림은 남극 빙하의 아이스 코어로 추정한 약 45만 년 동안의 대기 중 CO_2의 농도와 지구의 평균 기온 변화를 나타낸 것이다.

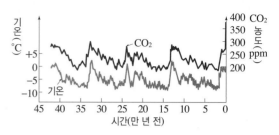

이에 대한 설명으로 옳은 것만을 〈보기〉에서 있는 대로 고른 것은?

〈 보기 〉

ㄱ. 45만 년 동안 기온과 CO_2 농도의 변화 경향이 유사하다.
ㄴ. 약 35만 년 전에는 현재보다 빙하로 인한 지표 반사율이 더 높았을 것이다.
ㄷ. 약 15만 년 전에 지구 대기의 온실 효과는 현재와 비슷했을 것이다.

① ㄱ   ② ㄷ   ③ ㄱ, ㄴ
④ ㄴ, ㄷ   ⑤ ㄱ, ㄴ, ㄷ

497 하중상

그림은 정부간 기후 변화 협의체(IPCC)에서 2014년 발표한 지구 기후 시스템 변화 지표인 온실 기체의 농도 변화이다.

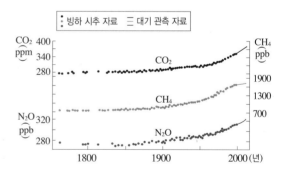

이에 대한 설명으로 옳은 것만을 〈보기〉에서 있는 대로 고른 것은?

〈 보기 〉

ㄱ. 온실 기체 중 농도가 가장 큰 것은 메테인이다.
ㄴ. 지구 온난화에 가장 큰 영향을 주는 요인은 이산화 탄소이다.
ㄷ. 온실 기체 농도 변화율이 이대로 지속된다면 해수면이 상승하여 저지대 해안가는 침수될 수 있다.

① ㄱ   ② ㄴ   ③ ㄱ, ㄷ
④ ㄴ, ㄷ   ⑤ ㄱ, ㄴ, ㄷ

498 하중상

그림은 지구 온난화와 관련하여 연쇄적으로 일어날 수 있는 현상의 일부를 나타낸 것이다.

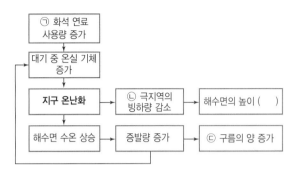

이에 대한 설명으로 옳은 것만을 〈보기〉에서 있는 대로 고른 것은?

〈 보기 〉
ㄱ. ㉠은 극지역의 반사율을 증가시키는 역할을 한다.
ㄴ. ㉡으로 해수면의 높이가 낮아진다.
ㄷ. ㉢은 지구 온난화를 완화시키는 음(−)의 피드백 역할을 할 수 있다.

① ㄱ　　　　　② ㄷ　　　　　③ ㄱ, ㄴ
④ ㄴ, ㄷ　　　　⑤ ㄱ, ㄴ, ㄷ

499 하중상 　　　　多 보기

지구 온난화로 발생한 기후 변화에 대한 설명으로 옳지 <u>않은</u> 것만을 모두 고르면? (2개)

① 작물 재배지가 달라지고, 생태계가 교란된다.
② 고산 지대와 남극 대륙 빙하 면적이 점차 감소한다.
③ 건조 지역은 고기압이 강화되어 사막화가 확대된다.
④ 바다에 적조 현상이 나타나 수산업이 피해를 입는다.
⑤ 고위도의 토탄 습지가 따뜻해지면 메테인 농도가 감소한다.
⑥ 해수의 열팽창과 극지역 빙하의 감소로 해수면이 상승한다.
⑦ 대류권의 오존 농도 증가로 대기 오염과 호흡기 질환이 감소한다.

500 하중상

지구 온난화로 나타나는 한반도의 기후 변화 경향성에 대한 설명으로 옳은 것만을 〈보기〉에서 있는 대로 고른 것은?

〈 보기 〉
ㄱ. 강수량이 대체로 증가하고 있다.
ㄴ. 여름이 길어지고, 겨울이 짧아졌다.
ㄷ. 봄꽃의 개화 시기가 빨라지고 있다.
ㄹ. 난류성 어종이 줄어들고, 한류성 어종이 늘어난다.

① ㄱ, ㄴ　　　② ㄴ, ㄹ　　　③ ㄱ, ㄴ, ㄷ
④ ㄱ, ㄷ, ㄹ　　⑤ ㄴ, ㄷ, ㄹ

501 하중상

그림은 기후 모형으로 모의 실험한 지구의 기온 변화와 실제 관측 기온을 나타낸 것이다.

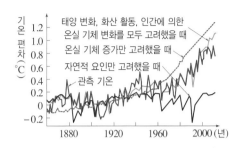

이에 대한 설명으로 옳은 것만을 〈보기〉에서 있는 대로 고른 것은?

〈 보기 〉
ㄱ. 자연적 요인만 고려하면 지구의 기온은 장기간 큰 변화가 없으며, 약간의 냉각 현상이 있었을 것이다.
ㄴ. 인위적 요인만 고려하면 기온 변화는 관측 값에 비해 높게 나타난다.
ㄷ. 현재의 온난화는 자연적 요인과 인위적 요인 중 주로 인위적 요인으로 나타난다.

① ㄱ　　　　　② ㄴ　　　　　③ ㄱ, ㄷ
④ ㄴ, ㄷ　　　　⑤ ㄱ, ㄴ, ㄷ

502 하중상 　　　　•서술형

지구 온난화로 일어나는 기후 변화는 지구 환경에 여러 변화를 초래하고, 광범위한 영향을 미친다. 지구 온난화가 일으키는 환경적 영향, 사회적 영향, 경제적 영향을 각각 <u>한 가지씩</u> 서술하시오.

503 하중상 　　　　多 보기

지구 온난화에 대응하는 방안에 대한 설명으로 옳지 <u>않은</u> 것만을 모두 고르면? (2개)

① 대규모 산림을 조성한다.
② 대류권에 에어로졸을 뿌려 지구의 반사율을 높인다.
③ 에너지 효율을 높이는 기술을 개발하여 온실 기체 배출을 줄인다.
④ 화석 연료의 사용을 줄이기 위해 재생 가능한 에너지 활용을 늘인다.
⑤ 우주에 반사막을 설치하여 지구가 방출하는 지구 복사 에너지양을 줄인다.
⑥ 해양 비옥화를 통해 대기 중 이산화 탄소가 해수에 더 많이 녹아들게 한다.
⑦ 이산화 탄소를 발생원에서 분리, 포집하여 석탄층이나 심해저에 장기간 저장한다.

504

그림은 태평양 주변에서 1월과 7월의 평년 기압 분포 중 하나를 나타낸 것이다.

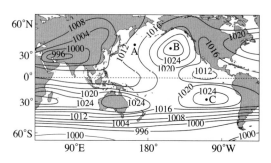

이에 대한 설명으로 옳은 것만을 〈보기〉에서 있는 대로 고른 것은?

〈 보기 〉

ㄱ. 이 평년 기압 분포는 7월에 해당한다.

ㄴ. A 해역에서 표층 해류는 서쪽에서 동쪽으로 흐른다.

ㄷ. B와 C 해역의 고기압은 해들리 순환의 상승으로 형성된다.

① ㄱ 　　　　② ㄷ 　　　　③ ㄱ, ㄴ

④ ㄴ, ㄷ 　　　⑤ ㄱ, ㄴ, ㄷ

505

그림 (가)는 북태평양 해수의 표층 순환을, (나)는 B와 C 해역의 표층 수온과 염분 관측 값을 나타낸 것이다. ⊙과 ⓒ은 각각 B와 C 해역의 관측 값 중 하나이다.

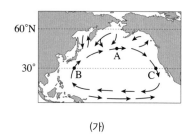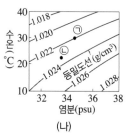

　　　(가)　　　　　　　　(나)

이에 대한 설명으로 옳은 것만을 〈보기〉에서 있는 대로 고른 것은?

〈 보기 〉

ㄱ. ⊙은 B에 해당한다.

ㄴ. A에서 흐르는 해류는 편서풍의 영향으로 형성된다.

ㄷ. 용존 산소량은 B에서 가장 많게 관측된다.

① ㄱ 　　　　② ㄷ 　　　　③ ㄱ, ㄴ

④ ㄴ, ㄷ 　　　⑤ ㄱ, ㄴ, ㄷ

506

그림은 수심 4000 m 해수의 연령 분포를 나타낸 것이다. 해수의 연령은 해수가 표층에서 침강한 이후부터 현재까지 경과한 시간을 뜻한다.

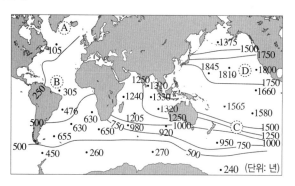

이에 대한 설명으로 옳은 것만을 〈보기〉에서 있는 대로 고른 것은?

〈 보기 〉

ㄱ. A~D 해역 중 표층에서 해수의 침강은 A에서 가장 활발하다.

ㄴ. 수심 4000 m에서 해수의 흐름은 C가 D보다 빠르다.

ㄷ. 평균 연령은 대서양이 태평양보다 높다.

① ㄱ 　　　　② ㄷ 　　　　③ ㄱ, ㄴ

④ ㄴ, ㄷ 　　　⑤ ㄱ, ㄴ, ㄷ

507

•• 서술형

그림 (가)는 어느 해(Y)에 시작된 엘니뇨 또는 라니냐 시기 동안 태평양 적도 부근에서 기상 위성으로 관측한 구름의 적외선 방출 복사 에너지의 편차(관측값−평년값)를, (나)는 서태평양과 동태평양에 위치한 각 지점의 해면 기압 편차(관측값−평년값)를 나타낸 것이다. (가)의 시기는 (나)의 ⊙에 해당한다.

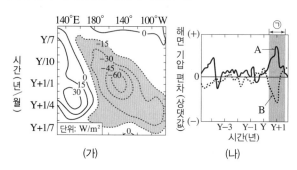

　　　(가)　　　　　　　　(나)

(가) 시기는 엘니뇨와 라니냐 중 어떤 시기이고, (나)의 A와 B는 각각 서태평양과 동태평양 중 어디에 해당하는지 근거와 함께 서술하시오. (단, 구름이 두꺼울수록 최상단 구름의 적외선 방출량은 적다.)

508

그림 (가)와 (나)는 태평양 적도 부근 해역에서 측정한 무역풍의 동서 방향 풍속 편차와 20 ℃ 등수온선 깊이 편차의 변화를 시간에 따라 나타낸 것이다. 편차는 (관측값−평년값)이고, (가)에서 무역풍이 서쪽으로 향하는 방향을 양(+)으로 한다.

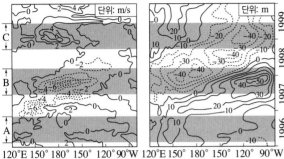

(가) 풍속 편차   (나) 깊이 편차

이에 대한 설명으로 옳은 것만을 〈보기〉에서 있는 대로 고른 것은?

〈 보기 〉
ㄱ. 동태평양의 용승은 A보다 B가 강하다.
ㄴ. 동태평양과 서태평양의 온난 수역의 두께 차이는 A보다 C가 크다.
ㄷ. $\dfrac{\text{동태평양의 해수면 평균 기압}}{\text{서태평양의 해수면 평균 기압}}$ 은 B보다 C가 크다.

① ㄱ   ② ㄷ   ③ ㄱ, ㄴ
④ ㄴ, ㄷ   ⑤ ㄱ, ㄴ, ㄷ

509

그림 (가)와 (나)는 지구의 공전 궤도 이심률과 자전축 경사각의 변화를 각각 나타낸 것이다. 세차 운동의 주기는 약 26000년이고, 방향은 지구 공전 방향과 반대이다.

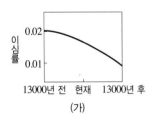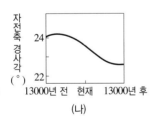

(가)   (나)

이에 대한 설명으로 옳은 것만을 〈보기〉에서 있는 대로 고른 것은? (단, 지구의 공전 궤도 이심률, 자전축 경사각, 세차 운동 이외의 요인은 변하지 않는다.)

〈 보기 〉
ㄱ. 30°N에서 기온의 연교차는 현재가 13000년 전보다 작다.
ㄴ. 원일점에서 30°S의 밤의 길이는 현재가 13000년 전보다 길다.
ㄷ. 30°S의 겨울철 태양의 남중 고도는 6500년 후가 현재보다 낮다.

① ㄱ   ② ㄷ   ③ ㄱ, ㄴ
④ ㄴ, ㄷ   ⑤ ㄱ, ㄴ, ㄷ

510

그림 (가)는 지구 자전축의 경사각 변화를, (나)는 지구 자전축의 경사각이 현재에서 A 또는 B로 변할 때, 현재와 비교하여 북반구의 지구 대기 상부에 도달하는 태양 복사 에너지의 월별 변화량을 나타낸 것이다.

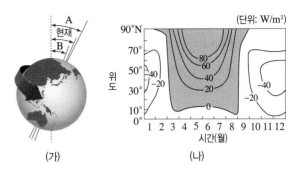

(가)   (나)

이에 대한 설명으로 옳은 것만을 〈보기〉에서 있는 대로 고른 것은? (단, 자전축 경사각 이외의 요인은 변하지 않는다고 가정한다.)

〈 보기 〉
ㄱ. (가)의 A일 때 (나)와 같은 에너지 변화가 나타난다.
ㄴ. 6월에 북반구와 남반구의 평균 온도 차는 현재가 (나)보다 작다.
ㄷ. 위도 40°N에서 겨울철에 입사하는 태양 복사 에너지양은 현재가 (나)보다 적다.

① ㄱ   ② ㄷ   ③ ㄱ, ㄴ
④ ㄴ, ㄷ   ⑤ ㄱ, ㄴ, ㄷ

511

그림은 대기 중 이산화 탄소의 양이 현재의 2배가 되었을 때 기온 변화 예상도이다.

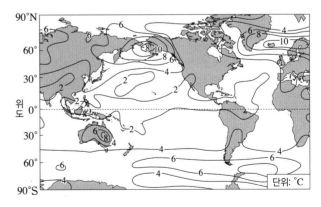

이에 대한 설명으로 옳은 것만을 〈보기〉에서 있는 대로 고른 것은?

〈 보기 〉
ㄱ. 북반구 고위도는 적도에 비해 기온 변화량이 크다.
ㄴ. 수권에서 담수가 차지하는 비율은 감소할 것이다.
ㄷ. 지구의 평균 해수면이 낮아질 것이다.

① ㄱ   ② ㄷ   ③ ㄱ, ㄴ
④ ㄴ, ㄷ   ⑤ ㄱ, ㄴ, ㄷ

별의 물리량

Ⓐ 별의 표면 온도

1 별의 색과 표면 온도

└ 입사된 모든 에너지를 흡수하고 방출하는 이상적인 물체

① 빈의 변위 법칙: 흑체의 표면 온도(T)가 높을수록 최대 에너지를 방출하는 파장(λ_{max})이 **❶**□□진다.

$$\lambda_{max} = \frac{a}{T} \ (a: 빈의 상수)$$

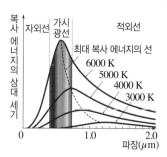

▲ 플랑크 곡선 흑체가 방출하는 복사 에너지를 파장에 따라 나타낸 곡선

② 별의 색: **❷**□□□□에 따라 다르게 나타난다. ➡ 표면 온도가 높은 별은 파란색을 띠고, 표면 온도가 낮은 별은 붉은색을 띤다.

③ 별의 색지수: 별을 서로 다른 파장에서 관측했을 때 나타나는 등급의 차이로, 사진 등급－안시 등급, B－V 등을 사용한다. ➡ 별의 **❸**□□□□가 높을수록 색지수가 작다.

사진 등급－안시 등급	B－V(B 등급－V 등급)
• 사진 등급: 별의 밝기를 사진으로 측정한 등급 　파란색에 민감하여 표면 온도가 높은 별에서 등급이 작다. • 안시 등급: 별의 밝기를 맨눈으로 관측했을 때의 등급 　노란색에 민감하여 표면 온도가 낮은 별에서 등급이 작다.	• U, B, V 등급: U, B, V 필터를 통과한 빛으로 정한 겉보기 등급으로, 보통 B－V를 색지수로 활용한다. 　파란색 파장의 빛 ┐　┌ 노란색 파장의 빛 　(사진 등급과 비슷하다.)　(안시 등급과 비슷하다.)

(U, B, V 등급과 색지수)

• 파란색 별: V 필터보다 B 필터를 통과한 별빛이 더 밝다.
➡ B 등급＜V 등급
➡ B－V＜0
➡ **❹**□온의 별

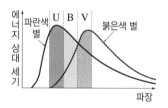

• 붉은색 별: B 필터보다 V 필터를 통과한 별빛이 더 밝다.
➡ B 등급＞V 등급
➡ B－V＞0
➡ **❺**□온의 별

└ 색지수가 0인 별: 표면 온도가 약 10000 K인 별(A형, 흰색)

2 별의 분광형(스펙트럼형)과 표면 온도

① 스펙트럼의 종류

연속 스펙트럼	고온의 광원에서 방출되는 빛의 스펙트럼 예 태양 빛, 백열등
❻□□ 스펙트럼	고온·저밀도의 기체가 방출하는 빛의 스펙트럼 예 가열된 성운
❼□□ 스펙트럼	고온의 광원 앞에 저온·저밀도의 기체가 있을 때 나타나는 스펙트럼

② 별빛의 스펙트럼: 흡수 스펙트럼이 나타나며, 표면 온도에 따른 흡수선의 종류와 세기가 다르다.
└ 별의 표면 온도에 따라 원소들이 이온화되는 정도가 다르고, 각각 가능한 이온화 단계에서 특정 파장의 흡수선을 형성하기 때문이다.

③ 별의 분광형: 별을 **❽**□□□□에 따라 스펙트럼에 나타나는 흡수선의 종류와 세기를 기준으로, 고온에서 저온 순으로 O, B, A, F, G, K, M형으로 분류한 것 └ 각 분광형은 고온의 0에서 저온의 9까지 세분된다. 예 태양: G2형

▲ 분광형에 따른 흡수선의 종류와 세기

④ 별의 분광형과 표면 온도에 따른 색

분광형	O	B	A	F	G	K	M
표면 온도(K)	30000 이상	10000~30000	7500~10000	6000~7500	5000~6000	3500~5000	3500 이하
색	파란색	청백색	흰색	황백색	노란색	주황색	붉은색

기출 Tip Ⓐ-1

별의 표면 온도와 색의 관계
별은 흑체와 비슷한 성질을 띠므로 표면 온도기 높을수록 최대 에너지를 방출하는 파장이 짧아진다. ➡ 최대 에너지를 방출하는 파장이 짧을수록 별은 파랗게 보인다.

기출 Tip Ⓐ-2

분광형에 따른 흡수선의 종류와 세기
• O형: 이온화된 헬륨(He Ⅱ) 흡수선이 강하게 나타난다.
• A형: 중성 수소(H) 흡수선이 가장 강하게 나타난다.
• G형(예 태양): 이온화된 칼슘(Ca Ⅱ) 흡수선이 강하게 나타난다.
• G, K, M형: 표면 온도가 낮은 별들은 금속 원소들과 분자들의 흡수선이 강하게 나타난다.

표면 온도와 별의 특성
표면 온도가 높은 별일수록
• 최대 에너지를 방출하는 파장이 짧다.
• 파란색을 띤다.
• 색지수가 작다.
• 분광형이 M → K → G → F → A → B → O형으로 가까워진다.

B 별의 광도와 크기

1 겉보기 등급과 절대 등급

① 별의 밝기: 1등급인 별은 6등급인 별보다 100배 밝다. → 5등급 사이의 밝기 차가 100배이므로, 1등급 사이의 밝기 차는 $100^{\frac{1}{5}}≒2.5$배이다.

② 겉보기 등급: 맨눈으로 보이는 별의 밝기를 나타낸 등급

③ 절대 등급: 10 pc의 거리에 있다고 가정할 때 별의 밝기를 나타낸 등급 → 별의 실제 밝기에 해당한다.

④ 별의 등급과 별까지의 거리: 별의 '겉보기 등급－절대 등급'이 클수록 별까지의 거리가 **⑨** [ ].

　→ 별까지의 거리가 멀수록 연주 시차는 작아진다.　→ $m-M=5\log r-5$ (m: 겉보기 등급, M: 절대 등급, r: 별까지의 거리)

2 별의 광도

① 슈테판·볼츠만 법칙: 별이 단위 시간 동안 단위 면적에서 방출하는 에너지양(E)은 표면 온도(T)의 네제곱에 비례한다.

$$E=\sigma T^4 \quad (\sigma: 슈테판·볼츠만\ 상수)$$

② 별의 광도: 별이 단위 시간 동안 방출하는 에너지의 총량

　→ 별의 실제 밝기에 해당한다.

$$L=4\pi R^2 \cdot \sigma T^4 \quad (L: 별의\ 광도, R: 별의\ 반지름)$$

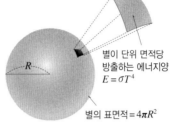

별이 단위 면적당 방출하는 에너지양 $E=\sigma T^4$

별의 표면적$=4\pi R^2$

▲ 별의 광도

③ **⑩** [ ] 등급으로 별의 광도를 비교할 수 있다. ➡ 절대 등급이 작은 별일수록 광도가 크다.

④ 별의 밝기와 등급의 관계

─(포그슨 공식)─

❶ 겉보기 등급이 m_1, m_2인 두 별의 겉보기 밝기를 각각 l_1, l_2라고 하면,

두 별의 겉보기 등급과 밝기 사이에는 $100^{\frac{1}{5}(m_2-m_1)}=10^{\frac{2}{5}(m_2-m_1)}=\dfrac{l_1}{l_2}$이 성립한다.

❷ 양변에 상용로그를 취하면 $m_2-m_1=-2.5\log\dfrac{l_2}{l_1}$이다. (포그슨 공식)

❸ 위 식을 절대 등급(M_1, M_2)과 광도(L_1, L_2)로 나타내면 $M_2-M_1=-2.5\log\dfrac{L_2}{L_1}$이다.

　→ 별들의 실제 밝기를 비교하기 위해서 절대 등급과 광도를 사용한다.

3 별의 크기

별의 **⑪** [ ](L)와 **⑫** [ ](T)를 알면 별의 반지름(R)을 구할 수 있다.

　→ $L=4\pi R^2 \cdot \sigma T^4$ ➤ $R=\sqrt{\dfrac{L}{4\pi \cdot \sigma T^4}}$

기출 Tip ❸-2

두 별의 광도, 표면 온도, 반지름 비교

$L=4\pi R^2 \cdot \sigma T^4$ (L: 광도, R: 반지름, T: 표면 온도)

· 표면 온도(분광형)가 같은 두 별의 광도: 반지름이 큰 별의 광도가 더 크다.

· 표면 온도(분광형)가 같은 두 별의 반지름: 광도가 큰 별의 반지름이 더 크다.

· 광도가 같은 두 별의 반지름: 표면 온도가 높은 별의 반지름이 더 작다.

답 ❶ 짧아 ❷ 표면 온도 ❸ 표면 온도 ❹ 고 ❺ 저 ❻ 방출 ❼ 흡수 ❽ 표면 온도 ❾ 멀다 ❿ 절대 ⑪ 광도 ⑫ 표면 온도

빈출 자료 보기

정답과 해설 70쪽

512 표는 별 A와 B의 물리량을 나타낸 것이다.

별	표면 온도(K)	분광형	겉보기 등급	절대 등급
A	4000	K형	−3	−8
B	2000	M형	−3	−3

이에 대한 설명으로 옳은 것은 ○, 옳지 않은 것은 ×로 표시하시오.

(1) 최대 에너지를 방출하는 파장은 A가 B보다 짧다. 　(　)

(2) 색지수는 A가 B보다 작다. 　(　)

(3) A의 스펙트럼에서는 이온화된 헬륨(He Ⅱ)보다 이온화된 칼슘(Ca Ⅱ) 흡수선이 강하게 나타난다. 　(　)

(4) A가 B보다 밝게 보인다. 　(　)

(5) A가 B보다 별까지의 거리가 더 멀다. 　(　)

(6) 별이 단위 시간 동안 단위 면적에서 방출하는 에너지양은 A가 B보다 많다. 　(　)

(7) 별이 단위 시간 동안 방출하는 총에너지양은 A가 B보다 적다. 　(　)

(8) 광도는 A가 B의 100배이다. 　(　)

(9) 반지름은 A가 B의 5배이다. 　(　)

A 별의 표면 온도

빈출 513 하 중 상

多 보기

별의 물리량에 대한 설명으로 옳지 <u>않은</u> 것만을 모두 고르면? (2개)

① 별은 표면 온도가 낮을수록 짧은 파장의 전자기파를 강하게 방출한다.

② 별은 표면 온도에 따라 색이 다양하게 나타난다.

③ 색지수를 이용하여 두 별의 표면 온도를 비교할 수 있다.

④ 보통 $B-V$를 색지수로 활용한다.

⑤ 절대 등급이 작은 별이 실제로 밝은 별이다.

⑥ 슈테판·볼츠만 법칙으로 표면 온도와 광도가 알려진 별의 반지름을 구할 수 있다.

⑦ 별이 단위 시간 동안 표면에서 방출하는 총에너지양을 광도라고 한다.

⑧ 별의 광도는 지구로부터의 거리에 관계없이 일정하다.

514 하 중 상

별의 표면 온도를 추정할 수 있는 물리량만을 〈보기〉에서 있는 대로 고른 것은?

〈 보기 〉

ㄱ. 밀도   ㄴ. 질량   ㄷ. 분광형
ㄹ. 색지수   ㅁ. 절대 등급   ㅂ. 겉보기 등급
ㅅ. 최대 에너지를 방출하는 파장

① ㄱ, ㄴ, ㅂ   ② ㄱ, ㄹ, ㅅ   ③ ㄴ, ㄹ, ㅁ
④ ㄷ, ㄹ, ㅅ   ⑤ ㄷ, ㅁ, ㅂ

515 하 중 상

별의 분광형에 대한 설명으로 옳은 것만을 〈보기〉에서 있는 대로 고른 것은?

〈 보기 〉

ㄱ. 별의 표면 온도에 따라 흡수선의 종류와 세기가 달라지는 원리를 이용한다.

ㄴ. O형 별은 M형 별보다 표면 온도가 높다.

ㄷ. O형 별은 붉은색을 띤다.

① ㄱ   ② ㄷ   ③ ㄱ, ㄴ
④ ㄴ, ㄷ   ⑤ ㄱ, ㄴ, ㄷ

516 하 중 상

별의 분광형을 별의 표면 온도가 높은 것부터 순서대로 나열하시오.

517 하 중 상

그림은 표면 온도가 다른 흑체의 파장에 따른 복사 에너지의 상대 세기를 나타낸 것이다.

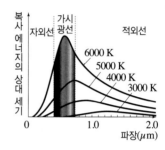

이에 대한 설명으로 옳은 것만을 〈보기〉에서 있는 대로 고른 것은?

〈 보기 〉

ㄱ. 별은 흑체에 가까운 성질을 띠므로 표면 온도와 광도는 별을 흑체로 가정하여 추정한다.

ㄴ. 흑체가 최대 복사 에너지를 방출하는 파장은 흑체의 표면 온도에 반비례한다.

ㄷ. 표면 온도가 높은 별일수록 붉은색으로 보일 것이다.

① ㄱ   ② ㄷ   ③ ㄱ, ㄴ
④ ㄴ, ㄷ   ⑤ ㄱ, ㄴ, ㄷ

빈출 518 하 중 상

多 보기

그림은 반지름이 같은 별 A와 B의 파장에 따른 에너지 세기를 나타낸 것이다.

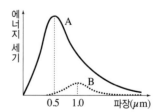

이에 대한 설명으로 옳은 것만을 모두 고르면? (2개)

① A는 0.5 μm에서 최대 에너지를 방출한다.

② 최대 에너지를 방출하는 파장은 A가 B보다 길다.

③ 표면 온도는 B가 A의 2배이다.

④ A는 B보다 붉게 보인다.

⑤ 단위 시간 동안 방출하는 총에너지양은 A가 B보다 많다.

⑥ 색지수는 A가 B보다 크다.

빈출
519 하 **중** 상

그림은 별 (가)와 (나)의 플랑크 곡선과 B 필터와 V 필터의 투과 영역을 나타낸 것이다. 이에 대한 설명으로 옳은 것은?

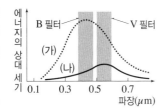

① 표면 온도는 (가)가 (나)보다 낮다.

② (가)는 V 등급이 B 등급보다 크다.

③ 색지수(B−V)는 (가)가 (나)보다 크다.

④ 사진 등급과 비슷한 밝기는 V 등급이다.

⑤ (나)는 안시 등급보다 사진 등급에서 더 밝은 별로 측정된다.

520 하 **중** 상
●●서술형

그림은 반지름이 같은 두 별 S_1과 S_2의 파장에 따른 복사 에너지의 상대 세기와 V 필터와 B 필터의 투과 영역을 나타낸 것이다. (단, S_2의 최대 복사 에너지 파장은 100 nm이다.)

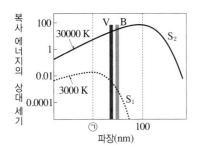

(1) S_1의 최대 복사 에너지 파장 ㉠을 구하시오.

(2) S_1과 S_2의 광도는 서로 몇 배 차이인지 비교하여 서술하시오.

(3) S_1과 S_2의 색지수(B−V)의 크기를 비교하고, 그 까닭을 서술하시오.

521 하 **중** 상

표는 반지름이 같고 표면 온도는 2.5배만큼 차이 나는 별 (가)와 (나)를 각각 B 필터와 V 필터를 사용하여 측정한 등급을 나타낸 것이다. 이에 대한 설명으로 옳은 것만을 〈보기〉에서 있는 대로 고른 것은?

별	B 등급	V 등급
(가)	0	3
(나)	1	1

┌─── 〈 보기 〉 ───
ㄱ. 색지수는 (가)가 (나)보다 크다.
ㄴ. 표면 온도는 (가)가 (나)보다 높다.
ㄷ. 광도는 (가)가 (나)보다 크다.
└─────────────

① ㄱ　　　② ㄴ　　　③ ㄱ, ㄷ
④ ㄴ, ㄷ　　　⑤ ㄱ, ㄴ, ㄷ

522 하 **중** 상
多 보기

그림은 종류가 다른 세 스펙트럼을 나타낸 것이다.

이에 대한 설명으로 옳지 <u>않은</u> 것만을 모두 고르면? (2개)

① (가)는 태양 빛을 프리즘에 통과시킬 때 나타난다.

② (나)는 흡수 스펙트럼, (다)는 방출 스펙트럼이다.

③ (나)의 검은 선은 특정 파장의 에너지가 방출되어 나타난다.

④ (다)는 원소의 주변에 고온의 에너지원이 존재할 때 나타난다.

⑤ (나)와 (다)는 같은 원소에 의해 나타나는 스펙트럼이다.

⑥ 백열등은 (나)와 같은 스펙트럼이 나타난다.

523 하 **중** 상

그림은 여러 종류의 스펙트럼이 생성되는 원리를 나타낸 것이다.

이에 대한 설명으로 옳은 것만을 〈보기〉에서 있는 대로 고른 것은?

┌─── 〈 보기 〉 ───
ㄱ. (가)는 연속 스펙트럼이다.
ㄴ. (나)는 별의 대기에 존재하는 저온의 기체에 의해 나타난다.
ㄷ. 별을 표면 온도에 따라 분류할 때 (다)를 이용한다.
└─────────────

① ㄱ　　　② ㄷ　　　③ ㄱ, ㄴ
④ ㄴ, ㄷ　　　⑤ ㄱ, ㄴ, ㄷ

524 하 중 상

그림은 별 (가)~(다)의 표면 온도와 스펙트럼을 나타낸 것이다.

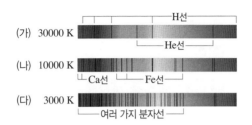

이에 대한 설명으로 옳은 것만을 〈보기〉에서 있는 대로 고른 것은?

〈 보기 〉

ㄱ. (가)는 파란색을 띠고, (다)는 붉은색을 띤다.
ㄴ. (나)는 분광형이 A형인 별의 스펙트럼이다.
ㄷ. (가)는 (다)보다 금속 원소와 분자들에 의한 흡수선이 잘 나타난다.

① ㄱ　　　　② ㄷ　　　　③ ㄱ, ㄴ
④ ㄴ, ㄷ　　　⑤ ㄱ, ㄴ, ㄷ

★빈출 525 하 중 상　　　多 보기

그림은 별의 분광형에 따른 흡수선의 세기를 나타낸 것이다.

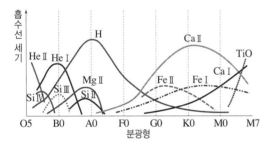

이에 대한 설명으로 옳지 않은 것만을 모두 고르면? (2개)

① B0형 별에서는 He I 흡수선이 가장 강하게 나타난다.
② He II 흡수선이 가장 강하게 나타나는 별은 파란색을 띤다.
③ G0형보다 표면 온도가 낮은 별에서는 H 흡수선이 나타나지 않는다.
④ 상대적으로 표면 온도가 낮은 별에서 금속 원소와 분자의 흡수선이 강하게 나타난다.
⑤ 태양의 스펙트럼에서는 H 흡수선보다 Ca II 흡수선이 강하게 나타난다.
⑥ H 흡수선이 가장 강하게 나타나는 별은 태양보다 표면 온도가 높다.
⑦ 별의 분광형에 따라 흡수선의 종류와 세기가 다른 주된 까닭은 별의 화학 조성이 다르기 때문이다.

526 하 중 상

그림은 별의 분광형에 따른 흡수선의 종류와 세기를, 표는 분광형이 A0형, B0형, K0형인 별의 스펙트럼 특징을 순서 없이 (가), (나), (다)로 나타낸 것이다.

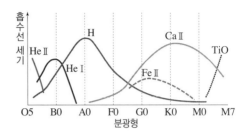

별	스펙트럼 특징
(가)	중성 수소(H) 흡수선이 가장 강하게 나타난다.
(나)	칼슘 이온(Ca II) 흡수선이 가장 강하게 나타난다.
(다)	중성 헬륨(He I) 흡수선이 가장 강하게 나타난다.

이에 대한 설명으로 옳은 것만을 〈보기〉에서 있는 대로 고른 것은?

〈 보기 〉

ㄱ. (가)는 A0형 별이다.
ㄴ. 표면 온도는 (나)가 (다)보다 높다.
ㄷ. 중성 수소(H) 흡수선은 (나)가 (다)보다 강하게 나타난다.

① ㄱ　　　　② ㄷ　　　　③ ㄱ, ㄴ
④ ㄴ, ㄷ　　　⑤ ㄱ, ㄴ, ㄷ

B 별의 광도와 크기

★빈출 527 하 중 상　　　多 보기

별의 광도에 대한 설명으로 옳은 것만을 모두 고르면? (2개)

① 광도는 단위 시간 동안 별의 단위 면적에서 방출하는 에너지 양이다.
② 광도가 클수록 절대 등급이 크다.
③ 광도가 같으면 별의 겉보기 밝기가 같다.
④ 광도는 별의 표면 온도의 네제곱에 비례한다.
⑤ 광도는 별의 반지름에 비례한다.
⑥ 광도와 표면 온도를 알면 별의 반지름을 구할 수 있다.

★빈출 528 하 중 상

태양의 절대 등급은 5등급이고, 별 A의 광도는 태양의 100배이다. 별 A의 절대 등급은 몇 등급인가?

① −20　　　② −1　　　③ 0
④ 1　　　　⑤ 20

529 하 **중** 상

표는 별 (가)~(다)의 물리량을 나타낸 것이다.

별	절대 등급	겉보기 등급	분광형
(가)	−4.0	2.0	F
(나)	−6.0	−1.0	K
(다)	−1.0	−1.5	B

이에 대한 설명으로 옳은 것만을 〈보기〉에서 있는 대로 고른 것은?

〈 보기 〉
ㄱ. (가)~(다) 중 표면 온도가 가장 높은 별은 (가)이다.
ㄴ. (가)~(다) 중 가장 밝게 보이는 별은 (다)이다.
ㄷ. (나)는 (다)보다 지구로부터 먼 거리에 있다.

① ㄱ ② ㄴ ③ ㄷ
④ ㄱ, ㄷ ⑤ ㄴ, ㄷ

530 하 **중** 상

표는 별 A와 B의 물리량을 나타낸 것이다.

별	거리(pc)	겉보기 등급	색지수(B−V)
A	10	10.0	−0.3
B	100	10.0	0.0

이에 대한 설명으로 옳은 것만을 〈보기〉에서 있는 대로 고른 것은?

〈 보기 〉
ㄱ. 연주 시차는 A가 B보다 크다.
ㄴ. 절대 등급은 A가 B보다 크다.
ㄷ. 표면 온도는 A가 B보다 높다.

① ㄱ ② ㄴ ③ ㄱ, ㄷ
④ ㄴ, ㄷ ⑤ ㄱ, ㄴ, ㄷ

531 하 **중** 상
•서술형

슈테판·볼츠만 법칙을 이용하여 반지름이 R, 표면 온도가 T인 별의 광도 L을 구하는 과정을 서술하시오.

532 하 **중** 상

그림은 반지름이 R, 표면 온도가 T인 별에서 단위 시간당 단위 면적에서 방출되는 에너지양(E)을 나타낸 것이다.

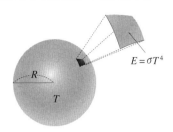

$E = \sigma T^4$

이에 대한 설명으로 옳은 것만을 〈보기〉에서 있는 대로 고른 것은? (단, σ는 슈테판·볼츠만 상수이다.)

〈 보기 〉
ㄱ. 별의 표면적은 $\frac{4}{3}\pi R^3$이다.
ㄴ. 광도는 E에 별의 표면적을 곱하여 구할 수 있다.
ㄷ. 표면 온도가 태양과 같고, 반지름이 태양의 2배인 별의 광도는 태양의 16배이다.

① ㄱ ② ㄴ ③ ㄷ
④ ㄱ, ㄷ ⑤ ㄴ, ㄷ

533 하 **중** 상

반지름이 태양의 $\frac{1}{4}$이고, 표면 온도가 태양의 4배인 별의 광도는 태양의 몇 배인가?

① $\frac{1}{16}$ ② $\frac{1}{4}$ ③ 1배
④ 4배 ⑤ 16배

534 하 **중** 상
•서술형

그림은 반지름과 표면 온도가 서로 다른 두 별을 나타낸 것이다.

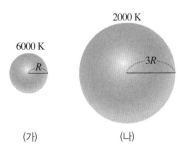

2000 K

6000 K

R

$3R$

(가) (나)

별 (나)의 광도는 (가)의 몇 배인지 풀이 과정을 포함하여 서술하시오.

535 (하⊙상)

표는 별 A~C의 물리량을 나타 낸 것이다. 이에 대한 설명으로 옳은 것만을 〈보기〉에서 있는 대로 고른 것은?

별	반지름 (태양=1)	표면 온도 (K)
A	5	10000
B	25	5000
C	100	5000

〈 보기 〉

ㄱ. 단위 시간 동안 단위 면적에서 방출하는 에너지양은 C가 가장 많다.

ㄴ. 광노는 A가 B보다 크다.

ㄷ. 거리가 같다면 C가 A보다 밝다.

① ㄱ   ② ㄷ   ③ ㄱ, ㄴ
④ ㄴ, ㄷ   ⑤ ㄱ, ㄴ, ㄷ

536 (하⊙상) ●●서술형

광도가 같고 반지름이 서로 다른 두 별의 표면 온도를 비교하여 서술하시오.

537 (하⊙상) ●●서술형

표는 별 A, B의 광도와 표면 온도를 나타낸 것이다.

별	A	B
광도(태양=1)	2	0.5
표면 온도(K)	3000	6000

(1) A와 B 중 절대 등급이 더 큰 별을 쓰시오.

(2) A의 반지름은 B의 몇 배인지 풀이 과정을 포함하여 서술하시오.

538 (하⊙상) ●●서술형

색지수가 같은 두 별 A와 B의 절대 등급이 각각 −4등급과 6등급일 때, A의 반지름은 B의 몇 배인지 풀이 과정을 포함하여 서술하시오.

539 (하⊙상)

표는 별 (가)~(다)의 분광형과 절대 등급을 나타낸 것이다. 이에 대한 설명으로 옳은 것만을 〈보기〉에서 있는 대로 고른 것은?

별	분광형	절대 등급
(가)	A0	10.0
(나)	G0	5.0
(다)	F0	−5.0

〈 보기 〉

ㄱ. 별이 단위 시간 동안 단위 면적에서 방출하는 에너지양은 (가)가 (나)보다 많다.

ㄴ. 별이 단위 시간 동안 방출하는 총에너지양은 (다)기 가장 많다.

ㄷ. 별의 반지름은 (다)가 (가)보다 크다.

① ㄱ   ② ㄷ   ③ ㄱ, ㄴ
④ ㄴ, ㄷ   ⑤ ㄱ, ㄴ, ㄷ

540 (하중⊙)

다음은 포그슨 공식을 유도하여 겉보기 등급이 각각 4등급과 −1등급인 두 별 A와 B의 겉보기 밝기를 비교하는 과정이다.

(가) A와 B의 겉보기 등급을 각각 m_A, m_B, 겉보기 밝기를 각각 l_A, l_B라고 하자.

1등급 사이의 밝기 차는 $100^{\frac{1}{5}}$배이므로

$$100^{\frac{1}{5}(m_B - m_A)} = 10^{\frac{2}{5}(m_B - m_A)} = \frac{l_A}{l_B}$$ 의 관계가 성립하고,

양변에 상용 로그를 취하면 $m_B - m_A = ($ ㉠ $)$이다.

(나) $m_A = 4$, $m_B = -1$을 대입하면

$-5 = ($ ㉠ $)$에서 $($ ㉡ $)l_A = l_B$이다.

즉, B의 겉보기 밝기는 A의 겉보기 밝기의 $($ ㉡ $)$배이다.

㉠과 ㉡에 해당하는 수식을 옳게 짝 지은 것은?

	㉠	㉡		㉠	㉡
①	$-2.5\log\frac{l_B}{l_A}$	100	②	$-2.5\log\frac{l_B}{l_A}$	2
③	$-2.5\log\frac{l_A}{l_B}$	10	④	$2.5\log\frac{l_B}{l_A}$	100
⑤	$2.5\log\frac{l_A}{l_B}$	10			

541 하/중/상 ··서술형

두 별 A, B의 절대 등급을 각각 M_A, M_B, 광도를 각각 L_A, L_B라고 할 때 포그슨 공식을 유도하는 과정을 서술하시오.

542 하/중/상

그림은 절대 등급이 같은 두 별 A와 B의 파장에 따른 에너지의 상대 세기와 최대 에너지를 방출하는 파장을 나타낸 것이다.

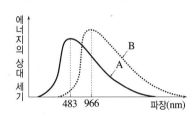

이에 대한 설명으로 옳은 것만을 〈보기〉에서 있는 대로 고른 것은?

〈 보기 〉
ㄱ. 표면 온도는 A가 B의 2배이다.
ㄴ. 광도는 A가 B의 2배이다.
ㄷ. 반지름은 B가 A의 4배이다.

① ㄱ　　　　　② ㄴ　　　　　③ ㄱ, ㄷ
④ ㄴ, ㄷ　　　　⑤ ㄱ, ㄴ, ㄷ

543 하/중/상

표는 별 A~C의 물리량을 나타낸 것이다.

별	겉보기 등급	절대 등급	분광형
A	1	1	M2
B	6	6	G2
C	6	1	A0

이에 대한 설명으로 옳은 것은?

① 색지수는 A가 가장 작다.
② B의 색은 흰색이다.
③ 거리가 가장 먼 별은 B이다.
④ C의 광도는 B의 6배이다.
⑤ 별의 반지름은 A가 C보다 크다.

544 하/중/상

그림은 별 A~D의 물리량을 나타낸 것이다.

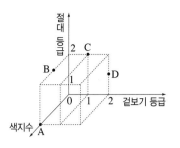

이에 대한 설명으로 옳지 않은 것은?

① (사진 등급－안시 등급)이 가장 큰 별은 A이다.
② A는 B보다 표면 온도가 낮다.
③ B와 C는 단위 시간 동안 방출하는 총 에너지의 양이 같다.
④ 같은 거리에서의 밝기는 B가 D보다 밝다.
⑤ 별까지의 거리는 C가 D보다 가깝다.

545 하/중/상 ··서술형

그림은 두 별 A, B의 표면 온도와 절대 등급을 나타낸 것이다.

(1) 별 A의 광도는 별 B의 몇 배인지 서술하시오.

(2) 별 A의 반지름은 별 B의 몇 배인지 서술하시오.

546 하/중/상

다음은 별 A, B의 물리량에 대해 설명한 것이다.

- A의 절대 등급은 4등급이다.
- A와 B의 표면 온도 비는 $1 : \sqrt{2}$이다.
- A와 B의 반지름 비는 1 : 5이다.

이에 대한 설명으로 옳은 것만을 〈보기〉에서 있는 대로 고른 것은?

〈 보기 〉
ㄱ. 최대 에너지를 방출하는 파장은 A가 B보다 길다.
ㄴ. 광도는 B가 A의 50배이다.
ㄷ. B의 절대 등급은 3등급이다.

① ㄱ　　　　　② ㄴ　　　　　③ ㄱ, ㄷ
④ ㄴ, ㄷ　　　　⑤ ㄱ, ㄴ, ㄷ

H-R도와 별의 진화

A H-R도와 별의 분류

1 H-R도 별의 표면 온도와 광도를 이용하여 별의 분포를 나타낸 그래프

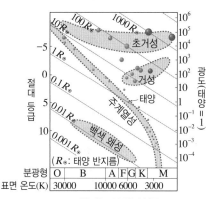

① 가로축 물리량: 표면 온도, ❶[ ][ ][ ][ ], 색지수
➡ 왼쪽으로 갈수록 표면 온도가 높고, 분광형은 O형에 가까우며, 색지수가 작다.

② 세로축 물리량: 광도, ❷[ ][ ][ ] ➡ 위로 갈수록 광도가 크고, 절대 등급이 작다.

③ 대각선의 오른쪽 위로 갈수록 반지름이 크고, 밀도가 작다.

④ 별의 종류 ➡ 중성자별이나 블랙홀과 같이 광도가 너무 작거나 가시광선을 거의 방출하지 않는 별은 H-R도에 나타나지 않는다.

▲ H-R도와 별의 분류

❸[ ][ ][ ][ ]	• H-R도의 왼쪽 위에서 오른쪽 아래로 이어지는 대각선 영역에 분포 ➡ 왼쪽 위에 분포할수록 별의 표면 온도가 높고, 광도, 질량, 반지름이 크고, 수명이 짧다. • 별의 약 90 %가 주계열성으로 존재하며, 별은 일생의 대부분을 주계열성으로 보낸다.
거성	• 표면 온도는 낮으나 반지름이 매우 커서 광도가 크다. ┐주계열성보다 평균 밀도가 작다.
초거성	• 거성보다 반지름이 커서 광도가 매우 크다. ┘
백색 왜성	• 표면 온도는 높으나 반지름이 매우 작기 때문에 광도가 작다. • 크기는 지구와 비슷하지만, 질량은 태양과 비슷하여 평균 ❹[ ][ ]가 매우 크다.

2 광도 계급 별들을 광도에 따라 계급으로 구분하여 나타낸 것

① 광도 계급이 Ⅰ에서 Ⅶ로 갈수록 별의 광도와 반지름이 ❺[ ][ ].

② 분광형이 동일할 경우 광도 계급의 숫자가 작은 별의 반지름이 더 크다. └광도가 큰 별

③ 태양을 분광형과 광도 계급으로 분류하면 G2Ⅴ이다.
└M-K 분류법   분광형┘ └광도 계급(주계열성)

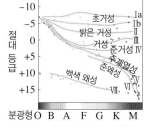

▲ H-R도와 광도 계급

B 별의 진화

1 별의 탄생 ➡ 주로 분자 상태의 수소로 구성되어 있다.

① 성운 중 밀도가 ❻[ ]고, 온도가 ❼[ ]은 영역이 중력 수축하여 원시별이 된다.

② 원시별이 중력 수축하여 표면 온도가 높아져 약 1000 K에 이르면 빛(가시광선)을 방출하는 전 주계열 단계가 되고, 계속 중력 수축하여 중심부 온도가 약 ❽[ ][ ][ ][ ][ ] K에 이르면 중심핵에서 수소 핵융합 반응이 시작되어 별(주계열성)이 탄생한다.

┌─ **질량에 따른 원시별의 진화 경로와 주계열에 도달하는 데 걸리는 시간** ─┐

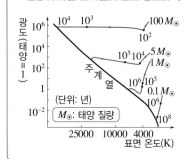

• 태양보다 질량이 큰 원시별은 H-R도에서 대체로 수평 방향으로 진화한다. ➡ 표면 온도 변화가 크다.

• 질량이 태양과 비슷하거나 태양보다 작은 원시별은 H-R도에서 대체로 수직 방향으로 진화한다. ➡ 광도 변화가 크다.

• 질량이 큰 원시별일수록 중력 수축이 빠르게 일어나 주계열 단계에 ❾[ ][ ] 도달하고, 광도가 크고 표면 온도가 높은 주계열성이 된다.

기출 Tip Ⓐ-1

H-R도에서 가로축, 세로축, 대각선 방향에서의 별의 물리량

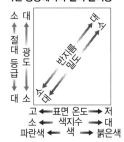

주계열성의 질량-광도 관계
주계열성의 질량이 클수록 광도가 크다. ➡ 주계열성은 질량이 클수록 중심핵의 온도가 높고, 에너지를 생성하는 핵이 커서 단위 시간 동안 많은 양의 에너지를 만들 수 있기 때문이다.

별의 반지름과 평균 밀도의 상대적 비교
• 반지름: 초거성 > 거성 > 주계열성 > 백색 왜성
• 평균 밀도: 백색 왜성 > 주계열성 > 거성 > 초거성

기출 Tip Ⓑ-1
원시별과 주계열성의 에너지원
• 원시별: 중력 수축 에너지
• 주계열성: 수소 핵융합 반응

③ 질량이 태양의 약 0.08배 이하인 원시별은 중심부 온도가 1000만 K에 이르지 못해 수소 핵융합 반응이 일어나지 않으므로 갈색 왜성이 된다.

2 별의 진화 별의 **❿** ☐☐ 에 따라 진화 과정이 달라진다.

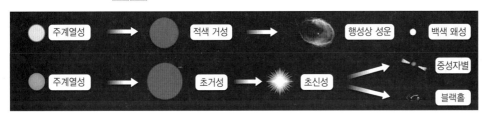

① 주계열성: 중심부에서 **⓫** ☐☐ ☐☐☐ 반응이 일어나고 내부 기체의 압력 차이로 발생한 힘과 중력이 평형을 이루어 크기가 일정한 별로, 별의 질량이 클수록 주계열성으로 머무는 시간이 짧다.
→ 질량이 클수록 중심부의 온도가 높아 수소 핵융합 반응이 빠르게 일어나므로 중심부의 수소를 빨리 소모한다.

② 질량이 태양과 비슷한 별의 진화: 주계열성 → 적색 거성 → 행성상 성운, **⓬** ☐☐ ☐☐

적색 거성	• 주계열성 중심부에서 수소 핵융합 반응이 멈추면 헬륨 핵은 수축하고, 헬륨 핵을 둘러싼 수소층에서 수소 핵융합 반응이 일어난다. → 별의 바깥층이 팽창하면서 광도가 커지고 표면 온도가 낮아져 적색 거성이 된다. • 적색 거성의 중심핵에서는 헬륨 핵융합 반응이 일어나 탄소, 산소가 생성된다.
행성상 성운, 백색 왜성	• 적색 거성 중심부에서 헬륨 핵융합 반응이 멈추면, 바깥층은 우주 공간으로 방출되어 행성상 성운이 되고, 중심핵은 수축하여 백색 왜성이 된다.

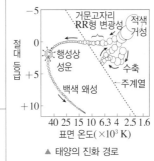
▲ 태양의 진화 경로

③ 질량이 태양보다 매우 큰 별의 진화: 주계열성 → 초거성 → 초신성 → 중성자별 또는 블랙홀

초거성	• 초거성의 중심부는 온도가 매우 높아 탄소, 네온, 산소, 규소 핵융합 반응이 차례로 일어나고 철까지 생성된다. → 철은 가장 안정한 원소이다.
초신성	• 초거성 내부에서 핵융합 반응이 멈추면 빠르게 중력 수축하며 초신성 폭발이 일어난다. • 초신성 폭발 과정에서 철보다 **⓭** ☐☐☐ 원소가 생성된다.
중성자별 또는 블랙홀	• 초신성 폭발 이후 남은 중심핵 질량이 태양의 약 1.4배~약 3배인 경우에는 중성자별이 되고, 태양의 약 3배 이상인 경우에는 블랙홀이 된다.

기출 Tip ❸-2
태양의 각 진화 경로에서의 물리량 변화
• 주계열성 → 적색 거성

증가	반지름, 광도
감소	표면 온도, 밀도

• 적색 거성 → 백색 왜성

증가	표면 온도, 밀도
감소	반지름, 광도

수소각 연소
수소각은 주계열성 중심부에서 수소 핵융합 반응이 멈춘 후 헬륨 핵을 둘러싼 수소층을 껍질에 비유한 말이다. 수소각 연소는 수소각에서 일어나는 수소 핵융합 반응이다.
• 헬륨 핵을 둘러싼 수소층에서 일어나는 수소 핵융합 반응
＝수소각 연소
＝수소 껍질 연소

▲ 수소각 연소

📖 **답** ❶ 분광형 ❷ 절대 등급 ❸ 주계열성 ❹ 밀도 ❺ 작다 ❻ 높 ❼ 낮 ❽ 1000만 ❾ 빨리 ❿ 질량 ⓫ 수소 핵융합 ⓬ 백색 왜성 ⓭ 무거운

빈출 자료 보기

정답과 해설 74쪽

547 그림은 별 A∼D를 H-R도에 나타낸 것이다.

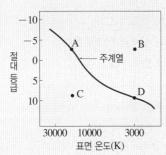

이에 대한 설명으로 옳은 것은 ○, 옳지 않은 것은 ×로 표시하시오.

(1) H-R도의 가로축에는 표면 온도 대신 분광형을 쓸 수 있다. ( )
(2) H-R도의 오른쪽 위로 갈수록 별의 반지름과 밀도가 커진다. ( )
(3) C는 백색 왜성이다. ( )
(4) A는 D보다 질량과 광도가 크다. ( )
(5) A는 D보다 원시별에서 주계열 단계에 도달하는 시간이 짧다. ( )
(6) B는 A보다 반지름이 크다. ( )
(7) C는 질량이 태양보다 매우 큰 별의 마지막 진화 단계이다. ( )
(8) C의 내부에서는 헬륨 핵융합 반응이 일어난다. ( )
(9) 별을 구성하는 원소 중 수소가 차지하는 비율은 A∼D 중 C가 가장 높다. ( )

A H-R도와 별의 분류

548 하 중 상

H-R도에서 세로축에 해당하는 물리량만을 〈보기〉에서 있는 대로 고르시오.

〈 보기 〉

ㄱ. 광도　　　ㄴ. 밀도　　　ㄷ. 반지름
ㄹ. 색지수　　ㅁ. 분광형　　ㅂ. 절대 등급
ㅅ. 표면 온도

549 하 중 상

H-R도와 별의 특성에 대한 설명으로 옳지 않은 것은?

① H-R도에서 가로축에 해당하는 물리량에는 표면 온도와 분광형이 있다.
② H-R도의 왼쪽 하단에 위치한 별일수록 밀도가 크다.
③ H-R도에 나타나지 않는 별도 있다.
④ 거성은 H-R도의 오른쪽 상단에 위치한다.
⑤ 백색 왜성은 H-R도의 왼쪽 위에서 오른쪽 아래로 길게 이어지는 영역에 분포한다.

550 하 중 상

그림은 별들을 분광형과 절대 등급에 따라 H-R도에 나타낸 후 (가)~(라) 집단으로 분류한 것이다. (가)~(라)에 해당하는 별의 종류를 각각 쓰시오.

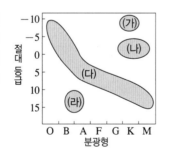

551 하 중 상

그림은 태양 근처의 별들을 H-R도에 나타낸 것이다. 별 A~C의 반지름을 옳게 비교한 것은?

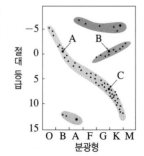

① A>B>C
② A=B>C
③ B>A=C
④ B>A>C
⑤ C>B>A

552 하 중 상 빈출

그림은 H-R도에 표시된 별들을 물리적 특성에 따라 집단 (가)~(다)로 분류한 것이다.

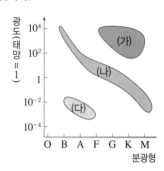

이에 대한 설명으로 옳은 것만을 〈보기〉에서 있는 대로 고른 것은?

〈 보기 〉

ㄱ. (가)는 (다)보다 대체로 표면 온도가 높다.
ㄴ. (나)는 질량이 큰 별일수록 광도가 작다.
ㄷ. (다)는 세 집단 중 평균 밀도가 가장 크다.

① ㄱ　　　　② ㄷ　　　　③ ㄱ, ㄴ
④ ㄴ, ㄷ　　⑤ ㄱ, ㄴ, ㄷ

553 하 중 상 多 보기 빈출

그림은 태양을 포함한 여러 별들을 H-R도에 나타낸 것이다.

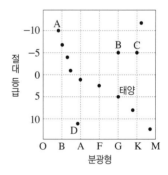

이에 대한 설명으로 옳지 않은 것만을 모두 고르면? (2개)

① A는 태양보다 질량이 크다.
② A는 B보다 광도가 크다.
③ A는 C보다 실제로 100배 밝다.
④ B는 C보다 표면 온도가 높다.
⑤ B의 반지름은 태양의 10000배이다.
⑥ C는 파란색을 띤다.
⑦ C는 B보다 반지름이 크다.
⑧ D는 백색 왜성이다.
⑨ D의 평균 밀도는 태양보다 크다.

554 하 중 상

다음은 H-R도를 작성하여 별을 분류하는 탐구 과정과 결과이다.

[탐구 과정]

(가) 별들의 물리량 자료를 준비한다.

(나) 가로축이 (㉠), 세로축이 (㉡)인 그래프에 별들의 물리량을 표시한다.

(다) 그래프에 표시된 별들을 A~D 집단으로 분류한다.

[탐구 결과]

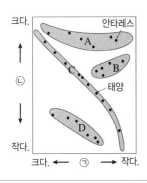

이에 대한 설명으로 옳은 것만을 〈보기〉에서 있는 대로 고른 것은?

〈보기〉

ㄱ. ㉠에는 광도가, ㉡에는 절대 등급이 들어갈 수 있다.

ㄴ. 태양은 안타레스보다 평균 밀도가 작다.

ㄷ. 단위 시간 동안 방출하는 총에너지양은 집단 B가 D보다 많다.

① ㄱ ② ㄷ ③ ㄱ, ㄴ
④ ㄴ, ㄷ ⑤ ㄱ, ㄴ, ㄷ

555 하 중 상

그림은 태양과 별 a~c의 분광형과 절대 등급을 나타낸 것이다.

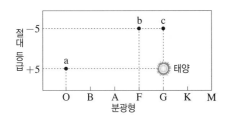

이에 대한 설명으로 옳은 것만을 〈보기〉에서 있는 대로 고른 것은?

〈보기〉

ㄱ. a는 태양보다 표면 온도가 높다.

ㄴ. b와 c는 광도가 같다.

ㄷ. a~c 중 반지름이 가장 큰 별은 c이다.

① ㄱ ② ㄷ ③ ㄱ, ㄴ
④ ㄴ, ㄷ ⑤ ㄱ, ㄴ, ㄷ

556 하 중 상  多 보기

표는 별 (가)~(다)의 분광형과 절대 등급을, 그림은 별 (가)~(다)를 H-R도에 순서 없이 나타낸 것이다.

별	분광형	절대 등급
(가)	A0	−0.2
(나)	K2	−0.2
(다)	A0	11.5

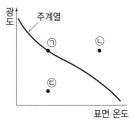

이에 대한 설명으로 옳지 않은 것만을 모두 고르면? (2개)

① (가)~(다) 중 (나)의 표면 온도가 가장 낮다.

② (가)~(다) 중 (다)의 광도가 가장 작다.

③ (가)는 ㉠에 해당한다.

④ (가)는 주계열성이다.

⑤ (나)는 백색 왜성이다.

⑥ (다)는 (나)보다 반지름이 크다.

557 하 중 상

그림 (가)는 주계열성인 시리우스와 태양의 표면에서 방출되는 파장에 따른 에너지의 상대 세기를, (나)는 태양을 H-R도에 나타낸 것이다.

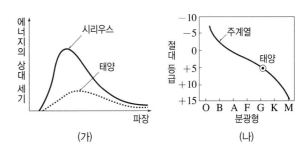

이에 대한 설명으로 옳은 것만을 〈보기〉에서 있는 대로 고른 것은?

〈보기〉

ㄱ. 표면 온도는 시리우스가 태양보다 높다.

ㄴ. (나)에서 시리우스는 태양의 왼쪽 위에 위치한다.

ㄷ. 질량은 시리우스가 태양보다 크다.

ㄹ. 주계열성으로 보내는 시간은 시리우스가 태양보다 길다.

① ㄱ, ㄷ ② ㄱ, ㄹ ③ ㄴ, ㄹ
④ ㄱ, ㄴ, ㄷ ⑤ ㄴ, ㄷ, ㄹ

558 하 중 상

그림은 별의 광도 계급을 H-R도에 나타낸 후 별 ㉠~㉢을 H-R도에 표시한 것이다.

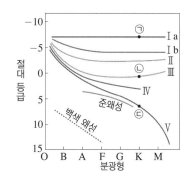

이에 대한 설명으로 옳은 것은?

① 광도는 ㉡이 ㉠보다 크다.
② 광도 계급과 분광형을 고려하면 태양은 ㉢이다.
③ 광도 계급이 V인 별은 표면 온도가 높을수록 광도가 작다.
④ 두 별의 광도 계급이 같다면 두 별의 표면 온도도 같다.
⑤ 두 별의 분광형이 같다면, 광도 계급이 I인 별은 Ⅳ인 별보다 반지름이 크다.

559 하 중 상

•• 서술형

그림은 별 A~C를 H-R도에 나타낸 것이다.

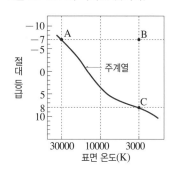

(1) A와 C의 수명을 비교하고, 그 까닭을 서술하시오.

(2) B와 C의 광도비를 풀이 과정을 포함하여 구하시오.

(3) B의 반지름은 C의 몇 배인지 풀이 과정을 포함하여 서술하시오.

560 하 중 상

그림 (가)는 H-R도에 별 ㉠과 ㉡을, (나)는 주계열성의 질량-광도 관계를 나타낸 것이다.

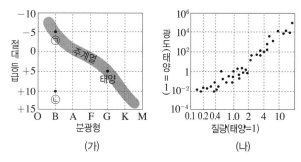

이에 대한 설명으로 옳은 것만을 〈보기〉에서 있는 대로 고른 것은?

〈 보기 〉

ㄱ. 표면 온도는 ㉠이 태양보다 높다.
ㄴ. 광도는 ㉠이 ㉡의 10^4배이다.
ㄷ. 질량은 ㉠이 태양의 약 5배이다.

① ㄱ   ② ㄷ   ③ ㄱ, ㄴ
④ ㄴ, ㄷ   ⑤ ㄱ, ㄴ, ㄷ

B 별의 진화

별의 탄생

561 하 중 상

빈출

다음은 원시별이 탄생하기 위한 조건을 설명한 것이다.

성운은 주로 분자 상태의 (㉠)로 구성되어 있으며, 원시별은 성운 중 밀도가 (㉡), 온도가 (㉢) 영역에서 형성된다.

㉠~㉢에 알맞은 내용을 옳게 짝 지은 것은?

	㉠	㉡	㉢
①	수소	높고	낮은
②	수소	높고	높은
③	헬륨	높고	낮은
④	헬륨	낮은	높은
⑤	헬륨	낮은	낮은

562 하중상 多 보기

별의 탄생 과정에 대한 설명으로 옳지 <u>않은</u> 것만을 모두 고르면?
(단, 태양 질량은 $M_\odot$이다.) (2개)

① 원시별은 표면 온도가 1000 K에 이르면 빛(가시광선)을 방출하기 시작한다.
② 질량이 0.01 $M_\odot$인 원시별은 진화하면서 중심 온도가 1000만 K에 도달한다.
③ 질량이 0.08 $M_\odot$ 이하인 원시별은 갈색 왜성이 된다.
④ 질량이 1 $M_\odot$인 원시별은 중력 수축하는 동안 광도가 일정하게 유지된다.
⑤ 원시별의 질량이 클수록 주계열 단계에 빨리 도달한다.
⑥ 원시별의 질량에 따라 H−R도에서 별의 진화 경로가 달라진다.

빈출 563 하중상

그림은 질량이 다른 여러 원시별의 진화 경로를 H−R도에 나타낸 것이다.

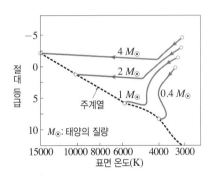

이에 대한 설명으로 옳은 것만을 〈보기〉에서 있는 대로 고른 것은?

〈 보기 〉
ㄱ. 질량이 큰 원시별일수록 광도가 큰 주계열성으로 진화한다.
ㄴ. 질량이 큰 원시별일수록 주계열에 도달하는 동안 광도 변화가 크게 나타난다.
ㄷ. 질량이 4 $M_\odot$인 원시별은 1 $M_\odot$인 원시별보다 주계열에 도달하는 시간이 길다.

① ㄱ   ② ㄴ   ③ ㄱ, ㄷ
④ ㄴ, ㄷ   ⑤ ㄱ, ㄴ, ㄷ

별의 진화

빈출 564 하중상

별의 진화에 대한 설명으로 옳지 <u>않은</u> 것은?

① 원시별의 에너지원은 중력 수축 에너지이다.
② 중심핵의 온도가 약 1000만 K에 이르면 수소 핵융합 반응이 시작된다.
③ 별의 중심부에서는 핵융합 반응으로 철보다 무거운 원소가 만들어진다.
④ 적색 거성의 내부에서는 수소 핵융합 반응이 일어난다.
⑤ 백색 왜성의 중심부에서는 핵융합 반응이 일어나지 않는다.

565 하중상

주계열성에 대한 설명으로 옳지 <u>않은</u> 것은?

① 별은 일생의 대부분을 주계열성으로 보낸다.
② 중심부에서 수소 핵융합 반응이 일어난다.
③ 별의 질량이 클수록 주계열성으로 머무는 시간이 길다.
④ 내부 기체의 압력 차이로 발생한 힘과 중력이 평형을 이룬다.
⑤ 질량이 태양의 10배인 주계열성은 태양보다 표면 온도가 높다.

566 하중상

질량이 태양과 비슷한 별의 진화 과정을 시간 순서대로 옳게 나열한 것은?

① 주계열성 → 적색 거성 → 행성상 성운 → 백색 왜성
② 주계열성 → 백색 왜성 → 적색 거성 → 행성상 성운
③ 주계열성 → 초거성 → 백색 왜성 → 행성상 성운
④ 주계열성 → 적색 거성 → 행성상 성운 → 중성자별
⑤ 주계열성 → 초거성 → 초신성 → 중성자별 또는 블랙홀

567 하중상 •서술형

질량이 태양보다 매우 큰 별은 원시별 이후 어떤 진화 과정을 거치는지 최종 단계까지 포함하여 서술하시오.

568 (하 중 상) ••서술형

별의 수명을 결정하는 데 가장 큰 영향을 주는 별의 물리량을 쓰고, 물리량과 수명의 관계를 서술하시오.

569 (하 중 상)

그림은 어떤 별의 진화 경로를 나타낸 것이다.

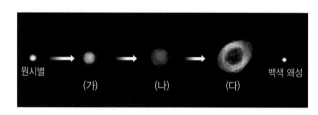

원시별 → (가) → (나) → (다) → 백색 왜성

이에 대한 설명으로 옳은 것만을 〈보기〉에서 있는 대로 고른 것은?

〈 보기 〉

ㄱ. 질량이 태양과 비슷한 별의 진화 과정이다.

ㄴ. (나)는 (가)보다 반지름이 크고 표면 온도가 낮다.

ㄷ. (다)는 초신성 폭발의 결과로 형성된다.

① ㄱ   ② ㄷ   ③ ㄱ, ㄴ

④ ㄴ, ㄷ   ⑤ ㄱ, ㄴ, ㄷ

빈출 570 (하 중 상)

그림은 태양과 질량이 비슷한 별의 진화 경로를 H-R도에 나타낸 것이다. 이에 대한 설명으로 옳지 않은 것만을 모두 고르면? (2개)

① a는 d보다 색지수가 크다.

② b는 c보다 반지름이 크다.

③ 별은 일생의 약 90 %를 b 단계에서 보낸다.

④ b → c 과정에서 별의 표면 온도는 낮아진다.

⑤ b → c 과정에서 별의 중심부는 수축하고, 외곽 부분은 팽창한다.

⑥ 행성상 성운은 c → d 과정에서 형성된다.

⑦ c → d 과정에서 별의 밀도가 커진다.

⑧ c → d 과정에서 철보다 무거운 원소가 생성된다.

[571~572] 그림은 태양의 진화 경로를 H-R도에 나타낸 것이다.

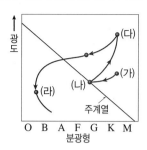

빈출 571 (하 중 상)

이에 대한 설명으로 옳은 것만을 〈보기〉에서 있는 대로 고른 것은?

〈 보기 〉

ㄱ. 현재 태양의 진화 단계는 (나)이다.

ㄴ. (가)에서 (나)로 진화하는 과정의 에너지원은 수소 핵융합 반응이다.

ㄷ. (다)에서 (라)로 진화하는 동안 별의 절대 등급이 커진다.

① ㄱ   ② ㄴ   ③ ㄱ, ㄷ

④ ㄴ, ㄷ   ⑤ ㄱ, ㄴ, ㄷ

572 (하 중 상) ••서술형

(나)에서 (다)로 진화하는 동안의 광도 변화를 서술하고, 그 까닭을 서술하시오.

573 (하 중 상)

그림은 어떤 별의 진화 과정을 나타낸 것이다.

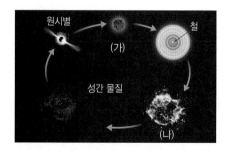

이에 대한 설명으로 옳은 것만을 〈보기〉에서 있는 대로 고른 것은?

〈 보기 〉

ㄱ. (가)는 태양보다 질량이 매우 큰 별이다.

ㄴ. (나) 과정에서 별 내부의 물질이 우주 공간으로 방출된다.

ㄷ. (나) 이후 별의 중심핵은 중성자별이나 블랙홀이 된다.

① ㄱ   ② ㄴ   ③ ㄱ, ㄷ

④ ㄴ, ㄷ   ⑤ ㄱ, ㄴ, ㄷ

574 하 중 상

•• 서술형

중심핵의 질량이 태양 질량의 약 1.4배보다 크고, 약 3배보다 작은 별의 최후를 쓰고, 어떤 과정으로 철보다 무거운 원소가 만들어지는지 서술하시오.

575 하 중 상

多 보기

그림은 질량이 서로 다른 별의 진화 과정을 나타낸 것이다.

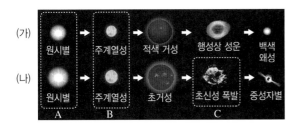

이에 대한 설명으로 옳지 않은 것만을 모두 고르면? (2개)

① 태양은 (가)의 과정으로 진화한다.
② (가)와 (나)의 진화 경로는 별의 질량에 의해 결정된다.
③ 별의 중심부 온도는 A보다 B 단계에서 높다.
④ 별이 B 단계에 머무는 시간은 (가)보다 (나)에서 길다.
⑤ C 단계에서 철보다 무거운 원소가 생성된다.
⑥ 별의 수명은 (나)보다 (가)에서 더 길다.
⑦ 백색 왜성은 중성자별보다 밀도가 크다.

576 하 중 상

그림 (가)와 (나)는 질량이 서로 다른 두 별의 진화 과정 중 일부를 나타낸 것이다.

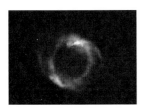 

(가) 행성상 성운   (나) 초신성 잔해

이에 대한 설명으로 옳은 것은?

① (가)는 (나)보다 질량이 더 큰 별에서 진화한 것이다.
② (가)의 중심부에는 중성자별이 남는다.
③ (가)의 형성 과정에서 철보다 무거운 원소가 만들어진다.
④ 주계열 단계에 머무는 시간은 (나) 과정을 거치는 별이 (가) 과정을 거치는 별보다 길다.
⑤ 성운 중심부에 존재하는 천체의 질량은 (나)가 (가)보다 크다.

577 하 중 상

그림은 주계열성 A와 B가 각각 거성 단계인 C와 D로 진화하는 경로를 H-R도에 나타낸 것이다.

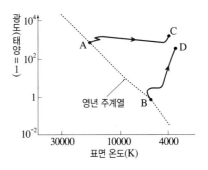

이에 대한 설명으로 옳은 것만을 〈보기〉에서 있는 대로 고른 것은?

〈 보기 〉

ㄱ. A~D 중 색지수는 A가 가장 크다.
ㄴ. B가 D로 진화하는 동안 중심부가 수축한다.
ㄷ. 별의 반지름은 B가 D보다 작다.
ㄹ. C와 D의 중심핵에는 수소가 풍부하게 존재한다.

① ㄱ, ㄷ   ② ㄴ, ㄷ   ③ ㄴ, ㄹ
④ ㄱ, ㄴ, ㄹ   ⑤ ㄱ, ㄷ, ㄹ

578 하 중 상

그림은 질량이 다른 두 별 A와 B의 진화 경로 일부를 H-R도에 나타낸 것으로, (가)와 (나)는 주계열 이전과 이후를 순서 없이 나타낸 것이다.

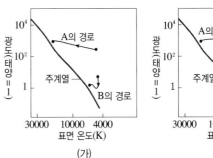 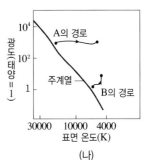

(가)   (나)

이에 대한 설명으로 옳은 것만을 〈보기〉에서 있는 대로 고른 것은?

〈 보기 〉

ㄱ. (가)는 주계열 이후의 진화 경로이다.
ㄴ. A의 질량이 B보다 크다.
ㄷ. (가)에서 A가 진화하는 동안 주요 에너지원은 수소 핵융합 반응이다.
ㄹ. (나)에서 B는 진화하는 동안 크기가 커진다.

① ㄱ, ㄷ   ② ㄴ, ㄷ   ③ ㄴ, ㄹ
④ ㄱ, ㄴ, ㄹ   ⑤ ㄱ, ㄷ, ㄹ

별의 에너지원과 내부 구조

🅐 별의 에너지원

1 원시별의 주요 에너지원 ❶ ▢▢▢▢ 에너지 ➡ 발생한 에너지의 일부는 빛(복사 에너지)으로 방출되고 일부는 내부의 온도를 높이는 데 사용된다.

2 주계열성의 주요 에너지원 ❷ ▢▢▢▢▢ 반응 ➡ 별 중심부의 온도가 1000만 K 이상일 때 일어난다.

⎧ 수소 핵융합 반응의 원리 ⎫

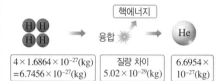

$4 \times 1.6864 \times 10^{-27}$(kg) $= 6.7456 \times 10^{-27}$(kg)	질량 차이 5.02×10^{-29}(kg)	6.6954×10^{-27}(kg)

- 수소 원자핵 4개가 융합하여 헬륨 원자핵 1개 생성
- 수소 원자핵 4개의 질량 합 > 헬륨 원자핵 1개 질량
- ❸ ▢▢한 질량(Δm): 질량·에너지 등가 원리에 따라 에너지(E)로 전환된다. ➡ $E = \Delta mc^2$(c: 광속)

① 수소 핵융합 반응의 종류: 별 중심부의 온도에 따라 우세하게 일어나는 반응이 다르다.

양성자·양성자 반응(P-P 반응)	탄소·질소·산소 순환 반응(CNO 순환 반응)
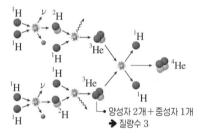	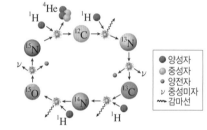

● 양성자: 양성자
● 중성자
● 양전자
ν 중성미자
⌁ 감마선

- 수소 원자핵 6개가 반응에 참여하여 헬륨 원자핵 1개와 수소 원자핵 2개 생성
- 중심부 온도가 약 1800만 K보다 ❹ ▢은 주계열 하단부의 별에서 우세하게 일어난다. 예 질량이 태양 정도인 주계열성

- 수소 원자핵 4개가 반응에 참여하여 헬륨 원자핵 1개 생성, 탄소·질소·산소는 촉매 역할
- 중심부 온도가 약 1800만 K보다 ❺ ▢은 주계열 상단부의 별에서 우세하게 일어난다. 예 질량이 태양의 약 2배 이상인 주계열성

② 태양의 에너지원: ❻ ▢▢ 핵융합 반응 ➡ 태양은 현재 주계열성이다.
- 에딩턴이 태양의 에너지원으로 수소 핵융합 반응을 처음 제시하였고, 베테가 입증하였다.
- 주계열성으로서 태양의 수명: 약 100억 년 → 태양은 앞으로 50억 년을 더 주계열에 머무른다.

⎧ 태양의 수명 계산 ⎫

태양이 수소 핵융합 반응으로 방출하는 총 에너지양을 태양의 광도로 나누어 구한다. (단, 태양의 질량은 2.0×10^{30} kg, 태양의 광도는 3.9×10^{26} J/s, 광속(c)은 3.0×10^8 m/s, 1 kg·m²/s² $= 1$ J이다.)
❶ 반응에 참여하는 태양의 질량이 전체의 10 %, 질량 결손 비율이 0.7 %라고 할 때 태양이 방출하는 총 에너지양: $E = \Delta mc^2 = 2.0 \times 10^{30}$ kg $\times 0.1 \times 0.007 \times (3.0 \times 10^8$ m/s$)^2 = 1.26 \times 10^{44}$ J
❷ 태양의 수명: $(1.26 \times 10^{44}$ J$) \div (3.9 \times 10^{26}$ J/s$) =$ 약 100억 년

3 거성 및 초거성 단계의 주요 에너지원 수소보다 ❼ ▢▢▢ 원소의 핵융합 반응
① 적색 거성: 헬륨 핵의 수축으로 인해 중심부의 온도가 ❽ ▢억 K에 도달하면 ❾ ▢▢ 핵융합 반응이 일어나 에너지를 생성한다.
② 초거성: 별의 질량이 클수록 중심부의 온도가 높아지므로 점점 더 무거운 원소를 만드는 핵융합 반응이 일어나 에너지를 생성한다.
- 핵융합 반응 순서: He → C → Ne → O → Si
- 별의 질량이 매우 클 경우 최종적으로 철을 만드는 핵융합 반응까지 일어날 수 있다.

기출 Tip 🅐-2

수소 핵융합 반응
별의 중심부에서 수소 핵융합 반응이 일어나면 시간이 지남에 따라 수소의 비율은 감소하고 헬륨의 비율은 증가한다.

CNO 순환 반응에서 원자핵의 변화
- ^{13}N → ^{13}C, ^{15}O → ^{15}N
  ➡ 양성자 하나가 중성자로 변하면서 양전자와 중성미자를 방출한다.
  ➡ 질량수는 변함없고, 원자 번호는 1 작아진다.
- ^{12}C → ^{13}N, ^{13}C → ^{14}N, ^{14}N → ^{15}O
  ➡ 양성자 하나가 더해지면서 감마선이 방출된다.
  ➡ 질량수와 원자 번호가 1 커진다.

태양의 특징
- 주계열성
- 표면 온도 약 5800 K
- 중심부 온도 약 1500만 K
- 수소 핵융합 반응(P-P 반응 우세)
- 주계열 단계의 수명 약 100억 년
- M-K 분류법상 G2V

기출 Tip 🅐-3

별의 주요 에너지원
- 원시별: 중력 수축 에너지
- 주계열성: 수소 핵융합 반응
- 거성 및 초거성 단계: 수소보다 무거운 원소의 핵융합 반응

B 별의 내부 구조

1 주계열성의 내부 구조

① 정역학 평형: 내부의 기체 압력 차이로 발생한 힘과 ❿□□이 평형을 이루는 상태 ➡ 별의 크기가 일정하다.

② 내부 구조: 수소 핵융합 반응으로 에너지를 생성하는 중심부와 생성된 에너지를 표면으로 전달하는 부분으로 구분되며, 주계열성의 질량에 따라 에너지 전달 방식이 다르게 나타난다.

▲ 정역학 평형

질량이 태양과 비슷한 별	질량이 태양의 약 2배 이상인 별
 • 핵−⓫□□층−대류층 • 중심으로부터 반지름의 약 70 %까지는 복사로 에너지를 전달한다. 표면에서 대류에 의해 쌀알 무늬가 잘 관측된다.	• ⓬□□핵−복사층 • 중심부와 표면의 온도 차가 매우 커서 중심부에서는 대류로 에너지를 전달한다. 복사: 에너지만 전달 대류: 물질과 에너지 전달

2 주계열 단계에서 거성 단계로 진화할 때의 내부 구조

수소 핵융합 반응

수소 핵융합 반응이 끝나고 헬륨 핵이 중력에 의해 수축함에 따라 중심 온도는 상승하고, 헬륨 핵을 둘러싼 수소층이 가열된다.

가열된 수소층에서 ⓭□□ 핵융합 반응이 일어나면(수소각 연소), 이때 발생한 에너지에 의해 바깥층(외층)이 팽창하여 크기가 커지고 표면 온도가 낮아진다. 크기가 매우 커지므로 광도는 증가한다.

3 중심부에서 핵융합 반응이 끝난 별의 내부 구조
별의 질량이 클수록 중심에서 무거운 원소로 이루어진 중심핵이 만들어진다.

질량이 태양 정도인 별: ⓮□□와 산소로 이루어진 중심핵

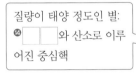 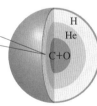 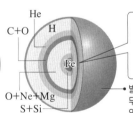

질량이 태양보다 매우 큰 별: 최종적으로 ⓯□로 이루어진 중심핵

별의 중심으로 갈수록 온도가 높아서 무거운 원소를 만드는 핵융합 반응이 일어나므로 무거운 원소가 분포한다.

빈출 자료 보기

정답과 해설 77쪽

579 그림은 주계열성 (가)와 (나)의 내부 구조를 나타낸 것이다.

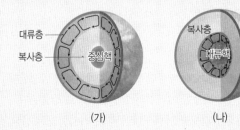

(가)　　　　(나)

이에 대한 설명으로 옳은 것은 ○, 옳지 <u>않은</u> 것은 ×로 표시하시오.

(1) (가)는 질량이 태양과 비슷한 주계열성이다. (　　)

(2) (가)의 중심부 온도는 약 1800만 K보다 낮다. (　　)

(3) (나)는 (가)보다 질량이 작은 주계열성이다. (　　)

(4) (나)의 중심부에서는 P−P 반응이 우세하게 나타난다. (　　)

(5) (나)는 기체 압력 차이로 발생한 힘이 중력보다 크다. (　　)

(6) 원시별에서 주계열성이 되는 데 걸린 시간은 (가)가 (나)보다 길다. (　　)

(7) 주계열성으로 머무는 시간은 (나)가 (가)보다 길다. (　　)

A 별의 에너지원

빈출 580 하 중 상

원시별과 주계열성의 주요 에너지원을 각각 쓰시오.

581 하 중 상

주계열성의 에너지원에 대한 설명으로 옳은 것만을 〈보기〉에서 있는 대로 고른 것은?

─〈 보기 〉─
ㄱ. 주계열성의 에너지원은 수소 핵융합 반응이다.
ㄴ. 핵융합 반응은 주계열성의 중심부에서 주로 일어난다.
ㄷ. 핵융합 반응으로 발생하는 에너지는 핵융합 과정에서 증가한 질량에 비례한다.

① ㄱ　　　　　② ㄷ　　　　　③ ㄱ, ㄴ
④ ㄴ, ㄷ　　　　⑤ ㄱ, ㄴ, ㄷ

582 하 중 상　　　•• 서술형

양성자·양성자 반응(P−P 반응)이 우세하게 일어나는 주계열성의 중심부 온도 조건을 서술하시오.

583 하 중 상　　　•• 서술형

탄소·질소·산소 순환 반응(CNO 순환 반응)에서 탄소, 질소, 산소의 역할을 쓰고, 이 반응이 우세하게 일어나는 주계열성의 중심부 온도 조건을 서술하시오.

584 하 중 상

태양에 대한 설명으로 옳지 <u>않은</u> 것은?

① 태양의 표면 온도는 약 5800 K이다.
② 태양의 중심부 온도는 약 1500만 K이다.
③ 태양은 M−K 분류법에 따라 G2V로 분류된다.
④ 주계열 단계에서 태양의 수명은 약 50억 년이다.
⑤ 베테는 수소 핵융합 반응이 태양의 에너지원임을 입증하였다.

585 하 중 상

별 내부에서 헬륨 핵융합 반응이 일어날 수 있는 최저 온도는 약 몇 K인가?

① 100만 K　　　② 1000만 K　　　③ 1500만 K
④ 1억 K　　　　⑤ 8억 K

586 하 중 상

그림은 원시별에 작용하는 힘을 나타낸 것이다.

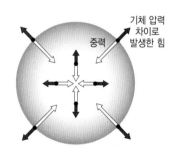

이에 대한 설명으로 옳지 <u>않은</u> 것은?

① 주요 에너지원은 중력 수축 에너지이다.
② 원시별에는 기체 압력 차이로 발생한 힘보다 중력이 크게 작용한다.
③ 중심부에서는 수소 핵융합 반응으로 에너지가 발생한다.
④ 원시별에서 발생한 에너지의 일부는 빛으로 방출된다.
⑤ 원시별에서 발생한 에너지의 일부는 원시별의 중심부 온도를 높인다.

587 (하 **중** 상) 多 보기

그림은 어느 별의 내부에서 일어나는 핵융합 반응의 원리를 나타낸 것이다.

이에 대한 설명으로 옳지 <u>않은</u> 것만을 모두 고르면? (2개)

① 수소 핵융합 반응의 원리이다.
② 주계열성에서만 일어날 수 있는 반응이다.
③ 별의 중심부 온도가 약 1000만 K 이상일 때 일어난다.
④ 1개의 헬륨 원자핵의 질량은 4개의 수소 원자핵 질량의 합보다 크다.
⑤ 핵융합 반응 과정에서 변화된 질량만큼 에너지가 생성된다.
⑥ 중심핵에서 이러한 핵융합 반응이 일어나는 별의 크기는 일정하게 유지된다.

588 (하 **중** 상)

그림은 어느 주계열성의 중심부에서 일어나는 핵융합 반응을 나타낸 것이다.

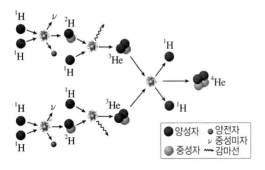

이에 대한 설명으로 옳은 것만을 〈보기〉에서 있는 대로 고른 것은?

〈 보기 〉
ㄱ. P−P 반응을 나타낸 것이다.
ㄴ. 질량이 태양의 3배인 별의 중심부에서 우세하게 일어난다.
ㄷ. 핵융합 과정에서 별의 질량이 일정하게 유지된다.

① ㄱ   ② ㄴ   ③ ㄱ, ㄷ
④ ㄴ, ㄷ   ⑤ ㄱ, ㄴ, ㄷ

589 (하 **중** 상) 多 보기

그림은 CNO 순환 반응을 나타낸 것이다.

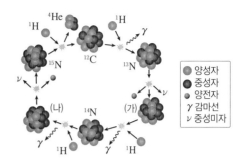

이에 대한 설명으로 옳은 것만을 모두 고르면? (2개)

① 헬륨 핵융합 반응 중 하나이다.
② 질소는 촉매 역할을 한다.
③ 태양의 중심핵에서 우세하게 일어난다.
④ 중심부 온도가 약 1800만 K보다 낮은 주계열성 내부에서 우세하게 일어난다.
⑤ 이 반응이 우세하게 일어나는 별의 중심부에서는 복사로 에너지가 전달된다.
⑥ (가)는 ^{13}C, (나)는 ^{15}O이다.

590 (하 **중** 상)

그림 (가)와 (나)는 P−P 반응과 CNO 순환 반응을 순서 없이 나타낸 것이다.

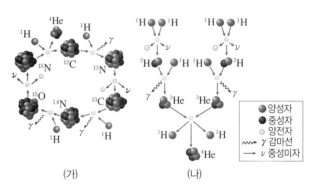

(가)   (나)

이에 대한 설명으로 옳은 것만을 〈보기〉에서 있는 대로 고른 것은?

〈 보기 〉
ㄱ. (가)는 CNO 순환 반응, (나)는 P−P 반응이다.
ㄴ. (가)와 (나)에 의해 최종적으로 생성되는 원자핵의 종류가 다르다.
ㄷ. (나)는 (가)보다 중심부의 온도가 높은 별에서 우세하게 나타난다.
ㄹ. (가)에서 탄소는 촉매 역할을 한다.

① ㄱ, ㄷ   ② ㄱ, ㄹ   ③ ㄴ, ㄹ
④ ㄱ, ㄴ, ㄷ   ⑤ ㄴ, ㄷ, ㄹ

591 하 중 상 $\quad$ 多 보기

그림은 주계열성의 내부에서 일어나는 서로 다른 수소 핵융합 반응을 나타낸 것이다.

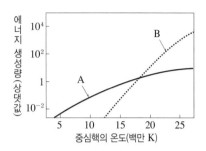

이에 대한 설명으로 옳지 <u>않은</u> 것만을 모두 고르면? (2개)

① A는 P-P 반응, B는 CNO 순환 반응이다.

② A와 B는 모두 산소 원자핵을 생성하는 반응이다.

③ 중심부 온도가 1000만 K인 별에서는 A 반응만 일어난다.

④ 중심부 온도가 약 1800만 K보다 높은 별에서의 에너지 생성률은 A 반응이 B 반응보다 높다.

⑤ 태양의 중심부에서는 A 반응이 B 반응보다 우세하게 일어난다.

⑥ 분광형이 O형인 주계열성의 중심부에서는 B 반응이 A 반응보다 우세하게 일어난다.

592 하 중 상

주계열 단계 이후 별 내부에서 일어나는 핵융합 반응에 대한 설명으로 옳은 것만을 〈보기〉에서 있는 대로 고른 것은?

〈 보기 〉

ㄱ. 별의 중심부 온도가 약 1000만 K이 되면 헬륨 핵융합 반응이 일어나기 시작한다.

ㄴ. 백색 왜성 단계에서는 핵융합 반응이 일어나지 않는다.

ㄷ. 질량이 태양보다 매우 큰 별은 중심에서 헬륨 → 탄소 → 규소 → 산소 → 네온의 순서로 핵융합 반응이 일어난다.

① ㄱ $\qquad$ ② ㄴ $\qquad$ ③ ㄱ, ㄷ

④ ㄴ, ㄷ $\qquad$ ⑤ ㄱ, ㄴ, ㄷ

593 하 중 상

표는 주계열성 (가)~(다)의 질량 M과 최종 진화 단계를 나타낸 것이다.

주계열성	질량(태양=1)	최종 진화 단계
(가)	$0.26 \leq M \leq 1.5$	A
(나)	$8 \leq M < 25$	중성자별
(다)	$M \geq 25$	B

이에 대한 설명으로 옳은 것만을 〈보기〉에서 있는 대로 고른 것은?

〈 보기 〉

ㄱ. A는 백색 왜성이고, B는 블랙홀이다.

ㄴ. 주계열 단계에 머무는 시간은 (가)가 (나)보다 길다.

ㄷ. (다)의 중심부에서는 CNO 순환 반응이 우세하게 나타난다.

① ㄱ $\qquad$ ② ㄷ $\qquad$ ③ ㄱ, ㄴ

④ ㄴ, ㄷ $\qquad$ ⑤ ㄱ, ㄴ, ㄷ

594 하 중 상

그림은 태양의 중심부에서 우세하게 일어나는 핵융합 반응을 나타낸 것이다.

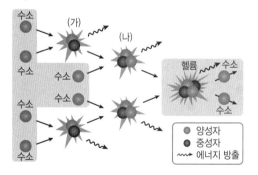

이에 대한 설명으로 옳은 것만을 〈보기〉에서 있는 대로 고른 것은?

〈 보기 〉

ㄱ. P-P 반응을 나타낸 것이다.

ㄴ. (가)의 질량수는 2, (나)의 질량수는 3이다.

ㄷ. 수소 원자핵 6개가 반응하여 헬륨 원자핵 1개와 수소 원자핵 2개가 생성된다.

ㄹ. 주계열 상단부의 별 중심부에서 우세한 반응이다.

① ㄱ, ㄹ $\qquad$ ② ㄱ, ㄷ $\qquad$ ③ ㄴ, ㄹ

④ ㄱ, ㄴ, ㄷ $\qquad$ ⑤ ㄴ, ㄷ, ㄹ

595 하중상 •서술형

다음은 태양의 물리량을 나타낸 것이다.

- 태양의 광도: 4×10^{26} J/s, 태양의 질량: 2×10^{30} kg
- 반응에 참여하는 중심핵 질량: 태양 전체 질량의 10 %

(1) 태양이 수소 핵융합 반응으로 방출할 수 있는 총 에너지양은 몇 J인지 풀이 과정을 포함하여 서술하시오. (단, 수소 핵융합 반응의 질량 결손 비율은 0.7 %, 광속은 3×10^8 m/s이고, 1 J $= 1$ kg$\cdot$m^2/s^{2}이다.)

(2) 태양의 수명은 (1)의 결과를 무엇으로 나누었을 때 구할 수 있는지 쓰시오.

596 하중상

표는 주계열성 (가)~(다)의 중심핵의 질량 M과 최종 진화 단계를 나타낸 것이다.

주계열성	중심핵 질량(태양=1)	최종 진화 단계
(가)	$M < 1.4$	
(나)	$1.4 < M < 3$	
(다)	$M > 3$	A

이에 대한 설명으로 옳지 않은 것은?

① A는 블랙홀이다.
② A는 초신성 폭발을 거쳐 형성되었다.
③ (가)의 중심부에서는 P-P 반응이 우세하게 일어난다.
④ 별의 수명은 (가)가 (나)보다 길다.
⑤ 원시별에서 주계열성으로 진화할 때 광도 변화는 (가)보다 (다)에서 크다.

Ⓑ 별의 내부 구조

597 하중상

별의 내부 구조에 대한 설명으로 옳은 것만을 〈보기〉에서 있는 대로 고른 것은?

〈 보기 〉
ㄱ. 정역학 평형 상태일 때 별은 구형을 이루며 안정적인 상태를 유지한다.
ㄴ. 대류는 별 내부의 온도 차가 클 때 에너지를 효과적으로 전달한다.
ㄷ. 질량이 태양의 약 2배 이상인 주계열성의 중심부에서는 복사의 형태로 에너지를 전달한다.

① ㄱ   ② ㄷ   ③ ㄱ, ㄴ
④ ㄴ, ㄷ   ⑤ ㄱ, ㄴ, ㄷ

598 하중상 •서술형

주계열성의 내부에서 작용하는 두 힘을 비교하여 주계열성의 크기가 일정하게 유지되는 까닭을 서술하시오.

빈출 599 하중상

그림은 크기가 일정하게 유지되는 어느 별의 내부에서 작용하는 힘을 나타낸 것이다.

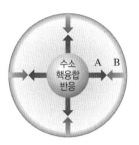

이에 대한 설명으로 옳은 것만을 〈보기〉에서 있는 대로 고른 것은?

〈 보기 〉
ㄱ. 주계열 단계에 있는 별이다.
ㄴ. A는 중력, B는 기체 압력 차이로 발생한 힘이다.
ㄷ. A와 B의 크기가 같아 힘의 평형을 이루고 있다.

① ㄱ   ② ㄴ   ③ ㄱ, ㄷ
④ ㄴ, ㄷ   ⑤ ㄱ, ㄴ, ㄷ

600 하중상

그림은 두 별 (가)와 (나)의 내부에서 작용하는 두 힘의 크기와 방향을 나타낸 것이다.

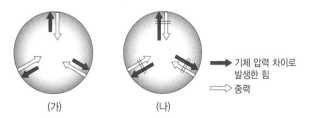

| | (가) | (나) | ➡ 기체 압력 차이로 발생한 힘 ⇨ 중력 |

이에 대한 설명으로 옳지 않은 것은?

① (가)는 정역학 평형 상태이다.
② 전주계열 단계의 별은 (가)에 해당한다.
③ 주계열 단계의 별은 (나)에 해당한다.
④ (가)는 시간이 지날수록 중심부의 밀도가 커진다.
⑤ (나)는 별의 크기가 일정하게 유지된다.

601 (하중상)

그림은 질량이 태양 정도인 주계열성의 내부 구조를 나타낸 것이다.

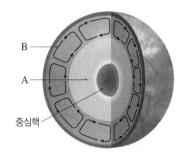

이에 대한 설명으로 옳은 것만을 〈보기〉에서 있는 대로 고른 것은?

〈 보기 〉

ㄱ. 중심핵에서 일어나는 핵융합 반응으로 탄소가 생성된다.
ㄴ. A에서는 물질과 에너지의 이동이 함께 일어난다.
ㄷ. B에서는 대류에 의해 에너지를 전달한다.

① ㄱ 　　　 ② ㄷ 　　　 ③ ㄱ, ㄴ
④ ㄴ, ㄷ 　　 ⑤ ㄱ, ㄴ, ㄷ

602 (하중상)

多 보기

그림 (가)와 (나)는 질량이 서로 다른 주계열성의 내부 구조를 나타낸 것이다.

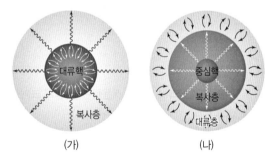

(가)　　　　　(나)

이에 대한 설명으로 옳은 것만을 모두 고르면? (2개)

① 태양의 내부 구조는 (가)이다.
② 질량은 (나)가 (가)보다 크다.
③ 진화 속도는 (나)가 (가)보다 빠르다.
④ 중심 온도는 (나)가 (가)보다 높다.
⑤ 표면 온도는 (나)가 (가)보다 높다.
⑥ 반지름은 (나)가 (가)보다 크다.
⑦ (가)의 표면에서 쌀알 무늬가 잘 관측된다.
⑧ P-P 반응은 (가)보다 (나)에서 우세하게 일어난다.
⑨ (가)와 (나)는 모두 정역학 평형 상태이다.

603 (하중상)

•• 서술형

그림은 질량이 태양과 비슷한 별이 진화하는 과정에서 나타나는 별의 내부 구조를 나타낸 것이다.

(1) 별은 어느 단계에서 어느 단계로 진화하고 있는지 서술하시오.

(2) 진화 과정에서 별의 표면 온도와 광도의 변화를 서술하시오.

(3) 진화 과정에서 별의 중심핵의 온도 변화를 서술하시오.

604 (하중상)

그림은 주계열성에서 거성으로 진화하는 별의 내부 구조 변화를 나타낸 것이다.

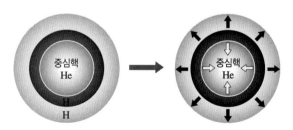

이때 일어나는 변화에 대한 설명으로 옳은 것은?

① 광도는 작아진다.
② 표면 온도는 높아진다.
③ 정역학 평형 상태를 유지한다.
④ 헬륨 핵이 수축함에 따라 별의 반지름은 작아진다.
⑤ 헬륨 핵 바로 바깥층에서 수소 핵융합 반응이 일어난다.

605 하 중 상

그림은 어느 별의 내부 구조를 나타낸 것이다.

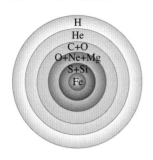

이에 대한 설명으로 옳은 것만을 〈보기〉에서 있는 대로 고른 것은?

〈 보기 〉

ㄱ. 중심으로 갈수록 핵융합 반응으로 무거운 원소가 만들어진다.

ㄴ. 중심으로 갈수록 핵융합 반응이 일어나기 위한 온도가 높다.

ㄷ. 중심에 분포한 원소일수록 생성 시기가 빠르다.

ㄹ. 이 별은 최종적으로 백색 왜성으로 진화할 것이다.

① ㄱ, ㄴ   ② ㄱ, ㄹ   ③ ㄴ, ㄷ

④ ㄱ, ㄷ, ㄹ   ⑤ ㄴ, ㄷ, ㄹ

빈출 606 하 중 상 多 보기

그림 (가)와 (나)는 두 별이 질량 일부를 방출하기 직전의 내부 구조를 나타낸 것이다.

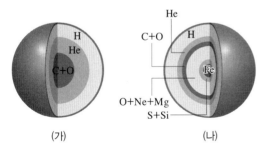

이에 대한 설명으로 옳지 <u>않은</u> 것만을 모두 고르면? (2개)

① (가)는 태양이 진화하는 과정에서 나타난다.

② (나)가 나타나는 별은 초신성 폭발 이후 블랙홀로 진화할 수 있다.

③ 주계열성일 때 별의 질량은 (가)보다 (나)가 크다.

④ 중심부의 온도는 (가)보다 (나)가 높다.

⑤ 별의 바깥 물질이 우주 공간으로 방출되는 속도는 (가)가 (나)보다 빠르다.

⑥ (가)와 (나)를 구성하는 원소들은 모두 핵융합 반응으로 생성되었다.

빈출 607 하 중 상

그림 (가)는 별 a~d를 H−R도에 나타낸 것이고, (나)는 중심핵에서 수소 핵융합 반응이 일어나는 어느 별의 내부 구조를 나타낸 것이다.

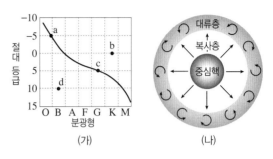

이에 대한 설명으로 옳은 것은?

① a의 광도는 c보다 약 100배 크다.

② b는 c보다 반지름이 작다.

③ a~d 중 진화 단계를 가장 많이 거친 별은 b이다.

④ (나)의 중심부에서는 CNO 순환 반응이 우세하게 일어난다.

⑤ a~d 중 (나)와 같은 내부 구조가 나타나는 별은 c이다.

608 하 중 상

그림 (가)와 (나)는 질량이 태양과 비슷한 별이 주계열성이 된 직후와 이로부터 50억 년 후의 내부 구성 원소의 비율을 순서 없이 나타낸 것이다.

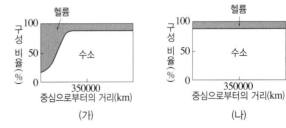

이에 대한 설명으로 옳은 것만을 〈보기〉에서 있는 대로 고른 것은?

〈 보기 〉

ㄱ. (가)는 주계열성이 된 직후이고, (나)는 50억 년 후이다.

ㄴ. (가)의 중심부에서는 헬륨 핵융합 반응이 일어난다.

ㄷ. (가)와 (나) 사이의 기간 동안 별의 크기는 일정하게 유지된다.

① ㄱ   ② ㄷ   ③ ㄱ, ㄴ

④ ㄴ, ㄷ   ⑤ ㄱ, ㄴ, ㄷ

외계 행성계와 외계 생명체 탐사

Ⓐ 외계 행성계 탐사

┌→ 행성은 별에 비해 크기가 작고 매우 어둡기 때문에 직접 관측이 어렵다.

1 외계 행성계 탐사 방법 외계 행성은 주로 별(항성)을 이용하여 간접적인 방법으로 탐사한다.

① **중심별의 시선 속도 변화 이용**: 중심별이 행성과 공통 질량 중심 주위를 공전하면서 시선 속도 가 변하므로 도플러 효과가 나타난다. ➡ 중심별의 스펙트럼을 관측하여 행성의 존재 확인

┌**(도플러 효과를 이용한 탐사의 특징)**─────────

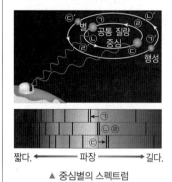

▲ 중심별의 스펙트럼

짧다. ◄─── 파장 ───► 길다.

• 중심별이 지구에 가까워질 때(㉠): 별빛의 파장이 짧아지므로 스펙트럼에서 **❶**[　　] 편이가 나타난다. → 행성은 지구에서 후퇴한다.
• 중심별이 지구에서 멀어질 때(㉢): 별빛의 파장이 길어지므로 스펙트럼에서 **❷**[　　] 편이가 나타난다. → 행성은 지구에 접근한다.
• 시선 방향에서 속도가 나타나지 않을 때(㉡, ㉣): 도플러 효과가 나타나지 않는다. → 지구, 중심별, 행성이 일직선으로 나란할 때이므로 지구에서 관측한 중심별과 행성의 각거리는 최소이다.
• 한계: 행성의 공전 궤도면과 관측자의 시선 방향이 **❸**[　　]이 면 관측이 불가능하고, 행성의 질량이 작거나 중심별에서 멀리 떨어져 있으면 관측이 어렵다. ┌→ 행성의 질량이 클수록 도플러 효과가 커서 발견되기 쉽다.

② **식 현상 이용**: 중심별 주위를 공전하는 행성이 별의 앞쪽을 지날 때 별의 밝기가 감소하는 식 현상이 일어난다. ➡ 중심별의 겉보기 밝기를 관측하여 외계 행성의 존재 확인

┌**(식 현상을 이용한 탐사의 특징)**─────────

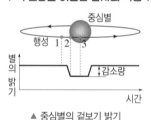

▲ 중심별의 겉보기 밝기

• 행성 전체가 중심별을 가릴 때 중심별의 밝기는 최소가 된다.
• 행성의 반지름이 **❹**[　　] 별의 밝기가 크게 감소한다. ┌→ 밝기 감소량은 행성의 단면적($4\pi R^2$, R: 반지름)에 비례한다.
• 행성의 공전에 의해 중심별의 주기적인 밝기 변화가 나타난다.
• 식 현상이 일어날 때 행성 대기를 통과하는 별빛을 분석하면 행성의 대기 성분을 알 수 있다.
• 한계: 행성의 공전 궤도면과 관측자의 시선 방향이 식 현상이 일어 날 정도로 나란한 경우에 이용할 수 있다. ┌→ 수직인 경우 이용할 수 없다.

③ **미세 중력 렌즈 현상 이용**: 두 별이 시선 방향에 나란할 때, 배경별의 빛이 앞쪽 별의 중력에 의해 미세하게 굴절되어 밝기가 변하고, 앞쪽 별이 행성을 거느린 경우 행성의 **❺**[　　]에 의해 추가적으로 밝기가 변한다. ➡ 배경별의 밝기를 관측하여 외계 행성의 존재 확인

┌**(미세 중력 렌즈 현상을 이용한 탐사의 특징)**─────────

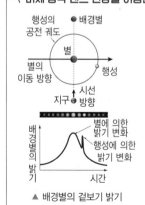

▲ 배경별의 겉보기 밝기

• 중심별의 중력에 의해 배경별의 밝기가 증가하며, 중심별이 거느린 행 ┌→ 배경별의 밝기는 지구, 별, 배경별이 일직선상에 위치할 때 최대이다. 성의 중력에 의해 밝기가 추가적으로 증가한다.
• 행성의 공전 궤도면과 관측자의 시선 방향이 수직이어도 중력이 작용하 므로 행성을 발견할 수 있다.
• 행성의 공전 궤도 반지름이 큰 경우에 행성 탐사에 유리하다. ┌→ 행성의 공전 궤도가 크면 배경별의 추가적인 밝기 변화 감지에 유리하다.
• 다른 탐사 방법에 비해 공전 궤도 반지름이 크거나 질량이 작은 행성을 찾는 데 유리하다. 지구 정도의 크기나 질량을 가진 행성
• 한계: 미세 중력 렌즈 현상은 매우 드물게 일어나고, 외계 행성계가 배 경별 앞을 여러 번 지나가지 않으므로 주기적인 관측이 불가능하다.

2 외계 행성계의 탐사 결과 탐사 초기에는 주로 질량이 크고 중심별과 가까운 행성들이 발견 되었지만, 우주 망원경 발사 이후 지구와 크기, 질량이 비슷한 행성들도 많이 발견되었다.

기출 Tip Ⓐ-1

외계 행성을 탐사하는 직접적인 방법과 간접적인 방법
대부분 간접적인 방법으로 행성 을 탐사한다.
• 직접적인 방법: 직접 촬영(관측)
• 간접적인 방법: 중심별의 시선 속도 변화 이용, 식 현상 이용, 미세 중력 렌즈 현상 이용

중심별의 스펙트럼 해석
• 흡수선 파장이 짧아진다.
 ➡ 청색 편이가 나타난다.
 ➡ 별이 관측자에게 가까워진다.
  └→ 시선 속도 (−)
• 흡수선 파장이 길어진다.
 ➡ 적색 편이가 나타난다.
 ➡ 별이 관측자에게서 멀어진다.
  └→ 시선 속도 (+)
• 흡수선 파장의 편이가 없다.
 ➡ 시선 방향에서 별의 속도 변 화가 나타나지 않는다.

중심별과 행성의 공전
• 공전 방향이 같다.
• 공전 주기가 같다.
• 행성의 질량이 클수록 공통 질량 중심이 중심별에서 멀어진다.
• 행성의 질량이 클수록 중심별 의 시선 속도 변화가 크다.
• 공전 주기: 식 현상이 일어날 경 우 중심별의 밝기가 최소일 때 부터 다음으로 최소일 때까지 의 시간

▲ 중심별의 밝기 변화

행성의 공전 궤도면과 관측자의 시선 방향이 수직인 경우
• 이용할 수 없는 탐사 방법: 중심 별의 시선 속도 변화, 식 현상
• 이용할 수 있는 탐사 방법: 미세 중력 렌즈 현상

B 외계 생명체 탐사

1 외계 생명체 존재의 필수 요소 물 ➡ 물은 비열이 커서 많은 양의 열을 오래 보존할 수 있고, 다양한 물질을 녹일 수 있는 용매이며, 고체가 될 때 밀도가 작아지는 성질이 있으므로 생명체의 탄생과 진화에 필요한 환경을 제공한다.
└➡ 표면의 물이 얼어도 아래쪽에 수중 생태계가 유지된다.

2 생명 가능 지대 중심별의 주위에서 **❻**◻이 액체 상태로 존재할 수 있는 거리의 범위 ➡ 중심별의 광도가 클수록 생명 가능 지대의 거리는 중심별에서 멀어지고 폭은 넓어진다.

① 주계열성: 별의 질량이 클수록 광도가 크므로, 생명 가능 지대의 거리는 중심별에서 **❼**◻◻지고, 폭은 **❽**◻◻진다.

┌─(**중심별(주계열성)의 질량에 따른 생명 가능 지대**)─

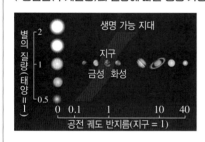

별의 질량(태양=1) / 공전 궤도 반지름(지구=1)

- 별의 질량이 클수록 생명 가능 지대의 거리가 별에서 멀어지고, 폭이 넓어진다.
- 태양계의 생명 가능 지대: 금성의 공전 궤도와 화성의 공전 궤도 사이(1 AU 내외) ➡ **❾**◻◻가 생명 가능 지대에 위치한다.
  └➡ 행성 표면에 액체 상태의 물이 존재하기 어렵다.
- 태양과 가까운 금성은 표면 온도가 높아 물이 증발하고, 먼 화성은 표면 온도가 낮아 물이 얼어 있다.

② 주계열성 이후: 별이 적색 거성으로 진화할 때 광도가 커지므로 생명 가능 지대의 거리는 중심별에서 멀어지고 폭도 넓어질 것이다.

3 외계 생명체가 존재하기 위한 행성의 조건

① 행성의 표면에 액체 상태의 물이 존재해야 한다.

② 적절한 두께의 대기가 존재해야 한다. ┐→ 우주에서 오는 유해한 자외선을 차단해주고, 생명체가 살기에
알맞은 온도를 유지한다.

③ 중심별(주계열성)의 질량이 적당하여 수명이 충분히 길어야 한다. ┐→ 생명체가 탄생하고 진화할 때까지
에너지를 공급할 수 있어야 한다.

④ 자기장은 유해한 우주선이나 고에너지 입자를 차단해 준다. ┐→ 행성에 생명체가 존재할 수 있는 환경을
형성하는 데 도움을 준다.

⑤ 행성의 자전축이 안정적으로 유지될 수 있어야 한다. ┘

기출 Tip ⑧-3
중심별(주계열성)의 진화 속도와 외계 생명체의 존재 가능성
중심별의 질량이 클수록 광도가 크다. → 중심별의 진화 속도가 빠르다. → 행성이 생명 가능 지대에 머무를 수 있는 시간이 짧다. → 행성에 생명체가 탄생하고 진화하는 데 시간이 부족하다.

답 ❶ 청색 ❷ 적색 ❸ 수직 ❹ 클수록 ❺ 중력 ❻ 물 ❼ 멀어 ❽ 넓어 ❾ 지구

빈출 자료 보기

정답과 해설 81쪽

609 그림은 어느 중심별의 시선 속도 변화를 이용한 외계 행성계 탐사 방법을 나타낸 것이다. 이에 대한 설명으로 옳은 것은 ○, 옳지 <u>않은</u> 것은 ×로 표시하시오.

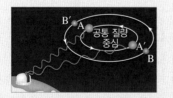

(1) 중심별의 스펙트럼을 관측한다. ( )

(2) 행성은 A, 중심별은 B이다. ( )

(3) 행성의 질량이 클수록 공통 질량 중심은 중심별에 가까워진다. ( )

(4) 중심별이 시선 방향에서 멀어질 때 적색 편이가 나타난다. ( )

(5) 행성의 질량이 클수록 중심별의 시선 속도 변화가 크게 나타난다. ( )

(6) 행성의 공전 궤도면이 관측자의 시선 방향과 수직일 때 잘 관측된다. ( )

610 그림은 태양계의 생명 가능 지대를 나타낸 것이다.

생명체 거주 가능 영역 / 태양 / 화성 / 지구 / 금성

이에 대한 설명으로 옳은 것은 ○, 옳지 <u>않은</u> 것은 ×로 표시하시오.

(1) 지구는 생명 가능 지대에 위치한다. ( )

(2) 태양계에서 생명 가능 지대는 약 1 AU 내외의 범위에 존재한다. ( )

(3) 화성 표면에는 물이 기체 상태로 존재할 것이다. ( )

(4) 태양의 질량이 현재보다 작았다면 생명 가능 지대는 현재보다 태양으로부터 먼 곳에 위치하였을 것이다. ( )

A 외계 행성계 탐사

611 하⬤중상

외계 행성계 탐사 방법 중 간접적인 방법 세 가지를 쓰시오.

612 하⬤중상

외계 행성계 탐사 방법에 대한 설명으로 옳은 것만을 〈보기〉에서 있는 대로 고른 것은?

〈 보기 〉
ㄱ. 직접 사진을 촬영하여 외계 행성을 관측하는 방법을 가장 많이 이용한다.
ㄴ. 중심별의 스펙트럼에 나타나는 흡수선의 파장 변화를 관찰한다.
ㄷ. 행성이 중심별의 뒤쪽을 지날 때 중심별의 밝기가 변하는 현상을 이용한다.
ㄹ. 행성의 중력에 의해 밀려서 오는 별의 밝기가 불규칙하게 변하는 현상을 이용한다.

① ㄱ, ㄷ   ② ㄱ, ㄹ   ③ ㄴ, ㄹ
④ ㄱ, ㄴ, ㄷ   ⑤ ㄴ, ㄷ, ㄹ

★빈출
613 하⬤중상

그림은 중심별의 시선 속도 변화를 이용하여 외계 행성을 탐사하는 방법을 나타낸 것이다.

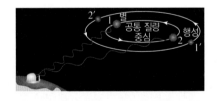

이에 대한 설명으로 옳은 것만을 〈보기〉에서 있는 대로 고른 것은?

〈 보기 〉
ㄱ. 중심별이 1에 위치할 때 청색 편이가 나타난다.
ㄴ. 중심별이 2에 위치할 때 스펙트럼의 흡수선은 파장이 짧은 쪽으로 이동한다.
ㄷ. 공통 질량 중심을 공전하는 주기는 중심별이 행성보다 짧다.

① ㄱ   ② ㄷ   ③ ㄱ, ㄴ
④ ㄴ, ㄷ   ⑤ ㄱ, ㄴ, ㄷ

★빈출
614 하중⬤상

그림은 도플러 효과를 이용하여 외계 행성을 탐사하는 방법을 나타낸 것이다.

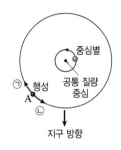

이에 대한 설명으로 옳은 것만을 〈보기〉에서 있는 대로 고른 것은?

〈 보기 〉
ㄱ. 행성은 ⓛ 방향으로 공전한다.
ㄴ. 행성이 A에 위치할 때 중심별의 스펙트럼은 적색 편이가 관측된다.
ㄷ. 행성의 질량이 클수록 도플러 효과가 크게 나타난다.

① ㄱ   ② ㄴ   ③ ㄱ, ㄷ
④ ㄴ, ㄷ   ⑤ ㄱ, ㄴ, ㄷ

615 하중⬤상   ••서술형

그림 (가)는 어느 외계 행성계의 모습을, (나)는 행성이 A~D 중 어느 한 곳에 위치했을 때 관측한 중심별의 스펙트럼을 나타낸 것이다.

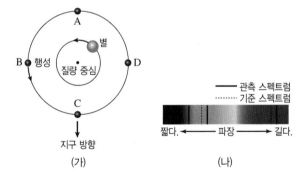

(1) (나)는 행성이 A~D 중 어느 위치일 때 관측한 것인지 쓰시오.

(2) 중심별의 스펙트럼에서 적색 편이와 청색 편이가 모두 나타나지 않을 때의 행성의 위치를 A~D 중에서 있는 대로 고르시오.

(3) 시선 속도 변화를 이용한 외계 행성계 탐사 방법의 한계점을 두 가지만 서술하시오.

616 (하 중 상) 多 보기

그림은 어느 외계 행성이 중심별을 공전하는 모습과 이 외계 행성에 의한 중심별의 밝기 변화를 나타낸 것이다.

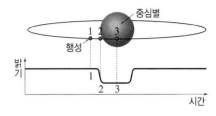

이에 대한 설명으로 옳은 것만을 모두 고르면? (2개)

① 미세 중력 렌즈 현상에 의해 중심별의 밝기가 변한다.

② 행성의 크기가 클수록 밝기 변화는 작게 나타난다.

③ 행성의 공전으로 중심별의 밝기 변화가 주기적으로 나타난다.

④ 관측자의 시선 방향과 행성의 공전 궤도면이 수직일 때 관측한 것이다.

⑤ 행성이 3의 위치에 있을 때 중심별의 스펙트럼에서 적색 편이량은 최대가 된다.

⑥ 식 현상이 일어날 때 행성의 대기를 통과하는 별빛을 분석하면 행성의 대기 성분을 알 수 있다.

617 (하 중 상)

그림 (가)는 행성이 중심별을 공전하는 모습을, (나)는 이 행성에 의한 중심별의 밝기 변화를 나타낸 것이다.

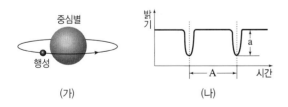

(가)　　　　　(나)

이에 대한 설명으로 옳은 것만을 〈보기〉에서 있는 대로 고른 것은?

〈 보기 〉

ㄱ. 행성의 공전 주기가 길수록 A는 길어진다.

ㄴ. 행성의 반지름이 2배가 되면 a는 2배로 커진다.

ㄷ. 중심별의 밝기가 최소일 때 스펙트럼 파장이 가장 짧게 관측된다.

① ㄱ　　　② ㄷ　　　③ ㄱ, ㄴ

④ ㄴ, ㄷ　　　⑤ ㄱ, ㄴ, ㄷ

618 (하 중 상) ••서술형

다음 용어를 모두 포함하여 중심별과 행성에 의해 미세 중력 렌즈 현상이 나타나는 원리를 서술하시오.

배경별, 중심별, 행성

619 (하 중 상)

그림은 미세 중력 렌즈 현상을 이용하여 외계 행성을 탐사하는 방법을 간단히 나타낸 것이다.

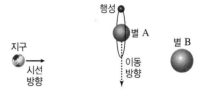

이에 대한 설명으로 옳은 것만을 〈보기〉에서 있는 대로 고른 것은?

〈 보기 〉

ㄱ. 별 B의 밝기 변화를 관측하여 행성의 존재를 확인할 수 있다.

ㄴ. 행성이 별 A에 가깝게 공전할수록 행성의 존재를 확인하기에 유리하다.

ㄷ. 관측자의 시선 방향과 행성의 공전 궤도면이 나란할 때만 관측할 수 있다.

① ㄱ　　　② ㄷ　　　③ ㄱ, ㄴ

④ ㄴ, ㄷ　　　⑤ ㄱ, ㄴ, ㄷ

620 (하 중 상)

그림은 별 S의 밝기 변화를 이용하여 X 항성계에 속한 외계 행성을 탐사하는 방법을 나타낸 것이다.

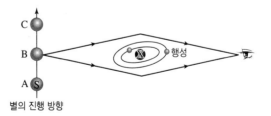

이에 대한 설명으로 옳은 것만을 〈보기〉에서 있는 대로 고른 것은?

〈 보기 〉

ㄱ. 미세 중력 렌즈 현상을 이용하는 방법이다.

ㄴ. 별 S는 A에서 C로 갈수록 밝게 관측된다.

ㄷ. X 항성계에 행성이 많을수록 관측한 별 S의 밝기는 더 불규칙하게 변할 것이다.

① ㄱ　　　② ㄴ　　　③ ㄱ, ㄷ

④ ㄴ, ㄷ　　　⑤ ㄱ, ㄴ, ㄷ

621 하중상

多 보기

그림 (가)는 미세 중력 렌즈 현상을 이용한 외계 행성의 탐사 방법을, (나)는 (가)에서 관측한 별의 밝기 변화를 나타낸 것이다.

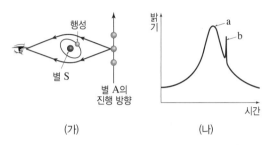

(가)　　　　　(나)

이에 대한 설명으로 옳지 <u>않은</u> 것만을 모두 고르면? (2개)

① (나)는 별 A의 밝기 변화를 나타낸 것이다.
② (나)의 밝기 변화는 주기적으로 관측이 가능하다.
③ a는 별 S의 중력에 의해 나타난다.
④ b는 행성의 중력에 의해 나타난다.
⑤ a는 관측자-별 S-별 A가 일직선상에 위치할 때 최대가 된다.
⑥ 행성의 질량이 클수록 b의 변화가 크게 나타난다.
⑦ 다른 탐사 방법에 비해 질량이 작은 행성 탐사에 유리하다.
⑧ 다른 탐사 방법에 비해 공전 궤도 반지름이 작은 행성의 탐사에 유리하다.

622 하중상

••서술형

미세 중력 렌즈 현상을 이용한 외계 행성계 탐사 방법의 한계점을 <u>한 가지만</u> 서술하시오.

623 하중상

그림은 외계 행성을 탐사하는 두 가지 방법을 나타낸 것이다.

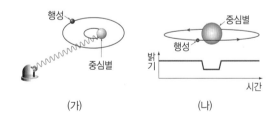

(가)　　　　　(나)

이에 대한 설명으로 옳지 <u>않은</u> 것은?

① (가)는 행성의 스펙트럼 변화를, (나)는 행성의 밝기 변화를 관측한 탐사 방법이다.
② (가)에서 중심별의 시선 속도 변화가 클수록 스펙트럼 흡수선의 파장 변화가 크게 나타난다.
③ (나)를 통해 행성의 공전 주기를 구할 수 있다.
④ (나)에서 행성의 반지름이 클수록 밝기 변화가 크게 나타난다.
⑤ (가)와 (나)는 행성의 공전 궤도면이 시선 방향과 나란한 경우 행성 탐사에 유리하다.

624 하중상

그림은 최근까지 발견된 외계 행성들의 공전 궤도 반지름과 질량을 탐사 방법에 따라 구분하여 나타낸 것이다.

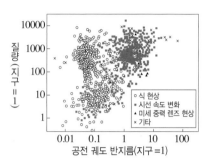

위 그림으로 알 수 있는 것만을 〈보기〉에서 있는 대로 고른 것은?

〈보기〉

ㄱ. 발견된 행성의 대부분은 지구보다 질량이 크다.
ㄴ. 미세 중력 렌즈 현상을 이용하여 발견한 행성이 가장 많다.
ㄷ. 공전 궤도 반지름이 1 AU가 넘는 행성의 탐사는 식 현상을 이용하는 것이 유리하다.

① ㄱ　　　② ㄴ　　　③ ㄱ, ㄷ
④ ㄴ, ㄷ　　　⑤ ㄱ, ㄴ, ㄷ

625 하중상

그림 (가)와 (나)는 지금까지 발견된 외계 행성들의 물리량을 분석하여 그래프로 나타낸 것이다.

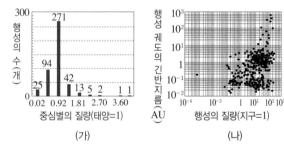

(가)　　　　　(나)

이에 대한 설명으로 옳은 것만을 〈보기〉에서 있는 대로 고른 것은?

〈보기〉

ㄱ. 외계 행성이 많이 발견되는 중심별은 질량이 태양과 비슷하거나 태양보다 매우 크다.
ㄴ. 행성 궤도의 긴반지름이 지구보다 큰 행성들은 대체로 지구보다 질량이 작다.
ㄷ. 대부분의 외계 행성들은 간접적인 탐사 방법을 통해 발견되었다.

① ㄱ　　　② ㄷ　　　③ ㄱ, ㄴ
④ ㄴ, ㄷ　　　⑤ ㄱ, ㄴ, ㄷ

626 하중상

그림 (가)는 어느 외계 행성과 중심별이 공통 질량 중심 주위를 공전하고 있는 모습을, (나)는 이 중심별의 시선 속도 변화를 나타낸 것이다.

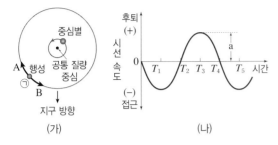

(가)　　　　　　(나)

이에 대한 설명으로 옳은 것만을 〈보기〉에서 있는 대로 고른 것은? (단, 행성의 공전 궤도면과 관측자의 시선 방향은 나란하다.)

〈 보기 〉

ㄱ. 행성은 A 방향으로 공전한다.
ㄴ. 행성이 ㉠에 위치할 때의 시간은 (나)에서 $T_3 \sim T_4$이다.
ㄷ. 행성의 질량이 클수록 (나)에서 a는 크게 나타난다.
ㄹ. 행성의 공전 궤도면과 관측자의 시선 방향이 수직에 가까울수록 (나)에서 a는 크게 나타난다.

① ㄱ, ㄷ　　② ㄱ, ㄹ　　③ ㄴ, ㄷ
④ ㄱ, ㄴ, ㄹ　　⑤ ㄴ, ㄷ, ㄹ

627 하중상

多 보기

그림 (가)는 외계 행성 탐사 방법 중 한 가지를, (나)는 중심별이 A 위치부터 공전하는 동안 관측한 스펙트럼을 순서대로 나타낸 것이다.

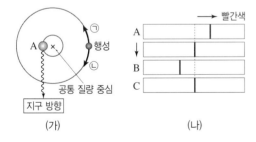

(가)　　　　　　(나)

이에 대한 설명으로 옳지 않은 것만을 모두 고르면? (2개)

① 행성의 공전 방향은 ㉡이다.
② 중심별이 A 위치일 때 중심별의 시선 속도는 최대가 된다.
③ 중심별이 B 위치일 때 행성과 지구의 거리가 가장 멀다.
④ 행성의 질량이 클수록 스펙트럼의 파장 변화가 크게 나타난다.
⑤ 행성의 공전 주기는 A부터 C까지 관측하는 데 걸린 시간이다.
⑥ 중심별이 C 위치일 때 지구에서 관측한 외계 행성과 중심별의 각거리는 최소가 된다.

628 하중상

그림 (가)는 어떤 중심별 주위를 공전하고 있는 행성 A, B의 모습을, (나)는 행성 A, B에 의한 중심별의 밝기 변화를 나타낸 것이다.

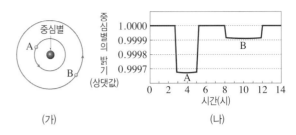

(가)　　　　　　(나)

이에 대한 설명으로 옳은 것만을 〈보기〉에서 있는 대로 고른 것은? (단, 행성의 공전 궤도면과 시선 방향은 나란하다.)

〈 보기 〉

ㄱ. 행성의 반지름은 B가 A보다 크다.
ㄴ. 식 현상이 지속되는 시간은 B가 A보다 길다.
ㄷ. B에 의해 식 현상이 반복되는 주기는 A보다 길다.

① ㄱ　　　② ㄴ　　　③ ㄱ, ㄷ
④ ㄴ, ㄷ　　⑤ ㄱ, ㄴ, ㄷ

B 외계 생명체 탐사

629 하중상

생명 가능 지대에 대한 설명으로 옳지 않은 것은?

① 중심별의 주변 공간에서 물이 액체 상태로 존재할 수 있는 영역을 의미한다.
② 물이 액체 상태로 존재하기 위해서는 행성의 표면 온도가 적절하게 유지되어야 한다.
③ 생명 가능 지대에 위치한 모든 행성에는 생명체가 존재한다.
④ 주계열성인 중심별의 질량이 클수록 생명 가능 지대는 중심별에서 멀어진다.
⑤ 주계열성인 중심별의 질량이 클수록 생명 가능 지대의 폭이 넓어진다.

630 하중상

행성에 외계 생명체가 존재하기 위한 조건으로 옳지 않은 것은?

① 액체 상태의 물이 존재해야 한다.
② 적절한 두께의 대기가 존재해야 한다.
③ 자기장이 형성되어 있어야 한다.
④ 중심별의 진화 속도가 빨라 수명이 짧아야 한다.
⑤ 행성의 자전축이 안정적으로 유지될 수 있어야 한다.

631 하중상 多보기

그림은 주계열성인 중심별의 질량에 따른 생명 가능 지대와 서로 다른 별 주위를 돌고 있는 행성 A∼C를 나타낸 것이다.

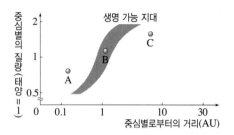

이에 대한 설명으로 옳지 않은 것만을 모두 고르면? (2개)

① 액체 상태의 물이 존재할 가능성은 A∼C 중 B가 가장 높다.

② 행성의 표면 온도는 A가 B보다 높다.

③ 중심별의 수명은 A의 중심별보다 C의 중심별이 짧다.

④ 중심별의 광도가 클수록 생명 가능 지대의 폭이 넓어진다.

⑤ 중심별의 절대 등급이 작을수록 생명 가능 지대까지의 거리가 가까워진다.

⑥ 중심별의 질량이 클수록 생명 가능 지대에 생명체가 탄생하여 진화할 시간이 충분하다.

632 하중상 ●●서술형

그림은 주계열성인 중심별 (가)와 (나)의 물리량 A에 따른 생명 가능 지대를 나타낸 것이다.

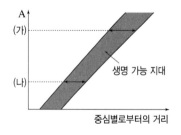

(1) A에 들어갈 수 있는 물리량을 한 가지만 쓰시오.

(2) 중심별 (가)와 (나)의 수명을 비교하여 서술하시오.

(3) (가)의 물리량 A가 (나)에 비해 매우 큰 경우 생명 가능 지대에 위치한 행성이라도 생명체가 존재하기 어려운 까닭을 서술하시오.

633 하중상

그림은 서로 다른 주계열성 태양, A, B의 생명 가능 지대에 위치하는 행성을 각각 나타낸 것이다.

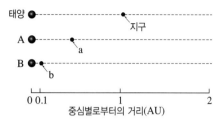

이에 대한 설명으로 옳은 것만을 〈보기〉에서 있는 대로 고른 것은?

〈 보기 〉

ㄱ. 행성 a와 b에는 액체 상태의 물이 존재할 것이다.

ㄴ. 태양의 질량은 별 A의 질량보다 크다.

ㄷ. 행성에 액체 상태의 물이 존재할 수 있는 거리 범위는 태양이 별 B보다 넓다.

① ㄱ   ② ㄴ   ③ ㄱ, ㄷ

④ ㄴ, ㄷ   ⑤ ㄱ, ㄴ, ㄷ

634 하중상 多보기

그림 (가)와 (나)는 태양과 주계열성 A의 생명 가능 지대를 나타낸 것이다.

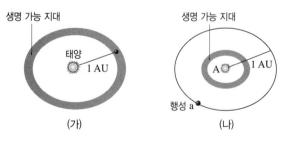

이에 대한 설명으로 옳지 않은 것만을 모두 고르면? (2개)

① 광도는 태양이 별 A보다 크다.

② 질량은 태양이 별 A보다 크다.

③ 행성 a의 표면에서 물은 기체 상태로 존재할 것이다.

④ 생명 가능 지대의 폭은 태양이 별 A보다 넓다.

⑤ H-R도상에서 별 A는 태양보다 오른쪽 아래에 위치한다.

⑥ 주계열성에서 거성으로 진화하는 데 걸리는 시간은 태양이 별 A보다 길다.

635 (하)(중)(상)
••서술형

그림 (가)와 (나)는 각각 주계열성 A와 B의 생명 가능 지대를 나타낸 것이다.

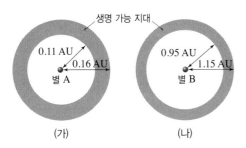

(가)   (나)

(1) 별 A와 B 중 생명 가능 지대의 폭이 더 넓은 별을 쓰시오.

(2) 별 A와 B 중 질량이 더 큰 별을 쓰고, 그 까닭을 서술하시오.

636 (하)(중)(상)
••서술형

행성에 생명체가 탄생하고 진화하는 데 중요한 물의 특성을 세 가지만 서술하시오.

637 (하)(중)(상)

그림은 시간에 따른 태양계의 생명 가능 지대의 변화를 나타낸 것이다.

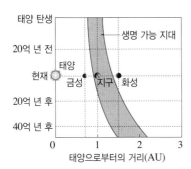

이에 대한 설명으로 옳은 것만을 〈보기〉에서 있는 대로 고른 것은? (단, 태양의 광도 외의 변화는 고려하지 않는다.)

〈 보기 〉
ㄱ. 시간이 지날수록 생명 가능 지대의 폭은 넓어진다.
ㄴ. 태양이 탄생했을 당시 금성에는 액체 상태의 물이 존재하였을 것이다.
ㄷ. 40억 년 후 태양의 광도는 현재보다 작을 것이다.
ㄹ. 40억 년 후 지구의 표면 온도는 현재보다 높을 것이다.

① ㄱ, ㄷ   ② ㄱ, ㄹ   ③ ㄴ, ㄹ
④ ㄱ, ㄴ, ㄷ   ⑤ ㄴ, ㄷ, ㄹ

638 (하)(중)(상)

그림은 별이 탄생한 시점 t_0과 일정 시간이 지난 시점 t_1일 때 별의 생명 가능 지대와 행성 A∼C의 위치를 나타낸 것이다.

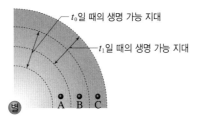

이에 대한 설명으로 옳은 것만을 〈보기〉에서 있는 대로 고른 것은?

〈 보기 〉
ㄱ. 별의 광도는 t_1일 때가 t_0일 때보다 크다.
ㄴ. t_0일 때와 t_1일 때의 생명 가능 지대의 폭은 같다.
ㄷ. 행성 A의 표면 온도는 t_0일 때가 t_1일 때보다 높다.
ㄹ. 생명 가능 지대에 머물 수 있는 시간은 행성 A보다 행성 B가 길다.

① ㄱ, ㄷ   ② ㄱ, ㄹ   ③ ㄴ, ㄹ
④ ㄱ, ㄴ, ㄷ   ⑤ ㄴ, ㄷ, ㄹ

639 (하)(중)(상)

그림은 어느 외계 행성 A의 표면 온도 변화를 중심별의 나이에 따라 나타낸 것이다.

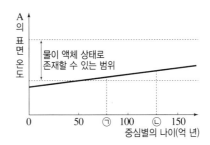

이에 대한 설명으로 옳은 것은? (단, 행성의 표면 온도는 중심별의 광도에 의한 효과만 고려한다.)

① 중심별이 탄생한 시기에 A에는 물이 기체 상태로 존재했을 것이다.
② ⓒ 시기에 A는 생명 가능 지대에 위치한다.
③ 중심별의 나이가 20억 년일 때 A에는 생명체가 살았을 것이다.
④ A에 도달하는 중심별의 복사 에너지는 ⓐ 시기가 ⓒ 시기보다 많다.
⑤ 중심별의 나이가 많아지면서 생명 가능 지대의 폭은 점점 좁아지고 있다.

640

그림은 겨울철 대표적인 별자리의 세 별 (가)~(다)의 분광형과 절대 등급을 나타낸 것이다.

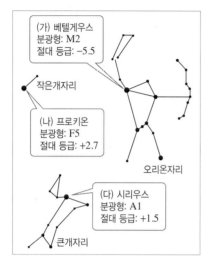

이에 대한 설명으로 옳은 것만을 〈보기〉에서 있는 대로 고른 것은?

〈 보기 〉
ㄱ. 최대 에너지를 방출하는 파장은 (다)가 가장 짧다.
ㄴ. 단위 시간당 단위 면적에서 방출하는 에너지양은 (가)가 가장 많다.
ㄷ. 단위 시간 동안 방출하는 에너지의 총량은 (나)가 (가)의 100배보다 많다.
ㄹ. 별의 반지름은 (가)가 (다)보다 크다.

① ㄱ, ㄷ   ② ㄱ, ㄹ   ③ ㄴ, ㄹ
④ ㄱ, ㄴ, ㄷ   ⑤ ㄴ, ㄷ, ㄹ

641

•●서술형

표는 별 A, B의 물리량을 나타낸 것이다.

별	겉보기 등급	거리(pc)	표면 온도(K)
A	−3	10	2000
B	−3	100	4000

(1) A와 B의 색지수를 비교하여 서술하시오.

(2) B의 광도는 A의 몇 배인지 풀이 과정을 포함하여 서술하시오.

(3) B의 반지름은 A의 몇 배인지 풀이 과정을 포함하여 서술하시오.

642

그림 (가)는 별의 표면 온도에 따른 흡수선의 상대적 세기를, (나)는 별 a~d의 분광형과 절대 등급을 H-R도에 나타낸 것이다.

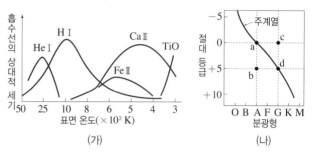

이에 대한 설명으로 옳지 <u>않은</u> 것은?

① a와 b는 모두 HI 흡수선이 가장 강하게 나타난다.
② c는 FeⅡ 흡수선이 강하게 나타난다.
③ a와 d는 광도 계급이 같다.
④ a는 b보다 반지름이 100배 크다.
⑤ 태양은 CaⅡ 흡수선이 HI 흡수선보다 강하게 나타난다.

643

그림은 질량이 서로 다른 별의 진화 과정을 나타낸 것이다.

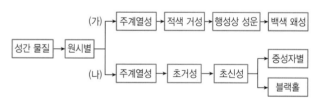

이에 대한 설명으로 옳은 것만을 〈보기〉에서 있는 대로 고른 것은?

〈 보기 〉
ㄱ. (가)는 (나)보다 질량이 작은 별의 진화 과정이다.
ㄴ. (가)는 적색 거성 단계에서, (나)는 초거성 단계에서 헬륨 핵융합 반응이 일어난다.
ㄷ. 주계열 단계에서
$\dfrac{\text{P-P 반응에 의한 에너지 생성량}}{\text{CNO 순환 반응에 의한 에너지 생성량}}$ 은 (나)보다 (가)에서 크다.

① ㄱ   ② ㄴ   ③ ㄱ, ㄷ
④ ㄴ, ㄷ   ⑤ ㄱ, ㄴ, ㄷ

644

(가)와 (나)는 질량이 서로 다른 주계열성의 내부에서 우세하게 일어나는 핵융합 반응을 간단한 화학식으로 나타낸 것이다.

$$(가) \ ^1H + ^1H \longrightarrow ^2H + e^+ + \nu_e$$
$$^2H + ^1H \longrightarrow ^3He + \gamma$$
$$^3He + ^3He \longrightarrow ^4He + 2^1H$$
$$(나) \ ^{12}C + ^1H \longrightarrow ^{13}N + \gamma$$
$$^{13}N \longrightarrow ^{13}C + e^+ + \nu_e$$
$$^{13}C + ^1H \longrightarrow ^{14}N + \gamma$$
$$^{14}N + ^1H \longrightarrow ^{15}O + \gamma$$
$$^{15}O \longrightarrow ^{15}N + e^+ + \nu_e$$
$$^{15}N + ^1H \longrightarrow ^{12}C + \bigcirc$$

e^+: 양전자
ν_e: 중성미자
γ: 감마선

이에 대한 설명으로 옳은 것만을 〈보기〉에서 있는 대로 고른 것은?

〈 보기 〉

ㄱ. (가)는 헬륨 원자핵 1개가 생성되는 과정에서 수소 원자핵 4개가 필요하다.

ㄴ. (나)에서 ⊙은 헬륨 원자핵(^4He)이다.

ㄷ. (나)가 우세하게 일어나는 별의 중심부에는 대류핵이 존재한다.

① ㄱ
② ㄷ
③ ㄱ, ㄴ
④ ㄴ, ㄷ
⑤ ㄱ, ㄴ, ㄷ

645

•• 서술형

그림 (가)는 외계 행성을 탐사하는 방법 중 한 가지를, (나)는 (가)의 행성이 공전하는 동안 ⊙, ⊙, ⊙의 위치에 있을 때 중심별의 스펙트럼을 순서 없이 A, B, C로 나타낸 것이다.

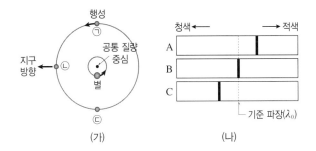

(가)

(나)

(1) 행성이 ⊙에 위치할 때 스펙트럼의 변화를 서술하시오.

(2) 행성이 ⊙, ⊙, ⊙에 위치할 때 관측한 스펙트럼을 (나)에서 각각 골라 쓰시오.

(3) 행성의 질량이 지금보다 클 경우 스펙트럼의 편이량은 지금과 비교하여 어떻게 나타나는지 서술하시오.

646

그림 (가)는 원 궤도로 공전하는 어느 외계 행성에 의한 중심별의 밝기 변화를, (나)는 $t_1 \sim t_6$ 중 어느 한 시점부터 차례로 관측한 중심별의 스펙트럼을 나타낸 것이다.

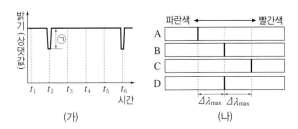

(가)

(나)

이에 대한 설명으로 옳은 것만을 〈보기〉에서 있는 대로 고른 것은? (단, $\Delta\lambda_{max}$는 스펙트럼의 최대 편이량이다.)

〈 보기 〉

ㄱ. 행성의 공전 주기는 t_2에서 t_6까지의 시간이다.

ㄴ. (가)의 t_2에 관측한 스펙트럼은 (나)에서 C에 해당한다.

ㄷ. 행성의 반지름이 클수록 (가)에서 ⊙이 크게 관측된다.

ㄹ. 행성의 질량이 클수록 (나)에서 $\Delta\lambda_{max}$가 크게 관측된다.

① ㄱ, ㄴ
② ㄱ, ㄹ
③ ㄴ, ㄷ
④ ㄱ, ㄷ, ㄹ
⑤ ㄴ, ㄷ, ㄹ

647

표는 항성계 A～C의 중심별의 질량, 생명 가능 지대의 거리 범위, 생명 가능 지대에 위치한 행성의 공전 궤도 반지름을 나타낸 것이다.

항성계	A	B	C
중심별의 질량 (태양=1)	1.2	2.0	⊙
생명 가능 지대의 거리 범위(AU)	1.2～2.0	⊙	0.3～0.5
행성의 공전 궤도 반지름(AU)	1.6	4.0	0.4

이에 대한 설명으로 옳은 것만을 〈보기〉에서 있는 대로 고른 것은? (단, 항성계 A～C의 중심별은 모두 주계열성이다.)

〈 보기 〉

ㄱ. 항성계 A의 중심별은 태양보다 표면 온도가 낮다.

ㄴ. ⊙은 1.2보다 작다.

ㄷ. 항성계 B의 생명 가능 지대의 폭은 0.2 AU보다 넓고 0.8 AU보다 좁다.

① ㄱ
② ㄴ
③ ㄱ, ㄷ
④ ㄴ, ㄷ
⑤ ㄱ, ㄴ, ㄷ

외부 은하

Ⓐ 허블의 은하 분류

1 허블의 은하 분류 기준 외부 은하의 ❶☐☐☐(형태)
① 가시광선 영역에서 관측되는 모양에 따라 분류하였다.
② 은하의 진화 순서와는 관계없다.

기출 Tip Ⓐ-2
은하의 분류 기준
• 타원 은하, 나선 은하 / 불규칙 은하: 모양의 규칙성 유무
• 타원 은하 / 나선 은하: 나선팔의 유무
• 정상 나선 은하 / 막대 나선 은하: 막대 구조의 유무
• E0~E7: 타원 은하의 납작한 정도
• Sa, Sb, Sc(SBa, SBb, SBc): 은하핵의 상대적인 크기와 나선팔의 감긴 정도

2 허블의 은하 분류 은하는 크게 타원 은하, 나선 은하, 불규칙 은하로 구분하며, 나선 은하는 정상 나선 은하와 막대 나선 은하로 구분한다.

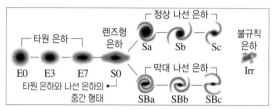

◀ 허블의 은하 분류

① ❷☐☐ 은하: 타원 모양의 은하로, 나선팔이 없다.
• 모양이 ❸☐☐☐ 정도(편평도)에 따라 E0~E7로 세분한다.
➡ 모양이 구에 가까운 것은 E0, 가장 납작한 것은 E7이다. → 납작할수록 편평도가 크다.

② ❹☐☐ 은하: 은하 중심부를 나선팔이 감싸고 있는 모양의 은하
• 막대 구조의 유무에 따라 정상 나선 은하와 막대 나선 은하로 분류한다.
➡ 중심부에 막대 구조가 없는 은하: 정상 나선 은하(S) 예 안드로메다은하
➡ 중심부에 막대 구조가 있는 은하: 막대 나선 은하(SB) 예 우리은하
• 은하핵의 상대적인 크기와 ❺☐☐☐이 감긴 정도에 따라 a, b, c로 세분한다.
➡ a에서 c로 갈수록 은하 전체에 대한 은하핵의 비율이 작아진다.
➡ a에서 c로 갈수록 나선팔의 감김이 느슨해진다.

③ ❻☐☐☐ 은하: 모양에 규칙성이 없는 은하

3 외부 은하의 특징 비교

기출 Tip Ⓐ-3
타원 은하와 불규칙 은하 비교
• 성간 물질: 타원 은하<불규칙 은하
• 구성 별의 나이: 타원 은하>불규칙 은하
• 붉은색 별의 비율: 타원 은하>불규칙 은하

구분	타원 은하	나선 은하		불규칙 은하
		정상 나선 은하	막대 나선 은하	
모습				
성간 물질	적다.	• 중앙 팽대부, 헤일로: 적다. • 나선팔: 많다.		많다.
구성 별의 나이와 색	주로 늙고 ❼☐☐색 별	• 중앙 팽대부, 헤일로: 주로 늙고 붉은색 별 • 나선팔: 주로 젊고 파란색 별		주로 젊고 ❽☐☐색 별

┌ **우리은하** ┐

▲ 위에서 본 모습

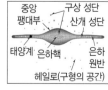
▲ 옆에서 본 모습

• 허블의 은하 분류: 막대 나선 은하로 분류된다.
• 은하핵에는 늙은 별들이 많고, 나선팔에는 젊은 별들이 많다.
• 은하핵과 헤일로에는 구상 성단이, 나선팔에는 산개 성단이 주로 분포한다.
└ 구상 성단은 산개 성단보다 구성 별의 나이가 많다.

B 특이 은하와 충돌 은하

1 특이 은하 허블의 분류 체계로 설명할 수 없는 특징이 있는 은하 ➔ 전파 은하, 퀘이사, 세이퍼트은하가 있으며, 모두 중심에 거대 **❾**□□□이 있을 것으로 추정된다.

전파 은하	• 보통의 은하에 비해 수백~수백만 배 이상 강한 **❿**□□를 방출하는 은하 • 중심핵의 양쪽에 강력한 전파를 방출하는 로브와 로브로 이어지는 **⓫**□□가 대칭적으로 나타난다. ⌐로브와 제트는 강한 X선을 방출한다. • 가시광선 관측: 대체로 타원 은하 모양	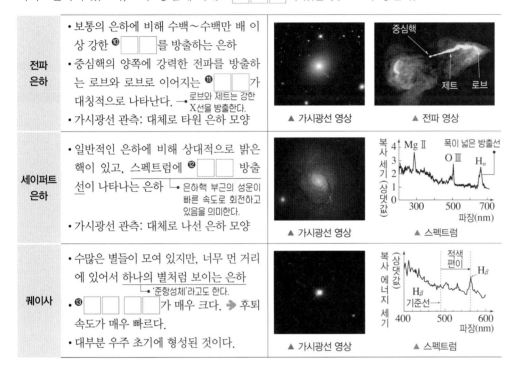 ▲ 가시광선 영상 ▲ 전파 영상	
세이퍼트 은하	• 일반적인 은하에 비해 상대적으로 밝은 핵이 있고, 스펙트럼에 **⓬**□□ 방출선이 나타나는 은하 ⌐은하핵 부근의 성운이 빠른 속도로 회전하고 있음을 의미한다. • 가시광선 관측: 대체로 나선 은하 모양	▲ 가시광선 영상 ▲ 스펙트럼	
퀘이사	• 수많은 별들이 모여 있지만, 너무 먼 거리에 있어서 하나의 별처럼 보이는 은하 ⌐'준항성체'라고도 한다. • **⓭**□□□□가 매우 크다. ➔ 후퇴 속도가 매우 빠르다. • 대부분 우주 초기에 형성된 것이다.	▲ 가시광선 영상 ▲ 스펙트럼	

2 충돌 은하 은하와 은하가 중력에 의해 충돌하여 형성된 은하
① 은하가 충돌하여도 별들끼리 충돌하는 일은 거의 일어나지 않는다.
② 거대한 분자 구름이 충돌하면서 많은 별이 탄생하기도 한다.
③ 은하의 형태가 변하기도 한다.

충돌 은하

기출 Tip ⓑ-1

제트가 만들어지는 까닭
정확하게 알려지지 않았지만 블랙홀의 강한 중력에 의해 고속으로 가속된 전자와 강한 자기장이 원인으로 추정된다.

허블 법칙과 퀘이사의 거리
• 허블 법칙: 은하의 거리가 멀수록 후퇴 속도가 빠르다.
• 퀘이사는 적색 편이가 크게 관측되므로 후퇴 속도가 빠르다.
➔ 허블 법칙에 따라 퀘이사는 매우 먼 거리에 있다는 것을 알 수 있다.

전체 은하의 밝기에 대한 중심부의 밝기
퀘이사 > 세이퍼트은하 > 전파은하

답 ❶ 모양 ❷ 타원 ❸ 납작한 ❹ 나선 ❺ 나선팔 ❻ 불규칙 ❼ 붉은 ❽ 파란 ❾ 블랙홀 ❿ 전파 ⓫ 제트 ⓬ 넓은 ⓭ 적색 편이

빈출 자료 보기

정답과 해설 87쪽

648 그림은 허블의 은하 분류 체계를 나타낸 것이다.

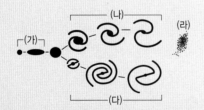

이에 대한 설명으로 옳은 것은 ○, 옳지 않은 것은 ×로 표시하시오.

(1) 외부 은하를 진화 과정에 따라 분류하였다. ( )
(2) (가)는 타원 은하, (나)와 (다)는 나선 은하이다. ( )
(3) 규칙적인 형태가 없는 은하들은 (라)로 분류하였다. ( )
(4) (나) 은하에는 나선팔이 없고, (다) 은하에는 나선팔이 있다. ( )
(5) 나이가 많은 별의 비율은 (가)가 (나)보다 높다. ( )
(6) (다) 은하의 중심에는 늙은 별들이 많이 분포한다. ( )
(7) (라) 은하는 주로 붉은색을 띠는 별들로 구성되어 있다. ( )

649 그림 (가)~(다)는 서로 다른 특이 은하를 나타낸 것이다.

(가)   (나)   (다)

이에 대한 설명으로 옳은 것은 ○, 옳지 않은 것은 ×로 표시하시오.

(1) (가)는 전파 은하, (나)는 퀘이사, (다)는 세이퍼트은하이다. ( )
(2) (가)는 별처럼 점 모양으로 관측된다. ( )
(3) (나)는 은하 전체 광도에 대한 중심부의 광도가 작다. ( )
(4) (나)는 가시광선 영역에서 관측하면 허블의 분류 기준으로 대체로 나선 은하로 분류된다. ( )
(5) (다)의 스펙트럼에서 적색 편이가 매우 크게 나타난다. ( )
(6) (가)~(다)의 중심부에 거대 블랙홀이 있을 것으로 추정된다. ( )

A 허블의 은하 분류

650 하중상

허블의 은하 분류에 대한 설명으로 옳은 것만을 〈보기〉에서 있는 대로 고른 것은?

〈 보기 〉

ㄱ. 은하들은 모양에 따라 크게 타원 은하, 나선 은하, 특이 은하로 분류된다.

ㄴ. 타원 은하는 시간이 지나면 나선 은하가 된다.

ㄷ. 우리은하는 막대 나선 은하에 해당한다.

① ㄱ   ② ㄷ   ③ ㄱ, ㄴ

④ ㄴ, ㄷ   ⑤ ㄱ, ㄴ, ㄷ

빈출 651 하중상   多 보기

그림은 허블의 은하 분류 체계에 따라 여러 외부 은하를 분류한 것이다.

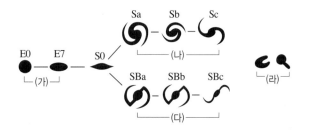

이에 대한 설명으로 옳은 것만을 모두 고르면? (3개)

① (가)는 은하의 크기에 따라 E0~E7로 구분한다.

② (가)에서 E0은 E7보다 편평도가 크다.

③ (가)는 대부분 늙은 별들로 구성되어 있다.

④ (나)는 나선팔이 감긴 정도와 은하핵의 상대적인 크기에 따라 Sa, Sb, Sc로 구분한다.

⑤ (나)는 Sa에서 Sc로 갈수록 나선팔의 감긴 정도가 크다.

⑥ 우리은하는 (다)보다 (나)에 가깝다.

⑦ (나)와 (다)의 나선팔에는 젊은 별이 많이 분포한다.

⑧ 규칙적인 구조가 없는 은하들은 허블의 은하 분류에서 제외된다.

⑨ 성간 물질은 (라)보다 (가)에 많이 분포한다.

[652~654] 그림은 허블이 외부 은하들을 관측하여 일정한 기준에 따라 분류한 것이다.

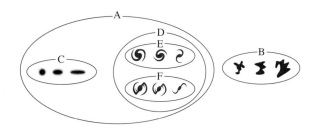

652 하중상   ●● 서술형

은하를 A와 B 집단으로, C와 D 집단으로, E와 F 집단으로 분류한 기준을 각각 서술하시오.

(1) A와 B 집단으로 분류한 기준

(2) C와 D 집단으로 분류한 기준

(3) E와 F 집단으로 분류한 기준

653 하중상

B, C, D 집단을 성간 물질의 비율이 높은 것부터 순서대로 나열하시오.

654 하중상

이에 대한 설명으로 옳은 것만을 〈보기〉에서 있는 대로 고른 것은?

〈 보기 〉

ㄱ. B의 은하들은 새로운 별의 탄생이 활발하다.

ㄴ. C의 은하들은 시간이 지나면 D로 진화한다.

ㄷ. E의 은하에는 은하핵이 있고, F의 은하에는 은하핵이 없다.

① ㄱ   ② ㄴ   ③ ㄱ, ㄷ

④ ㄴ, ㄷ   ⑤ ㄱ, ㄴ, ㄷ

[655~656] 그림은 허블의 은하 분류 체계에 따라 외부 은하를 분류하는 과정을 나타낸 것이다.

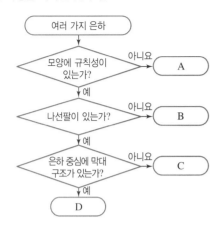

655 하 중 상

A~D에 해당하는 은하의 종류를 각각 쓰시오.

656 빈출 하 중 상

이에 대한 설명으로 옳지 <u>않은</u> 것은?

① B는 편평도에 따라 세분된다.
② B에는 성간 물질이 매우 적은 비율로 존재한다.
③ 표면 온도가 높은 별의 비율은 B보다 C에서 높다.
④ 우리은하는 D에 해당한다.
⑤ 우리은하는 C에서 D로 진화하였다.

657 빈출 하 중 상

그림 (가)와 (나)는 서로 다른 은하의 가시광선 영상을 나타낸 것이다.

(가)   (나)

이에 대한 설명으로 옳은 것만을 〈보기〉에서 있는 대로 고른 것은?

〈 보기 〉
ㄱ. 성간 물질의 비율은 (가)가 (나)보다 높다.
ㄴ. 파란색 별의 비율은 (나)가 (가)보다 높다.
ㄷ. (나)의 나선팔은 은하핵에 비해 표면 온도가 높은 별의 비율이 높다.
ㄹ. (가)가 시간이 지나면 (나)의 형태로 진화한다.

① ㄱ, ㄴ   ② ㄱ, ㄹ   ③ ㄴ, ㄷ
④ ㄴ, ㄹ   ⑤ ㄷ, ㄹ

658 빈출 하 중 상

그림 (가)~(다)는 서로 다른 세 은하를 가시광선으로 관측한 것을 나타낸 것이다.

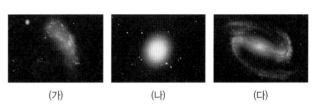

(가)   (나)   (다)

이에 대한 설명으로 옳지 <u>않은</u> 것은?

① (가)는 불규칙 은하이다.
② (나)는 납작한 정도에 따라 세분된다.
③ 우리은하와 형태가 가장 비슷한 은하는 (다)이다.
④ (다)의 나선팔에는 은하핵보다 파란색 별이 많이 분포한다.
⑤ (나)는 (가)보다 젊은 별의 비율이 높다.

B 특이 은하와 충돌 은하

659 하 중 상

특이 은하와 충돌 은하에 대한 설명으로 옳은 것만을 〈보기〉에서 있는 대로 고른 것은?

〈 보기 〉
ㄱ. 특이 은하의 중심에는 거대 질량의 블랙홀이 있을 것으로 추정된다.
ㄴ. 가시광선 영역에서 허블의 분류 기준에 따르면 전파 은하는 대체로 타원 은하로, 세이퍼트은하는 대체로 나선 은하로 관측된다.
ㄷ. 은하끼리 충돌하더라도 은하의 별들이 서로 충돌하는 일은 거의 일어나지 않는다.

① ㄱ   ② ㄷ   ③ ㄱ, ㄴ
④ ㄴ, ㄷ   ⑤ ㄱ, ㄴ, ㄷ

660 하 중 상

다음은 어느 특이 은하에 대한 설명이다.

• 하나의 별처럼 보이므로 준항성체라고도 한다.
• 지구에서 매우 멀리 떨어져 있어 스펙트럼에서 적색 편이가 매우 크게 나타난다.

이 특이 은하의 이름을 쓰시오.

661 _{하중상}

 多 보기

그림 (가)와 (나)는 전파 은하 M87을 각각 가시광선 영역과 전파 영역에서 관측한 영상이다.

 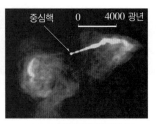

(가) 가시광선 영상　　　　(나) 전파 영상

이에 대한 설명으로 옳지 <u>않은</u> 것만을 모두 고르면? (2개)

① (가)에서는 허블의 은하 분류 체계에 따라 나선 은하로 분류된다.

② 보통의 은하에 비해 매우 강한 전파를 방출한다.

③ 중심핵에서 로브로 이어지는 강한 제트가 관측된다.

④ 로브와 제트 영역에서는 강한 X선을 방출한다.

⑤ 중심에는 거대 블랙홀이 있을 것으로 추정된다.

⑥ 로브는 은하가 매우 빠른 속도로 회전하고 있다는 것을 의미한다.

662 _{하중상}

그림 (가)는 가시광선 영역에서 관측된 어느 세이퍼트은하를, (나)는 이 은하에서 관측된 스펙트럼을 나타낸 것이다.

(가)　　　　(나)

이에 대한 설명으로 옳은 것만을 〈보기〉에서 있는 대로 고른 것은?

〈 보기 〉

ㄱ. (가)는 모양에 따라 분류하면 나선 은하에 해당한다.

ㄴ. (나)는 전파 영역에서 관측한 것이다.

ㄷ. (나)에서 폭이 넓은 수소 방출선이 나타난다.

ㄹ. 은하의 중심부에 거대 블랙홀이 있을 것으로 추정된다.

① ㄱ, ㄴ　　② ㄱ, ㄹ　　③ ㄴ, ㄷ

④ ㄱ, ㄷ, ㄹ　　⑤ ㄴ, ㄷ, ㄹ

663 _{하중상}

그림 (가)는 퀘이사 3C 273과 별들을 촬영한 사진을, (나)는 이 퀘이사의 스펙트럼과 비교 수소 선 스펙트럼을 나타낸 것이다.

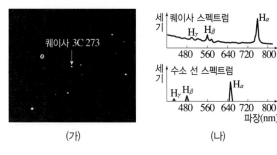

(가)　　　　(나)

이에 대한 설명으로 옳지 <u>않은</u> 것은?

① (가)에서 퀘이사는 작은 점으로 보인다.

② (나)의 퀘이사 스펙트럼에서는 수소 방출선의 적색 편이가 크게 나타난다.

③ 퀘이사는 우리은하로부터 빠른 속도로 멀어지고 있다.

④ 퀘이사는 태양계 근처에 위치한 천체이다.

⑤ 퀘이사는 우주 탄생 초기에 형성된 천체이다.

664 _{하중상}

그림 (가)는 전파 은하를, (나)는 세이퍼트은하를 나타낸 것이다.

(가) 전파 은하　　　　(나) 세이퍼트은하

이에 대한 설명으로 옳은 것만을 〈보기〉에서 있는 대로 고른 것은?

〈 보기 〉

ㄱ. (가)는 전파 영역에서 관측하면 중심부를 기준으로 제트가 대칭적으로 나타난다.

ㄴ. (나)는 중심부의 밀도가 주변보다 매우 작다.

ㄷ. (나)는 은하 전체의 광도에 대한 중심부의 광도가 매우 크다.

ㄹ. (가)와 (나)는 모두 가시광선 영역에서 대체로 타원 은하로 관측된다.

① ㄱ, ㄷ　　② ㄴ, ㄷ　　③ ㄴ, ㄹ

④ ㄱ, ㄴ, ㄹ　　⑤ ㄱ, ㄷ, ㄹ

665 하 중 상

그림은 두 은하가 충돌하고 있는 모습을 나타낸 것이다.

이에 대한 설명으로 옳은 것만을 〈보기〉에서 있는 대로 고른 것은?

―〈 보기 〉―

ㄱ. 은하의 충돌 과정에서 수많은 별들이 충돌하여 붕괴된다.

ㄴ. 큰 은하가 작은 은하를 흡수하기도 한다.

ㄷ. 은하 내의 분자 구름들이 충돌하고 압축되면서 새로운 별이 탄생하기도 한다.

ㄹ. 충돌하는 은하 사이에는 허블 법칙이 성립한다.

① ㄱ, ㄷ   ② ㄱ, ㄹ   ③ ㄴ, ㄷ

④ ㄱ, ㄴ, ㄹ   ⑤ ㄴ, ㄷ, ㄹ

666 하 중 상

그림 (가)는 우리은하를 위에서 본 모습을, (나)는 우리은하를 옆에서 본 모습을 나타낸 것이다.

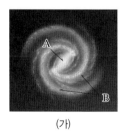 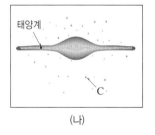

(가)   (나)

이에 대한 설명으로 옳은 것만을 〈보기〉에서 있는 대로 고른 것은?

―〈 보기 〉―

ㄱ. 우리은하는 막대 나선 은하에 해당한다.

ㄴ. A에는 B보다 성간 물질이 많이 분포한다.

ㄷ. C는 구상 성단에 해당한다.

ㄹ. A~C 중 C에서 젊고 파란색 별의 비율이 가장 높다.

① ㄱ, ㄷ   ② ㄴ, ㄷ   ③ ㄴ, ㄹ

④ ㄱ, ㄴ, ㄹ   ⑤ ㄱ, ㄷ, ㄹ

667 하 중 상 •• 서술형

그림 (가)와 (나)는 퀘이사와 세이퍼트은하의 스펙트럼과 특징을 순서 없이 나타낸 것이다.

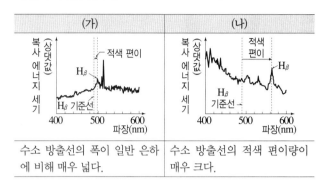

(가)	(나)
수소 방출선의 폭이 일반 은하에 비해 매우 넓다.	수소 방출선의 적색 편이량이 매우 크다.

(가)와 (나) 중 퀘이사를 고르고, 그 까닭을 서술하시오.

668 하 중 상 多 보기

그림 (가)와 (나)는 퀘이사와 세이퍼트은하의 스펙트럼을 순서 없이 나타낸 것이다.

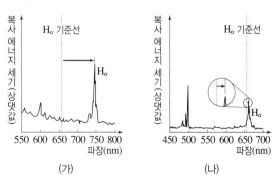

(가)   (나)

이에 대한 설명으로 옳지 않은 것만을 모두 고르면? (2개)

① (가)는 퀘이사, (나)는 세이퍼트은하이다.

② (가)는 하나의 별처럼 관측된다.

③ (나)는 가시광선 영상에서 대체로 타원 은하로 관측된다.

④ (가)는 (나)보다 우리은하로부터 더 먼 거리에 있다.

⑤ (가)와 (나)는 모두 우리은하에 가까워지고 있다.

⑥ (가)와 (나)는 모두 중심부에 거대 블랙홀이 있을 것으로 추정된다.

허블 법칙과 우주 팽창

Ⓐ 외부 은하의 관측과 후퇴 속도

1 허블의 외부 은하의 스펙트럼 관측

① 대부분의 멀리 있는 외부 은하의 스펙트럼에서 ❶ ☐☐ ☐☐ 가 관측되었다.

➡ 대부분의 외부 은하들이 우리은하로부터 멀어지고 있다는 것을 의미한다.
  ↳ 적색 편이는 흡수선의 위치가 파장이 긴 붉은색 쪽으로 이동하는 현상으로 천체가 멀어질 때 나타나기 때문이다.

② 외부 은하까지의 거리가 멀수록 적색 편이가 크게 나타난다.

➡ 외부 은하까지의 거리가 멀수록 빠르게 멀어지고 있다는 것을 의미한다.
  ↳ 후퇴 속도가 클수록 적색 편이가 크게 나타나기 때문이다.

2 후퇴 속도와 적색 편이의 관계   적색 편이량이 클수록 후퇴 속도가 ❷ ☐☐☐.

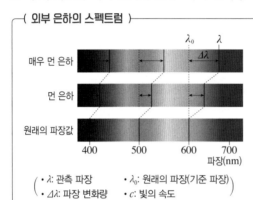

외부 은하의 스펙트럼

은하의 스펙트럼에서 적색 편이가 나타나며, 은하까지의 거리가 멀수록 파장 변화량이 크다.

- 적색 편이량: $\dfrac{\lambda - \lambda_0}{\lambda_0} = \dfrac{\Delta\lambda}{\lambda_0}$

- 적색 편이량과 후퇴 속도(v)의 관계식

$$\frac{\Delta\lambda}{\lambda_0} = \frac{v}{c}, \ v = ❸\,\square \times \frac{❹\,\square}{❺\,\square}$$

(• λ: 관측 파장   • λ_0: 원래의 파장(기준 파장)
  • $\Delta\lambda$: 파장 변화량   • c: 빛의 속도)

Ⓑ 허블 법칙과 우주 팽창

1 허블 법칙

① 허블은 거리가 알려진 외부 은하들의 적색 편이를 측정하여 후퇴 속도를 알아내었다.

② 멀리 있는 은하일수록 빠르게 멀어지고 있다는 허블 법칙을 발견하였다.

③ 허블 법칙: 외부 은하의 후퇴 속도는 거리에 ❻ ☐☐ 한다.

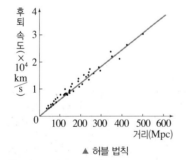

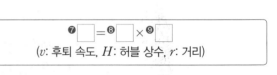

❼ ☐ = ❽ ☐ × ❾ ☐
(v: 후퇴 속도, H: 허블 상수, r: 거리)

▲ 허블 법칙

허블 법칙의 의미	우주가 ❿ ☐☐ 하고 있음을 의미한다.
	➡ 멀리 있는 은하일수록 빠르게 멀어지는 것은 우주의 팽창으로 설명할 수 있다.
허블 상수(H)	• 허블 상수: 1 Mpc당 우주가 팽창하는 속도(km/s)를 나타내는 값
	• 그래프에서 ⓫ ☐☐ 는 허블 상수에 해당한다.
	➡ 기울기가 클수록 허블 상수가 크다.
	• 허블 상수는 관측값의 정확도에 따라 다르게 측정될 수 있다.
	➡ 관측 시기 또는 관측하는 과학자에 따라 허블 상수 값이 다르게 계산될 수 있다. ↳ 최근 알려진 허블 상수는 약 67.8 km/s/Mpc이다.

2 우주의 팽창

① 우주 공간이 **⑫**[ ]하여 은하 사이의 거리가 서로 **⑬**[ ]지고 있다.
➡ 서로 멀어지는 은하 중 한 은하에서 다른 은하를 관측하면 적색 편이가 관측된다.
➡ 허블 법칙에 따라 은하의 후퇴 속도는 거리에 비례하여 커진다.

② 팽창하는 우주의 중심은 정할 수 **⑭**[ ]. ➡ 우리은하가 우주 팽창의 중심이 아니며, 어느 은하를 기준으로 하여도 은하들은 서로 멀어진다.

기출 Tip 🅑-2
우주가 팽창해도 은하의 크기가 커지지 않는 까닭
은하 내의 별들은 서로의 중력에 큰 영향을 받고 있으므로, 우주가 팽창해도 은하의 크기가 커지는 것은 아니다.

기준	기준에 따라 관측되는 은하의 후퇴 속도와 방향	
은하 A	3500 km/s 7000 km/s A B C	B는 3500 km/s로, C는 7000 km/s로 멀어진다. ➡ A로부터의 거리는 C가 B의 2배이다.
은하 B	3500 km/s 3500 km/s A B C	A는 3500 km/s로, C는 3500 km/s로 멀어진다. ➡ A와 C는 서로 반대 방향으로 멀어지며, B로부터 A와 C가 같은 거리에 있다.
은하 C	7000 km/s 3500 km/s A B C	A는 7000 km/s로, B는 3500 km/s로 멀어진다. ➡ C로부터의 거리는 A가 B의 2배이다.

3 우주의 나이와 크기
팽창하는 우주의 시간을 거꾸로 돌리면 먼 과거에 우주는 한 점에 모여 있었다고 추정할 수 있으며, 허블 법칙을 적용하면 우주의 나이와 크기를 계산할 수 있다.

① 우주의 나이: 우주의 팽창 속도가 일정하다고 가정할 때, 과거 어느 시점에 한 점에 모여 있던 은하가 현재의 속력(v)으로 현재의 거리(r)만큼 멀어지는 데 걸린 시간(t)이다.

$$t = \frac{r}{v} = \frac{r}{H \cdot r} = \frac{1}{H} \text{ (허블 상수의 역수)} ➡ \text{허블 상수가 클수록 우주의 나이가 ⑮}[\quad].$$

② 관측 가능한 우주의 크기: 멀어지는 은하의 속력은 빛의 속도를 넘을 수 없으므로 빛의 속도(c)로 멀어지는 은하까지의 거리(r)가 관측 가능한 우주의 크기에 해당한다.

$$c = H \cdot r, \ r = \frac{c}{H} ➡ \text{허블 상수가 클수록 우주의 크기가 ⑯}[\quad].$$

기출 Tip 🅑-3
우주의 나이와 크기
허블 상수(H)에 반비례한다.
· 우주의 나이: $\frac{1}{H}$
· 우주의 크기: $\frac{c}{H}$

허블 법칙 그래프 해석
그래프의 기울기가 클수록
· 허블 상수가 크다.
· 우주의 나이가 적다.
· 우주의 크기가 작다.

답 ❶ 적색 편이 ❷ 빠르다 ❸ c ❹ $\Delta\lambda$ ❺ λ_0 ❻ 비례 ❼ v ❽ H ❾ r ❿ 팽창 ⑪ 기울기 ⑫ 팽창 ⑬ 멀어 ⑭ 없다 ⑮ 적다 ⑯ 작다

빈출 자료 보기

○ 정답과 해설 89쪽

669 그림은 A와 B 시기에 측정한 외부 은하의 거리에 따른 후퇴 속도를 나타낸 것이다.

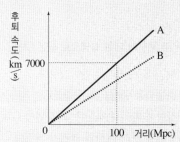

이에 대한 설명으로 옳은 것은 ○, 옳지 않은 것은 ×로 표시하시오.

(1) A 시기와 B 시기 모두 멀리 있는 은하일수록 후퇴 속도가 빠르다. ( )

(2) 그래프를 통해 우주가 팽창하고 있음을 알 수 있다. ( )

(3) 같은 거리에 있는 은하의 후퇴 속도는 A 시기가 B 시기보다 빠르다. ( )

(4) 그래프 기울기의 역수는 허블 상수에 해당한다. ( )

(5) A 시기의 허블 상수는 70 km/s/Mpc이다. ( )

(6) B 시기의 허블 상수는 70 km/s/Mpc보다 크다. ( )

(7) 우주의 나이는 A 시기가 B 시기보다 많게 계산된다. ( )

(8) 우주의 크기는 A 시기가 B 시기보다 크게 계산된다. ( )

A 외부 은하의 관측과 후퇴 속도

670 하 중 상

원래 흡수선의 파장이 λ_0이고, 어느 외부 은하의 흡수선의 파장 변화량이 $\Delta\lambda$일 때, 외부 은하의 후퇴 속도 v를 구하는 식으로 옳은 것은? (단, 빛의 속도는 c이다.)

① $v = \dfrac{1}{c} \times \dfrac{\Delta\lambda}{\lambda_0}$

② $v = c \times \dfrac{\Delta\lambda}{\lambda_0}$

③ $v = c \times \dfrac{1}{\lambda_0 \Delta\lambda}$

④ $v = c \times \dfrac{\lambda_0}{\Delta\lambda}$

⑤ $v = \dfrac{1}{c} \times \dfrac{\lambda_0}{\Delta\lambda}$

★빈출
671 하 중 상

그림은 외부 은하 (가)~(다)를 촬영한 모습과 스펙트럼을 나타낸 것이다.

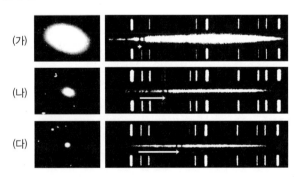

(가)
(나)
(다)

이에 대한 설명으로 옳은 것만을 〈보기〉에서 있는 대로 고른 것은? (단, 화살표의 길이는 흡수선이 적색 편이된 정도를 의미한다.)

〈 보기 〉
ㄱ. (가)~(다)는 모두 우리은하로부터 멀어지고 있다.
ㄴ. (가)는 (나)보다 빠른 속도로 멀어지고 있다.
ㄷ. (나)는 (다)보다 우리은하로부터 더 먼 거리에 있다.

① ㄱ
② ㄷ
③ ㄱ, ㄴ
④ ㄴ, ㄷ
⑤ ㄱ, ㄴ, ㄷ

672 하 중 상

그림은 거리가 100 Mpc인 어느 외부 은하의 스펙트럼을 관측한 결과, 파장이 400 nm인 흡수선이 $\Delta\lambda$만큼 적색 편이된 것을 나타낸 것이다.

400 nm   흡수선

$\Delta\lambda$

흡수선의 파장 변화량($\Delta\lambda$)이 10 nm일 때, 이 은하의 후퇴 속도는 몇 km/s인가? (단, 빛의 속도는 3×10^5 km/s이다.)

① 50 km/s
② 75 km/s
③ 7500 km/s
④ 15000 km/s
⑤ 30000 km/s

673 하 중 상
••서술형

표는 지구에서 같은 방향에 위치한 외부 은하 (가)와 (나)의 스펙트럼에서 칼슘 이온 흡수선의 파장을 나타낸 것이다.

외부 은하	(가)	(나)
칼슘 이온 흡수선의 파장	425 nm	410 nm

외부 은하 (가)와 (나)의 후퇴 속도의 비를 풀이 과정을 포함하여 구하시오. (단, 정지 상태에서 칼슘 이온 흡수선의 파장은 395 nm이다.)

B 허블 법칙과 우주 팽창

674 하 중 상

허블 법칙과 우주 팽창에 대한 설명으로 옳은 것은?

① 은하의 후퇴 속도는 거리에 반비례한다.
② 우주는 우리은하를 중심으로 팽창한다.
③ 우주가 팽창함에 따라 은하들은 서로 멀어지고 있다.
④ 우주가 팽창함에 따라 은하의 크기가 커진다.
⑤ 우리은하에서 관측하는 경우에만 허블 법칙이 성립한다.

675 (하 중 상) 多 보기

그림은 외부 은하의 거리에 따른 후퇴 속도를 나타낸 것이다.

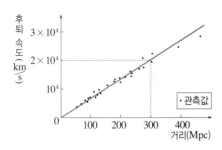

이에 대한 설명으로 옳지 <u>않은</u> 것만을 모두 고르면? (3개)

① 멀리 있는 은하일수록 후퇴 속도가 빠르다.

② 은하의 후퇴 속도를 알면 은하까지의 거리를 구할 수 있다.

③ 은하까지의 거리가 멀수록 스펙트럼에서 청색 편이가 크게 나타난다.

④ 허블 상수는 1 Mpc당 우주가 팽창하는 속도(km/s)를 의미한다.

⑤ 그래프의 기울기의 역수는 허블 상수를 의미한다.

⑥ 그래프의 기울기는 약 67 km/s/Mpc이다.

⑦ 허블 법칙은 우주는 일정한 비율로 팽창하고 있음을 의미한다.

⑧ 우주의 질량이 일정하다면, 허블 법칙을 통해 시간이 지남에 따라 우주가 냉각되고 있음을 추측할 수 있다.

⑨ 우주의 질량이 일정하다면, 허블 법칙을 통해 시간이 지남에 따라 우주의 밀도가 일정하게 유지되고 있음을 추측할 수 있다.

676 (하 중 상)

그림은 우리은하에서 관측한 외부 은하의 거리와 후퇴 속도를 나타낸 것이다.

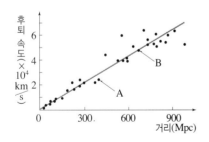

이에 대한 설명으로 옳은 것만을 〈보기〉에서 있는 대로 고른 것은? (단, 은하 A와 B의 광도는 같다.)

〈 보기 〉

ㄱ. 후퇴 속도는 A가 B보다 작다.

ㄴ. 겉보기 등급은 B가 A보다 작다.

ㄷ. B에서 관측하면 A의 스펙트럼에서 청색 편이가 나타날 것이다.

① ㄱ　　　　② ㄷ　　　　③ ㄱ, ㄴ

④ ㄴ, ㄷ　　　⑤ ㄱ, ㄴ, ㄷ

677 (하 중 상)

그림은 우리은하에서 시선 방향으로 일직선상에 위치한 외부 은하 A~C의 거리에 따른 후퇴 속도를 나타낸 것이다.

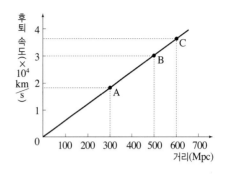

이에 대한 설명으로 옳은 것만을 〈보기〉에서 있는 대로 고른 것은?

〈 보기 〉

ㄱ. B에서 관측하면 A는 후퇴하고 C는 접근할 것이다.

ㄴ. C에서 관측하면 A보다 B의 스펙트럼에서 적색 편이가 더 크게 나타날 것이다.

ㄷ. 허블 상수는 60 km/s/Mpc이다.

① ㄱ　　　　② ㄷ　　　　③ ㄱ, ㄴ

④ ㄴ, ㄷ　　　⑤ ㄱ, ㄴ, ㄷ

678 (하 중 상)

표는 허블 법칙을 만족하는 외부 은하 A~C의 거리와 후퇴 속도를 나타낸 것이다.

은하	A	B	C
거리(Mpc)	600	㉠	400
후퇴 속도(km/s)	42000	10500	28000

이에 대한 설명으로 옳은 것만을 〈보기〉에서 있는 대로 고른 것은?

〈 보기 〉

ㄱ. 허블 상수는 70 km/s/Mpc이다.

ㄴ. ㉠은 250이다.

ㄷ. 스펙트럼에서 적색 편이가 가장 크게 나타나는 은하는 C이다.

① ㄱ　　　　② ㄴ　　　　③ ㄱ, ㄷ

④ ㄴ, ㄷ　　　⑤ ㄱ, ㄴ, ㄷ

679 하중상 多 보기

그림은 우리은하에서 관측한 한 직선상에 있는 외부 은하 A~C의 거리와 후퇴 속도를 나타낸 것이다.

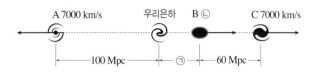

이에 대한 설명으로 옳지 않은 것만을 모두 고르면? (2개)

① 우주는 우리은하를 중심으로 팽창한다.

② 허블 상수는 70 km/s/Mpc이다.

③ ㉠은 40 Mpc이다.

④ B의 후퇴 속도 ㉡은 2800 km/s이다.

⑤ A에서 우리은하의 스펙트럼을 관측하면 적색 편이가 나타난다.

⑥ A에서 측정한 우리은하와 C의 후퇴 속도의 비는 1 : 1이다.

680 하중상

그림은 서로 다른 시기 A, B에 관측한 외부 은하의 거리에 따른 후퇴 속도를 나타낸 것이다.

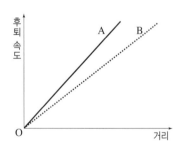

A보다 B에서 큰 값을 갖는 것만을 〈보기〉에서 있는 대로 고른 것은?

〈 보기 〉

ㄱ. 허블 상수

ㄴ. 우주의 나이

ㄷ. 관측 가능한 우주의 크기

ㄹ. 같은 거리에 있는 은하의 후퇴 속도

① ㄱ, ㄴ   ② ㄱ, ㄹ   ③ ㄴ, ㄷ

④ ㄴ, ㄹ   ⑤ ㄷ, ㄹ

681 하중상

그림은 외부 은하 X의 스펙트럼을 비교 선 스펙트럼과 함께 나타낸 것이고, 표는 파장이 400 nm인 흡수선의 적색 편이가 일어난 파장 변화량($\Delta\lambda$)과 X까지의 거리를 나타낸 것이다.

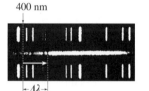

$\Delta\lambda$ (nm)	X까지의 거리 (Mpc)
20	300

이에 대한 설명으로 옳은 것만을 〈보기〉에서 있는 대로 고른 것은? (단, 빛의 속도는 3×10^5 km/s이다.)

〈 보기 〉

ㄱ. 외부 은하가 우리은하로부터 멀리 떨어져 있을수록 $\Delta\lambda$가 커진다.

ㄴ. X의 후퇴 속도는 15000 km/s이다.

ㄷ. X를 이용하여 구한 허블 상수는 50 km/s/Mpc이다.

① ㄱ   ② ㄷ   ③ ㄱ, ㄴ

④ ㄴ, ㄷ   ⑤ ㄱ, ㄴ, ㄷ

682 하중상 ••서술형

그림은 외부 은하 A의 스펙트럼을 비교 선 스펙트럼과 함께 나타낸 것이고, 표는 파장이 400 nm인 흡수선의 적색 편이가 일어난 파장 변화량($\Delta\lambda$)과 우리은하에서 A까지의 거리를 나타낸 것이다. (단, 세로선은 비교 스펙트럼선을, 화살표의 길이는 흡수선이 적색 편이된 정도를 나타낸 것이다.)

$\Delta\lambda$ (nm)	A까지의 거리 (Mpc)
30	430

(1) 은하 A의 후퇴 속도는 몇 km/s인지 풀이 과정을 포함하여 구하시오. (단, 빛의 속도는 3×10^5 km/s이다.)

(2) 허블 상수는 몇 km/s/Mpc인지 풀이 과정을 포함하여 구하시오. (단, 소수점 첫째 자리에서 반올림하시오.)

683 하중상 •●서술형

그림은 외부 은하 (가)와 (나)의 스펙트럼에서 방출선이 적색 편이된 것을 비교 스펙트럼과 함께 나타낸 것이다. (가)와 (나)는 동일한 시선 방향에 위치하고, 허블 법칙을 만족한다. (단, 빛의 속도는 $3 \times 10^5 \, \text{km/s}$이다.)

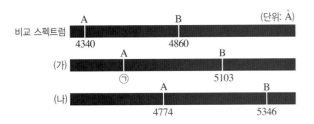

(1) (가)와 (나) 중 우리은하로부터 더 멀리 떨어져 있는 은하를 고르고, 그 까닭을 서술하시오.

(2) 적색 편이된 (가)의 방출선 파장 ㉠은 몇 Å인지 풀이 과정을 포함하여 구하시오.

(3) (나)까지의 거리가 600 Mpc일 때, 허블 상수는 몇 km/s/Mpc인지 풀이 과정을 포함하여 구하시오.

684 하중상

그림은 은하 A에서 관측한 은하 B와 C의 후퇴 속도와 은하 D에서 관측한 은하 B와 C의 후퇴 속도를 각각 화살표로 나타낸 것이다.

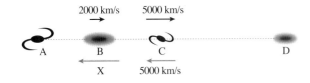

이에 대한 설명으로 옳은 것만을 〈보기〉에서 있는 대로 고른 것은? (단, 허블 상수는 50 km/s/Mpc이다.)

〈 보기 〉
ㄱ. A와 C 사이의 거리는 C와 D 사이의 거리와 같다.
ㄴ. D에서 관측한 B의 후퇴 속도 X는 8000 km/s이다.
ㄷ. B와 C 사이의 거리는 40 Mpc이다.

① ㄱ   ② ㄷ   ③ ㄱ, ㄴ
④ ㄴ, ㄷ   ⑤ ㄱ, ㄴ, ㄷ

685 빈출 하중상

그림 A, B는 두 천문학자가 각각 관측한 외부 은하까지의 거리와 은하의 후퇴 속도를 나타낸 것이다.

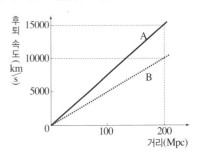

이에 대한 설명으로 옳은 것만을 〈보기〉에서 있는 대로 고른 것은?

〈 보기 〉
ㄱ. 같은 거리에 있는 은하의 적색 편이는 A가 B보다 크게 나타난다.
ㄴ. A와 B는 모두 우주가 팽창하고 있음을 나타낸다.
ㄷ. B에서 측정한 허블 상수는 75 km/s/Mpc이다.
ㄹ. 우주의 나이는 B가 A의 3배이다.

① ㄱ, ㄴ   ② ㄱ, ㄹ   ③ ㄴ, ㄷ
④ ㄱ, ㄷ, ㄹ   ⑤ ㄴ, ㄷ, ㄹ

686 하중상 •●서술형

그림은 세 천문대 A, B, C에서 관측한 외부 은하까지의 거리와 후퇴 속도를 나타낸 것이다. 단, ○, △, □는 각각 A, B, C에서 관측한 자료이다.

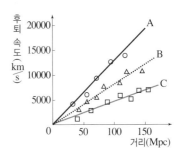

(1) A~C의 허블 상수의 크기를 부등호로 비교하시오.

(2) A~C 중 우주의 나이가 가장 많은 것을 고르고, 그 까닭을 서술하시오.

(3) A~C 중 관측 가능한 우주의 크기가 가장 큰 것을 고르고, 그 까닭을 서술하시오.

빅뱅 우주론

Ⓐ 빅뱅(대폭발) 우주론

1 빅뱅 우주론과 정상 우주론

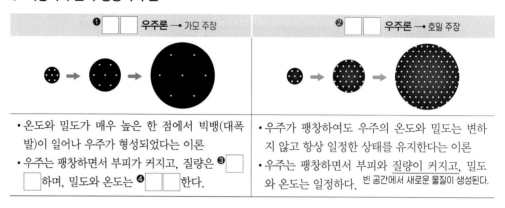

❶ ☐☐ 우주론 → 가모 주장	❷ ☐☐ 우주론 → 호일 주장
• 온도와 밀도가 매우 높은 한 점에서 빅뱅(대폭발)이 일어나 우주가 형성되었다는 이론 • 우주는 팽창하면서 부피가 커지고, 질량은 ❸ ☐☐ 하며, 밀도와 온도는 ❹ ☐☐ 한다.	• 우주가 팽창하여도 우주의 온도와 밀도는 변하지 않고 항상 일정한 상태를 유지한다는 이론 • 우주는 팽창하면서 부피와 질량이 커지고, 밀도와 온도는 일정하다. 빈 공간에서 새로운 물질이 생성된다.

2 빅뱅 우주론의 확립

① 빅뱅 우주론에서 입자의 생성 과정: 빅뱅 → 기본 입자(쿼크, 전자 등) 생성 → 쿼크가 결합하여 양성자, 중성자 생성 → 양성자와 중성자가 결합하여 헬륨 원자핵 생성(빅뱅 약 3분 후) → 원자핵과 전자가 결합하여 수소 원자, 헬륨 원자 생성(빅뱅 약 38만 년 후) 이때 자유로워진 빛이 우주 전역으로 퍼져 나갔다.

② 빅뱅 우주론의 증거: 빅뱅 우주론에서 예측한 내용이 실제로 관측되어 증거가 되었다.

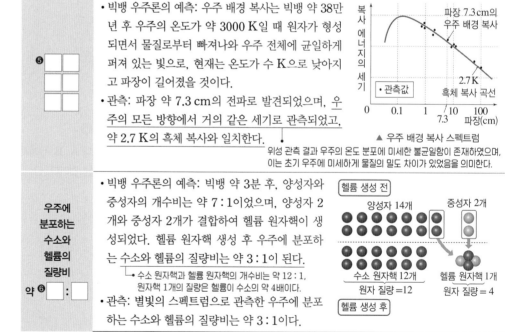

❺ ☐☐☐☐	• 빅뱅 우주론의 예측: 우주 배경 복사는 빅뱅 약 38만 년 후 우주의 온도가 약 3000 K일 때 원자가 형성되면서 물질로부터 빠져나와 우주 전체에 균일하게 퍼져 있는 빛으로, 현재는 온도가 수 K으로 낮아지고 파장이 길어졌을 것이다. • 관측: 파장 약 7.3 cm의 전파로 발견되었으며, 우주의 모든 방향에서 거의 같은 세기로 관측되었고, 약 2.7 K의 흑체 복사와 일치한다.

▲ 우주 배경 복사 스펙트럼

위성 관측 결과 우주의 온도 분포에 미세한 불균일함이 존재하였으며, 이는 초기 우주에 미세하게 물질의 밀도 차이가 있었음을 의미한다.

우주에 분포하는 수소와 헬륨의 질량비 약 ❻ ☐ : ☐	• 빅뱅 우주론의 예측: 빅뱅 약 3분 후, 양성자와 중성자의 개수비는 약 7 : 1이었으며, 양성자 2개와 중성자 2개가 결합하여 헬륨 원자핵이 생성되었다. 헬륨 원자핵 생성 후 우주에 분포하는 수소와 헬륨의 질량비는 약 3 : 1이 된다. 　수소 원자핵과 헬륨 원자핵의 개수비는 약 12 : 1, 원자핵 1개의 질량은 헬륨이 수소의 약 4배이다. • 관측: 별빛의 스펙트럼으로 관측한 우주에 분포하는 수소와 헬륨의 질량비는 약 3 : 1이다.

헬륨 생성 전 — 양성자 14개, 중성자 2개 → 수소 원자핵 12개 (원자 질량 =12), 헬륨 원자핵 1개 (원자 질량 = 4) — 헬륨 생성 후

③ 빅뱅 우주론의 한계

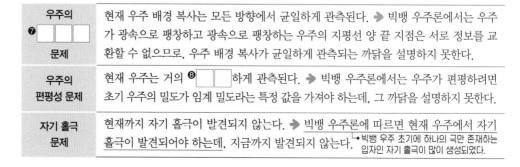

우주의 ❼ ☐☐☐ 문제	현재 우주 배경 복사는 모든 방향에서 균일하게 관측된다. ➡ 빅뱅 우주론에서는 우주가 광속으로 팽창하고 광속으로 팽창하는 우주의 지평선 양 끝 지점은 서로 정보를 교환할 수 없으므로, 우주 배경 복사가 균일하게 관측되는 까닭을 설명하지 못한다.
우주의 편평성 문제	현재 우주는 거의 ❽ ☐☐ 하게 관측된다. ➡ 빅뱅 우주론에서는 우주가 편평하려면 초기 우주의 밀도가 임계 밀도라는 특정 값을 가져야 하는데, 그 까닭을 설명하지 못한다.
자기 홀극 문제	현재까지 자기 홀극이 발견되지 않는다. ➡ 빅뱅 우주론에 따르면 현재 우주에서 자기 홀극이 발견되어야 하는데, 지금까지 발견되지 않는다. 빅뱅 우주 초기에 하나의 극만 존재하는 입자인 자기 홀극이 많이 생성되었다.

B 급팽창 이론과 가속 팽창 우주

1 ⑨ ☐☐☐ **이론** 빅뱅 직후 매우 짧은 시간 동안 우주가 급격히 팽창했다는 이론 → 앨런 구스 주장

① 급팽창 이론에서 우주의 크기 변화

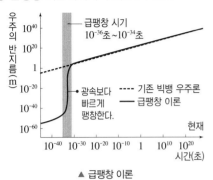

▲ 급팽창 이론

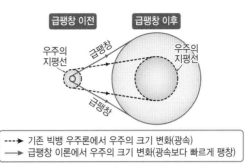

▲ 빅뱅 우주론과 급팽창 이론에서 우주의 크기

② 급팽창 이론은 기존 빅뱅 우주론이 해결하지 못한 문제점들을 보완하였다.

지평선 문제 해결	급팽창이 일어나기 전에는 우주의 크기가 우주의 지평선보다 훨씬 작아서 현재의 지평선에 있는 지역에서도 서로 정보를 충분히 교환할 수 있었다고 설명한다.
편평성 문제 해결	급팽창으로 우주의 크기가 매우 커지면 초기 우주의 밀도는 임계 밀도 값을 갖게 되며, 현재 관측 가능한 우주는 편평하게 보인다고 설명한다.
자기 홀극 문제 해결	급팽창으로 우주의 크기가 우주의 지평선보다 훨씬 커져 우주에서 자기 홀극 밀도가 크게 감소하여, 현재 우주에서 자기 홀극을 발견하기 어렵다고 설명한다.

2 가속 팽창 우주 수십 개의 초신성을 관측하여 분석한 결과, 현재 우주는 가속 팽창하고 있음을 알게 되었다.

(Ia형 초신성 관측과 가속 팽창 우주)

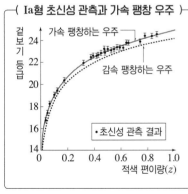

• Ia형 초신성은 일정한 질량에서 폭발하여 절대 등급이 거의 일정하므로 겉보기 등급을 측정하면 초신성까지의 거리를 구할 수 있다.

• 관측된 Ia형 초신성들의 겉보기 밝기는 이론적으로 계산된 밝기(우주가 일정한 비율로 팽창해 왔다고 가정한 밝기)보다 더 ⑩ ☐☐☐. ➡ 초신성들이 예상보다 더 멀리 있다. ➡ 현재 우주는 ⑪ ☐☐ 팽창한다.

C 암흑 물질과 암흑 에너지

1 우주의 구성 우주는 보통 물질, 암흑 물질, 암흑 에너지로 구성된다.

암흑 물질	• 빛을 방출하지 않아 보이지 않지만 질량이 있으므로 중력적인 방법으로 그 존재를 추정할 수 있는 물질 • 암흑 물질의 존재 추정: 나선 은하의 회전 곡선, 중력 렌즈 현상 등을 이용한다. _{암흑 물질의 중력의 효과로 빛의 경로가 휘어지기도 하고, 주변의 별이나 은하의 운동이 교란되기도 한다.}
암흑 에너지	• 우주에서 척력으로 작용하여 우주를 팽창시키는 미지의 에너지 • 가속 팽창 우주는 우주를 가속 팽창시키는 원인으로 ⑫ ☐☐☐☐를 도입하여 설명한다. → 공간 자체가 가지는 에너지로, 시간이 지나도 밀도가 일정하다.

분포비: 암흑 에너지
>암흑 물질>보통 물질

약 68.3 %
암흑 에너지

약 26.8 %
암흑 물질

약 4.9 %
별, 기타 은하 간 기체
(보통 물질)

▲ 우주의 구성 요소

기출 Tip B-1
빅뱅 우주론과 급팽창 이론에서 우주의 크기
• 빅뱅 우주론
  ┌ 빅뱅 초기: 우주의 크기=우주의 지평선
  └ 현재: 우주의 크기=우주의 지평선
• 급팽창 이론
  ┌ 급팽창 이전: 우주의 크기<우주의 지평선
  └ 급팽창 이후: 우주의 크기>우주의 지평선

기출 Tip B-2
우주론의 발전 과정
┌─────────────┐
│ 빅뱅(대폭발) 우주론 │
└─────────────┘
      ↓
┌─────────────┐
│ 급팽창 이론 │
└─────────────┘
      ↓
┌─────────────┐
│ 가속 팽창 우주 │
└─────────────┘

기출 Tip C-1
우주 구성 요소의 광학적 관측 가능 여부
• 광학적으로 관측 가능: 보통 물질
• 광학적으로 관측 불가능: 암흑 물질, 암흑 에너지

우주 구성 요소의 우주에서의 작용
• 중력으로 작용: 보통 물질, 암흑 물질
• 척력으로 작용: 암흑 에너지

답 ❶ 빅뱅 ❷ 정상 ❸ 일정 ❹ 감소 ❺ 우주 배경 복사 ❻ 3:1 ❼ 지평선 ❽ 편평 ❾ 급팽창 ❿ 어둡다 ⓫ 가속 ⓬ 암흑 에너지

나선 은하의 회전 속도 곡선을 이용한 암흑 물질의 존재 추정

- 나선 은하의 중심부에 질량의 대부분이 모여 있기 때문에 별들은 은하 중심에서 멀어질수록 속도가 감소하는 케플러 회전을 할 것이라고 예측하였다. 거리에 상관없이 회전 주기가 같다.
- 관측 결과 A보다 가까운 은하의 중심부는 <u>강체 회전</u>을 하고, A보다 멀리 떨어진 은하의 외곽부는 중심에서 멀어져도 회전 속도가 거의 ⑬ [   ]하였다. ➡ 이는 은하의 외곽부에도 질량이 존재한다는 것으로, 외곽부에 보이지는 않지만 질량이 있는 ⑭ [   ]이 분포함을 의미한다.

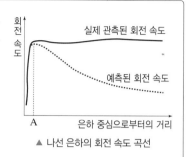
▲ 나선 은하의 회전 속도 곡선

기출 Tip ⓒ-1

나선 은하의 질량
- 나선 은하의 외곽부에 암흑 물질이 분포한다. ➡ 광학적 관측으로 추정한 은하의 질량보다 역학적 방법으로 계산한 은하의 질량이 더 크다.
- 우리은하의 질량: 전체 질량의 약 90 %가 암흑 물질의 질량이라고 추정된다.

2 우주의 미래 우주의 밀도에 따라 우주의 수축과 팽창 여부가 결정된다.

① 암흑 에너지를 고려하지 않을 때의 우주 모형

구분	우주의 밀도	우주의 미래	곡률	우주 모형
열린 우주	우주의 밀도 < 임계 밀도	우주는 영원히 팽창한다.	음(−)	
평탄 우주	우주의 밀도 = 임계 밀도	팽창 속도가 점점 감소하여 0에 수렴한다.	0	
닫힌 우주	우주의 밀도 > 임계 밀도	팽창 속도가 점점 감소하다가 결국 수축한다.	양(+)	

└ 중력의 작용이 우세하다.

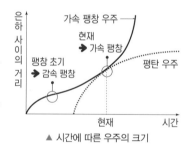

② 가속 팽창 우주: 최근 관측 결과 현재 우주는 평탄하고, 암흑 에너지의 영향으로 가속 팽창하고 있다.

- 우주 팽창 초기: 암흑 에너지보다 중력의 영향이 커서 우주가 ⑮ [   ] 팽창하였다.
- 우주가 충분히 팽창한 후: 중력보다 암흑 에너지의 영향이 커지면서 우주는 ⑯ [   ] 팽창한다.

▲ 시간에 따른 우주의 크기

기출 Tip ⓒ-2

우주 모형 비교
- 열린 우주
  ➡ 암흑 에너지 고려 ×
  ➡ 우주 밀도 < 임계 밀도
- 평탄 우주
  ➡ 암흑 에너지 고려 ×
  ➡ 우주 밀도 = 임계 밀도
- 닫힌 우주
  ➡ 암흑 에너지 고려 ×
  ➡ 우주 밀도 > 임계 밀도
- 가속 팽창 우주
  ➡ 암흑 에너지 고려 ○
  ➡ 암흑 에너지 밀도 > 물질 밀도

우주의 나이
가속 팽창 우주로 추정한 우주의 나이가 평탄 우주로 추정한 우주의 나이보다 많다.

답 ⑬ 일정 ⑭ 암흑 물질 ⑮ 감속 ⑯ 가속

빈출 자료 보기

◌ 정답과 해설 92쪽

687 그림은 서로 다른 우주론 (가)와 (나)에 근거한 시간에 따른 우주의 모습을 나타낸 것이다.

(가)   (나)

이에 대한 설명으로 옳은 것은 ○, 옳지 <u>않은</u> 것은 ×로 표시하시오.

(1) (가)는 빅뱅 우주론, (나)는 정상 우주론이다. (   )
(2) (가)에서는 시간이 지날수록 우주의 부피와 질량이 증가한다. (   )
(3) (나)에서는 시간이 지나도 우주의 밀도가 일정하다. (   )
(4) 우주 배경 복사와 우주를 구성하는 수소와 헬륨의 질량비는 (나)를 뒷받침하는 관측적 증거이다. (   )
(5) 오늘날 더 설득력 있는 우주론은 (가)이다. (   )

688 그림은 현재 우주를 구성하는 요소의 분포비를 나타낸 것이다.

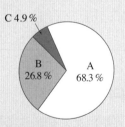

이에 대한 설명으로 옳은 것은 ○, 옳지 <u>않은</u> 것은 ×로 표시하시오.

(1) A는 암흑 물질, B는 암흑 에너지, C는 보통 물질이다. (   )
(2) A는 우주의 팽창을 가속화한다. (   )
(3) B는 광학적으로 관측 가능한 물질이다. (   )
(4) 우주가 팽창할수록 B에 의한 영향이 커진다. (   )
(5) C는 대부분 수소와 헬륨으로 이루어져 있다. (   )
(6) 우주에는 광학적으로 관측 가능한 요소보다 관측할 수 없는 요소의 비율이 더 높다. (   )

A 빅뱅(대폭발) 우주론

689 하(중)상 · 서술형

그림은 빅뱅 우주론에 근거하여 팽창하는 우주를 나타낸 것이다.

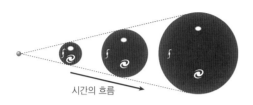

시간의 흐름

시간이 지나면서 우주의 부피, 질량, 밀도, 온도가 어떻게 변하는지 서술하시오.

690 하(중)상

그림은 빅뱅 우주론에서 시간에 따른 우주의 물리량 변화를 나타낸 것이다.

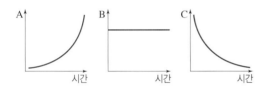

A, B, C에 해당하는 물리량을 옳게 짝 지은 것은?

	A	B	C
①	온도	질량	부피
②	온도	부피	질량
③	질량	온도	부피
④	부피	온도	질량
⑤	부피	질량	온도

691 하(중)상

그림은 어느 우주론의 모형을 나타낸 것이다. 시간이 지나면서 값이 증가하는 물리량만을 〈보기〉에서 있는 대로 고른 것은?

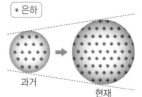

• 은하

과거 현재

〈 보기 〉
ㄱ. 부피   ㄴ. 밀도   ㄷ. 질량   ㄹ. 온도

① ㄱ, ㄷ   ② ㄱ, ㄹ   ③ ㄴ, ㄷ
④ ㄴ, ㄹ   ⑤ ㄷ, ㄹ

692 하(중)상

빅뱅 우주론이 인정받게 된 증거들로 옳은 것만을 〈보기〉에서 있는 대로 고른 것은?

〈 보기 〉
ㄱ. Ia형 초신성의 밝기
ㄴ. 우주 배경 복사의 온도
ㄷ. 우주에 분포하는 수소와 헬륨의 질량비
ㄹ. 나선 은하의 중심으로부터의 거리에 따른 회전 속도

① ㄱ, ㄴ   ② ㄱ, ㄹ   ③ ㄴ, ㄷ
④ ㄱ, ㄷ, ㄹ   ⑤ ㄴ, ㄷ, ㄹ

693 하(중)상 · 서술형

우주가 팽창함에 따른 우주 배경 복사의 온도와 파장의 변화를 서술하시오.

빈출 694 하(중)상   多 보기

그림 (가)와 (나)는 서로 다른 우주론의 모형을 나타낸 것이다.

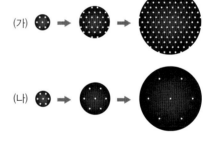

(가)
(나)

이에 대한 설명으로 옳지 않은 것만을 모두 고르면? (2개)

① (가)는 정상 우주론 모형, (나)는 빅뱅 우주론 모형이다.
② (가)에서 우주는 온도와 밀도가 매우 높은 한 점에서 대폭발이 일어나 형성되었다.
③ (가)에서는 우주 공간에서 새로운 물질이 계속 만들어진다.
④ (가)에서는 시간이 지나도 우주의 물질 밀도가 일정하게 유지된다.
⑤ (나)에서는 시간이 지날수록 우주의 온도가 낮아진다.
⑥ (나)에서는 시간이 지날수록 우주 전체의 질량이 증가한다.
⑦ (나)에서 우주 배경 복사의 파장은 점점 길어진다.
⑧ (나)에서 현재 우주의 구성 원소 중 가장 큰 질량비를 차지하는 것은 수소이다.

695 하중상

그림은 현재 우주 배경 복사의 파장에 따른 복사 강도와 2.7 K 흑체 복사 곡선을 나타낸 것이다.

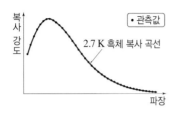

이에 대한 설명으로 옳지 <u>않은</u> 것은?

① 현재 우주 배경 복사는 온도가 약 2.7 K으로 관측된다.

② 우주 배경 복사가 생성될 당시의 온도는 약 3000 K이었다.

③ 우주 배경 복사의 최대 에너지를 나타내는 파장은 우주 탄생 초기보다 현재가 더 짧다.

④ 우주 배경 복사는 우주 전역에서 관측된다.

⑤ 빅뱅 우주론에서 예측한 내용과 실제로 관측한 결과가 거의 일치한다.

696 하중상

그림은 2003년 WMAP 위성이 관측한 우주 배경 복사의 온도 분포를 나타낸 것이다. 색의 차이는 온도의 차이를 나타낸다.

이에 대한 설명으로 옳은 것만을 〈보기〉에서 있는 대로 고른 것은?

〈 보기 〉

ㄱ. 위치에 따라 미세한 온도 차이가 나타난다.

ㄴ. 빅뱅 후 우주의 온도가 약 3000 K일 때 형성된 우주 배경 복사의 흔적이다.

ㄷ. 정상 우주론의 증거가 된다.

① ㄱ   ② ㄷ   ③ ㄱ, ㄴ

④ ㄴ, ㄷ   ⑤ ㄱ, ㄴ, ㄷ

697 하중상

그림은 빅뱅 우주론에 따라 팽창하는 우주의 모습을 나타낸 풍선 모형이다. 풍선 표면에 고정시킨 단추 A, B, C는 은하를, 물결 무늬(∼)는 우주 배경 복사를 의미한다.

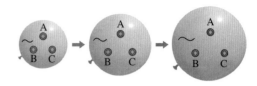

이에 대한 설명으로 옳은 것만을 〈보기〉에서 있는 대로 고른 것은?

〈 보기 〉

ㄱ. 풍선 표면의 A, B, C는 서로 멀어진다.

ㄴ. 풍선 모형은 B를 중심으로 팽창하는 우주를 의미한다.

ㄷ. 우주가 팽창할수록 우주 배경 복사의 파장은 길어진다.

① ㄱ   ② ㄴ   ③ ㄱ, ㄷ

④ ㄴ, ㄷ   ⑤ ㄱ, ㄴ, ㄷ

698 하중상

그림은 빅뱅 후 우주에서 헬륨 원자핵이 생성되는 과정을 나타낸 것이다.

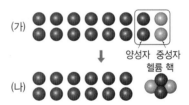

이에 대한 설명으로 옳은 것만을 〈보기〉에서 있는 대로 고른 것은?

〈 보기 〉

ㄱ. (가)에서 양성자와 중성자의 개수비는 7 : 1이다.

ㄴ. (나)에서 수소 원자핵과 헬륨 원자핵의 질량비는 약 3 : 1이다.

ㄷ. 우주에 분포하는 수소와 헬륨의 질량비는 빅뱅 우주론의 증거가 된다.

① ㄱ   ② ㄴ   ③ ㄱ, ㄷ

④ ㄴ, ㄷ   ⑤ ㄱ, ㄴ, ㄷ

699 하(중)상

그림은 대폭발 이후 원자가 생성될 때까지의 과정을 나타낸 것이다.

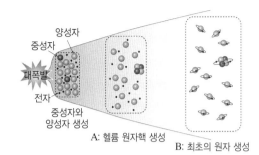

이에 대한 설명으로 옳은 것만을 〈보기〉에서 있는 대로 고른 것은?

〈 보기 〉
ㄱ. 우주는 고온, 고밀도의 한 점에서 폭발하여 팽창하였다.
ㄴ. A 시기에 우주 배경 복사가 우주 전역으로 퍼져 나갔다.
ㄷ. B 시기에 우주에 존재하는 수소와 헬륨의 질량비는 약 12 : 1이다.

① ㄱ   ② ㄴ   ③ ㄱ, ㄷ
④ ㄴ, ㄷ   ⑤ ㄱ, ㄴ, ㄷ

700 하(중)상   ●●서술형

우주에 존재하는 수소와 헬륨의 질량비를 쓰고, 초기 우주부터 현재까지 헬륨이 생성될 수 있었던 두 가지 방법을 서술하시오.

701 하(중)상

그림 (가)는 빅뱅 후 약 38만 년이 지났을 때와 현재의 우주 배경 복사 곡선을 순서 없이 나타낸 것이고, (나)는 PLANK 망원경으로 관측한 우주 배경 복사의 온도 분포를 나타낸 것이다.

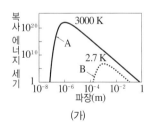
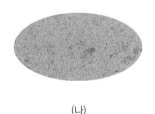

(가)   (나)

이에 대한 설명으로 옳지 않은 것은?

① 우주의 온도는 빅뱅 후 약 38만 년일 때가 현재보다 높다.
② (가)에서 현재의 우주 배경 복사 곡선은 A에 해당한다.
③ 최대 복사 에너지의 세기가 나타나는 파장은 현재가 빅뱅 후 약 38만 년이 지났을 때보다 길다.
④ 현재의 우주 배경 복사는 전파 영역에서 나타난다.
⑤ (나)에서 나타나는 온도 차이는 초기 우주에 미세한 밀도 차이가 있었음을 의미한다.

B 급팽창 이론과 가속 팽창 우주

702 하(중)상

다음은 세 우주론에 대한 설명이다.

(가) 우주의 팽창 속도는 현재 점점 빨라지고 있다.
(나) 빅뱅 직후 매우 짧은 시간 동안 우주가 빛보다 빠른 속도로 팽창하였다.
(다) 온도와 밀도가 매우 높은 한 점에서 대폭발이 일어나 우주가 형성되었다.

우주론이 발전한 순서대로 옳게 나열한 것은?

① (가) → (나) → (다)   ② (가) → (다) → (나)
③ (나) → (가) → (다)   ④ (다) → (가) → (나)
⑤ (다) → (나) → (가)

703 하(중)상   ●●서술형

우주론에 대한 다음 물음에 답하시오.

(1) 빅뱅 우주론으로 설명할 수 없는 대표적인 문제점을 두 가지만 쓰시오.

(2) (1)의 문제를 설명하기 위해 1980년 앨런 구스가 제안한 우주론은 무엇인지 쓰시오.

704 하(중)상

빈출

그림은 서로 다른 우주론 A와 B에서 시간에 따른 우주의 크기 변화를 나타낸 것이다.

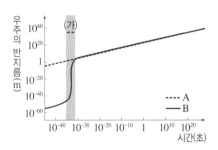

이에 대한 설명으로 옳지 않은 것은?

① A는 빅뱅 우주론이고, B는 급팽창 이론이다.
② B에 따르면 (가) 시기에 우주가 빛보다 빠른 속도로 팽창하였다.
③ (가) 시기에 우주 배경 복사가 방출되었다.
④ B는 (가) 시기 이후 우주의 크기가 우주의 지평선보다 커졌다고 설명한다.
⑤ 거의 완벽하게 편평한 현재의 우주를 설명할 수 있는 우주론은 B이다.

705 <하(중)상>

그림은 빅뱅 우주론과 급팽창 이론에서 빅뱅 이후의 우주 모형을 (가)와 (나)로 순서 없이 나타낸 것이다.

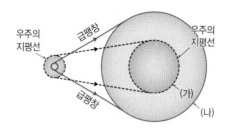

이에 대한 설명으로 옳은 것만을 〈보기〉에서 있는 대로 고른 것은?

〈 보기 〉
- ㄱ. 빅뱅 우주론에서의 우주 크기 변화는 (가)이다.
- ㄴ. (나)에서 급팽창 이전에는 우주의 크기가 우주의 지평선보다 작았다.
- ㄷ. 우주의 지평선 문제를 설명할 수 있는 우주 모형은 (나)이다.

① ㄱ   ② ㄴ   ③ ㄱ, ㄷ
④ ㄴ, ㄷ   ⑤ ㄱ, ㄴ, ㄷ

706 <하(중)상>

그림은 적색 편이량에 따른 Ⅰa형 초신성의 실제로 관측한 겉보기 등급과 허블 법칙으로 구한 겉보기 등급을 나타낸 것이다.

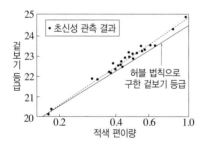

이에 대한 설명으로 옳지 <u>않은</u> 것은?

① Ⅰa형 초신성의 절대 등급은 항상 거의 일정하다.
② 멀리 있는 Ⅰa형 초신성일수록 허블 법칙으로 구한 밝기보다 어둡게 관측되는 경향이 있다.
③ Ⅰa형 초신성은 예상보다 먼 거리에 위치한다.
④ 관측 결과에 따르면 우주는 가속 팽창하고 있다.
⑤ 관측 결과와 허블 법칙으로 구한 결과가 다른 까닭은 암흑 물질의 작용으로 추정된다.

C 암흑 물질과 암흑 에너지

707 <하(중)상>

암흑 물질과 암흑 에너지에 대한 설명으로 옳은 것만을 〈보기〉에서 있는 대로 고른 것은?

〈 보기 〉
- ㄱ. 암흑 물질은 우주 구성 요소 중 가장 많은 비율을 차지한다.
- ㄴ. 암흑 에너지는 우주에서 척력으로 작용하여 우주가 가속 팽창하는 원인이 된다.
- ㄷ. 보통 물질은 현재의 과학 기술로 관측이 가능하다.

① ㄱ   ② ㄴ   ③ ㄱ, ㄷ
④ ㄴ, ㄷ   ⑤ ㄱ, ㄴ, ㄷ

708 <하(중)상>

그림은 눈에 보이는 물질만을 고려하여 이론적으로 계산한 우리 은하의 회전 속도 곡선과 실제로 관측된 우리은하의 회전 속도 곡선을 순서 없이 A와 B로 나타낸 것이다. 이에 대한 설명으로 옳은 것만을 〈보기〉에서 있는 대로 고른 것은?

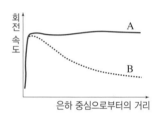

〈 보기 〉
- ㄱ. 실제로 관측된 우리은하의 회전 속도 곡선은 A이다.
- ㄴ. A와 B의 차이로부터 암흑 에너지의 존재를 추정할 수 있다.
- ㄷ. 눈에 보이는 물질만을 고려하여 계산한 은하의 질량이 실제 관측으로 추정한 은하의 질량보다 크다.

① ㄱ   ② ㄴ   ③ ㄱ, ㄷ
④ ㄴ, ㄷ   ⑤ ㄱ, ㄴ, ㄷ

709 <하(중)상>

그림은 현재 우주의 구성 요소의 분포비를 나타낸 것이다. 이에 대한 설명으로 옳지 <u>않은</u> 것만을 모두 고르면? (2개)

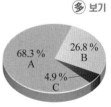

① A는 암흑 에너지이다.
② A는 우주가 수축할수록 상대적인 영향력이 커진다.
③ B의 존재는 나선 은하의 회전 속도 곡선을 통해 추정할 수 있다.
④ B는 우리은하 질량의 대부분을 차지한다.
⑤ C의 가장 작은 단위는 여러 종류의 기본 입자이다.
⑥ 우주 팽창 초기에는 중력보다 A의 영향이 커서 우주가 감속 팽창하였다.

710 (하(중)상)

표는 현재 우주의 구성 요소를 상대적인 비율로 나타낸 것이다.

구성 요소	상대량(%)
(가)	68.3
(나)	A
보통 물질	B

이에 대한 설명으로 옳지 <u>않은</u> 것은?

① (가)는 암흑 에너지, (나)는 암흑 물질이다.

② A는 B보다 크다.

③ (나)에 의해 우주가 가속 팽창한다.

④ (나)의 존재는 중력 렌즈 현상으로도 추정할 수 있다.

⑤ 보통 물질은 대부분 수소와 헬륨으로 이루어져 있다.

[711~712] 그림은 어느 팽창 우주 모형에서 시간에 따른 우주의 크기와 우주를 구성하는 요소의 상대량을 나타낸 것이다.

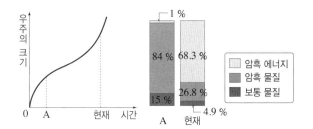

711 (하(중)상)

이에 대한 설명으로 옳은 것만을 〈보기〉에서 있는 대로 고른 것은?

〈 보기 〉
ㄱ. A 시점에서 우주의 팽창 속도는 증가하고 있다.
ㄴ. 암흑 물질의 비율은 A 시점이 현재보다 높다.
ㄷ. 우주의 밀도는 현재가 A 시점보다 크다.

① ㄱ   ② ㄴ   ③ ㄱ, ㄷ

④ ㄴ, ㄷ   ⑤ ㄱ, ㄴ, ㄷ

712 (하(중)상)   ●●서술형

현재 우주의 팽창 속도를 A 시점의 팽창 속도와 비교하여 서술하고, 그 까닭을 우주의 구성 요소와 관련지어 서술하시오.

[713~714] 그림은 우주의 미래에 대한 세 가지 모형을 나타낸 것이다.

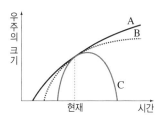

713 (하(중)상)   ●●서술형

A, B, C에 해당하는 우주의 미래 모형을 각각 쓰고, 각 우주의 평균 밀도와 임계 밀도의 크기를 비교하여 서술하시오.

714 (하(중)상)

이에 대한 설명으로 옳은 것만을 〈보기〉에서 있는 대로 고른 것은?

〈 보기 〉
ㄱ. A는 음(−)의 곡률을 갖는다.
ㄴ. B는 팽창 속도가 감소하다가 0에 수렴할 것이다.
ㄷ. C는 중력이 우세하게 작용하여 우주의 팽창 속도가 증가한다.

① ㄱ   ② ㄷ   ③ ㄱ, ㄴ

④ ㄴ, ㄷ   ⑤ ㄱ, ㄴ, ㄷ

715 (하(중)상)

그림은 세 가지 우주 모형을 구분하는 과정을 나타낸 것이다.

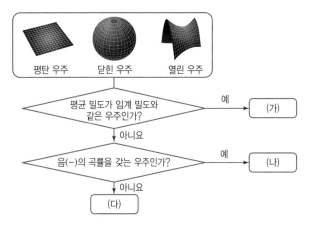

이에 대한 설명으로 옳지 <u>않은</u> 것은?

① (가)는 우주의 곡률이 0이다.

② (가)는 암흑 에너지의 영향이 커지면 감속 팽창한다.

③ (나)는 영원히 팽창하는 우주이다.

④ (다)는 우주가 팽창하다가 수축하여 우주의 크기가 점점 작아진다.

⑤ 우주의 평균 밀도는 (나)가 (다)보다 작다.

716 하/중/상

그림은 어느 가속 팽창 우주 모형에서 시간에 따른 우주 구성 요소 A, B, C의 밀도 변화를 나타낸 것이다. A, B, C는 각각 암흑 에너지, 암흑 물질, 보통 물질 중 하나이다.

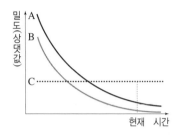

이에 대한 설명으로 옳은 것만을 〈보기〉에서 있는 대로 고른 것은?

〈 보기 〉
ㄱ. A는 보통 물질이다.
ㄴ. B는 우주의 팽창에 가장 큰 영향을 미친다.
ㄷ. C가 우주에서 차지하는 비율은 시간이 지날수록 높아진다.

① ㄱ   ② ㄷ   ③ ㄱ, ㄴ
④ ㄴ, ㄷ   ⑤ ㄱ, ㄴ, ㄷ

빈출 717 하/중/상

그림은 Ia형 초신성의 관측 자료와 가속 팽창 우주와 감속 팽창 우주 모델의 예상 값을 (가)와 (나)로 순서 없이 나타낸 것이고, 표는 (가)와 (나)의 특징을 나타낸 것이다.

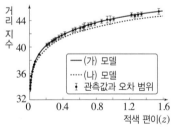

모델	특징
(가)	보통 물질, 암흑 물질, 암흑 에너지를 고려함
(나)	보통 물질과 암흑 물질을 고려함

이에 대한 설명으로 옳은 것만을 〈보기〉에서 있는 대로 고른 것은? (단, 거리 지수는 겉보기 등급에서 절대 등급을 뺀 값이다.)

〈 보기 〉
ㄱ. (가)와 (나) 중 Ia형 초신성의 관측 결과와 잘 일치하는 모델은 (가)이다.
ㄴ. 우주의 크기는 (가)보다 (나) 모델에서 크다.
ㄷ. 관측 결과, 과거보다 최근에 우주가 빠르게 팽창하고 있다.

① ㄱ   ② ㄴ   ③ ㄱ, ㄷ
④ ㄴ, ㄷ   ⑤ ㄱ, ㄴ, ㄷ

718 하/중/상

그림은 물질과 암흑 에너지의 함량이 서로 다른 우주 모형 A~D의 시간에 따른 은하 사이의 거리를 나타낸 것이다.

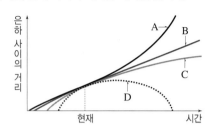

이에 대한 설명으로 옳은 것만을 〈보기〉에서 있는 대로 고른 것은?

〈 보기 〉
ㄱ. A~D 모두 빅뱅 이후 현재까지 우주가 팽창하였다.
ㄴ. Ia형 초신성의 관측 자료는 A를 뒷받침하는 증거이다.
ㄷ. 현재의 우주에 가장 가까운 모형은 B이다.
ㄹ. D는 우주가 팽창하려는 힘과 우주의 밀도에 의한 힘이 평형을 이룬다.

① ㄱ, ㄴ   ② ㄱ, ㄹ   ③ ㄴ, ㄷ
④ ㄴ, ㄹ   ⑤ ㄷ, ㄹ

719 하/중/상

표는 우주 모형 A, B, C에서 각각 임계 밀도(ρ_c)에 대한 암흑 에너지 밀도(ρ_Λ)와 물질 밀도(ρ_m)의 비를 나타낸 것이다.

우주 모형	A	B	C
$\dfrac{\rho_\Lambda}{\rho_c}$	0	0.6	0
$\dfrac{\rho_m}{\rho_c}$	1.0	0.4	0.4

이에 대한 설명으로 옳은 것만을 〈보기〉에서 있는 대로 고른 것은?

〈 보기 〉
ㄱ. A는 음(−)의 곡률을 갖는다.
ㄴ. B는 열린 우주이다.
ㄷ. 우주의 온도는 C가 B보다 느리게 감소한다.

① ㄱ   ② ㄷ   ③ ㄱ, ㄴ
④ ㄴ, ㄷ   ⑤ ㄱ, ㄴ, ㄷ

720

그림은 서로 다른 은하 (가)~(다)를 색지수에 따라 나타낸 것으로, (가)~(다)는 각각 타원 은하, 나선 은하, 불규칙 은하 중 하나이다.

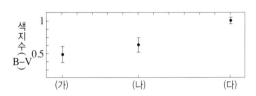

이에 대한 설명으로 옳은 것만을 〈보기〉에서 있는 대로 고른 것은?

〈 보기 〉
ㄱ. (가)~(다) 중 (가)에서 새로운 별의 탄생이 가장 활발하다.
ㄴ. 편평도에 따라 세분하는 것은 (나)이다.
ㄷ. $\dfrac{\text{성간 물질 질량}}{\text{보통 물질 질량}}$ 은 (다)가 (나)보다 크다.

① ㄱ   ② ㄷ   ③ ㄱ, ㄴ
④ ㄴ, ㄷ   ⑤ ㄱ, ㄴ, ㄷ

721

••서술형

그림은 1920년대 이후 측정한 허블 상수를 나타낸 것이다.

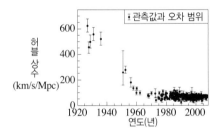

(1) 1920년대 이후 측정한 허블 상수의 변화를 서술하고, 허블 상수 값이 달라지는 까닭을 서술하시오.

(2) 이 기간 동안 허블 상수를 이용하여 계산한 우주의 나이 변화를 서술하시오.

(3) 허블 상수을 이용하여 계산한 우주의 크기 변화를 서술하시오.

722

••서술형

허블 법칙을 만족하는 우주에서 우리은하로부터의 거리가 300 Mpc인 어느 외부 은하의 후퇴 속도가 21000 km/s라고 할 때, 우주의 나이를 풀이 과정을 포함하여 천만 년 자리에서 반올림하여 구하시오. (단, 1 pc은 3×10^{13} km이고, 1년은 3.2×10^{7}초이다.)

723

그림은 절대 등급이 일정한 Ia형 초신성의 겉보기 등급과 서로 다른 우주 모형에서 계산된 겉보기 등급을 나타낸 것이다.

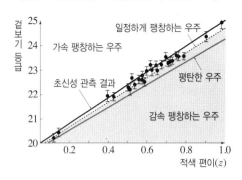

이에 대한 설명으로 옳은 것만을 〈보기〉에서 있는 대로 고른 것은?

〈 보기 〉
ㄱ. 평탄한 우주에서 계산된 겉보기 밝기보다 실제 관측한 Ia형 초신성의 겉보기 밝기가 더 밝다.
ㄴ. 실제 관측 결과, Ia형 초신성은 예상보다 먼 거리에 위치한다.
ㄷ. Ia형 초신성의 관측 결과로 우주의 팽창을 설명하기 위해서는 암흑 에너지를 고려해야 한다.

① ㄱ   ② ㄷ   ③ ㄱ, ㄴ
④ ㄴ, ㄷ   ⑤ ㄱ, ㄴ, ㄷ

724

그림은 우리은하의 회전 속도 곡선을 나타낸 것이다.

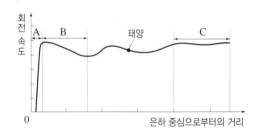

이에 대한 설명으로 옳은 것만을 〈보기〉에서 있는 대로 고른 것은?

〈 보기 〉
ㄱ. A 구간에서는 은하 중심에서 멀어질수록 회전 주기가 짧아진다.
ㄴ. B 구간에서는 케플러 회전을 한다.
ㄷ. C 구간에서는 암흑 물질에 의해 회전 속도가 거의 일정하다.

① ㄱ   ② ㄷ   ③ ㄱ, ㄴ
④ ㄴ, ㄷ   ⑤ ㄱ, ㄴ, ㄷ

Memo

$3 \times 10^5 \, \text{km/s} \times \dfrac{(5103 - 4860) \text{Å}}{4860 \text{Å}} = 3 \times 10^5 \, \text{km/s}$
$\times \dfrac{(\text{㉠} - 4340) \text{Å}}{4340 \text{Å}}$ 이므로 ㉠은 4557 Å이다. (3) (나)
의 후퇴 속도는 $3 \times 10^5 \, \text{km/s} \times \dfrac{(5346 - 4860) \text{Å}}{4860 \text{Å}}$
$= 30000 \, \text{km/s}$이다. 후퇴 속도와 거리 600 Mpc
을 허블 법칙에 적용하면, $30000 \, \text{km/s} = H \cdot$
600 Mpc이므로 허블 상수(H)는 50 km/s/Mpc
이다. **684** ③ **685** ① **686** (1) A>B>C
(2) C, 우주의 나이는 허블 상수의 역수이므로 우주
의 나이가 가장 많은 것은 허블 상수가 가장 작은 C
이다. (3) C, 관측 가능한 우주의 크기는 $\dfrac{c}{H}$(c: 빛
의 속도, H: 허블 상수)이므로 관측 가능한 우주의
크기가 가장 큰 것은 허블 상수가 가장 작은 C이다.

720 ① **721** (1) 1920년대 이후 측정한 허블 상
수는 시간이 지날수록 대체로 작아졌다. 점차 관측
결과가 많아지고, 정밀한 관측이 가능해졌기 때문이
다. (2) 우주의 나이는 더 많게 계산된다. (3) 우주의
크기는 더 크게 계산된다. **722** 허블 법칙
($v = H \cdot r$)을 적용하여 구한 허블 상수(H)는
$21000 \, \text{km} = H \cdot 300$ Mpc에서 70 km/s/Mpc이
다. 우주의 나이는 허블 상수의 역수이므로 $\dfrac{1}{70} \times$
$(3 \times 10^{13} \times 10^6)$(초)이고, 이를 1년($3.2 \times 10^7$초)으로
나누면 약 134억 년이다. **723** ④ **724** ④

㉔ 빅뱅 우주론

687 (1) ○ (2) × (3) ○ (4) × (5) ○
688 (1) × (2) ○ (3) × (4) × (5) ○ (6) ○

689 우주의 부피는 증가하고, 질량은 일정하며, 밀
도와 온도는 감소한다. **690** ⑤ **691** ①
692 ③ **693** 우주가 팽창함에 따라 우주 배
경 복사의 온도는 낮아지고, 파장은 길어진다.
694 ②, ⑥ **695** ③ **696** ③ **697** ③
698 ⑤ **699** ① **700** 약 3 : 1. 빅뱅 핵합성
으로 헬륨이 생성되었다. 별 내부에서 일어나는 수
소 핵융합 반응으로 헬륨이 생성된다. **701** ②
702 ⑤ **703** (1) 우주의 지평선 문제, 우주의 편
평성 문제, 자기 홀극 문제 (2) 급팽창 이론
704 ③ **705** ⑤ **706** ⑤ **707** ④
708 ① **709** ②, ⑥ **710** ③ **711** ②
712 현재가 A 시점보다 우주의 팽창 속도가 빠르
다. A 시점에는 물질(보통 물질+암흑 물질)의 비
율이 암흑 에너지의 비율보다 커서 우주는 감속 팽
창하였고, 현재는 암흑 에너지의 비율이 물질의 비
율보다 커서 우주는 가속 팽창하기 때문이다.
713 A는 열린 우주, B는 평탄 우주, C는 닫힌 우
주이다. 열린 우주(A)는 우주의 평균 밀도가 임계
밀도보다 작고, 평탄 우주(B)는 우주의 평균 밀도가
임계 밀도와 같다. 닫힌 우주(C)는 우주의 평균 밀
도가 임계 밀도보다 크다. **714** ③ **715** ②
716 ② **717** ③ **718** ① **719** ②

완자가 **PICK**한 문제들을 풀며
여기까지 오느라 수고 많았어!
열심히 공부한 만큼
실력이 늘 거야~

01 판 구조론의 정립 과정

빈출 자료 보기   5쪽

1 (1) ○ (2) × (3) ○ (4) × (5) ○ (6) ○
(7) ○ (8) ×

난이도별 필수 기출   6~11쪽

2 ②   3 멀리 떨어져 있는 대륙의 해안선 모양이 유사하다. 멀리 떨어져 있는 대륙에서 지질 구조가 연속적으로 나타난다. 멀리 떨어져 있는 대륙에서 같은 종의 화석이 발견된다. 고생대 말 빙하의 흔적이 멀리 떨어진 여러 대륙에서 발견된다.   4 ③
5 ①   6 ①, ③, ④   7 ②   8 이 대륙들은 고생대 말 초대륙이었을 때 남극 대륙 주위에 분포하였으나 시간이 지나 분리되면서 현재의 위치로 이동하였기 때문이다.   9 ③   10 ①   11 (가) 맨틀 대류설은 맨틀이 대류하는 관측적인 증거를 제시하지 못하였다. (나) 대륙 이동설은 대륙이 이동하는 원동력을 설명하지 못하였다.   12 ②   13 ②
14 ㄱ, ㄹ, ㅁ   15 ③   16 ④   17 ⑤   18 ③
19 (1) A₂, $\frac{1}{2} \times 9.4\,s \times 1500\,m/s = 7050\,m$ (2)
B₄, $\frac{1}{2} \times 4.2\,s \times 1500\,m/s = 3150\,m$ (3) ㉠ A
해역, ㉡ B 해역   20 ④   21 ㄱ   22 ①
23 ②   24 ④   25 ③, ④   26 ②   27 ⑤
28 ④   29 맨틀 대류의 하강부인 섭입대에서는 밀도가 큰 해양판이 밀도가 작은 대륙판 아래로 섭입하면서 지진이 발생하기 때문이다.   30 ④
31 ⑤   32 ⑤   33 ⑤   34 ④   35 ⑤
36 ③, ⑤, ⑦

02 판 구조론

빈출 자료 보기   12쪽

37 (1) ○ (2) ○ (3) × (4) ○ (5) ○ (6) ×
(7) ○ (8) ×

난이도별 필수 기출   13~15쪽

38 ①, ③, ⑤   39 ④   40 ②   41 ④, ⑥
42 ③   43 ·공통점: 천발 지진이 발생한다. ·차이점: C에서는 화산 활동이 활발하지만, B에서는 화산 활동이 일어나지 않는다.   44 ⑤   45 ④
46 ③   47 ·A: 수렴형, 습곡 산맥이 발달한다. ·B: 보존형, 변환 단층이 발달한다. ·C: 발산형, 해령이 발달한다. ·D: 수렴형, 해구와 습곡 산맥이 발달한다.   48 ⑤   49 ④   50 ②   51 ①
52 ③   53 ①

03 고지자기와 대륙 분포의 변화

빈출 자료 보기   17쪽

54 (1) ○ (2) × (3) ④ (4) × (5) ○ (6) ×
(7) ○

55 (1) ○ (2) × (3) ○ (4) ○ (5) ×

난이도별 필수 기출   18~23쪽

56 ④, ⑤, ⑧   57 (가) +30° (나) 0° (다) −30°
58 ④   59 ②   60 ⑤   61 ①   62 ③
63 ④   64 ②, ⑤   65 ②   66 ⑤, ⑥
67 ③   68 ②   69 하나였던 북아메리카 대륙과 유럽 대륙이 갈라졌기 때문이다.   70 ②   71 (1)
$\frac{50 \times 11000000\,cm}{71000000년} ≒ 7.7\,cm/년$이다. (2) 이 기간 동안 복각의 크기는 점차 증가하였다.   72 ②
73 ①   74 ⑤   75 ②   76 ①   77 ③
78 ①, ③, ⑥   79 (나) → (다) → (가) → (라)
80 ⑤   81 ②   82 ②   83 ③

04 맨틀 대류와 플룸 구조론

빈출 자료 보기   25쪽

84 (1) × (2) ○ (3) × (4) ○ (5) × (6) ○

85 (1) × (2) ○ (3) × (4) ○ (5) ○ (6) ×

난이도별 필수 기출   26~29쪽

86 ⑤   87 섭입하는 판이 잡아당기는 힘, 해령에서 밀어내는 힘, 맨틀 대류(맨틀 대류에 의해 미끄러지는 힘) 등이 있다.   88 ③   89 ②   90 오스트레일리아판, 남아메리카판에는 해령에서 밀어내는 힘과 맨틀 대류에 의한 힘이 작용하고, 오스트레일리아판에는 이 두 가지 힘에 섭입하는 판이 잡아당기는 힘이 추가로 작용하기 때문이다.   91 ③   92 ⑤
93 ②, ④   94 ②   95 ①   96 ④   97 ④
98 ③   99 ④   100 ①   101 ①   102 ④
103 ②   104 하와이섬은 뜨거운 플룸의 상승류가 지표면과 만나는 지점 아래에 마그마가 생성되는 곳인 열점에서 마그마가 분출하여 생성된 화산섬이다.
105 하와이섬들이 나란하게 배열된 까닭은 열점은 고정되어 있지만, 태평양판이 이동하기 때문이다. 배열된 방향이 변한 까닭은 태평양판의 이동 방향이 변하였기 때문이다.   106 새로운 섬은 하와이섬의 남동쪽에 생성될 것이다. 열점의 위치는 고정되어 있고, 태평양판은 현재 북서쪽으로 이동하고 있기 때문이다.   107 ③   108 학생 A, C   109 ①

05 마그마 활동과 화성암

빈출 자료 보기   31쪽

110 (1) × (2) ○ (3) ○ (4) × (5) ○ (6) ○

난이도별 필수 기출   32~37쪽

111 ②   112 ⑤   113 (가)는 (나)보다 마그마의 온도가 낮고, 형성되는 화산체의 경사가 급하다. (가)는 종상 화산, (나)는 순상 화산이나 용암 대지를 형성한다.   114 (1) A: 현무암질 마그마, B: 유문암질 마그마 (2) A는 B보다 점성이 작고 유동성이 크다.   115 ③   116 ⑤   117 현무암질 마그마, 플룸 상승류를 따라 맨틀 물질이 상승하여 압력 감소로 맨틀의 부분 용융이 일어나 마그마가 생성되었다.   118 ②   119 (1) ㉠은 물이 포함된 맨틀의 용융 곡선이고, ㉡은 물이 포함되지 않은 맨틀의 용융 곡선이다. (2) A 지점의 맨틀(연약권)에 물이 공급되어 맨틀의 용융점이 A 지점의 온도보다 낮아지면서 맨틀이 부분 용융되어 현무암질 마그마가 생성된다.   120 ②, ⑤   121 ④   122 ②
123 ④   124 ②   125 ⑤   126 ⑤   127 ⑤
128 ③   129 ①   130 ⑤   131 (1) A: 반려암, B: 안산암, C: 유문암 (2) A는 마그마가 천천히 냉각되어 조립질 조직이 나타나고, B는 마그마가 빠르게 냉각되어 세립질이나 유리질 조직이 나타난다. (3) A는 C보다 SiO₂ 함량이 적고, 감람석, 휘석 등 유색 광물의 함량이 많다.   132 ③   133 ③
134 ④   135 ③   136 ④   137 ①   138 ②
139 ④   140 ①   141 ④, ⑤, ⑥

최고 수준 도전 기출 (01~05강)   38~39쪽

142 ⑤   143 ①   144 ②   145 ④   146 ⑤
147 ①   148 ②   149 ①

06 퇴적 구조

빈출 자료 보기   41쪽

150 (1) × (2) ○ (3) ○ (4) × (5) × (6) ○

151 (1) × (2) ○ (3) ○ (4) ○ (5) × (6) ○
(7) × (8) ×

562 ②, ④ 563 ① 564 ③ 565 ③
566 ① 567 질량이 태양보다 매우 큰 별은 원시별 이후 주계열성 → 초거성 → 초신성 → 중성자별 또는 블랙홀의 진화 과정을 거친다. 568 질량. 별의 질량이 클수록 수명이 짧다. 569 ③
570 ②, ⑧ 571 ③ 572 광도가 커진다. (나)에서 (다)로 진화하는 동안 별의 표면 온도는 낮아지지만 바깥층이 팽창하면서 반지름이 매우 커지기 때문이다. 573 ⑤ 574 중성자별, 초신성 폭발 과정에서 철보다 무거운 원소가 만들어진다.
575 ④, ⑦ 576 ⑤ 577 ② 578 ③

20 별의 에너지원과 내부 구조

빈출 자료 보기   153쪽
579 (1) ○ (2) ○ (3) × (4) × (5) × (6) ○
(7) ×

난이도별 필수 기출   154~159쪽
580 원시별: 중력 수축 에너지, 주계열성: 수소 핵융합 반응 581 ③ 582 양성자·양성자 반응(P−P 반응)은 중심부 온도가 약 1800만 K보다 낮은 주계열 하단부의 별에서 우세하게 일어난다.
583 탄소·질소·산소 순환 반응(CNO 순환 반응)에서 탄소, 질소, 산소는 촉매 역할을 한다. 이 반응은 중심부 온도가 약 1800만 K보다 높은 주계열 상단부의 별에서 우세하게 일어난다. 584 ④
585 ④ 586 ③ 587 ②, ④ 588 ①
589 ②, ⑥ 590 ② 591 ②, ④ 592 ②
593 ⑤ 594 ④ 595 (1) $E=\Delta mc^2$에서 Δm은 2×10^{30} kg×0.1×0.007이고, $c=3\times10^8$ m/s이므로 $E=2\times10^{30}$ kg×0.1×0.007×$(3\times10^8$ m/s$)^2=1.26\times10^{44}$ J이다. (2) 태양의 광도
596 ⑤ 597 ③ 598 주계열성은 중력과 기체 압력 차이로 발생한 힘이 평형을 이루는 정역학 평형 상태에 있으므로 수축이나 팽창을 하지 않고 크기가 일정하게 유지된다. 599 ③ 600 ①
601 ② 602 ⑧, ⑨ 603 (1) 주계열성에서 거성으로 진화하는 단계이다. (2) 표면 온도는 낮아지고, 광도는 커진다. (3) 중심핵의 온도는 높아진다.
604 ⑤ 605 ① 606 ⑤, ⑥ 607 ⑤
608 ②

21 외계 행성계와 외계 생명체 탐사

빈출 자료 보기   161쪽
609 (1) ○ (2) × (3) × (4) ○ (5) ○ (6) ×
610 (1) ○ (2) ○ (3) × (4) ×

난이도별 필수 기출   162~167쪽
611 중심별의 시선 속도 변화 이용, 식 현상 이용, 미세 중력 렌즈 현상 이용 612 ③ 613 ①
614 ⑤ 615 (1) B (2) A, C (3) 행성의 공전 궤도면과 관측자의 시선 방향이 수직일 때에는 관측이 불가능하다. 행성의 질량이 작은 경우에는 행성을 발견하기 어렵다. 행성이 중심별에서 멀리 떨어져 있는 경우에는 행성을 발견하기 어렵다.
616 ③, ⑥ 617 ① 618 거리가 다른 두 별이 같은 시선 방향에 위치할 때, 배경별의 빛이 중심별의 중력에 의해 미세하게 굴절되면서 배경별의 밝기가 변한다. 이때 중심별이 행성을 거느리고 있다면 행성의 중력에 의해 배경별의 밝기가 추가적으로 변한다. 619 ① 620 ③ 621 ②, ⑧
622 미세 중력 렌즈 현상은 드물게 일어난다. 주기적인 관측이 불가능하다. 623 ① 624 ①
625 ② 626 ③ 627 ③, ⑤ 628 ④
629 ③ 630 ④ 631 ⑤, ⑥ 632 (1) 광도, 질량 (2) (가)가 (나)보다 수명이 짧다. (3) 생명체가 탄생하여 진화할 수 있는 시간이 부족하기 때문이다. 633 ⑤ 634 ③, ⑥ 635 (1) 별 B (2) 별 B, 중심별의 질량이 클수록 광도가 커서 중심별에서 생명 가능 지대까지의 거리가 멀고 생명 가능 지대의 폭이 넓으므로, 별 B가 별 A보다 질량이 크다. 636 비열이 크다. 다양한 물질을 녹일 수 있는 용매이다. 고체가 될 때 밀도가 작아진다.
637 ② 638 ② 639 ②

최고 수준 도전 기출 (18~21강)   168~169쪽
640 ② 641 (1) B가 A보다 색지수가 작다. (2) A의 절대 등급은 −3등급, B의 절대 등급은 −8등급으로 B가 A보다 절대 등급이 5등급 작으므로 광도는 B가 A의 100배이다. (3) 광도는 B가 A의 100배, 표면 온도는 B가 A의 2배이고, 광도는 반지름의 제곱과 표면 온도의 네제곱에 비례하므로 B의 반지름은 A의 2.5배이다. 642 ④ 643 ⑤
644 ④ 645 (1) 스펙트럼에서 흡수선의 적색 편이가 최대로 나타난다. (2) ㉠ A, ㉡ B, ㉢ C (3) 스펙트럼의 편이량은 지금보다 크게 나타난다.
646 ④ 647 ②

22 외부 은하

빈출 자료 보기   171쪽
648 (1) × (2) ○ (3) ○ (4) × (5) ○ (6) ○
(7) ×
649 (1) × (2) × (3) ○ (4) ○ (5) ○ (6) ○

난이도별 필수 기출   172~175쪽
650 ② 651 ③, ④, ⑦ 652 (1) 모양의 규칙성 유무에 따라 분류하였다. (2) 나선팔의 유무에 따라 분류하였다. (3) 막대 구조의 유무에 따라 분류하였다. 653 B, D, C 654 ① 655 A: 불규칙 은하, B: 타원 은하, C: 정상 나선 은하, D: 막대 나선 은하 656 ⑤ 657 ③ 658 ⑤
659 ⑤ 660 퀘이사 661 ①, ⑥ 662 ④
663 ④ 664 ② 665 ③ 666 ① 667 스펙트럼의 적색 편이가 더 크게 나타나는 (나)가 퀘이사이다. 668 ③, ⑤

23 허블 법칙과 우주 팽창

빈출 자료 보기   177쪽
669 (1) ○ (2) ○ (3) ○ (4) × (5) ○ (6) ×
(7) × (8) ×

난이도별 필수 기출   178~181쪽
670 ② 671 ① 672 ③ 673 빛의 속도를 c라고 하면, (가)의 후퇴 속도는 $c\times\dfrac{30\,\text{nm}}{395\,\text{nm}}$이고, (나)의 후퇴 속도는 $c\times\dfrac{15\,\text{nm}}{395\,\text{nm}}$이므로 (가)와 (나)의 후퇴 속도의 비는 2 : 1이다. 674 ③ 675 ③, ⑤, ⑨ 676 ① 677 ② 678 ① 679 ①, ⑥ 680 ③ 681 ⑤ 682 (1) $v=c\times\dfrac{\Delta\lambda}{\lambda_0}$($v$: 후퇴 속도, c: 빛의 속도)에 $\lambda_0=400$ nm, $\Delta\lambda=30$ nm를 적용하면, $v=3\times10^5$ km/s$\times\dfrac{30\,\text{nm}}{400\,\text{nm}}=22500$ km/s이다. (2) 허블 법칙($v=H\cdot r$)에 $v=22500$ km/s, $r=430$ Mpc을 적용하면, 22500 km/s$=H\cdot430$ Mpc이므로 허블 상수(H)는 약 52 km/s/Mpc이다. 683 (1) (나), (나)가 (가)보다 적색 편이가 크므로 후퇴 속도가 빠르다. 은하의 후퇴 속도는 거리에 비례하므로 (나)가 (가)보다 멀리 떨어져 있다. (2) (가)의 후퇴 속도는

152 ③ 153 ④, ⑦ 154 ②, ⑤ 155 퇴적물 입자의 크기 156 ④ 157 ① 158 (1) • 쇄설성 퇴적암: 사암, 이암 • 화학적 퇴적암: 석고, 암염 • 유기적 퇴적암: 석탄 (2) 유기적 퇴적암은 생물의 유해나 골격의 일부가 쌓여 생성된다. 159 ①, ②
160 ③ 161 ① 162 (가), (나), (다) 163 ①
164 ①, ⑦ 165 (1) (가) 사층리 (나) 연흔 (다) 점이 층리 (2) B (3) 얕은 바다 또는 호수였다. (4) 저탁류와 같은 흐름이 나타날 때 크고 무거운 입자는 빠르게 가라앉고, 작고 가벼운 입자는 천천히 가라앉으므로 한 층 내에서 입자의 크기가 위로 갈수록 작아지는 점이 층리가 만들어진다. 166 ⑤
167 (가) ㄱ, ㄹ, ㅇ (나) ㄴ, ㄷ, ㅅ (다) ㅁ, ㅂ
168 ② 169 ① 170 ⑤ 171 ⑤ 172 ③
173 ⑤, ⑥

07 지질 구조

빈출 자료 보기   47쪽
174 (1) × (2) × (3) ○ (4) × (5) ○ (6) ○
175 (1) × (2) ○ (3) × (4) ○ (5) × (6) ○

176 ㄱ, ㄴ, ㅁ 177 ① 178 ② 179 (가)는 정단층이고, 장력이 작용하였다. (나)는 역단층이고, 횡압력이 작용하였다. 180 ③ 181 ③ 182 ④
183 ④ 184 ③ 185 (1) 경사 부정합, 습곡 (2) 이 부정합은 '지층의 퇴적 → 습곡 → 융기 → 침식 → 침강 → 퇴적' 과정을 거쳐 형성되었다. (3) B층이 퇴적되기 전에 A층이 침식 과정을 거치기 때문이다. 186 ① 187 ② 188 ④ 189 (가)는 주상 절리로, 마그마가 급격히 냉각될 때 가장자리부터 냉각되어 수축하면서 형성된다. (나)는 판상 절리로, 지하 깊은 곳에서 생성된 암석이 지표로 드러날 때 주변의 압력이 감소하여 암석이 팽창하면서 형성된다. 190 ② 191 ④ 192 ④
193 ① 194 ② 195 ④ 196 ③

08 지층의 나이

빈출 자료 보기   53쪽
197 (1) ○ (2) ○ (3) × (4) ○ (5) × (6) ×
(7) ○ (8) ○ (9) ○ (10) ×

198 ②, ③ 199 (1) 관입, A → C → B (2) 분출, A → B → C (3) 화성암의 위아래 지층에 모두 변성 부분이 나타나면 관입이고, 화성암의 위 지층에 변성 부분이 나타나지 않으면 분출이다. 200 ④
201 ① 202 ① 203 ② 204 ④ 205 ①
206 ② 207 ④ 208 ④ 209 ④ 210 ㄱ, ㄹ, ㅁ 211 ③, ⑤ 212 ② 213 (1) D → E → 습곡 → 단층 $f-f'$ → C → B → A (2) 지층 누중의 법칙, 관입의 법칙, 부정합의 법칙 (3) 융기 2회, 침강 1회 (4) 역단층과 정습곡이 나타나고, 횡압력이 작용하였다. 214 ② 215 ④ 216 ③
217 ② 218 ^{14}C의 반감기가 짧아 가까운 과거의 정확한 연대 측정에 유리하기 때문이다. 219 ④
220 ④ 221 (1) 모원소: A, 자원소: B, 반감기: 2억 년 (2) 1 : 3 (3) 모원소의 양이 처음 양의 $\frac{1}{8}$ 이므로 반감기가 3회 지났다. 따라서 암석의 절대 연령은 반감기(2억 년)×3회=6억 년이다. 222 ③
223 ①, ④ 224 ② 225 (1) C → B → E → A → D (2) 방사성 동위 원소 X의 반감기는 0.5억 년이다. 화성암 D와 E에 포함된 방사성 동위 원소 X는 각각 반감기가 2회, 4회 지났으므로 절대 연령은 각각 1억 년, 2억 년이다. (3) 중생대 226 ②
227 ④

09 지질 시대의 환경과 생물

빈출 자료 보기   61쪽
228 (1) ○ (2) × (3) ○ (4) ×
229 (1) ○ (2) × (3) × (4) ○ (5) ○

230 ③ 231 ③, ⑥ 232 ② 233 ②
234 한랭한 시기보다 온난한 시기에 빙하 속 물분자를 이루는 산소 동위 원소비 $\left(\frac{^{18}O}{^{16}O}\right)$가 높아진다. 235 ②, ⑤ 236 ② 237 ② 238 ④
239 ④ 240 ③ 241 ② 242 (1) A: 선캄브리아 시대, B: 고생대, C: 중생대, D: 신생대 (2) 캄브리아기 → 오르도비스기 → 실루리아기 → 데본기 • 석탄기 → 페름기 (3) A는 B, C, D에 비해 발견되는 화석이 거의 없기 때문이다. 243 ⑤
244 ④ 245 ① 246 ②, ③, ⑦ 247 ④

248 ⑤ 249 ② 250 ②, ④ 251 ①
252 ④ 253 ① 254 ④, ⑥ 255 ③
256 (1) A: 고생대, B: 중생대, C: 신생대 (2) ㉠: 삼엽충, 방추충 등, ㉡: 공룡, 암모나이트 등
257 ③, ④ 258 ②

최고 수준 도전 기출 (06~09강)   68~69쪽

259 ② 260 ① 261 (1) 편마암 → 셰일 → 안산암 → 섬록암
(2)
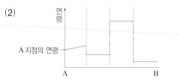
262 ① 263 ④ 264 ④ 265 ⑤ 266 ①

10 기압과 날씨

빈출 자료 보기   71쪽
267 (1) ○ (2) × (3) × (4) × (5) ○ (6) ×
268 (1) × (2) × (3) ○ (4) ○ (5) ○ (6) ×

269 (1) 북서풍 (2) 7 m/s (3) 10°C (4) 1003.0 hPa (5) 소나기 270 ①, ⑦ 271 ④
272 ① 273 ③ 274 가시 영상이나 적외 영상은 반사하는 가시광선이나 방출하는 적외선을 측정하지만 기상 레이더 영상은 대기 중에 전파를 발사하여 물방울에서 반사 및 산란된 전파를 수신하므로 강수량이나 강수 구역을 파악하는 데 가시 영상이나 적외 영상보다 효과적이다. 275 ⑤
276 ③ 277 ③ 278 ⑥, ⑦ 279 ⑤
280 ② 281 한대 기단인 시베리아 기단이 따뜻한 황해를 지나면서 수증기를 공급받아 수증기량이 증가하고, 기단의 하층이 가열되어 기층이 불안정해진다. 이에 따라 상승 기류가 발달하여 적운형 구름이 형성되므로 서해안에 폭설이 내릴 수 있다.
282 ② 283 ⑤ 284 (가) 겨울 (나) 여름 (다) 봄, 가을 285 ④ 286 ④ 287 ④
288 ①, ②, ⑦ 289 ③

⑪ 온대 저기압과 날씨

빈출 자료 보기   77쪽

290 (1) ○ (2) ○ (3) ○ (4) × (5) × (6) ○
(7) ○ (8) ×

291 (1) ○ (2) ○ (3) × (4) ○ (5) × (6) ×
(7) ○

난이도별 필수 기출   78~83쪽

292 ②   **293** ④   **294** (가)는 한랭 전선이고, (나)는 온난 전선이다. (가) 한랭 전선이 통과한 후에 기압은 높아지고, 풍향은 남서풍에서 북서풍으로 변한다. (나) 온난 전선이 통과한 후에 기압은 낮아지고, 풍향은 남동풍에서 남서풍으로 변한다. **295** ④   **296** ②   **297** ①   **298** 한랭 전선이 온난 전선을 따라잡아 겹쳐지면 폐색 전선이 형성된다. 이때 한랭 전선 뒤쪽인 A 지역 공기가 온난 전선 앞쪽인 B 지역 공기보다 온도가 더 낮기 때문에 한랭 전선 뒤쪽의 더 찬 공기(A)가 온난 전선 앞쪽의 찬 공기(B) 아래로 파고드는 한랭형 폐색 전선이 형성된다.   **299** ②   **300** ②   **301** ④   **302** ⑤   **303** ⑤   **304** A: 폐색 전선, B: 한랭 전선, C: 온난 전선   **305** ⑤   **306** ⑦   **307** ③   **308** ⑤, ⑥   **309** 현재 C 지역은 온난 전선 앞쪽으로 남동풍이 불고 있다. 이후 온난 전선이 통과하면 남서풍으로 풍향이 바뀌고, 한랭 전선이 통과하면 북서풍으로 바뀐다.   **310** ③   **311** 관측 순서는 (ㄴ) → (ㄷ) → (ㄱ)이다. 우리나라 주변에서 온대 저기압은 편서풍의 영향으로 서쪽에서 동쪽으로 이동하고, C 지역은 온대 저기압이 이동하면서 온난 전선과 한랭 전선이 차례로 통과하여 날씨가 달라지기 때문이다.   **312** ③   **313** ②   **314** ②   **315** ①   **316** ③   **317** ②   **318** ③   **319** ①   **320** ⑤   **321** ③

⑫ 태풍과 우리나라 주요 악기상

빈출 자료 보기   86쪽

322 (1) ○ (2) ○ (3) × (4) × (5) × (6) ○
(7) ×

323 (1) × (2) ○ (3) ○ (4) ○ (5) × (6) ○
(7) ○

난이도별 필수 기출   87~93쪽

324 ①   **325** ⑤, ⑦   **326** ②   **327** ②   **328** ⑤, ⑦   **329** ③   **330** B>C   **331** ②

332 A는 온대 저기압, B는 열대 저기압(태풍)이다. 일기도 상에서 온대 저기압은 등압선이 원형이 아니고 전선을 동반하지만 열대 저기압은 등압선이 원형이고 등압선 간격이 조밀하며, 전선을 동반하지 않는다.   **333** ①   **334** ④   **335** 북위 25° 이상인 해역은 수온이 낮아 수증기의 공급이 충분하지 않기 때문에 태풍의 에너지원을 얻기 어려우므로 태풍이 발생하기 어렵다.   **336** ④   **337** 태풍이 육지에 상륙하면 수증기의 공급이 거의 없고 지표면과 마찰 때문에 태풍의 세력이 약해지다가 소멸한다. 태풍이 찬 바다를 만나면 열과 수증기의 공급이 줄어들기 때문에 태풍의 세력이 약해지다가 소멸한다.   **338** ③   **339** ③   **340** ⑤   **341** ④   **342** ③   **343** ④   **344** ②   **345** ④   **346** ①   **347** ⑤, ⑧   **348** ②   **349** ③   **350** ③   **351** ④   **352** ③   **353** A 구간에는 과냉각 물방울과 빙정이 공존하는데 과냉각 물방울과 빙정의 포화 수증기압 차이로 과냉각 물방울에서 증발한 수증기가 승화되어 빙정 표면에 얼어붙으면서 빙정이 커진다.   **354** ⑤   **355** ②, ③   **356** ⑤   **357** ④

⑬ 해수의 성질

빈출 자료 보기   95쪽

358 (1) ○ (2) × (3) × (4) ○ (5) ○ (6) ○

359 (1) ○ (2) × (3) × (4) ○ (5) ○ (6) ×

난이도별 필수 기출   96~101쪽

360 ②, ③   **361** A: 30, B: 33, C: 31   **362** ④   **363** ①, ⑥   **364** ②   **365** ③   **366** ③   **367** 해양 생물이 표층에 녹아 있는 이산화 탄소를 소비하여 광합성을 하기 때문이다.   **368** 산소가 많이 녹아 있는 극 해역의 표층 해수가 침강하여 심해로 유입되기 때문이다.   **369** ②   **370** 대기에서 표층으로 산소(A)가 녹아 들어가기 때문이다. 해양 생물이 광합성을 하여 산소(A)를 방출하기 때문이다.   **371** ③   **372** ②   **373** ②, ⑤   **374** ⑤   **375** ①   **376** ③   **377** ⑤   **378** ②   **379** ②   **380** 수온이 낮을수록, 염분이 높을수록 해수의 밀도는 크다.   **381** ②   **382** ①   **383** ③   **384** ②, ④   **385** ⑤   **386** ⑤   **387** ⑤   **388** ④

최고 수준 도전 기출 (10~13강)   102~103쪽

389 ⑤   **390** ④   **391** ①   **392** ③   **393** ③   **394** ①   **395** ①   **396** ③

⑭ 해수의 표층 순환

빈출 자료 보기   105쪽

397 (1) × (2) ○ (3) × (4) × (5) × (6) ○
(7) ○ (8) ○

398 (1) × (2) ○ (3) ○ (4) ○ (5) ○ (6) ×
(7) ○

난이도별 필수 기출   106~109쪽

399 ⑤   **400** ㄴ, 지구가 구형이므로 저위도에서 고위도로 갈수록 태양의 고도가 낮아져 고위도로 갈수록 태양 복사 에너지 흡수량이 급격히 줄어들기 때문이다.   **401** ②, ⑥   **402** A: 극순환, C: 해들리 순환   **403** ②, ④, ⑥   **404** ③   **405** ⑤   **406** ①   **407** 표층 해류는 대기 대순환으로 생긴 바람의 영향으로 발생한다. 대륙으로 둘러싸인 대양에서 표층 해류는 바람을 따라 동서 방향으로 흐르다가 대륙에 부딪치면 남북 방향으로 갈라져 흐르면서 환류를 이룬다.   **408** ④   **409** ①   **410** ④   **411** 콜럼버스가 유럽 대륙으로 돌아올 때 편서풍과 북대서양 해류를 이용하였고, 이때 북대서양 중위도의 A 지점을 통과하였다.   **412** ④   **413** ⑤   **414** ②   **415** ①   **416** ⑤   **417** ⑤   **418** ③   **419** 동한 난류와 북한 한류가 만나는 동해 중부 해역에 형성되는 조경 수역은 동한 난류의 세기가 강한 여름철에는 그 위치가 북상하고, 북한 한류의 세기가 강한 겨울철에는 그 위치가 남하한다.

⑮ 해수의 심층 순환

빈출 자료 보기   111쪽

420 (1) ○ (2) ○ (3) × (4) ○ (5) × (6) ○
(7) ○

421 (1) ○ (2) ○ (3) ○ (4) ○ (5) ○ (6) ○
(7) × (8) ○

난이도별 필수 기출   112~115쪽

422 ④   **423** ③   **424** ⑤   **425** ⑤   **426** ③, ④   **427** ⑤   **428** ②   **429** ③   **430** 해수의 밀도는 수온과 염분의 영향을 받는다. 수온이 낮을수록, 염분이 높을수록 해수의 밀도가 크다.   **431** 남극 저층수는 남극 대륙 주변의 웨델 해에서 해수가 침강하여 형성되며, 북대서양 심층수는 그린란드 주변 해역에서 해수가 침강하여 형성되고, 남극 중층수는 60°S 부근에서 해수가 침강하여 형성된다. 세 해수의 밀도 관계는 남극 저층수 > 북대서양 심층수 > 남극 중층수이다.   **432** ④, ⑤   **433** ④   **434** ②   **435** ④   **436** ②, ⑥   **437** ①   **438** ③

16 해양 변화와 기후 변화

빈출 자료 보기 118쪽

439 (1) × (2) ○ (3) × (4) ○ (5) ○ (6) ○
440 (1) ○ (2) × (3) ○ (4) ○ (5) ○ (6) ○
(7) ○ (8) ○

난이도별 필수 기출 119~123쪽

441 ④ **442** ④ **443** 열대 저기압인 태풍은
북반구에서 시계 반대 방향으로 바람이 불어 들어
가기 때문에 표층 해수는 태풍 중심에서 바깥쪽으
로 이동하여 태풍의 중심에서 해수면의 높이가 낮
아지면서 용승이 일어난다. **444** ④ **445** ②
446 ④ **447** 지속적인 남풍이 불고 있으므로 표
층 해수는 동쪽으로 이동하고, 해안에 용승이 일어
난다. 해안에 심해의 찬 해수가 올라오므로 육지에
서 바다 쪽으로 가면서 표층 수온은 높아진다.
448 ⑤, ⑥, ⑧ **449** ② **450** ㉠ 무역풍, ㉡
남방 진동, ㉢ 엘니뇨 남방 진동 또는 엔소(ENSO)
451 ① **452** ⑤ **453** ①, ③ **454** ③, ⑤
455 ② **456** ④ **457** ④ **458** ① **459** ⑤
460 ④ **461** ① **462** ① **463** ① **464** ③

17 지구 기후 변화

빈출 자료 보기 126쪽

465 (1) × (2) ○ (3) ○ (4) × (5) ○ (6) ○
(7) ×
466 (1) ○ (2) ○ (3) × (4) ○ (5) × (6) ○
(7) ×

난이도별 필수 기출 127~133쪽

467 ①, ③, ④ **468** ⑤ **469** 지구 자전축의
경사각이 현재의 23.5°보다 작아지면 북반구는 여
름에 태양의 남중 고도가 현재보다 낮아지고, 겨울
에 태양의 남중 고도가 현재보다 높아진다. 따라서
(나) 시기에 우리나라에서 기온의 연교차는 현재보
다 작아진다. **470** ① **471** ④ **472** 지구 공전
궤도가 B에서 A로 변할 때 이심률이 커지고, 이때
북반구는 겨울에 기온이 높아지고, 여름에 기온이
낮아지므로 북반구 기온의 연교차는 작아진다.
473 ④ **474** ① **475** ③ **476** A 시기에는
태양 흑점 수가 매우 적으므로 태양 활동이 활발하
지 않아 지구에 들어오는 태양 복사 에너지양이 감
소하였다. 따라서 지구의 연평균 기온은 낮아졌을
것이다. **477** ⑤ **478** ⑤ **479** ⑤ **480** ④

481 ③ **482** ⑤ **483** ⑤ **484** ⑤ **485** ㉠
가시광선, ㉡ 적외선 **486** ④ **487** ②
488 A: 30, B: 20, C: 102, D: 94, D **489** ③
490 ①, ⑥, ⑧ **491** ⑤ **492** ③ **493** ②
494 ⑤ **495** A는 북극해 얼음 면적, B는 전 지
구의 평균 해수면 높이이다. ㉠ 기간에 비해 ㉡ 기
간에 북극해 얼음 면적이 줄어들고, 평균 해수면 높
이가 상승한 것으로 보아 북극 해역의 평균 기온은
㉠ 기간보다 ㉡ 기간에 더 높아졌다. **496** ③
497 ④ **498** ② **499** ⑤, ⑦ **500** ③
501 ⑤ **502** 환경적 영향으로는 해수면 상승,
생태계 변화, 기상 이변 등이 있다. 사회적 영향으
로는 전염병 증가, 자연 재해로 생긴 피해 증가
등이 있다. 경제적 영향으로는 작물 재배지 변화,
작물 생산성 변화, 수산 자원 변화 등이 있다.
503 ②, ⑤

최고 수준 도전 기출 (14~17강) 134~135쪽

504 ⑤ **505** ③ **506** ① **507** (가) 시기는
동태평양에서 구름의 적외선 방출 복사 에너지 편차
가 0보다 작으므로 동태평양에 평년보다 구름이 두
껍게 형성된 엘니뇨 시기이다. 엘니뇨 시기에는 동
태평양에 저기압이 형성되므로 A는 서태평양, B는
동태평양의 해면 기압 편차를 나타낸다. **508** ④
509 ③ **510** ③ **511** ③

18 별의 물리량

빈출 자료 보기 137쪽

512 (1) ○ (2) ○ (3) ○ (4) × (5) ○ (6) ○
(7) × (8) ○ (9) ×

난이도별 필수 기출 138~143쪽

513 ①, ⑥ **514** ④ **515** ③ **516** O, B, A,
F, G, K, M **517** ③ **518** ①, ⑤ **519** ②
520 (1) 1000 nm (2) 광도는 S_2가 S_1보다 10^4배
크다. (3) S_2가 S_1보다 색지수가 작다. S_2가 S_1보다
표면 온도가 높기 때문이다. **521** ② **522** ③,
⑥ **523** ② **524** ⑤ **525** ③, ⑦ **526** ①
527 ④, ⑥ **528** ③ **529** ② **530** ⑤
531 슈테판·볼츠만 법칙에 의하면 표면 온도가 T
인 별의 단위 시간 동안 단위 면적에서 방출되는 복
사 에너지(E)는 $E = \sigma T^4$(σ: 슈테판·볼츠만 상수)
이다. 반지름이 R인 별의 전체 표면적은 $4\pi R^2$이
며, 별의 전체 표면에서 방출되는 총에너지양인 광
도 L은 $E = \sigma T^4$과 $4\pi R^2$의 곱인 $L = 4\pi R^2 \cdot \sigma T^4$
으로 나타낼 수 있다. **532** ② **533** ⑤

534 (나)의 반지름은 (가)의 3배이고, 표면 온도
는 (가)의 $\frac{1}{3}$이므로 광도(L)는 $L = 4\pi(3R_{(가)})^2 \cdot$
$\sigma\left(\frac{1}{3}T_{(가)}\right)^4 = \frac{1}{9}L_{(가)}$이다. 따라서 (나)의 광도는
(가)의 $\frac{1}{9}$이다. **535** ② **536** 표면 온도는 반
지름이 큰 별이 반지름이 작은 별보다 낮다.
537 (1) B (2) A의 광도는 B의 4배이고 표면 온
도는 B의 $\frac{1}{2}$이므로 A의 반지름을 B의 x배라고 하
면, $4 = x^2 \cdot \frac{1}{16}$에서 x는 8이다. 따라서 A의 반지
름은 B의 8배이다. **538** A와 B는 색지수가 같
으므로 표면 온도가 같다. A의 절대 등급은 B보다
10등급 작으므로 광도는 B보다 $100^2 = 10000$배 크
다. 따라서 B의 광도에 대한 A의 광도의 비 $\frac{L_A}{L_B}$
$= 10^4 = \frac{4\pi(R_A)^2 \cdot \sigma T^4}{4\pi(R_B)^2 \cdot \sigma T^4}$에서 $\frac{R_A}{R_B} = 100$이므로 A
의 반지름은 B의 100배이다. **539** ⑤ **540** ①
541 A와 B의 절대 등급을 각각 M_A, M_B, 광도를
각각 L_A, L_B라고 할 때, 1등급 사이의 밝기 차는
$100^{\frac{1}{5}}$배이므로 두 별 사이에는 $100^{\frac{1}{5}(M_B - M_A)}$
$= 10^{\frac{2}{5}(M_B - M_A)} = \frac{L_A}{L_B}$의 관계가 성립한다. 위 식의 양변
에 상용 로그를 취하면 $M_B - M_A = -2.5\log\frac{L_B}{L_A}$
(포그슨 공식)가 성립한다. **542** ③ **543** ⑤
544 ④ **545** (1) 별 A의 광도는 별 B의 100배
이다. (2) 별 A의 반지름은 별 B의 2.5배이다.
546 ①

19 H-R도와 별의 진화

빈출 자료 보기 145쪽

547 (1) ○ (2) × (3) ○ (4) ○ (5) × (6) ○
(7) × (8) × (9) ×

난이도별 필수 기출 146~151쪽

548 ㄱ, ㅂ **549** ⑤ **550** (가) 초거성 (나) 거성
(다) 주계열성 (라) 백색 왜성 **551** ④ **552** ②
553 ⑥ **554** ② **555** ⑤ **556** ⑤, ⑥
557 ④ **558** ⑤ **559** (1) 질량이 작은 주계열
성일수록 수명이 길므로 C가 A보다 수명이 더 길
다. (2) B는 C보다 절대 등급이 15등급 작으므로
광도가 $100^3 = 10^6$배 크다. 따라서 B와 C의 광도
비는 1000000 : 1이다. (3) B는 C와 표면 온도는
같지만 광도가 C의 10^6배이다. 따라서 $\frac{L_B}{L_C} = 10^6$
$= \frac{4\pi(R_B)^2 \cdot \sigma T^4}{4\pi(R_C)^2 \cdot \sigma T^4}$에서 $R_B = 1000R_C$이므로 B의
반지름은 C의 1000배이다. **560** ① **561** ①

기출 PICK

정답과 해설

지구과학 I

정답과 해설

01 판 구조론의 정립 과정

1 (1) ○ (2) × (3) ○ (4) × (5) ○ (6) ○ (7) ○ (8) ×

1 (1) 해령에서 해양 지각이 생성되므로 해양 지각의 연령이 0인 C 지점에 해령이 분포한다.
(3) C 지점을 중심으로 양쪽으로 갈수록 해양 지각의 연령이 많아지는 것은 해령을 중심으로 해양 지각이 양쪽 방향으로 멀어졌기 때문이다.
(5) 600만 년 동안 거리에 따른 해양 지각의 연령 그래프의 기울기는 일정하다. 따라서 해양 지각의 확장 속도는 일정하였다.
(6) B와 D 지점은 연령이 같으므로 같은 시기에 생성된 해양 지각이다. 따라서 D 지점의 암석은 B와 같은 정자극기에 생성되었다.
(7) 해령에서 멀어질수록 해양 지각의 연령이 증가하는 자료는 해양저 확장설의 증거이다.
바로알기 | (2) C 지점에 해령이 분포하며, 해령은 맨틀 대류의 상승부에서 형성된다. 맨틀 대류가 하강하는 곳에는 해구가 분포한다.
(4) 해저 퇴적물이 퇴적되는 속도는 거의 일정하므로 해저 퇴적물의 두께는 해양 지각의 연령과 비례한다. 따라서 해저 퇴적물의 두께는 A에서 C 지점까지는 얇아지고, C에서 가장 얇으며, C에서 E 지점까지는 두꺼워진다.
(8) 해양 지각의 연령은 방사성 동위 원소 분석으로 알아낼 수 있다. 음향 측심법으로는 해저의 깊이(수심)를 알 수 있다.

2 ②	3 해설 참조	4 ③	5 ①
6 ①, ③, ④	7 ②	8 해설 참조	9 ③
10 ①	11 해설 참조	12 ④	13 ②
14 ㄱ, ㄹ, ㅁ	15 ③	16 ④	17 ⑤	18 ③
19 해설 참조	20 ④	21 ㄱ	22 ①	23 ②
24 ④	25 ③, ④	26 ②	27 ④	28 ④
29 해설 참조	30 ④	31 ⑤	32 ⑤	33 ③
34 ④	35 ⑤	36 ③, ⑤, ⑦		

2 ① 베게너의 대륙 이동설은 대륙 이동의 원동력을 설명하지 못하여 당시의 많은 학자들에게 지지를 받지 못하였다.
③ 베게너는 모든 대륙이 하나로 모여 있던 초대륙인 판게아가 분리되고 이동하여 현재의 대륙 분포가 되었다고 주장하였다.
④ 베게너는 남아메리카, 아프리카, 인도, 오스트레일리아 등에서 발견된 고생대 말 빙하의 흔적을 대륙 이동의 증거로 제시하였다.
⑤ 베게너는 멀리 떨어진 대륙의 해안선 모양이 유사하여 서로 맞출 수 있다는 점에 착안하여 대륙 이동설을 제시하였다.
바로알기 | 대륙 이동의 원동력을 맨틀 대류라고 주장한 최초의 사람은 홈스이다. 베게너는 대륙 이동의 원동력을 설명하지 못하였다.

3 베게너는 멀리 떨어져 있는 대륙의 해안선 모양의 유사성, 지질 구조의 연속성, 화석의 분포, 고생대 말 빙하의 흔적 분포 등을 증거로 대륙 이동설을 주장하였다.
모범 답안 | 멀리 떨어져 있는 대륙의 해안선 모양이 유사하다. 멀리 떨어져 있는 대륙에서 지질 구조가 연속적으로 나타난다. 멀리 떨어져 있는 대륙에서 같은 종의 화석이 발견된다. 고생대 말 빙하의 흔적이 멀리 떨어진 여러 대륙에서 발견된다.

4 ③ 홈스는 1920년대 말, 맨틀의 열대류로 인해 대륙이 이동할 수 있다는 맨틀 대류설을 제시하였다.
바로알기 | ① 윌슨은 변환 단층을 발견해 해양저 확장설과 판 구조론의 정립에 기여하였다.
② 헤스는 해양저 확장설을 제안한 학자 중 하나이다.
④ 베게너는 대륙 이동설을 주장한 학자이다.
⑤ 아이작스는 모건, 매켄지 등과 함께 판 구조론의 틀을 정립하였다.

5 ① 홈스는 방사성 동위 원소의 붕괴열과 지구 중심부에서 올라오는 열에 의해 발생한 맨틀 내의 온도 차이로 열대류가 일어나고, 맨틀의 대류가 대륙을 이동시킬 수 있다고 설명하였다.
바로알기 | ② 맨틀 대류의 상승부에서는 새로운 해양과 지각이 생성된다.
③ 맨틀 대류의 하강부에서는 해구나 산맥이 형성되며, 새로운 지각이 생성되지 않는다.
④ 홈스는 맨틀 대류의 관측적 증거를 제시하지 못하였다.
⑤ 맨틀 대류설은 대륙 이동의 원동력을 설명할 수는 있었으나, 맨틀 대류를 설명할 수 있는 관측적 증거를 제시하지 못하여 등장한 당시에는 널리 받아들여지지 않았다.

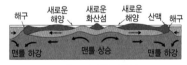

▲ 홈스의 맨틀 대류설

6 ② 남아메리카 대륙의 동해안과 아프리카 대륙의 서해안의 해안선 모양의 유사성은 대륙 이동설의 증거이다.
⑤ 베게너는 고생대 말 빙하의 흔적이 적도를 비롯한 여러 지역의 대륙에서 나타나고 있다는 것을 발견하였다. 이러한 빙하의 흔적은 남극 부근에 모여 있던 대륙이 적도 부근까지 이동한 증거가 된다.
⑥ 서로 멀리 떨어져 있는 대륙에서 같은 종류의 화석(글로소프테리스)이 발견되는 것은 과거에 대륙들이 붙어 있었다는 증거가 된다.
⑦ 멀리 떨어져 있는 대륙들의 고생대 말 빙하의 이동 흔적을 추적하면 빙하가 남극을 중심으로 분포하므로 남극 대륙에서 흩어져나간 것임을 알 수 있다.
⑧ 유럽의 칼레도니아산맥과 북아메리카의 애팔래치아산맥에서의 지질 구조가 연속적으로 나타나는 것은 산맥이 형성되었을 당시에 대륙이 붙어 있었다는 증거가 된다.
바로알기 | ① 화산대와 지진대가 띠 모양으로 분포하는 것은 판 구조론에서 설명할 수 있는 것으로, 대륙 이동설의 증거는 아니다.
③ 해령에서 멀어질수록 해양 지각의 나이가 증가하는 것은 해양저 확장설의 증거이다.
④ 모든 대륙이 하나로 모였던 초대륙이 분리되고 이동하여 현재와 같은 대륙 분포가 되었다는 것은 베게너가 주장한 대륙 이동설의 내용으로, 증거는 아니다.

베게너가 주장한 대륙 이동설의 증거

현재 떨어져 있는 대륙을 모으면 해안선, 지질 구조, 화석의 분포, 빙하 흔적 분포들이 연속된다.

▲ 해안선과 지질 구조　▲ 화석의 분포　▲ 빙하의 흔적 분포

7 그림에서 고지자기 줄무늬를 제외한 나머지(고생대 말 습곡 산맥, 메소사우루스 화석 산출지, 고생대 말 빙하 퇴적층, 고생대 말 빙하 이동 흔적)는 베게너가 제시한 대륙 이동의 증거이다.

ㄴ. 북아메리카 대륙과 유럽 대륙의 습곡 산맥의 분포가 연속적으로 나타나는 것은 베게너가 제시한 증거이다.

바로알기 | ㄱ. 해령을 축으로 고지자기 줄무늬가 대칭적으로 나타나는 것은 해양저 확장설의 증거이다.

ㄷ. 판게아가 형성되었을 때, 북아메리카 대륙의 동해안은 아프리카 대륙의 북서부 해안과 맞닿아 있었다. 아프리카의 남서부 해안은 남아메리카 대륙의 동해안과 해안선의 모양이 유사하다.

8 현재 아열대 및 열대 기후대에 속하는 인도, 오스트레일리아, 아프리카 남부, 남아메리카 대륙은 판게아가 형성된 고생대 말에는 남극 대륙 주위에 위치하여 빙하가 분포하였다.

모범 답안 이 대륙들은 고생대 말 초대륙이었을 때 남극 대륙 주위에 분포하였으나 시간이 지나 분리되면서 현재의 위치로 이동하였기 때문이다.

9 고생대 말 빙하 퇴적층의 분포와 이동 흔적으로부터 고생대 말에 남아메리카, 아프리카, 인도, 오스트레일리아 대륙이 남극 대륙 주변에서 하나의 대륙으로 분포하였을 것이라고 추론할 수 있다.

ㄱ. 인도 대륙은 고생대 말의 빙하 퇴적층이 분포하므로 고생대 말에 남극 부근에 있었을 것이다.

ㄷ. 남아메리카 대륙과 아프리카 대륙은 과거에 하나의 대륙으로 분포하였으므로 같은 종류의 화석(예 글로소프테리스)이 발견될 수 있다.

바로알기 | ㄴ. 적도 지역은 지질 시대 동안에도 덥고 습한 기후였으므로 빙하가 존재하기 어렵다. 따라서 현재 적도 부근의 고생대 말 빙하 흔적은 빙하가 형성될 당시에 대륙이 고위도에 위치했다는 것을 알려 준다.

10 홈스는 대륙 이동의 원동력으로 맨틀 대류를 제시하였으며, 맨틀 대류의 상승부에는 새로운 지각과 해양이, 맨틀 대류의 하강부에는 해구와 산맥이 발달한다고 하였다.

② A에서는 맨틀 대류가 하강하면서 지각이 수렴하여 횡압력이 작용한다.

③ B는 맨틀 대류가 상승하는 곳으로, 대륙 지각이 분리되고 새로운 해양이 생성된다.

④ 맨틀 위에 놓여 있는 대륙은 맨틀 대류를 따라 이동한다.

⑤ 방사성 원소의 붕괴열과 지구 중심부에서 올라오는 열에 의한 맨틀 상부와 하부의 온도 차이로 열대류가 발생한다.

바로알기 | ① A는 맨틀 대류가 하강하는 지역이므로 해구와 산맥이 발달한다.

11 (가)는 홈스의 맨틀 대류설, (나)는 베게너의 대륙 이동설이다.

모범 답안 (가) 맨틀 대류설은 맨틀이 대류하는 관측적인 증거를 제시하지 못하였다.

(나) 대륙 이동설은 대륙이 이동하는 원동력을 설명하지 못하였다.

12 (가)는 고생대 말 판게아가 형성되었을 때 습곡 산맥의 분포를, (나)는 현재 판게아가 분리되어 대륙이 이동한 이후의 메소사우루스 화석의 분포를 나타낸 것이다.

ㄴ. 메소사우루스는 고생대 말에 존재한 담수성 파충류로, 대서양의 심해 퇴적층에서는 발견되기 어렵다.

ㄹ. (가)와 (나)는 베게너가 제시한 대륙 이동설의 증거이다.

바로알기 | ㄱ. 북아메리카 대륙의 동쪽에 분포하는 애팔래치아산맥과 유럽 대륙의 서쪽에 분포하는 칼레도니아산맥은 고생대 말에는 연결되어 있었고 그 이후 판게아가 분리되며 갈라졌다. 따라서 중생대 말에는 분리되어 있었다.

ㄷ. 메소사우루스는 판게아가 분리되기 전에 출현하였기 때문에 현재는 떨어져 있는 두 대륙에서 화석으로 발견될 수 있다.

13 음향 측심법을 통해 수심을 구할 수 있다. 수심이 d, 음파의 왕복 시간이 t, 음파의 속도가 v라고 하면, $d = \frac{1}{2} \times t \times v$이다.

따라서 $d = \frac{1}{2} \times 4.5\,\text{s} \times 1500\,\text{m/s} = 3375\,\text{m}$이다.

14 심해저 지형에 해당하는 것은 해령, 해구, 심해 평원, 평정해산 등이 있다. 대륙붕, 대륙 사면 등은 대륙 주변부로 구분되어 심해저 지형에 해당하지는 않는다.

해저 지형

· **해령:** 좁고 긴 해저 산맥으로, 중앙에 열곡(V자 모양의 골짜기)이 발달한다.

· **해구:** 수심 약 6 km 이상인 좁고 긴 골짜기

· **심해 평원(심해저 평원):** 수심 3 km~6 km의 평탄한 지형으로, 해저 지형의 대부분을 차지한다.

· **평정해산:** 해산 중 산 정상부가 침식으로 깎여 평평해진 해산

· **대륙붕:** 대륙과 접해 있는 수심 약 200 m 이내의 해저 지형

· **대륙 사면:** 대륙붕에 접하면서 경사가 급한 지형

· **대륙대:** 대륙 사면의 끝에서 이어지는 경사가 완만한 지형

▲ 해저 지형 모식도

15 ① 음향 측심법은 해수면에서 발사한 음파의 왕복 시간을 측정하여 해저의 깊이(수심)를 측정하는 방법이다.

② 수심이 깊을수록 음파가 해저면에 반사되어 되돌아오는 데 걸리는 시간이 길어지므로, 측정한 음파의 왕복 시간이 길수록 수심이 깊다는 것을 알 수 있다.

④ 물속에서 음파의 속도는 공기에서보다 빠르다. 음파의 속도는 매질의 온도나 밀도 등에 따라 달라지지만, 일반적으로 공기에서는 약 330 m/s, 물속에서는 약 1500 m/s이다.

⑤ 음향 측심법으로 밝혀진 해저 지형을 설명하기 위해 해양저 확장설이 등장하였다.

바로알기 | ③ 수심은 '$\frac{1}{2}$ × 음파의 왕복 시간 × 음파의 속도'로 구한다.

16 ㄱ. 음파의 왕복 시간은 수심이 깊을수록 길다. B 지점은 A 지점보다 수심이 더 깊으므로 음파의 왕복 시간이 더 길다.

ㄴ. 해구는 수심이 6 km 이상인 좁고 깊은 골짜기이고, 해령은 심해저에 발달한 해저 산맥이다. 그림은 해구와 해령이 포함된 해저 지형이므로 심해저 지형에서 수심이 가장 깊은 C 지점에는 해구가, 수심이 가장 얕은 E 지점에는 해령이 분포한다.

바로알기 | ㄷ. 해양 지각은 해령에서 생성되어 해구로 이동하므로, 해령에서 멀어질수록 해양 지각의 나이가 증가한다. D 지점은 C 지점보다 해령에 가깝기 때문에 해양 지각의 나이가 더 적다.

17 A는 수심이 6000 m$\left(=\frac{1}{2}\times 8\,\mathrm{s}\times 1500\,\mathrm{m/s}\right)$인 골짜기이므로 해구가 발달하고, B에서는 해령이 발달한다.

ㄱ. 음향 측심법에서 음파의 왕복 시간이 긴 곳일수록 수심이 깊다. 따라서 음파의 왕복 시간이 가장 긴 A가 수심이 가장 깊다.

ㄴ. B는 음파의 왕복 시간이 주변 지역에 비해 짧아 수심이 얕고, W와 같이 대칭적인 모양으로 나타나므로, V자 모양의 골짜기인 열곡이 발달한다.

ㄷ. 해양 지각의 연령은 해령에서 해구로 갈수록 증가한다. A에는 해구가, B에는 해령이 분포하므로 암석의 연령은 A가 B보다 많다.

18 ㄱ. 수심을 d, 음파의 왕복 시간을 t, 음파의 속도를 v라고 할 때, $d=\frac{1}{2}\times t\times v$이다. 기준점으로부터 5 km에서 음파의 왕복 시간은 6.6초이므로, $d=\frac{1}{2}\times 6.6\,\mathrm{s}\times 1500\,\mathrm{m/s}=4950\,\mathrm{m}$이다.

ㄴ. 30 km~35 km 구간은 왕복 시간이 2.4초로 주위 지역보다 짧으므로 수심이 얕은 지역이다. 해령은 심해저의 다른 지역에 비해 수심이 얕으므로 이 구간에 해령이 존재한다고 볼 수 있다.

바로알기 | ㄷ. 25 km~30 km 구간과 35 km~40 km 구간에서의 거리와 시간을 정리하면 다음과 같다.

거리(km)	25	30	35	40
시간(s)	3.5	2.4	2.4	4.5
구간에 따른 시간 차이(s)		1.1		2.1
구간에 따른 높이 차이(m)		$\frac{1}{2}\times 1.1\times 1500=825$		$\frac{1}{2}\times 2.1\times 1500=1575$

경사는 $\dfrac{\text{높이 차이}}{\text{거리 차이}}$이다. 따라서 거리 차이가 동일한 구간에서 높이 차이가 더 큰 35 km~40 km 구간이 25 km~30 km 구간보다 평균 경사가 더 급하다.

다른 해설 | ㄷ. 자료에서 25 km~30 km 구간과 35 km~40 km 구간은 거리 차이가 5 km로 같고, 각각의 높이 차이는 왕복 시간의 차이로 알 수 있다. 따라서 왕복 시간의 차이가 더 큰 35 km~40 km 구간의 평균 경사가 더 급하다.

19 (1), (2) 수심을 d, 음파의 왕복 시간을 t, 음파의 속도를 v라고 할 때, $d=\frac{1}{2}\times t\times v$이다. 수심은 음파의 왕복 시간에 비례하므로 음파 왕복 시간이 가장 긴 A_2의 수심이 가장 깊고, 음파 왕복 시간이 가장 짧은 B_4의 수심이 가장 얕다.

(3) A와 B 해역에 해령과 해구가 존재한다고 하였으므로 수심이 가장 깊은 곳에 해구가, 가장 얕은 곳에 해령이 존재한다. 따라서 ㉠ 해구는 왕복 시간이 가장 긴 A_2가 존재하는 A 해역에, ㉡ 해령은 왕복 시간이 가장 짧은 B_4가 존재하는 B 해역에 존재한다.

모범 답안 (1) A_2, $\frac{1}{2}\times 9.4\,\mathrm{s}\times 1500\,\mathrm{m/s}=7050\,\mathrm{m}$

(2) B_4, $\frac{1}{2}\times 4.2\,\mathrm{s}\times 1500\,\mathrm{m/s}=3150\,\mathrm{m}$

(3) ㉠ A 해역, ㉡ B 해역

20 ④ 해양 지각의 나이는 해령이 분포하는 P_4 부근에서 멀수록 많아지므로 P_5 지점이 P_4 지점보다 많다.

바로알기 | ① 해저면의 수심은 음파의 왕복 시간에 비례한다. 따라서 음파의 왕복 시간이 가장 짧은 P_4가 가장 수심이 얕은 지점이다.

② P_2 지점의 수심 $=\frac{1}{2}\times 7.36\,\mathrm{s}\times 1500\,\mathrm{m/s}=5520\,\mathrm{m}$이다.

③ 다른 지점에서 P_4 지점으로 갈수록 음파의 왕복 시간이 짧아지므로 수심이 얕아진다. 따라서 P_3-P_5 지점 사이에 해령이 존재한다.

⑤ P_1-P_6 구간에 있는 판의 경계는 해령(발산형 경계)이다. 해령은 맨틀 대류의 상승부로, 해양 지각이 생성된다.

21 ㄱ. 해령에서 새로운 해양 지각이 생성되어 양옆으로 확장된다는 학설이 해양저 확장설이다.

바로알기 | ㄴ. 해양 지각이 확장되면서 해령에서 멀어질수록 해양 지각의 나이가 많아지므로 해저 퇴적물의 두께가 두꺼워진다.

ㄷ. 섭입대에서는 밀도가 큰 해양 지각이 밀도가 작은 대륙 지각 아래로 비스듬히 들어가면서 지진이 발생하므로 해구에서 대륙 쪽으로 갈수록 지진이 발생하는 깊이가 깊어진다.

22 ① 해령이 끊겨져 어긋나는 구간인 변환 단층을 발견하고 형성 과정을 설명한 과학자는 윌슨이다.

바로알기 | ② 헤스는 해양저 확장설을 제안하였다.

③ 홈스는 맨틀 대류설을 주장하였다.

④ 베게너는 대륙 이동설을 주장하였다.

⑤ 아이작스는 판이 상부 맨틀의 일부와 지각으로 이루어져 있음을 밝혀 판 구조론의 정립에 기여하였다.

23 ② 음향 측심 탐사를 통해 수심을 알아내어 해저 지형을 조사할 수 있게 되었다.

바로알기 | ① 자력계의 개발은 해양 지각의 정자극기와 역자극기의 발견 및 암석의 고지자기 분석에 도움을 주었다.

③ 방사성 동위 원소는 해양 지각의 나이를 측정하는 데 이용되었다.

④ 대서양 중앙 해령 연구로부터 해양 지각이 생성됨을 알 수 있었다. 섭입대 주변의 진원 깊이 분석은 해구를 연구하며 알게된 사실이다.

⑤ 전 세계 지진 관측망의 구축을 통해 섭입대 주변의 진원 깊이 분포 등을 연구할 수 있었다.

24

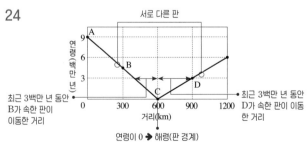

해령에서는 새로운 해양 지각이 생성되므로 해양 지각의 연령이 0인 C 지점이 해령에 해당한다.

④ 해령을 중심으로 양옆으로 해양 지각이 확장되어 멀어지므로 서로 다른 판에 존재하는 B와 D 지점 사이의 거리는 점점 멀어질 것이다.

바로알기 | ① 해양 지각의 연령과 해저 퇴적물의 두께는 비례한다. A에서 C로 갈수록 연령이 감소하므로 해저 퇴적물의 두께가 얇다.

② C는 해령으로, 해양 지각이 생성되는 곳이다.

③ 해령을 경계로 서로 다른 판이 존재한다. 따라서 A와 D는 서로 다른 판에 속한다.

⑤ 판의 이동 속력은 $\dfrac{\text{거리}}{\text{시간}}$이다. 동일한 시간인 3백만 년 동안 이동한 거리가 B가 속한 판이 D가 속한 판에 비해 작으므로 B가 속한 판의 이동 속력이 더 느리다.

다른 해설 | ⑤ B가 속한 판과 D가 속한 판 모두 거리에 따른 연령 그래프가 직선을 이루므로 이동 속력은 시간에 따라 변하지 않고 일정하다. 해령으로부터 같은 거리에 있는 B와 D 지점 중 연령이 B가 더 많으므로 B가 속한 판의 이동 속도가 더 느리다.

25

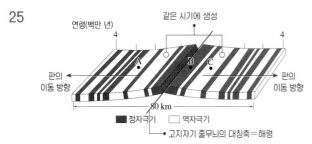

① 해령에서 생성된 암석은 서로 다른 양쪽의 판으로 확장되므로 해령을 기준으로 고지자기 줄무늬가 대칭을 이룬다.

② 고지자기 줄무늬의 대칭축은 해령이다. 따라서 A~C 중 해령에 가장 가까운 지점은 B이다.

⑤ A와 B는 해령을 중심으로 서로 다른 판에 위치하므로 A와 B에서 해양 지각의 이동 방향은 서로 반대이다.

⑥ 약 4백만 년 동안 해령을 중심으로 해양 지각이 양옆으로 각각 40 km씩 이동하였다. 속력 $=\dfrac{\text{거리}}{\text{시간}}$이고, $1\text{ km}=10^5\text{ cm}$이므로 판의 이동 속력은 $\dfrac{40\times10^5\text{ cm}}{4000000\text{년}}=1\text{ cm/년}$이다.

바로알기 | ③ A와 C의 암석은 모두 역자극기에 생성되었지만, 해령과 A 사이의 고지자기 줄무늬 수가 해령과 C 사이의 고지자기 줄무늬 수보다 많으므로 A의 암석은 C의 암석보다 먼저 생성되었다.

④ 지구 자기장의 방향이 현재와 같을 때가 정자극기이다. C의 암석이 생성될 때는 역자극기였으므로 지구 자기장의 방향은 현재와 반대이다.

26

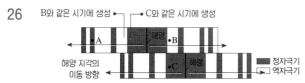

ㄷ. A와 C는 모두 정자극기에 생성된 암석이다. 따라서 암석이 생성될 당시에 지구 자기장의 방향은 같았다.

바로알기 | ㄱ. 해양 지각의 나이는 고지자기 줄무늬로 비교할 수 있다. 암석이 생성된 후 지구 자기장이 A는 4번 역전되었고, B는 한 번 역전되었으며, C는 역전되지 않았다. 따라서 해양 지각의 나이를 비교하면 A>B>C이다.

ㄴ. B가 속한 해양 지각은 해령의 오른쪽으로, C가 속한 해양 지각은 해령의 왼쪽으로 이동하므로 이동 방향은 서로 반대이다.

27

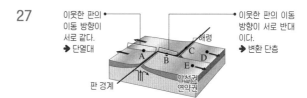

A는 단열대, B는 변환 단층, C는 해령에 위치하고, D와 E는 동일한 판에 위치한다.

ㄷ. C는 해령에 위치하고, 해령은 맨틀 대류의 상승부로, 화산 활동이 활발하게 일어난다.

ㄹ. 해양 지각의 나이는 해령으로부터 수직 방향의 거리에 비례한다. E는 D와 같은 판에 위치하며 D보다 해령으로부터 수직 방향으로 먼 거리에 있기 때문에 해양 지각의 나이가 더 많다.

바로알기 | ㄱ. A를 경계로 이웃한 판의 이동 방향은 동일하므로 A는 단열대에 해당한다. 변환 단층은 B와 같이 해령과 해령 사이에서 나타나며, 판 경계에 이웃한 판이 서로 반대 방향으로 이동하여 어긋나면서 발달하는 지형이다.

ㄴ. B는 변환 단층으로, 천발 지진이 자주 발생한다.

개념 보충

변환 단층
• 해령과 해령 사이에서 판 경계에 이웃한 두 판이 서로 다른 방향으로 이동하여 어긋나면서 발달하는 지형이다.
• 주로 해저에서 발달하지만, 산안드레아스 단층과 같이 지상에 드러나 있는 경우도 있다.
• 천발 지진이 주로 발생하고, 화산 활동은 거의 일어나지 않는다.

28

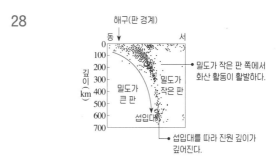

그림은 해구와 섭입대가 발달하고 있는 지역의 진원 분포이다.

① 수렴형 경계인 해구는 맨틀 대류의 하강부에 발달한다.

② 진원 분포를 보면, 동쪽에서 서쪽으로 갈수록 깊어진다. 따라서 동쪽의 판이 서쪽의 판 아래로 섭입하고 있으므로 동쪽에 있는 판의 밀도가 서쪽에 있는 판의 밀도보다 크다.

③ 섭입대를 따라 지진이 발생하므로 섭입대는 서쪽의 판 아래에 형성되어 있다.

⑤ 섭입대로 해양 지각의 소멸을 설명할 수 있으므로 섭입대(베니오프대)의 발견은 해양저 확장설의 중요한 증거 중 하나이다.

바로알기 | ④ 섭입대 부근에서 마그마가 생성되어 지표로 분출하므로 화산 활동은 밀도가 작은 판 쪽에서 활발하게 일어난다. 따라서 서쪽에 있는 판에서 활발하게 일어난다.

29 밀도가 큰 해양판이 밀도가 작은 대륙판 아래로 섭입하면서 섭입대가 비스듬히 형성된다. 따라서 해구에서 섭입대를 따라 대륙 쪽으로 갈수록 진원의 깊이가 깊어진다.

모범 답안 맨틀 대류의 하강부인 섭입대에서는 밀도가 큰 해양판이 밀도가 작은 대륙판 아래로 섭입하면서 지진이 발생하기 때문이다.

30 A – A′는 필리핀판이 유라시아판 아래로 섭입하는 곳이고, B–B′는 태평양판이 필리핀판 아래로 섭입하는 곳이다.

ㄴ. B–B′ 구간에서 필리핀판 아래에 섭입대가 형성되므로 화산 활동은 필리핀판에서 주로 일어난다.

ㄷ. 그림에서 A–A′ 구간과 B–B′ 구간의 수평 거리가 같고, 진원 분포의 경사가 A–A′ 구간이 B–B′ 구간보다 작다. 진원 분포는 섭입대를 따라 나타나므로 섭입대의 경사는 A–A′ 구간이 B–B′ 구간보다 작다.

바로알기 | ㄱ. A–A′ 구간에서는 판 경계에서 유라시아판으로 갈수록 진원 깊이가 깊어지므로 필리핀판이 유라시아판 아래로 섭입한다.

31

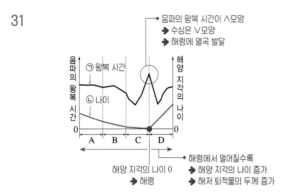

ㄴ. 수심은 음파의 왕복 시간에 비례한다. A 구간은 B 구간보다 음파의 평균 왕복 시간이 길게 나타나므로 평균 수심이 더 깊다.

ㄷ. B 구간은 C 구간보다 해양 지각의 나이가 많으므로 해저 퇴적물의 두께가 더 두껍다.

ㄹ. 판의 이동 속력은 $\frac{거리}{시간}$ 이고, ⓛ 그래프에서 가로축이 거리, 세로축이 나이이므로 기울기가 작을수록 속력이 빠르다. C 구간은 D 구간보다 기울기가 작으므로 판의 이동 속력이 더 빠르다.

바로알기 | ㄱ. 해령에서 해양 지각의 나이는 0이므로 그래프에서 0을 지나는 ⓛ이 해양 지각의 나이이고, ⊙은 음파의 왕복 시간이다.

32 해양 지각의 나이가 0인 곳이 해령이다. 해령을 중심으로 양 옆으로 멀어질수록 해양 지각의 나이가 증가하고 있다.

ㄱ. A에서 B 지점으로 갈수록 해양 지각의 나이가 감소하므로 수심도 얕아진다.

ㄴ. 해령은 새로운 해양 지각이 생성되는 곳이다. B와 C 지점 사이에는 해양 지각의 나이가 0인 곳이 존재하므로 해령이 분포한다.

ㄷ. B와 C 지점은 해양 지각의 나이가 9000만 년으로 동일하다. 같은 시기에 형성된 암석의 잔류 자기 방향은 같다.

개념 보충

해령에서 멀어질수록 증가하는 것
해양 지각의 나이, 퇴적물의 두께, 수심이 대체로 증가한다.

33

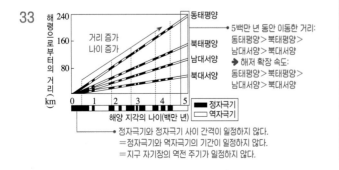

ㄱ. 동태평양, 북태평양, 남대서양, 북대서양 모두 해령으로부터의 거리가 멀어질수록 해양 지각의 나이가 증가한다.

ㄴ. 그림에서 정자극기와 역자극기가 일정한 시간 간격으로 반복되지는 않으므로 지구 자기장의 역전 주기는 규칙성이 없다.

ㄷ. 그림에서 가로축은 해양 지각의 나이, 세로축은 해령으로부터의 거리이므로 기울기 $\left(\frac{거리}{시간}\right)$ 는 판의 이동 속력을 의미한다. 동태평양의 기울기가 가장 크므로 해저 확장 속도는 동태평양에서 가장 빠르다.

34 판 구조론의 정립 과정에 등장한 학설은 시간 순서대로 '대륙 이동설 → 맨틀 대류설 → 해양저 확장설 → 판 구조론'이다.

35 ㄴ. 판 구조론은 지권의 변동과 그에 따른 지구 환경 변화를 통합적으로 이해할 수 있도록 하는 중요한 이론적 틀이다.

ㄷ. 음향 측심법의 발달로 해령, 해구 등의 해저 지형이 발견되면서 해양저 확장설이 등장하는 기초가 되었다.

ㄹ. 변환 단층은 해양 지각의 확장 속도 차이로 나타나는 지형이므로 변환 단층의 발견은 해양저 확장설의 증거가 되었다.

바로알기 | ㄱ. 맨틀 대류가 대륙 이동의 원동력이라고 제시한 학자는 홈스이다. 베게너는 대륙 이동의 원동력을 설명하지 못하였다.

36 (가)는 베게너의 대륙 이동설, (나)는 헤스와 디츠의 해양저 확장설, (다)는 홈스의 맨틀 대류설이다.

③ 맨틀 대류설은 대륙 이동의 원동력으로 맨틀 대류를 제시하였다.

⑤ 베게너가 제안한 초대륙의 이름은 판게아이다.

⑦ 음향 측심법을 통한 해저 지형의 연구로 해령, 해구 등의 지형이 밝혀져 해양저 확장설의 발전에 중요한 역할을 하였다.

바로알기 | ① (가)는 대륙 이동설에 대한 내용이다.

② (나)는 헤스와 디츠가 제안하였고, 홈스는 (다) 맨틀 대류설을 제안하였다.

④ 학설이 등장한 시간 순서는 (가) → (다) → (나)이다.

⑥ 베게너가 주장한 대륙 이동설의 증거는 해안선의 유사성, 지질 구조의 연속성, 화석의 분포, 고생대 말 빙하의 흔적이다. 해양 지각의 나이는 (나)의 증거이다.

⑧ 맨틀 대류설은 관측적 증거를 제시하지 못하여 등장한 당시에는 인정받지 못하였다.

⑨ 윌슨은 (나)에서 해령으로부터 해양 지각이 확장되는 속도의 차이로 해령과 해령 사이에 변환 단층이 형성되었다고 설명하였다.

판 구조론

빈출 자료 보기   12쪽

37 (1) ◯ (2) ◯ (3) ✕ (4) ◯ (5) ◯ (6) ✕ (7) ◯ (8) ✕

37 (1) A는 판의 수렴형 경계에 발달한 해구, B는 판의 발산형 경계에 발달한 해령, C는 판의 수렴형 경계에 발달한 호상 열도이다.

(2) 해구(A)는 맨틀 대류의 하강부에서 발달한다.

(4) 해령(B)에서는 천발 지진과 화산 활동이 활발하고, 판이 생성된다.

(5) 호상 열도(C)는 수렴형 경계 부근에서 형성되며, 판이 섭입하면서 천발 지진부터 심발 지진까지 모두 나타난다.

(7) 해령에서 해양 지각이 생성되어 양쪽으로 이동하므로 B에서 A로 갈수록 해양 지각의 나이는 증가한다.

바로알기 | (3) B는 이웃한 판이 서로 멀어지고 있는 발산형 경계에 해당한다.

(6) 밀도가 큰 판은 밀도가 작은 판 아래로 섭입한다. 해양판 P가 해양판 Q 아래로 섭입하므로 해양판 Q는 해양판 P보다 밀도가 작다.

(8) 해구(A)에서는 판이 수렴하면서 횡압력이 작용하므로 역단층이 우세하게 나타난다.

난이도별 필수 기출 13~15쪽

38 ①, ③, ⑤	39 ④	40 ②	41 ④, ⑥	42 ③
43 해설 참조	44 ⑤	45 ④	46 ③	
47 해설 참조	48 ⑤	49 ④	50 ③	51 ①
52 ③	53 ①			

38 ② 판은 암석권의 조각으로, 암석권은 지각과 상부 맨틀의 일부를 포함한 두께 약 100 km의 단단한 부분이다. 따라서 판은 지각과 상부 맨틀의 일부를 포함한다.

④ 해양판은 주로 현무암질 암석으로, 대륙판은 주로 화강암질 암석으로 이루어져 있으므로 해양판은 대륙판보다 밀도가 크다.

⑥ 판은 연약권의 대류를 따라 이동한다.

⑦ 암석권은 연약권보다 밀도가 작으므로 연약권 위에 놓여 있다.

⑧ 판의 경계는 이웃한 판의 상대적인 이동 방향에 따라 발산형, 수렴형, 보존형 경계로 구분한다.

바로알기 | ① 판 구조론은 해양저 확장설이 등장한 후에 제시되었다.

③ 해양 지각은 주로 현무암질 암석으로 이루어져 있다.

⑤ 암석권 아래의 연약권은 고체 상태이지만 부분 용융으로 유동성이 있다.

39

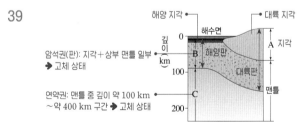

암석권(판): 지각+상부 맨틀 일부 ➡ 고체 상태

연약권: 맨틀 중 깊이 약 100 km ~약 400 km 구간 ➡ 고체 상태

A는 지각, B는 지각과 상부 맨틀의 일부를 포함하는 암석권(판), C는 암석권 아래에 위치하는 연약권에 해당한다.

ㄱ. A는 지각이다. 암석권은 지각과 상부 맨틀의 일부를 포함하므로 A는 암석권에 포함된다.

ㄴ. B는 암석권으로, 지각을 포함하고 있다. 해양 지각은 대륙 지각보다 평균 밀도가 크므로 B의 평균 밀도는 대륙보다 해양에서 크다.

바로알기 | ㄷ. C는 연약권으로, 맨틀 대류가 일어나는 부분이다. 연약권은 고체 상태이지만, 부분 용융으로 유동성이 있어 대류가 일어난다.

40 발산형 경계는 판이 서로 멀어지는 경계로, 해령과 열곡대가 발달한다. E는 유라시아판과 북아메리카판이 멀어지면서 형성된 대서양 중앙 해령이 지나는 아이슬란드 열곡대로, 발산형 경계에 해당한다.

바로알기 | A, B, D는 판이 서로 모여드는 수렴형 경계로, A는 히말라야산맥, B는 일본 해구, D는 페루 해구가 발달한 지역이다.

C는 판이 서로 어긋나는 보존형 경계로, 산안드레아스 단층이 발달한 지역이다.

41 해양판과 대륙판이 모여드는 경계는 수렴형 경계(섭입형)이다.

①, ②, ③ 수렴형 경계에서는 대륙판과 대륙판의 충돌형 경계를 제외하고는 해구가 발달하고, 화산 활동이 활발하며, 천발 지진부터 심발 지진까지 나타난다.

⑤ 수렴형 경계에서는 두 판이 모이면서 해저 퇴적물이 융기하여 습곡 산맥이 발달할 수 있다.

바로알기 | ④, ⑥ 수렴형 경계는 맨틀 대류의 하강부에서 나타나며, 판이 모여들면서 횡압력이 작용하여 역단층이 우세하게 나타난다.

[42~43]

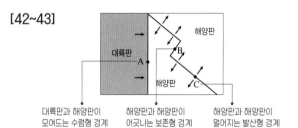

대륙판과 해양판이 모여드는 수렴형 경계 | 해양판과 해양판이 어긋나는 보존형 경계 | 해양판과 해양판이 멀어지는 발산형 경계

이웃한 판의 상대적인 이동 방향에 따라 A는 수렴형 경계, B는 보존형 경계, C는 발산형 경계에 해당한다.

42 ㄷ. C는 발산형 경계로, 장력이 작용하여 정단층이 우세하다. A는 수렴형 경계로, 횡압력이 작용하여 역단층이 우세하다.

바로알기 | ㄱ. A는 수렴형 경계에 해당한다.

ㄴ. B는 보존형 경계로, 화산 활동이 일어나지 않는다. A는 수렴형 경계로, 화산 활동이 활발하게 일어난다.

43 **모범 답안** • 공통점: 천발 지진이 발생한다.

• 차이점: C에서는 화산 활동이 활발하지만, B에서는 화산 활동이 일어나지 않는다.

44 A는 해령, B는 변환 단층, C는 해구, D는 습곡 산맥이다.

ㄴ. 변환 단층(B)은 보존형 경계로, 판이 생성되거나 소멸되지 않는다.

ㄷ. 해구에서는 해양판이 대륙판 아래로 섭입하므로 C에서 D로 갈수록 진원의 깊이가 깊어진다.

바로알기 | ㄱ. 변환 단층(B)은 보존형 경계이므로 화산 활동이 일어나지 않지만, 해령(A)은 맨틀 대류의 상승부에 위치한 발산형 경계이므로 화산 활동이 활발하게 일어난다.

45 수렴형 경계 중 (가)는 대륙판과 대륙판이 모여드는 충돌형 경계, (나)는 해양판과 해양판이 모여드는 섭입형 경계이다.

ㄴ. (나)에서 A판은 B판 아래로 섭입한다. 밀도가 큰 판이 밀도가 작은 판 아래로 섭입하므로 판의 밀도는 A가 B보다 크다.

ㄷ. 대륙판과 대륙판이 충돌하는 경우 화산 활동은 거의 일어나지 않는다. 따라서 화산 활동은 (가)보다 (나)에서 활발하며, (나)에서는 해양판이 섭입하면서 화산 활동이 일어나 호상 열도가 발달한다.

바로알기 | ㄱ. (가)에서는 밀도가 비슷한 대륙판과 대륙판이 충돌하면서 해저 퇴적물이 융기하여 습곡 산맥이 발달하지만, 해구는 발달하지 않는다.

46

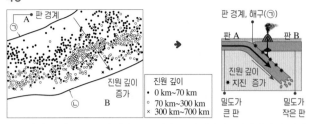

그림에서 진원 깊이는 A에서 B로 갈수록 깊어진다. 섭입대에서 진원 깊이는 판 경계에서 밀도가 작은 판 쪽으로 갈수록 깊어진다. 따라서 판 경계는 ㉠, ㉡ 중 ㉠이고, 판의 밀도는 A가 속한 판이 B가 속한 판보다 크다.

ㄴ. 해구는 섭입형 경계에서 발달하는 지형으로, 해구에서 섭입대를 따라 진원 깊이가 점점 깊어지므로 상대적으로 진원 깊이가 얕은 ㉠에 해구가 발달한다.

ㄷ. 진원 깊이 분포로 보아 A가 속한 판이 B가 속한 판 아래로 섭입하고 있으므로 판의 밀도는 A가 속한 판이 더 크다.

바로알기 | ㄱ. 이 지역은 천발 지진부터 심발 지진까지 나타나므로 섭입대가 발달한 수렴형 경계 부근의 해역이다.

ㄹ. 화산 활동은 밀도가 작은 판에서 주로 발생하므로 B가 속한 판 쪽에서 발생한다.

47 판의 이동 방향에 따라 A, D는 수렴형 경계, B는 보존형 경계, C는 발산형 경계로 구분할 수 있다.

모범 답안 • A: 수렴형, 습곡 산맥이 발달한다.
• B: 보존형, 변환 단층이 발달한다.
• C: 발산형, 해령이 발달한다.
• D: 수렴형, 해구와 습곡 산맥이 발달한다.

48 ㄴ. B는 산안드레아스 단층으로, 보존형 경계이다. 보존형 경계에서는 판의 생성과 소멸이 발생하지 않는다.

ㄷ. C는 동태평양 해령으로, 발산형 경계이다. 발산형 경계에서는 주로 천발 지진이 발생한다.

ㄹ. A는 히말라야산맥으로 대륙판과 대륙판이 수렴하는 곳이고, D는 안데스산맥으로 해양판과 대륙판이 수렴하는 곳이다. 따라서 이웃하는 두 판의 밀도 차이는 D가 A보다 크다.

바로알기 | ㄱ. A는 히말라야산맥으로, 수렴형 경계이다. 수렴형 경계는 맨틀 대류의 하강부에 위치한다.

49 A와 C는 수렴형 경계이고, B는 발산형 경계이다. A는 알류샨 열도 부근의 해구이고, C는 후안데푸카판이 섭입하는 해구이다. B는 후안데푸카 해령이다.

ㄴ. B는 해령으로, 새로운 해양 지각이 생성되는 곳이다. 해저 퇴적물은 해양 지각의 나이가 많을수록 대체로 두꺼워지므로, A~C 중 해양 지각이 생성되는 B에서 해저 퇴적물의 두께가 가장 얇다.

ㄷ. A와 C는 맨틀 대류의 하강부이고, B는 맨틀 대류의 상승부이므로 A~C 부근에서는 모두 화산 활동이 활발하다.

바로알기 | ㄱ. A는 수렴형 경계로, 해양 지각이 소멸한다.

50 A와 C는 해구 부근이고, B는 변환 단층이 발달한 지역이다.

ㄱ. 판의 이동 방향과 해구의 모습을 보면, A보다 오른쪽에 있는 판이 A가 속한 판 아래로 섭입하므로 A의 하부에는 섭입대가 분포한다.

ㄴ. A~C는 모두 판 경계 부근의 지역이고 천발 지진은 모든 판 경계에서 발생한다.

바로알기 | ㄷ. B는 변환 단층, C는 해구 부근이다. 따라서 화산 활동은 B에서는 일어나지 않으며, C에서는 활발하게 일어난다.

51 A는 발산형 경계, B는 보존형 경계, C는 수렴형 경계를 나타낸 모식도이다.

ㄱ. 심발 지진은 수렴형 경계에서만 발생하므로 (가)에 해당하는 경계는 C이다.

바로알기 | ㄴ. (가)가 C이고 순서도의 마지막 부분이 A이므로 (나)는 B이다. 보존형 경계인 B에서는 화산 활동이 일어나지 않는다.

ㄷ. 순서도의 마지막 부분이 A이고, (나)에는 B가 들어가야 하므로 질문 (다)에는 보존형 경계에서는 '예'이고, 발산형 경계에서는 '아니요'에 해당하는 질문이 들어가야 한다. '해양 지각이 생성되는가?'는 발산형 경계에서 '예'에 해당하므로 (다)에 적합하지 않다.

52

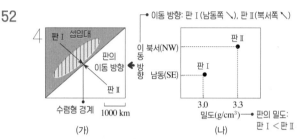

(나)에서 판 Ⅰ은 남동쪽(↘)으로, 판 Ⅱ는 북서쪽(↖)으로 이동하고 있으며, 판 Ⅱ는 판 Ⅰ보다 밀도가 크다. 따라서 (가)의 경계는 두 판이 모여드는 수렴형 경계이다. 또한, 판 Ⅱ는 해양판이고 판 Ⅰ보다 밀도가 크므로 판 Ⅰ 아래로 섭입되고 있다.

ㄴ. 판 Ⅰ과 판 Ⅱ의 경계는 수렴형 경계이므로 두 판은 서로 가까워지고 있다.

ㄷ. 섭입대에서 화산 활동은 밀도가 작은 판에서 주로 일어나므로 판 Ⅱ보다 밀도가 작은 판 Ⅰ에서 화산 활동이 더 활발하다.

바로알기 | ㄱ. 이 지역은 수렴형 경계 부근이므로 맨틀 대류가 하강하는 지역이다.

ㄹ. 판 Ⅱ가 판 Ⅰ 아래로 섭입하므로 판의 경계에서 판 Ⅰ 쪽으로 갈수록 진원의 깊이가 깊어진다.

53 두 판 중 A에서 주로 지진이 발생하고, 판의 경계로부터 A쪽으로 갈수록 진원의 깊이가 깊어지므로 판 B가 판 A 아래로 섭입하는 수렴형 경계이다.

ㄴ. 판 A 하부에서 마그마가 생성될 수 있으므로 호상 열도는 판 A에서 형성될 것이다.

바로알기 | ㄱ. 진원의 깊이 분포로 보아 판 B가 판 A 아래로 섭입하고 있으므로 판의 밀도는 B가 A보다 더 크다.

ㄷ. 두 판의 이동 방향이 같을 경우, 이동 방향을 기준으로 뒤쪽 판이 앞쪽 판보다 빠를 때 수렴형 경계가 나타난다. 따라서 판 A의 이동 속력 ㉠은 8보다 느려야 한다.

개념 보충

판의 수렴형 경계가 나타나는 경우
판의 경계에 이웃한 두 판이 서로 가까워질 때 나타난다.

이동 방향이 서로 마주보는 경우	이동 방향이 같은 경우
판 Ⅰ → ← 판 Ⅱ	판 A → 판 B →
두 판이 모여든다.	이동 방향을 기준으로 뒤쪽 판의 이동 속도가 더 빠를 때 두 판이 모여든다.

03 고지자기와 대륙 분포의 변화

빈출 자료 보기　　　　　　　　　17쪽

54 (1) ○ (2) × (3) × (4) × (5) ○ (6) × (7) ○
55 (1) ○ (2) × (3) ○ (4) ○ (5) ×

54 (1) (가) 지역은 지표면과 자기력선이 나란하므로 자기 적도이다.

(5) 복각의 부호는 북반구에서 (＋), 남반구에서 (－)로 나타낸다. 자기력선이 지표면을 향해 들어가는 방향으로 나타나는 곳은 북반구이므로 (나) 지역에서 복각의 부호는 (＋)이다.

(7) 복각은 자기 적도에서 0°이고 자극에서 90°이므로 자기 적도에서 북쪽으로 이동하면 복각의 크기가 커진다.

바로알기 | (2) (가) 지역에서 수평면과 자기력선이 이루는 각은 0°이므로 복각은 0°이다.

(3) (나)와 같이 자기력선이 지표면을 향해 들어가는 방향으로 나타나는 곳은 북반구이다. 남반구에서는 자기력선이 지표면에서 위로 나가는 방향으로 나타난다.

(4) (나)에 표시된 각도는 자기력선과 수평면이 이루는 각(복각)과 엇각으로 같으므로 복각을 나타낸 것이다. (나)에서 편각은 알 수 없다.

(6) 복각의 크기는 (가)에서 0°, (나)에서 ＋50°이므로 (나)가 더 크다.

55

구분	복각	위도
7100만 년 전	−49°	약 30°S
5500만 년 전	−21°	약 11°S
3800만 년 전	6°	약 3°N
1000만 년 전	30°	약 16°N

(그래프) 위도 80°N, 40°, 0°, 40°, 80°S / 복각 −80° −40° 0° 40° 80° / 1000만 년 전, 5500만 년 전, 3800만 년 전, 7100만 년 전 (나)

(1) (가)에서 7100만 년 전에 인도 대륙의 복각은 −49°이고, (나)에서 복각 −49°에 해당하는 위도는 약 30°S이므로 7100만 년 전에 인도 대륙은 30°S 부근에 위치하였다.

(3) 인도 대륙은 7100만 년 전에는 남반구에 위치하였으나 현재는 북반구 중위도에 위치하므로 이 기간 동안 북쪽으로 이동하였다.

(4) 유라시아판과 인도 대륙의 경계는 대륙과 대륙이 충돌하는 수렴형 경계로, 습곡 산맥과 같은 지형이 발달한다.

바로알기 | (2) 고위도에서 저위도로 갈수록 복각의 크기는 대체로 감소한다.

(5) 인도 대륙은 현재도 계속 북쪽으로 이동하고 있으므로 히말라야산맥의 높이는 점점 높아질 것이다.

난이도별 필수 기출　　　　　　　18~23쪽

56 ④, ⑤, ⑧	**57** (가) ＋30° (나) 0° (다) −30°	**58** ④
59 ② **60** ⑤	**61** ① **62** ③ **63** ④	
64 ②, ⑤ **65** ②	**66** ⑤, ⑥ **67** ③ **68** ②	
69 해설 참조	**70** ② **71** 해설 참조	**72** ③
73 ① **74** ⑤	**75** ② **76** ① **77** ③	
78 ①, ③, ⑥	**79** (나) → (다) → (가) → (라)	**80** ⑤
81 ② **82** ②	**83** ③	

56 ④ 나침반의 자침은 자기력선을 따라 배열되므로 나침반 자침의 방향이 그 지역의 자기력선 방향이다.

⑤ 복각이 ＋90°인 지점을 자북극이라고 한다.

⑧ 복각의 크기는 자기 적도에서 0°이고 고위도로 갈수록 커진다.

바로알기 | ① 지구 자전축과 북반구의 지표면이 만나는 점을 지리상 북극이라고 한다.

② 지자기 북극을 막대자석에 비유하면 S극에 해당한다.

③ 현재 지리상 북극과 지자기 북극의 위치는 서로 다르다.(2021년 기준 지자기 북극의 위치: 80.7°N, 72.7°W)

⑥ 지리상 북극의 방향을 진북이라고 한다. 자북은 나침반 자침의 N극이 가리키는 방향이다.

⑦ 진북과 자북 사이의 각을 편각이라고 한다. 복각은 나침반의 자침이 수평면과 이루는 각이다.

57 복각은 수평면과 자기력선 사이의 각도이다. 북반구에서는 자기력선이 지표면 아래를 향하고 있으며, 복각이 (＋)이다. 남반구에서는 자기력선이 지표면에서 위를 향하고 있으며, 복각이 (−)이다.

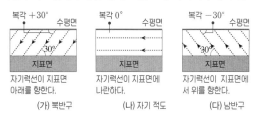

복각 ＋30° 수평면 30° 지표면 / 자기력선이 지표면 아래를 향한다. (가) 북반구
복각 0° 수평면 지표면 / 자기력선이 지표면에 나란하다. (나) 자기 적도
복각 −30° 수평면 30° 지표면 / 자기력선이 지표면에서 위를 향한다. (다) 남반구

• (가): 자기력선이 지표면 아래로 향하고 있으므로 복각의 부호는 (＋)이고, 크기는 30°이므로 복각은 ＋30°이다.

• (나): 자기력선이 지표면과 나란하므로 복각은 0°이다.

• (다): 자기력선이 지표면에서 위를 향하고 있으므로 복각의 부호는 (−)이고, 크기는 30°이므로 복각은 −30°이다.

58 ㄴ. 나침반의 자침은 자기력선을 따라 배열되므로 (나)에서 나침반의 자침은 지표면에 나란하다.

ㄷ. 자기 적도에서 고위도로 갈수록 복각의 크기가 커진다. 복각의 크기는 (다)가 (나)보다 크므로, (다)는 (나)보다 고위도에 위치한다.

바로알기 | ㄱ. (가)는 자기력선이 지표면 아래를 향하고 있으므로 북반구에 위치한다.

59 ㄴ. (나)의 A 지역에서 자기력선과 지표면이 이루는 각도는 50°로, 복각은 ＋50°이다.

바로알기 | ㄱ. (가)에서 지구의 자전축과 지구 자기장의 축은 일치하지 않는다.

ㄷ. 일반적으로 복각의 크기는 자기 적도에서 고위도로 갈수록 크다. (나)에서 B의 복각은 0°로 B는 자기 적도에 위치하고, A의 복각은 ＋50°로 B보다 고위도이다. 따라서 B에서 A로 갈수록 고위도이므로 복각은 커진다.

60 ㄴ. 복각은 자기 적도에서 0°이고, 고위도로 갈수록 커진다. 복각의 크기는 A와 C가 0°보다 크고 B는 0°이므로 가장 저위도인 지역은 자기 적도에 위치한 B이다.

ㄷ. 그림은 자기력선이 지표면을 향하고 있으므로 북반구 지역이다. 따라서 복각의 부호가 (＋)이므로 C 지역에 해당한다.

바로알기 | ㄱ. 자북극은 복각이 ＋90°인 지점이다. 따라서 A~C 중 자북극에 가장 가까운 지역은 C이다.

61 ㄱ. 복각은 자북극에서 +90°로 가장 크다. A는 B보다 자북극에 가까이 위치하므로 복각이 크다.

바로알기 | ㄴ. 일반적으로 자북극에 가까울수록 복각이 크다. B는 C보다 자북극에 가까이 위치하므로 복각이 더 크다.

ㄷ. 나침반의 자침은 그 지점에서의 자기력선의 방향과 나란하다. 일반적으로 지리상 북극과 어느 지역에서의 자기력선의 방향은 나란하지 않은 경우가 대부분이므로 나침반의 자침은 지리상 북극을 가리키지 않는다.

62 ㄱ. 나침반의 자침이 수평면에서 기울어진 각도는 복각이다. 복각의 크기는 (가)에서 60°, (나)에서 50°이므로 (가)가 (나)보다 크다.

ㄴ. 진북과 자북 사이의 각도를 편각이라고 한다. 편각의 크기는 (가)에서 5°, (나)에서 10°이므로 (가)가 (나)보다 작다.

바로알기 | ㄷ. (나)는 동편각이므로 (나)에서 볼 때 자북은 진북의 동쪽에 위치한다(＝진북은 자북의 서쪽에 위치한다.).

┌─────────────────┐
│ **개념 보충** │
└─────────────────┘
편각

나침반의 자침은 그 지역의 자기력선의 수평 성분과 나란한 방향을 가리키는데, 이를 자북이라고 한다(자북은 어떤 위치가 아니라 방향을 의미한다.). 나침반의 자침과 진북 사이의 각도(δ)를 편각이라 하고, 자침이 가리키는 방향이 진북에 대해 동쪽이면 동편각(+ 또는 E), 서쪽이면 서편각(− 또는 W)이라고 한다.

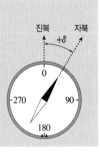

63 (가)는 북극 주변의 편각 분포를 나타내었다. 이 중 편각이 +인 곳은 동편각, −인 곳은 서편각이다. A 지점은 편각이 0°인 곳에, B 지점은 편각이 −30°(30°W)인 곳에, C 지점은 편각이 +30°(30°E)인 곳에 위치한다.

① A 지점은 편각이 0°이므로 자북과 진북이 나란하다.

② 자북극에 가까울수록 복각은 증가한다. A 지점보다 B 지점이 자북극에 가까우므로 A 지점에서 B 지점으로 이동하면 복각이 증가한다.

③ (나)에서 ㉠은 나침반 자침이 북쪽에서 동쪽으로 30° 방향을 가리키므로 편각은 30°E이다.

⑤ 편각은 A 지점에서 0°이고 C 지점에서 +30°이므로 A 지점에서 C 지점으로 갈수록 편각의 크기는 동쪽으로 증가한다. 따라서 나침반 자침은 진북에 대해 시계 방향으로 회전한다.

바로알기 | ④ C 지점은 동편각이고, ㉠~㉢ 중 동편각에 해당하는 것은 ㉠이다. 편각이 0°인 ㉡은 A 지점에서, 서편각인 ㉢은 B 지점에서 관측한 것이다.

64 ① 어느 시대의 지자기 북극의 개수는 항상 1개이다.

③ 암석에 기록된 과거의 지구 자기를 고지자기라고 한다.

④ 암석이 생성될 때 지구 자기장을 따라 자성을 띠는 광물이 배열되고, 이후 지구 자기장이 변해도 광물의 배열은 변하지 않는다. 따라서 암석에 남아 있는 잔류 자기를 측정하면 과거 자극의 위치를 추정할 수 있다.

⑥ 고지자기 연구로 알아낸 지자기 북극의 겉보기 이동 경로를 통해 과거 대륙이 이동한 경로를 추정할 수 있다.

바로알기 | ② 과거 지자기 북극의 개수가 2개인 경우는 없었다.

⑤ 위도에 따라 복각이 변하므로 대륙의 위도를 추정하기 위해서는 고지자기 복각 자료가 필요하다.

65 화성암의 잔류 자기는 뜨거운 마그마나 용암이 식으면서 퀴리 온도 이하로 떨어질 때 그 당시의 지구 자기장의 방향과 나란하게 자철석과 같은 강자성 광물이 자화되어 발생한다.

ㄷ. 자성 광물이 과거 지구 자기장의 방향을 따라 배열되었으므로 잔류 자기를 통해 과거 자극의 위치를 추정할 수 있다.

바로알기 | ㄱ. 자성 광물은 퀴리 온도 이하에서 지구 자기장과 나란하게 자화된다. 막 분출한 마그마는 매우 고온이므로 광물이 자화되지 않는다.

ㄴ. 암석이 굳어 광물의 자화가 이루어지면 지구 자기장의 방향이 변하더라도 이미 형성된 자화 방향은 바뀌지 않는다.

┌─────────────────┐
│ **개념 보충** │
└─────────────────┘
퀴리 온도

퀴리 온도란 물질이 자성을 잃는 온도로, 강자성 광물의 온도를 높여 퀴리 온도 이상이 되면 자성을 잃는다. 반면에 고온의 마그마나 용암이 식어 퀴리 온도보다 낮아지면 정출된 강자성 광물이 자성을 띠면서 지구 자기장의 방향과 나란하게 자화된다(일반적으로 강자성 광물인 자철석의 퀴리 온도는 575 ℃이다.).

66 해양 지각은 해령에서 생성되며 양옆으로 멀어지기 때문에, 정자극기와 역자극기의 모습은 해령을 기준으로 대칭적이다.

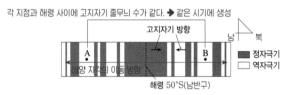

① 현재 이 해령은 남반구(50°S)에 위치하므로 이 해령에서 측정한 복각의 부호는 (−)이다.

② 해령으로부터 A와 B 지점까지 고지자기 줄무늬 모습이 대칭적으로 나타나므로 A와 B 지점에서 해양 지각의 나이는 같다.

③ A와 B 지점은 같은 시기에 같은 해령에서 생성된 암석이므로 고지자기 복각은 같다.

④ 정자극기에는 고지자기 방향이 북쪽이고 역자극기에는 고지자기 방향이 남쪽이다. A 지점은 역자극기에 생성되었으므로 고지자기 방향은 남쪽을 가리킨다.

바로알기 | ⑤ 그림에서 정자극기의 고지자기 방향은 오른쪽이므로 오른쪽이 북쪽 방향이다. 현재 이 해령은 남반구 위도 50°에 위치하므로 남쪽으로 갈수록 고위도, 북쪽으로 갈수록 저위도이다. 따라서 B 지점은 A 지점보다 저위도에 위치한다.

⑥ B 지점의 해양 지각은 해령을 기준으로 북쪽으로 이동하고 있다.

67 자북극은 복각이 +90°인 지점으로, 그림에서 그 위치가 시간에 따라 계속 조금씩 변화해 왔다.

ㄱ. 1900년부터 2015년까지 동일한 시간 간격으로 나타나는 자북극의 위치 변화는 일정하지 않으므로 자북극의 이동 속력은 일정하지 않았다.

ㄷ. 그림에서 가장 최근인 2015년에 지리상 북극은 위도 90°N에, 자북극은 위도 86°N 부근에 있었다. 따라서 지리상 북극과 자북극은 일치하지 않는다.

바로알기 | ㄴ. 자북극에 가까울수록 복각의 크기가 크다. A 지점이 자북극과 가장 가까운 시기는 2010년이므로 복각의 크기는 2010년에 최대이다.

68 ② 고지자기 북극의 경로를 일치시키면, 두 대륙이 하나로 모인다. 즉, 과거에 두 대륙은 하나였다가 분리된 것이다.

바로알기 | ① 어느 시대나 지자기 북극의 개수는 1개이다.
③ 그림에서 고지자기 북극의 이동 경로를 보면 A는 (가)와 (나)에서 변함이 없지만, B는 그 위치가 변하였다. 또한 대륙의 분포를 보면, (가)와 (나)에서 유럽 대륙의 위치는 그대로이지만, 북아메리카 대륙의 위치는 변하였다. 따라서 A는 유럽 대륙에서 측정한 고지자기 북극의 이동 경로이고, B는 북아메리카 대륙에서 측정한 고지자기 북극의 이동 경로이다.
④ 유럽 대륙과 북아메리카 대륙이 (나)에서 (가)로 분리되면서 대서양의 면적이 넓어지기 시작하였다.
⑤ 습곡 산맥은 두 판이 충돌하는 경우에 생성된다.

69 지질 시대 동안 지구 자기장의 북극은 항상 1개이므로 두 대륙에서 측정한 자북극의 이동 경로가 2개로 나타나는 까닭은 하나로 붙어 있던 두 대륙이 갈라졌기 때문이다.

모범 답안 하나였던 북아메리카 대륙과 유럽 대륙이 갈라졌기 때문이다.

70 그림에서 7100만 년 전 인도 대륙은 남반구에 있었다. 시간이 지남에 따라 점차 북쪽으로 이동하여 약 3800만 년 전부터 아시아 대륙과 충돌하여 히말라야산맥을 형성하였다.
② 5500만 년 전 인도 대륙과 아시아 대륙은 충돌하지 않았으므로 두 대륙 사이에는 바다가 존재하였다.

바로알기 | ① 7100만 년 전은 인도 대륙이 남반구에 있어 아시아 대륙과 떨어져 있었으므로 히말라야산맥이 형성되기 이전이다.
③ 인도 대륙과 아시아 대륙은 점점 가까워졌으므로 두 대륙 사이에는 수렴형 경계가 존재하였을 것이다. 이후 인도 대륙이 아시아 대륙과 점차 가까워지다가 충돌하여 습곡 산맥이 형성되었다.
④ A 구간에서 생성된 암석과 B 구간에서 생성된 암석은 생성될 당시에 위도가 달랐으므로 복각이 다르다.
⑤ 인도 대륙의 A 구간에서 평균 이동 속력은 $\dfrac{약 12°}{2800만 년}$, B 구간에서 평균 이동 속력은 $\dfrac{약 20°}{1600만 년}$이다. 따라서 B 구간이 A 구간보다 짧은 시간 동안 더 먼 거리를 이동하였으므로 이동 속력이 더 빠르다.

71 (1) 7100만 년 동안 인도 대륙이 이동한 위도는 50°이고, 위도 1° 사이의 거리가 110 km이므로 이동한 거리를 cm로 변환하면 11000000 cm이다. 따라서 평균 이동 속력은
$\dfrac{50 \times 11000000 \text{ cm}}{71000000\text{년}} ≒ 7.7$ cm/년이다.
(2) 3800만 년 전부터 현재까지 인도 대륙은 계속해서 북반구에 위치하였고 북쪽으로 이동하였다. 고위도일수록 복각의 크기가 크므로 복각의 크기는 계속 증가하였다.

모범 답안 (1) $\dfrac{50 \times 11000000 \text{ cm}}{71000000\text{년}} ≒ 7.7$ cm/년이다.
(2) 이 기간 동안 복각의 크기는 점차 증가하였다.

72 ㄱ. 표에서 7100만 년 전 인도 대륙의 복각은 $-49°$이다. 그래프에서 복각은 남반구에서 $(-)$, 북반구에서 $(+)$이다. 따라서 이 시기에 인도 대륙은 남반구에 있었다.
ㄷ. 인도 대륙은 약 5500만 년 전부터 3800만 년 전 사이에 복각이 $(-)$에서 $(+)$로 변하였다. 따라서 인도 대륙은 이 기간 동안 복각이 0°인 자기 적도를 통과하였다.

바로알기 | ㄴ. 7100만 년 전부터 현재까지 복각은 $(-)$에서 $(+)$로 변하였고, 복각의 크기는 작아졌다 커졌으므로 이 기간 동안 인도 대륙은 북쪽으로 이동하였다.

73 ㄱ. (가)는 현재(깊이 0 m) 퇴적물이 정자극기에 생성되었고 복각의 부호가 $(-)$이므로 남반구에 위치한다.
ㄴ. (가)에서 A는 정자극기에 퇴적되었다. 따라서 자북극은 현재의 북반구에 있었을 것이다.

바로알기 | ㄷ. B는 역자극기에 생성된 퇴적물로, 복각의 부호가 $(+)$이다. 역자극기에 북반구의 복각은 $(-)$, 남반구의 복각은 $(+)$이므로 B가 생성될 당시 (나)는 남반구에 위치하였다.
ㄹ. 그림에서 점선은 두 해저 퇴적물 나이가 같은 깊이를 연결한 것이다. (가)가 (나)보다 같은 나이의 퇴적물이 더 깊이까지 나타나므로 퇴적물 0 m~5 m 구간이 퇴적되는 데 걸린 시간이 더 짧다.

74 ① 복각의 크기는 자북극에 가까울수록 크다. 현재 대륙 B가 A보다 자북극에 가까이 있으므로 복각의 크기는 대륙 B가 A보다 크다.
② 위도에 따라 복각이 다르므로 고지자기 복각을 연구하면 암석이 생성된 위도를 알 수 있다.
③ 대륙 A와 B는 (나)일 때 남반구에, (가)일 때 북반구에 위치하였다. 따라서 (나) → (가) 기간 동안 복각이 0°인 자기 적도를 지났다.
④ (나) 과거에 대륙 A와 B는 같은 위도에 있었지만, (가) 현재에는 대륙 A보다 B의 위도가 높다. 따라서 (나) → (가) 기간 동안 남북 방향 평균 이동 속력은 대륙 B가 A보다 빠르다.

바로알기 | ⑤ (나) 과거에 대륙 A와 B는 같은 위치에 있었지만, (가) 현재에는 서로 다르다. 따라서 각 대륙에서 측정한 겉보기 자북극의 이동 경로는 서로 다르게 나타난다.

75

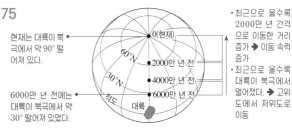

현재는 대륙이 북극에서 약 90° 떨어져 있다.

6000만 년 전에는 대륙이 북극에서 약 30° 떨어져 있었다.

•최근으로 올수록 2000만 년 간격으로 이동한 거리 증가 ➜ 이동 속력 증가

•최근으로 올수록 대륙이 북극에서 멀어졌다. ➜ 고위도에서 저위도로 이동

ㄷ. 6000만 년 전 이후 2000만 년 간격으로 나타난 지리상 북극의 간격이 점점 넓어졌으므로 대륙의 이동 속력은 점점 빨라졌다.

바로알기 | ㄱ. 6000만 년 전 대륙과 고지자기로 추정한 지리상 북극이 가장 가까웠으므로 대륙에서 측정한 복각도 가장 컸다.
ㄴ. 이 기간 동안 대륙은 지리상 북극에서 점점 더 멀어졌으므로 저위도로 이동하였다.

76 ② 로디니아가 존재했던 12억 년 전은 선캄브리아 시대이다.
③ 판게아는 약 2.7억 년 전~2.5억 년 전에 생성되었고, 이 시기는 고생대 말이다.
④ 애팔래치아산맥은 판게아가 형성되면서 북아메리카 대륙이 아프리카 대륙 및 유럽 대륙과 충돌하여 형성된 습곡 산맥이다.
⑤ 판게아가 형성되었을 때 인도 대륙은 남극 대륙 부근에 있었다.

바로알기 | ① 로디니아는 약 12억 년 전에 존재한 초대륙이다. 하지만 그 이전에도 초대륙은 존재하였다고 인정받고 있다.

77 (가) 인도 대륙과 아시아 대륙이 충돌하여 히말라야산맥이 형성되었고, 이 시기는 신생대이다.
(나) 애팔래치아산맥은 판게아가 형성된 고생대 말에 북아메리카 대륙이 아프리카 대륙 및 유럽 대륙과 충돌하여 형성된 것이다.
(다) 대서양은 판게아가 갈라지면서 생성된 바다이다. 판게아가 갈라지기 시작한 시기는 중생대이다.
따라서 대륙 분포의 변화 과정을 나열하면 (나) → (다) → (가)이다.

(가)는 판게아가 있는 고생대 말, (나)는 현재와 유사한 대륙 분포가 갖춰진 신생대, (다)는 판게아 분리가 시작된 중생대이다.

② 대륙 이동의 원동력 중 하나는 맨틀 대류이다.

④ 인도 대륙은 판게아가 갈라지기 시작하면서 계속 북쪽으로 이동하였다.

⑤ 인도 대륙은 판게아 시기에 남극 대륙 부근에 있었으므로 판게아 시기에 생성된 빙하의 흔적이 발견될 수 있다.

⑦ 대서양은 (다) 중생대 초기부터 형성되기 시작하여 (나) 현재와 같이 넓어졌다.

바로알기 | ① (가) → (다) → (나) 순서로 변화하였다.

③ 히말라야산맥은 신생대인 (나) 시기에 생성되었다.

⑥ 과거 지구에는 여러 번의 초대륙이 존재하였다.

79 (가)는 중생대 후기~신생대 초, (나)는 고생대 말인 판게아 형성 시기, (다)는 중생대 초 판게아의 분리가 시작된 시기, (라)는 현재와 유사한 대륙 분포가 갖춰진 신생대를 나타낸다. 따라서 시간 순서대로 나열하면 (나) → (다) → (가) → (라)이다.

80 ㄴ. (나)는 초대륙이 형성되어 있고, (라)는 초대륙이 여러 대륙으로 분리되어 있으므로 해안선의 전체 길이는 (라)가 (나)보다 길다.

ㄷ. 초대륙은 지질 시대 동안 여러 번 형성되었다. 따라서 (가)~(라) 이후에도 시간이 지나면 새로운 초대륙이 형성될 것이다.

바로알기 | ㄱ. (나)의 초대륙은 판게아이다. 로디니아는 약 12억 년 전에 형성된 초대륙이다.

81 ㄴ. (나) 과정은 두 개였던 대륙이 하나의 대륙으로 합쳐지는 과정이다. 따라서 (나) 과정이 반복되며 초대륙이 형성된다.

바로알기 | ㄱ. (가)의 A 지역은 해양 지각이 대륙 지각 아래로 섭입하고 있다. 따라서 (가)에서는 수렴형 경계가 존재한다.

ㄷ. A에서는 해구가, B에서는 습곡 산맥이 발달한다.

82 ㄷ. 홍해는 발산형 경계에 형성된 바다이므로 시간이 지남에 따라 점점 넓어질 것이다.

바로알기 | ㄱ. 동아프리카 열곡대는 맨틀 대류의 상승부인 발산형 경계에서 발달한 지형이다. 따라서 화산 활동이 활발하다.

ㄴ. 동아프리카 열곡대는 발산형 경계이므로 시간이 지남에 따라 열곡대 주변의 지대가 낮아지면서 호수가 발달하고, 대륙이 분리되어 양옆으로 멀어지면서 바다가 형성될 것이다.

83 ㄱ. 그림에서 판의 이동 속력이 가장 빠른 곳은 태평양으로, 이동 속력이 17.1 cm/년인 동태평양 해령 부근이다.

ㄴ. 태평양 주변부에는 판이 모여들면서 섭입대가 형성되어 환태평양 화산대가 발달한다. 따라서 태평양의 해양 지각은 섭입대로 소멸한다.

바로알기 | ㄷ. 태평양에서는 해령에서 생성된 해양 지각이 해구에서 소멸하고, 대서양에서는 해령에서 생성된 해양 지각이 점차 확장되므로 태평양의 면적은 점점 좁아지고, 대서양의 면적은 점점 넓어질 것이다.

○4 맨틀 대류와 플룸 구조론

빈출 자료 보기　25쪽

84 (1) × (2) ○ (3) × (4) ○ (5) × (6) ○
85 (1) × (2) ○ (3) × (4) ○ (5) ○ (6) ×

84 (2) 차가운 플룸이 핵과 맨틀의 경계 부근까지 도달하여 온도 교란이 일어나고 물질을 밀어 올리는 힘이 작용하면, 핵과 맨틀의 경계 부근에서 상승류가 형성되는데 이를 뜨거운 플룸이라고 한다.

(4) 차가운 플룸인 B는 주변 맨틀에 비해 온도가 낮고 밀도가 크므로 통과하는 지진파의 속도가 빠르다.

(6) 하와의 열도는 판의 경계가 아닌 곳에서 일어나는 화산 활동에 의해 형성되었다. 따라서 판 구조론으로는 설명할 수 없고, 플룸 구조론으로 설명할 수 있다.

바로알기 | (1) A는 상승하는 뜨거운 플룸을, B는 하강하는 차가운 플룸을 나타낸 것이다.

(3) 일반적으로 온도가 낮을수록 밀도가 크다. 같은 깊이에서 뜨거운 플룸인 A의 밀도가 차가운 플룸인 B의 밀도보다 작다.

(5) 열점은 뜨거운 플룸인 A에 의해 형성된다.

85 하와이 열도는 열점에서 생성된 화산섬으로, 일반적으로 암석의 연령이 적을수록 열점 가까이에 위치한다.

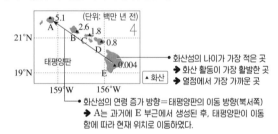

(2) 열점에서 가장 가까운 섬은 화산 활동이 가장 활발한 E이다.

(4) 열점에 가장 가까운 섬 E에서 멀어질수록 화산섬의 나이가 증가한다. 이는 열점의 위치는 그대로이고 태평양판이 움직이기 때문이다.

(5) E에서 A로 갈수록 화산섬의 나이가 많다. A가 E의 북서쪽에 위치하므로 태평양판은 북서쪽으로 이동하였다.

바로알기 | (1) 화산 활동이 가장 활발한 섬은 가장 최근에 생성되어 암석의 생성 시기가 가장 적은(4천 년 전) E이다.

(3) 열점은 뜨거운 플룸이 지표로 올라오는 곳에 위치한다.

(6) 태평양판이 북서쪽으로 움직이므로 새로운 화산섬은 E의 남동쪽에 생성될 것이다.

난이도별 필수 기출　26~29쪽

86 ⑤	87 해설 참조	88 ③	89 ②
90 해설 참조	91 ③	92 ⑤	93 ②, ④ 94 ②
95 ①	96 ④	97 ④	98 ③ 99 ④ 100 ①
101 ①	102 ④	103 ②	104 해설 참조
105 해설 참조	106 해설 참조	107 ③	
108 학생 A, C	109 ①		

86 ① 상부 맨틀의 열원 중 하나는 방사성 원소의 붕괴열이다.

② 상부 맨틀 아래에서 공급되는 열에 의한 맨틀 상하부의 온도 차가 상부 맨틀 대류의 원인 중 하나이다.

③ 상부 맨틀의 운동은 맨틀 대류에 의한 수평적인 판의 운동을 설명할 수 있다.

④ 해구에서 해양 지각의 섭입을 맨틀 대류 하강부에서 일어나는 지각 변동으로, 해령에서 해양 지각의 확장을 맨틀 대류 상승부에서 일어나는 지각 변동으로 설명할 수 있다.

바로알기 | ⑤ 열점에서 일어나는 화산 활동은 판의 경계와 관계없이 발생하므로 상부 맨틀의 대류로 설명할 수 없으며, 플룸 구조론으로 설명할 수 있다.

87 모범 답안 섭입하는 판이 잡아당기는 힘, 해령에서 밀어내는 힘, 맨틀 대류(맨틀 대류에 의해 미끄러지는 힘) 등이 있다.

개념 보충

판을 움직이는 힘

판을 움직이는 힘에는 섭입하는 판이 잡아당기는 힘(①), 해령에서 밀어내는 힘(②), 맨틀 대류(맨틀 대류에 의해 미끄러지는 힘)(③) 등이 있다. ①~③은 모두 판을 움직이는 중요한 역할을 하지만 ①, ②가 가장 중요한 판 운동의 원동력이고 상대적으로 ③은 약한 것으로 알려져 있다.

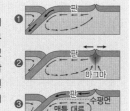

88 (가)는 상부 맨틀 대류 모형, (나)는 맨틀 전체 대류 모형이다.

ㄱ. (가), (나) 모두 방사성 동위 원소의 붕괴열과 맨틀 상하부의 온도 차이 때문에 맨틀 대류가 발생한다.

ㄴ. (가)에서는 상부 맨틀의 상승부에서 해령이, 하강부에서 해구가 발달하는 것을 설명할 수 있다.

바로알기 | ㄷ. (가)는 상부 맨틀 대류 모형으로, 판 내부에서 일어나는 화산 활동을 설명할 수 없으며 판 경계에서 일어나는 화산 활동만 설명할 수 있다.

89 ① A는 맨틀 대류에 의한 힘으로, 주로 상부 맨틀에서 나타난다.

③ C는 주로 냉각된 해양판이 섭입하면서 연결된 기존의 판을 잡아당기는 힘이다.

④ B가 작용하는 곳은 해령으로, 새로운 해양 지각이 생성되며 양쪽으로 판을 밀어내는 힘이 작용한다.

⑤ 섭입대는 수렴형 경계에서 발달하므로 C는 수렴형 경계에서 나타난다.

바로알기 | ② B는 해령에서 밀어내는 힘이다.

90 모범 답안 오스트레일리아판. 남아메리카판에는 해령에서 밀어내는 힘과 맨틀 대류에 의한 힘이 작용하고, 오스트레일리아판에는 이 두 가지 힘에 섭입하는 판이 잡아당기는 힘이 추가로 작용하기 때문이다.

91 A는 나스카판이 남아메리카판 아래로 섭입하는 페루 해구 부근이고, B는 대서양 중앙 해령 부근이다.

ㄴ. A는 섭입대 부근으로, 섭입대에서는 판을 잡아당기는 힘이 작용한다. 나스카판이 남아메리카판 아래로 섭입하면서 연결된 섭입대 밖의 판을 잡아당긴다.

ㄷ. B는 해령 부근으로, 해령에서는 판을 밀어내는 힘이 작용한다.

바로알기 | ㄱ. A에서는 해양판인 나스카판이 대륙판인 남아메리카판 아래로 섭입한다.

ㄹ. 남아메리카판에서는 해령에서 밀어내는 힘, 맨틀 대류에 의한 힘이 작용하지만, 나스카판은 이 두 가지 힘에 섭입하는 판이 잡아당기는 힘이 추가로 작용한다. 따라서 판의 평균 이동 속력은 나스카판이 남아메리카판보다 빠르다.

92 ⑤ 플룸 구조론은 하와이 열도와 같이 판의 내부에서 일어나는 화산 활동을 설명할 수 있다.

바로알기 | ① 플룸의 상승과 하강은 맨틀과 외핵의 경계까지 나타나므로 맨틀 전체에서 일어난다.

② 판이 섭입하는 곳 주위에서는 차가운 플룸이 형성된다.

③ 열점은 뜨거운 플룸이 상승하는 곳에서 생성된다.

④ 플룸 상승류가 있는 곳은 주변보다 온도가 높으므로 지진파의 속도가 느리다.

93

① 아시아 대륙 하부에서는 플룸 하강류(차가운 플룸)가 발달한다.

③ 뜨거운 플룸은 맨틀과 외핵의 경계에서부터 생성되어 올라온다.

⑤ 하와이섬의 화산 활동은 열점에서 마그마가 분출하여 발생하므로, 플룸 구조론으로 설명할 수 있다.

⑥ 플룸 구조론은 상부 맨틀 대류 모형과 달리 맨틀과 외핵의 경계까지 수직 운동이 확장되므로 대규모의 수직 운동을 설명할 수 있다.

바로알기 | ② 플룸은 외핵과 맨틀의 경계에서부터 올라오는 물질과 에너지 흐름이다.

④ 아프리카 대륙 하부에서는 뜨거운 플룸이 나타난다. 따라서 차가운 플룸이 나타나는 아시아 대륙 하부에 비해 지진파의 평균 속도가 느릴 것이다.

94

A, B, C는 모두 상부 맨틀과 하부 맨틀의 경계인 깊이 670 km에 있다. A는 섭입대 부근에서 차가운 플룸이 하강하는 지점에, C는 뜨거운 플룸이 상승하는 지점에 있다.

ㄴ. 통과하는 지진파의 속도는 차가운 플룸이 하강하는 곳에 위치한 A가 다른 지점에 비해 빠르다.

바로알기 | ㄱ. 같은 깊이에서 지구 내부의 온도는 차가운 플룸이 하강하는 곳에 위치한 A보다는 B가 높다.

ㄷ. 일본 열도는 섭입하는 판에서 발생한 마그마에 의해 생성된 호상 열도이다. C 위에 생성된 화산섬은 열점에서 생성된 것으로, 대표적인 예는 하와이섬이다.

95 ㄴ. 차가운 플룸이 하강하여 맨틀과 외핵의 경계에 도달하면 그 영향으로 맨틀과 외핵의 경계에서 뜨거운 플룸이 생성된다.

바로알기 | ㄱ. 차가운 플룸을 만드는 지각 용융물은 상부 맨틀과 하부 맨틀의 경계에 쌓이다가 밀도가 커지면 맨틀과 외핵의 경계까지 침강한다.

ㄷ. 차가운 플룸은 수렴형 경계에서 섭입된 지각이 침강하여 생성된다.

96

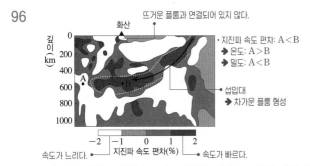

ㄱ. 지진파 단층 촬영 영상에서 뜨거운 부분은 차가운 부분에 비해 지진파의 속도가 느려서 지진파 속도 편차가 작다. 따라서 A 지점이 B 지점보다 온도가 높다.

ㄴ. A 지점은 B 지점보다 고온의 영역이므로 밀도가 작다.

ㄷ. B 지점은 주변 지역에 비해 지진파의 속도가 빠르고, 지진파의 속도가 빠른 지역이 지각으로부터 비스듬히 나타나므로 섭입하는 판에 포함된 모습이다.

바로알기 | ㄹ. 그림에서 화산 아래에 지진파 속도 편차가 작은 지역은 지구 하부에서 올라오는 뜨거운 플룸과 연결되어 있지 않다. 따라서 뜨거운 플룸에 의해 만들어지는 열점에서 생성된 화산이 아니다.

97

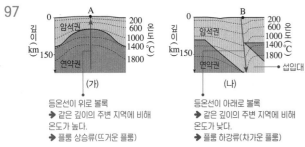

(가)는 지하의 온도 분포가 위로 볼록하고, 연약권이 지표 쪽으로 볼록하게 나타나므로 플룸 상승류가 나타난다. (나)는 암석권이 연약권을 파고드는 모습이 나타나므로 플룸 하강류가 나타난다.

ㄴ. 플룸 상승류가 존재하는 지역은 (가)이다.

ㄷ. (나)에서는 판이 섭입되는 모습이 나타나고 있다. 따라서 섭입하는 판이 잡아당기는 힘이 작용한다.

바로알기 | ㄱ. 지하의 온도 약 1000 °C가 나타나는 암석권의 깊이가 B보다 A의 하부에서 얕게 나타나므로 깊이에 따른 암석권의 온도 변화는 B보다 A의 하부에서 크다.

98 맨틀과 핵의 경계에서 상승하는 물질과 에너지의 흐름을 뜨거운 플룸이라 하고, 상부 맨틀과 하부 맨틀의 경계에서 맨틀 최하부까지 차가운 물질이 하강하는 흐름을 차가운 플룸이라고 한다. 상승하는 플룸은 판 내부의 고정된 위치에서 계속 마그마를 분출하는 열점을 생성하기도 한다. 따라서 (가)는 플룸, (나)는 열점이 해당한다.

99 ④ 열점은 위치가 고정되어 있으므로, 열점에서 생성된 화산섬은 판의 이동 방향과 나란하게 배열된다.

바로알기 | ① 열점은 뜨거운 플룸이 지표면과 만나는 지점 아래에 마그마가 생성된 곳이다.

② 열점은 판 경계를 따라 분포하지는 않으며 하와이섬과 같이 판 내부에도 분포한다.

③ 열점은 판의 이동과 상관없이 위치가 고정되어 있다.

⑤ 열점에서 멀어지면 화산섬의 화산 활동은 멈춘다.

100 ㄱ. 플룸 상승류가 지표면 아래에서 마그마가 모여있는 열점을 만들고, 열점에서 마그마가 지표로 분출되어 화산섬이 생성된다. 생성된 화산섬은 판을 따라 이동하고 열점이 있는 곳에서는 새로운 화산섬이 생성되어 판의 이동 방향에 나란하게 열도를 이룬다. 따라서 화산섬이 생성되는 순서는 (다) → (나) → (가)이다.

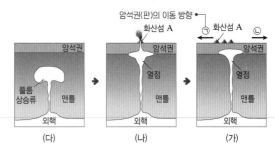

바로알기 | ㄴ. 이 지역은 뜨거운 플룸이 상승하여 형성된 열점에서 화산섬이 생성되고 있다.

ㄷ. (가)에서 화산섬은 열점을 기준으로 왼쪽으로 배열되어 있다. 따라서 시간이 지날수록 화산섬 A는 ⊙ 방향으로 이동할 것이다.

101 ㄱ. 열점에서 생성된 마그마가 지표로 분출하므로 열점은 화산 활동이 활발한 ㉢의 아래에 분포한다.

ㄴ. ㉠, ㉡, ㉢ 중 열점이 위치한 곳은 ㉢의 하부이다. 따라서 가장 나중에 생성된 섬은 ㉢이므로 화산섬의 나이는 ㉠>㉡>㉢이다.

바로알기 | ㄷ. ㉠이 가장 나이가 많고, 열점의 위치는 변하지 않으므로 태평양판은 B 방향으로 이동하였다.

ㄹ. 열점의 위치는 변하지 않는다.

102 ㄴ. 하와이섬은 열점에 의해 생성되었으므로 섬의 하부에는 플룸 상승류인 뜨거운 플룸이 존재한다.

ㄷ. 열점은 위치가 변하지 않으므로 열도를 이루는 섬들의 위치와 암석의 나이로부터 태평양판의 평균 이동 속력을 알아낼 수 있다.

바로알기 | ㄱ. 엠퍼러 해산 열도와 하와이 열도는 판 내부의 열점에서 생성된 화산섬들이므로 판의 경계와는 상관없다. 열점에서 생성된 화산섬이 판의 이동 방향을 따라 멀어지므로 하와이 열도는 태평양판의 이동 방향에 나란하게 배열된다.

103 열도를 이루는 화산섬의 나이가 많아지는 방향으로 태평양판이 이동하였다. 태평양판의 이동 방향은 북북서에서 약 4300만 년 전에 서북서로 변하였다.

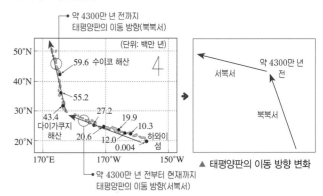

▲ 태평양판의 이동 방향 변화

104 **모범 답안** 하와이섬은 뜨거운 플룸의 상승류가 지표면과 만나는 지점 아래에 마그마가 생성되는 곳인 열점에서 마그마가 분출하여 생성된 화산섬이다.

105 열점의 위치는 바뀌지 않지만 판은 계속 이동하므로 화산섬은 판의 이동 방향에 나란하게 배열된다. 따라서 판의 이동 방향이 변하면 화산섬의 배열 방향도 변한다.

모범 답안 | 하와이섬들이 나란하게 배열된 까닭은 열점은 고정되어 있지만, 태평양판이 이동하기 때문이다. 배열된 방향이 변한 까닭은 태평양판의 이동 방향이 변하였기 때문이다.

106 이미 생성된 화산섬은 판의 이동을 따라 위치가 변하고 열점에서는 새로운 화산섬이 계속 생성된다.

모범 답안 | 새로운 섬은 하와이섬의 남동쪽에 생성될 것이다. 열점의 위치는 고정되어 있고, 태평양판은 현재 북서쪽으로 이동하고 있기 때문이다.

107

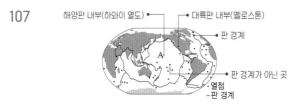

ㄱ. 그림에서 열점은 판 경계와 관계없이 분포한다.

ㄷ. A 지점 부근에는 하와이 열도가 생성된다.

바로알기 | ㄴ. 열점은 해양판뿐만 아니라 옐로스톤과 같이 대륙판 내부에도 분포한다.

108 • 학생 A: 맨틀 대류의 상승부에서 발산형 경계가, 하강부에서는 수렴형 경계가 발달하므로 상부 맨틀의 운동은 판이 섭입되기 전까지 판 경계에서 발생하는 지각 변동을 잘 설명할 수 있다.

• 학생 C: 플룸 상승류는 맨틀과 외핵의 경계에서부터 상승하고, 플룸 하강류는 깊이 약 670 km 부근에서 맨틀 최하부까지 침강하므로 플룸 구조론은 지각에서 맨틀 하부까지의 대규모의 수직 운동을 설명할 수 있다.

바로알기 | • 학생 B: 상부 맨틀의 대류 운동으로 판 경계가 발달하므로 판 경계에서 일어나는 화산 활동을 판 경계에서 상부 맨틀의 운동으로 설명할 수 있지만, 판 내부에서 일어나는 화산 활동을 설명할 수 없다. 따라서 하와이섬과 같이 판의 내부에서 일어나는 화산 활동은 플룸 구조론으로 설명해야 한다.

109

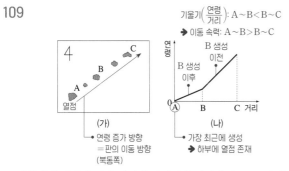

ㄱ. (나)에서 열점에 의해 생성된 화산섬의 연령이 A<B<C이므로 (가)에서 현재 열점의 위치는 A의 아래에 위치한다.

ㄴ. 화산섬의 연령이 북동쪽으로 갈수록 많아지므로 판은 북동쪽으로 이동하였다.

바로알기 | ㄷ. (나)에서 기울기는 $\frac{시간}{거리}$이므로 기울기가 클수록 속력이 느리다. A~B 구간이 B~C 구간보다 기울기가 작으므로 속력이 더 빠르다. 따라서 B가 생성된 이후 판의 이동 속력은 빨라졌다.

ㄹ. 섬 A, B, C는 생성된 이후 판을 따라 이동하고 있으므로 앞으로도 섬 A, B, C 사이의 거리는 변하지 않는다.

I

○5 마그마 활동과 화성암

빈출 자료 보기   31쪽

110 (1) × (2) ○ (3) ○ (4) × (5) ○ (6) ○

110 (가)에서 A는 해령 하부, B는 열점, C는 섭입대 부근의 대륙 지각 하부, D는 섭입대 부근의 맨틀에서 마그마가 생성되는 장소이다. (나)에서 ㉠은 대륙 지각 하부의 온도 상승, ㉡은 맨틀 물질의 상승에 따른 압력 감소, ㉢은 맨틀에 물이 공급되어 일어나는 맨틀의 용융점 하강을 나타낸 것이다.

(2) B에서는 플룸 상승류를 따라 맨틀 물질이 상승하면서 압력이 감소하여(㉡) 현무암질 마그마가 생성된다.

(3) C에서는 온도 상승(㉠)으로 대륙 지각이 부분 용융되어 유문암질 마그마가 생성되고 유문암질 마그마와 현무암질 마그마가 혼합되어 안산암질 마그마가 생성되므로 지표에서는 주로 안산암질 마그마가 분출된다.

(5) 하와이섬은 플룸 상승류에서 압력 감소에 의한 맨틀의 부분 용융으로 생성된 현무암질 마그마가 열점(B)에서 분출하여 생성되었다.

(6) 발산형 경계에서는 맨틀 대류의 상승에 의해 압력 감소(㉡)로 마그마가 생성된다.

바로알기 | (1) A에서는 맨틀 물질이 상승하면서 압력 감소(㉡)로 맨틀의 용융점이 하강한다. 이에 따라 맨틀 물질의 부분 용융이 일어나 현무암질 마그마가 생성된다.

(4) D에서는 섭입되는 해양 지각의 함수 광물에서 빠져나온 물이 맨틀(연약권)에 공급되어 ㉢과 같이 맨틀의 용융점이 낮아져 현무암질 마그마가 생성된다.

난이도별 필수 기출   32~37쪽

111 ②	112 ⑤	113 해설 참조	114 해설 참조
115 ③	116 ⑤	117 해설 참조	118 ②
119 해설 참조		120 ②, ⑤ 121 ④	122 ②	123 ④
124 ②	125 ⑤	126 ⑤ 127 ⑤	128 ③	129 ①
130 ⑤	131 해설 참조	132 ③	133 ③	134 ④
135 ③	136 ④	137 ①	138 ②	139 ④	140 ①
141 ④, ⑤, ⑥			

111 ① 유문암질 마그마는 SiO_2 함량이 63 % 이상이고, 현무암질 마그마는 SiO_2 함량이 52 % 이하이다.

③, ⑤ 유문암질 마그마는 점성이 커서 종상 화산과 같이 경사가 급한 화산체를 형성한다. 현무암질 마그마는 상대적으로 점성이 작아 순상 화산과 같이 경사가 완만한 화산체를 형성한다.

④ 유문암질 마그마는 휘발성 가스의 함량이 많아 폭발적으로 분출하고, 현무암질 마그마는 휘발성 가스의 함량이 적어 상대적으로 조용히 분출한다.

바로알기 | ② 유문암질 마그마의 온도는 약 800 °C 이하이고, 현무암질 마그마의 온도는 약 1000 °C 이상이다.

112 (가)는 화산체의 경사가 완만한 순상 화산, (나)는 화산체의 경사가 급한 종상 화산의 모습이다.

ㄱ. 용암(마그마)의 유동성이 클수록 경사가 완만한 화산체를 형성하므로 용암의 유동성은 (가)가 (나)보다 컸다.

ㄴ. SiO₂ 함량이 많은 마그마가 경사가 급한 화산체를 형성하고 휘발 성분이 많아 폭발적으로 분출하므로 (나)는 (가)보다 폭발적으로 분출하였다.

ㄷ. 현무암질 마그마는 유문암질 마그마보다 온도가 높고 점성이 작아서 유동성이 크므로 경사가 완만한 화산체를 형성한다. 따라서 (가)는 현무암질 마그마가, (나)는 유문암질 마그마가 분출하여 형성되었다.

113 (가)는 SiO₂ 함량이 63 % 이상이므로 유문암질 마그마이고, (나)는 SiO₂ 함량이 52 % 이하이므로 현무암질 마그마이다. 유문암질 마그마는 현무암질 마그마에 비해 온도가 낮고 점성이 크므로 유동성이 작다. 따라서 마그마가 굳어져 만들어진 화산체의 경사가 급하다.

모범 답안 (가)는 (나)보다 마그마의 온도가 낮고, 형성되는 화산체의 경사가 급하다. (가)는 종상 화산, (나)는 순상 화산이나 용암 대지를 형성한다.

114 (1) A는 SiO₂ 함량이 52 % 이하이므로 현무암질 마그마이고, B는 SiO₂ 함량이 63 % 이상이므로 유문암질 마그마이다.
(2) A는 B보다 온도가 높은 마그마이므로, B보다 점성이 작고 유동성이 더 크다.

모범 답안 (1) A: 현무암질 마그마, B: 유문암질 마그마
(2) A는 B보다 점성이 작고 유동성이 크다.

115

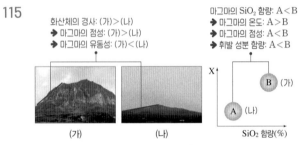

(가) 산방산은 주로 유문암질 마그마가, (나) 한라산은 주로 현무암질 마그마가 굳어 형성되었다.

ㄱ. (가)는 (나)보다 화산체의 경사가 급한 것으로 보아 SiO₂ 함량이 더 많은 마그마로부터 형성되었다. SiO₂ 함량이 많은 마그마에는 휘발 성분 함량이 더 많으므로 (가)는 (나)보다 휘발 성분이 많은 마그마가 분출되어 형성되었다.

ㄴ. (나)는 (가)보다 경사가 완만하므로 SiO₂ 함량이 더 적은 A가 분출하여 형성되었다.

바로알기 ㄷ. X에는 SiO₂ 함량이 많은 마그마에서 큰 값을 나타내는 물리량이 적합하므로, 점성, 휘발 성분 함량 등이 적합하다. SiO₂ 함량이 많은 마그마는 온도가 낮으므로 온도는 적합하지 않다.

116 해령 하부와 열점에서는 모두 압력 감소에 의해 현무암질 마그마가 생성된다. 해령 하부에서는 맨틀 대류의 상승에 의해, 열점에서는 플룸 상승류에 의해 압력이 감소하여 맨틀의 부분 용융이 일어난다.

개념 보충

마그마의 종류
마그마의 종류는 현무암질 마그마, 안산암질 마그마, 유문암질 마그마로 구분한다. 현무암질 마그마는 주로 맨틀의 부분 용융으로, 유문암질 마그마는 주로 대륙 지각의 부분 용융으로, 안산암질 마그마는 주로 현무암질 마그마와 유문암질 마그마의 혼합으로 생성된다.

117 하와이 열도는 열점에서 분출한 마그마가 식어 생성된 화산섬들로 이루어져 있고, 열점은 플룸 상승류에서 형성된다. 상승하는 플룸에 의해 압력이 감소하면서 맨틀의 부분 용융이 일어나 생성된 현무암질 마그마가 분출하여 화산섬이 만들어졌다.

모범 답안 현무암질 마그마, 플룸 상승류를 따라 맨틀 물질이 상승하여 압력 감소로 맨틀의 부분 용융이 일어나 마그마가 생성되었다.

118

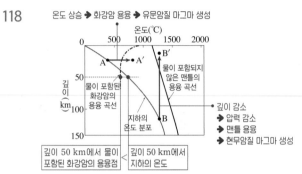

A → A′ 과정은 깊이가 일정하므로 압력은 일정하고, 온도가 상승하는 조건이다. B → B′ 과정은 온도는 일정하고 깊이가 감소하므로 압력이 감소하는 조건이다.

① 지하의 온도 분포 곡선에서 깊이가 깊어질수록, 즉, 지구 내부로 갈수록 온도가 상승한다.

③ B → B′ 과정은 압력 감소로 마그마가 생성되는 과정이다. 열점과 해령에서는 이 과정으로 마그마가 생성된다.

④ 물이 포함된 화강암은 깊이 50 km에서 지하의 온도 분포보다 용융점이 낮으므로 마그마 상태로 존재한다.

⑤ A → A′ 과정으로 생성된 마그마는 화강암이 용융되어 생성된 유문암질 마그마이고, B → B′ 과정으로 생성된 마그마는 맨틀이 용융되어 생성된 현무암질 마그마이다. SiO₂ 함량은 유문암질 마그마가 현무암질 마그마보다 많다.

바로알기 ② A → A′ 과정은 물을 포함한 화강암이 주위로부터 열을 얻어 용융되는 과정으로, 섭입대 부근에서 대륙 지각 하부가 가열되어 용융될 때 나타난다. 해령은 맨틀 대류의 상승부이므로 해령에서는 B → B′ 과정(압력 감소)으로 마그마가 생성된다.

119

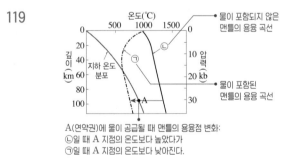

(1) 맨틀에 물이 포함되면 물이 포함되지 않았을 때보다 용융점이 낮아진다. ㉠, ㉡ 중 같은 깊이에서 용융점이 낮은 것은 ㉠이므로 ㉠이 물이 포함된 맨틀의 용융 곡선이고, ㉡이 물이 포함되지 않은 맨틀의 용융 곡선이다.

(2) 섭입대 부근에서 함수 광물에서 빠져나온 물이 맨틀에 공급되면 맨틀의 용융점이 낮아진다(㉡ → ㉠). 이때 지하의 온도 분포보다 용융점이 낮아지면 부분 용융이 일어나 마그마가 생성된다.

모범 답안 (1) ㉠은 물이 포함된 맨틀의 용융 곡선이고, ㉡은 물이 포함되지 않은 맨틀의 용융 곡선이다.
(2) A 지점의 맨틀(연약권)에 물이 공급되어 맨틀의 용융점이 A 지점의 온도보다 낮아지면서 맨틀이 부분 용융되어 현무암질 마그마가 생성된다.

120

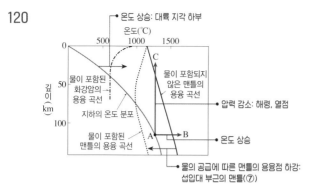

② 물이 포함되지 않은 맨틀의 용융 곡선에서 깊이가 깊어질수록 맨틀의 용융점은 높아진다.

⑤ 해령에서는 맨틀 물질이 상승하면서 압력 감소(A → C 과정)에 의해 마그마가 생성된다.

바로알기 | ① 물이 포함된 화강암의 용융 곡선에서 깊이가 깊어질수록 용융점은 낮아진다.

③ 물이 포함된 맨틀의 용융 곡선은 물이 포함되지 않은 맨틀의 용융 곡선보다 낮은 온도에서 나타나므로 같은 깊이일 때 물이 포함된 맨틀은 물이 포함되지 않은 맨틀보다 용융점이 낮다.

④ A → B 과정은 열을 공급받아 온도가 높아지는 과정이다. 맨틀 물질이 상승하면 압력이 감소한다(A → C 과정).

⑥ 변환 단층에서는 마그마가 생성되지 않는다.

⑦ 섭입대 부근에서 생성되는 현무암질 마그마는 주로 물의 공급에 따른 맨틀의 용융점 하강으로 생성된다.

121 A는 해령 하부, B는 섭입대 부근의 맨틀(연약권), C는 섭입대 부근의 대륙 지각 하부이다.

ㄱ. 해령은 맨틀 대류의 상승부에 위치하므로 A에서는 압력 감소에 의해 현무암질 마그마가 생성된다.

ㄷ. B에서 생성되어 상승한 현무암질 마그마로부터 대륙 지각(C)이 열을 공급받는다. 대륙 지각은 주로 화강암질 암석으로 구성되어 있으므로 온도가 상승하여 용융되면 유문암질 마그마가 생성된다.

바로알기 | ㄴ. B에서는 섭입하는 해양 지각 및 해저 퇴적물의 함수 광물에서 빠져나온 물이 맨틀에 공급되어 맨틀의 용융점을 낮춘다.

122

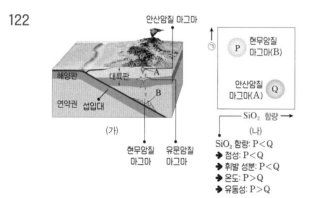

B는 맨틀에 물이 공급되어 생성된 현무암질 마그마이고, A는 현무암질 마그마와 유문암질 마그마가 혼합되어 생성된 안산암질 마그마이다.

ㄴ. P는 Q보다 SiO_2 함량이 적으므로 P는 현무암질 마그마(B), Q는 안산암질 마그마(A)에 해당한다.

바로알기 | ㄱ. A는 B에서 생성되어 상승한 현무암질 마그마와 대륙 지각이 용융되어 생성된 유문암질 마그마가 혼합되어 생성된 안산암질 마그마이다.

ㄷ. ⊙에 적합한 물리량은 SiO_2 함량이 적은 마그마에서 크게 나타나는 물리량이므로 온도가 적합하다. 점성은 SiO_2 함량이 많은 마그마에서 크게 나타나는 물리량이다.

123 ㄴ. A 지역은 수렴형 경계로 하부에 섭입대가 형성되어 있다. 따라서 화산섬은 주로 안산암질 마그마가 분출하여 생성되었다.

ㄷ. B 지역의 하와이 열도는 열점에서 분출한 마그마가 식어 생성되었다. 열점은 플룸 상승류에 의한 맨틀의 압력 감소로 생성된 마그마가 모여 있는 곳이므로 B 지역에서 마그마는 (나)의 ⓛ 과정(압력 감소)으로 생성되었다.

바로알기 | ㄱ. A는 유라시아판과 태평양판의 경계에 위치하지만, B는 판의 경계가 아닌 태평양판의 내부에 위치한다.

124 (가)에서 ⊙은 물이 포함된 화강암의 용융 곡선, ⓛ은 물이 포함된 맨틀의 용융 곡선, ⓒ은 물이 포함되지 않은 맨틀의 용융 곡선이다. (나)에서 A는 히말라야산맥, B는 쿠릴 해구, C는 하와이 열도이다.

ㄷ. 섭입대 부근인 B 지역에서는 주로 안산암질 마그마가 분출하고, 열점 부근인 C 지역에서는 주로 현무암질 마그마가 분출한다. 안산암질 마그마는 현무암질 마그마보다 휘발 성분을 많이 포함하므로 더 폭발적으로 분출한다.

바로알기 | ㄱ. (가)에서 물이 포함된 맨틀의 용융 곡선은 ⓛ이다.

ㄴ. c → c' 과정은 물의 공급으로 맨틀의 용융점이 하강하여 마그마가 생성되는 과정이므로 섭입대 부근인 B 지역에서 나타난다. A는 히말라야산맥으로, 마그마가 거의 생성되지 않는다.

125

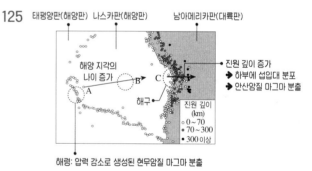

A는 천발 지진이 주로 발생하고 C는 심발 지진까지 발생하므로 A는 발산형 경계, C는 수렴형 경계에 해당하며, B는 판의 경계가 아니다.

⑤ C에서는 주로 안산암질 마그마가, A에서는 현무암질 마그마가 분출된다. 따라서 분출되는 마그마의 SiO_2 함량은 C가 A보다 많다.

바로알기 | ① A는 동태평양 해령으로, 발산형 경계이다.

② 해양 지각의 나이는 해령에서 가장 적고 해령에서 멀어질수록 많아지므로 A가 B보다 적다.

③ A에는 해령이, B에는 심해저 평원이, C에는 해구가 발달하므로 수심은 A가 B보다 얕다.

④ A를 경계로 이웃하는 두 판은 모두 해양판이지만, C를 경계로 왼쪽에 해양판, 오른쪽에 대륙판이 위치한다. 따라서 인접한 판의 밀도 차이는 A가 C보다 작다.

126 • SiO_2 함량이 많을수록 상대적으로 Fe, Mg과 같은 원소를 많이 포함한 고철질 광물의 함량이 적다.

• Fe과 Mg가 많은 조암 광물(유색 광물)에는 감람석, 휘석, 각섬석, 흑운모 등이 있고, Fe과 Mg이 적은 조암 광물(무색 광물)에는 석영, 장석 등이 있다.

127 SiO_2 함량이 63 % 이상이면 산성암, 52 % 이하이면 염기성암, 그 사이면 중성암이다. 이 화성암은 SiO_2 함량이 50 %이므로 염기성암이고, Fe, Mg 등의 함량이 많은 고철질암이다. 또한, 세립질이나 유리질 조직이 나타나므로 지표 부근에서 빠르게 냉각되어 생성된 화산암이다. 따라서 이 화성암은 염기성암이면서 화산암이다.

⑤ 염기성암이면서 화산암인 암석의 대표적인 예는 현무암이다.

바로알기 | ① 반려암은 염기성암이지만, 심성암이다.

② 안산암은 화산암이지만, 중성암이다.

③ 유문암은 화산암이지만, 산성암이다.

④ 화강암은 산성암이고, 심성암이다.

개념 보충

화성암의 분류

SiO_2 함량(%)		52	63
분류	염기성암 (고철질암)	중성암	산성암 (규장질암)
산출 상태 \ 조직	어두운색 ← (색) → 밝은색 Ca, Fe, Mg ← (많은 원소) → Na, K, Si		
화산암 세립질	현무암	안산암	유문암
심성암 조립질	반려암	섬록암	화강암
마그마 온도(℃)	높다. ← 1000 — 800 → 낮다.		
마그마 점성	작다.	중간	크다.

---

128 유문암은 화학 조성(SiO_2 함량)에 따라 산성암으로 분류되고, 조직(산출 상태)에 따라 화산암으로 분류된다.

ㄱ. 유문암은 SiO_2 함량이 63 % 이상인 산성암이다.

ㄷ. 유문암은 산성암이므로 주로 석영, 장석 등의 광물로 구성되어 있는 규장질암이다.

바로알기 | ㄴ. 유문암은 지표 근처에서 급격하게 식어서 생성된 화산암이므로 입자의 크기가 작아(세립질 조직) 맨눈으로 광물의 입자를 구분하기 어렵다.

129 ① 화강암은 유문암질 마그마에서 생성된 산성암이다. 따라서 SiO_2 함량이 63 % 이상이다.

바로알기 | ② 반려암은 현무암질 마그마에서 생성된 염기성암이다. 따라서 감람석, 휘석과 같은 유색 광물의 함량이 상대적으로 많다.

③ 화산암은 지표 부근에서 급격하게 냉각되어 생성된 암석이다. 따라서 입자가 성장할 시간이 충분하지 않아 심성암에 비해 광물 입자의 크기가 작다.

④ 섬록암은 심성암이고, 안산암은 화산암이다. 따라서 마그마의 냉각 속도는 섬록암이 더 느렸다.

⑤ 심성암에는 화강암, 섬록암, 반려암 등이 있다. 안산암은 화산암으로 분류된다.

130 A~D에 해당하는 암석에는 A에 현무암, B에 반려암, C에 유문암, D에 화강암이 있다.

⑤ SiO_2 함량이 적을수록 유색 광물의 함량이 많다. 따라서 유색 광물의 함량은 B가 D보다 많다.

바로알기 | ① A는 SiO_2 함량이 52 % 이하이므로 염기성암이다.

② B는 마그마의 냉각 속도가 느리므로 지하 깊은 곳에서 천천히 냉각되어 생성된 심성암이다.

③ 지하 깊은 곳에서는 마그마가 천천히 식는다. 따라서 마그마의 냉각 속도가 더 느린 D가 C보다 지하 깊은 곳에서 생성되었다.

④ B는 심성암이고, 심성암에서는 조립질 조직이 나타난다.

131

구분	염기성암	중성암	산성암
화산암 (빠른 냉각)	현무암	B 안산암	C 유문암
심성암 (느린 냉각)	A 반려암	섬록암	화강암
SiO_2 함량	적다. ————————→ 많다.		
유색 광물 함량	많다. ————————→ 적다.		

(2) 화산암은 마그마가 빠르게 냉각되어 세립질이나 유리질 조직이 나타나고, 심성암은 마그마가 천천히 냉각되어 조립질 조직이 나타난다.

(3) SiO_2 함량이 적을수록 감람석, 휘석 등 유색 광물의 함량이 많고, SiO_2 함량이 많을수록 장석, 석영 등 무색 광물의 함량이 많다.

모범 답안 (1) A: 반려암, B: 안산암, C: 유문암

(2) A는 마그마가 천천히 냉각되어 조립질 조직이 나타나고, B는 마그마가 빠르게 냉각되어 세립질이나 유리질 조직이 나타난다.

(3) A는 C보다 SiO_2 함량이 적고, 감람석, 휘석 등 유색 광물의 함량이 많다.

132 A는 유색 광물의 함량이 많고, C는 무색 광물의 함량이 많으므로 A는 염기성암, B는 중성암, C는 산성암이다.

① SiO_2 함량이 많을수록 석영, 장석 등 무색 광물의 부피비가 크므로 SiO_2 함량은 A<B<C 순으로 많다.

② 현무암질 마그마는 유문암질 마그마에 비해 온도가 높고, 현무암질 마그마가 굳으면 염기성암이, 유문암질 마그마가 굳으면 산성암이 된다. 따라서 온도가 가장 높은 마그마가 굳은 암석은 A이다.

④ Ca, Fe, Mg과 같은 원소가 많은 암석은 휘석, 감람석, 각섬석 등 유색 광물의 부피비가 크다. 따라서 이 원소들은 A가 가장 많다.

⑤ SiO_2 함량이 많을수록 무색 광물의 부피비가 크므로 암석의 색이 밝다. 따라서 A~C 중 C가 가장 밝다.

바로알기 | ③ 지하 깊은 곳에서 생성된 암석은 심성암이다. 안산암은 B에 해당하지만 지표 부근에서 빠르게 냉각되어 생성된 화산암이다. 지하 깊은 곳에서 생성된 B(중성암)의 예로는 섬록암이 있다.

133 (가)와 (나)는 각각 화강암과 현무암 중 하나이고, (가)에서는 세립질 조직이, (나)에서는 조립질 조직이 관찰된다. 따라서 (가)는 화산암인 현무암이고, (나)는 심성암인 화강암이다.

ㄱ. 마그마의 냉각 속도가 빠를수록 입자의 크기는 작다. (가)가 (나)보다 입자의 크기가 작으므로 냉각 속도가 더 빨랐다.

ㄷ. (가)는 현무암이고, (나)는 화강암이므로 암석의 색은 (가)가 (나)보다 어둡다.

바로알기 | ㄴ. 암석의 생성 깊이가 얕을수록 마그마가 빠르게 식어 입자가 작다. 따라서 생성 깊이는 (나)가 (가)보다 깊었다.

134

반려암	안산암	화강암
• 심성암 ➜ 조립질 조직 • 염기성암 ➜ 어두운색	• 화산암 ➜ 세립질 조직 • 중성암 ➜ 중간 밝기	• 심성암 ➜ 조립질 조직 • 산성암 ➜ 밝은색

```
         반려암, 안산암, 화강암
                 │
         ┌───────────────┐   아니요    ┌───┐
         │ 조립질 조직이   │──────────→│ A │
         │ 나타나는가?     │            └───┘
         └───────────────┘           안산암
                 │ 예 반려암, 화강암
         ┌───────────────┐   아니요    ┌───┐
         │ 암석의 색이     │──────────→│ B │
         │ 밝은가?         │            └───┘
         └───────────────┘           반려암
                 │ 예
              ┌─────┐
              │  C  │ 화강암
              └─────┘
```

• A: 반려암, 안산암, 화강암 중 조립질 조직은 반려암과 화강암에서 나타난다. 따라서 A는 안산암이다.

• B, C: 반려암은 SiO_2 함량이 적은 염기성암이고, 화강암은 SiO_2 함량이 많은 산성암이므로 화강암이 반려암보다 암석의 색이 밝다. 따라서 B는 반려암, C는 화강암에 해당한다.

135 ㄱ. (가)의 A는 SiO_2 함량이 63 % 이상으로 산성암(규장질암)에 해당하고, B는 SiO_2 함량이 52 % 이하이므로 염기성암(고철질암)에 해당한다.

ㄴ. B는 A에 비해 SiO_2 함량이 적고, Fe, Ca 등의 함량이 많으므로 상대적으로 더 어두운색을 띤다.

바로알기 | ㄷ. (나)에서 A는 지표 근처에서 생성된 화산암이고, B는 지하 깊은 곳에서 생성된 심성암이다. 따라서 A는 산성암 중 화산암인 유문암에 해당하고, B는 염기성암 중 심성암인 반려암에 해당한다.

136 A와 B는 화산암, C와 D는 심성암이다. A와 C는 현무암질 마그마가 식어서 생성된 염기성암, B와 D는 유문암질 마그마가 식어서 생성된 산성암이다.

① A와 B는 냉각 속도가 빠르므로 광물 결정이 자랄 시간이 충분하지 않아 세립질이나 유리질 조직이 나타난다.

② 마그마의 냉각 속도가 빠를수록 지표 근처에서 식은 것이다. 따라서 암석의 생성 깊이는 C가 A보다 깊다.

③ 마그마의 SiO_2 함량이 많을수록 Fe, Mg과 같은 원소의 양이 적고, Na, K과 같은 원소의 양이 많다. C는 B보다 SiO_2 함량이 적으므로 암석의 $\dfrac{\text{Fe의 질량비}}{\text{Na의 질량비}}$가 높다.

⑤ 해양 지각은 현무암질 마그마가 식어 생성되므로 주로 A(예 현무암)나 C(예 반려암)로 구성되어 있다.

바로알기 | ④ D는 SiO_2 함량이 많으므로 규장질암에 속한다.

개념 보충

해양 지각을 이루는 암석
해양 지각의 상부는 주로 현무암으로 구성되어 있으나 하부에는 반려암도 존재한다.

137

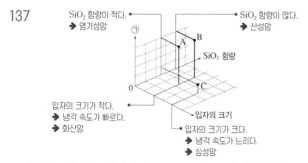

ㄱ. A는 B보다 SiO_2 함량이 적으므로 Fe과 Mg의 함량이 더 많다. 따라서 밀도가 더 크다.

ㄷ. ⊙은 입자의 크기가 작은 A와 B에서 크고, 입자의 크기가 큰 C에서 작은 물리량이다. 마그마의 냉각 속도가 빠를수록 입자의 크기가 작으므로 마그마의 냉각 속도는 ⊙에 적합하다.

바로알기 | ㄴ. C는 A보다 입자의 크기가 크므로 냉각 속도가 느리다. 지하 깊은 곳에서 식을수록 냉각 속도가 느리므로 C는 A보다 지하 깊은 곳에서 생성되었다.

ㄹ. A, B, C는 각각 반려암, 유문암, 현무암 중 하나이다. A, B는 입자의 크기가 작고 C는 입자의 크기가 크므로 C는 반려암이다. A와 B 중 SiO_2 함량은 B가 더 많으므로 B는 유문암, A는 현무암이다.

138 백두산, 울릉도, 제주도, 한탄강 일대는 모두 화산암으로 구성되어 있다.

바로알기 | ② 설악산은 중생대 화강암으로 구성되어 있으므로 심성암 지형에 해당한다.

139 ① 제주도, 백두산, 한탄강 일대 등 신생대에 생성된 화성암 지형은 대부분 화산암이다.

② 우리나라의 심성암 중 중생대의 화강암이 차지하는 비율이 가장 크다.

③ 화강암이 지표로 드러나면 압력이 감소하면서 암석이 판 모양으로 쪼개지는 판상 절리가 나타날 수 있다.

⑤ 북한산 인수봉은 중생대 화강암으로 구성되어 있다.

바로알기 | ④ 울릉도, 독도는 신생대에 형성된 화산섬이다.

140 ㄱ. 설악산 울산바위는 중생대에 생성된 화강암이다.

바로알기 | ㄴ. 화강암은 심성암이므로 마그마가 지하 깊은 곳에서 천천히 식어서 생성되었다.

ㄷ. 화강암은 산성암(규장질암)이므로 주요 구성 광물은 석영, 장석이다. 휘석, 감람석은 유색 광물로, 화강암에는 유색 광물의 함량이 적다.

141 (가)는 신생대 현무암, (나)는 중생대 화강암으로 이루어져 있다.

④ (나) 화강암은 (가) 현무암보다 SiO_2 함량이 많다.

⑤, ⑥ (가)에서는 주상 절리가, (나)에서는 판상 절리가 나타난다.

바로알기 | ① (가)는 화산암, (나)는 심성암이다.

② 제주도는 신생대에, 북한산은 중생대에 형성되었다. 따라서 (가)가 (나)보다 나중에 생성되었다.

③ (가) 현무암은 화산암으로, 심성암인 (나) 화강암보다 마그마가 빠르게 냉각되어 구성 광물 입자의 크기가 작다.

⑦ (나)의 절리는 판상 절리로, 심성암이 지표로 드러나면서 압력이 감소하여 형성된 것이다. 용암이 급격히 식어서 만들어진 것은 (가)의 주상 절리이다.

142 ⑤ 고생대 말 빙하 퇴적층은 남극 대륙 부근에서, 석탄층은 적도 부근에서 생성된 것이다. 각각 고생대 말보다 현재 북쪽에 있으므로 북쪽으로 이동하였다고 볼 수 있다.

▲ 고생대 말 빙하 퇴적층과 석탄층 분포

← 빙하의 이동 방향 • 석탄층
□ 빙하 퇴적층 ■ 열대 지역

바로알기 | ① 현재 고생대 말에 생성된 빙하 퇴적층은 적도 부근에도 있다. 이는 이 대륙들이 고생대 말에 남극 대륙 근처에 있다가 현재 위치로 이동한 것으로, 고생대 말에 적도 지역까지 빙하가 분포한 것은 아니다.

② A와 B는 고생대 말에 남극 대륙 주변에 붙어 있었다. 따라서 같은 종류의 고생대 말 화석이 발견될 수 있다.

③ 고생대 말 A와 B가 붙어 있었을 때의 초대륙을 판게아라고 한다. 로디니아는 약 12억 년 전 형성된 초대륙의 이름이다.

④ 고온 다습한 열대 기후대는 적도 지역이다. 현재 석탄층이 분포하는 지역은 예전에 적도 부근에서 생성되어 중위도로 이동한 것이다.

143 표에서 A 해역은 지점 6 부근에 해구가, B 해역은 지점 6 부근에 해령이, C 해역은 지점 7 부근에 해령이 존재한다.

ㄱ. 음향 측심법에서 음파의 왕복 시간이 가장 긴 곳이 수심이 가장 깊은 곳이다. A 해역의 지점 6은 왕복 시간이 10초로 가장 길다. 따라서 가장 수심이 깊다.

ㄴ. B 해역은 해령이 존재하므로 주로 현무암질 마그마가 생성된다.

바로알기 | ㄷ. C 해역에서 지점 5의 왕복 시간은 6초이다. 따라서 수심(d)은 $d = \frac{1}{2} \times t \times v = \frac{1}{2} \times 6\,\text{s} \times 1500\,\text{m/s} = 4500\,\text{m}$이다.

ㄹ. A 해역에만 해구가 나타난다.

144

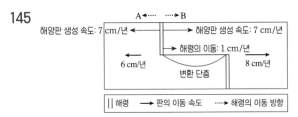

판 경계에서부터 심발 지진이 나타나는 지점까지의 거리:
A−A′ 구간 < B−B′ 구간 ➡ 섭입대의 경사: A−A′ 구간 > B−B′ 구간

진원 깊이 증가: 필리핀판이 유라시아판 아래로 섭입
➡ 판의 밀도: 유라시아판 < 필리핀판

진원 깊이 증가: 태평양판이 필리핀판 아래로 섭입
➡ 판의 밀도: 필리핀판 < 태평양판

ㄴ. 섭입형 경계에서의 지진은 섭입대에서 발생하므로 진원의 깊이와 지진 분포를 보면 경사를 알 수 있다. 심발 지진이 발생한 지점이 판의 경계로부터 가까이 있는 지역이 판의 경계로부터 멀리 있는 지역에 비해 판의 경사가 크다. A−A′ 구간이 B−B′ 구간보다 판의 경계에서 심발 지진이 발생하는 지점까지의 거리가 가까우므로 판의 경사가 더 크다.

바로알기 | ㄱ. A−A′ 구간은 판의 경계에서 유라시아판 쪽으로 갈수록 진원 깊이가 깊다. 따라서 필리핀판이 유라시아판 아래로 섭입하므로 필리핀판의 밀도가 더 크다.

ㄷ. 이 지역은 섭입대가 발달한 판의 경계로, 일본 열도를 형성한 마그마는 주로 안산암질 마그마이다. 섭입대에서 맨틀에 물이 공급되어 용융점 하강으로 생성된 현무암질 마그마와 대륙 지각 하부가 온도 상승으로 용융되어 생성된 유문암질 마그마의 혼합으로 생성되었다.

145

A ◄---   ---► B
해양판 생성 속도: 7 cm/년   해양판 생성 속도: 7 cm/년
➡ 해령의 이동: 1 cm/년
6 cm/년   8 cm/년
변환 단층

‖ 해령   ➡ 판의 이동 속도   ---► 해령의 이동 방향

ㄴ. 해령과 해령 사이는 변환 단층으로, 판이 생성되거나 소멸되지 않는다.

ㄷ. 고지자기 줄무늬가 해령에 대해 대칭이므로 해령에 대해서 두 판이 멀어지는 속도는 같다. 그런데 왼쪽 판은 A 방향으로 6 cm/년, 오른쪽 판은 B 방향으로 8 cm/년의 속도로 움직이므로 해령은 B 방향으로 1 cm/년의 속도로 이동하고 있다(6 cm/년+1 cm/년=8 cm/년−1 cm/년).

바로알기 | ㄱ. 해령에서 1년에 판이 6 cm+8 cm=14 cm가 생성되고 있고, 고지자기 줄무늬가 해령에 대해 대칭이므로 해령에서 두 판이 각각 1년에 7 cm씩 생성되었다.

146 ① 150만 년 전은 역자극기이다. 현재가 정자극기이고, 자북극이 지리상 북극 근처에 위치하므로 역자극기인 150만 년 전에는 자북극이 지리상 남극 근처에 있었다.

② 해령 A는 남반구 중위도에 위치한다. 현재 남반구에서 복각의 부호는 (−)이므로 역자극기였던 150만 년 전에는 (+)이다.

③ 일반적으로 해양 지각의 나이가 많을수록 해저 퇴적물의 두께도 두껍다. 해령 C로부터 80 km 지점은 40 km 지점에 비해 해양 지각의 나이가 많으므로 퇴적물의 두께도 두껍다.

④ 속도=$\frac{\text{거리}}{\text{시간}}$이므로 해양 지각의 평균 확장 속도는

$\frac{\text{해령으로부터의 거리}}{\text{해양 지각의 나이}}$ 로 구할 수 있다.

바로알기 | ⑤ 그래프에서 기울기는 $\frac{\text{해령 지각의 나이}}{\text{해양으로부터의 거리}}$ 이므로 확장 속도에 반비례한다. 따라서 기울기가 완만할수록 확장 속도가 빠르다. 최근 3백만 년 동안 그래프의 기울기는 해령 A가 가장 급하므로 해양 지각의 평균 확장 속도는 해령 A에서 가장 느렸다.

147 ㄱ. 2억 년 전부터 2백만 년 전까지 고지자기 복각의 크기가 증가하였으므로 이 지각은 계속 고위도로 이동하였다.

바로알기 | ㄴ. 진북의 위치는 변하지 않았는데, 이 지각에 기록된 고지자기로 추정한 진북 방향은 실제 진북 방향에 대해 시계 방향으로 회전하였다. 그 까닭은 이 지각이 시계 방향으로 회전하였기 때문이다.

ㄷ. 암석에 기록된 잔류 자기의 방향은 변하지 않는다.

148

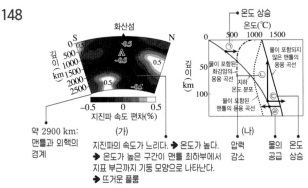

약 2900 km: 맨틀과 외핵의 경계

(가) 지진파의 속도가 느리다. ➡ 온도가 높다.
➡ 온도가 높은 구간이 맨틀 최하부에서 지표 부근까지 기둥 모양으로 나타난다.
➡ 뜨거운 플룸

(나) 압력 감소 | 물의 공급 | 물의 온도 상승

ㄷ. (가)의 화산섬은 뜨거운 플룸에 의해 맨틀 물질이 상승하면서 압력 감소(ㄴ 과정)로 생성된 마그마가 열점에서 분출되어 생성되었다.

바로알기 | ㄱ. A 지점은 지진파의 속도 편차가 (−)이다. 따라서 주변 맨틀에 비해 지진파의 속도가 느리므로 온도가 높다.

ㄴ. A 지점에서는 맨틀과 핵의 경계에서 상승하는 뜨거운 플룸이 나타난다. 맨틀과 핵의 경계까지 하강하는 차가운 플룸은 섭입하는 판 부근에서 형성된다.

149 화강암을 형성하는 유문암질 마그마는 주로 A → A′ 과정으로, 현무암을 형성하는 현무암질 마그마는 압력 감소인 B → B′ 과정이나 물의 공급에 의한 용융점 하강 등으로 생성된다.

ㄱ. A → A′ 과정으로 생성된 유문암질 마그마는 B → B′ 과정으로 생성된 현무암질 마그마에 비해 점성이 크다.

ㄹ. (다)에서 기둥 모양의 주상 절리가 나타난다. 주상 절리는 지표 부근에서 마그마가 급격히 식을 때 발달한다.

바로알기 | ㄴ. 해령에서는 맨틀 물질이 상승하면서 압력 감소로 마그마가 생성되므로 (나)에서 B → B′ 과정으로 생성된다.

ㄷ. (나)는 화강암이므로 A → A′ 과정으로 생성된 유문암질 마그마가 지하 깊은 곳에서 굳은 것이다.

퇴적 구조

150 A는 유기적 퇴적암, B는 화학적 퇴적암, C는 쇄설성 퇴적암에 해당한다.
(2) 해수의 증발은 건조한 환경에서 잘 일어나므로 해수의 증발로 염류가 침전되어 암석(B)이 생성되려면 건조한 환경이어야 한다.
(3) C는 쇄설성 퇴적암으로, 입자의 크기에 따라 역암, 사암, 이암 등으로 구분할 수 있다.
(6) 쇄설성 퇴적암(C) 중 자갈이 포함된 퇴적물이 굳어 생성된 암석은 역암이다.
바로알기 | (1) 생물의 유해나 골격이 쌓여 생성된 암석(A)은 유기적 퇴적암이다. 화학적 퇴적암은 B이다.
(4) 암염은 해수의 증발로 염류인 염화 나트륨이 침전되어 생성된 것이므로 화학적 퇴적암인 B에 해당한다.
(5) 석탄은 식물체가 묻혀 생성되므로 유기적 퇴적암에 해당한다. 처트, 석회암은 유기적 퇴적암과 화학적 퇴적암에 모두 해당할 수 있다.

151 (가)는 사층리, (나)는 연흔, (다)는 점이 층리, (라)는 건열이다.
(2) (가) 사층리는 퇴적물이 물이나 바람을 따라 이동하면서 쌓여 형성되었으므로 사층리로부터 물이나 바람의 방향을 추정할 수 있다.
(3) 저탁류는 대륙붕 끝에 쌓인 퇴적물이 갑자기 무너져 해저 경사면을 따라 빠르게 흘러내리는 흐름으로, 이때 퇴적물이 한꺼번에 쌓이면서 크고 무거운 입자가 먼저 가라앉아 (다) 점이 층리가 형성된다.
(4) (라) 건열은 건조한 대기에 노출된 퇴적물의 표면이 갈라져 형성된다.
(6) (가)~(라) 모두 지층의 상하 판단에 이용된다.
바로알기 | (1) (가)는 퇴적물이 비스듬히 쌓여 있는 사층리이고, (나)는 물결 모양의 흔적이 남은 연흔이다.
(5) (라) 건열은 역암층보다 입자의 크기가 작은 이암층, 셰일층에서 잘 나타난다.
(7) 지층이 역전된 것은 (라)이다. (라) 건열에서 ∨ 모양의 틈이 넓은 쪽이 지층의 아래쪽을 향하므로 지층이 역전되었다.
(8) (가) 사층리는 사막이나 하천에서, (나) 연흔은 얕은 바다나 호수에서, (다) 점이 층리는 깊은 호수나 바다에서, (라) 건열은 건조한 기후 지역의 지표에서 형성된다. 따라서 (가)~(라) 중 가장 깊은 곳에서 형성된 퇴적 구조는 (다)이다.

난이도별 필수 기출   42~45쪽

152 ③	153 ④, ⑦	154 ②, ⑤	155 퇴적물 입자의 크기
156 ④	157 ①	158 해설 참조	159 ①, ②
160 ③	161 ①	162 (가), (나), (다)	163 ①
164 ①, ⑦	165 해설 참조		166 ⑤
167 (가) ㄱ, ㄹ, ㅇ (나) ㄴ, ㄷ, ㅅ (다) ㅁ, ㅂ		168 ②	169 ①
170 ⑤	171 ⑤	172 ③	173 ⑤, ⑥

152 ①, ② 퇴적암은 물이나 바람과 함께 운반되어 온 퇴적물들이 굳어져 만들어진 암석이다.
④ 퇴적물에 묻힌 생물의 유해가 화석으로 발견될 수 있고, 서로 다른 퇴적물이 쌓이면서 층리가 발견될 수 있다.
⑤ 방사성 동위 원소를 이용한 절대 연령 측정은 퇴적암의 생성 시기는 알 수 없고, 퇴적물을 이루는 암석 조각들의 생성 시기를 알려 주므로 퇴적암 나이의 상한선을 알려 준다.
바로알기 | ③ 속성 작용에서 퇴적물의 무게에 눌려 다짐 작용이 일어날 때 압력이 작용한다.

153

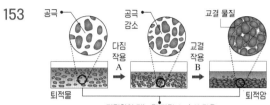

① 퇴적암은 퇴적물이 운반된 후 속성 작용(다짐 작용＋교결 작용)을 받아 생성된다. 따라서 A, B 과정 전체를 속성 작용이라고 한다.
② A는 다짐 작용(압축 작용), B는 교결 작용이다.
③ 다짐 작용(A)은 위쪽 퇴적물의 무게에 아래쪽 퇴적물이 압축되어 다져지는 작용이다.
⑤, ⑥ B 과정은 물에 녹아 있던 물질이 침전되면서 퇴적물 입자 사이를 메우고 입자들을 붙여 굳어지게 하는 교결 작용이다. 이때 입자들을 붙이는 물질을 교결 물질이라 하고, 석회질, 규질, 철질 성분이 교결 물질에 해당한다.
바로알기 | ④ A 과정에서 퇴적물 입자 사이의 공간이 줄어들면서 공극률은 감소하고 밀도는 증가한다.
⑦ 유문암은 화성암으로, 용암이 굳어져서 생성된 암석이다.

개념 보충

공극률
공극은 퇴적물 입자 사이의 틈을 일컫는 용어이고, 공극률은 전체 암석에서 차지하는 공극의 비율을 뜻한다. 퇴적물이 다짐 작용을 받으면, 압력을 받아 입자 사이의 간격이 줄어들어 공극이 감소하므로 공극률이 감소한다.

154 ② 자갈이 포함되어 굳은 것은 역암이다.
⑤ 식물체가 쌓여 굳은 것은 석탄이다.
바로알기 | ① 모래가 쌓여 굳은 것은 사암이다.
③ 점토가 쌓여 굳은 것은 셰일, 이암이다.
④ 화산재가 쌓여 굳은 것은 응회암이다.
⑥ 산호, 조개껍데기가 쌓여 굳은 것은 석회암이고, 암염을 이루는 퇴적물은 염화 나트륨이다.

155 쇄설성 퇴적암 중 이암, 사암, 역암은 퇴적물 입자의 크기에 따라 분류한 것으로, 퇴적물 입자의 크기는 역암＞사암＞이암이다.

개념 보충

쇄설성 퇴적물 입자의 크기와 퇴적암

풍화, 침식 작용		화산 분출물	
퇴적물 입자	퇴적암	퇴적물 입자	퇴적암
자갈(2 mm 이상)	역암, 각력암	화산암괴(64 mm 이상)	화산 각력암
모래($\frac{1}{16}$ mm~2 mm)	사암	화산력(2 mm~64 mm)	라필리 응회암
점토($\frac{1}{16}$ mm 이하)	이암, 셰일	화산재(2 mm 이하)	응회암

156 ㄴ. 화학적 퇴적암은 화학 성분의 침전으로 만들어진 것이다. (나) 암염은 화학적 퇴적암으로, 물에 녹아 있던 염화 나트륨이 물이 증발하면서 침전되어 굳어져 생성된 것이다.

ㄷ. 석회암은 물에 녹아 있던 탄산 칼슘이 침전되거나, 탄산 칼슘 성분으로 이루어진 생물의 유해가 쌓여 생성된다. 따라서 화학 성분의 침전인 화학적 퇴적암이나 유기물의 퇴적인 유기적 퇴적암으로 모두 만들어질 수 있다.

바로알기 | ㄱ. 유기적 퇴적암은 생물에 기원한 퇴적암이고, 셰일의 퇴적물은 암석이 풍화 침식 작용을 받아 만들어진 점토이므로 셰일은 쇄설성 퇴적암이다.

157 암염은 화학적 퇴적암이고, 석회암은 유기적 퇴적암과 화학적 퇴적암이 모두 될 수 있으며, 응회암은 쇄설성 퇴적암이다.

ㄱ. 쇄설성 퇴적암에는 역암, 사암, 셰일, 응회암 등이 있다. 암염, 석회암, 응회암 중 쇄설성 퇴적암은 응회암이므로 A는 응회암이다.

바로알기 | ㄴ. 묽은 염산은 탄산 칼슘 성분인 석회암과 반응하여 이산화 탄소를 방출한다. 따라서 B는 석회암이다. 규질 성분이 침전되어 만들어진 암석은 처트이다.

ㄷ. C는 암염으로, 암염은 화학적 퇴적암에 해당한다.

158 (1) 사암은 모래가, 이암은 점토가 퇴적되어 굳은 암석이다. 석고와 암염은 물에 녹아 있던 성분이 물이 증발함에 따라 잔류하여 굳은 암석이다. 석탄은 식물체가 퇴적되어 만들어진 암석이다.

모범 답안 (1) • 쇄설성 퇴적암: 사암, 이암
• 화학적 퇴적암: 석고, 암염
• 유기적 퇴적암: 석탄
(2) 유기적 퇴적암은 생물의 유해나 골격의 일부가 쌓여 생성된다.

159 A는 유기적 퇴적암, B는 화학적 퇴적암, C는 쇄설성 퇴적암이다.

③, ④ 암염과 석고는 물이 증발하고 잔류된 물질이 굳어서 생성되므로 건조한 환경에서 주로 생성된다.

⑤ 빙하와 함께 운반되면서 풍화 침식 작용을 받아 생성된 빙하 퇴적물은 쇄설성 퇴적물이다. 빙하 퇴적물이 쌓이는 곳에서 생성된 퇴적암은 빙퇴석으로, 쇄설성 퇴적암(C)에 해당한다.

⑥ 쇄설성 퇴적암에서 역암, 사암, 셰일은 퇴적물 입자의 크기에 따라 분류한 것이다. 역암의 입자가 가장 크고, 셰일의 입자가 가장 작다.

바로알기 | ① 처트와 석회암은 유기적, 화학적으로 모두 생성될 수 있지만, 석탄은 식물체가 묻혀 생성되므로 A는 유기적 퇴적암에 해당한다.

② 응회암은 쇄설성 퇴적암이므로 C에 해당한다.

160 ㄱ. A → C 과정으로 생성된 퇴적암은 화학적 퇴적암이고, B → C 과정으로 생성된 퇴적암은 쇄설성 퇴적암이다.

ㄷ. 퇴적물이 퇴적암이 되기 위해서는 속성 작용을 거쳐야 한다. 그 과정에서 퇴적물이 다져짐에 따라 퇴적물의 공극률은 감소한다.

바로알기 | ㄴ. 석회암은 유기적 퇴적암에 속하거나, 화학적 퇴적암(A → C)에 속한다. 하지만 쇄설성 퇴적암(B → C)에는 속하지 않는다.

161 **바로알기 |** ② 단층은 지층이나 암석이 힘을 받았을 때 갈라진 지질 구조로, 퇴적 구조가 아니다.

③ 연흔은 호수나 얕은 바다에 생성된 물결 무늬의 퇴적 구조이다.

④ 사층리는 물이나 바람에 의해 퇴적물이 운반되면서 비스듬히 쌓인 퇴적 구조이다.

⑤ 점이 층리는 물속에서 입자들의 침강 속도 차이로 퇴적물이 분리되어 상부로 갈수록 퇴적물의 입자가 작아지는 퇴적 구조이다.

162 (가)는 사층리, (나)는 점이 층리, (다)는 연흔, (라)는 건열이다.
(가) 사층리에서는 층리의 폭이 넓은 쪽이 위쪽이다. ➡ 역전
(나) 점이 층리에서는 입자가 작아지는 쪽이 위쪽이다. ➡ 역전
(다) 연흔에서는 뾰족한 쪽이 위쪽이다. ➡ 역전
(라) 건열에서는 ∨ 모양의 틈이 넓은 쪽이 위쪽이다.
따라서 (가), (나), (다)는 역전되었고, (라)는 역전되지 않았다.

163 그림은 상부로 갈수록 퇴적물의 입자가 작아지는 퇴적 구조이므로 점이 층리이다.

ㄱ. 점이 층리는 물속에서 퇴적물 입자들의 침강 속도 차이로 퇴적물이 입자의 크기에 따라 분리되어 형성된다. 수심이 얕은 환경에서는 퇴적물이 분리되는 데 시간이 충분하지 않으므로 수심이 깊은 환경에서 형성되기 쉽다.

ㄴ. 점이 층리는 한 개의 층 내에서 하부에는 입자의 크기가 크고, 상부로 갈수록 입자의 크기가 작아지는 퇴적 구조로, 입자의 크기가 다양한 퇴적물이 한꺼번에 쌓일 때 나타난다.

바로알기 | ㄷ. 그림에서 위로 갈수록 입자의 크기가 작아지므로 지층은 역전되지 않았다.

ㄹ. 퇴적물이 쌓일 당시에 바람이나 물의 방향을 알 수 있는 것은 사층리이다.

164

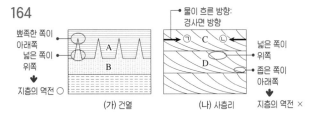

② 건열은 지층의 표면이 건조한 대기에 노출되었을 때 형성된다.

③ (가)는 지층이 역전되었다. 따라서 A가 B보다 먼저 형성되었다.

④ 건조한 환경일 때 입자가 작은 점토층에서 표면이 갈라지기 쉬우므로 (가) 건열은 A가 사암일 때보다 셰일일 때 잘 나타난다.

⑤ 건열은 주로 셰일에서 많이 발견된다. 따라서 A에서 쇄설성 퇴적암이 발견될 수 있다.

⑥ 물이 흐르는 방향에서 경사면에 퇴적물이 쌓여 사층리가 형성되므로 (나)에서 물이 흐른 방향은 경사면 방향인 ㉠이다.

바로알기 | ① (가)는 건열, (나)는 사층리이다.

⑦ (나)는 지층이 역전되지 않았으므로 C는 D보다 나중에 생성된 지층이다.

165

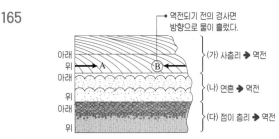

(2) (가), (나), (다)의 퇴적 구조가 모두 위와 아래가 뒤집혀서 나타나므로 이 지역의 지층은 역전되었다. 역전되지 않았을 때의 모습으로 판단해 보면 퇴적물이 경사면을 따라 쌓이므로 B가 물이 흐른 방향이다.

(3) (나)는 연흔으로, 얕은 바다나 호수 환경에서 형성되었다.

(4) 저탁류가 흐를 때 입자의 무게에 따른 침강 속도 차이로 무거운 입자가 아래에, 가벼운 입자가 위에 놓이면서 한 층 내에서 입자의 크기가 다르게 분포한다.

모범 답안 (1) (가) 사층리 (나) 연흔 (다) 점이 층리
(2) B
(3) 얕은 바다 또는 호수였다.
(4) 저탁류와 같은 흐름이 나타날 때 크고 무거운 입자는 빠르게 가라앉고, 작고 가벼운 입자는 천천히 가라앉으므로 한 층 내에서 입자의 크기가 위로 갈수록 작아지는 점이 층리가 만들어진다.

166 ① 빙하에서는 빙퇴석이 생성될 수 있으며, 빙퇴석은 역암에 해당한다.
② 대륙대는 대륙 사면 아래 쪽에 놓인 환경으로, 대륙 사면에서 발생한 저탁류에 의해 대륙대에서 점이 층리가 형성될 수 있다.
③ 얕은 호수에서는 연흔이 만들어질 수 있고, 호수가 마르면 건열이 형성될 수 있다.
④ 사막에서는 바람에 의해 퇴적물이 비스듬히 쌓여 사층리가 형성될 수 있고, 모래가 쌓여 사암이 생성될 수 있다.
바로알기 | ⑤ 삼각주에서는 사층리가 형성될 수 있다. 점이 층리는 훨씬 깊은 수심에서 형성된다.

개념 보충

다양한 퇴적 환경

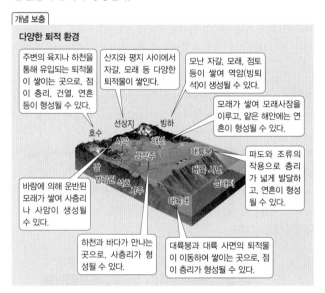

167 (가) 육상 환경에 해당하는 것은 빙하, 호수, 선상지이다.
(나) 연안 환경은 육지와 바다의 경계에 존재하는 곳으로, 석호, 해빈 (모래사장), 삼각주가 해당한다.
(다) 해양 환경에 해당하는 것은 대륙대, 대륙붕이다.

168 ① 육지에서는 침식 작용이 잘 일어나므로 육상 환경에서는 쇄설성 퇴적물이 많이 생성된다.
③ 대륙대는 대륙 사면과 접해 있는 해양 환경으로, 급경사를 따라 흐르는 저탁류가 운반한 다양한 크기의 퇴적물이 쌓여 점이 층리가 형성될 수 있다.
④ 선상지는 경사가 급한 산지에서 평지로 이어지는 육상 환경으로, 다양한 크기의 입자들이 퇴적되어 있다.
⑤ 지구에서 바다는 육지보다 훨씬 넓게 분포하므로 해양 환경이 육상 환경보다 더 넓은 면적을 차지한다.
바로알기 | ② 대륙붕은 해양 환경으로 층리가 발달하고, 연흔이 생성될 수 있다.

169 (가)에서 빙하, 호수(A), 선상지(B)는 육상 환경이고, 해빈, 삼각주(C)는 연안 환경이며, 대륙붕, 대륙 사면, 대륙대(D), 심해저는 해양 환경이다. (나)는 사층리, (다)는 연흔이다.
ㄱ. 호수(A)는 육상 환경에 해당하고, 삼각주(C)는 강이나 호수의 하구에서 바다로 이어지는 곳에서 유속이 느려지면서 형성된 지형이므로 연안 환경에 해당한다.
ㄷ. 퇴적물은 입자의 크기가 클수록 멀리 운반되기 어렵다. 선상지(B)는 강의 상류에서, 삼각주(C)는 강의 하류에서 나타나는 퇴적 지형이므로 퇴적물 입자의 크기는 선상지가 삼각주보다 대체로 크다.
바로알기 | ㄴ. 사층리는 흐르는 물을 따라 형성되므로 호수(A)에서는 (나) 사층리보다 (다) 연흔이 형성되기 쉽다.
ㄹ. 대륙 사면에서 대륙대로 흐르는 저탁류에 의해 대륙대(D)에는 점이 층리가 잘 발달한다. (다)는 연흔으로 수심이 얕은 곳에서 잔물결이나 파도에 의해 형성된다.

170 ㄱ. 강원도 태백시 구문소의 지층은 고생대 바다에서 생성되었다. 삼엽충 화석은 고생대를 대표하는 표준 화석이다.
ㄴ. 셰일층은 쇄설성 퇴적암으로 이루어진 층이다.
ㄷ. 연흔이 발견된 것으로 보아 수심이 얕은 물 밑에서 퇴적된 적이 있다.

171 ㄱ. (가) 마이산은 역암으로 구성된 중생대 퇴적층이고, (나) 덕명리 해안은 공룡 발자국 화석이 발견되는 중생대 퇴적층이다.
ㄴ. (가)는 역암으로 구성되어 있으므로 쇄설성 퇴적암이 분포한다.
ㄷ. (나)는 육상 환경인 호수에서 퇴적되어 연흔과 건열이 관찰되기도 한다.

172 (가) 수월봉은 신생대에 화산재가 쌓여서 생성된 곳이고, (나) 시화호 공룡알 화석지는 중생대에 육상 환경에서 퇴적된 곳이다.
ㄱ. (가)는 화산재가 쌓여서 생성된 응회암이 분포하는 지역이다.
ㄴ. (나)의 지층에서는 공룡알 화석이 발견되므로 육상 환경에서 퇴적되었다.
바로알기 | ㄷ. (가)는 신생대에, (나)는 중생대에 생성된 퇴적암 지형이므로 (가)는 (나)보다 나중에 생성되었다.

173

① ❶은 공룡알 화석지이므로 육지에서 퇴적되었고, ❷에서는 삼엽충 화석이 발견되므로 바다에서 퇴적되었다.
② ❸은 고생대에 주로 퇴적된 석회암 지대로, 환선굴과 같은 석회 동굴이 있다.
③ ❹ 채석강에서는 해안 절벽, 해식 동굴 등이 관찰된다.
④ ❺ 마이산은 주로 역암으로 구성되어 있으며, 차별 침식으로 역암에서 자갈이 떨어져 나가면서 생긴 구멍인 타포니가 관찰된다.
⑦ ❼ 수월봉은 응회암층으로, 퇴적암에서는 층리가 관찰된다.
바로알기 | ⑤ ❻은 중생대에, ❷는 고생대에 생성된 퇴적암 지형이므로 ❷가 ❻보다 먼저 생성되었다.
⑥ ❻은 중생대 육지에서 생성된 지층이다. 삼엽충과 산호는 해양 생물이므로 ❻에서는 삼엽충과 산호 화석이 발견될 수 없다.

7 지질 구조

빈출 자료 보기
47쪽

174 (1) × (2) × (3) ○ (4) × (5) ○ (6) ○
175 (1) × (2) ○ (3) × (4) ○ (5) × (6) ○

174 (가)는 단층면을 경계로 상반이 위로 올라갔으므로 역단층이고, (나)는 지층이 휘어져 있으므로 습곡이다.

(3) (나) 습곡은 지층이 양쪽에서 미는 힘인 횡압력을 받아 휘어져 형성된 지질 구조이다.

(5) (나)는 습곡축면이 수평면에 대해 거의 수직이고, 날개가 축에 대해 대칭이므로 정습곡이다.

(6) 습곡 산맥은 횡압력이 작용하는 수렴형 경계에서 발달한다. 따라서 (가)와 (나)처럼 횡압력이 작용하여 생성되는 지질 구조가 잘 발달한다.

바로알기 | (1) 단층면 아래에 놓인 지층이 하반, 위에 놓인 지층이 상반이다. (가)에서는 상반이 위로 이동하였다.

(2) (가)는 양쪽에서 미는 힘인 횡압력이 작용하여 형성된 역단층이다.

(4) (나)에서 위로 볼록한 부분을 배사, 아래로 볼록한 부분을 향사라고 한다.

175 (가)는 부정합면 아래에 심성암인 화강암이 존재하므로 난정합이고, (나)는 부정합면 아래의 지층이 경사져 있으므로 경사 부정합이며, (다)는 부정합면 아래의 지층이 위의 지층과 평행하므로 평행 부정합이다.

(2) 부정합은 '퇴적 → 융기 → 침식 → 침강 → 퇴적'의 과정을 거쳐 형성된다. 지층이 지표에 드러나는 경우에는 융기가 한 번 더 일어나야 한다. (가)~(다) 모두 부정합면이 1개씩 존재하며 육지로 드러난 지형이므로 최소 2회의 융기가 있었다.

(4) (나)에서는 습곡이 나타나므로 횡압력을 받은 적이 있다.

(6) 평행 부정합은 다른 부정합에 비해 부정합면을 알기가 상대적으로 어렵다. 따라서 기저 역암, 지층에 포함된 화석 등을 이용하여 알아내야 한다.

바로알기 | (1) (가)는 부정합면 아래에 심성암인 화강암이 존재하므로 난정합이다.

(3) 기저 역암은 주로 부정합면 아래에 놓인 지층의 암석으로 구성되어 있으며 부정합면 위쪽에서 발견된다. 기저 역암이 발견되면 부정합 관계임을 알 수 있으나 항상 발견되는 것은 아니다.

(5) 다른 부정합에 비해 상하 지층의 시간 차이가 큰 부정합은 (가) 난정합이다. 지하 깊은 곳의 심성암이나 변성암이 지표까지 융기하여 풍화·침식 작용을 받는 데는 오랜 시간이 걸리기 때문이다.

난이도별 필수 기출
48~51쪽

176 ㄱ, ㄴ, ㅁ		177 ①	178 ②	179 해설 참조
180 ③	181 ③	182 ④	183 ④	184 ③
185 해설 참조		186 ①	187 ②	188 ④
189 해설 참조		190 ②	191 ④	192 ④	193 ①
194 ②	195 ④	196 ③		

176 ㄱ. 횡압력이 작용하여 지층이 휘어진 습곡이고, 습곡축면이 수평면에 거의 수직이므로 정습곡이다.

ㄴ. 횡압력이 작용하여 상반이 위로 올라간 역단층이다.

ㅁ. 횡압력이 작용하여 지층이 휘어진 습곡이고, 습곡축면이 수평면에 거의 평행하므로 횡와 습곡이다.

바로알기 | ㄷ. 지층이 수평 방향으로 힘을 받아 이동한 주향 이동 단층이다.

ㄹ. 장력이 작용하여 상반이 아래로 내려간 정단층이다.

177

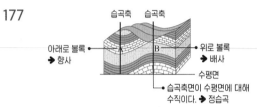

② 습곡이 나타나므로 이 지역은 횡압력을 받은 적이 있다.

③ 이 지역의 습곡축은 수평면에 대해 거의 수직이다.

④ 지층의 역전이 없었다면 아래에 쌓인 B가 위에 쌓인 A보다 나이가 많다.

⑤ 수렴형 경계에서는 횡압력이 작용하여 습곡이나 역단층이 잘 나타난다.

바로알기 | ① A는 지층이 아래로 볼록하게 휘어졌으므로 향사 구조가 나타나고, B는 지층이 위로 볼록하게 휘어졌으므로 배사 구조가 나타난다.

178 ㄴ. (가)는 상반(B)이 단층면에 대해 아래로 이동하였으므로 정단층이고, (나)는 상반(D)이 단층면에 대해 위로 이동하였으므로 역단층이다.

바로알기 | ㄱ. A와 C는 단층면 아래에 놓여 있으므로 하반에 해당하고, B와 D가 단층면 위에 놓여 있으므로 상반에 해당한다.

ㄷ. 발산형 경계에서는 주로 장력(양쪽에서 당기는 힘)이 작용한다. 장력이 작용하면 상반이 단층면을 따라 아래로 미끄러져 (가)와 같은 정단층이 발달한다.

179

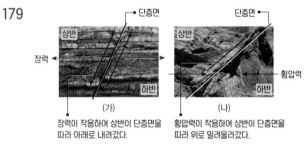

(가)는 상반이 아래로 내려갔으므로 정단층에, (나)는 상반이 위로 올라갔으므로 역단층에 해당한다. 정단층은 장력이, 역단층은 횡압력이 작용할 때 나타난다.

모범 답안 (가)는 정단층이고, 장력이 작용하였다. (나)는 역단층이고, 횡압력이 작용하였다.

180 ㄱ. 상반과 하반이 단층면을 따라 수평으로 이동하였다.

ㄷ. 산안드레아스 단층은 판의 보존형 경계에서 발달한 변환 단층이다. 변환 단층은 판 경계에 해당하는 단층면을 기준으로 양쪽 판의 지층이 수평 방향으로 이동하였으므로 주향 이동 단층에 해당한다.

바로알기 | ㄴ. 단층면을 따라 상반과 하반이 수평 방향으로 이동한 단층을 주향 이동 단층이라고 한다.

181

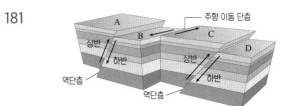

ㄱ. A와 B 사이의 단층면을 경계로 위에 놓여 있는 A는 상반, 아래에 놓여 있는 B는 하반에 해당한다.

ㄷ. C와 D 사이의 단층면을 경계로 위에 놓여 있는 C는 상반, 아래에 놓여 있는 D는 하반에 해당한다. 상반인 C가 단층면을 따라 위로 올라갔으므로 역단층이며, 역단층은 횡압력이 작용하여 형성된다.

바로알기ㅣ ㄴ. B와 C는 높이 변화 없이 단층면에 대해 수평 방향으로 이동하였으므로 B와 C 사이의 단층은 주향 이동 단층에 해당한다.

182

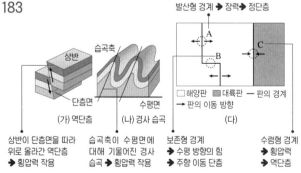

(가) 습곡
지층이 아래로 볼록하게 휘어져 있다.
➡ 습곡
➡ 향사 구조
➡ 횡압력의 작용으로 형성

(나) 정단층
상반이 단층면을 따라 아래로 이동하였다.
➡ 정단층
➡ 장력의 작용으로 형성

ㄱ. (가)에서 지층이 아래로 볼록하게 휘어졌으므로 향사 구조가 나타난다.

ㄴ. (나)에서 단층면을 경계로 왼쪽의 지층이 하반이고, 오른쪽의 지층이 상반이다. 상반이 아래로 내려갔으므로 정단층이다.

ㄹ. 온도가 높은 지하 깊은 곳에서는 암석이 힘을 받았을 때 끊어지기보다 휘어지기 쉬우므로 습곡이 주로 형성되는 반면, 온도가 낮은 지하 얕은 곳에서는 상대적으로 단층이 형성되기 쉽다.

바로알기ㅣ ㄷ. (가)는 횡압력이, (나)는 장력이 작용하여 형성되었다.

183

발산형 경계 ➡ 장력 ➡ 정단층

상반

습곡축

단층면   수평면

(가) 역단층   (나) 경사 습곡   (다)

상반이 단층면을 따라 위로 올라간 역단층
➡ 횡압력 작용

습곡축이 수평면에 대해 기울어진 경사 습곡 ➡ 횡압력 작용

보존형 경계
➡ 수평 방향의 힘
➡ 주향 이동 단층

수렴형 경계
➡ 횡압력
➡ 역단층

☐ 해양판 ▨ 대륙판 ━ 판의 경계
→ 판의 이동 방향

(가)는 역단층, (나)는 경사 습곡의 모습이고, (다)에서 A는 발산형 경계, B는 보존형 경계, C는 수렴형 경계이다.

① (가)는 상반이 위로 올라갔으므로 역단층이고, (나)는 습곡축이 수평면에 대해 기울어져 있으므로 경사 습곡이다.

② (가)와 같은 단층은 암석의 수직적인 위치 변화가 발생한다. 따라서 해일이 일어날 수 있다.

③ 발산형 경계인 A와 보존형 경계인 B에서는 천발 지진이, 수렴형 경계인 C에서는 천발 지진부터 심발 지진까지 발생한다. 따라서 A, B, C에서는 모두 천발 지진이 발생한다.

⑤ B는 보존형 경계로, 판 경계를 기준으로 양쪽의 판이 수평 방향으로 이동하므로 주향 이동 단층이 발달한다.

바로알기ㅣ ④ (가)와 (나)는 모두 횡압력의 작용으로 형성되었으므로 수렴형 경계인 C에서 잘 발달한다. A에서는 장력의 작용으로 정단층이 잘 발달한다.

184 ① 기저 역암은 주로 부정합면 아래 지층의 암석이 풍화·침식되어 생성된 조각이 부정합면 위에 남아 있는 것으로, 기저 역암이 발견되면 부정합면을 찾을 수 있다.

② 부정합의 형성 과정은 '퇴적 → 융기 → 침식 → 침강 → 퇴적'이다. 지층이 융기되어 육지로 드러난 후 침식 작용을 받으므로 부정합면은 과거에 육지로 드러났던 적이 있다.

④ 평행 부정합은 부정합면 위아래 지층이 평행하므로 경사 부정합이나 난정합에 비해 부정합면을 찾기 어렵다.

⑤ 평행 부정합은 지각의 융기와 침강 운동인 조륙 운동만을 받은 지역에서 주로 나타난다.

바로알기ㅣ ③ 부정합면을 경계로 상하 지층이 형성된 시간의 차이가 크다. 따라서 부정합면을 경계로 상하 지층에서 발견되는 화석의 종류는 비슷하지 않다.

> **개념 보충**
>
> **조산 운동과 조륙 운동**
> 조산 운동은 수렴형 경계에서 거대한 습곡 산맥이 만들어지는 운동으로, 지층이 힘을 받아 습곡이 만들어지거나 변성 작용이 일어난다. 조륙 운동은 넓은 범위에 걸쳐 융기와 침강이 나타나는 지각의 상하 운동을 의미한다.

185 (1) A층과 B층 사이의 부정합면을 경계로 아래쪽은 습곡이 나타나 지층이 경사져 있으며, 위쪽은 지층이 평행하게 쌓여 있으므로 이 부정합의 종류는 경사 부정합이다.

모범 답안 (1) 경사 부정합, 습곡
(2) 이 부정합은 '지층의 퇴적 → 습곡 → 융기 → 침식 → 침강 → 퇴적' 과정을 거쳐 형성되었다.
(3) B층이 퇴적되기 전에 A층이 침식 과정을 거치기 때문이다.

186 '퇴적 → A(습곡 → 융기 → 침식) → B(침강 → 퇴적)' 과정을 거쳐 부정합이 형성되었다.

② A 과정에서 지층이 침식되면서 (나)에서 기저 역암이 나타날 수 있다.

③ 부정합면 아래에 습곡이 있고 그 위에 평행한 층리가 나타나므로 경사 부정합의 형성 과정이다.

④ ㉠은 ㉡보다 위에 놓여 있는 지층이므로 나중에 퇴적된 지층이다.

⑤ ㉡에서는 지층이 위로 볼록하게 휘어졌으므로 배사 구조가 나타난다.

바로알기ㅣ ① A를 거치며 지층이 수면 위로 올라왔으므로 융기가 있었고, B를 거치며 또 다른 층이 쌓였으므로 침강이 있었다.

187 ㄷ. 이 지역은 부정합이 2번 있으므로 부정합의 형성 과정(퇴적 → 융기 → 침식 → 침강 → 퇴적)에서 융기가 최소 2회 있었고, 이 지역의 지층 단면이 육지로 드러났으므로 1회의 융기가 더 있었다. 따라서 최소 3회의 융기가 있었다.

바로알기ㅣ ㄱ. A는 부정합면을 경계로 상하 지층의 경사가 나란하지 않으므로 경사 부정합이고, B는 부정합면을 경계로 상하 지층의 경사가 나란하므로 평행 부정합이다.

ㄴ. 조산 운동을 받으면 역단층이나 습곡이 발달한다. 부정합면 B의 아래층에 역단층이나 습곡이 발달하지 않았으므로 B가 형성될 때 이 지역은 조산 운동을 받지 않았다. 반면에, 부정합면 A를 경계로 아래층이 기울어져 있으므로 A가 형성되기 전에 조산 운동을 받았을 것이다.

188 (가)는 절리, (나)는 단층에 대한 설명이다. 단층과 절리의 가장 큰 차이점은 절리는 틈을 경계로 암석이 이동하지 않지만 단층은 끊어진 양쪽의 암석이 이동한다는 점이다.

바로알기 | ① 습곡은 지층이 횡압력을 받아 휘어진 구조이다. ③ 부정합은 상하 지층 사이의 시간 간격이 큰 지질 구조이다.

189 (가)는 주로 화산암에서, (나)는 주로 심성암에서 나타난다.

모범 답안 (가)는 주상 절리로, 마그마가 급격히 냉각될 때 가장자리부터 냉각되어 수축하면서 형성된다. (나)는 판상 절리로, 지하 깊은 곳에서 생성된 암석이 지표로 드러날 때 주변의 압력이 감소하여 암석이 팽창하면서 형성된다.

190 (가)는 판상 절리, (나)는 주상 절리가 관찰된다.

ㄷ. (가)와 (나)는 모두 화성암에서 관찰될 수 있으며, (가)는 심성암에서, (나)는 화산암에서 주로 형성된다.

바로알기 | ㄱ. (가)는 판상 절리로, 암석이 지표로 드러날 때 주변의 압력 감소로 형성된다. 용암이 급격히 식으면서 수축하여 형성되는 것은 (나) 주상 절리이다.

ㄴ. 판상 절리는 주로 심성암에서, 주상 절리는 주로 화산암에서 나타난다. 따라서 (나)보다 (가)의 암석이 지하 깊은 곳에서 형성된다.

191 (가)는 마그마의 냉각과 수축으로 만들어진 주상 절리의 형성 과정을, (나)는 압력 감소로 만들어진 판상 절리의 형성 과정을 나타낸 것이다.

ㄱ. (가)의 과정으로 마그마가 냉각될 때 가장자리부터 수축하면서 다각형 기둥 모양의 주상 절리가 형성된다.

ㄷ. (가)는 주로 화산암에서, (나)는 주로 심성암에서 나타난다. 따라서 암석이 생성될 때 마그마의 냉각 속도가 (가)에서는 빠르므로 세립질 조직이 나타나고, (나)에서는 느리므로 조립질 조직이 나타난다.

바로알기 | ㄴ. (나)는 지하 깊은 곳에서 생성된 심성암이 지표로 융기할 때, 암석에 작용하는 주변의 압력이 감소하면서 암석이 팽창하여 판 모양으로 갈라져 판상 절리가 형성되는 과정이다.

192 (가)는 연흔, (나)는 주상 절리이다.

④ (가)와 같은 퇴적 구조는 지층의 상하 판단에 이용될 수 있다. (가)에서 연흔의 뾰족한 부분이 향하는 쪽이 위쪽이므로 지층이 역전되지 않았다.

바로알기 | ① 연흔은 퇴적물의 표면에 물결 모양의 자국이 남은 퇴적 구조이다. 횡압력을 받아 형성되는 지질 구조에는 습곡이나 역단층이 있다.

② 연흔은 얕은 바다나 호수에서 만들어진다.

③ (나)는 마그마의 냉각과 수축으로 만들어진다. 암석이 융기하면서 압력이 감소하여 형성되는 것은 판상 절리이다.

⑤ (가)는 퇴적암에서, (나)는 화성암 중 화산암에서 잘 발견된다.

193 (가)는 변성암 지형으로 습곡이 관찰되고, (나)는 신생대 화산암 지형으로 주상 절리가 관찰된다. (다)는 중생대 퇴적암 지형으로 층리가 관찰되고, (라)는 고생대 석회암 지형으로 석회 동굴이 관찰된다.

② (나)에는 주상 절리가 발달해 있다. 주상 절리는 용암이 지표 부근에서 빠르게 냉각, 수축되어 형성되었다.

③ (다)는 층리가 발달된 퇴적암 지형이다.

④ (라)는 석회암이 지하수에 용해되어 형성된 석회 동굴이다.

⑤ (라)의 석회암층은 고생대에, (나)의 화산암은 신생대에 형성되었다.

바로알기 | ① (가)의 습곡은 횡압력의 작용으로 형성되었다.

194 ①, ③ 마그마가 주변 암석을 뚫고 들어가는 것을 관입이라 하고, 마그마가 층상 구조와 나란하게 뚫고 들어가 굳은 것을 관입암상, 층상 구조를 가로질러 뚫고 들어가 굳은 것을 암맥이라고 한다.

④ 포획은 마그마가 관입할 때 주변의 암석이 떨어져 나와 마그마에 포함되는 것이다. 따라서 관입암은 포획암보다 나중에 생성되었다.

⑤ 관입이 일어나면 주변의 암석은 관입하는 마그마의 열에 의해 변성되기도 한다.

바로알기 | ② 관입한 암석은 관입당한 암석보다 나중에 생성되었다.

개념 보충

관입암과 용암류

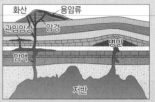

- **저반:** 마그마가 지하 깊은 곳에서 큰 규모로 관입하여 천천히 굳은 것
- **암맥:** 마그마가 층상 구조를 가로질러 관입하여 굳은 것
- **관입암상(암상):** 마그마가 층상 구조에 평행하게 관입하여 굳은 것
- **병반:** 마그마가 볼록 렌즈 모양으로 관입하여 굳은 것
- **암경:** 마그마가 지표로 나오는 화도에서 굳은 것
- **용암류:** 마그마가 지표로 분출하여 굳은 것

195

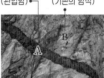 

(가)
생성 순서: B → A

(나)
생성 순서: C → D

ㄱ. (가)에서 A는 관입암, B는 관입당한 암석이고, (나)에서 C는 포획암, D는 관입암이다.

ㄴ. B 암석이 생성된 이후에 마그마가 관입하여 굳은 암석이 A이다. 따라서 A(관입암)는 B(관입당한 암석)에 비해 나중에 생성되었다.

ㄹ. 관입당한 기존의 암석(B)은 관입하는 마그마(A)의 열에 의해 변성 작용을 받을 수 있다.

바로알기 | ㄷ. 포획암(C)은 마그마가 관입할 때 주변 암석이 떨어져나와 마그마에 포함된 것이다. 따라서 포획암은 주변 관입암(D)에 비해 먼저 생성되었다.

개념 보충

맨틀 포획암

마그마가 상승할 때 맨틀의 일부가 뜯어져서 포획된 것을 맨틀 포획암이라고 한다. 일반적으로 맨틀 포획암은 맨틀의 주 구성 암석인 감람암의 색을 띄므로 초록색 계열이다. 이러한 맨틀 포획암은 맨틀 기원 물질이므로 지구 내부 연구에 중요한 역할을 한다.

196 A는 관입한 마그마가 굳어 생성된 심성암이고, B는 관입한 마그마에 포획된 암석이다.

ㄷ. 포획암은 주변 심성암보다 먼저 생성되었으므로 암석의 나이는 B가 A보다 많다.

바로알기 | ㄱ. A가 B를 둘러싸고 있으므로 A는 관입암이고, B는 A의 마그마에 포획된 포획암이다.

ㄴ. B는 A보다 암석의 색이 어두우므로 SiO_2 함량이 적다.

8 지층의 나이

197 (1) ○ (2) ○ (3) × (4) ○ (5) × (6) × (7) ○ (8) ○ (9) ○
(10) ×

197 (1) 이 지역은 지층의 역전이 없었으므로 지층 누중의 법칙이 성립한다. 따라서 아래에 있는 지층인 C가 B보다 먼저 생성되었다.
(2) 관입의 법칙은 관입한 암석이 관입당한 암석보다 나중에 생성되었다는 것이다. 따라서 관입당한 B는 관입한 Q보다 먼저 생성되었다.
(4) 반감기는 방사성 동위 원소가 처음 양의 절반(50 %)이 되는 데 걸리는 시간이다. 따라서 방사성 동위 원소 X의 반감기는 1억 년이다.
(7) 화성암 Q에 포함된 X의 양은 처음 양의 $\frac{1}{4}=\left(\frac{1}{2}\right)^2$이므로 반감기는 2회 지났다.
(8) X의 반감기는 1억 년이고, 화성암 Q는 반감기가 2회 지났으므로 절대 연령이 2억 년이다. 따라서 2억 년 전인 중생대에 관입하였다.
(9) C층에서는 암모나이트 화석이 발견된다. 암모나이트는 중생대 바다 환경에서 서식하였으므로 C층은 중생대 바다에서 생성되었다.
바로알기 | (3) 암석의 생성 순서는 C → B → Q → A → P이다.
(5) 화성암 P에 포함된 방사성 동위 원소 X의 양이 처음 양의 $\frac{1}{2}$이므로 자원소의 양은 줄어든 모원소의 양과 같다. 따라서 화성암 P에 포함된 모원소 : 자원소=1 : 1이다.
(6) 화성암 P에 포함된 X의 양은 처음 양의 $\frac{1}{2}$로, 반감기(1억 년)가 1회 지났으므로 절대 연령은 1억 년이다.
(10) B는 C보다 나중에 생성되었고 C는 중생대 지층이므로, B에서는 고생대 표준 화석인 삼엽충 화석이 발견될 수 없다.

난이도별 필수 기출   54~59쪽

198 ②, ③	199 해설 참조	200 ④	201 ①
202 ①	203 ②	204 ④	205 ①	206 ②	207 ④
208 ④	209 ④	210 ㄱ, ㄹ, ㅁ	211 ③, ⑤	212 ②
213 해설 참조	214 ②	215 ④	216 ③	217 ②
218 해설 참조	219 ④	220 ④	221 해설 참조
222 ③	223 ①, ④		224 ②	225 해설 참조
226 ②	227 ④		

198 ② 지질학적 변화는 과거에도 현재와 동일하게 일어났을 것이라는 내용은 동일 과정설로, 지사학을 해석하는 기본 원리이다.
③ 지층의 역전이 없을 경우 지층 누중의 법칙에 따라 아래 지층일수록 먼저 생성된 것이다.
바로알기 | ① 수평 퇴적의 법칙에 따라 지층은 해수면과 나란하게 퇴적된다. 따라서 기울어져 있는 지층은 생성된 이후 지각 변동을 받은 적이 있다.
④ 진화된 화석이 발견되는 지층일수록 나중에 생성되었다.
⑤ 관입한 암석은 관입당한 암석보다 나중에 생성되었다.
⑥ 부정합의 형성 과정에서 지층이 침식된 후 새로운 지층이 퇴적되므로 부정합면의 아래층과 위층은 불연속적으로 생성되었다.

199 마그마의 관입이나 분출로 화성암이 생성될 때 마그마와 접촉한 주변 암석이 열을 받아 변성된다.
(1) (가) 지역에서 화성암의 위아래 암석 A와 C에 모두 변성 부분이 나타난다. 따라서 A와 C가 먼저 생성되고, B가 관입한 것이다.
(2) (나) 지역에서는 화성암 위의 암석 C에는 변성 부분이 없고 기저 역암이 나타나므로 B가 분출한 후 C가 생성되었다.

모범 답안 (1) 관입, A → C → B
(2) 분출, A → B → C
(3) 화성암의 위아래 지층에 모두 변성 부분이 나타나면 관입이고, 화성암의 위 지층에 변성 부분이 나타나지 않으면 분출이다.

200

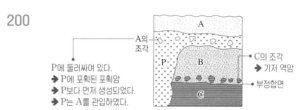

④ B의 하부에 C의 조각이 기저 역암으로 존재하므로 B와 C는 부정합 관계이다. 따라서 C가 퇴적된 후 부정합이 형성되는 과정에서 이 지역은 융기한 적이 있다(C 퇴적 → 융기 → 침식 → 침강 → B 퇴적).
바로알기 | ① A의 조각은 화성암 P에 포함되어 있으므로 포획암이다.
② P는 화성암이고 A의 조각이 포획암으로 나타나므로, P는 마그마가 관입하여 생성된 암석이다.
③ P에 A의 조각이 포획암으로 나타나므로, P가 A보다 나중에 생성된 것이다. 따라서 지층의 생성 순서는 C → B → A → P이다.
⑤ A가 생성된 후 P의 마그마가 관입하였으므로 A는 열 변성 작용을 받았다.

201 ㄱ. (가) 지역은 화강암(A)에서 사암(B) 조각이 포획암으로 발견되므로, 화강암의 마그마가 사암을 관입하였다. 따라서 생성 순서는 B → A이고, B는 마그마에 의해 열 변성 작용을 받을 수 있다.
바로알기 | ㄴ. (나) 지역은 사암(C)에서 화강암(D)으로 구성된 기저 역암이 나타나므로, 사암(C)과 화강암(D)은 부정합 관계이다. 따라서 생성 순서는 D → C이고, (나) 지역에서 화강암의 순서를 결정하는 데 부정합의 법칙이 적용된다.
ㄷ. 두 지역의 화강암(A, D)의 절대 연령은 같은데, (가) 지역의 사암(B)은 화강암보다 먼저 생성되었고 (나) 지역의 사암(C)은 화강암보다 나중에 생성되었다.

202 (가) 지역의 지각 변동 순서는 '퇴적 → 화강암 관입 → 부정합 → 퇴적'이고, (나) 지역의 지각 변동 순서는 '퇴적 → 습곡 → 부정합 → 퇴적 → 화강암 관입'이다.
ㄱ. (가) 지역에서 화강암은 부정합의 법칙에 따라 석회암보다 먼저 생성되었다.
ㄹ. (나) 지역은 습곡 작용을 받아 지층이 휘어져 경사진 상태에서 부정합이 형성되었으므로 부정합이 형성되기 전에 지각 변동을 받은 적이 있다.
바로알기 | ㄴ. (나) 지역의 부정합은 아래층과 위층의 경사가 서로 다르므로 경사 부정합이다. 난정합은 (가) 지역에서 나타난다.
ㄷ. (가), (나)의 부정합이 생성된 시기가 같은데, (가)에서 화강암은 부정합이 형성되기 전에 관입하였고, (나)에서 화강암은 부정합이 형성된 후에 관입하였으므로 화강암의 절대 연령은 (나) 지역이 (가) 지역보다 적다.

203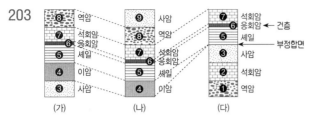

비교적 가까운 거리에서는 암석을 비교하여 지층의 선후 관계를 정할 수 있다. 이때 응회암층, 석탄층 등이 건층으로 이용된다.

ㄷ. 응회암층 아래의 지층을 보면, (가) 지역은 사암층 → 이암층 → 셰일층 순으로, (나) 지역은 이암층 → 셰일층 순으로 쌓여 있다. 반면 (다) 지역에서는 사암층 → 셰일층 순으로 쌓여 있어 이암층이 존재하지 않으므로 퇴적이 중단된 시기가 있었다.

바로알기 | ㄱ. 건층으로 가장 적합한 지층은 응회암층이다.
ㄴ. 건층인 응회암층의 생성 시기는 같고 (가)의 사암층은 응회암층 아래에, (나)의 사암층은 응회암층 위에 퇴적되어 있으므로 (가) 지역의 사암층보다 (나) 지역의 사암층이 나중에 생성되었다.

204 지층의 생성 순서는 역암층 → 석회암층 → 사암층 → 이암층 → 셰일층 → 응회암층 → 석회암층 → 역암층 → 사암층이다. 따라서 지층의 총 개수는 9개이고, 가장 젊은 지층은 (나) 지역의 사암층이다.

205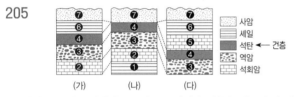

ㄱ. 석탄층은 넓은 지역에 분포하므로 인접한 지층을 비교할 때 석탄층은 생성 시기가 같아서 건층으로 사용될 수 있다.
바로알기 | ㄴ. (나)의 셰일층은 석탄층 아래에, (다)의 셰일층은 석탄층 위에 존재한다. 따라서 서로 다른 시기에 퇴적되었다.
ㄷ. 지층의 생성 순서는 셰일층 → 석회암층 → 역암층 → 석탄층 → 석회암층 → 셰일층 → 사암층이므로 가장 오래된 지층은 (나)에 있다.

206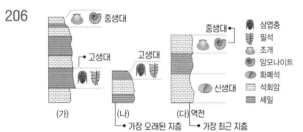

(가)와 (나)에서 삼엽충과 필석이 산출되는 지층은 고생대에 생성되었다. (가)와 (다)에서 암모나이트와 조개가 산출되는 지층은 중생대에 생성되었다. (다)에서 화폐석이 산출되는 지층은 신생대에 생성되었다.
ㄴ. (나)의 최상부 지층은 삼엽충이 발견되므로 바다에서 퇴적되었다.
ㄷ. (다)에는 신생대 화석이 발견된 지층이 중생대 화석이 발견된 지층보다 아래에 위치하므로 역전된 지층이 존재한다.
바로알기 | ㄱ. (가)에서 최하부의 석회암층은 삼엽충과 필석이 발견된 고생대 지층보다 먼저 생성되었고, (나)에서 최하부의 셰일층은 (가) 최하부의 석회암층보다 먼저 생성되었으며, (다)에서 가장 오래된 지층은 암모나이트 화석이 발견된 중생대 지층이다. 따라서 (가)~(다)에서 가장 오래된 지층은 (나)에 있는 셰일층이다.
ㄹ. (가)와 (나)에는 고생대 지층이 나타나지만, (다)에서는 중생대와 신생대 지층이 나타나며 고생대 지층은 나타나지 않는다.

207 (가) 지역에서 생성 순서는 방추충이 발견된 지층(고생대) → P → 부정합 → 암모나이트가 산출된 지층(중생대)이다.
(나) 지역에서 생성 순서는 필석이 발견된 지층(고생대) → 부정합 → 매머드가 산출된 지층(신생대)이다.
④ (가)는 부정합면을 경계로 고생대와 중생대 지층이 있고, (나)는 부정합면을 경계로 고생대와 신생대 지층이 있어 중생대 지층이 없으므로 퇴적이 중단된 기간은 (가)가 (나)보다 짧다.
바로알기 | ① (가) 지역에서 산출된 방추충과 암모나이트는 모두 바다에서 살았던 생물이므로 (가) 지역에는 육지에서 퇴적된 지층이 없다.
② (나) 지역에서 필석이 산출된 지층은 고생대에 퇴적되었다.
③ P는 암모나이트가 산출된 중생대 지층이 퇴적되기 전에 생성되었다. 따라서 매머드가 산출된 신생대 지층보다 먼저 생성되었다.
⑤ (나) 지역에서는 위층에 신생대, 아래층에 고생대 지층이 분포하여 아래에 있는 지층이 오래된 지층이므로 지층의 역전은 없었다.

208 지층의 생성 순서는 C → B → D → A이다.
• A와 D 사이: 지층 A는 지층 B와 C, 화성암 D를 덮고 있으며 A의 하단부에 기저 역암이 관찰된다. 따라서 부정합이 나타나고 있으며, A는 B, C, D보다 나중에 생성되었다. ➡ 부정합의 법칙
• B와 C 사이: C는 삼엽충 화석이 발견되므로 고생대, B는 공룡 화석이 발견되므로 중생대에 퇴적된 지층이다. ➡ 동물군 천이의 법칙
• B와 D 사이: 화성암 D는 기존의 암석 B와 C를 관입하였으므로 B와 C보다 나중에 생성되었다. ➡ 관입의 법칙

[209~210]

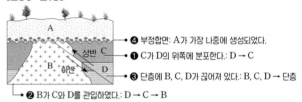

209 화성암 B는 지층 C와 D를 관입하였고, B, C, D는 모두 단층에 의해 끊어져 있다. 또한, A의 아래에 부정합면이 나타나므로 지층과 단층의 생성 순서는 D → C → B(관입) → 단층 → A이다.

210 ㄱ. 화성암 B가 관입하였다.
ㄹ. 지층 A와 C 사이에 부정합면이 존재한다.
ㅁ. 단층면을 경계로 상반이 위로 올라갔으므로 역단층이 나타난다.
바로알기 | ㄴ. 지층의 틈(단층면)을 경계로 양쪽의 지층이 이동하였으므로 단층이 나타나며, 절리는 나타나지 않는다.
ㄷ. 지층이 휘어진 부분이 없이 평행하므로 습곡이 발달하지 않았다.
ㅂ. 정단층은 단층면을 기준으로 상반이 아래로 내려가는 단층이므로 이 지역에서 나타나지 않는다.

211

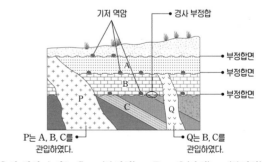

① 지층의 생성 순서는 C → (부정합) → B → Q(관입) → (부정합) → A → P(관입) → (부정합)이다.

② Q는 A가 퇴적되기 전에 관입하였고, P는 A를 관입하였다. 따라서 Q는 P보다 먼저 생성되었으므로 절대 연령이 많다.

④ B와 C 사이에서 부정합면을 경계로 아래에 있는 C 지층이 경사져 있으므로 경사 부정합이 나타난다.

⑥ Q는 B가 생성된 이후에 관입하였으므로, 관입 과정에서 B의 암석 조각이 마그마에 포함되어 포획암으로 발견될 수 있다.

바로알기 | ③ 부정합은 '퇴적 → 융기 → 침식 → 침강 → 퇴적'의 과정을 거쳐 형성되므로 부정합의 형성 과정에서 융기가 1회 일어난다. 또한 지층이 육지로 드러나면서 융기가 1회 더 일어난다. 이 지역에서 부정합은 3번 나타나고, 지층이 육지로 드러나 있으므로 최소 4회의 융기가 있었다.

⑤ A와 B 사이에 부정합이 형성된 이후에 P가 관입하였으므로 A에서는 P의 암석 조각이 기저 역암으로 발견될 수 없다.

212 지층의 생성 순서는 셰일(중생대) → P(관입) → (부정합) → 사암 → 석회암 → 이암 → (부정합) → 응회암(신생대) → Q(관입)이다.

ㄱ. 부정합은 퇴적 → 융기 → 침식 → 침강 → 퇴적의 과정을 거쳐 형성된다. 따라서 1번의 부정합에 대해 1회의 퇴적이 중단된 시기가 존재한다. 이 지역은 부정합이 2번 나타나므로 최소 2회 이상 퇴적이 중단된 적이 있다.

ㄷ. Q는 응회암이 생성된 이후 관입하였다. 따라서 응회암이 포획암으로 발견될 수 있다.

바로알기 | ㄴ. P는 중생대 표준 화석인 암모나이트가 발견된 지층이 생성된 이후에 관입하였다. 따라서 P는 중생대 또는 중생대 이후 관입하였다.

213

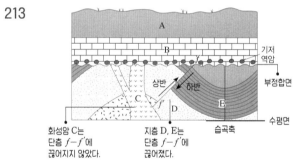

(1) 이 지역에서 C는 관입암이다. 단층 $f-f'$는 지층 D, E를 끊었지만, C를 끊지 않았으므로 생성 순서는 D → E → 단층 $f-f'$ → C이다. 또한, B에 기저 역암이 나타나므로 부정합이 존재한다. 따라서 지층의 생성 순서와 지각 변동을 정리하면 다음과 같다.

D → E → 습곡 → 단층 $f-f'$ → C(관입) → (부정합) → B → A

(2) 지사학 법칙 중 D와 E, A와 B의 순서에는 지층 누중의 법칙이, C와 단층의 순서에는 관입의 법칙이, B와 C의 순서에는 부정합의 법칙이 이용되었다.

(3) 부정합은 '퇴적 → 융기 → 침식 → 침강 → 퇴적'의 과정을 거쳐 형성된다. 이 지역은 1번의 부정합이 나타났고, 육지에서 관찰되므로 융기는 최소 2회, 침강은 최소 1회가 있었다.

(4) 단층 $f-f'$는 단층면을 따라 상반이 올라갔으므로 역단층이다. 습곡의 종류는 습곡축이 수평면에 수직이므로 정습곡이다. 역단층과 습곡은 모두 횡압력을 받아 형성된다.

모범 답안 (1) D → E → 습곡 → 단층 $f-f'$ → C → B → A
(2) 지층 누중의 법칙, 관입의 법칙, 부정합의 법칙
(3) 융기 2회, 침강 1회
(4) 역단층과 정습곡이 나타나고, 횡압력이 작용하였다.

214

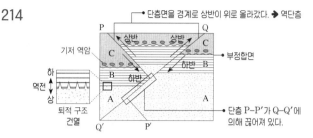

ㄷ. B와 A의 경계에서 건열이 나타나므로 B는 과거에 건조한 환경에 노출된 적이 있다.

바로알기 | ㄱ. A와 B의 경계면에서 건열이 거꾸로 나타나므로 이 지역의 지층은 역전되었고, B는 A보다 먼저 생성되었다. C의 하부에 기저 역암이 나타나므로 B와 C는 부정합 관계이고, 기저 역암이 지층 C에 포함되어 있으므로 C가 나중에 생성되었다. 단층은 모두 지층 C를 나누고 있으므로 C가 퇴적된 이후에 발생하였고, P−P′가 먼저, Q−Q′가 나중에 형성되었다. 따라서 생성 순서는 B → A → (부정합) → C → P−P′ → Q−Q′이다.

ㄴ. P−P′, Q−Q′ 모두 단층면을 따라 상반이 위로 올라가 있으므로 역단층이다.

215

연흔의 뾰족한 부분이 위쪽을 향하므로 셰일층과 사암층은 역전되지 않았다. 따라서 지층의 생성 순서는 셰일층 → 사암층 → 화강암 → (부정합) → 이암층이다.

퇴적암에서는 지층의 아래 부분이 윗부분보다 먼저 생성된 것이므로 한 층 내에서 위로 올수록 나이가 젊어진다. 또한, 화강암은 마그마가 굳어져서 만들어지므로 생성 시기는 깊이와 상관없이 일정하다.

따라서 Y에서 X로 갈수록 암석의 연령은 셰일층 내에서 감소하다가 화강암 내에서 일정하고, 이암층 내에서 감소한다. 이때 화강암은 사암층이 퇴적된 이후에 관입하였으므로 화강암과 셰일층의 경계에서 암석의 연령은 불연속적이고, 화강암과 이암층은 부정합 관계이므로 화강암과 이암층의 경계에서 암석의 연령은 불연속적이다.

216 ③ 방사성 동위 원소는 자연 상태에서 불안정하여 열과 압력 등 외부 환경에 상관없이 붕괴되어 안정한 원소로 변한다.

바로알기 | ① 방사성 동위 원소를 이용한 연대 측정은 화성암, 변성암에 주로 이용하며, 퇴적암에는 잘 이용하지 않는다.

② 방사성 동위 원소를 이용하여 지층의 절대 연령을 알 수 있다.

④ 방사성 동위 원소는 모원소, 붕괴되어 생성된 원소는 자원소이다.

⑤ 오래된 암석의 연대 측정에는 반감기가 긴 원소를 사용한다.

217 모원소와 자원소의 비가 1 : 3이므로 반감기가 2회 지났고, 반감기가 1억 년이므로 절대 연령은 2억 년(=1억 년×2회)이다.

개념 보충

모원소와 자원소의 함량비와 반감기 횟수

모원소 : 자원소	1:1	1:3	1:7	1:15
모원소의 양 ──────────── 처음 모원소의 양(=모원소＋자원소)	$\frac{1}{2}$	$\frac{1}{4}$	$\frac{1}{8}$	$\frac{1}{16}$
반감기 횟수	1	2	3	4

218 ^{14}C는 반감기가 약 5730년으로 짧아 가까운 과거의 정확한 연대를 측정할 수 있다. 반면 ^{238}U의 반감기는 약 45억 년으로 매우 길어 지질 시대 암석의 연령을 측정하는 데 유리하다.

모범 답안 ^{14}C의 반감기가 짧아 가까운 과거의 정확한 연대 측정에 유리하기 때문이다.

219 ④ 고고학적 유물은 생성 연대가 비교적 짧으므로 연대 측정에 가장 적합한 것은 반감기가 짧은 ^{14}C이다. 반감기가 짧으므로 가까운 과거의 정확한 연대 측정이 가능하다.

바로알기 | ① 모원소인 방사성 동위 원소(^{238}U)는 불안정하기 때문에 붕괴되어 안정한 자원소(^{206}Pb)로 변한다.

② ^{40}K의 반감기는 13억 년, ^{235}U의 반감기는 7억 년이다. 따라서 붕괴 속도는 ^{40}K이 ^{235}U보다 느리다.

③ 반감기가 길다고 하여 반드시 연대 측정에 유리한 것은 아니며, 방사성 동위 원소의 양과 자원소의 양이 충분해야 측정하는 데 유리하다. 측정하려는 암석의 나이에 비해 반감기가 너무 길면 자원소의 양이 너무 적고, 반감기가 너무 짧으면 모원소의 양이 너무 적어서 절대 연령을 측정하기 어렵다.

⑤ 방사성 원소의 반감기는 외부의 온도나 압력 조건에 영향을 받지 않는다.

개념 보충

방사성 동위 원소를 이용한 연대 측정
^{14}C는 반감기가 약 5730년으로 매우 짧다. 따라서 고고학적 유물의 연대 측정과 아주 최근에 생성된 암석의 연대 측정에 주로 사용된다. 반면 ^{235}U의 경우 반감기가 7억 년으로 생성 시기가 오래된 화성암에서의 연대 측정에 사용된다. 가장 일반적인 연대 측정에는 U이 많이 쓰이고, K, Rb 측정법도 사용된다.

220

암석	(가)	(나)	(다)	(라)
방사성 동위 원소	X	Y	Y	X
생성 당시 방사성 동위 원소의 양	40 g	24 g	12 g	20 g
반감기 횟수	2회	1회	1회	2회
2억 년 후 남아 있는 모원소의 양	10 g	12 g	6 g	5 g

방사성 원소 X의 반감기가 1억 년, Y의 반감기가 2억 년이다. 따라서 암석이 생성된 후 2억 년이 지났을 때 X는 반감기가 2회, Y는 반감기가 1회 지났으므로 모원소의 양은 각각 처음 양의 $\frac{1}{4}$, $\frac{1}{2}$이 남아 있다. 따라서 2억 년 후 모원소의 양이 가장 많이 남아 있는 것은 (나)이고, 가장 적게 남아 있는 것은 (라)이다.

221 (1) 모원소의 양은 시간이 지날수록 감소하고, 자원소의 양은 시간이 지날수록 증가한다. 따라서 A가 모원소, B가 자원소이다. 모원소가 처음 양의 절반(50 %)이 되는 데 걸리는 시간이 반감기이므로 반감기는 2억 년이다.

(2) 모원소의 양이 25 %$\left(=\frac{1}{4}\right)$가 남아 있으면 반감기가 2회 지났으므로 A : B(모원소 : 자원소)는 1 : 3이다.

모범 답안 (1) 모원소: A, 자원소: B, 반감기: 2억 년

(2) 1 : 3

(3) 모원소의 양이 처음 양의 $\frac{1}{8}$이므로 반감기가 3회 지났다. 따라서 암석의 절대 연령은 반감기(2억 년)×3회=6억 년이다.

222 방사성 동위 원소 X의 붕괴 곡선에서 X의 반감기(X의 양이 50 %인 시간)는 2억 년이다.

ㄱ. X의 반감기가 2억 년이므로 반감기가 세 번 지나는 데 6억 년이 걸린다.

ㄴ. (가)에는 X : Y의 비율이 1 : 1이므로 반감기가 1회 지났다. 따라서 (가)의 절대 연령은 2억 년(반감기)×1회=2억 년이다.

바로알기 | ㄷ. (나)에는 X : Y의 비율이 3 : 1이므로 아직 1회의 반감기도 지나지 않았다. 따라서 절대 연령은 (나)가 (가)보다 적다.

다른 해설 | ㄷ. (나)에는 X : Y의 비율이 3 : 1이므로 X의 양은 75 %가 남아 있고, 붕괴 곡선에서 이때 암석의 연령은 1억 년보다 적다.

223

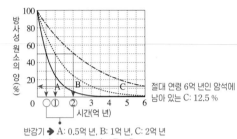

반감기 ➔ A: 0.5억 년, B: 1억 년, C: 2억 년
➔ 반감기 길이: A<B<C
➔ 자원소의 생성 속도: A>B>C

① 반감기가 A는 0.5억 년, B는 1억 년, C는 2억 년으로, A가 가장 짧다.

④ 절대 연령이 6억 년인 암석 속에 포함된 C는 반감기를 3회 지났으므로 그 양은 처음의 $\frac{1}{8}$이다. 따라서 처음 양의 12.5 %가 남았다.

바로알기 | ② 자원소의 생성 속도는 반감기가 가장 짧은 A가 가장 빠르다.

③ B의 반감기는 1억 년이고, B가 처음 양의 $\frac{1}{4}$이 되는 데 걸리는 시간은 반감기가 2회 지나야 하므로 2억 년이다.

⑤ 4억 년 후에 C는 반감기가 2회, B는 반감기가 4회 지났다. 따라서 모원소의 양 : 자원소의 양은 C가 1 : 3, B가 1 : 15이므로 $\frac{\text{자원소의 양}}{\text{모원소의 양}}$은 C가 3, B가 15이다. 따라서 B가 C의 5배이다.

⑥ 선사 시대 유물은 가까운 과거의 물건이므로 연대 측정에 가장 적합한 것은 반감기가 가장 짧은 A이다.

224 그림에서 방사성 동위 원소 X의 반감기는 1억 년이다.

ㄴ. X의 반감기는 1억 년이고, 화성암 (나)는 절대 연령이 2억 년이므로 반감기가 2회 지났다. 따라서 ㉠에 해당하는 화성암 (나)의 X(모원소) : Y(자원소)=1 : 3이다.

ㄷ. X의 반감기는 1억 년이고, 화성암 (가)의 X는 반감기가 4회 지났으므로 절대 연령 ㉡은 4억 년(=1억 년×4회)이다.

바로알기 | ㄱ. 화성암 (가)에서 X : Y=1 : 15로, 모원소의 양이 처음 양의 $\frac{1}{16}$이므로 X는 반감기를 4회 지났다.

ㄹ. 모원소인 X는 붕괴하여 자원소인 Y로 변하므로 시간이 지날수록 X의 양은 감소하고 Y의 양은 증가한다. 따라서 $\frac{Y}{X}$는 증가한다.

225 (1) (가)에서 암석의 생성 순서는 C → B → E(관입) → (부정합) → A → D(관입)이다.

(2) (나)에서 방사성 동위 원소 X의 양이 50 %가 되는 데 걸리는 시간(반감기)은 0.5억 년이다. D와 E의 방사성 동위 원소 X의 함량은 각각 처음 양의 $\frac{1}{4}$, $\frac{1}{16}$이므로 반감기가 각각 2회, 4회 지났다. 따라서 절대 연령은 각각 0.5억 년×2=1억 년, 0.5억 년×4=2억 년이다.

(3) 암석 A는 2억 년 전과 1억 년 전 사이에 생성되었으므로 중생대에 생성되었다.

모범 답안 (1) C → B → E → A → D

(2) 방사성 동위 원소 X의 반감기는 0.5억 년이다. 화성암 D와 E에 포함된 방사성 동위 원소 X는 각각 반감기가 2회, 4회 지났으므로 절대 연령은 각각 1억 년, 2억 년이다.

(3) 중생대

226

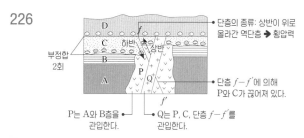

단층의 종류: 상반이 위로 올라간 역단층 ➜ 횡압력

부정합 2회

단층 f−f′에 의해 P와 C가 끊어져 있다.

P는 A와 B층을 관입한다.

Q는 P, C, 단층 f−f′를 관입한다.

구분	X	Y	반감기	절대 연령
P	25 %	75 %	2회	1억 년×2회=2억 년(중생대)
Q	50 %	50 %	1회	1억 년×1회=1억 년(중생대)

• 지질 단면도에서 지층의 생성 순서는 A → B → P(관입) → (부정합) → C → 단층 f−f′(역단층) → Q(관입) → (부정합) → D이다.

• 표에서 P는 반감기가 2회 지났고, Q는 반감기가 1회 지났다. X의 반감기는 1억 년이므로 P의 절대 연령은 2억 년이고, Q의 절대 연령은 1억 년이다.

ㄴ. 단층 f−f′는 P의 관입과 Q의 관입 사이에 생성되었다. P의 절대 연령은 2억 년, Q는 1억 년이므로 이 단층은 2억 년 전∼1억 년 전인 중생대에 형성되었다.

ㄷ. Q는 P보다 나중에 관입하였으므로 Q에서 P의 조각이 포획암으로 발견될 수 있다.

바로알기 ㄱ. P에서 X : Y=1 : 3이므로 반감기가 2회 지났다. 따라서 P의 절대 연령은 2억 년(=1억 년×2회)이므로 P가 관입한 시기는 2억 년 전이다.

ㄹ. 이 지역은 역단층(단층 f−f′)이 발달하였으므로 횡압력을 받았다. 따라서 발산형 경계보다 수렴형 경계에 있었을 가능성이 크다.

227 ① 퇴적암 A, B, C는 지층 누중의 법칙에 따라 C → B → A 순으로 퇴적되었다. 화성암 Q 주변의 C는 변성되었고 B는 변성되지 않았으므로 화성암 Q는 B가 퇴적되기 전에 관입하였고 B와 부정합 관계이다. 화성암 P 주변의 암석 A, B, C, Q는 모두 변성 작용을 받았으므로 P는 A가 생성된 후 관입하였다. 따라서 암석의 생성 순서는 C → Q(관입) → (부정합) → B → A → P(관입)이다.

② Q는 P보다 먼저 생성된 화성암이고, P, Q 모두 모원소와 자원소의 비가 1 : 1이므로 반감기가 1회 지났다. 따라서 Q에 포함된 방사성 동위 원소의 반감기가 P에 포함된 방사성 동위 원소의 반감기보다 길다. (나)에서 X의 반감기는 2억 년, Y의 반감기는 4억 년이므로 Q에는 Y가, P에는 X가 포함되어 있다.

③ Y의 반감기는 4억 년이다. Q는 Y의 반감기가 1회 지났으므로 4억 년 전에 생성되었다. 따라서 고생대에 생성되었다.

⑤ 난정합은 부정합면 아래에 변성암 또는 심성암이 분포한다. 화강암인 Q 위에 퇴적층인 B가 쌓여 있으므로 Q와 B는 난정합 관계이다.

바로알기 ④ A는 P보다 먼저 생성되었다. P에 포함된 X의 반감기는 2억 년이고 반감기가 1회 지났으므로 P의 절대 연령은 2억 년이다. 따라서 A는 중생대 또는 그 이전에 퇴적된 지층이고, 화폐석은 신생대 표준 화석이므로 A에서는 화폐석이 발견될 수 없다.

9 지질 시대의 환경과 생물

빈출 자료 보기   61쪽

228 (1) ○ (2) × (3) ○ (4) ×

229 (1) ○ (2) × (3) × (4) ○ (5) ○

228 고기후를 알아내는 방법 중 (가)는 화석 연구, (나)는 나무의 나이테 연구, (다)는 빙하 코어(빙하 시추물) 연구 방법이다.

(1) 고사리 화석은 시상 화석으로, 과거의 환경을 알려 주는 역할을 한다. 고사리 화석이 발견된 지층은 온난 다습한 육지 환경이었다.

(3) 빙하가 형성되는 과정에서 그 당시의 공기가 빙하 속에 갇히므로 빙하 속 공기 방울을 분석하여 그 당시의 대기 성분 중 이산화 탄소 농도를 알아낼 수 있다.

바로알기 (2) 나무의 나이테 간격은 온난 습윤한 시기에는 넓게, 한랭한 시기에는 좁게 나타난다.

(4) 빙하 속 공기 방울 연구는 수십만 년 단위의 기후를 알 수 있고, 선캄브리아 시대 등 전 지질 시대의 기후는 알 수 없다.

229 (1) (가)는 중생대 바다, (나)는 신생대 바다, (다)와 (라)는 고생대 바다에서 살았던 생물의 화석이다.

(4) 최초의 척추동물은 (다)가 번성한 고생대에 출현하였다.

(5) 삼엽충은 고생대 전 기간에 걸쳐 번성하였고, 암모나이트는 중생대 전 기간에 걸쳐 번성하였다. 고생대 기간은 약 5.41억 년 전∼2.52억 년 전, 중생대 기간은 약 2.52억 년 전∼0.66억 년 전이므로 (라)가 번성한 기간이 (가)가 번성한 기간보다 길었다.

바로알기 (2) (가)가 번성한 중생대에는 빙하기가 없었고, (나)가 번성한 신생대에 4회의 빙하기와 3회의 간빙기가 있었다.

(3) (나)가 번성한 신생대에는 속씨식물이 번성하였다. 겉씨식물이 번성한 시기는 중생대이다.

난이도별 필수 기출   62∼67쪽

230 ③	231 ③, ⑥	232 ②	233 ②	234 해설 참조
235 ②, ⑤		236 ②	237 ②	238 ④ 239 ④
240 ③	241 ②	242 해설 참조		243 ⑤ 244 ④
245 ①	246 ②, ③, ⑦		247 ④	248 ⑤ 249 ②
250 ②, ④		251 ①	252 ④	253 ①
254 ④, ⑥		255 ③	256 해설 참조	
257 ③, ④		258 ②		

230 ③ 생물체에 뼈, 줄기, 껍데기처럼 단단한 부분이 있어야 화석이 되기 쉽다.

바로알기 ① 화석이 되기 위해서는 생물의 개체수가 많아야 하고, 단단한 부분이 있어야 하며, 빠르게 묻혀야 한다.

② 생물이 죽고 미생물에 의해 분해되기 전에 빨리 묻혀야 한다.

④ 변성 작용을 받으면 열이나 압력에 의해 화석이 대부분 훼손되거나 소멸된다.

⑤ 생물의 유해뿐만 아니라 공룡 발자국과 같이 흔적이 보존된 것도 화석으로 인정된다.

231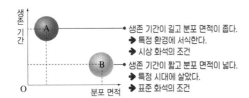

A는 분포 면적이 좁고 생존 기간이 길므로 시상 화석에 해당하고, B는 분포 면적이 넓고 생존 기간이 짧으므로 표준 화석에 해당한다.

③ 삼엽충, 공룡은 표준 화석(B)에 해당한다.

⑥ 지층의 대비에는 표준 화석(B)이 적합하다.

바로알기 | ① A는 시상 화석이다.

② 산호는 시상 화석에 해당한다. 따라서 B보다 A에 가깝다.

④ 환경 변화에 민감한 생물은 분포 지역이 한정된다. 따라서 시상 화석(A)이 표준 화석(B)에 비해 환경 변화에 민감하다.

⑤ 표준 화석(B)은 특정한 시기에만 번성하여 지층의 생성 시대를 알려 주는 화석이므로, 시상 화석(A)에 비해 발견되는 지층의 지질 시대의 기간이 짧다.

232 (가)는 고사리 화석으로 시상 화석에 해당하고, (나)는 암모나이트 화석으로 중생대 표준 화석에 해당한다.

ㄴ. (나)는 바다에서 서식하였으므로 (나)를 포함하는 지층은 바다에서 생성된 해성층이다.

바로알기 | ㄱ. (가)는 따뜻하고 습한 육지 환경을 알려 주는 시상 화석에 해당한다.

ㄷ. 표준 화석인 (나)는 시상 화석인 (가)보다 생존 기간이 짧고, 분포 면적이 넓다. 암모나이트는 중생대 말에 멸종하였으며, 고사리는 현재도 생존하고 있다.

233 (가)의 A는 생존 기간이 짧고 분포 면적이 넓으므로 표준 화석이고, B는 생존 기간이 길고 분포 면적이 좁으므로 시상 화석이다. (나) 산호는 시상 화석(B)에 해당하고, (다) 화폐석은 표준 화석(A)에 해당한다.

ㄱ. 지층의 생성 순서 판단에는 표준 화석인 A가 유용하다.

ㄹ. (다) 화폐석이 번성한 신생대에는 육지에서 포유류가 번성하였다.

바로알기 | ㄴ. 표준 화석(A)에 해당하는 화석은 (다) 화폐석이다.

ㄷ. (나) 산호는 따뜻하고 얕은 바다에서 서식하였다.

234 온난한 시기는 한랭한 시기에 비해 ^{18}O를 포함한 물 분자와 ^{16}O를 포함한 물 분자의 증발이 모두 잘 일어나며, 한랭한 시기에 비해 고위도에서 ^{18}O를 포함한 눈이 많이 내려 빙하 속 물 분자의 산소 동위 원소비 $\left(\dfrac{^{18}O}{^{16}O}\right)$가 높아진다.

모범 답안 한랭한 시기보다 온난한 시기에 빙하 속 물 분자를 이루는 산소 동위 원소비 $\left(\dfrac{^{18}O}{^{16}O}\right)$가 높아진다.

235 ① 산호는 수온이 높을수록 성장률이 높으므로 산호의 성장률을 연구하여 과거의 기후를 추정할 수 있다.

③ 석순의 성분은 탄산 칼슘($CaCO_3$)이므로 탄소 동위 원소의 연대 측정으로 석순의 생성 시기를 알 수 있다.

④ 빙하 속 공기 방울의 CO_2 농도가 높았던 시기에는 그 당시 대기 중에 온실 기체인 CO_2 농도가 높았던 것이므로 기온이 높았을 것이다.

⑥ 간빙기는 빙하기보다 따뜻한 시기이므로, 빙하를 이루는 물 분자의 산소 동위 원소비 $\left(\dfrac{^{18}O}{^{16}O}\right)$가 높았다.

⑦ 온난한 시기에 해수를 이루는 물 분자의 산소 동위 원소비 $\left(\dfrac{^{18}O}{^{16}O}\right)$는 낮아진다.

바로알기 | ② 고온 다습한 기후에서는 나무의 나이테 간격이 넓고 덜 조밀하다.

⑤ 증발암은 고온 건조한 환경에서 생성되므로 증발암이 발견되는 지층이 퇴적될 당시에는 고온 건조한 기후였을 것이다.

236 ㄴ. 산호는 따뜻하고 얕은 바다에서 서식하는 생물이므로 (나) 산호 화석이 발견되면 과거에 따뜻하고 얕은 바다였음을 알 수 있다.

바로알기 | ㄱ. (가) 나무 나이테의 간격이 좁은 시기는 나무의 성장 속도가 느린 시기이고, 강수량이 많고 온도가 높아 나무의 성장 속도가 빠른 시기는 나무 나이테의 간격이 넓다.

ㄷ. 빙하를 이루는 물 분자의 산소 동위 원소비 $\left(\dfrac{^{18}O}{^{16}O}\right)$가 높은 시기는 온난한 기후이다. 온난한 기후에는 해수에서 ^{18}O와 ^{16}O를 포함한 물 분자의 증발이 잘 일어났다.

237 ㄷ. 지구 전체의 빙하 면적은 상대적으로 한랭한 A 시기가 B 시기보다 넓었을 것이다.

바로알기 | ㄱ. 지구의 평균 기온이 높을수록 빙하를 이루는 물 분자의 산소 동위 원소비 $\left(\dfrac{^{18}O}{^{16}O}\right)$가 높다. A 시기는 B 시기보다 산소 동위 원소비 $\left(\dfrac{^{18}O}{^{16}O}\right)$가 낮으므로 B 시기보다 한랭한 기후였다.

ㄴ. 해수에서 증발한 수증기의 ^{18}O의 양은 한랭한 A 시기가 온난한 B 시기보다 적었다.

238 기온이 높을수록 빙하 속 산소 동위 원소비($^{18}O/^{16}O$)는 높고, 해수나 해양 생물 속 산소 동위 원소비($^{18}O/^{16}O$)는 낮다.

구분	빙하기	간빙기
빙하 속 산소 동위 원소비($^{18}O/^{16}O$)	낮다.	높다.
해수 속 산소 동위 원소비($^{18}O/^{16}O$)	높다.	낮다.
해양 생물(유공충) 속 산소 동위 원소비($^{18}O/^{16}O$)	높다.	낮다.

ㄱ. 빙하기일 때는 고위도에서 산소 동위 원소비($^{18}O/^{16}O$)가 낮은 구름이 형성되어 눈이 내리므로 빙하를 이루는 산소 동위 원소비($^{18}O/^{16}O$)는 평년에 비해 낮다. 기온에 따라 빙하 속 산소 동위 원소비($^{18}O/^{16}O$)가 변화하므로 이를 이용하여 과거 기온 변화를 추정할 수 있다.

ㄴ. 빙하기일 때 빙하 속 산소 동위 원소비($^{18}O/^{16}O$)는 낮아지지만, 해수 속 산소 동위 원소비($^{18}O/^{16}O$)는 높아지므로 산소 동위 원소비($^{18}O/^{16}O$)의 편차는 빙하에 비해 해수에서 높다.

바로알기 | ㄷ. 간빙기일 때는 빙하기일 때보다 기온이 높으며, 기온이 높을수록 해수 속 산소 동위 원소비($^{18}O/^{16}O$)가 낮으므로 해양 유공충 화석 속의 산소 동위 원소비($^{18}O/^{16}O$)도 낮다.

239

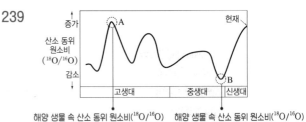

해양 생물 속 산소 동위 원소비($^{18}O/^{16}O$)가 높다.
➡ 한랭한 기후
➡ 빙하 면적이 넓다, 해수면이 낮다.
➡ 빙하 속 산소 동위 원소비($^{18}O/^{16}O$)가 낮다.

해양 생물 속 산소 동위 원소비($^{18}O/^{16}O$)가 낮다.
➡ 온난한 기후
➡ 빙하 면적이 좁다, 해수면이 높다.
➡ 빙하 속 산소 동위 원소비($^{18}O/^{16}O$)가 높다.

해양 생물 화석의 산소 동위 원소비($^{18}O/^{16}O$)는 한랭한 시기에 높고 온난한 시기에 낮다. 따라서 A 시기는 B 시기보다 한랭한 시기이다.

ㄴ. B 시기가 A 시기보다 온난하며, 극지역 빙하의 산소 동위 원소비($^{18}O/^{16}O$)는 온난한 시기(B)에 더 높다.

ㄷ. 산호는 따뜻하고 얕은 바다에서 서식하는 생물로, 온난한 시기에 고위도 지역까지 분포 면적이 확장될 수 있다. 따라서 A 시기보다 온난한 B 시기에 고위도 지층에서 산호 화석이 발견되기 쉽다.

바로알기 | ㄱ. 기온이 높을수록 해수의 열팽창 및 빙하의 융해로 해수면의 높이가 높아진다. A 시기가 B시기에 비해 한랭한 시기이므로 해수면의 높이는 A 시기가 B 시기보다 낮았다.

240 ③ 원생 누대는 약 25억 년 전~5.41억 년 전, 현생 누대는 약 5.41억 년 전~현재로, 원생 누대가 더 오래 지속되었다.

바로알기 | ① 지질 시대를 구분하는 가장 큰 단위는 '누대'이다.

② 생물계의 변화(화석) 및 대규모 지각 변동(부정합)은 지질 시대 구분의 기준이 될 수 있다.

④ 중생대보다 현재에 더 진화된 생물이 존재한다.

⑤ 최초의 생물은 이미 시생 누대에 출현하였다. 원생 누대에는 에디아카라 동물군과 같은 생물체가 살았으나, 대부분 단단한 골격이 없는 생물체이므로 화석이 많이 발견되지 않는다.

241

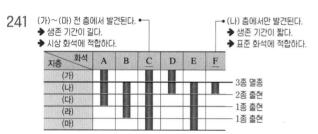

지층에서 발견되는 화석의 변화가 가장 큰 경계를 기준으로 지질 시대를 나눌 수 있다.

ㄴ. (가)와 (나)의 경계에서 가장 많은 화석의 변화가 나타난다. 따라서 시간의 단절이 있는 부정합 관계일 가능성이 가장 크다.

바로알기 | ㄱ. C는 지층 (가)~(마)에서 모두 발견되므로 특정한 지층의 생성 시기를 알려 주지 않는다. 따라서 표준 화석으로 적합하지 않다. 반면, F는 (나)에서만 발견되므로 표준 화석으로 가장 적합하다.

ㄷ. 지층 (가)~(마)에서 가장 많은 화석의 변화가 나타나는 경계는 (가)와 (나) 사이이다. 따라서 두 지질 시대로 구분한다면 가장 적합한 것은 (가)와 (나)의 경계이다.

242 (1) 지질 시대의 길이는 '선캄브리아 시대＞고생대＞중생대＞신생대'이다.

(3) 선캄브리아 시대인 시생 누대와 원생 누대는 현생 누대에 비해 기간이 훨씬 길지만, 발견되는 화석이 거의 없어 지질 시대의 구분이 자세하지 못하다.

모범 답안 (1) A: 선캄브리아 시대, B: 고생대, C: 중생대, D: 신생대
(2) 캄브리아기 → 오르도비스기 → 실루리아기 → 데본기 → 석탄기 → 페름기
(3) A는 B, C, D에 비해 발견되는 화석이 거의 없기 때문이다.

243 (가)는 고생대, (나)는 중생대, (다)는 신생대이다.

ㄱ. 고생대 말에는 빙하기가 있었다.

ㄴ. 중생대는 고생대보다 평균 기온이 대체로 높았고, 빙하기가 없었다.

ㄷ. 신생대에는 후기에 빙하기와 간빙기가 여러 번 반복되었다.

244 ㄴ. 중생대는 온난하여 빙하기가 없었다.

ㄷ. 신생대 전기는 후기보다 대륙 빙하의 분포 범위가 좁고 온난했으므로 해수면의 높이가 더 높았을 것이다.

바로알기 | ㄱ. 고생대 말기에는 기후가 추워졌기 때문에 대륙 빙하의 분포 범위가 넓어졌다. 따라서 산호의 서식지는 고생대 말기보다 온난한 고생대 초기에 더 고위도까지 분포했을 것이다.

245 ㄱ. B 시기는 A 시기에 비해 평균 기온이 대체로 낮고 평균 해수면이 낮았으므로 빙하의 면적은 A 시기보다 넓었을 것이다.

바로알기 | ㄴ. B 시기는 C 시기보다 평균 기온이 낮으므로 빙하 속 산소 동위 원소비$\left(\dfrac{^{18}O}{^{16}O}\right)$도 낮을 것이다.

ㄷ. 현생 누대의 기후는 중생대에는 전반적으로 온난하였지만, 나머지 시기에는 대체로 한랭한 기후와 온난한 기후가 반복되었다.

246 (가)는 판게아가 분리되기 시작하는 단계이므로 중생대, (나)는 현재와 비슷한 수륙 분포이므로 신생대, (다)는 판게아가 생성되었으므로 고생대의 모습이다.

① 순서대로 배열하면 (다) 고생대 → (가) 중생대 → (나) 신생대이다.

④ 히말라야산맥은 (가)에서 남극 대륙에서 분리된 인도 대륙이 북상하여 (나) 시기에 아시아 대륙과 충돌하면서 형성되었다.

⑤ 겉씨식물은 (다) 고생대에 출현하였다가 (가) 중생대에 번성하였다.

⑥ 양치식물은 (다) 고생대에 번성하였다.

바로알기 | ② (가) 중생대에는 빙하기가 없었다.

③ 방추충은 고생대 해양에 서식했던 생물로, 고생대 말에 멸종하였다. 따라서 (나) 신생대에는 생존하지 않았다.

⑦ (다)는 판게아가 생성된 시기이고, (가)는 판게아가 분리되고 있으므로 (가)와 (다) 시기 사이에 대륙이 갈라지면서 해안선의 길이가 증가하여 해양 생물의 서식지가 넓어졌다.

247

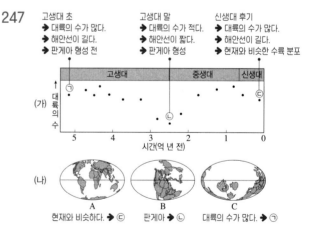

(가)에서 ㉠은 고생대 초, ㉡은 판게아가 형성된 시기, ㉢은 현재의 수륙 분포와 유사한 신생대이다. (나)에서 A는 현재와 비슷한 신생대의 수륙 분포, B는 판게아가 형성된 고생대 말의 수륙 분포, C는 고생대 초기의 수륙 분포이다.

ㄴ. 대륙이 여러 개로 갈라져 있을수록 해안선의 길이가 길다. 따라서 대륙의 수가 많은 ㉢은 대륙의 수가 적은 ㉡ 시기보다 해안선의 길이가 길었다.

ㄷ. 최초의 육상 식물은 고생대 실루리아기에 출현하였으므로 B와 C 시기 사이에 출현하였다.

바로알기 | ㄱ. 고생대 초의 ㉠은 대륙의 수가 많으므로 대륙이 여러 개로 갈라져 있고 현재와는 다른 모습이므로 C이다.

248 ① 선캄브리아 시대에 남세균과 같은 생명체가 생성한 산소가 대기 중으로 나와 축적되면서 오존층을 형성하기 시작하였다.

② 고생대 초기에는 캄브리아기 대폭발이라고 하는 생물체가 급격히 증가한 시기가 있었다.

③ 고생대 실루리아기에 오존층이 자외선을 차단하여 생물이 육지로 진출하였다.

④ 대서양과 인도양은 중생대에 판게아가 분리되면서 형성되기 시작하였다.

바로알기 | ⑤ 겉씨식물은 고생대에 출현하였으며 중생대에 번성하였다.

249 판게아가 형성된 시기는 고생대 페름기이고, 최초의 육상 식물이 출현한 시기는 고생대 실루리아기이다. 고생대의 표준 화석으로는 삼엽충, 필석, 갑주어, 방추충 등이 있다.

바로알기 | ①, ④ 매머드, 화폐석은 신생대의 표준 화석이다.

③, ⑤ 시조새, 암모나이트는 중생대의 표준 화석이다.

250 선캄브리아 시대는 약 46억 년 전~5.41억 년 전이고, 현생 누대는 약 5.41억 년 전~현재이다. 현생 누대는 고생대, 중생대, 신생대로 구분할 수 있으며, 고생대가 약 5.41억 년 전~2.52억 년 전, 중생대가 2.52억 년 전~0.66억 년 전, 신생대가 0.66억 년 전 이후이다. 따라서 가장 긴 D가 선캄브리아 시대, A는 고생대, B는 중생대, C는 신생대에 해당한다.

① 삼엽충은 고생대 캄브리아기에 출현하여 페름기에 멸종하였다. 따라서 고생대(A) 전 기간에 걸쳐 번성하였다.

③ 속씨식물은 신생대(C)에 번성하였다.

⑤ 에디아카라 동물군 화석은 선캄브리아 시대(D)인 원생 누대에 생성되었다.

⑥ 선캄브리아 시대(D)는 고생대 캄브리아기 이전의 시대를 통틀어 일컫는 말로, 시생 누대와 원생 누대가 포함된다.

바로알기 | ② 중생대(B)는 현재보다 온난했던 시기로 빙하의 분포 면적이 현재보다 좁았다.

④ 다세포 생물은 선캄브리아 시대(D)인 원생 누대에 출현하였다.

251

대		육상 식물 출현		판게아 형성	
기			고생대		
	A	B	ⓒ	D	E	Ⓕ
	캄브리아기	오르도비스기	실루리아기	데본기	석탄기	페름기
			시간 →			

ㄱ. 최초의 육상 식물이 등장한 시기는 실루리아기(C)이다.

바로알기 | ㄴ. A 시기 이후에도 대기 중 산소는 계속해서 축적되었고 오존층이 현재와 같이 완성된 실루리아기에는 현재와 비슷한 산소 농도가 되었다. 따라서 오존층이 완성되기 전인 캄브리아기(A)는 데본기(D)보다 대기 중의 산소 농도가 낮았다.

ㄷ. 판게아는 고생대 페름기(F)에 형성되어 중생대 트라이아스기에 분리되기 시작하였다.

252 (가)는 갑주어, (나)는 시조새, (다)는 매머드, (라)는 방추충이다.

① (가) 갑주어는 고생대 데본기에 번성하였다가 데본기 말에 멸종하였다.

② (나) 시조새는 중생대의 화석이다.

③ (다) 매머드가 번성한 신생대에는 현재와 비슷한 수륙 분포가 되었다.

⑤ (라) 방추충은 고생대 말기의 표준 화석이다. 삼엽충은 고생대 전 시기에 걸쳐 살았으므로 두 화석은 함께 발견될 수 있다.

바로알기 | ④ (라) 방추충은 페름기 말 판게아가 형성되던 시기에 멸종하였다.

253 A는 고생대, B는 중생대, C는 신생대를 나타낸다.

ㄱ. 최초의 척추동물은 원시 어류로, 고생대 오르도비스기에 출현하였다.

ㄹ. 현재와 같은 오존층은 실루리아기인 약 4억 년 전쯤 형성되어 양서류와 같은 육상 생물이 출현할 수 있게 되었다.

바로알기 | ㄴ. 양치식물은 고생대인 A 시기에 출현하여 번성하였다.

ㄷ. 암모나이트는 중생대인 B 시기에 바다에서 번성하였다.

254

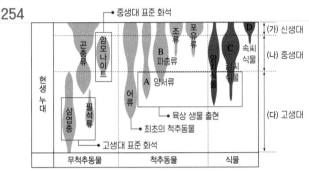

④ 고사리와 같은 양치식물은 현재에도 존재한다.

⑥ 삼엽충은 (다) 고생대의 대표적인 표준 화석이다.

바로알기 | ① (가)는 신생대, (나)는 중생대, (다)는 고생대이다.

② A는 어류 다음에 등장하였으므로 양서류이다. 파충류는 양서류(A)보다 나중에 등장하였으므로 B에 해당한다.

③ C는 양치식물 다음에 등장하였으므로 겉씨식물이다. 속씨식물은 겉씨식물(C)보다 나중에 등장하였으므로 D에 해당한다.

⑤ 육상 생물은 (다) 고생대에 처음 출현하였다.

255 ① 선캄브리아 시대의 화석으로는 남세균이 층상으로 쌓여 생성된 퇴적 구조인 스트로마톨라이트가 있다.

② 양치식물은 육상 생물로, 오존층이 형성된 후 자외선이 차단되어 육지에서 번성할 수 있었다.

④ 인류의 조상이 출현한 시대는 신생대로, 신생대에 속씨식물이 번성하였다.

⑤ 포유류가 번성한 시대는 신생대로, 신생대에 히말라야산맥이 형성되었다.

바로알기 | ③ 겉씨식물이 번성한 시대는 중생대로, 빙하기가 없이 전반적으로 온난하였다.

256

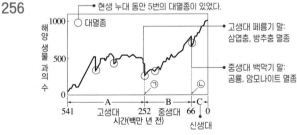

지질 시대는 생물의 변화로 구분할 수 있다. A는 고생대, B는 중생대, C는 신생대에 해당하고, ㉠은 페름기 말 대멸종, ㉡은 백악기 말 대멸종이다. 페름기에는 삼엽충, 방추충 같은 해양 생물이, 백악기 말에는 공룡, 암모나이트와 같은 생물이 멸종하였다.

모범 답안 (1) A: 고생대, B: 중생대, C: 신생대

(2) ㉠: 삼엽충, 방추충 등, ㉡: 공룡, 암모나이트 등

257

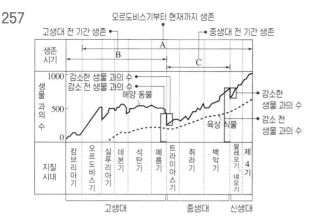

A는 오르도비스기부터 현재까지 생존해 있는 생물이고, B는 고생대 전 기간, C는 중생대 전 기간에 걸쳐 생존했던 생물이다.

③ 생물의 멸종 원인은 지구 환경의 변화가 큰 부분을 차지한다.

④ 해양 생물 과의 감소 비율은 감소 전 생물의 수에 대한 감소한 생물의 수$\left(=\dfrac{\text{감소한 해양 생물 과의 수}}{\text{감소 전 해양 생물 과의 수}}\right)$로 비교할 수 있으며 백악기 말보다 페름기 말에 더 컸다.

바로알기 | ① 표준 화석은 특정 시기에 번성했던 생물이 적합하다. A는 오르도비스기부터 현재까지 생존하고 있으므로 고생대에만 생존했던 B보다 표준 화석으로 적합하지 않다.

② 판게아는 고생대 페름기에 형성되었다. 따라서 중생대 백악기 말에 C가 멸종한 원인에 해당하지 않는다.

⑤ 육상 식물은 지질 시대 동안 큰 변화 없이 증가하는 추세이지만, 해양 동물은 큰 생물 과의 수 변화가 나타나고 있다. 따라서 지질 시대의 구분에는 해양 동물이 더 적합하다.

⑥ 육상 식물은 오존층이 형성된 후에 출현하였으므로 광합성 생물은 실루리아기 이전에 등장하였다. 최초의 광합성 생물은 선캄브리아 시대에 등장한 남세균(사이아노박테리아)이다.

258 A는 오르도비스기 말 대멸종, B는 페름기 말 대멸종, C는 백악기 말 대멸종에 해당한다.

ㄷ. C 시기의 생물의 대멸종은 중생대와 신생대 구분의 기준이다.

바로알기 | ㄱ. 판게아는 페름기에 형성되었다. 따라서 A 시기는 판게아가 생성되기 전이고, B 시기에 판게아가 존재하였다.

ㄴ. 갑주어는 데본기 말에 멸종하였다. 따라서 A와 B 시기 사이에 멸종하였다. B 시기는 페름기 말 대멸종으로, 삼엽충, 방추충 등이 멸종하였다.

개념 보충

현생 누대의 5대 생물 대멸종

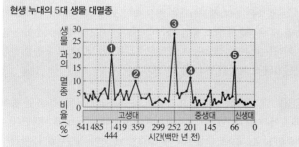

❶ 오르도비스기 말 대멸종
❷ 데본기 말 대멸종
❸ 페름기 말 대멸종: 가장 큰 규모의 대멸종이다.
❹ 트라이아스기 말 대멸종
❺ 백악기 말 대멸종: 공룡이 멸종하고 이후에 포유류가 지상의 주류로 등장하였다.

최고 수준 도전 기출(06~09강)   68~69쪽

| 259 ② | 260 ① | 261 해설 참조 | 262 ① | 263 ④ |
| 264 ④ | 265 ⑤ | 266 ① | | |

259

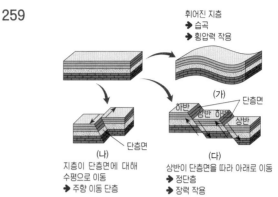

(가)는 습곡, (나)는 주향 이동 단층, (다)는 정단층이다. 습곡은 횡압력이 작용하는 수렴형 경계에서, 주향 이동 단층은 지층의 수평 이동이 일어나는 보존형 경계에서, 정단층은 장력이 작용하는 발산형 경계에서 주로 발생한다. 히말라야산맥과 안데스산맥은 수렴형 경계, 산안드레아스 단층은 보존형 경계, 동아프리카 열곡대와 대서양 중앙 해령은 발산형 경계에 해당한다. 따라서 (가)~(다)와 같은 지질 구조가 주로 나타나는 지역은 다음과 같이 정리할 수 있다.

(가) 습곡	(나) 주향 이동 단층	(다) 정단층
히말라야산맥, 안데스산맥	산안드레아스 단층	동아프리카 열곡대, 대서양 중앙 해령

260

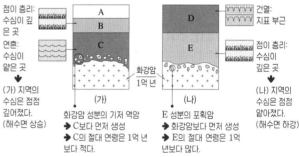

ㄱ. B의 퇴적 구조는 점이 층리이다. 점이 층리는 크기가 다른 입자들의 침강 속도가 서로 달라서 생성되는 구조이다. 크고 무거운 입자는 빠르게, 작고 가벼운 입자는 느리게 가라앉는다.

ㄷ. (가)에서 퇴적 구조의 모습을 보아 지층은 역전되지 않았고, 화강암이 C의 하부에서 기저 역암으로 나타나므로 암석의 생성 순서는 화강암 → C → B → A이다. 이때 화강암과 C는 부정합 관계이다.

바로알기 | ㄴ. (가)는 C에서 연흔, B에서 점이 층리가 관찰된다. 연흔보다 점이 층리가 수심이 깊은 지역에서 생성되는 퇴적 구조이므로 (가)는 해수면이 상승하는 지역에서 생성된 퇴적층이다. (나)는 E에서 점이 층리, D에서 건열이 관찰된다. 건열이 점이 층리보다 수심이 얕은 지역에서 생성되는 퇴적 구조이므로 (나)는 해수면이 하강하는 지역에서 생성된 퇴적층이다.

ㄹ. 화강암의 절대 연령이 1억 년이므로 중생대에 생성되었다. (나)에서 E의 조각이 화강암 안에 포획되어 있으므로 E는 화강암보다 먼저 생성되었다. 따라서 E에서는 신생대 표준 화석인 화폐석이 발견될 수 없다.

261

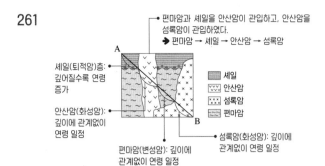

편마암과 셰일을 안산암이 관입하고, 안산암을 섬록암이 관입하였다.
➡ 편마암 → 셰일 → 안산암 → 섬록암

셰일(퇴적암)층: 깊어질수록 연령 증가

안산암(화성암): 깊이에 관계없이 연령 일정

편마암(변성암): 깊이에 관계없이 연령 일정

섬록암(화성암): 깊이에 관계없이 연령 일정

셰일 / 안산암 / 섬록암 / 편마암

(1) 이 지역에서 편마암 위에 놓인 셰일은 기저 역암을 포함하고 있으므로 편마암과 셰일은 부정합 관계이고, 부정합 법칙과 지층 누중의 법칙에 따라 편마암 → 셰일 순으로 생성되었다. 가장 상부에 있는 지층인 셰일을 섬록암과 안산암이 관입하였으므로 관입의 법칙에 따라 셰일 → 섬록암과 안산암 순으로 생성되었다. 또한, 안산암을 섬록암이 관입하였으므로 안산암 → 섬록암 순으로 생성되었다. 따라서 생성 순서는 '편마암 → 셰일 → 안산암 → 섬록암'이다.

(2) A에서 B로 갈수록 퇴적암인 셰일층 내에서의 연령은 증가한다. 화성암인 안산암, 변성암인 편마암, 화성암인 섬록암 내에서는 연령이 거의 일정하며, 세 암석 중에서는 편마암의 나이가 가장 많고, 섬록암의 나이가 가장 적다.

모범 답안 (1) 편마암 → 셰일 → 안산암 → 섬록암

(2)
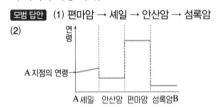

연령

A 지점의 연령

A 셰일　안산암　편마암　섬록암 B

개념 보충

암석의 연령
- **퇴적암**: 하나의 지층에서 아랫 부분이 윗부분보다 먼저 퇴적되어 암석이 생성되었으므로 위로 올라갈수록 연령이 젊어진다.
- **화성암**: 하나의 지층이 거의 동시에 굳어져 생성되므로 연령이 거의 유사하다.
- **변성암**: 하나의 지층이 거의 동시에 변성 작용을 받아 생성되므로 화성암처럼 연령이 거의 유사하다.

262

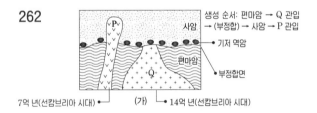

생성 순서: 편마암 → Q 관입 → (부정합) → 사암 → P 관입

사암 / 기저 역암 / 편마암 / 부정합면

7억 년(선캄브리아 시대)　(가)　14억 년(선캄브리아 시대)

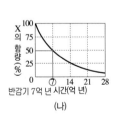

X의 함량(%)

반감기 7억 년 시간(억 년)

(나)

구분	화성암 P	화성암 Q
모원소	50 %	25 %
자원소	50 %	75 %
반감기	1회	2회
절대 연령	1회×7억 년 =7억 년	2회×7억 년 =14억 년

(다)

ㄱ. 화성암 Q에서 방사성 동위 원소 X의 모원소 : 자원소=1 : 3이므로 반감기가 2회 지났다. (나)에서 X의 반감기가 7억 년이므로 Q는 약 14억 년 전에 생성되었다. 이때는 원생 누대로, 오존층이 형성되지 않아 생명체는 바다에서만 서식하였다.

바로알기 ㄴ. 이 지역은 사암과 Q 사이가 부정합 관계이고, 지층이 육지로 드러나 있으므로 Q가 생성된 이후 최소 2회의 융기가 있었다.

ㄷ. 사암과 같은 퇴적암은 쇄설성 퇴적물이 굳어 생성되므로 방사성 동위 원소 측정법으로 퇴적암이 생성된 정확한 연대를 측정할 수 없다. 퇴적암에서의 연대 측정은 퇴적암의 퇴적 시기의 상한선을 알려 준다.

263 ④ ㉠은 $\dfrac{\text{자원소}}{\text{모원소}}=1$이므로 모원소가 처음 양의 $\dfrac{1}{2}$로 반감기를 1회 지났다. P는 매머드가 발견된 E를 관입하였으므로 신생대 이후에 관입하였다. 신생대는 0.66억 년 전에 시작되었으므로 P의 나이(㉠의 반감기×1회)는 0.66억 년보다 적을 것이다. 따라서 ㉠의 반감기는 6600만 년보다 짧다.

㉡은 $\dfrac{\text{자원소}}{\text{모원소}}=7$이므로 모원소가 처음 양의 $\dfrac{1}{8}$로 반감기를 3회 지났다. Q는 방추충이 발견된 D가 퇴적되기 전에 관입하였으므로 고생대나 고생대 이전에 관입하였다. 고생대는 2.52억 년 전에 끝났으므로 Q의 나이(㉡의 반감기×3회)는 2.52억 년보다 많다. 따라서 ㉡의 반감기는 8400만 년보다 길다.

바로알기 ① Q의 양옆으로 변성 부분이 나타나므로 Q는 B와 C를 관입하였다. 따라서 생성 순서는 A → B → C → Q → D → E → P이다.

② E는 매머드가 발견되므로 육지에서 생성된 육성층이고, D는 방추충이 발견되므로 바다에서 생성된 해성층이다.

③ Q와 D는 부정합 관계이고, D는 고생대 표준 화석인 방추충이 발견된다. 따라서 Q는 고생대나 고생대 이전에 생성되었다. 겉씨식물은 중생대에 번성하였으므로 Q가 관입한 시기에 번성하지 않았다.

⑤ D와 E 사이에 중생대 지층이 없고, E 하부에 기저 역암이 나타나므로 D와 E는 부정합 관계이다.

264 ㄴ. (나)에서 살아 있는 생물체 내의 $^{14}C/^{12}C$가 대기 중의 $^{14}C/^{12}C$ 비율과 같다는 것을 알 수 있다. 그 까닭은 생물체가 호흡과 광합성 등으로 대기와 물질 교환을 하기 때문이다.

ㄷ. 죽은 생물체에서는 물질 교환이 일어나지 않고, 생물체 내의 ^{14}C는 붕괴되어 ^{14}N로 변환된다. 따라서 죽은 생물체 내의 $^{14}C/^{12}C$는 대기 중의 $^{14}C/^{12}C$보다 작을 것이다.

바로알기 ㄱ. 자연계에서 탄소는 주로 안정한 ^{12}C로 존재한다.

265 ㄷ. 석순은 강수량이 많은 지역에서 잘 자란다. 따라서 빙기보다 간빙기에 성장이 활발하다.

ㄹ. 석순은 탄산 칼슘($CaCO_3$)으로 구성되어 있다. 따라서 탄소 동위 원소비를 이용하여 생성 시기를 알 수 있다.

바로알기 ㄱ. 빙하 코어로 알 수 있는 고기후는 약 100만 년 이내이다. 그보다 오래된 경우 시상 화석을 이용하거나 유공충 화석의 산소 동위 원소비($^{18}O/^{16}O$)를 연구해야 한다.

ㄴ. 유공충은 해양 생물이므로 해수 속 산소 동위 원소비($^{18}O/^{16}O$)가 높을 때 유공충의 산소 동위 원소비도 높다. 지구의 평균 기온이 높은 시기에는 해수 속 산소 동위 원소비($^{18}O/^{16}O$)가 낮으므로 유공충 화석 껍데기의 산소 동위 원소비($^{18}O/^{16}O$)도 낮다.

266 ㄱ. 지구의 나이가 46억 년이고, 지구의 나이에 해당하는 종이띠 길이가 92 cm이므로 1억 년은 92 cm÷46=2 cm에 해당한다.

바로알기 ㄴ. ㉠은 중생대로 약 2.52억 년 전에 시작되었다. 따라서 92 cm−2.52억 년×2 cm/억 년=86.96 cm에 해당한다.

ㄷ. 삼엽충은 고생대 전 기간 동안 번성하였으므로 5.41억 년 전−2.52억 년 전=2.89억 년에 해당한다. 따라서 전체 지질 시대 중 $\dfrac{2.89억 년}{46억 년}×100≒6.3 \%$를 차지한다.

10 기압과 날씨

267 (1) ○ (2) × (3) × (4) × (5) ○ (6) ×
268 (1) × (2) × (3) ○ (4) ○ (5) ○ (6) ×

267 A는 시베리아 기단, B는 양쯔강 기단, C는 북태평양 기단, D는 오호츠크해 기단이다.
(1) 시베리아 기단(A)과 양쯔강 기단(B)은 넓은 대륙에서 형성된 대륙성 기단이다.
(5) 북태평양 기단(C)과 오호츠크해 기단(D)이 만나면 오랫동안 비를 내리는 장마 전선이 형성될 수 있다.
바로알기 | (2) D 기단은 오호츠크해 기단으로, 고위도 바다에서 형성되어 한랭 다습한 성질을 나타낸다.
(3) B 기단은 양쯔강 기단으로, 봄이나 가을에 영향을 미친다. 여름철에 무더위가 나타나는 것은 북태평양 기단(C) 때문이다.
(4) C 기단은 북태평양 기단이다.
(6) 황사는 양쯔강 기단(B)이 영향을 미치는 봄철에 주로 발생한다.

268 (3) (가) 겨울철에는 북서 계절풍이 분다.
(4) (나) 여름철에는 열대야 현상이 나타난다.
(5) 풍속은 일기도의 등압선이 조밀할수록 강하므로 우리나라에서 풍속은 (가) 겨울철보다 (나) 여름철에 약하다.
바로알기 | (1) (가)는 겨울철 일기도, (나)는 여름철 일기도이다.
(2) (나) 여름철에는 정체성 고기압(북태평양 고기압)의 영향을 받고, 이동성 고기압의 영향을 받는 시기는 봄철이나 가을철이다.
(6) 서고 동저형 기압 배치가 나타나는 일기도는 (가) 겨울철이다. (나) 여름철에는 남고 북저형 기압 배치가 나타난다.

난이도별 필수 기출

269 (1) 북서풍 (2) 7 m/s (3) 10 ℃ (4) 1003.0 hPa (5) 소나기
270 ①, ⑦   **271** ④   **272** ①   **273** ③
274 해설 참조   **275** ⑤   **276** ③   **277** ③
278 ⑥, ⑦   **279** ⑤   **280** ②   **281** 해설 참조
282 ②   **283** ⑤   **284** (가) 겨울 (나) 여름 (다) 봄, 가을
285 ④   **286** ④   **287** ④   **288** ①, ②, ⑦   **289** ③

269

풍향: 북서풍
풍속: 깃이 긴 것 5 m/s와 깃이 짧은 것 2 m/s를 합한 값(7 m/s)이다.
기온: 10 ℃
기압: 1003.0 hPa 맨 앞의 수가 0~5이면 1000을, 6~9이면 900을 붙여 읽는다.
현재 일기: 소나기

(1) 관측 지점과 구름의 양을 나타내는 원에서 바람이 불어오는 방향으로 그은 직선이 풍향이다.
(4) 기압은 천의 자리와 백의 자리를 생략하고, 십의 자리와 일의 자리와 소수 첫째 자리인 세 자리 수로 나타낸다.

270 ① (가)는 바람이 시계 방향으로 불어나가고, (나)는 바람이 시계 반대 방향으로 불어 들어가므로 북반구에서 형성되었다.

⑦ (나) 저기압 중심에서는 상승 기류가 발달하므로 구름이 활발하게 만들어질 가능성이 높고, (가) 고기압 중심에서는 하강 기류가 발달하므로 구름이 소멸한다.
바로알기 | ② (가)는 바람이 불어나가므로 고기압이고, (나)는 바람이 불어 들어가므로 저기압이다.
③ (가) 고기압의 중심부에는 하강 기류가 나타난다.
④ (가)는 고기압 지역으로, 구름이 소멸되므로 날씨가 맑다.
⑤, ⑥ (나) 저기압 중심에는 상승 기류가 발달한다. 중심부의 상승하는 공기 덩어리는 단열 팽창하여 부피가 증가하고 기온이 하강하므로 상대 습도는 증가한다.

개념 보충

고기압과 저기압에서의 단열 변화
• **고기압:** 중심부의 하강 기류로 단열 압축이 일어난다. ➡ 공기 덩어리의 부피가 감소하고 기온이 상승하며 상대 습도가 감소하여 구름이 소멸하고 날씨가 맑다.
• **저기압:** 중심부의 상승 기류로 단열 팽창이 일어난다. ➡ 공기 덩어리의 부피가 증가하고 기온이 하강하며 상대 습도가 증가하여 구름이 잘 형성되며 날씨가 흐리거나 비가 내린다.

271

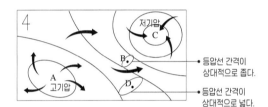

ㄱ. 바람은 고기압에서 불어나와 저기압으로 불어 들어간다. 그림에서는 바람이 A에서 불어나와 C로 불어 들어가고 있으므로 기압은 A보다 C에서 낮다.
ㄷ, ㄹ. A는 고기압, C는 저기압이고, 고기압(A)에서는 중심부에 하강 기류가, 저기압(C)에서는 중심부에 상승 기류가 발달한다. 구름은 상승 기류가 발달하는 저기압(C)의 상공에서 형성될 가능성이 높다.
바로알기 | ㄴ. 풍속은 등압선 간격이 좁을수록 빠르다. B 주위의 등압선 간격이 D 주위보다 좁으므로 풍속은 B보다 D에서 느리다.

272 ㄱ. A는 주위보다 기압이 낮으므로 저기압이다.
바로알기 | ㄴ. B는 주위보다 기압이 높으므로 고기압이고, 중심에서는 하강 기류가 발달하므로 구름이 소멸하여 날씨가 맑을 것이다.
ㄷ. 우리나라의 동쪽에는 고기압이 분포하고, 북서쪽에는 저기압이 분포하므로 이날 우리나라에는 동풍 계열의 바람이 분다.

273 ㄱ. (가) 일기도에서 A는 저기압이고, (나) 가시 영상에서 (가)의 A 지역을 보면 구름이 분포한다. (가) 일기도에서 B는 고기압이고, (나) 가시 영상에서 (가)의 B 지역을 보면 구름이 분포하지 않는다.
ㄴ. (가) 일기도에서 독도 부근에는 고기압이 분포하고, (나) 가시 영상에서 독도 부근에는 구름이 없다. 따라서 독도는 날씨가 맑을 것이다.
바로알기 | ㄷ. (나)는 가시 영상이다. 가시 영상은 구름과 지표면에서 반사된 햇빛의 세기를 나타내며, 밤에는 햇빛이 존재하지 않기 때문에 촬영이 불가능하다.

274 레이더는 전파가 반사 및 산란되는 것을 이용하여 물체가 위치한 방향과 거리에 관한 정보를 얻는 장치이다. 기상 레이더 영상은 전파를 대기 중에 발사한 후 구름이나 물방울에 부딪혀 되돌아오는 반사파를 분석하여 영상으로 나타낸 것이다. 따라서 기상 레이더 영상은 구름 속에 물방울이 얼마나 있는지를 나타내므로 강수량 및 비 또는 눈이 내리는 강수 구역과 이동 경향을 파악하는 데 효과적이다.

모범 답안 가시 영상이나 적외 영상은 반사하는 가시광선이나 방출하는 적외선을 측정하지만 기상 레이더 영상은 대기 중에 전파를 발사하여 물방울에서 반사 및 산란된 전파를 수신하므로 강수량이나 강수 구역을 파악하는 데 가시 영상이나 적외 영상보다 효과적이다.

275 ㄷ. 적외 영상에서는 구름 윗부분의 고도가 높을수록 온도가 낮아 밝게 나타난다. (나)에서 A는 B보다 밝게 보이므로 구름 윗부분의 고도는 A가 B보다 더 높다.

ㄹ. (가) 가시 영상은 구름과 지표면에서 반사된 햇빛의 세기를 나타내고, (나) 적외 영상은 구름이 방출하는 적외선 에너지양을 나타낸다. 밤에는 햇빛이 없으므로 가시 영상을 촬영할 수 없지만, 구름이나 지표면은 항상 적외선을 방출하므로 적외 영상은 밤과 낮에 모두 촬영이 가능하다.

바로알기 | ㄱ. 가시 영상에서는 반사도가 클수록 밝게 보이고, 구름의 두께가 두꺼울수록 반사도가 크다. 따라서 가시 영상에서 밝게 보일수록 구름의 두께가 두껍다. 구름의 온도는 적외 영상으로 알 수 있다.

ㄴ. 가시 영상에서 A는 B보다 밝으므로 구름의 두께는 A가 B보다 더 두껍다.

276 북태평양 기단(A)은 여름에 영향을 미치는 해양성 기단으로 고온 다습하고, 양쯔강 기단(B)은 봄, 가을에 영향을 미치는 대륙성 기단으로 온난 건조하다. 시베리아 기단(C)은 겨울에 영향을 미치는 대륙성 기단으로 한랭 다습하다.

277

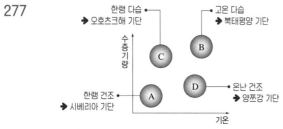

ㄴ. A는 한랭 건조한 시베리아 기단이다.

ㄷ. C는 한랭 다습한 오호츠크해 기단이다.

바로알기 | ㄱ. A는 수증기량이 적으므로 습도가 낮고, C는 수증기량이 많으므로 습도가 높은 기단이다.

ㄹ. 장마와 같이 지속적인 비는 수증기량이 많은 북태평양 기단(B)과 오호츠크해 기단(C)이 만날 때 발생할 수 있다.

278 A는 시베리아 기단, B는 오호츠크해 기단, C는 북태평양 기단, D는 적도 기단, E는 양쯔강 기단이다.

① A는 우리나라 겨울철에 영향을 주는 시베리아 기단으로, 겨울철 북서풍의 원인이 된다.

② B는 한랭 다습한 오호츠크해 기단으로, 우리나라 초여름에 영향을 준다.

③ C는 고온 다습한 북태평양 기단으로, 우리나라 여름철에는 이 기단의 영향으로 무더위가 나타난다.

④ D는 고온 다습한 적도 기단으로, 태풍과 함께 북상해서 우리나라에 영향을 준다.

⑤ E는 온난 건조한 양쯔강 기단으로, 우리나라 봄철, 가을철 이동성 고기압의 원인이 된다. 따라서 봄, 가을에 날씨 변화가 심하다.

⑧ 겨울철에 시베리아 기단인 A가 확장하여 따뜻한 황해를 지나면서 열과 수증기를 공급받으면 서해안 지역에 폭설이 내릴 수 있다.

바로알기 | ⑥ 시베리아 기단인 A는 북태평양 기단인 C보다 고위도에서 형성되었다. 따라서 기온은 A가 C보다 낮다.

⑦ 우리나라에서 황사는 주로 봄철에 발생하고, 우리나라 봄철에는 양쯔강 기단인 E의 영향을 받는다.

279

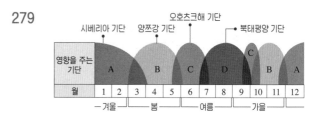

ㄱ. A는 한랭 건조한 시베리아 기단으로, 우리나라 겨울철 한파의 원인이다.

ㄴ. D는 고온 다습한 북태평양 기단으로, 우리나라 여름철에 영향을 준다. 여름철에는 남고 북저형 기압 배치로 남동 계절풍이 분다.

ㄷ. 우리나라 초여름에 나타나는 장마는 한랭 다습한 오호츠크해 기단(C)과 고온 다습한 북태평양 기단(D)의 영향으로 발생한다.

280 ② 한대 기단은 우리나라의 북서쪽에 발달한 시베리아 기단이고, 이 기단은 우리나라 겨울철에 영향을 준다.

바로알기 | ① 한대 기단이 황해를 지나면서 상승 기류가 발달하여 우리나라에 적운형 구름을 형성한다.

③ 한대 기단이 황해를 지나면 수증기가 공급되어 다습해진다.

④ 한대 기단이 따뜻한 바다인 황해를 지나면 기단의 하층이 가열되어 불안정해진다.

⑤ 기단의 변질로 대규모 안개가 발생하는 현상은 고온 다습한 기단이 북상하여 찬 바다나 찬 지표면 위를 이동하면서 기단의 하층이 냉각될 때 일어난다.

281 기단이 발원지를 떠나 다른 지역으로 이동하면 통과하는 지표면의 영향을 받아 기단의 성질이 변하면서 기상 현상이 나타난다. 고위도에서 발생한 찬 기단이 따뜻한 해수면 위로 이동하면 기단의 하층이 가열되어 불안정해지므로 적운이나 적란운이 형성된다. 저위도에서 발생한 따뜻한 기단이 찬 해수면 위로 이동하면 기단의 하층이 냉각되어 안정해지므로 층운이나 안개가 형성된다.

모범 답안 한대 기단인 시베리아 기단이 따뜻한 황해를 지나면서 수증기를 공급받아 수증기량이 증가하고, 기단의 하층이 가열되어 기층이 불안정해진다. 이에 따라 상승 기류가 발달하여 적운형 구름이 형성되므로 서해안에 폭설이 내릴 수 있다.

282

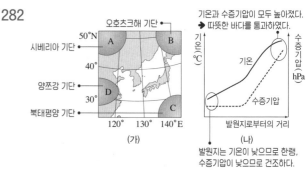

ㄷ. (나)에서 기단이 이동하는 동안 기단 하층부의 기온이 계속 상승하고, 수증기압도 증가하여 수증기량이 많아졌다. 따라서 이 기단은 이동하는 동안 하층이 불안정해졌다.

바로알기 | ㄱ. 저위도에서 고위도로 갈수록 지표면의 온도가 낮으므로 고위도에서 저위도 쪽으로 이동하는 기단은 기온이 상승하고, 저위도에서 고위도 쪽으로 이동하는 기단은 기온이 하강한다. (나)에서 기단이 우리나라로 이동하는 동안 기단 하층부의 기온이 점차 상승한 것으로 보아 이 기단의 발원지는 우리나라보다 고위도이다.

ㄴ. (나)에서 기단 하층부의 기온이 지속적으로 상승한 것으로 보아 이 기단은 고위도에서 저위도 쪽으로 이동하였다. 그리고 기단 하층부의 수증기압이 처음에는 낮은 상태로 유지되다가 일정 시간이 지난 후 증가하는 것으로 보아 건조한 대륙성 기단이 바다 위를 지나 우리나라로 이동해 온 것임을 알 수 있다. 따라서 (나)는 (가)의 A인 시베리아 기단이 이동할 때 나타나는 변화이다.

283 ㄱ. 기단이 A → B → C 지역으로 이동하는 동안 기온이 약 −15 ℃에서 약 5 ℃로 상승했고, 수증기압이 약 5 hPa에서 약 16 hPa로 증가했다. 따라서 이 기간 동안 기단 하층부는 불안정해지고 상승 기류가 나타날 것이다.

ㄴ. 기단이 이동하면서 기온과 수증기압이 높아지므로 C 지역에서는 기단 하층부가 불안정해지고 상승 기류가 발달하여 적운형 구름이 형성될 것이다.

ㄷ. 기단의 발원지 부근에서 기온은 약 −15 ℃이고, 수증기압은 약 5 hPa이므로 이 기단은 한랭 건조한 성질을 나타낸다. 따라서 이러한 기단의 변질은 한랭 건조한 시베리아 기단이 따뜻한 황해를 지날 때 기단의 하층부에서 나타날 수 있는 변화이다.

284 (가) 우리나라 겨울철에는 북서쪽에 발달한 시베리아 고기압의 영향으로 춥고 건조한 날씨가 나타난다.

(나) 우리나라 여름철에는 남동쪽에 발달한 북태평양 고기압의 영향으로 무덥고 습한 날씨가 나타난다.

(다) 우리나라 봄, 가을에는 서쪽에서 다가오는 이동성 고기압과 저기압의 영향으로 날씨의 변화가 심하게 나타난다.

285 ㄴ. 서고 동저형 기압 배치는 우리나라 겨울철에 나타나는 기압 배치이다. 이 계절에 우리나라에서는 북서 계절풍이 분다.

ㄷ. 우리나라 서쪽에 위치한 고기압은 시베리아 고기압이다. 시베리아 고기압이나 북태평양 고기압은 정체성 고기압에 해당한다.

바로알기 | ㄱ. 우리나라 서쪽에 고기압, 동쪽에 저기압이 위치하는 서고 동저형 기압 배치는 겨울철의 특징적인 기압 배치이다.

286

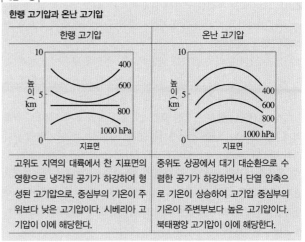

(가)
겨울철 일기도

(나)
봄철, 가을철 일기도

ㄴ. 고기압의 규모는 정체성 고기압인 A가 이동성 고기압인 B보다 크다.

ㄹ. (가)는 시베리아 고기압의 영향을 받는 겨울철 일기도이고, (나)는 이동성 고기압과 저기압의 영향을 받는 봄철이나 가을철 일기도이다. 이동성 고기압과 저기압의 영향을 받는 봄철이나 가을철에는 시베리아 고기압의 영향을 받는 겨울철에 비해 날씨 변화가 심하게 나타난다.

바로알기 | ㄱ. (가)에서 우리나라 북서쪽에 발달한 A는 정체성 고기압인 시베리아 고기압이고, (나)에서 우리나라 동쪽에 위치한 B는 이동성 고기압이다.

ㄷ. (가)는 서고 동저형 기압 배치를 보이는 우리나라 겨울철의 전형적인 일기도이다. 우리나라 여름철에는 남고 북저형 기압 배치가 나타난다.

287 ㄴ. (가)는 고위도 지역에서 형성되는 한랭 고기압, (나)는 중위도 지역에서 형성되는 온난 고기압이다. 따라서 (가)는 (나)보다 고위도에서 형성된 것이다.

ㄷ. (가)가 (나)보다 고위도에서 형성되므로 지표 부근에서 고기압 중심부의 기온은 (가)보다 (나)에서 높다.

바로알기 | ㄱ. (나)는 온난 고기압으로 북태평양 고기압이 이에 속한다. 시베리아 고기압은 한랭 고기압이다.

개념 보충

한랭 고기압과 온난 고기압

한랭 고기압	온난 고기압
고위도 지역의 대륙에서 찬 지표면의 영향으로 냉각된 공기가 하강하여 형성된 고기압으로, 중심부의 기온이 주위보다 낮은 고기압이다. 시베리아 고기압이 이에 해당한다.	중위도 상공에서 대기 대순환으로 수렴한 공기가 하강하면서 단열 압축으로 기온이 상승하여 고기압 중심부의 기온이 주변보다 높은 고기압이다. 북태평양 고기압이 이에 해당한다.

288 ① (가)는 우리나라 겨울철의 일기도이고, 겨울철에는 시베리아 고기압의 영향을 받는다. (나)는 우리나라 여름철의 일기도이고, 여름철에는 북태평양 고기압의 영향을 받는다. 시베리아 고기압과 북태평양 고기압은 모두 정체성 고기압이다.

② (가) 겨울철에는 삼한사온 현상이 나타난다.

⑦ (나) 여름철 전 초여름에 북태평양 기단과 오호츠크해 기단의 영향으로 장마 전선이 형성된다.

바로알기 | ③ (나)는 여름철이고, 양쯔강 기단의 영향으로 황사가 발생하는 계절은 봄철이다.

④ (가)는 서고 동저형 기압 배치를 보이는 겨울철 일기도이고, (나)는 남고 북저형 기압 배치를 보이는 여름철 일기도이다.

⑤ 풍속은 일기도에서 등압선 간격이 좁을수록 빠르다. 두 일기도에서 우리나라 부근의 등압선 간격은 (가)가 (나)보다 좁으므로 풍속은 (가)가 (나)보다 빠르다.

⑥ (가) 겨울철 우리나라에 영향을 미치는 시베리아 고기압은 고위도 지역에서 찬 지표면의 영향으로 냉각된 공기가 하강하여 형성되는 한랭 고기압이다.

289 ㄱ. 장마 전선은 남쪽의 따뜻한 기단과 북쪽의 찬 기단이 만나 형성되는 것으로, 오랫동안 비를 내린다. 일기도에는 ▲▲▼▼▲ 모양으로 표시된다. (가)에서 나타난 장마 전선이 8일 후인 (나)에도 보이므로 이 기간 동안 장마 전선이 우리나라에 영향을 주었다.

ㄴ. 장마 전선이 (가)보다 (나)에서 더 북쪽으로 이동한 것으로 보아 이 기간 동안 남쪽에 있는 북태평양 기단의 세력이 강해져 장마 전선이 밀려 올라갔음을 알 수 있다.

바로알기 | ㄷ. (가)에서는 장마 전선이 우리나라 중부 지방의 남쪽에 위치하므로 중부 지방은 찬 기단의 영향을 받고, (나)에서는 장마 전선이 중부 지방의 북쪽에 위치하므로 중부 지방은 따뜻한 기단의 영향을 받는다. 따라서 중부 지방의 기온은 따뜻한 기단의 영향을 받는 (나) 시기보다 찬 기단의 영향을 받는 (가) 시기에 더 낮았다.

11 온대 저기압과 날씨

빈출 자료 보기   77쪽

290 (1) ○ (2) ○ (3) ○ (4) × (5) × (6) ○ (7) ○ (8) ×
291 (1) ○ (2) ○ (3) × (4) ○ (5) × (6) × (7) ○

290 (1) (가)는 따뜻한 공기가 찬 공기 위로 타고 올라갈 때 형성되는 온난 전선이고, (나)는 찬 공기가 따뜻한 공기 아래로 파고들 때 형성되는 한랭 전선이다.

(2) (가)는 전선면의 기울기가 완만하므로 층운형 구름이 발달하고, (나)는 전선면의 기울기가 급하기 때문에 적운형 구름이 발달한다. 따라서 구름의 평균 두께는 (가)보다 (나)에서 더 두껍다.

(3) (가) 온난 전선에서는 전선 앞쪽으로 넓은 지역에 지속적으로 약한 비가 내리고, (나) 한랭 전선에서는 전선 뒤쪽으로 좁은 지역에 소나기가 내린다. 따라서 (가)에 비해 (나)에서 좁은 지역에 비가 내린다.

(6) 구름은 따뜻한 공기와 찬 공기가 만나는 전선면에서 형성되므로 강수 현상은 주로 찬 공기가 위치한 지역에서 나타난다. 따라서 강수 현상은 (가) 온난 전선에서는 B 지역, (나) 한랭 전선에서는 C 지역에서 주로 나타난다.

(7) (가) 온난 전선이 통과하기 전에는 남동풍이 불고, 통과한 후에는 남서풍이 분다. 따라서 (가) 온난 전선이 통과하는 동안 풍향은 시계 방향으로 변한다.

바로알기 | (4) 전선의 이동 속도는 한랭 전선인 (나)가 온난 전선인 (가)보다 빠르다.

(5) (가)에서 A 지역은 따뜻한 공기의 영향을 받고, B 지역은 찬 공기의 영향을 받는다. 따라서 기온은 A 지역이 B 지역보다 높다.

(8) (가)에서는 온난 전선 앞쪽(B)에 형성된 층운형 구름에서 약한 비가 내리고, (나)에서는 한랭 전선 뒤쪽(C)에 형성된 적운형 구름에서 소나기가 내린다.

291 (1) 중위도 온대 지방에서 형성되는 온대 저기압은 편서풍의 영향으로 서쪽에서 동쪽으로 이동한다.

(2) 온대 저기압은 서 → 동으로 이동하므로 온대 저기압이 서쪽에 있을수록 이전의 일기도이다. (나)는 (가)보다 12시간 전의 일기도이다.

(4) (나)에서 A 지역은 온난 전선과 한랭 전선 사이에 위치하며, (가)에서 A 지역은 한랭 전선의 뒤쪽에 위치한다. 따라서 이 기간 동안 한랭 전선이 A 지역을 통과했다.

(7) (나)의 A 지역은 온난 전선과 한랭 전선 사이이므로 남서풍이 불고, (가)의 A 지역은 한랭 전선 뒤쪽이므로 북서풍이 분다. 따라서 A 지역의 풍향은 남서풍에서 북서풍으로 바뀌었다.

바로알기 | (3) 저기압은 중심 기압이 낮을수록 세력이 강하다. 온대 저기압의 중심 기압이 (가)에서는 약 1008 hPa, (나)에서는 약 1012 hPa이다. 따라서 온대 저기압의 세력은 (가)가 (나)보다 강하다.

(5) (가)에서 A 지역은 한랭 전선의 뒤쪽에 위치하므로 찬 공기의 영향을 받고, (나)에서 A 지역은 온난 전선과 한랭 전선 사이에 위치하므로 따뜻한 공기의 영향을 받는다. 따라서 A 지역의 기온은 (가)보다 (나)에서 더 높다.

(6) (나)에서 A 지역은 온난 전선과 한랭 전선 사이에 위치한다. 온난 전선과 한랭 전선 사이에서는 따뜻한 공기의 영향으로 구름이 없고 맑은 날씨가 나타난다.

난이도별 필수 기출   78~83쪽

292 ②	293 ④	294 해설 참조	295 ④	296 ②
297 ①	298 해설 참조	299 ②	300 ②	301 ④
302 ⑤	303 ⑤	304 A: 폐색 전선, B: 한랭 전선, C: 온난 전선		
305 ⑤	306 ⑤, ⑦		307 ③	
308 ⑤, ⑥		309 해설 참조	310 ③	
311 해설 참조	312 ③	313 ②	314 ②	315 ①
316 ③	317 ②	318 ③	319 ①	320 ⑤	321 ③

292 그림은 찬 공기가 따뜻한 공기 아래로 파고들어 따뜻한 공기를 밀어 올리면서 적운형 구름이 형성된 한랭 전선의 모습이다.

293

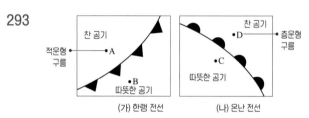

(가) 한랭 전선   (나) 온난 전선

ㄱ. 강수 현상은 찬 공기가 있는 한랭 전선의 뒤쪽과 온난 전선의 앞쪽에서 나타난다. 따라서 강수 현상이 나타나는 곳은 A와 D이다.

ㄴ. (가)의 A는 찬 공기의 영향을 받고, B는 따뜻한 공기의 영향을 받는다. 따라서 A는 B보다 기온이 낮다.

ㄷ. (가)는 한랭 전선, (나)는 온난 전선이고, 전선의 이동 속도는 (가) 한랭 전선이 (나) 온난 전선보다 빠르다.

바로알기 | ㄹ. (나) 온난 전선의 앞쪽에는 층운형 구름이 형성된다. 적운형 구름은 (가) 한랭 전선의 뒤쪽인 A에서 형성된다.

294 (가) 한랭 전선이 통과한 후에는 기온이 하강하며 기압이 높아지고, (나) 온난 전선이 통과한 후에는 기온이 상승하며 기압이 낮아진다. 온난 전선의 앞쪽에서는 남동풍이 불다가 온난 전선이 통과하면 풍향이 남서풍으로 바뀌고, 한랭 전선 앞쪽에서는 남서풍이 불다가 한랭 전선이 통과하면 풍향이 북서풍으로 바뀐다.

모범 답안 (가)는 한랭 전선이고, (나)는 온난 전선이다. (가) 한랭 전선이 통과한 후에 기압은 높아지고, 풍향은 남서풍에서 북서풍으로 변한다. (나) 온난 전선이 통과한 후에 기압은 낮아지고, 풍향은 남동풍에서 남서풍으로 변한다.

295

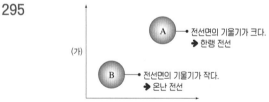

전선면의 기울기

ㄴ. (가)는 한랭 전선이 온난 전선보다 큰 값을 갖는 물리량이어야 한다. 한랭 전선의 이동 속도는 비교적 빠르고, 온난 전선의 이동 속도는 비교적 느리다. 또 한랭 전선에서는 구름의 두께가 두꺼운 적운형 구름이 형성되고, 온난 전선에서는 구름의 두께가 얇은 층운형 구름이 형성된다. 따라서 (가)는 전선의 이동 속도나 구름의 두께이다.

ㄷ. 온난 전선이 통과하기 전에는 남동풍이 불고, 온난 전선이 통과한 후에는 남서풍이 분다. 따라서 온난 전선(B)이 통과할 때 풍향은 시계 방향으로 변한다.

바로알기 | ㄱ. 전선면의 기울기가 큰 A는 한랭 전선이고, 전선면의 기울기가 작은 B는 온난 전선이다.

296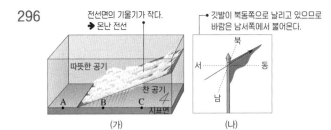

ㄴ. (나) 지역에서는 남서풍이 불고 있다. (가)에서 온난 전선 앞쪽에 위치한 B와 C 지역에서는 남동풍이 불고, 온난 전선 뒤쪽에 위치한 A 지역에서는 남서풍이 분다. 따라서 (나)는 (가)의 A 지역에서 관측한 것이다.

바로알기 | ㄱ. (가)의 B 지역은 온난 전선 앞쪽에 위치하고 있으므로 층운형 구름에서 지속적으로 약한 비가 내린다.

ㄷ. (가) 온난 전선에서는 따뜻한 공기가 찬 공기 위로 타고 올라가면서 전선 앞쪽에 층운형 구름이 형성된다.

297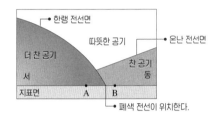

ㄱ. 폐색 전선은 상대적으로 이동 속도가 빠른 한랭 전선이 이동 속도가 느린 온난 전선을 따라잡아 겹쳐져 형성되는 전선이다. 그림에서 한랭 전선 쪽의 더 찬 공기가 온난 전선 쪽의 찬 공기 아래로 파고들고 있으므로 이 전선은 한랭형 폐색 전선이다.

바로알기 | ㄴ. 폐색 전선에서는 전선의 앞쪽(B)과 뒤쪽(A) 모두에서 비가 내린다.

ㄷ. 폐색 전선은 한랭 전선이 온난 전선보다 이동 속도가 빠르기 때문에 한랭 전선이 온난 전선을 따라잡아 겹쳐져 형성된 것이다.

개념 보충

전선과 강수 구역

찬 공기와 따뜻한 공기가 만나는 전선면의 위쪽에 구름이 생기므로 강수 구역은 항상 찬 공기가 있는 쪽에 형성된다.

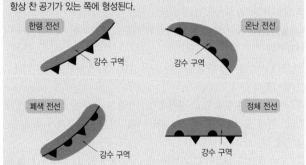

298 폐색 전선 중 온난형 폐색 전선은 온난 전선 앞쪽의 찬 공기가 한랭 전선 뒤쪽의 찬 공기보다 기온이 낮아 한랭 전선 뒤쪽의 찬 공기가 온난 전선 앞쪽의 더 찬 공기 위로 타고 올라가며 형성된 폐색 전선이다. 한랭형 폐색 전선은 한랭 전선 뒤쪽의 찬 공기가 온난 전선 앞쪽의 찬 공기보다 기온이 낮아 한랭 전선 뒤쪽의 더 찬 공기가 온난 전선 앞쪽의 찬 공기 아래로 파고들며 형성된 폐색 전선이다.

모범 답안 한랭 전선이 온난 전선을 따라잡아 겹쳐지면 폐색 전선이 형성된다. 이때 한랭 전선 뒤쪽인 A 지역 공기가 온난 전선 앞쪽인 B 지역 공기보다 온도가 더 낮기 때문에 한랭 전선 뒤쪽의 더 찬 공기(A)가 온난 전선 앞쪽의 찬 공기(B) 아래로 파고드는 한랭형 폐색 전선이 형성된다.

299 (가)는 한랭 전선, (나)는 온난 전선, (다)는 정체 전선이다.

ㄴ. (나)는 온난 전선으로 A 지역은 따뜻한 공기의 영향을 받고, B 지역은 찬 공기의 영향을 받는다. 따라서 기온은 B 지역보다 A 지역에서 높다.

바로알기 | ㄱ. (가) 한랭 전선이 (나) 온난 전선보다 빠르게 이동하기 때문에 두 전선이 겹쳐지면 폐색 전선(▬▲▲▲▲▬)이 형성된다. (다)는 정체 전선으로, 찬 공기와 따뜻한 공기의 세력이 비슷하여 한곳에 오래 머물러 있는 전선이다.

ㄷ. 온대 저기압이 소멸할 때는 한랭 전선과 온난 전선이 겹쳐진 폐색 전선이 형성된다.

300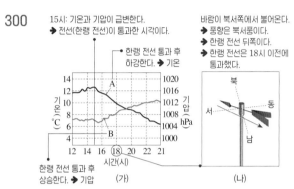

ㄱ. 기온과 기압이 급격히 변했을 때가 전선이 통과한 때이다. (가)에서 기온과 기압이 급변한 시각은 15시경이다.

ㄷ. (가)에서 15시경에 전선이 통과하였고, 전선이 통과한 후인 18시경에 북서풍이 불고 있으므로 이 지역에는 한랭 전선이 통과하였다.

바로알기 | ㄴ. (나)에서 18시경에 북서풍이 불었으므로 이 지역은 한랭 전선이 통과하였다. (가)에서 15시경에 한랭 전선이 통과한 후 A는 하강하고, B는 상승하였으므로 A는 기온 변화를, B는 기압 변화를 나타낸다.

ㄹ. 한랭 전선에서는 전선 뒤쪽에 강수 현상이 나타난다. 따라서 15시경 이전보다 한랭 전선이 통과한 15시경 이후에 비가 많이 내렸을 것이다.

개념 보충

전선 통과 후 변화

• 온난 전선이 통과한 후에는 기온이 상승하고, 기압이 하강하며, 풍향이 남동풍 → 남서풍으로 변한다.

• 한랭 전선이 통과한 후에는 기온이 하강하고, 기압이 상승하며, 풍향이 남서풍 → 북서풍으로 변한다.

301 (가)에서 형성된 전선은 정체 전선에 속하는 장마 전선이다.

ㄱ. 전선 부근에서는 따뜻한 공기가 찬 공기 위로 타고 오르면서 구름이 형성된다. (나)에서 A 지역은 따뜻한 공기, B 지역은 찬 공기의 영향을 받으며 따뜻한 공기가 전선면을 따라 B 쪽으로 상승하므로 A 지역보다 B 지역에 구름이 형성되어 강수량이 많다.

ㄷ. (나)에서 A 지역은 따뜻한 공기, B 지역은 찬 공기가 분포하고 있고, (가)에서 따뜻한 공기는 남쪽, 찬 공기는 북쪽에 분포하고 있다. 따라서 A 지역에 영향을 주는 따뜻한 기단인 북태평양 기단의 세력이 커지면 전선은 북쪽으로 이동한다.

바로알기 | ㄴ. 우리나라 남부 지방에 동서 방향으로 정체 전선이 형성되어 있다.

302 ① 온대 저기압은 중위도 온대 지방에서 찬 공기와 따뜻한 공기가 만나 형성된다.

② 온대 저기압은 중위도 온대 지방에서 발생하는 저기압으로 편서풍의 영향을 받아 서쪽에서 동쪽으로 이동한다.

③ 온대 저기압은 찬 공기와 따뜻한 공기가 만나 형성된다. 이때 찬 공기가 따뜻한 공기 아래로 내려가면서 위치 에너지가 감소하고, 이 감소한 위치 에너지가 운동 에너지로 전환되어 온대 저기압의 에너지원이 된다.

④ 저기압은 중심 기압이 낮을수록 세력이 강하다.

바로알기 | ⑤ 온대 저기압은 중심의 남서쪽에 한랭 전선을, 남동쪽에 온난 전선을 동반한다.

개념 보충

온대 저기압의 에너지원

온대 저기압의 에너지원은 찬 공기가 따뜻한 공기 아래로 파고들어 섞이면서 발생하는 위치 에너지의 감소이다.

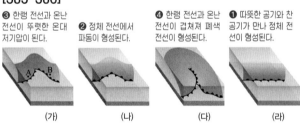

○ 찬공기의 중심 × 따뜻한 공기의 중심 ⊗ 전체 중심

이만큼 위치 에너지가 감소하였고, 감소한 양만큼 운동 에너지로 바뀐다.

303 ㄱ. 우리나라 주변을 지나는 온대 저기압은 편서풍의 영향으로 서쪽에서 동쪽으로 이동한다. 따라서 온대 저기압이 서쪽에 있을수록 먼저 작성된 일기도이다.

ㄴ. 저기압은 중심 기압이 낮을수록 세력이 강하다. (가)에서 저기압의 중심 기압은 약 1000 hPa, (나)에서 저기압의 중심 기압은 약 996 hPa이므로 저기압의 세력은 (나)보다 (가)에서 약하다.

ㄷ. (가)에서 제주도 지역은 온난 전선과 한랭 전선 사이에 위치한다. 온난 전선과 한랭 전선 사이의 지역은 구름이 없고 날씨가 맑다.

304 온대 저기압은 전선을 동반한 저기압이다. 온대 저기압의 중심에서 남동쪽으로는 온난 전선(C), 남서쪽으로는 한랭 전선(B)이 형성된다. 한랭 전선이 온난 전선보다 이동 속도가 빠르기 때문에 시간이 지나면 한랭 전선과 온난 전선이 겹쳐져 폐색 전선(A)이 형성된다.

[305~306]

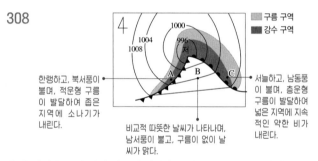

❸ 한랭 전선과 온난 전선이 뚜렷한 온대 저기압이 된다. ❷ 정체 전선에서 파동이 형성된다. ❹ 한랭 전선과 온난 전선이 겹쳐져 폐색 전선이 형성된다. ❶ 따뜻한 공기와 찬 공기가 만나 정체 전선이 형성된다.

(가) (나) (다) (라)

305 (라) 찬 공기와 따뜻한 공기가 만나 정체 전선이 형성되고, (나) 정체 전선에서 파동이 형성되면서 (가) 한랭 전선과 온난 전선을 동반한 온대 저기압이 발달한다. 이후 (다) 한랭 전선과 온난 전선이 겹쳐져 폐색 전선이 형성되면 온대 저기압의 세력이 약해지면서 소멸한다. 따라서 온대 저기압의 생성 순서는 (라) → (나) → (가) → (다)이다.

306 ⑤ 한랭 전선이 온난 전선보다 이동 속도가 빨라 두 전선이 겹쳐지면서 폐색 전선이 형성된다.

⑦ 한랭 전선과 온난 전선이 겹쳐져 폐색 전선이 형성되면 찬 공기는 아래로, 따뜻한 공기는 위로 올라가 분리되어 온대 저기압은 소멸한다.

바로알기 | ① A는 한랭 전선의 뒤쪽으로, 좁은 지역에 적운형 구름이 만들어진다. B는 온난 전선의 앞쪽으로, 넓은 지역에 층운형 구름이 만들어진다. 따라서 구름 발생 지역은 A가 B보다 좁다.

② (가)의 A에서는 적운형 구름에서 소나기, B에서는 층운형 구름에서 약한 비가 내린다.

③ (다)에서는 한랭 전선과 온난 전선이 겹쳐져 폐색 전선이 만들어진다.

④ 중위도 지역에서 고위도의 찬 공기와 저위도의 따뜻한 공기가 만나 (라)와 같은 정체 전선을 형성한다.

⑥ 온대 저기압은 편서풍의 영향으로 서쪽에서 동쪽으로 이동한다.

307 ㄱ. (가)에는 한랭 전선이 온난 전선보다 이동 속도가 빨라 두 전선이 겹쳐진 폐색 전선이 발달해 있다. (나)에는 온대 저기압 중심의 남동쪽에 온난 전선, 남서쪽에 한랭 전선이 발달해 있다. 따라서 온대 저기압은 (나)에서 (가)로 발달한다.

ㄴ. (나)의 A 지역은 한랭 전선의 뒤쪽으로 좁은 지역에 소나기성 강수가, (나)의 B 지역은 온난 전선의 앞쪽으로 넓은 지역에 지속적으로 약한 강수가 내린다.

바로알기 | ㄷ. (가)에서 한랭 전선과 온난 전선이 겹쳐진 폐색 전선이 형성된 이후에 따뜻한 공기는 상층, 찬 공기는 하층으로 이동하여 분리되면서 온대 저기압이 소멸한다.

308

■ 구름 구역 **■** 강수 구역

한랭하고, 북서풍이 불며, 적운형 구름이 발달하여 좁은 지역에 소나기가 내린다.

비교적 따뜻한 날씨가 나타나며, 남서풍이 불고, 구름이 없이 날씨가 맑다.

서늘하고, 남동풍이 불며, 층운형 구름이 발달하여 넓은 지역에 지속적인 약한 비가 내린다.

⑤ C 지역은 온난 전선 앞쪽에 위치하고 있으며 이후 온난 전선이 통과하면 기온은 높아지고, 기압은 낮아진다.

⑥ 한랭 전선과 온난 전선 사이에 위치한 B 지역은 구름이 없고 비교적 날씨가 맑다.

바로알기 | ① A 지역은 한랭 전선의 뒤쪽으로 두꺼운 적운형 구름이 발달한다.

② 온대 저기압에서 한랭 전선과 온난 전선 사이에 위치한 B 지역에서는 남서풍이 분다.

③ 온난 전선의 앞쪽인 C 지역에서는 층운형 구름에서 약한 비가 내리고, 한랭 전선의 뒤쪽인 A 지역에서는 적운형 구름에서 소나기가 내린다.

④ 온난 전선의 앞쪽인 C 지역에서는 남동풍이 불고, 한랭 전선의 뒤쪽인 A 지역에서는 북서풍이 분다.

⑦ A와 C 지역에는 찬 공기가 위치하고, B 지역에는 따뜻한 공기가 위치한다. 따라서 기온이 가장 높은 지역은 B이다.

309 온난 전선의 앞쪽에서는 남동풍, 한랭 전선과 온난 전선 사이에서는 남서풍, 한랭 전선의 뒤쪽에서는 북서풍이 분다. 온대 저기압이 편서풍을 따라 서쪽에서 동쪽으로 이동하기 때문에 온난 전선이 먼저 통과한 후 한랭 전선이 통과하면서 날씨가 변한다.

모범 답안 현재 C 지역은 온난 전선 앞쪽으로 남동풍이 불고 있다. 이후 온난 전선이 통과하면 남서풍으로 풍향이 바뀌고, 한랭 전선이 통과하면 북서풍으로 바뀐다.

310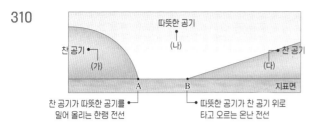

① 전선면이 형성될 때 찬 공기는 따뜻한 공기 아래에 위치한다. 따라서 (가)와 (다)는 찬 공기, (나)는 따뜻한 공기이다.

② (나)는 따뜻한 공기로, 전선면을 따라 찬 공기 위로 상승한다.

④ B는 온난 전선으로, 전선의 앞쪽에서 약한 비가 내린다. A는 한랭 전선으로, 전선의 뒤쪽에서 소나기가 내린다.

⑤ 한랭 전선인 A는 온난 전선인 B보다 이동 속도가 빠르다.

바로알기 | ③ A는 한랭 전선이고, 전선면을 따라 적운형 구름이 발달한다. B는 온난 전선이고, 전선면을 따라 층운형 구름이 발달한다.

311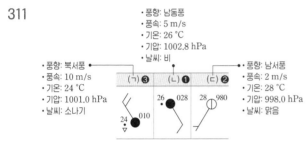

(나)→ C 지역에서 관측한 일기 기호이다.

(나)에서 북서풍이 부는 (ㄱ)은 한랭 전선 통과 후, 남동풍이 부는 (ㄴ)은 온난 전선 앞쪽, 남서풍이 부는 (ㄷ)은 온난 전선 통과 후의 날씨를 나타낸다. 따라서 관측 순서는 (ㄴ) → (ㄷ) → (ㄱ)이다. C 지역에서 온난 전선이 통과한 후에는 기온이 26 °C에서 28 °C로 상승하고, 기압이 1002.8 hPa에서 998.0 hPa로 하강했다. 또, C 지역에서 한랭 전선이 통과한 후에는 기온이 28 °C에서 24 °C로 하강하고, 기압이 998.0 hPa에서 1001.0 hPa로 상승했다.

모범 답안 | 관측 순서는 (ㄴ) → (ㄷ) → (ㄱ)이다. 우리나라 주변에서 온대 저기압은 편서풍의 영향으로 서쪽에서 동쪽으로 이동하고, C 지역은 온대 저기압이 이동하면서 온난 전선과 한랭 전선이 차례로 통과하여 날씨가 달라지기 때문이다.

312 ㄱ. A는 한랭 전선의 뒤쪽으로 좁은 지역에 소나기가 내리고, C는 온난 전선의 앞쪽으로 넓은 지역에 약한 비가 내린다. 따라서 A보다 C에서 넓은 지역에 약한 비가 내린다.

ㄴ. C 지역에 온난 전선이 통과하기 전에는 풍속이 5 m/s였고(ㄴ), 온난 전선이 통과한 후에는 풍속이 2 m/s였다(ㄷ). 따라서 C 지역에서 온난 전선이 통과한 후 풍속이 약해졌다.

바로알기 | ㄷ. C→B로 갈수록 온대 저기압의 중심에 가까워졌다가 멀어지므로 기압이 낮아졌다가 높아진다.

313 ㄷ. C 지역은 온난 전선 앞쪽으로 현재 남동풍이 불고 있지만 온난 전선이 통과하면 남서풍, 한랭 전선이 통과하면 북서풍으로 풍향이 변한다. 따라서 온대 저기압이 통과하는 동안 C 지역의 풍향은 시계 방향(남동풍 → 남서풍 → 북서풍)으로 변한다.

바로알기 | ㄱ. 한랭 전선의 뒤쪽에 위치한 A 지역과 온난 전선의 앞쪽에 위치한 C 지역은 찬 공기의 영향을 받고, 온난 전선과 한랭 전선 사이에 위치한 B 지역은 따뜻한 공기의 영향을 받는다. 따라서 A 지역보다 B 지역의 기온이 더 높다.

ㄴ. 온난 전선 앞쪽에 위치한 C 지역에는 층운형 구름이, 한랭 전선 뒤쪽에 위치한 A 지역에는 적운형 구름이 발달해 있다. 온난 전선과 한랭 전선 사이에 위치한 B 지역은 구름이 거의 없고 날씨가 맑다.

314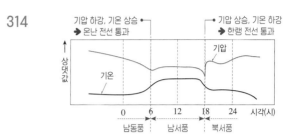

ㄱ. 5시경은 온난 전선이 통과하기 전이므로 남풍 계열의 바람(남동풍)이 불었다.

ㄷ. 18시경에 기온이 하강하고, 기압이 상승한 것으로 보아 한랭 전선이 지나갔다.

바로알기 | ㄴ. 0시~6시경은 온난 전선이 통과하기 전이므로 층운형 구름이 형성되었다.

ㄹ. 온대 저기압이 통과하면서 온난 전선, 한랭 전선이 차례로 지나므로 서울의 풍향은 남동풍 → 남서풍 → 북서풍(시계 방향)으로 변했다.

315 A 지역은 북서풍이 불고, 적운형 구름에서 소나기가 내리고 있으므로 한랭 전선의 뒤쪽이다. B 지역은 남동풍이 불고, 층운형 구름에서 약한 비가 내리고 있으므로 온난 전선의 앞쪽이다. C 지역은 남서풍이 불고, 날씨가 맑으므로 온난 전선과 한랭 전선 사이에 위치한다.

ㄱ. C 지역은 현재 온난 전선과 한랭 전선 사이에 위치하고 있으므로 이후 한랭 전선이 통과하면 기온은 낮아지고, 기압은 높아질 것이다.

바로알기 | ㄴ. A와 B 지역은 찬 공기의 영향을 받고, C 지역은 따뜻한 공기의 영향을 받는다. 따라서 현재 기온은 A 지역이 C 지역보다 낮다.

ㄷ. 온난 전선은 B와 C 지역 사이에 형성되어 있고, 한랭 전선은 A와 C 지역 사이에 형성되어 있다.

316 ㄱ. 온대 저기압은 편서풍의 영향으로 서쪽에서 동쪽으로 이동한다. 따라서 일기도는 (가) → (나) 순으로 작성되었다.

ㄴ. (가)와 (나) 기간 동안 A 지역에는 한랭 전선이 통과하였으므로 소나기가 내렸을 것이다.

바로알기 | ㄷ. (가)의 A 지역은 온난 전선과 한랭 전선 사이에 위치하므로 남서풍이 분다.

317 온대 저기압은 편서풍의 영향으로 서쪽에서 동쪽으로 이동하므로 A 지역은 온난 전선과 한랭 전선 사이에 위치하였다가 12시간 후에는 한랭 전선의 뒤쪽에 위치할 것이다. 따라서 A 지역에 한랭 전선이 통과하면 찬 공기의 영향을 받으므로 기압은 상승하고, 기온은 하강한다.

318 (나)에서 P 지점은 12시에 남동풍이 불고 있으므로 온난 전선의 앞쪽에 위치하였다. 15시에는 남서풍이 불고 있으므로 온난 전선과 한랭 전선 사이에 있었으며, 18시에는 북서풍이 불고 있으므로 이때는 한랭 전선 뒤쪽에 위치하였다.

ㄷ. 15시와 18시 사이에 P 지점에는 한랭 전선이 통과했으므로 이때 이 지역에 소나기가 내렸다.

바로알기 | ㄱ. 온대 저기압의 중심이 어느 지역의 북쪽으로 지나면 이 지역은 온난 전선과 한랭 전선이 차례로 통과하면서 풍향이 시계 방향으로 변한다. 온대 저기압의 중심이 어느 지역의 남쪽으로 지나면 이 지역은 전선이 통과하지 않으며 풍향이 시계 반대 방향으로 변한다.

(나)에서 P 지점의 풍향이 시계 방향으로 변한 것으로 보아 P 지점의 북쪽으로 온대 저기압의 중심이 지나갔다. 따라서 온대 저기압의 중심은 A 경로로 이동하였다.

ㄴ. 12시와 15시 사이에 P 지점에 온난 전선이 통과했다. 따라서 12시보다 15시에 기온이 더 높았다.

319

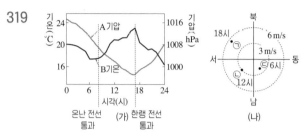

(가)에서 온대 저기압이 통과하는 동안 온대 저기압의 중심에 가까워졌다 멀어지므로 기압은 낮아졌다 높아지고, 기온은 높아졌다가 낮아진다. 따라서 A는 기압, B는 기온이다.

ㄴ. 12시는 온난 전선이 통과한 후이므로 남서풍(ⓛ)이 분다.

바로알기 | ㄱ. (가)에서 8시경 이후에 기온이 상승하고, 17시경 이후에 기온이 하강한다. 따라서 8시경에 온난 전선이 통과하였고, 17시경에 한랭 전선이 통과하였다.

ㄷ. 온난 전선과 한랭 전선이 차례로 지나갔으므로 이 온대 저기압의 중심은 관측소의 북쪽을 통과하였다.

320

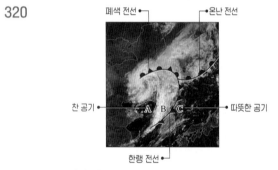

ㄱ. A 지역은 한랭 전선의 뒤쪽으로 찬 공기의 영향을 받고, C 지역은 한랭 전선의 앞쪽으로 따뜻한 공기의 영향을 받는다. 따라서 A 지역보다 C 지역의 기온이 높다.

ㄴ. 이 영상은 가시광선 영상이므로 밝게 보일수록 구름의 두께가 두껍다. B 지역은 한랭 전선의 뒤쪽으로, 두꺼운 적운형 구름이 형성되었을 것이다.

ㄷ. C 지역은 한랭 전선의 앞쪽으로 남풍 계열의 바람이 분다.

321 정체 전선은 북쪽의 찬 기단과 남쪽의 따뜻한 기단이 만나 형성되며 전선의 북쪽에 강수 구역이 나타난다. 초여름에 우리나라 부근에 형성되는 장마 전선은 정체 전선의 일종이다.

ㄱ. (가)에서 강수 구역이 D_1일보다 D_2일에 더 북쪽까지 분포하는 것으로 보아 정체 전선은 D_1보다 D_2일에 더 북쪽에 위치한다.

ㄷ. 북태평양 기단의 영향이 강할수록 정체 전선의 위치가 북쪽으로 이동한다. 정체 전선이 D_1일보다 D_2일에 더 북쪽에 위치한 것으로 보아 A 지점에서 북태평양 기단의 영향은 D_1일보다 D_2일에 더 크게 받았다.

바로알기 | ㄴ. A 지점에서 D_2일에 풍향 빈도는 남서풍이 약 40 %(= 4 %＋6 %＋14 %＋16 %), 남동풍이 약 60 %(＝4 %＋16 %＋40 %) 관측되었다. 따라서 A 지점에서 D_2일에 풍향 빈도는 남서풍의 빈도가 남동풍의 빈도보다 작다.

12 태풍과 우리나라 주요 악기상

빈출 자료 보기   86쪽
322 (1) ○ (2) ○ (3) × (4) × (5) × (6) ○ (7) ×
323 (1) × (2) × (3) ○ (4) ○ (5) × (6) ○ (7) ○

322 (1) 태풍의 에너지원은 수증기가 응결하면서 방출하는 응결열(숨은열)이다.

(2) 태풍은 저위도 열대 해상에서 발생하여 위도 25°N～30°N까지 이동하는 동안은 무역풍의 영향을 받고, 위도 25°N～30°N 이상에서는 편서풍의 영향을 받는다. 따라서 태풍이 북반구 중위도에 위치한 우리나라를 통과할 때 태풍의 이동에 영향을 주는 바람은 편서풍이다.

(6) 태풍 이동 경로의 왼쪽 지역은 태풍의 진행 방향과 태풍의 풍향이 반대가 되어 상대적으로 풍속이 느린 안전 반원에 해당하고, 태풍 이동 경로의 오른쪽 지역은 태풍의 진행 방향과 태풍의 풍향이 같아 상대적으로 풍속이 빠른 위험 반원에 해당한다. 서울은 안전 반원, 부산은 위험 반원에 속하므로 서울보다 부산에서 피해가 더 컸을 것이다.

바로알기 | (3) 태풍의 세력을 유지하려면 열과 수증기를 계속 공급받아야 하므로 태풍이 육지에 상륙하면 세력이 약해진다. 따라서 태풍의 세력은 A에 있을 때보다 B에 있을 때 약하다.

(4) 태풍은 열대 저기압이므로 기압이 낮을수록 세력이 강하다. 태풍은 육지에 상륙하면 에너지원인 수증기의 공급이 줄어들고 지표면과 마찰 때문에 세력이 약해지므로 중심 기압이 높아진다.

(5) 서울은 태풍 이동 경로의 왼쪽에 위치하므로 안전 반원에 속해 있었다.

(7) 태풍이 이동하는 동안 태풍 이동 경로의 왼쪽 지역(안전 반원)에서는 풍향이 시계 반대 방향으로 변하고, 태풍 이동 경로의 오른쪽 지역(위험 반원)에서는 풍향이 시계 방향으로 변한다. 서울은 태풍 이동 경로의 왼쪽에 위치하므로 태풍이 이동하는 동안 서울에서 풍향은 시계 반대 방향으로 변하였다.

323 (3) (다)는 상승 기류와 하강 기류가 함께 나타나는 것으로 보아 성숙 단계에 해당한다.

(4) 뇌우는 강한 상승 기류로 적란운이 발달하면서 천둥, 번개와 함께 소나기가 내리는 현상으로, (나) 적운 단계 → (다) 성숙 단계 → (가) 소멸 단계를 거친다.

(6) 뇌우는 여름철 강한 햇빛으로 국지적으로 가열된 공기가 빠르게 상승할 때 잘 발생한다. 또한, 한랭 전선에서 따뜻한 공기가 찬 공기 위로 빠르게 상승하여 적란운이 형성될 때, 온대 저기압이나 태풍의 중심에서 강한 상승 기류가 발달할 때와 같이 대기가 불안정한 경우에 잘 발생한다.

(7) 국지성 호우나 낙뢰로 발생하는 피해는 하강 기류만 나타나는 (가) 소멸 단계보다 상승 기류와 하강 기류가 함께 나타나는 (다) 성숙 단계에서 잘 발생한다.

바로알기 | (1) (가)는 적란운 전반에 걸쳐 하강 기류만 나타나므로 소멸 단계에 해당한다.

(2) (나)는 강한 상승 기류로 적운이 형성되고 있으므로 뇌우 발달 초기인 적운 단계에 해당한다.

(5) 천둥이나 우박이 나타나는 단계는 상승 기류와 하강 기류가 함께 나타나는 (다) 성숙 단계이다.

324 ①	**325** ⑤. ⑦		**326** ③	**327** ②
328 ⑤. ⑦		**329** ③	**330** B>C	**331** ②
332 해설 참조		**333** ①	**334** ④	**335** 해설 참조
336 ④	**337** 해설 참조		**338** ③	**339** ③	**340** ⑤
341 ④	**342** ③	**343** ④	**344** ②	**345** ④	**346** ①
347 ⑤. ⑧		**348** ②	**349** ③	**350** ③	**351** ④
352 ③	**353** 해설 참조		**354** ⑤	**355** ②. ③
356 ⑤	**357** ④			

324 태풍은 표층 수온이 27 °C 이상인 위도 5°~25°의 열대 해상에서 발생하고, 중심 부근의 순간 최대 풍속이 17 m/s 이상인 열대 저기압이다.

바로알기 | ② 토네이도는 바다나 넓은 평지에서 발생하는 깔때기 모양의 매우 강한 회오리 바람이다.

325 ① 수온이 높은 열대 해상에서 발생하는 저기압을 열대 저기압이라고 한다. 태풍은 표층 수온이 27 °C 이상인 북서 태평양의 열대 해상에서 발생한 열대 저기압이다.

② 열대 저기압은 온대 저기압과 달리 전선을 동반하지 않는다.

③ 태풍은 수증기를 많이 포함하고 있어 많은 비를 내리고, 등압선 간격이 매우 조밀하여 강풍이 분다.

④ 태풍의 에너지원은 상승하는 공기 속에 포함된 수증기가 응결할 때 발생하는 숨은열이다.

⑥ 태풍의 발생 초기에는 무역풍의 영향을 받아 북서쪽으로 이동하다가 위도 25°N~30°N 부근부터는 편서풍의 영향을 받아 북동쪽으로 방향을 바꾸어 이동한다. 따라서 태풍의 이동 경로는 대부분 포물선 궤도를 이룬다.

⑧ 일기도에서 태풍의 등압선은 동심원 형태로 조밀하게 나타난다.

바로알기 | ⑤ 태풍이 발생하려면 지구 자전의 효과(전향력)가 있어야 한다. 적도 지역은 지구 자전의 효과(전향력)가 거의 없기 때문에 태풍이 발생하지 않는다. 따라서 태풍은 주로 위도 5°~25° 사이의 열대 해상에서 발생한다.

⑦ 태풍은 열대 저기압으로 상승 기류가 발달하지만, 상승한 공기의 일부가 중심부로 모여 태풍의 눈에서는 약한 하강 기류가 나타난다.

326 열대 해상에서 발생하는 열대 저기압은 발생 해역에 따라 태풍, 허리케인, 사이클론으로 이름이 달라진다. 북대서양과 북태평양 동부 등에서 발생하여 북아메리카 대륙에 영향을 주는 열대 저기압을 허리케인이라고 부른다.

개념 보충

열대 저기압의 발생 해역과 이름

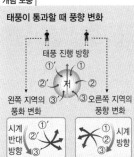

• **태풍**: 북서 태평양에서 발생하여 우리나라를 비롯한 중국, 일본 등에 영향을 준다.
• **허리케인**: 북대서양과 북태평양 동부에서 발생하여 북아메리카 대륙에 영향을 준다.
• **사이클론**: 인도양, 뱅골만 연안, 오스트레일리아 북부 해역에서 발생하여 주변 지역에 영향을 준다.

327 ② 태풍은 위도 5°~25°인 열대 해상에서 발생하며, 온대 저기압은 편서풍대인 중위도 온대 지방에서 발생한다.

바로알기 | ① 온대 저기압은 전선을 동반하지만 열대 저기압인 태풍은 전선을 동반하지 않는다.

③ 태풍은 무역풍대에서 발생하여 북서쪽으로 이동하다가 25°N~30°N 부근에 도달하면 방향을 바꿔 편서풍의 영향으로 북동쪽으로 이동하며 포물선 궤도를 그린다. 온대 저기압은 편서풍의 영향으로 서쪽에서 동쪽으로 이동한다.

④ 일기도에서 태풍의 등압선 모양은 동심원 형태로 등압선 간격이 조밀하고, 온대 저기압의 등압선 모양은 곡선 및 타원형으로 등압선 간격이 태풍의 등압선보다 넓다.

⑤ 태풍의 주요 에너지원은 수증기가 응결할 때 방출하는 숨은열이다. 온대 저기압의 주요 에너지원은 찬 공기가 따뜻한 공기 아래로 가라앉으면서 감소한 위치 에너지가 운동 에너지로 전환된 것이다.

328

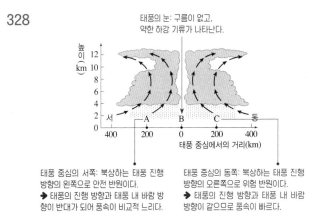

태풍의 눈: 구름이 없고, 약한 하강 기류가 나타난다.

태풍 중심에서의 거리(km)

태풍 중심의 서쪽: 북상하는 태풍 진행 방향의 왼쪽으로 안전 반원이다.
➜ 태풍의 진행 방향과 태풍 내 바람 방향이 반대가 되어 풍속이 비교적 느리다.

태풍 중심의 동쪽: 북상하는 태풍 진행 방향의 오른쪽으로 위험 반원이다.
➜ 태풍의 진행 방향과 태풍 내 바람 방향이 같으므로 풍속이 빠르다.

⑤ 태풍의 에너지원은 수증기가 응결할 때 방출하는 숨은열(응결열)이다.

⑦ C는 태풍 중심의 동쪽으로 태풍 진행 방향의 오른쪽에 위치한다. 태풍이 이동함에 따라 태풍 진행 방향의 오른쪽 지역에서는 풍향이 시계 방향으로 변하고, 태풍 진행 방향의 왼쪽 지역에서는 풍향이 시계 반대 방향으로 변한다.

바로알기 | ① A는 태풍 중심의 서쪽으로 태풍 진행 방향의 왼쪽인 안전 반원에 위치한다. 위험 반원은 태풍 진행 방향의 오른쪽인 C이다.

② 태풍은 열대 저기압이므로 태풍의 중심에서 기압이 가장 낮다. 따라서 A는 태풍의 중심인 B보다 기압이 높다.

③ B는 태풍의 중심이므로 기압이 가장 낮다.

④ A와 C는 중심으로부터 같은 거리에 있고 A는 안전 반원에 속하고, C는 위험 반원에 속하므로 풍속은 A보다 C에서 빠르다.

⑥ B에는 태풍의 눈이 위치하고, 약한 하강 기류가 나타난다.

개념 보충

태풍이 통과할 때 풍향 변화

• **태풍 진행 방향의 왼쪽 지역에서 풍향 변화**: 태풍은 저기압이고, 북반구에 발달한 저기압 주변에서 바람은 저기압의 중심부를 향해 시계 반대 방향으로 불어 들어간다. 따라서 태풍이 이동함에 따라 태풍 진행 방향의 왼쪽 지역에서는 풍향이 시계 반대 방향으로 변한다.

• **태풍 진행 방향의 오른쪽 지역에서 풍향 변화**: 태풍이 이동함에 따라 태풍 진행 방향의 오른쪽 지역에서는 풍향이 시계 방향으로 변한다.

329 ㄱ. 태풍은 열대 저기압으로 중심부로 갈수록 기압이 낮아져 중심에서 기압이 가장 낮다. 풍속은 태풍의 중심 부근에서 가장 빠르고, 태풍의 눈에서는 풍속이 느리다. 따라서 (나)의 X는 기압, Y는 풍속이다.

ㄴ. (가)의 B는 태풍의 중심으로, 태풍의 눈에 위치하므로 약한 하강 기류가 나타난다.

바로알기 | ㄷ. (가)에서 태풍 중심의 동쪽은 서쪽보다 적란운이 두껍게 발달하고 풍속이 빠르므로 태풍 중심의 동쪽은 위험 반원, 서쪽은 안전 반원이다. 따라서 (가)에서 서쪽의 A는 안전 반원, 동쪽의 C는 위험 반원에 속한다.

330 태풍이 해수면 위에 있을 때 낮은 중심 기압과 강한 바람 때문에 해수면의 높이가 변한다. 기압의 영향만 고려할 때 해수면의 높이는 기압이 낮을수록 높으므로 태풍의 중심인 B 해역이 C 해역보다 해수면의 높이가 높다.

331

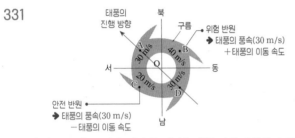

ㄴ. 풍속이 40 m/s로 가장 빠른 B 지역은 태풍 진행 방향의 오른쪽인 위험 반원이고, 풍속이 20 m/s로 가장 느린 C 지역은 태풍 진행 방향의 왼쪽인 안전 반원이다. 태풍은 A 지역 방향인 북서쪽으로 이동하고 있으므로 무역풍의 영향을 받고 있는 것이다.

바로알기 | ㄱ. B 지역의 풍속 40 m/s는 태풍 진행 방향과 태풍 내 바람의 방향이 같아 태풍의 이동 속도와 태풍의 풍속이 합쳐진 것이고, C 지역의 풍속 20 m/s는 태풍 진행 방향과 태풍 내 바람의 방향이 반대여서 태풍의 풍속에서 태풍의 이동 속도가 빠진 것이다. 또한, 태풍 진행 방향과 수직 방향으로 바람이 부는 A와 D 지역의 풍속 30 m/s는 태풍의 풍속과 같다. 따라서 태풍의 풍속은 30 m/s이고, 태풍의 이동 속도는 10 m/s이다.

ㄷ. 북반구의 저기압 주변에서 바람은 시계 반대 방향으로 불어 들어간다. 태풍은 열대 저기압이므로 B 지역에서는 동풍 계열의 바람이 태풍의 중심부로 불어 들어간다.

개념 보충

위험 반원과 안전 반원의 풍속

- 위험 반원에서의 풍속=태풍 자체의 풍속+태풍의 이동 속도
- 안전 반원에서의 풍속=태풍 자체의 풍속−태풍의 이동 속도
- 태풍의 이동 속도가 빠를수록 위험 반원과 안전 반원의 풍속 차가 크다.

332 (가) 일기도에서 A는 중위도의 온대 지방에서 형성되어 전선을 동반하며 편서풍의 영향으로 서쪽에서 동쪽으로 이동하는 온대 저기압이고, B는 위도 5°~25°인 열대 해상에서 발생하여 북상하는 열대 저기압인 태풍이다.

모범 답안 A는 온대 저기압, B는 열대 저기압(태풍)이다. 일기도 상에서 온대 저기압은 등압선이 원형이 아니고 전선을 동반하지만 열대 저기압은 등압선이 원형이고 등압선 간격이 조밀하며, 전선을 동반하지 않는다.

333 ㄱ. (나)는 태풍의 연직 구조를 나타낸 것으로, (가)의 B에 해당한다.

바로알기 | ㄴ. (나) 태풍의 연직 구조에서 ㉠ 지역은 태풍의 중심으로, 태풍의 눈이 위치하여 약한 하강 기류가 나타나 비교적 날씨가 맑고 풍속이 느리다.

ㄷ. (나) 태풍의 연직 구조에서 태풍의 중심인 ㉠에서는 풍속이 느리고, 태풍의 눈벽인 ㉡에서 풍속이 가장 빠르며, ㉢에서는 풍속이 ㉡보다 느리다.

334 태풍 진행 방향의 오른쪽 반원은 태풍 내 풍향과 태풍의 이동 방향이 같아서 풍속이 빠른 위험 반원이고, 태풍 진행 방향의 왼쪽 반원은 태풍 내 풍향과 태풍의 이동 방향이 반대이므로 풍속이 상대적으로 느린 안전 반원이다. 따라서 무역풍대와 편서풍대에서 태풍 진행 방향의 오른쪽에 위치한 B와 C는 위험 반원이고, 태풍 진행 방향의 왼쪽에 위치한 A와 D는 안전 반원이다.

335 태풍은 수증기가 응결하면서 방출하는 숨은열(응결열)을 에너지원으로 하기 때문에 수온이 높아 수증기의 증발이 잘 일어나는 열대 해상에서 태풍이 잘 발생한다. 적도 지역은 지구 자전의 효과(전향력)가 약하기 때문에 태풍은 주로 북위 5°~25° 사이의 표층 수온이 27 °C 이상인 열대 해상에서 발생한다.

모범 답안 북위 25° 이상인 해역은 수온이 낮아 수증기의 공급이 충분하지 않기 때문에 태풍의 에너지원을 얻기 어려우므로 태풍이 발생하기 어렵다.

336

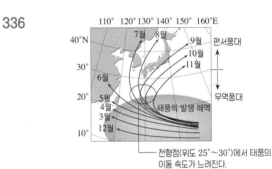

ㄴ. 태풍은 발생 해역에서 일반적으로 위도 25°N~30°N 부근까지는 무역풍의 영향으로 북서쪽으로 이동하다가 이후부터는 편서풍의 영향을 받아 북동쪽으로 방향을 바꾸어 이동하면서 우리나라에 영향을 준다. 따라서 우리나라에 영향을 주는 태풍의 이동 경로는 무역풍과 편서풍의 영향을 모두 받는다.

ㄷ. 태풍이 진로를 바꾸는 위치를 전향점이라고 하는데, 위도 25°N~30°N이 이에 해당한다. 태풍의 이동 속도는 전향점 부근에서 느려지고, 전향점을 지난 후에는 태풍의 진행 방향과 편서풍의 방향이 비슷하여 이동 속도가 대체로 빨라진다.

바로알기 | ㄱ. 태풍의 이동 경로가 10월보다 7월에 더 북서쪽으로 치우친 것으로 보아 7월에 북태평양 고기압의 영향을 더 크게 받은 것이다. 따라서 북태평양 고기압의 세력은 7월보다 10월에 더 약하다.

337 태풍의 세력이 유지되려면 에너지원이 되는 열과 수증기의 공급이 지속적으로 이루어져야 한다. 태풍이 이동하다가 육지에 상륙하면 수증기의 공급이 줄어들고 지표면과 마찰력이 작용하기 때문에 태풍의 세력이 약해진다. 또한, 태풍이 수온이 낮은 해역을 통과할 때에도 수증기와 열을 충분히 공급받기 어려우므로 세력이 약해진다.

모범 답안 태풍이 육지에 상륙하면 수증기의 공급이 거의 없고 지표면과 마찰 때문에 태풍의 세력이 약해지다가 소멸한다. 태풍이 찬 바다를 만나면 열과 수증기의 공급이 줄어들기 때문에 태풍의 세력이 약해지다가 소멸한다.

338 ㄴ. 태풍 진행 방향의 오른쪽 반원을 위험 반원, 왼쪽 반원을 안전 반원이라고 한다. 12일 0시~21시 동안 제주도는 태풍 진행 방향의 오른쪽에 위치하므로 위험 반원에 위치하고 있었다.

ㄷ. 태풍은 열대 저기압이므로 중심 기압이 낮을수록 세력이 강하다. 12일 0시 이후 태풍이 육지에 상륙하면서 수증기 공급이 줄어들어 태풍의 세력이 약해졌으므로 중심 기압은 높아졌을 것이다.

바로알기 | ㄱ. 이 태풍은 8일에 북서쪽으로 이동하고 있었으므로 무역풍의 영향을 받았다.

ㄹ. 태풍이 황해를 지나는 동안 서울은 태풍 진행 방향의 오른쪽인 위험 반원에 속해 있었고, 위험 반원에서는 풍향이 시계 방향으로 변한다. 풍향이 시계 반대 방향으로 변하는 곳은 태풍 진행 방향의 왼쪽에 위치한 안전 반원이다.

339 ㄱ. a 지역은 태풍 이동 경로의 왼쪽인 안전 반원, b 지역은 태풍 이동 경로의 오른쪽인 위험 반원에 속한다. 따라서 a 지역보다 b 지역에서 풍속이 빠르다.

ㄷ. 태풍이 육지인 우리나라를 지나는 동안 에너지원이 되는 수증기의 공급이 줄어들어 세력이 약해진다.

바로알기 | ㄴ. 관측소에서 관측한 풍향을 보면 시간이 지나면서 풍향이 시계 방향으로 변하고 있다. 따라서 관측소는 태풍 이동 경로의 오른쪽인 b에 위치하고 있다.

340 ㄴ. 태풍은 열대 저기압이므로 중심 기압이 낮을수록 세력이 강하다. (나)에서 7일경에 중심 기압이 가장 낮고, 최대 풍속이 가장 큰 것으로 보아 이때 세력이 가장 강했다.

ㄷ. 태풍이 통과하는 동안 태풍 진행 방향의 왼쪽에 위치한 지역에서는 풍향이 시계 반대 방향으로 변하고, 태풍 진행 방향의 오른쪽에 위치한 지역에서는 풍향이 시계 방향으로 변한다. 태풍이 대한 해협을 통과할 때 부산은 태풍 진행 방향의 왼쪽에 위치해 있었다. 따라서 부산의 풍향은 시계 반대 방향으로 변했다.

바로알기 | ㄱ. 4일 12시 발생 당시 이 태풍의 위치는 위도 20°보다 낮은 위도이므로 무역풍대이다.

341 ㄱ. 6월 30일부터 7월 2일까지 태풍의 중심 경도가 129.8°E → 127.4°E → 127.1°E로 변하고 있으므로 서쪽 방향으로 이동한 것이다. 따라서 이 태풍은 7월 1일 9시에는 무역풍의 영향을 받으며 이동하였다.

ㄴ. 태풍의 중심 기압은 7월 1일 9시에 985 hPa, 7월 2일 9시에 975 hPa로 7월 2일 9시에 중심 기압이 더 낮았다. 따라서 태풍의 세력은 7월 2일 9시에 더 강해졌다.

바로알기 | ㄷ. 관측소의 위치는 138.5°E로 태풍 진행 방향의 동쪽(오른쪽)에 위치한다. 따라서 태풍이 진행할 때 관측소에서 측정한 풍향은 시계 방향으로 변했을 것이다.

342

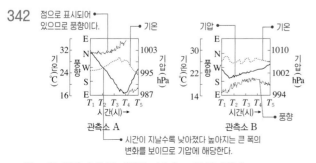

ㄷ. T_4~T_5 동안 A와 B 지역의 기온은 모두 하강했다.

바로알기 | ㄱ. 관측 기간 동안 관측소 A의 풍향은 북풍(N) → 북동풍(NE) → 동풍(E) → 남동풍(SE)으로 시계 방향으로 변했다. 따라서 관측소 A는 태풍 이동 경로의 오른쪽에 위치한다.

ㄴ. 관측 기간 동안 관측소 B의 풍향은 동풍(E) → 남동풍(SE) → 남풍(S) → 남동풍(SE)으로 변했다.

343 ㄱ. (나)에서 풍향은 북동풍(NE) → 동풍(E) → 남동풍(SE) → 남풍(S) → 남서풍(SW) → 서풍(W) → 북서풍(NW)으로 시계 방향으로 변하였으므로 관측소는 태풍 이동 경로의 오른쪽에 위치한다. 따라서 (나)는 태풍 A의 영향을 받을 때 ㉠ 지역에서의 기상 관측 자료이다.

ㄴ. (나)에서 기압이 낮아질수록 풍속이 빨라져 반비례 관계를 나타낸다. 11시경에 기압이 가장 낮았고, 풍속은 가장 빨랐다.

바로알기 | ㄷ. 태풍 B의 영향을 받을 때 ㉠ 지역은 태풍 이동 경로의 왼쪽인 안전 반원에 속한다.

344

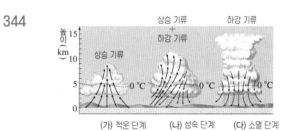

뇌우는 (가) 적운 단계 → (나) 성숙 단계 → (다) 소멸 단계를 거치며 발달하고 소멸한다.

345 뇌우는 적운 단계 → 성숙 단계 → 소멸 단계를 거친다. (나) 적운 단계에서는 강한 상승 기류로 적운이 성장한다. → (다) 성숙 단계에서는 상승 기류와 하강 기류가 함께 존재하고, 돌풍, 천둥, 번개, 소나기, 우박 등이 나타난다. → (가) 소멸 단계에서는 하강 기류만 나타나다가 구름이 소멸한다.

346 ㄱ. (다)는 상승 기류와 하강 기류가 함께 존재하는 성숙 단계이다. 이때 돌풍, 소나기, 우박, 번개 등이 동반되어 나타난다.

바로알기 | ㄴ. (다) 성숙 단계에서는 상승 기류와 하강 기류가 함께 나타난다.

ㄷ. 뇌우는 일반적으로 규모가 작고, 발달 과정 전 단계가 나타나는 시간이 보통 1시간 이내로 짧기 때문에 예측하기 어렵다.

347 ⑤ 성숙 단계에서는 상승 기류와 하강 기류가 모두 나타나고, 돌풍, 소나기, 우박, 번개 등이 동반되어 나타난다.

⑧ 뇌우는 여름철 강한 햇빛으로 국지적 가열이 일어나 강한 상승 기류가 형성될 때, 한랭 전선면에서 공기가 빠르게 상승할 때, 온대 저기압이나 태풍에서 강한 상승 기류가 형성될 때와 같이 대기가 불안정할 때 잘 발생한다.

바로알기 | ① (가) 단계는 하강 기류만 존재하는 소멸 단계이다. 강수량은 (다) 성숙 단계에서 가장 많다.

② (나) 단계는 뇌우가 형성되기 시작하는 적운 단계이다. 뇌우가 소멸되는 단계는 (가)이다.

③ (다)는 성숙 단계이다. 적운 단계는 (나)이다.

④ 낙뢰 위험이 가장 큰 단계는 성숙 단계인 (다)이다.

⑥ 뇌우는 한랭 전선에서 찬 공기 위로 따뜻한 공기가 빠르게 상승할 때 발생할 수 있다.

ⓒ 뇌우는 여름철 강한 햇빛으로 국지적으로 가열된 공기가 빠르게 상승할 때 발생할 수 있다.

348

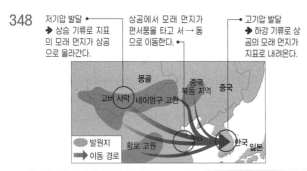

저기압 발달
➡ 상승 기류로 지표의 모래 먼지가 상공으로 올라간다.

상공에서 모래 먼지가 편서풍을 타고 서 → 동으로 이동한다.

고기압 발달
➡ 하강 기류로 상공의 모래 먼지가 지표로 내려온다.

ㄴ. 황사는 중국이나 몽골의 건조 지역에서 발생한 모래 먼지가 상층 바람을 타고 이동하였다가 서서히 지표로 내려오는 현상이다. 따라서 황사의 발원지인 중국과 몽골의 사막화가 진행될수록 황사의 발생 빈도는 증가할 것이다.

바로알기 | ㄱ. 황사는 서풍 계열의 바람을 타고 동쪽으로 이동해 우리나라에 영향을 준다.

ㄷ. 고비 사막에 저기압이 형성되면 모래 먼지가 상승 기류를 타고 상공으로 올라가고, 이후 편서풍을 타고 동쪽으로 이동한다. 이때 우리나라에 고기압이 위치하면 모래 먼지가 하강 기류를 타고 지표로 내려오기 때문에 황사가 잘 발생한다.

349 ㄱ. (가)에서 황사의 발원지인 중국이나 몽골 지역의 모래 먼지가 편서풍을 타고 동쪽으로 이동해 우리나라에 황사가 나타난다.

ㄴ. (나)에서 황사 발생 일수는 3월~5월인 봄철에 가장 많다. 황사는 겨울철에 얼어 있던 발원지의 건조한 토양이 봄철에 조금씩 녹아 잘게 부서지면서 잘 발생한다.

바로알기 | ㄷ. 12월~2월에 해당하는 겨울철의 황사 일수는 서울보다 부산이 적다.

350 ㄱ. 흙가루, 흙비 등의 표현으로 보아 황사에 대한 기록임을 알 수 있다.

ㄴ. 황사는 주로 봄철에 발생하는 현상이고, 우리나라 봄철에 영향을 주는 기단은 양쯔강 기단이다.

바로알기 | ㄷ. 우리나라에 상승 기류가 형성되면 상공에 있던 모래 먼지가 지표로 내려오기 어렵기 때문에 피해가 적을 것이다. 황사 피해는 우리나라에 하강 기류가 나타나는 고기압이 형성될 때 크다.

351 ㄴ. (나) 뇌우는 천둥, 번개, 소나기, 우박 등을 동반하여 짧은 시간 동안 큰 피해를 줄 수 있다.

ㄷ. 천둥, 번개, 소나기, 우박 등의 현상은 뇌우의 발달 과정 중 성숙 단계에서 주로 나타난다.

바로알기 | ㄱ. (나) 기상 현상은 뇌우를 나타낸 것이다. 뇌우는 한랭 전선에서 찬 공기 위로 따뜻한 공기가 빠르게 상승하여 적란운이 형성될 때 잘 발생하므로 (가)의 A 지역에서 나타난다.

352

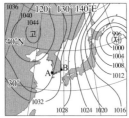

(가) 겨울철 일기도
(서고 동저형 기압 배치)

(나) 서해안에 구름 형성

(가)는 우리나라가 차고 건조한 시베리아 기단의 영향을 받는 겨울철의 일기도이고, (나)는 이날 시베리아 기단이 확장하여 황해를 지날 때 기단의 변질로 서해안에 구름이 형성된 모습이다.

ㄱ. 이날 우리나라의 북서쪽에 고기압이 발달해 있고, 우리나라 주변에 분포하는 등압선 간격이 조밀한 것으로 보아 우리나라에는 북서풍이 강하게 불었을 것이다.

ㄷ. (나) 구름 사진에서 A 지역이 B 지역보다 구름이 많이 분포하는 것으로 보아 B 지역보다 A 지역에서 눈이 많이 내렸을 것이다.

바로알기 | ㄴ. 시베리아 기단이 확장하여 황해를 지나는 동안 수증기를 공급받고 하층이 가열되어 점차 불안정해지고 상승 기류가 발달하므로 우리나라 서해안 지역(A)에는 적운형 구름이 형성되어 폭설이 내릴 수 있다.

353 적란운은 두껍게 형성되어 구름 속에 물방울, 과냉각 물방울, 빙정이 모두 존재하고, 과냉각 물방울과 빙정이 함께 존재하는 구간이 있다. 과냉각 물방울과 빙정이 함께 존재하는 구간(A)에서 과냉각 물방울과 빙정의 포화 수증기압 차이로 과냉각 물방울에서 증발한 수증기가 승화되어 빙정 표면에 얼어붙으면서 빙정이 커진다. 커진 빙정은 0 °C보다 기온이 높은 곳으로 하강하면 표면부터 녹기 시작하는데, 이때 강한 상승 기류를 만나면 다시 0 °C보다 기온이 낮은 곳으로 올라가 얼어붙고, 수증기가 달라붙어 더욱 커진다. 이렇게 하강과 상승을 반복하면서 우박으로 성장하고, 상승 기류가 밀어 올리지 못할 정도로 커진 우박은 지상으로 떨어진다.

모범 답안 A 구간에는 과냉각 물방울과 빙정이 공존하는데 과냉각 물방울과 빙정의 포화 수증기압 차이로 과냉각 물방울에서 증발한 수증기가 승화되어 빙정 표면에 얼어붙으면서 빙정이 커진다.

개념 보충

우박의 단면 모습

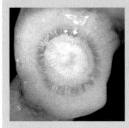

• 우박의 단면은 핵을 중심으로 투명한 얼음층과 불투명한 얼음층이 번갈아 둘러싸고 있는 층상 구조로 이루어져 있다.
• 보통 지름이 1 cm 미만이지만 이보다 훨씬 큰 것도 있다.

354 ㄷ. 대기가 불안정할 때 강한 상승 기류가 나타나 적란운이 잘 발생한다. 따라서 우박과 뇌우 모두 대기가 불안정할 때 잘 나타난다.

ㄹ. (나)에서 A는 뇌우의 발달 과정 중 소멸 단계, B는 성숙 단계를 나타낸다. 강한 상승 기류로 하강과 상승을 반복하면서 눈 결정 주위에 차가운 물방울이 얼어붙어 무거워지면 땅으로 떨어지는 얼음 덩어리인 우박은 주로 성숙 단계(B)에서 발생한다.

바로알기 | ㄱ. 북태평양 고기압의 영향을 받는 6월~8월에는 우박의 발생 일수가 비교적 적다.

ㄴ. 뇌우는 적운 단계 → 성숙 단계(B) → 소멸 단계(A)를 거치며 발달한다. 따라서 A보다 B가 먼저 나타난다.

355 ① 뇌우, 국지성 호우, 폭설, 강풍, 우박, 황사 등과 같이 일상생활에 큰 피해를 주는 기상 현상을 악기상이라고 한다. 이러한 악기상은 규모가 작고 짧은 시간 동안 발생하는 경우가 많기 때문에 정확하게 예보하기 어렵다.

④ 태풍의 등압선은 동심원 모양이고, 등압선 간격이 조밀하며, 온대 저기압과 달리 전선을 동반하지 않는다.

⑤ 10분 동안 평균 풍속이 14 m/s 이상인 강한 바람을 강풍이라고 한다. 강풍은 주로 겨울철에 시베리아 고기압의 영향을 받거나 여름철에 태풍의 영향을 받을 때 나타난다.

⑥ 국지성 호우는 일반적으로 한 시간에 30 mm 이상 또는 하루에 80 mm 이상의 비가 내리거나 연 강수량의 10 %에 해당하는 비가 내리는 경우를 말한다.

⑦ 폭설은 짧은 시간 동안 많은 눈이 내리는 현상으로, 시간당 1 cm~3 cm 이상 또는 24시간 이내에 5 cm~20 cm 이상의 눈이 내리는 현상이다. 우리나라에서 폭설은 겨울철에 발달한 저기압의 영향으로 발생하거나 시베리아 고기압의 확장으로 찬 공기가 상대적으로 따뜻한 황해를 지나면서 열과 수증기를 공급받아 발생한다.

⑧ 우박은 구름 속 얼음 덩어리가 상승과 하강을 반복하며 크기가 커져 무거워지면 지표로 떨어지는 것이다. 적란운에서 잘 발생한다.

바로알기 | ② 황사는 중국, 몽골의 사막 지대나 황토 지대에서 바람에 날려 대기에 퍼진 다량의 모래 먼지가 상층의 편서풍을 타고 이동하여 우리나라에서 서서히 지표로 내려오는 현상이다.
③ 뇌우는 강한 상승 기류로 적란운이 발달하면서 천둥, 번개와 함께 소나기가 내리는 현상이다.

356 ㄱ. 악기상 중 (가)는 눈이 많이 내린 폭설, (나)는 모래 먼지가 우리나라로 불어오는 황사이다.
ㄴ. 시베리아 고기압이 확장되어 따뜻한 황해를 지날 때 하층부가 가열되어 대기가 불안정해지고 수증기를 공급받으면 두꺼운 적운형 구름이 형성되어 우리나라 서해안에 폭설이 내릴 수 있다.
ㄷ. 황사는 주로 봄철에 중국이나 몽골의 사막 지대에서 발생하여 편서풍을 타고 이동해 우리나라에 영향을 준다.

357 ㄱ. 태풍에 동반된 비구름은 짧은 시간 동안에 많은 비를 내릴 수 있으므로 국지성 호우가 발생할 수 있다.
ㄴ. 가시 영상은 햇빛이 없는 밤에는 촬영할 수 없고, 적외 영상은 햇빛이 없는 밤에도 촬영할 수 있다. (가)~(다) 영상은 같은 시각이고, (나) 가시 영상에서 구름이 나타나는 것으로 보아 낮에 촬영한 것이다.
ㄷ. (가) 레이더 영상에서 A 지역에서는 집중 호우가 발생하고, (나)와 (다)의 A 지역에서는 구름이 나타나므로 A 지역의 대기는 불안정함을 알 수 있다.

바로알기 | ㄹ. 적외 영상에서 구름 정상부의 고도가 높을수록 밝게 나타난다. (다) 적외 영상에서 A 지역의 구름은 B 지역의 구름보다 밝으므로 구름 정상부의 고도는 A 지역이 B 지역보다 높다.

개념 보충

가시 영상과 적외 영상의 이용 원리

가시 영상에서 밝다. ➡ 구름의 두께가 두껍다.

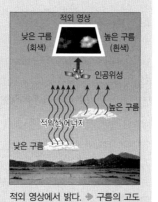

적외 영상에서 밝다. ➡ 구름의 고도가 높다.

---

13 해수의 성질

빈출 자료 보기   95쪽

358 (1) ○ (2) × (3) × (4) ○ (5) ○ (6) ○
359 (1) ○ (2) × (3) × (4) ○ (5) ○ (6) ×

358 (1) 대기에서 해수의 표층으로 산소가 녹아 들어가고, 식물성 플랑크톤의 광합성으로 산소가 방출되기 때문에 용존 산소량은 표층에서 가장 높다. 식물성 플랑크톤이 광합성으로 이산화 탄소를 소비하므로 용존 이산화 탄소량은 표층에서 적고, 깊어질수록 점점 많아진다. 따라서 A는 용존 산소량, B는 용존 이산화 탄소량이다.
(4) 심해층에는 극 해역의 산소가 풍부한 표층 해수가 침강하여 유입되므로 용존 산소량(A)이 증가한다.
(5) 표층에서 용존 산소량(A)이 높은 것은 식물성 플랑크톤이 광합성으로 산소를 만들고, 대기의 산소가 표층에 녹아들기 때문이다.
(6) 이산화 탄소는 대기에서 해수면으로 용해되지만, 해수의 표층에서는 식물성 플랑크톤의 광합성이 활발히 일어나 소비되기 때문에 용존 이산화 탄소량(B)이 낮다.

바로알기 | (2) 용존 산소량은 최대 약 6 mL/L까지 분포하고, 용존 이산화 탄소량은 약 44 mL/L~52 mL/L까지 분포한다. 따라서 해수에는 산소가 이산화 탄소보다 적게 녹아 있다.
(3) 해수에서 기체의 용해도는 수온이 낮을수록, 염분이 낮을수록, 수압이 클수록 증가한다.

359 (1) 수온 염분도에서 해수의 밀도는 오른쪽 아래로 갈수록 증가한다. 즉, 염분이 높을수록, 수온이 낮을수록 해수의 밀도는 커진다.
(4) B와 C는 1.026 g/cm^{3}인 등밀도선에 놓여 있으므로 밀도가 같다.
(5) 하천수는 염분이 매우 낮으므로 C에 하천수가 유입되면 염분이 낮아져 밀도가 작아진다.

바로알기 | (2) A의 밀도는 약 1.0225 g/cm^{3}이고, B의 밀도는 1.026 g/cm^{3}이다. 따라서 A는 B보다 밀도가 작다.
(3) A는 B보다 수온은 높고, 염분은 같다.
(6) 두 해수를 같은 양만큼 섞으면 수온과 염분이 두 해수의 평균값이 되므로 밀도는 1.026 g/cm^{3}보다 조금 더 커진다.

난이도별 필수 기출   96~101쪽

360 ②, ③	361 A: 30, B: 33, C: 31	362 ④
363 ①, ⑥	364 ② 365 ③	366 ③
367 해설 참조	368 해설 참조	369 ②
370 해설 참조	371 ③ 372 ②	373 ②, ⑤
374 ⑤ 375 ①	376 ③ 377 ⑤	378 ② 379 ②
380 해설 참조	381 ② 382 ①	383 ③
384 ②, ④	385 ⑤ 386 ⑤	387 ③ 388 ④

360 ① 해수에는 다양한 물질이 녹아 있는데, 이 물질을 염류라고 한다. 염분은 해수 1 kg 속에 녹아 있는 염류의 총량을 g 수로 나타낸 것이다.

II

④ 해양마다 염분은 다르지만 해수에 녹아 있는 주요 성분의 상대적인 비율은 모든 해양에서 거의 일정한데, 이를 염분비 일정 법칙이라고 한다.

⑤ 염분비 일정 법칙에 따라 어느 해역에서 한 가지 염류의 양을 알면 그 해역의 염분을 알 수 있다.

⑥ 강수량이 증발량보다 많은 해역의 염분은 낮고, 강수량이 증발량보다 적은 해역의 염분은 높다. 담수가 유입되는 해역은 염분이 낮다. 빙하가 녹으면 염분이 낮아지고, 결빙이 일어나면 염분이 높아진다.

바로알기 | ② 전 세계 해수의 평균 염분은 약 35 psu이다.
③ 해수 속에 가장 많이 녹아 있는 이온은 Cl⁻이다.

361 북극해의 해수 1 kg 속에 녹아 있는 염류의 총량(A)은 염화 나트륨 23.3 g + 염화 마그네슘 3.3 g + 황산 마그네슘 1.4 g + 기타 2.0 g = 30 g이다. 북극해, 동해, 홍해의 해수 1 kg 속에 녹아 있는 염류의 총량은 다르지만 각 해양의 해수에 녹아 있는 주요 염류의 상대적인 비율은 일정하다. 따라서 북극해와 동해에서 30.0 g : 23.3 g = B : 25.6 g이 성립하므로 B는 33 g이다. 또한 북극해와 홍해에서도 30.0 g : 23.3 g = 40 g : C가 성립하므로 C는 31 g이다.

362 ㄱ. A 해수 1 kg에 포함된 주요 이온의 양을 모두 더하면 30 psu이다. 따라서 A 해수의 염분은 30 psu이다.
ㄴ. 모든 해역에서 해수에 녹아 있는 염류의 상대적인 비율은 일정하므로 주요 이온의 상대비도 일정하다.

바로알기 | ㄷ. A와 B 해수를 각각 1 kg씩 섞은 해수 2 kg에는 Na⁺이 9.1 g + 12.1 g = 21.2 g 들어 있다. 따라서 A와 B 해수를 같은 양으로 혼합한 해수 1 kg에는 Na⁺이 10.6 g 들어 있다.

363 ① 표층 염분은 (증발량−강수량) 값이 큰 위도 30° 부근에서 가장 높다.
⑥ 대체로 (증발량−강수량) 값이 크면 표층 염분이 높고, (증발량−강수량) 값이 작으면 표층 염분이 낮다. 따라서 표층 염분과 (증발량−강수량) 값은 비슷한 경향을 보인다.

바로알기 | ② 강수량은 염분을 낮추는 요인이다. 적도 해역은 저압대가 위치하여 강수량이 많으므로 표층 염분이 낮다.
③ 극 해역에서 해수의 결빙이 일어나면 물만 얼기 때문에 해수의 결빙은 염분을 높이는 요인이다.
④ 중위도 해역은 적도 해역보다 (증발량−강수량) 값이 더 크다.
⑤ 적도 해역과 위도 60° 부근 해역은 (증발량−강수량) 값이 0보다 작다. 따라서 증발량보다 강수량이 더 많다.
⑦ 중위도 해역은 적도 해역보다 표층 염분이 높다.

364

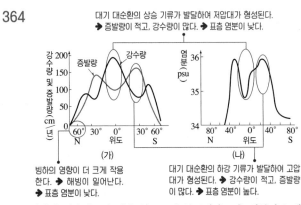

대기 순환의 상승 기류가 발달하여 저압대가 형성된다.
➡ 증발량이 적고, 강수량이 많다. ➡ 표층 염분이 낮다.

빙하의 영향이 더 크게 작용한다. ➡ 해빙이 일어난다. ➡ 표층 염분이 낮다.

대기 대순환의 하강 기류가 발달하여 고압대가 형성된다. ➡ 강수량이 적고, 증발량이 많다. ➡ 표층 염분이 높다.

ㄴ. 증발량이 강수량보다 많은 위도 30° 부근에서 표층 염분이 높게 나타난다.

바로알기 | ㄱ. 적도 해역은 저압대가 분포하므로 강수량이 많다.
ㄷ. 표층 염분 분포는 대체로 (증발량−강수량) 분포와 일치하지만 극 해역에서는 빙하의 영향이 더 크게 작용하여 (증발량−강수량) 값과 일치하지 않는다.

365 ㄱ. 위도 30° 부근의 중위도 해역은 (증발량−강수량) 값이 크기 때문에 다른 위도에 비하여 표층 염분이 높다. 이는 위도 30° 부근에서 증발량이 많다는 것이므로 육지에는 사막이 발달할 수 있다.
ㄷ. 담수의 유입은 염분을 낮추는 요인이다. 대양의 연안 해역은 육지로부터 유입되는 담수의 양이 많으므로 대양의 중앙 해역보다 표층 염분이 낮다.

바로알기 | ㄴ. 대서양 중앙 해역은 태평양 중앙 해역보다 표층 염분이 더 높다. 그러나 염분비 일정 법칙에 따라 해수에 녹아 있는 주요 염류의 상대적인 비율은 거의 일정하므로 대서양 중앙 해역과 태평양 중앙 해역의 해수에 들어 있는 Cl⁻ 비율은 같다.

366 ㄷ. 황해의 표층 염분은 2월에 약 31.0 psu∼33.0 psu이고, 8월에 약 30.0 psu∼32.0 psu로 8월이 2월보다 낮다. 이는 2월보다 8월에 강수량이 많아져 강물의 유입량이 많기 때문이다.

바로알기 | ㄱ. 육지 부근의 연안 해역은 강물(담수)의 유입으로 염분이 낮다. 따라서 표층 염분은 육지에서 멀어질수록 대체로 높아진다.
ㄴ. 황해는 대륙에 둘러싸여 있어 동해보다 강물의 유입량이 많다. 따라서 2월과 8월 모두 동해보다 황해의 표층 염분이 낮다.

367 이산화 탄소는 대기에서 해수면으로 용해되지만, 해수의 표층에서는 식물성 플랑크톤 등 해양 생물이 광합성을 할 때 소비되기 때문에 이산화 탄소의 농도가 낮다. 이산화 탄소의 농도는 수심이 깊어질수록 증가하는데, 이는 광합성량이 줄어들고, 낮은 수온과 높은 수압으로 기체의 용해도가 커지기 때문이다.

모범 답안 해양 생물이 표층에 녹아 있는 이산화 탄소를 소비하여 광합성을 하기 때문이다.

368 대기에서 표층으로 산소가 녹아 들어가고, 해양 생물의 광합성으로 산소가 방출되어 표층에는 용존 산소량이 많다. 이후 용존 산소량은 수심이 깊어질수록 적어지다가 심해에서는 산소가 많이 녹아 있는 극 해역의 표층 해수가 침강하여 용존 산소량이 증가한다.

모범 답안 산소가 많이 녹아 있는 극 해역의 표층 해수가 침강하여 심해로 유입되기 때문이다.

369 ㄱ. 표층에 많은 A는 산소, 표층에 적은 B는 이산화 탄소를 나타낸다.
ㄷ. 심해층의 산소(A)는 극 해역의 산소가 많이 녹아 있는 차가운 표층 해수가 침강하여 공급된 것이다.

바로알기 | ㄴ. 표층에서 이산화 탄소(B)의 농도가 낮은 것은 해양 생물의 광합성 과정에서 이산화 탄소를 소비하기 때문이다.
ㄹ. 산소(A)의 농도는 약 1 ppm∼8 ppm 범위에 있고, 이산화 탄소(B)의 농도는 약 90 ppm∼104 ppm 범위에 있다. 따라서 산소(A)가 이산화 탄소(B)보다 용해도가 더 작다.

370 표층에는 대기에서 산소(A)가 녹아 들어가고, 해양 생물이 광합성을 하는 과정에서 산소(A)를 방출하기 때문에 다른 수심보다 용존 산소량이 많다. 이에 반해 이산화 탄소(B)는 해양 생물이 광합성을 하는 과정에서 소비되기 때문에 표층에서 적게 나타난다.

모범 답안 대기에서 표층으로 산소(A)가 녹아 들어가기 때문이다. 해양 생물이 광합성을 하여 산소(A)를 방출하기 때문이다.

371 ㄱ. C 해역의 용존 산소량은 5.0 mL/L 미만이고, D 해역의 용존 산소량은 5.0 mL/L 이상이므로 C 해역이 D 해역에 비해 용존 산소량이 적다. 용존 산소량은 기체의 용해도와 관련이 있고, 기체의 용해도는 수온과 염분이 낮을수록 크다. 따라서 용존 산소량이 적은 C 해역이 D 해역보다 염분이 높을 것이다.

ㄷ. 표층 해수에는 대기에서 녹아 들어가는 산소 때문에 다른 깊이보다 용존 산소량이 많다. 즉, 표층 해수의 용존 산소량은 수권과 기권의 상호 작용에 영향을 받는다.

바로알기 | ㄴ. 용존 산소량은 수온이 낮을수록 증가한다. A 해역은 B 해역보다 위도에 따른 용존 산소량의 변화가 크므로 위도에 따른 표층 수온의 변화는 A 해역이 B 해역보다 크다.

372

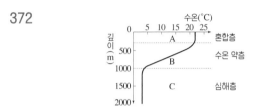

해수는 깊이에 따른 수온 분포를 기준으로 혼합층(A), 수온 약층(B), 심해층(C)으로 구분한다.

373

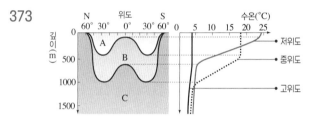

① 태양 복사 에너지는 대부분 혼합층(A)에서 흡수된다.

③ 수온 약층(B)은 깊이에 따라 급격히 수온이 낮아지므로 깊이에 따른 수온 변화가 가장 크고 안정한 층이다.

④ 수온 약층(B)은 깊어질수록 수온이 낮아지므로 안정하여 혼합층(A)과 심해층(C) 사이의 물질 교환을 차단한다.

⑥ 혼합층(A)은 바람의 혼합 작용으로 형성된 층으로, 수온 약층(B)이나 심해층(C)보다 해수의 혼합 작용이 활발하게 일어난다.

⑦ 위도 30°N 해역이 적도 해역보다 혼합층(A)의 두께가 두껍다. 혼합층(A)은 바람이 강할수록 두꺼워지므로 위도 30°N 해역이 적도 해역보다 바람이 강하게 부는 것을 알 수 있다.

바로알기 | ② 혼합층(A)은 바람이 약한 저위도에서 얇고, 바람이 강하게 부는 중위도에서 두껍다.

⑤ 심해층(C)은 수온이 가장 낮고, 연중 온도 변화가 거의 없다.

374 ㄱ. 해수면에 도달하는 태양 복사 에너지양은 저위도에서 고위도로 갈수록 적어지므로 표층 수온은 저위도에서 고위도로 갈수록 낮아진다. 표층 수온이 A 해역보다 B 해역에서 더 높은 것으로 보아 A 해역이 B 해역보다 더 고위도에 위치한다.

ㄴ. 혼합층은 바람의 혼합 작용으로 형성되므로 바람이 강할수록 혼합층의 두께가 두껍다. A 해역이 B 해역보다 혼합층이 더 두꺼운 것으로 보아 바람의 세기는 A 해역이 B 해역보다 강하다.

ㄷ. 수온 약층은 깊이에 따라 수온이 급격히 낮아지는 층으로, 상부와 하부의 온도 차이가 클수록 잘 발달한 것이다. 따라서 수온 약층은 B 해역이 A 해역보다 뚜렷하게 발달하였다.

375 ㄱ. 혼합층의 두께가 8월보다 11월에 더 두꺼운 것으로 보아 월평균 풍속은 8월보다 11월에 더 빠르다.

바로알기 | ㄴ. 월 혼합층의 두께가 7월보다 5월에 더 두꺼우므로 5월보다 7월에 혼합층이 얇게 나타난다.

ㄷ. 수온 약층이 가장 뚜렷하게 발달한 시기는 혼합층과 심해층의 수온 차가 가장 큰 8월이다. 3월에는 깊이에 따른 수온 변화가 나타나지 않는다.

376 ㄱ. 대양의 등수온선은 대체로 위도와 나란하며 고위도로 갈수록 표층 수온이 낮아진다.

ㄷ. A 해역이 B 해역보다 표층 수온이 높다. 기체의 용해도는 수온이 낮을수록 크므로 A 해역은 B 해역보다 용존 산소량이 적다.

바로알기 | ㄴ. 수온의 분포는 태양 복사 에너지양에 가장 큰 영향을 받는다. 저위도에서 고위도로 갈수록 태양 복사 에너지양이 적어지기 때문에 고위도로 갈수록 표층 수온은 낮아지며 등수온선은 대체로 위도와 나란한 분포를 보인다.

377 ㄱ. 2월에서 표층 수온이 가장 높은 바다는 남해이고, 8월에서 표층 수온이 가장 높은 바다도 남해이다. 남해는 난류의 영향을 받아 연중 표층 수온이 높게 나타난다.

ㄴ. 동해는 동한 난류와 북한 한류의 영향을 받는다. 이 때문에 동해는 남북 간의 표층 수온 차가 가장 크다.

ㄷ. 황해는 수심이 얕아 대륙의 영향을 크게 받기 때문에 표층 수온의 연교차가 가장 크게 나타난다.

378 ㄱ. 혼합층과 심해층 사이에 깊이에 따라 수온이 급격히 낮아지는 층이 수온 약층이다. 혼합층의 수온은 저위도에서 가장 높고, 심해층의 수온은 위도에 관계없이 거의 일정하므로 수온 약층은 저위도에서 가장 뚜렷하게 발달한다.

ㄷ. 혼합층에서는 해양 생물의 광합성으로 이산화 탄소가 소비되므로 용존 이산화 탄소의 농도가 낮다.

바로알기 | ㄴ. 표층의 용존 산소 농도는 약 6 mL/L이고, 용존 이산화 탄소 농도는 약 43.5 mL/L이다. 따라서 표층에서 용존 산소 농도는 용존 이산화 탄소 농도보다 더 낮다.

ㄹ. 약 100 m~1000 m 사이에서 용존 산소 농도가 낮아지는 까닭은 박테리아와 동물 등 생물의 호흡으로 산소가 소비되기 때문이다.

379

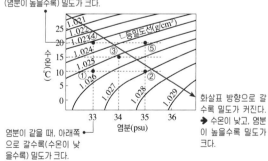

해수의 밀도는 수온이 낮을수록, 염분이 높을수록 크다. 따라서 수온이 가장 낮고(10 °C), 염분이 가장 높은(35 psu) ② 해수의 밀도가 가장 크다.

380 해수의 밀도는 주로 수온과 염분에 따라 결정된다. 수온 염분도에서 왼쪽 위로 갈수록 밀도가 감소하고, 오른쪽 아래로 갈수록 밀도가 증가한다. 즉, 해수의 밀도는 수온이 낮을수록, 염분이 높을수록 크다.

모범 답안 수온이 낮을수록, 염분이 높을수록 해수의 밀도는 크다.

381

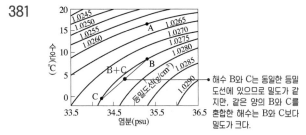

ㄱ. 해수 A의 밀도는 1.0260 g/cm³, 해수 B의 밀도는 1.0275 g/cm³ 로 A가 B보다 밀도가 작다.

ㄷ. 해수에서 결빙이 일어날 때는 염분이 증가하므로 해수 C에서 결빙이 일어나면 밀도가 커진다.

바로알기 | ㄴ. 해수 B는 해수 C보다 수온과 염분이 모두 높다.

ㄹ. 해수 B와 C는 현재 밀도가 1.0275 g/cm³로 같다. 그러나 해수 B와 C를 같은 양으로 섞으면 수온과 염분이 해수 B와 C의 평균값이 되어 밀도는 1.0275 g/cm³보다 커진다.

382 ㄱ. 해수의 밀도는 수온이 낮을수록, 염분이 높을수록 크다. A가 C보다 수온은 높고, 염분은 낮으므로 밀도는 A가 C보다 작다.

바로알기 | ㄴ. A의 염분이 B의 염분보다 낮으므로 해수 1 kg에 녹아 있는 NaCl의 양은 A가 B보다 적다.

ㄷ. A, B, C에서 수온과 염분의 관계성은 나타나지 않는다.

383 ㄱ. 담수인 중국 연안수가 우리나라 근해로 유입되면 표층 염분이 낮아진다. A, B, C 해역 모두 8월에 염분이 가장 낮은 것으로 보아 이 시기에 중국 연안수의 영향을 가장 많이 받는 것을 알 수 있다.

ㄷ. 쿠로시오 해류는 저위도에서 고위도 쪽으로 흐르는 난류이다. B 해역은 약 15 °C~27 °C 범위에서 수온이 나타나고, C 해역은 약 17 °C~29 °C 범위에서 수온이 나타나므로 B 해역보다 C 해역이 연중 표층 수온이 더 높다. 따라서 B 해역보다 C 해역이 쿠로시오 해류의 영향을 더 많이 받는다.

바로알기 | ㄴ. A~C 해역에서 밀도가 가장 작은 시기는 8월이고, 밀도가 가장 큰 시기는 2월이다. A~C 해역 중 8월의 밀도는 A와 B 해역에서 동일하게 가장 작고, 2월의 밀도는 B 해역에서 가장 크다. 따라서 2월과 8월의 밀도 변화가 가장 큰 해역은 B이다.

384 ② C−D 구간에서는 밀도가 거의 변하지 않았고, A−B 구간에서는 밀도가 약 0.0004 g/cm³ 증가했다. 따라서 밀도 변화는 A−B 구간이 C−D 구간보다 크다.

④ 밀도는 수온과 염분에 영향을 받고, A와 D는 염분이 거의 같으며 수온은 A보다 D가 낮다. 따라서 A보다 D에서 밀도가 높은 까닭은 A보다 D의 수온이 낮기 때문이다.

바로알기 | ① 해수의 연직 혼합이 일어나면 수온과 염분이 비슷해져 밀도도 거의 일정하다. B−C 구간에서는 수심이 깊어짐에 따라 수온이 거의 일정하지만 밀도가 증가하므로 해수의 연직 운동이 활발하지 않은 것이다.

③ B−C 구간에서 수온은 거의 일정하고 염분이 증가함에 따라 밀도가 증가한다. 따라서 이 구간에서 밀도 변화는 수온보다 염분의 영향을 크게 받는다.

⑤ 수온 약층은 수심이 깊어짐에 따라 수온이 급격히 낮아지는 층이다. 이 해역에서 수온 약층은 수온 변화가 큰 A−B 구간에서 형성되었을 것이다.

⑥ 이 해역에서 밀도는 수심이 깊어짐에 따라 대체로 증가하는 경향을 보이지만 일정하게 증가하지는 않는다.

385 ㄴ. 수심 300 m 이상에서는 수온이 거의 변하지 않는다. 따라서 수심 300 m 이상에서 해수의 밀도는 수온보다 염분의 영향을 많이 받는다.

ㄷ. 해수면에서 A 해역의 밀도는 1.0248 g/cm³, B 해역의 밀도는 1.0255 g/cm³로 차이가 있다. 그러나 수심이 깊어질수록 밀도 차가 점점 작아져서 수심 400 m에서는 A와 B 해역 모두 약 1.028 g/cm³ 로 밀도가 비슷하다. 따라서 두 해역의 밀도 차는 수심이 깊어질수록 작아진다.

바로알기 | ㄱ. 해수면에서 수심 50 m까지 밀도의 차이는 A 해역이 B 해역보다 크다. 따라서 이 구간에서 해수의 혼합은 B 해역이 A 해역보다 더 활발하다.

386

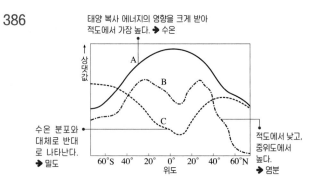

① C는 표층 해수의 밀도로, 수온이 높고 염분이 낮은 저위도에서 가장 작다.

② C는 표층 해수의 밀도이고, 해수의 밀도에 영향을 주는 것은 수온과 염분이다. 해수의 밀도는 수온(A)이 낮을수록, 염분(B)이 높을수록 크다.

③ A는 수온이고, 표층에서 수온에 가장 큰 영향을 미치는 것은 태양 복사 에너지이다. 적도에서 고위도로 갈수록 태양 복사 에너지의 입사량이 감소하므로 수온은 낮아진다.

④ 남반구에서는 고위도로 갈수록 수온(A)은 점점 낮아지고, 밀도(C)는 점점 증가하여 수온과 밀도가 반비례하는 경향을 보인다.

바로알기 | ⑤ B는 염분을 나타낸다. 표층에서 염분은 (증발량−강수량) 값이 클수록 높다.

387 ㄷ. A 해역의 염분이 가장 높은 것으로 보아 (증발량−강수량) 값은 A에서 가장 크다.

바로알기 | ㄱ. 해수의 밀도는 수온이 낮을수록, 염분이 높을수록 크다. A와 B 해역의 밀도가 1.027 g/cm³으로 같고, A 해역이 B 해역보다 염분이 높으므로 수온은 A 해역이 B 해역보다 높아야 한다. 따라서 ㉠은 10보다 크다.

ㄴ. C 해역은 B 해역과 수온은 같고 염분은 더 낮으므로 C 해역의 밀도는 B 해역보다 작고 순수한 물보다는 밀도가 커야 한다. 따라서 ㉡은 1 g/cm³보다 크고 1.027 g/cm³보다 작은 값을 갖는다.

388 ㄱ. 수온은 깊이가 깊어질수록 낮아지고, 염분은 강수량이나 하천수 유입 등으로 표층이 심층보다 낮을 수 있다. 따라서 깊이에 따라 감소하는 경향성을 보이는 (가)는 수온이고, (나)는 염분 분포이다.

ㄴ. 2월은 8월보다 표층 수온이 낮고, 표층 염분은 높으므로 표층 해수의 밀도는 2월이 8월보다 크다.

바로알기 | ㄷ. 2월과 8월 모두 표면에서 깊이 300 m 정도까지는 깊이에 따라 염분이 변하지만 이보다 깊은 곳에서는 염분의 변화가 거의 나타나지 않는다. 따라서 깊이가 깊어질수록 염분 변화의 정도는 작아진다.

389 ⑤	390 ⑤	391 ①	392 ③	393 ③	394 ①
395 ①	396 ③				

389 ㄱ. (가) 일기도는 우리나라 주변에 태풍이 위치하는 것으로 보아 여름철의 일기도이다. 여름철에 우리나라는 A 부근에 있는 북태평양 고기압의 영향을 받는다.

ㄴ. (나)의 ㉠ 구름은 (가)의 온대 저기압에서 형성된 구름이다. 온대 저기압의 온난 전선과 한랭 전선에서 따뜻한 기단이 찬 기단 위로 상승하면서 구름이 발생한다.

ㄷ. (나)의 ㉡ 구름은 (가)의 태풍에서 형성된 구름이다. 태풍에서는 강한 상승 기류로 적운형 구름이 발생한다.

390 ① P 지역은 고기압의 중심부에 위치한다. 고기압의 중심부에서는 하강 기류가 나타난다.

② A는 열대 저기압인 태풍이다. 태풍의 에너지원은 수증기가 응결할 때 발생하는 숨은열이다. 태풍이 육지에 상륙하면 수증기의 공급이 줄어들어 세력이 약해지므로 중심 기압이 높아진다.

③ B는 온대 저기압이다. 우리나라 부근을 지나는 온대 저기압은 편서풍의 영향으로 서쪽에서 동쪽으로 이동한다.

④ 풍속은 등압선 간격이 조밀할수록 빠르다. A는 B보다 등압선 간격이 더 조밀하므로 최대 풍속은 A가 B보다 빠르다.

바로알기 | ⑤ A는 저위도의 열대 해상에서 열과 수증기를 공급받아 발생한 열대 저기압인 태풍이고, B는 중위도 온대 지방에서 찬 기단과 따뜻한 기단이 만나 발생한 온대 저기압이다.

391 ㄱ. 전선은 성질이 다른 두 기단이 만나서 형성되고, 전선면을 경계로 기온, 기압, 풍향 등이 크게 변한다. 이 지역에 발달한 전선은 지표에서 높이가 높아짐에 따라 전선면이 서쪽으로 기울어져 있으며, 찬 공기가 따뜻한 공기 아래로 파고드는 형태이다. 따라서 이 지역에 발달한 전선은 한랭 전선이다.

바로알기 | ㄴ. B 지점에서는 높아질수록 기온이 하강하다가 전선면 부근에서 따뜻한 공기를 만나면 기온이 상승한 후 다시 하강한다.

ㄷ. 한랭 전선이 통과한 후에는 기압이 점점 높아지므로 전선에서 멀리 떨어져 있는 A 지점보다 B 지점에서 기압이 낮다.

392 ㄱ. 9시~10시 사이에 비가 내리기 시작하면서 10시 이후에 기온과 기압이 크게 변한 것으로 보아 이 무렵에 전선이 관측 지점을 통과했으며, 강수량이 주로 전선이 통과한 후에 기록된 것으로 보아 이때 통과한 전선은 한랭 전선이다. 한랭 전선이 통과한 후에는 기온이 하강하고, 기압은 상승한다. 따라서 A는 기온, B는 기압이다.

ㄴ. 12시는 한랭 전선이 통과한 후이므로 북풍 계열의 바람이 불었다.

바로알기 | ㄷ. 16시 이후 기압이 상승했으므로 온대 저기압의 중심은 이 지역에서 더 멀어졌다.

393

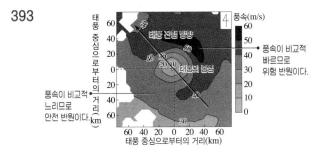

ㄱ. 태풍 진행 방향의 오른쪽 반원은 태풍의 진행 방향과 태풍 내 풍향이 같아서 풍속이 비교적 빠르므로 위험 반원이고, 태풍 진행 방향의 왼쪽 반원은 태풍의 진행 방향과 태풍 내 풍향이 반대여서 풍속이 비교적 느린 안전 반원이다. 이 태풍에서 풍속 분포를 보면 남서쪽보다 북동쪽의 풍속이 빠르므로 북동쪽이 위험 반원, 남서쪽이 안전 반원이다. 따라서 이 태풍은 북서쪽으로 이동하고 있다.

ㄴ. 태풍은 열대 저기압이므로 북반구에서 태풍 주변의 바람은 태풍 중심부를 향해 시계 반대 방향으로 불어 들어간다. 북반구에서 시계 반대 방향으로 부는 저기압성 바람이 지속적으로 불면 표층의 해수가 저기압의 중심부에서 바깥쪽으로 발산이 일어나므로 수온 약층의 차가운 물이 올라오는 용승이 일어난다.

바로알기 | ㄷ. 태풍은 열대 저기압이므로 태풍의 중심에서 기압이 가장 낮다.

394 ㄱ. 태풍은 위도 30°N 부근의 전향점까지는 무역풍의 영향으로 북서쪽으로 이동하고, 그 이후부터는 편서풍의 영향으로 북동쪽으로 이동한다. 12일에 이 태풍은 위도 약 36°N 부근에 위치하고 있었으므로 북동쪽으로 이동하였다. 따라서 12일에 이 태풍은 편서풍의 영향을 받고 있다.

바로알기 | ㄴ. 태풍 진행 방향의 오른쪽에 위치한 지역에서는 풍향이 시계 방향으로 변하고, 왼쪽에 위치한 지역에서는 풍향이 시계 반대 방향으로 변한다. 11일~13일 동안 제주도는 태풍 진행 방향의 오른쪽에 위치하므로 풍향이 시계 방향으로 변한다.

ㄷ. 해양 열용량이 클수록 해양에서 태풍으로 공급되는 열량이 많다. 11일에 해양 열용량은 $0 \text{ kJ/cm}^2 \sim 50 \text{ kJ/cm}^2$이고, 5일~6일에 해양 열용량은 100 kJ/cm^2을 초과하였다. 따라서 해양에서 이 태풍으로 공급되는 에너지양은 5일~6일에 가장 많았다.

395 ㄱ. 수온 약층은 깊이가 깊어짐에 따라 수온이 낮아지는 층이다. 2월에는 깊이에 따른 수온 변화가 거의 없지만, 8월에는 깊이에 따라 수온이 급격히 변한다. 따라서 수온 약층은 2월보다 8월에 뚜렷하게 발달한다.

바로알기 | ㄴ. 표층 수온의 연교차는 10 °C 이상이지만 깊이 125 m에서의 수온의 연교차는 3 °C 정도이다. 따라서 깊이가 깊어질수록 수온의 연교차는 작아진다.

ㄷ. 25 m 깊이까지 3월에는 수온의 변화가 거의 없지만 8월에는 수온이 낮아지고 있다. 따라서 25 m 깊이까지에서 연직 방향의 혼합 작용은 3월이 8월보다 활발하다.

396 ㄱ. 해수의 표층 수온은 태양 복사 에너지의 영향을 크게 받고, 해수면에 도달하는 태양 복사 에너지양은 저위도에서 고위도로 갈수록 적어지므로 해수의 표층 수온은 고위도로 갈수록 낮아진다. 따라서 상대적으로 표층 수온이 낮은 A는 고위도 해역, B는 저위도 해역이다.

ㄷ. 염분이 34 psu일 때 수온이 15 °C에서 20 °C로 상승하면 밀도는 1025.2 kg/m^3에서 1024.0 kg/m^3로 1.2 kg/m^3 낮아지고, 수온이 0 °C에서 5 °C로 상승하면 밀도는 1027.3 kg/m^3에서 1026.9 kg/m^3로 0.4 kg/m^3 낮아진다. 따라서 염분이 일정할 때, 수온 변화에 따른 밀도 변화는 수온이 높을 때가 낮을 때보다 크다.

바로알기 | ㄴ. 같은 부피의 ㉠과 ㉡이 혼합되어 형성된 해수는 ㉠과 ㉡의 평균 수온과 염분을 가지므로 ㉠, ㉡보다 밀도가 커진다.

14 해수의 표층 순환

빈출 자료 보기   105쪽

397 (1) × (2) ○ (3) × (4) × (5) × (6) ○ (7) ○ (8) ○
398 (1) × (2) ○ (3) × (4) × (5) ○ (6) × (7) ○

397 (2) B 해류는 저위도에서 고위도 쪽으로 흐르는 난류이다.

(6) 북태평양의 아열대 해역에서 표층 해류는 시계 방향으로 순환한다 (북적도 해류(A) → 쿠로시오 해류(B) → 북태평양 해류 → 캘리포니아 해류(C)).

(7) 북대서양에서 표층 순환은 북태평양의 표층 순환과 같은 시계 방향으로 일어난다(북적도 해류 → 멕시코 만류 → 북대서양 해류 → 카나리아 해류).

(8) B 해류는 북태평양 서안을 따라 북상하는 쿠로시오 해류이다. 쿠로시오 해류에서 갈라져 나온 해류의 일부가 우리나라 동해로 유입되어 동해안을 따라 북상하는 동한 난류가 된다.

바로알기 | (1) A 해류는 북태평양 적도 부근에서 동쪽에서 서쪽으로 흐르는 북적도 해류이다.

(3) A 해류는 북태평양에서 북동 무역풍의 영향으로 동쪽에서 서쪽으로 흐르는 북적도 해류이다.

(4) 난류는 한류보다 수온과 염분이 높다. B 해류는 난류이고, C 해류는 한류이므로 B 해류의 수온과 염분은 C 해류에 비해 높다.

(5) 기체의 용해도는 수온이 낮을수록 크므로 용존 산소량은 한류가 난류보다 많다. 쿠로시오 해류(B)는 저위도에서 고위도 쪽으로 흐르는 난류이고, 캘리포니아 해류(C)는 고위도에서 저위도 쪽으로 흐르는 한류이므로 용존 산소량은 C 해류가 B 해류보다 많다.

398 (2) 수온은 난류인 A 해류가 한류인 C 해류보다 높다.

(5) B 해류는 동한 난류이다. 동한 난류는 쿠로시오 해류에서 갈라져 나온 해류의 일부가 남해를 거쳐 동해안을 따라 북상하는 해류이다.

(7) 부산 앞바다에서 해류는 남해를 거쳐 동해로 흐른다. 따라서 부산 앞바다에서 적조가 발생하면 황해보다 동해로 확산될 가능성이 크다.

바로알기 | (1) A 해류는 난류인 쿠로시오 해류의 일부가 제주도 남쪽의 동중국해에서 갈라져 나와 황해로 유입된 황해 난류이다.

(3) B 해류는 동한 난류이고, C 해류는 북한 한류이다. 용존 산소량은 한류인 C 해류가 난류인 B 해류보다 많다.

(4) 난류와 한류가 만나는 해역을 조경 수역이라고 한다. 우리나라 주변 해역에서 조경 수역은 북한 한류와 동한 난류가 만나는 동해에서 형성된다.

(6) C 해류는 북한 한류이다. 한류는 주변의 열에너지를 흡수하므로 연안 지역의 기후는 주변보다 차가워진다.

난이도별 필수 기출   106~109쪽

399 ⑤	400 해설 참조	401 ②, ⑥
402 A: 극순환, C: 해들리 순환	403 ②, ④, ⑥	404 ③
405 ⑤	406 ①	407 해설 참조	408 ④	409 ①
410 ④	411 해설 참조	412 ④	413 ⑤	414 ②
415 ①	416 ⑤	417 ⑤	418 ③	419 해설 참조

---

399 ㄱ. A 지점은 B 지점에 비해 태양의 고도가 높으므로 같은 넓이에 흡수되는 태양 복사 에너지양이 B 지점보다 많다. 따라서 연평균 기온은 A 지점이 B 지점보다 높다.

ㄴ. 열에너지는 온도가 높은 곳에서 낮은 곳으로 이동한다. A 지점은 B 지점보다 흡수되는 태양 복사 에너지양이 많아 온도가 높으므로 열에너지는 A 지점에서 B 지점으로 이동한다.

ㄷ. 대기 대순환은 위도에 따른 태양 복사 에너지양과 지구 복사 에너지양 차이인 에너지 불균형 때문에 일어난다. 따라서 태양 복사 에너지는 대기 대순환을 일으키는 주요 에너지원 중 하나이다.

개념 보충

위도에 따른 태양 복사 에너지 흡수량

- ① 저위도 지역: 태양의 고도가 높다. ➡ 햇빛을 받는 면적이 좁다. ➡ 온도가 높다.
- ② 고위도 지역: 태양의 고도가 낮다. ➡ 햇빛을 받는 면적이 넓다. ➡ 온도가 낮다.

400 지구는 구형이므로 위도에 따라 지표면에 흡수되는 태양 복사 에너지양이 달라진다. 저위도 지역은 태양의 고도가 높기 때문에 단위 면적당 태양 복사 에너지 흡수량이 많고, 고위도 지역은 태양의 고도가 낮기 때문에 단위 면적당 태양 복사 에너지 흡수량이 적다.

모범 답안 ⓛ. 지구가 구형이므로 저위도에서 고위도로 갈수록 태양의 고도가 낮아져 고위도로 갈수록 태양 복사 에너지 흡수량이 급격히 줄어들기 때문이다.

401

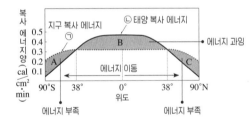

② A와 C는 고위도 지역의 에너지 부족량이고, B는 저위도 지역의 에너지 과잉량이다. 지구는 위도별로 태양 복사 에너지 흡수량과 지구 복사 에너지 방출량이 같지 않아 에너지 불균형이 나타나지만 전 지구적으로는 복사 평형을 이루고 있다. 따라서 저위도 지역의 에너지 과잉량(B)과 고위도 지역의 에너지 부족량(A+C)은 같다.

⑥ 저위도 지역은 에너지 과잉이고, 고위도 지역은 에너지 부족 상태이므로 대기와 해수의 순환을 통해 저위도의 과잉 에너지를 고위도로 운반한다.

바로알기 | ① 위도 38°보다 저위도 지역은 태양 복사 에너지 흡수량이 지구 복사 에너지 방출량보다 많고, 위도 38°보다 고위도 지역은 지구 복사 에너지 방출량이 태양 복사 에너지 흡수량보다 많다. 따라서 ㉠은 지구 복사 에너지, ㉡은 태양 복사 에너지이다.

다른 해설 | ① 지구가 둥글기 때문에 흡수되는 태양 복사 에너지양은 위도에 따라 달라지지만, 지구에서 방출되는 지구 복사 에너지양은 위도에 따른 차이가 크지 않다. 따라서 ㉠은 지구 복사 에너지, ㉡은 태양 복사 에너지이다.

③ A는 지구 복사 에너지 방출량에서 태양 복사 에너지 흡수량을 뺀 에너지양으로 에너지 부족을, B는 태양 복사 에너지 흡수량에서 지구 복사 에너지 방출량을 뺀 에너지양으로 에너지 과잉을 나타낸다.

④ 위도 38°보다 고위도 지역은 지구 복사 에너지 방출량이 태양 복사 에너지 흡수량보다 많다.

⑤ 위도 38°에서는 태양 복사 에너지 흡수량과 지구 복사 에너지 방출량이 같으므로 에너지 출입이 균형을 이루고 있다. 그러나 위도 38°보다 저위도에서는 태양 복사 에너지 흡수량이 지구 복사 에너지 방출량보다 많고, 고위도에서는 지구 복사 에너지 방출량이 태양 복사 에너지 흡수량보다 많으므로 에너지 출입이 균형을 이루고 있지 않다. 따라서 모든 위도에서 에너지 출입이 균형을 이루는 것은 아니다.

⑦ 위도 38°에서는 태양 복사 에너지 흡수량과 지구 복사 에너지 방출량이 같다. 위도 38°보다 저위도의 과잉 에너지는 위도 38°를 거쳐 에너지가 부족한 고위도로 수송되므로 에너지의 이동량은 위도 38°에서 가장 많다.

402 A는 극순환, B는 페렐 순환, C는 해들리 순환이다. 저위도 지역(적도~위도 30°)에 형성되는 해들리 순환(C)과 고위도 지역(위도 60°~90°)에 형성되는 극순환(A)은 지표의 가열과 냉각으로 일어나는 열대류의 원리로 형성된 직접 순환이고, 중위도 지역(위도 30°~60°)에 형성되는 페렐 순환(B)은 해들리 순환(C)과 극순환(A)의 영향으로 역학적으로 형성된 간접 순환이다.

403

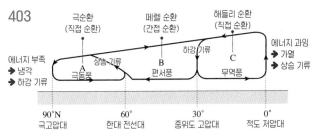

② B는 중위도 지역(위도 30°N~60°N)에서 형성되는 페렐 순환이다. 페렐 순환(B)은 해들리 순환(C)과 극순환(A)의 영향으로 역학적으로 형성되는 간접 순환으로 지구가 자전하지 않는다면 형성되지 않는다.

④ 적도에서 가열된 공기가 상승하여 중위도로 이동하다가 북반구 중위도(30°N) 상공에서 냉각과 수렴으로 하강하여 해들리 순환(C)을 이룬다. 30°N 상공에서 하강한 공기의 일부는 적도 방향으로 이동하면서 지구 자전의 영향(전향력)을 받아 오른쪽으로 휘어져 부는 무역풍이 된다.

⑥ 대기 대순환인 A~C는 저위도의 과잉 에너지를 고위도로 수송하여 위도별 에너지 불균형을 해소시키는 역할을 한다.

바로알기 | ① A는 고위도 지역(위도 60°N~90°N)에서 형성되는 극순환이다. 해들리 순환은 저위도 지역(적도~위도 30°N)에서 형성되는 C이다.

③ 북반구 중위도 상공(30°N)에서 하강한 공기의 일부가 고위도 쪽으로 이동하여 위도 60°N에서 상승하면서 페렐 순환(B)이 형성된다. 페렐 순환(B)이 형성되는 지상에서는 편서풍이 분다.

⑤ 극순환(A)과 해들리 순환(C)은 지표의 가열과 냉각으로 일어나는 열대류의 원리로 일어나는 직접 순환이고, 페렐 순환(B)은 해들리 순환과 극순환의 영향으로 역학적으로 형성된 간접 순환이다.

⑦ 적도 지역에서 상승한 공기의 일부는 북쪽으로 이동하다가 위도 30°N 부근에서 하강하여 지표에 고압대를 형성하는데, 이를 중위도 고압대(아열대 고압대)라고 한다. 따라서 위도 30°N 부근에서는 고기압이 발달한다.

⑧ 적도 지역에는 상승 기류가 발달하는 적도 저압대가 형성되어 강수량이 많고, 위도 30°N 지역에는 하강 기류가 발달하는 중위도 고압대가 형성되어 강수량이 적다. 따라서 연평균 강수량은 30°N 지역보다 적도 지역이 많다.

대기 대순환과 날씨
• 적도 지역(적도 저압대)과 위도 60° 부근(한대 전선대): 상승 기류가 발달하므로 구름이 잘 형성되고, 강수량이 많다.
• 위도 30° 부근(중위도 고압대)과 극지역(극고압대): 하강 기류가 발달하여 날씨가 맑고 강수량이 적다. 위도 30° 부근의 육지에는 사막이 분포하고, 위도 30° 부근의 바다는 염분이 높다.

404 ㄱ. 저위도에서 고위도 쪽으로 운반되는 에너지양은 대기의 에너지 수송량이 해양의 에너지 수송량보다 많다. 연평균 에너지 수송량은 A가 B보다 적으므로 A는 해양, B는 대기이다.

ㄴ. 적도에서는 대기와 해양에 따른 에너지 수송량이 0에 가까우므로 남북 방향의 에너지 수송은 거의 일어나지 않는다.

바로알기 | ㄷ. 태양 복사 에너지 흡수량과 지구 복사 에너지 방출량이 같은 값을 갖는 복사 평형은 위도 38° 부근에서 일어난다. A와 B가 교차하는 ㉠ 위도는 위도 38°보다 저위도로 태양 복사 에너지 흡수량이 지구 복사 에너지 방출량보다 많은 에너지 과잉 상태이다.

405 ㄱ. (가)에서 적도~위도 30° 사이에서는 무역풍이 불고, 위도 30°~60° 사이에서는 편서풍이 불며, 위도 60°~90° 사이에서는 극동풍이 분다. 따라서 지구가 자전하는 경우에 해당하며, 이때 지구의 풍계는 3개로 나뉜다.

ㄴ. (나)는 지구가 자전하지 않아 하나의 풍계가 나타난 것이다. 이때 지상에서는 북극 지역에서 하강한 공기가 적도 쪽으로 이동하며 북풍 계열의 바람이 분다.

ㄷ. (가)와 (나) 모두 북극에서는 찬 지표면의 냉각으로 하강 기류가 나타난다.

406 저위도에서 고위도 쪽으로 흐르는 따뜻한 해류를 난류라 하고, 고위도에서 저위도 쪽으로 흐르는 차가운 해류를 한류라고 한다.

구분	이동 방향	수온	염분
난류	저위도 → 고위도	높다.	높다.
한류	고위도 → 저위도	낮다.	낮다.

구분	밀도	용존 산소량	영양 염류
난류	작다.	적다.	적다.
한류	크다.	많다.	많다.

바로알기 | ① 난류는 한류에 비해 밀도가 작다.

407 대기 대순환으로 지표 부근에서 바람이 일정한 방향으로 계속 불면 표층의 해수는 바람으로부터 에너지를 얻어 일정한 방향으로 흐르게 되는데, 이를 표층 해류라고 한다. 이러한 표층 해류는 대기 대순환으로 동서 방향으로 흐르다가 대륙에 부딪치면 남북 방향으로 갈라져 흐르면서 커다란 환류를 형성하는데, 이를 표층 순환이라고 한다.

모범 답안 표층 해류는 대기 대순환으로 생긴 바람의 영향으로 발생한다. 대륙으로 둘러싸인 대양에서 표층 해류는 바람을 따라 동서 방향으로 흐르다가 대륙에 부딪치면 남북 방향으로 갈라져 흐르면서 환류를 이룬다.

408 ㄱ. 남극 순환 해류는 남극 대륙 주위를 서쪽에서 동쪽으로 순환하는 해류로, 위도 30°S~60°S에서 부는 편서풍의 영향으로 형성된다.

ㄷ. 쿠로시오 해류는 저위도에서 고위도 쪽으로 흐르는 난류이고, 캘리포니아 해류는 고위도에서 저위도 쪽으로 흐르는 한류이다. 따라서 동일한 위도에서 용존 산소량은 한류인 캘리포니아 해류가 난류인 쿠로시오 해류보다 많다.

바로알기 | ㄴ. 전 세계 해양의 표층 해류는 대기 대순환으로 일정하게 부는 바람에 따라 형성되고, 대륙의 분포에도 영향을 받는다. 북반구와 남반구에서 해류의 이동 방향은 대체로 대칭을 이루고 있다.

409 ① 조경 수역은 한류와 난류가 만나는 해역에서 형성된다. ㉠ 해역에서는 고위도에서 저위도 쪽으로 흐르는 한류와 저위도에서 고위도 쪽으로 흐르는 난류가 만나므로 조경 수역이 형성될 수 있다.

바로알기 | ② ㉠ 해역에서는 한류와 난류가 만나고, ㉡ 해역에서는 서에서 동으로 흐르는 북태평양 해류가 남북으로 나뉜다. 따라서 위도에 따른 수온 변화는 ㉠ 해역이 ㉡ 해역보다 크다.

③ A 해류는 저위도에서 고위도 쪽으로 흐르는 난류인 쿠로시오 해류이고, B 해류는 고위도에서 저위도 쪽으로 흐르는 한류인 캘리포니아 해류이다.

④ C 해류는 적도~30°N 사이에서 부는 무역풍의 영향으로 형성된 북적도 해류이다.

⑤ 용존 산소량은 한류가 난류보다 많다. A 해류는 난류이고, B 해류는 한류이므로 용존 산소량은 A 해류가 B 해류보다 적다.

410 ㄱ. 위도 30°N~60°N 사이는 편서풍이 부는 지역이므로 해류 A는 편서풍의 영향으로 형성되어 서쪽에서 동쪽으로 흐른다.

ㄴ. 적도~위도 30°N 사이는 무역풍이 부는 지역이므로 해류 B는 무역풍의 영향으로 형성되어 동쪽에서 서쪽으로 흐른다.

ㄹ. 해류 C는 저위도에서 고위도 쪽으로 흐르는 난류인 멕시코 만류이고, 해류 D는 고위도에서 저위도 쪽으로 흐르는 한류인 카나리아 해류이다. 난류는 한류보다 수온과 염분이 높으므로 해류 C는 해류 D보다 수온과 염분이 높다.

바로알기 | ㄷ. 해류 D는 유럽과 아프리카 대륙의 서부 연안을 따라 저위도 쪽으로 흐르는 카나리아 해류로, 고위도에서 저위도 쪽으로 흐르는 한류이다.

411

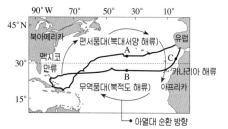

콜롬버스가 1492년~1493년 신대륙인 북아메리카 대륙을 탐험할 때 바람과 해류를 이용하였다. 콜럼버스는 유럽 대륙에서 북아메리카 대륙으로 갈 때는 아프리카 서안의 저위도로 내려가 무역풍과 북적도 해류를 이용하였고, 북아메리카 대륙에서 유럽 대륙으로 돌아올 때는 고위도 쪽으로 올라가 편서풍과 북대서양 해류를 이용하였다.

모범 답안 콜롬버스가 유럽 대륙으로 돌아올 때 편서풍과 북대서양 해류를 이용하였고, 이때 북대서양 중위도의 A 지점을 통과하였다.

412 ㄴ. C 지점에 흐르는 해류는 카나리아 해류이다. 카나리아 해류는 유럽과 아프리카 서부 연안을 따라 저위도 쪽으로 흐르는 한류이다.

ㄷ. 북대서양 아열대 순환을 이루는 해류는 멕시코 만류, 북대서양 해류, 카나리아 해류, 북적도 해류이다. 이 해류들은 북대서양 아열대 해역에서 시계 방향으로 순환한다.

바로알기 | ㄱ. B 지점은 북대서양 저위도 해역이고, 이 해역에서는 동쪽에서 서쪽으로 무역풍이 분다. 따라서 B 지점을 항해할 때는 무역풍을 이용하였다.

대기 대순환과 표층 순환의 관계

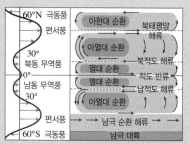

- **열대 순환:** 무역풍의 영향으로 적도 해류가 서쪽으로 흐르고, 해양의 서쪽에 쌓인 해수가 해수면이 낮은 동쪽으로 흐르는 적도 반류로 이루어진 순환이다.
- **아열대 순환:** 무역풍의 영향으로 적도 해류가 서쪽으로 흐르고, 편서풍의 영향으로 생긴 해류가 동쪽으로 흐르는 순환이다. 대양의 서쪽과 동쪽에서는 각각 대양의 서안과 동안을 따라 난류와 한류가 흐른다.
- **아한대 순환:** 편서풍의 영향으로 생긴 해류의 일부가 해양의 동쪽에서 고위도로 이동하고, 극동풍의 영향으로 서쪽으로 흐르는 순환이다.

413 A는 남적도 해류, B는 동오스트레일리아 해류, C는 남극 순환 해류, D는 페루 해류이다.

ㄷ. 페렐 순환은 위도 30°~60° 지역에서 형성되고, 지상에서 부는 바람은 편서풍이다. A~D 중 편서풍으로 형성된 해류는 서쪽에서 동쪽으로 흐르는 C(남극 순환 해류)이다.

ㄹ. 캘리포니아 해류는 북태평양에서 흐르는 한류이다. 따라서 A~D 중 캘리포니아 해류와 유사한 성질을 나타내는 해류는 고위도에서 저위도로 흐르는 한류인 D(페루 해류)이다.

바로알기 | ㄱ. 저위도의 남는 에너지가 고위도로 이동하므로 저위도에서 고위도 쪽으로 흐르는 표층 해류가 열에너지를 수송한다. A와 C는 동서 방향으로 흐르고, B는 저위도에서 고위도로 흐르며, D는 고위도에서 저위도 쪽으로 흐르므로 남북 방향의 열에너지 수송량은 B가 가장 많다.

ㄴ. B는 무역풍으로 형성된 남적도 해류(A)의 일부가 오스트레일리아 동쪽 해역을 따라 남하하는 동오스트레일리아 해류이다. 따라서 동오스트레일리아 해류는 대륙의 영향으로 형성된 해류이다.

414 ㄷ. C는 남반구 저위도 해역에서 부는 무역풍 때문에 동쪽에서 서쪽으로 흐르는 남적도 해류이다. 남적도 해류(C)의 유속은 무역풍의 세기가 강할수록 빠르다.

바로알기 | ㄱ, ㄴ. A는 북반구 저위도 해역에서 부는 무역풍 때문에 동쪽에서 서쪽으로 흐르는 북적도 해류이고, B는 북적도 해류와 남적도 해류의 영향으로 대양의 서쪽에 쌓여 있던 해류가 동쪽으로 흐르는 적도 반류이다. 북적도 해류와 적도 반류로 이루어진 표층 순환은 열대 순환이다.

415 ㄱ. A 해역에서 용존 산소량을 나타내는 등치선이 조밀한 까닭은 수온 변화가 크기 때문이다.

바로알기 | ㄴ. B 해역에는 난류가 흐르므로 연평균 수온은 B 해역이 C 해역보다 높다.

다른 해설 ㄴ. 표층 해수의 용존 산소량은 표층 수온이 낮을수록 많다. B 해역은 C 해역보다 연평균 용존 산소량이 적으므로 연평균 수온은 B 해역이 C 해역보다 높다.

ㄷ. C 해역에서는 고위도에서 저위도 쪽으로 한류인 캘리포니아 해류가 흐른다. 카나리아 해류는 북대서양에서 유럽과 아프리카 대륙의 서부 연안을 따라 저위도 쪽으로 흐르는 한류이다.

[416~417]

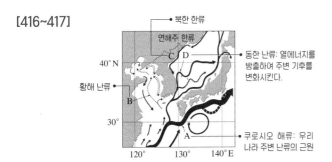

416 ㄱ. C 해류는 연해주 한류에서 갈라져 나와 함경도 연안을 따라 남하하는 북한 한류이고, D 해류는 쿠로시오 해류에서 갈라져 나와 우리나라 동해안을 따라 북상하는 동한 난류이다. 용존 산소량은 한류인 북한 한류가 난류인 동한 난류보다 많다.

ㄴ. 북한 한류(C)와 동한 난류(D)는 동해 중부 해역에서 만나 조경 수역을 이룬다.

ㄷ. 동한 난류(D)는 저위도에서 고위도 쪽으로 흐르는 난류로, 열에너지를 방출하여 주변 지역의 기후를 동일 위도의 다른 지역보다 따뜻하게 한다.

417 ①, ② A는 북태평양의 남서쪽에서 북동쪽으로 북상하는 쿠로시오 해류이고, 우리나라 주변을 흐르는 난류의 근원이다.

③ 영양 염류는 한류가 난류보다 많다. B는 난류인 황해 난류이고, C는 한류인 북한 한류이므로 영양 염류는 B보다 C가 많다.

④ 조경 수역은 한류와 난류가 만나는 해역에서 형성된다. 동해에서는 북한 한류와 동한 난류가 만나 조경 수역이 형성된다.

바로알기 | ⑤ 부산 앞바다에서 해류는 동쪽으로 흐른다. 따라서 부산 앞바다에서 유조선 사고로 기름이 유출되면 황해보다 동해로 확산될 가능성이 크다.

418 ㄱ. (가)보다 (나)에서 동한 난류가 더 북상하였으므로 (가)는 겨울철, (나)는 여름철의 해류 분포를 나타낸 것이다.

ㄴ. 남해는 연중 난류의 영향을 받으므로 동해나 황해에 비해 연중 표층 수온이 높게 나타난다.

바로알기 | ㄷ. 동해에 흐르는 한류는 북한 한류이다. 북한 한류는 계절에 따라 남하하는 위치는 다르지만 여름철과 겨울철 모두 동해에 나타난다.

419 우리나라 주변 해역에서 조경 수역은 동한 난류와 북한 한류가 만나는 동해에서 형성되고, 조경 수역의 위치는 계절에 따라 달라진다. 동한 난류의 세기가 강한 여름철에 조경 수역은 함경도 먼 바다에 형성되고, 북한 한류의 세기가 강한 겨울철에는 울릉도와 주문진 먼 바다에 형성된다.

모범 답안 | 동한 난류와 북한 한류가 만나는 동해 중부 해역에 형성되는 조경 수역은 동한 난류의 세기가 강한 여름철에는 그 위치가 북상하고, 북한 한류의 세기가 강한 겨울철에는 그 위치가 남하한다.

---

15 해수의 심층 순환

420 (1) (가)와 같은 심층 순환은 해수의 밀도 차로 발생한다. 해수의 밀도는 수온이나 염분의 영향을 받으므로 심층 순환을 열염 순환이라고도 한다.

(2) 밀도가 큰 해수일수록 심층으로 가라앉는다. A~C 중 C가 가장 아래에 위치하므로 C의 밀도가 가장 크고, 가장 위쪽에 위치한 B의 밀도가 가장 작다.

(4) (가)에서 A는 북대서양 심층수, B는 남극 중층수, C는 남극 저층수이다.

(6) (가)에서 A~C 중 C가 가장 아래에 위치하므로 C가 밀도가 가장 크다. (나)에서 ㉠~㉢ 중 밀도가 가장 큰 수괴는 ㉢이다. 따라서 (가)의 C는 (나)에서 ㉢에 해당한다. (가)의 A는 (나)에서 ㉡, (가)의 B는 (나)에서 ㉠에 해당한다.

(7) (나)에서 ㉠~㉢ 중 염분이 가장 높은 수괴인 ㉡의 밀도는 ㉠~㉢ 중 중간이고, 대서양 수괴의 밀도는 (가)에서 C(남극 저층수)>A(북대서양 심층수)>B(남극 중층수)이다. 따라서 (나)에서 염분이 가장 높은 ㉡은 (가)에서 A인 북대서양 심층수에 해당한다.

바로알기 | (3) 남위 60° 부근 해역에서는 밀도가 커진 해수가 심층으로 가라앉는 침강 현상이 일어난다.

(5) (가)에서 A는 북대서양 심층수로, 그린란드 주변 해역에서 침강하여 형성된다. B는 남극 중층수로, 60°S 부근에서 냉각되어 침강하여 형성된다. C는 남극 저층수로, 남극 대륙 주변의 웨델해에서 침강하여 형성된다.

421 전 지구적인 해수의 순환은 심층 순환과 표층 순환이 연결되어 이루어진다. 그린란드 주변 해역에서 침강한 북대서양 심층수가 대서양 서쪽을 따라 남하하다가 남극 대륙 주변에서 남극 저층수와 만나 뒤섞인다. 이후 남극 대륙 주위를 돌다가 인도양과 태평양으로 퍼져 나가 인도양과 태평양에서 표층으로 상승한 해수는 표층 순환을 거쳐 북대서양으로 흘러간다.

(1) 표층수는 적도 부근에 위치할수록 수온이 높다. 따라서 A~C 중 가장 따뜻한 해수는 적도 부근의 표층수인 B이다.

(2) A는 그린란드 주변 해역으로, 차갑고 염분이 높아 밀도가 큰 해수가 침강하여 북대서양 심층수를 형성한다.

(3) A에서 침강한 해수는 북대서양 심층수를 형성한다.

(4) A에서 침강한 해수는 수온이 낮으므로 용존 산소량이 많다. 따라서 이 해수는 심층에 산소를 공급하는 역할을 한다.

(5) A에서 침강한 해수는 남쪽으로 흐르다가 인도양과 태평양으로 퍼져 나간 후 북태평양의 C에서 상승하여 표층 순환과 연결된다.

(6) A에서 침강한 해수는 남쪽으로 흐르다가 남극 대륙 주변의 웨델해(D)에서 침강한 더 차가운 남극 저층수와 혼합되어 인도양과 태평양으로 퍼져 나간다.

(8) 전 지구적인 해수의 순환을 통해 저위도에서 고위도로 에너지가 운반되어 위도별 에너지 불균형이 줄어든다.

바로알기 | (7) 심층 해류는 표층 해류에 비해 유속이 매우 느리다.

422 ④	423 ③	424 ⑤	425 ⑤	426 ③, ④
427 ⑤	428 ②	429 ③	430 해설 참조	
431 해설 참조		432 ④, ⑤		433 ③ 434 ②
435 ⑤	436 ②, ⑥		437 ①	438 ③

422 해수의 심층 순환은 해수의 밀도 차로 해수가 침강하여 발생한다. 해수의 수온이 낮거나 염분이 높으면 밀도가 커지므로 침강이 잘 일어난다.

ㄴ. (나)에서 종이컵에 넣는 물에 얼음을 넣으면 소금물의 온도가 낮아져 밀도가 증가하므로 소금물의 침강이 더 활발히 일어난다.

ㄷ. (나)에서 종이컵에 넣는 물에 소금을 더 많이 녹이면 소금물의 염분이 높아져 밀도가 증가하므로 소금물의 침강이 더 활발히 일어난다.

바로알기 | ㄱ. (가)에서 수조의 물에 소금을 녹이면 수조의 물의 밀도가 증가한다. 이때는 수조의 물과 종이컵의 물 간의 밀도 차가 작아지기 때문에 소금물의 침강이 잘 일어나지 않는다.

423

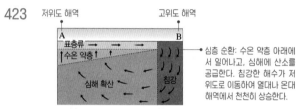

ㄱ. 해수의 수온이 낮거나 염분이 높아서 밀도가 커지면 해수가 침강하여 심층 순환을 형성한다.

ㄷ. B 해역은 고위도 해역으로, 밀도가 큰 해수가 침강한다. B 해역의 염분이 높아지면 밀도가 더 커지므로 침강이 강화된다.

바로알기 | ㄴ. B 해역에서 침강이 일어나므로 B 해역은 수온이 낮거나 염분이 높아 밀도가 크다는 것을 뜻한다. 따라서 A 해역은 저위도 해역, B 해역은 고위도 해역이다.

424 ㄱ. 소금물은 수돗물(담수)보다 밀도가 크기 때문에 수돗물(담수) 아래로 가라앉는다.

ㄴ. A가 B의 아래로 가라앉았으므로 밀도는 A가 B보다 크다.

ㄷ. 북대서양 심층수와 남극 저층수의 밀도를 비교하면 대서양 해저를 따라 이동하는 남극 저층수의 밀도가 북대서양 심층수보다 크다. 따라서 A는 남극 저층수, B는 북대서양 심층수에 해당한다.

425 밀도가 큰 해수가 밀도가 작은 해수의 아래에 위치한다. 따라서 A~C 해수의 밀도는 C>B>A이다.

426

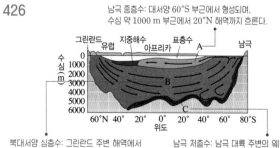

남극 중층수: 대서양 60°S 부근에서 형성되며, 수심 약 1000 m 부근에서 20°N 해역까지 흐른다.

북대서양 심층수: 그린란드 주변 해역에서 차고 염분이 높은 표층 해수가 침강하여 형성되며, 수심 약 1500 m~4000 m 사이에서 남반구 고위도까지 흐른다.

남극 저층수: 남극 대륙 주변의 웨델해에서 침강하여 형성되며, 밀도가 매우 큰 해수로 해저면을 따라 30°N 해역까지 흐른다.

③ B는 북대서양 심층수로, 그린란드 주변 해역에서 침강하여 남극 쪽으로 흐른다.

④ C는 남극 저층수로, 수온이 낮아 용존 산소량이 많으므로 침강하여 심해에 산소를 공급한다.

바로알기 | ①, ② A는 남극 중층수, B는 북대서양 심층수, C는 남극 저층수이다.

⑤ 남극 중층수(A)가 북대서양 심층수(B)의 위에 위치하므로 A는 B보다 밀도가 작다.

⑥ 남극 저층수(C)는 남극 중층수(A)보다 수온이 낮아 밀도가 더 크다.

⑦ 수괴는 수온과 염분이 거의 균일한 해수 덩어리로, 주변 해수와 잘 섞이지 않는다. 바람은 표층 순환의 발생 원인이다.

⑧ 심층 순환은 표층 순환보다 유속이 매우 느리다.

427

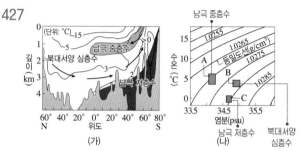

ㄱ. (가)에서 남극 중층수의 밀도가 가장 작고, 남극 저층수의 밀도가 가장 크다. 따라서 (나)에서 A는 남극 중층수, B는 북대서양 심층수, C는 남극 저층수이다. (나)에서 염분은 남극 중층수인 A가 가장 낮다.

ㄴ. C는 A~C 중 밀도가 가장 크므로 (가)에서 가장 아래에 위치해 있는 남극 저층수이다.

ㄷ. 지구 온난화가 지속되면 고위도의 수온이 상승하고 빙하가 녹아 염분이 낮아져 고위도 해수의 밀도가 작아지므로 침강이 잘 일어나지 않는다. 따라서 지구 온난화가 지속되면 심층 순환이 약해질 수 있다.

428 대서양 심층 순환은 남극 중층수, 북대서양 심층수, 남극 저층수로 이루어져 있으며, 밀도가 가장 큰 해수는 남극 저층수이고, 밀도가 가장 작은 해수는 남극 중층수이다. 따라서 A는 남극 중층수, B는 남극 저층수, C는 북대서양 심층수이다.

ㄷ. 북대서양 심층수(C)는 그린란드 주변 해역에서 침강하여 형성된다.

바로알기 | ㄱ. 남극 중층수(A)는 60°S 부근에서 냉각된 해수가 가라앉아 형성된 해수이다.

ㄴ. B는 남극 저층수이다.

429 ㄱ. 북대서양 심층수는 그린란드 주변 해역에서 냉각된 해수가 침강하여 형성된다.

ㄴ. (가)에서 남극 저층수의 수온은 북대서양 심층수보다 낮고, (나)에서 남극 저층수의 염분은 북대서양 심층수보다 낮다. 해수의 밀도는 수온이 낮고 염분이 높을수록 크므로 남극 저층수의 밀도는 염분보다 수온의 영향을 더 많이 받는다.

바로알기 | ㄷ. (나)에서 북대서양 심층수의 염분은 34.8 psu~35 psu 정도이고, 남극 중층수의 염분은 34.6 psu보다 낮다. 따라서 북대서양 심층수의 평균 염분이 남극 중층수보다 높다.

430 심층 순환은 수온과 염분 변화에 따른 밀도 차로 발생하기 때문에 열염 순환이라고도 한다. 심층 순환을 이루는 해수는 표층에서 수온이 낮아지거나 염분이 높아지면 밀도가 커진 해수가 심해로 가라앉아 형성된다.

모범 답안 해수의 밀도는 수온과 염분의 영향을 받는다. 수온이 낮을수록, 염분이 높을수록 해수의 밀도가 크다.

431 남극 저층수는 남극 대륙 주변의 웨델해에서 수온이 낮은 해수가 결빙하는 동안 염분이 높아져 밀도가 커진 해수가 침강하여 형성된다. 북대서양 심층수는 그린란드 주변 해역의 염분이 높은 해수가 냉각되어 밀도가 커져 침강하여 형성된다. 남극 중층수는 60°S 부근에서 해수가 냉각되어 밀도가 커져 침강하여 형성된다.

모범 답안 남극 저층수는 남극 대륙 주변의 웨델해에서 해수가 침강하여 형성되며, 북대서양 심층수는 그린란드 주변 해역에서 해수가 침강하여 형성되고, 남극 중층수는 60°S 부근에서 해수가 침강하여 형성된다. 세 해수의 밀도 관계는 남극 저층수 > 북대서양 심층수 > 남극 중층수이다.

432 ① 해수의 표층 순환과 심층 순환으로 저위도의 과잉 에너지가 고위도로 운반되어 위도별 에너지 불균형이 줄어든다.
② 심층 해류는 표층 해류에 비해 유속이 매우 느리다.
③ A 해역은 표층 수온이 낮아 기체의 용해도가 크므로 표층 해수의 용존 산소량이 많다. 따라서 A 해역에서 침강한 북대서양 심층수는 산소를 심해로 운반하여 심해에 산소를 공급한다.
⑥ 지구 온난화가 심해지면 해수 수온이 상승하고 빙하가 녹으면서 염분이 낮아져 해수의 밀도가 작아진다. 따라서 해수의 침강이 약해질 것이다.
⑦ A 해역에서 침강한 해수가 북대서양 심층수를 이루고, B 해역에서는 심층 순환이 상승하는 용승이 일어나 표층 순환과 연결된다.
⑧ B 해역에서는 심층 순환을 이루는 해수가 상승하여 표층 순환으로 이어진다.
바로알기 | ④ 차갑고 염분이 높은 해수가 침강하는 곳은 A 해역이고, B 해역에서는 심층 순환을 이루는 해수가 상승하여 표층 순환과 연결된다.
⑤ 남극 중층수는 60°S 부근에서 침강하여 형성된다.

433

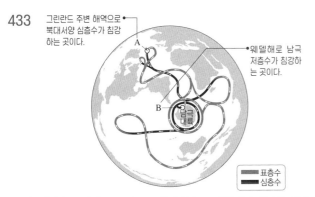

그린란드 주변 해역으로 북대서양 심층수가 침강하는 곳이다.
웨델해로 남극 저층수가 침강하는 곳이다.
■ 표층수
■ 심층수

ㄱ. A 해역은 그린란드 주변 노르웨이해이고, 이곳에서 침강한 해수가 북대서양 심층수를 형성하여 남쪽으로 흐른다.
ㄴ. 남극 대륙 주변의 웨델해(B)에서 침강한 해수는 남극 저층수를 형성한다.
바로알기 | ㄷ. 지구의 평균 기온이 상승하면 표층 해수의 수온이 상승하고 빙하가 녹으면서 염분이 낮아져 해수의 밀도가 작아진다. 따라서 심층 순환은 약해진다.

434 ㄴ. (나)에서 A와 B 해역의 표층 염분이 낮아졌음을 알 수 있다. 해수의 염분이 낮아지면 밀도가 작아지기 때문에 침강이 잘 일어나지 않아 북대서양의 열염 순환이 약해진다.
바로알기 | ㄱ. A와 B 해역은 그린란드 주변 해역으로, 북대서양 심층수가 만들어지는 곳이다.
ㄷ. 빙하가 녹아 A와 B 해역에 유입되면 해수의 염분이 낮아지기 때문에 침강이 잘 일어나지 않아 심층 순환이 약해진다.

435

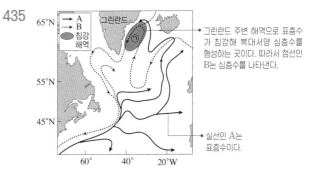

65°N 그린란드
→ A
→ B
침강 해역
55°N
45°N
60° 40° 20°W

그린란드 주변 해역으로 표층수가 침강해 북대서양 심층수를 형성하는 곳이다. 따라서 점선인 B는 심층수를 나타낸다.
실선인 A는 표층수이다.

ㄱ. B는 침강 해역에서 대서양 서쪽 해안을 따라 남쪽으로 흐르므로 심층수의 흐름을 나타내고, A는 표층수의 흐름을 나타낸다.
ㄴ. 유속은 심층수인 B가 표층수인 A보다 느리다.
ㄷ. ㉠ 해역은 침강 해역이고, 이곳으로 빙하가 녹은 물이 유입되면 염분이 낮아져 해수의 밀도가 작아지기 때문에 해수의 침강이 약해진다.

436 ① 심층 순환은 해수의 밀도 차로 발생하는 것으로, 해수의 밀도는 수온과 염분의 영향을 받기 때문에 심층 순환을 열염 순환이라고도 한다.
③ 심층 순환이 약해지면 표층 순환도 약해지면서 저위도에서 고위도로 운반되는 에너지의 양이 적어지기 때문에 지구 기후에 영향을 줄 수 있다.
④ 심층 순환은 전 수심과 위도에 걸쳐 일어나면서 해수를 순환시킨다.
⑤ 수온이 낮아지거나 염분이 높아져 해수의 밀도가 커지면 표층 해수가 침강하여 심층 순환을 형성한다.
⑦ 표층 순환과 심층 순환은 컨베이어 벨트처럼 연결되어 전 지구적인 해수의 순환을 이룬다.
⑧ 심층 순환이 표층 순환으로 연결되기 때문에 심층 순환으로 심층수에 많이 포함되어 있는 영양 염류 등이 표층으로 운반된다.
바로알기 | ② 심층 순환은 용존 산소량이 많은 찬 해수가 침강하면서 심층에 산소를 공급해 생물이 살 수 있게 한다.
⑥ 심층 순환의 이동 속도는 매우 느리므로 직접 관측하기 어렵다.

437 ㄱ. (나)를 보면 최근 30년 동안 북극해에서 얼음 면적은 감소하는 경향을 보이고 있다. 북극해의 얼음 면적이 감소하면 얼음이 녹은 물이 유입되어 염분이 낮아져 해수의 밀도가 작아지므로 P 해역에서 해수의 침강이 약해진다.
바로알기 | ㄴ. 북대서양 심층수는 그린란드 주변 해역에서 만들어진 심층수로 심해에 산소를 공급한다. 따라서 그린란드 주변의 P 해역에서 침강이 약해지면 북대서양 심해의 용존 산소량이 감소한다.
ㄷ. 심층 순환은 표층 순환과 연결되어 저위도의 에너지를 고위도로 수송한다. 따라서 심층 순환이 약해지면 표층 순환도 약해지면서 저위도에서 고위도로 수송하는 에너지의 양이 적어진다.

438 ① 북대서양의 서안을 따라 북상하는 난류는 멕시코 만류이다.
② 북극 부근의 빙하가 녹은 물이 북대서양으로 흘러 들어가면 해수의 염분이 낮아지기 때문에 해수의 밀도가 작아진다.
④ 북대서양 해수의 밀도가 감소하면 북대서양 해역에서 해수의 침강이 약해진다.
⑤ 심층 순환과 표층 순환은 서로 연결되어 커다란 순환을 이룬다. 따라서 해수의 침강이 약해져서 심층 순환이 약해지면 표층 순환도 약해진다.
바로알기 | ③ 빙하가 녹은 물은 담수에 가깝다. 따라서 빙하가 녹은 물이 북대서양으로 흘러 들어가면 북대서양 해수의 염분은 낮아진다.

16 해양 변화와 기후 변화

빈출 자료 보기 118쪽

439 (1) × (2) ○ (3) × (4) ○ (5) ○ (6) ○
440 (1) ○ (2) × (3) ○ (4) × (5) ○ (6) ○ (7) ○ (8) ○

439 (2) 적도 부근에서 무역풍이 불면 표층 해수가 북반구에서는 북쪽으로, 남반구에서는 남쪽으로 이동하여 적도의 해수가 발산되기 때문에 찬 해수가 표층으로 올라오는 적도 용승이 일어난다.
(4) 용승이 일어나는 해역은 표층 수온이 주변에 비해 낮기 때문에 해수면 위의 공기가 냉각되어 안개가 자주 발생한다. 따라서 A 해역에서는 안개가 자주 발생한다.
(5) 용승으로 영양 염류가 풍부한 심층의 찬 해수가 올라오기 때문에 용승이 일어나는 A, C 해역에서는 좋은 어장이 형성된다.
(6) A, B, C 해역에서는 심층의 찬 해수가 올라오는 용승이 일어나기 때문에 주변 해역에 비해 표층 수온이 낮다.
바로알기 | (1) A 해역은 북반구 대륙의 서안에 위치하고 있고, 북반구에서는 대륙의 서안에서 지속적으로 북풍이 불면 표층 해수는 풍향의 오른쪽 직각 방향인 서쪽으로 이동하므로 심층의 찬 해수가 표층으로 올라오는 용승이 일어난다.
(3) 남반구에서는 표층 해수가 풍향의 왼쪽 직각 방향으로 이동한다. 따라서 C 해역에서 표층 해수의 이동 방향은 풍향의 왼쪽 방향이다.

440 (1) 엘니뇨 시기에는 무역풍이 평상시보다 약해져 열대 태평양의 동쪽 해역에서 용승이 약해지고 수온 약층의 경사가 완만해지며, 서태평양의 따뜻한 해수가 동쪽으로 이동하여 동태평양의 표층 수온이 높아진다. 라니냐 시기에는 무역풍이 평상시보다 강해져 열대 태평양의 동쪽 해역에서 용승이 강해지고 동태평양의 표층 수온이 더 낮아진다. 따라서 (가)는 엘니뇨 시기, (나)는 라니냐 시기를 나타낸다.
(3) (가) 엘니뇨 시기에는 동태평양의 용승이 약해지기 때문에 동태평양 해역의 표층 수온은 평년보다 높다.
(5) (가) 엘니뇨 시기에는 평상시보다 무역풍이 약해지고, (나) 라니냐 시기에는 평상시보다 무역풍이 강해진다.
(6) (가) 엘니뇨 시기보다 (나) 라니냐 시기일 때 무역풍의 세기가 강하기 때문에 서태평양 쪽으로 이동하는 표층 해수의 흐름은 (가)보다 (나)일 때 더 강하다.
(7) 엘니뇨 시기에는 무역풍이 약화되어 동태평양에서 서태평양으로 이동하는 표층 해수의 흐름이 약해지므로 동서 방향의 해수면 기울기가 평상시보다 완만해지고, 라니냐 시기에는 무역풍이 강화되어 동태평양에서 서태평양으로 이동하는 표층 해수의 흐름이 강해지므로 동서 방향의 해수면 기울기가 평상시보다 급해진다. 따라서 동서 방향의 해수면 기울기는 (가) 엘니뇨 시기보다 (나) 라니냐 시기일 때에 급하다.
(8) (가) 엘니뇨 시기에는 평상시보다 동태평양 해역에서 용승이 약하게 일어나고, (나) 라니냐 시기에는 평상시보다 동태평양 해역에서 용승이 강하게 일어난다.
바로알기 | (2) (가) 엘니뇨 시기일 때는 무역풍이 약해져 서태평양의 따뜻한 해수가 동쪽으로 이동하므로 강수대가 동쪽으로 이동한다. 따라서 서태평양은 건조한 날씨로 가뭄이 나타난다.
(4) (나) 라니냐 시기일 때는 무역풍이 강해져 서태평양 해역의 수온이 평상시보다 더 높아지므로 강한 저기압이 형성된다.

난이도별 필수 기출 119~123쪽

441 ④	442 ④	443 해설 참조	444 ③	445 ③
446 ④	447 해설 참조	448 ⑤, ⑥, ⑧		449 ②
450 ㉠ 무역풍, ㉡ 남방 진동, ㉢ 엘니뇨 남방 진동 또는 엔소(ENSO)				
451 ①	452 ⑤	453 ①, ③		454 ③, ⑤
455 ②	456 ④	457 ④	458 ①	459 ④ 460 ④
461 ①	462 ①	463 ①	464 ③	

441 적도 부근 해역인 A에서는 무역풍으로 표층 해수가 북반구에서는 북쪽으로, 남반구에서는 남쪽으로 이동하여 적도 용승이 일어난다. 북반구 대륙의 서안인 B에서는 해안선과 나란하게 지속적으로 부는 북풍 때문에 표층 해수가 서쪽으로 이동하여 용승이 일어난다. 남반구 대륙의 서안인 C에서는 해안선과 나란하게 지속적으로 부는 남풍 때문에 표층 해수가 서쪽으로 이동하여 용승이 일어난다.

442 북반구에서는 바람이 부는 방향의 오른쪽 직각 방향으로 표층 해수가 이동한다. 북반구 저기압에서는 바람이 시계 반대 방향으로 불어 표층 해수가 저기압 중심에서 바깥쪽으로 이동하기 때문에 저기압 중심에서는 용승이 일어난다. 북반구 고기압에서는 바람이 시계 방향으로 불어 표층 해수가 고기압 바깥쪽에서 고기압 중심으로 이동하기 때문에 고기압 중심에서 침강이 일어난다.

▲ 저기압(북반구)　　▲ 고기압(북반구)

443 태풍은 동심원 모양으로 등압선이 나타나는 열대 저기압이다. 북반구 저기압에서는 바람이 시계 반대 방향으로 불어 들어간다.
모범 답안 열대 저기압인 태풍은 북반구에서 시계 반대 방향으로 바람이 불어 들어가기 때문에 표층 해수는 태풍 중심에서 바깥쪽으로 이동하여 태풍의 중심에서 해수면의 높이가 낮아지면서 용승이 일어난다.

444
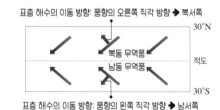

ㄱ. 북반구에서는 지구 자전 효과(전향력)로 표층의 해수가 바람이 부는 방향의 오른쪽 직각 방향으로 이동한다. 따라서 적도와 30°N 사이에서는 북동 무역풍 때문에 표층의 해수가 북서쪽으로 이동한다.
ㄷ. 적도 부근 해역에서는 북반구에서 북동 무역풍으로 표층 해수가 북서쪽으로 이동하고, 남반구에서 남동 무역풍으로 표층 해수가 남서쪽으로 이동하여 해수가 발산되므로 적도 용승이 일어난다.
바로알기 | ㄴ. 남반구에서는 표층 해수가 바람이 부는 방향의 왼쪽 직각 방향으로 이동한다. 따라서 적도와 30°S 사이에서는 남동 무역풍 때문에 표층 해수가 남서쪽으로 이동한다.

445 ㄱ. 태평양의 A 해역에서는 무역풍의 영향으로 표층 해수가 북반구에서는 북서쪽으로, 남반구에서는 남서쪽으로 이동하여 적도 용승이 일어난다.

ㄴ. B 해역은 북반구의 대륙 서안으로, 해안선과 나란하게 지속적으로 부는 북풍 계열의 바람 때문에 표층 해수가 서쪽으로 이동하면서 용승이 일어난다.

바로알기 | ㄷ. 용승이 일어나는 해역은 심해의 찬 해수가 표층으로 올라오기 때문에 주변보다 수온이 낮다.

446 ㄱ. 먼 바다의 표층 수온이 25 °C까지 나타나는 것으로 보아 우리나라의 여름철에 관측한 것이다.

ㄴ. 울산 앞바다는 주변 해역보다 표층 수온이 낮은 것으로 보아 이 해역에서 용승이 일어났음을 알 수 있다.

바로알기 | ㄷ. 우리나라는 북반구에 위치하며 여름철에는 남동 계절풍이 분다. 여름철에 남풍 계열의 바람이 불어 표층 해수가 동쪽으로 이동하기 때문에 울산 앞바다에서 용승이 일어난 것이다.

447 (가)와 같이 북반구의 대륙 동안에서는 지속적으로 부는 남풍 계열의 바람 때문에 표층 해수가 먼 바다로 이동한다. 이때 연안의 해수를 채우기 위해 심층의 차가운 해수가 올라오는데, 이를 연안 용승이라고 한다.

모범 답안 지속적인 남풍이 불고 있으므로 표층 해수는 동쪽으로 이동하고, 해안에 용승이 일어난다. 해안에 심해의 찬 해수가 올라오므로 육지에서 바다 쪽으로 가면서 표층 수온은 높아진다.

448

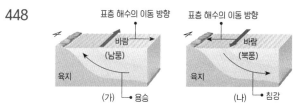

① (가)의 해안에는 용승으로 심해의 차가운 해수가 올라온다. 이 때문에 바다 위의 공기가 냉각되어 안개가 자주 발생한다.

② (가)에서 해안선과 나란하게 남풍이 불고 있으므로 표층 해수는 풍향의 오른쪽 직각 방향인 동쪽으로 이동한다.

③ (가)에서는 용승으로 영양 염류가 풍부한 심해의 해수가 올라오므로 좋은 어장이 형성된다.

④ (나)에서는 해안선과 나란하게 북풍이 불고 있으므로 표층 해수는 풍향의 오른쪽 직각 방향인 서쪽으로 이동한다.

⑦ (가)에서는 용승이 일어나고, (나)에서는 침강이 일어나므로 육지 부근 해수면의 수온은 (가)보다 (나)에서 높다.

바로알기 | ⑤ (나)에서는 침강이 일어난다. 해안 지역의 기온이 낮아지는 것은 심해의 찬 해수가 올라오는 용승이 일어나는 (가)이다.

⑥ (가)에서는 용존 산소가 풍부한 심해의 찬 해수가 올라오는 용승이 일어나므로 육지 부근 해수의 용존 산소량은 (가)가 (나)보다 많다.

⑧ 남반구에서는 지속적인 바람이 부는 방향의 왼쪽 직각 방향으로 표층 해수가 이동한다. 따라서 남반구에서는 (나)와 같이 지속적인 북풍이 부는 대륙의 동안에서 용승이 일어난다.

449 ㄴ. (가)에서는 남풍 때문에 표층 해수가 동쪽으로 이동하므로 연안 용승이 일어난다. 따라서 해수면의 수온은 먼 바다 쪽인 B가 A보다 높다.

바로알기 | ㄱ. (가)에서는 남풍 때문에 표층 해수가 동쪽으로 이동하여 연안 용승이 일어난다. (나)에서는 적도 부근에 부는 무역풍 때문에 적도 부근의 표층 해수가 북반구에서는 북쪽으로, 남반구에서는 남쪽으로 이동하여 적도 용승이 일어난다. 따라서 (가)와 (나)에서 모두 용승이 일어난다.

ㄷ. (나)에서 무역풍 때문에 적도 부근 표층 해수가 북반구에서는 북쪽으로, 남반구에서는 남쪽으로 이동하므로 적도 해역의 해수면이 낮아져 적도 용승이 일어나는 것이다. 무역풍이 평상시보다 약해지면 적도 해역에서 북쪽과 남쪽으로 이동하는 해수의 양이 적어지므로 적도 해역의 해수면은 평상시보다 높아질 것이다.

450 엘니뇨는 평상시보다 무역풍이 약해져 적도 부근 동태평양에서 수온이 상승하는 현상이다. 라니냐는 반대로 평상시보다 무역풍이 강해져 적도 부근 동태평양에서 수온이 하강하는 현상이다. 평상시에는 적도 부근 태평양의 표층 수온 변화로 서태평양에 상승 기류가 형성되지만 엘니뇨 시기에는 상승 기류가 동쪽으로 이동한다. 이렇게 엘니뇨와 라니냐로 적도 부근 태평양의 기압 분포가 변하는 현상을 남방 진동이라고 한다. 해양의 수온 변화인 엘니뇨와 라니냐 때문에 대기의 기압 분포가 변하므로 엘니뇨, 라니냐와 남방 진동은 해양과 대기가 서로 영향을 주고받아 나타나는 하나의 현상이며 이를 엘니뇨 남방 진동 또는 엔소(ENSO)라고 한다.

451 ㄱ. 평상시에는 무역풍 때문에 적도 부근에서 동태평양의 해수가 서태평양으로 이동하여 동서 해수면의 기울기가 크다(B). 엘니뇨 시기에 무역풍이 평상시보다 약해지면서 동태평양의 해수가 서태평양 쪽으로 이동하는 양이 줄어들므로 엘니뇨 시기에는 적도 부근에서 동태평양 해역의 해수면 높이는 평상시보다 높아진 A와 같이 나타난다.

바로알기 | ㄴ. 평상시에는 적도 부근 동태평양 해역에서 용승이 활발하게 일어나지만 엘니뇨 시기에는 용승이 약해지기 때문에 수온 약층의 경사가 완만해진다. 따라서 엘니뇨 시기의 수온 약층은 C이다.

ㄷ. 엘니뇨 시기에는 무역풍이 약해지기 때문에 적도 부근에서 동태평양 해역의 용승이 평상시보다 약해진다.

개념 보충

엘니뇨와 라니냐
• **엘니뇨:** 무역풍 약화 → 적도 부근 동태평양 해수의 서쪽으로 이동 약화 → 동태평양의 용승 약화 → 동태평양 수온 상승, 서태평양 수온 하강 → 동태평양 강수량 증가 및 어획량 감소, 서태평양 가뭄 발생
• **라니냐:** 무역풍 강화 → 적도 부근 동태평양 해수의 서쪽으로 이동 강화 → 동태평양의 용승 강화 → 동태평양 수온 하강, 서태평양 수온 상승 → 동태평양 강수량 감소, 서태평양 폭우 발생

---

452 ㄱ. 평상시 적도 부근 동태평양에서 용승이 일어나므로 표층 수온은 서태평양보다 동태평양이 낮다. 이 때문에 서태평양에는 저기압이, 동태평양에는 고기압이 되어 동서 방향의 거대한 대기 순환이 형성되는데 이를 워커 순환이라고 한다.

ㄴ. 워커 순환은 해양과 대기의 상호 작용으로 형성된다.

ㄷ. 평상시에는 적도 부근 동태평양의 표층 수온이 낮기 때문에 이 해역에는 고기압이 형성된다.

453 무역풍이 평상시보다 약해지는 엘니뇨 시기에 동태평양 적도 해역에서 용승이 약해지기 때문에 이 해역의 표층 수온이 상승하고, 수온 약층의 시작 깊이가 평상시보다 깊어진다. 평상시에는 동태평양 적도 해역에서 용승으로 영양 염류가 공급되어 어획량이 많았지만 엘니뇨 시기에는 용승이 약해져 영양 염류의 공급이 줄어들기 때문에 어획량이 감소한다. 또, 평상시에는 동태평양 적도 해역의 수온이 낮아 이 해역에 고기압이 형성되지만 엘니뇨 시기에는 표층 수온이 상승하여 이 해역에 저기압이 형성되므로 강수량이 증가한다. 따라서 무역풍이 평상시보다 약해지는 엘니뇨 시기에 동태평양 적도 해역에서는 기압과 어획량이 감소한다.

454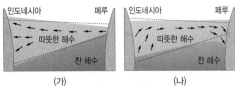

동태평양에서 평상시보다 찬 해수가
더 높이 올라와 있다. ➡ 용승이 강해
졌다. ➡ 무역풍이 강한 라니냐 시기
이다.

동태평양에서 평상시보다 찬 해수가
더 낮게 가라앉아 있다. ➡ 용승이
약해졌다. ➡ 무역풍이 약한 엘니뇨
시기이다.

③ (나) 엘니뇨 시기에는 무역풍이 평상시보다 약하므로 동태평양인
페루 연안의 용승이 약해지고, 따뜻한 해수층의 두께가 두꺼워지며,
수온 약층의 시작 깊이가 깊어진다.

⑤ (가) 라니냐 시기에는 무역풍이 강하기 때문에 페루 연안의 용승이
평상시보다 강하고, (나) 엘니뇨 시기에는 무역풍이 평상시보다 약하
기 때문에 페루 연안의 용승이 평상시보다 약하다.

바로알기 | ① (가)는 라니냐, (나)는 엘니뇨 시기의 열대 태평양에서
해수의 동서 방향 연직 단면과 해수의 이동 방향을 나타낸 것이다.

② (가) 라니냐 시기에 적도 부근 서태평양의 표층 수온이 높고, 동태
평양은 용승으로 표층 수온이 낮다. 따라서 인도네시아 부근의 서태평
양에 상승 기류가 나타나고, 페루 부근의 동태평양에 하강 기류가 나
타난다.

④ (가) 라니냐 시기에 동태평양에서 심해의 영양 염류가 풍부한 해수
가 용승으로 올라오므로 페루 연안의 영양 염류는 (나)보다 (가)에서
풍부하다.

⑥ (가) 라니냐 시기에 강한 무역풍 때문에 적도 부근 동태평양의 해
수가 서쪽으로 평상시보다 더 많이 이동한다. 따라서 동서 방향의 해
수면 높이 차는 (가)보다 (나)에서 작다.

⑦ (가) 라니냐 시기에는 적도 부근 동태평양에 용승이 평상시보다 더
많이 일어나 표층 수온이 낮다. 따라서 동태평양과 서태평양의 수온
차이는 (나)보다 (가)에서 크다.

455

동태평양의 수온이 평상시보다 낮다(관측값<평년값).
➡ 라니냐 시기이다. ➡ 평상시보다 용승이 강하다.

(가)

140°E   180°   140°   100°W
10°N
−0.5 −1.0 −1.5
0.5   −2.0 −2.5   −0.5   0
0°
0.5   단위: °C
10°S

(나)

140°E   180°   140°   100°W
10°N
0.5
0°   1.0 1.5 2.0   3.5 4.0 4.5 5.0
2.5 3.0
10°S   단위: °C

동태평양의 수온이 평상시보다 높다(관측값>평년값).
➡ 엘니뇨 시기이다. ➡ 평상시보다 용승이 약하다.

ㄴ. (나) 엘니뇨 시기에 동태평양의 표층 수온은 평상시보다 높아져
이 해역에 상승 기류가 발달하므로 저기압이 형성된다. 따라서 동태평
양의 기압은 평상시보다 낮다.

바로알기 | ㄱ. (가)는 동태평양에서 관측값이 평년값보다 작으므로 수
온이 낮은 라니냐 시기이다. 라니냐 시기에는 무역풍이 평상시보다 강
해져 동태평양의 용승이 더 활발해진다.

ㄷ. (가) 라니냐 시기에는 평상시보다 용승이 활발하게 일어나므로 동
태평양의 표층 수온이 평상시보다 낮다. (나) 엘니뇨 시기에는 평상시
보다 용승이 약해져서 동태평양의 표층 수온이 평상시보다 높다. 따라
서 동태평양 해역의 용승은 (나) 시기가 (가) 시기보다 약하다.

456 (가)는 동태평양의 표층 수온이 높으므로 엘니뇨 시기이고,
(나)는 동태평양의 표층 수온이 낮으므로 라니냐 시기이다.

④ 수심 100 m~200 m 구간에서 (가)가 (나)보다 등온선이 더 조밀
하게 분포하므로 깊이에 따른 수온 감소율이 (가)보다 (나) 시기에 작다.

바로알기 | ① (가)는 엘니뇨 시기, (나)는 라니냐 시기이다.

② (나) 라니냐 시기에는 평상시보다 무역풍이 강해 동태평양의 해수
가 평상시보다 서쪽으로 많이 이동한다. 따라서 평균 해수면은 (가)보
다 (나) 시기에 낮다.

③ (가) 엘니뇨 시기에는 무역풍이 평상시보다 약해 동태평양의 용승이
약해지기 때문에 표층 수온이 높아진다. (나) 라니냐 시기에는 무역풍
이 평상시보다 강해 동태평양의 용승이 강해지기 때문에 표층 수온이
낮아진다. 따라서 이 해역의 용승은 (가)보다 (나) 시기에 더 활발하다.

⑤ 수온 약층이 시작되는 깊이는 용승이 약한 (가) 시기에는 깊게, 용
승이 강한 (나) 시기에는 얕게 나타난다.

457 (가)는 평상시보다 무역풍이 약해져 동태평양의 용승이 약해지
는 엘니뇨 시기이고, (나)는 평상시보다 무역풍이 강해져 동태평양의
용승이 강해지는 라니냐 시기이다.

ㄴ. (가)는 엘니뇨 시기로 무역풍이 평상시보다 약해 서태평양 쪽으로
흐르는 표층 해수의 흐름이 평상시보다 약하다. (나)는 라니냐 시기로
무역풍이 평상시보다 강해 서태평양 쪽으로 흐르는 표층 해수의 흐름
이 평상시보다 강하다.

ㄷ. 평상시에는 적도 부근 서태평양에 저기압, 동태평양에 고기압이
발달한다. (가) 엘니뇨 시기에는 동태평양의 표층 수온이 평상시보다
높아져 서태평양에 고기압, 동태평양에 저기압이 형성된다. (나) 라니
냐 시기에는 동태평양의 표층 수온이 평상시보다 낮아져 서태평양에
평상시보다 강한 저기압, 동태평양에 평상시보다 강한 고기압이 형성
된다. 따라서 서태평양과 동태평양 기압 차이는 (가)보다 (나)일 때 더
크다.

바로알기 | ㄱ. (가)는 엘니뇨 시기, (나)는 라니냐 시기이다.

458 ㄱ. 동태평양 적도 해역의 해수면 수온 편차가 (+)로 나타나
는 A는 표층 수온이 평상시보다 높은 엘니뇨 시기이고, 해수면 수온
편차가 (−)로 나타나는 B는 라니냐 시기이다.

ㄴ. 엘니뇨는 무역풍이 평상시보다 약해져 발생하고, 라니냐는 무역풍
이 평상시보다 강해져 발생한다. 따라서 무역풍의 세기는 엘리뇨 시기
(A)보다 라니냐 시기(B)일 때 강하다.

바로알기 | ㄷ. A보다 B일 때 무역풍의 세기가 강하므로 무역풍의 영
향으로 흐르는 남적도 해류의 세기는 A보다 B일 때 강하다.

ㄹ. 엘니뇨인 A 시기에 동태평양 적도 해역의 표층 수온이 상승하고,
이 해역에 상승 기류가 발달하여 강수량이 증가한다. 반면에 라니냐인
B 시기에는 하강 기류가 발달하여 강수량이 감소한다. 따라서 동태평
양 적도 해역의 강수량은 A보다 B일 때 적다.

459 ㄱ. 평상시에는 서태평양에 저기압이 형성되어 상승 기류가 발
달하지만 엘니뇨 시기에는 상승 기류가 동쪽으로 이동한다. 이렇게 엘
니뇨와 라니냐로 열대 태평양에서 동태평양과 서태평양의 기압 분포
가 변하는 현상을 남방 진동이라고 한다.

ㄴ. (나)에서 다윈의 기압이 평년보다 상승하면 타히티의 기압은 평년보
다 하강하므로 다윈과 타히티의 기압 변화는 대체로 반대로 나타난다.

ㄷ. A 시기에 서태평양에 위치한 다윈의 기압은 평상시보다 높고, 동
태평양에 위치한 타히티의 기압은 평상시보다 낮다. 따라서 A 시기는
무역풍이 약해진 엘니뇨 시기에 해당한다.

바로알기 | ㄹ. 엘니뇨 시기(A)에는 페루 연안의 용승이 평상시보다 약
해진다.

460

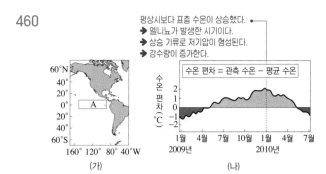

평상시보다 표층 수온이 상승했다.
➡ 엘니뇨가 발생한 시기이다.
➡ 상승 기류로 저기압이 형성된다.
➡ 강수량이 증가한다.

수온 편차 = 관측 수온 − 평균 수온

ㄱ. A 해역은 동태평양이고, 2010년 1월에 A 해역의 표층 수온은 평상시보다 높아졌다. 따라서 이 시기는 엘니뇨가 발생한 시기이다.

ㄴ. 2010년 1월에 A 해역의 표층 수온은 평상시보다 높아져 저기압이 형성되고, 평상시보다 강수량이 많아진다.

바로알기 | ㄷ. 해양과 대기는 서로 영향을 주고받기 때문에 해양의 수온 변화와 대기의 기압 변화는 함께 나타난다. A 해역의 수온 변화에 따라 열대 태평양의 수온도 변하고, 이에 따라 기압 분포도 달라진다.

461 ㄱ. (가)에서 A 시기에 동태평양 페루 연안의 표층 수온이 평상시보다 상승했다. 이는 엘니뇨 시기에 나타나는 현상이다.

바로알기 | ㄴ. 용승으로 영양 염류가 풍부한 심해의 찬 해수가 상승하면 플랑크톤이 풍부해진다. (나)에서 B 시기에 동태평양 페루 연안의 플랑크톤 양이 평상시보다 감소하였다. 따라서 용승이 약해진 엘니뇨 시기이다.

ㄷ. 엘니뇨 시기(A)에는 페루 연안의 용승이 약해져 영양 염류와 플랑크톤의 양이 감소하기 때문에 좋은 어장이 형성되지 않는다.

462 ㄱ. (가)에서 표층 해류의 속도와 (나)에서 해류의 속도 편차의 방향이 서로 반대이고, 화살표 길이가 짧은 것으로 보아 (나) 시기에 해류의 속도는 평상시보다 약해졌다.

바로알기 | ㄴ. (나) 시기에 적도 부근 표층 해수의 서쪽 방향 흐름이 평년보다 약해졌으므로 엘니뇨 시기이다. (나) 엘니뇨는 동풍 계열의 바람인 무역풍이 평상시보다 약해지기 때문에 발생한다.

ㄷ. (나) 엘니뇨 시기에는 동태평양 적도 해역인 A 해역의 표층 수온이 상승하여 A 해역에 저기압이 형성된다. 따라서 A 해역의 기압은 (가)보다 (나)가 더 낮다.

463 ㄱ. (가)의 ㉠은 동태평양의 기압이 서태평양의 기압보다 높은 상태로 라니냐일 때의 기압 차 분포이고, ㉡은 동태평양의 기압이 서태평양의 기압보다 낮은 상태로 엘니뇨일 때의 기압 차 분포이다.

바로알기 | ㄴ. (나)에서 동태평양의 표층 수온은 평년보다 높다.

ㄷ. (나)에서 동태평양의 따뜻한 해수층이 평년보다 더 두꺼우므로 용승이 약해진 엘니뇨 시기를 나타낸다. 따라서 (나)는 (가)의 ㉡에 해당한다.

464 (가)에서 서쪽으로 향하는 방향을 양(+)으로 하므로 a 시기는 무역풍이 평년보다 강한 라니냐 시기이고, b 시기는 무역풍이 평년보다 약한 엘니뇨 시기이다.

ㄱ. (나)의 A는 라니냐 시기(a)에 기압이 낮아지고 엘니뇨 시기(b)에 기압이 높아지므로 서태평양 해역이고, B는 라니냐 시기(a)에 기압이 높아지고 엘니뇨 시기(b)에 기압이 낮아지므로 동태평양 해역이다.

ㄴ. 라니냐 시기(a)에 평년보다 표층 수온이 낮아져 표층 수온 편차가 음(−) 값인 해역은 동태평양 해역인 B이다.

바로알기 | ㄷ. 라니냐 시기(a)보다 엘니뇨 시기(b)에 서태평양 쪽으로 표층 해수의 흐름이 약하다.

---

17 지구 기후 변화

빈출 자료 보기
126쪽

465 (1) × (2) ○ (3) ○ (4) × (5) ○ (6) ○ (7) ×
466 (1) ○ (2) ○ (3) × (4) × (5) × (6) ○ (7) ×

465 (2) 현재 지구의 북반구는 근일점에서 겨울, 원일점에서 여름이다. (나) 시기에 지구 자전축의 방향이 반대가 되므로 북반구는 근일점에서 여름, 원일점에서 겨울이 된다. 따라서 현재보다 여름철 평균 기온은 상승하고, 겨울철 평균 기온은 하강하여 기온의 연교차는 현재보다 커진다.

(3) (나)에서 북반구는 근일점에서 여름, 원일점에서 겨울이고, 남반구는 근일점에서 겨울, 원일점에서 여름이다. 따라서 기온의 연교차는 북반구가 남반구보다 크다.

(5) 연간 지구 전체가 받는 태양 복사 에너지양은 지구와 태양 사이의 거리에 따라 달라진다. (다)에서 지구 공전 궤도의 모양은 변하지 않았으므로 연간 지구에 입사하는 태양 복사 에너지양은 현재와 같다.

(6) (다)일 때 자전축의 경사각이 현재보다 작으므로 우리나라 겨울철 태양의 남중 고도는 현재보다 높다. 따라서 (다)일 때 우리나라 겨울은 현재보다 더 따뜻해진다.

바로알기 | (1) 지구 자전축은 약 26000년을 주기로 팽이의 축처럼 회전하는데, 이를 세차 운동이라고 한다. 세차 운동의 주기가 약 26000년이므로 지구 자전축의 경사 방향이 (나)와 같이 현재와 반대가 되는 시기는 약 13000년 후이다.

(4) (나)에서 지구가 근일점일 때 우리나라가 위치하는 북반구는 여름이다.

(7) (다)와 같이 자전축의 경사각이 현재보다 작아지면 남반구 여름에 태양의 남중 고도는 현재보다 낮아지고, 남반구 겨울에 태양의 남중 고도는 현재보다 높아진다. 따라서 남반구에서 기온의 연교차는 현재보다 작아진다.

466 (1) 지구에 입사한 태양 복사 에너지 100 단위 중 25 단위는 대기에 흡수되고, 45 단위는 지표에 흡수되므로 대기와 지표에 흡수되지 않고 우주 공간으로 반사된 에너지 A는 30 단위이다.

[다른 해설] (1) 지구는 복사 평형을 이루므로 지구에 입사한 태양 복사 에너지(100)=지구가 방출하는 지구 복사 에너지(70)+반사된 에너지(A)이다. 따라서 A는 30 단위이다.

(2) 지구는 복사 평형 상태이므로 지구 전체, 대기, 지표 각각에서 흡수하는 에너지의 양과 방출하는 에너지의 양이 같다. 지표가 흡수하는 에너지 (45+B) 단위는 지표가 방출하는 에너지 (29+104) 단위와 같으므로 B는 88이다.

(6) 대기가 지표가 방출한 에너지를 흡수한 후 지표로 재복사하기 때문에 이를 지표가 흡수(B)하여 온실 효과가 일어난다.

바로알기 | (3) 지구의 평균 기온은 약 15 °C로 주로 적외선의 형태로 복사 에너지를 방출한다.

(4) 지구의 대기는 파장이 짧은 가시광선은 거의 투과시키고, 파장이 긴 적외선은 잘 흡수한다.

(5) 지구에 대기가 없다면 온실 효과가 일어나지 않아 현재보다 지구의 평균 온도가 낮아지고, 대기의 재복사가 일어나지 않으므로 지표에서 방출되는 에너지양도 감소한다.

(7) 대기 중 온실 기체의 양이 증가하면 온실 효과로 대기에서 지표로 재복사되는 에너지의 양이 증가하므로 지표가 흡수하는 에너지양과 지표에서 방출되는 에너지양이 모두 증가한다.

난이도별 필수 기출

467 ①, ③, ④	468 ⑤	469 해설 참조	470 ①
471 ④	472 해설 참조	473 ④	474 ①
475 ③	476 해설 참조	477 ⑤	478 ④ 479 ③
480 ④	481 ③	482 ⑤	483 ⑤ 484 ⑤
485 ㉠ 가시광선, ㉡ 적외선		486 ④	487 ②
488 A: 30, B: 20, C: 102, D: 94, D			489 ③
490 ①, ⑥, ⑧	491 ⑤	492 ③	493 ② 494 ⑤
495 해설 참조	496 ③	497 ④	498 ②
499 ⑤, ㉠	500 ③	501 ⑤	502 해설 참조
503 ②, ⑤			

467

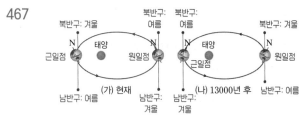

① 우리나라는 북반구에 위치하므로 (가)의 근일점에서 겨울, 원일점에서 여름이다.

③ (가) 현재 북반구는 근일점에서 겨울, 원일점에서 여름이다. (나) 13000년 후 북반구는 근일점에서 여름, 원일점에서 겨울이다. 따라서 (가)보다 (나)에서 북반구 기온의 연교차가 더 크다.

④ (나)에서 북반구는 근일점에서 여름, 원일점에서 겨울이고, 남반구는 근일점에서 겨울, 원일점에서 여름이다. 따라서 기온의 연교차는 북반구가 남반구보다 크다.

바로알기 | ② (가)에서 지구가 받는 태양 복사 에너지양은 태양으로부터 거리가 가까운 근일점보다 태양으로부터 거리가 먼 원일점에서 더 적다.

⑤ 우리나라에서 태양의 남중 고도는 여름이 겨울보다 높다. (가)의 원일점에서 우리나라는 여름이고, (나)의 원일점에서 우리나라는 겨울이다. 따라서 원일점일 때 우리나라에서 태양의 남중 고도는 (나)가 (가)보다 낮다.

⑥ 우리나라에서 낮의 길이는 여름이 겨울보다 길다. (가)의 근일점에서 우리나라는 겨울이고, (나)의 근일점에서 우리나라는 여름이다. 따라서 근일점일 때 우리나라에서 낮의 길이는 (가)가 (나)보다 짧다.

⑦ (가)에서 남반구는 근일점에서 여름, 원일점에서 겨울이고, (나)에서 남반구는 근일점에서 겨울, 원일점에서 여름이다. 따라서 남반구 중위도에서 기온의 연교차는 (가)가 (나)보다 크다.

⑧ (가) 현재에는 자전축 방향에 북극성이 위치하지만, (나) 13000년 후에는 자전축의 방향이 현재와 반대이기 때문에 자전축 방향에 북극성이 위치하지 않는다.

468 ㄱ. 세차 운동의 주기는 약 26000년이고, 세차 운동의 방향은 지구 자전의 방향과 반대 방향(시계 방향)이다. 따라서 약 6500년 후 지구 자전축의 경사 방향은 A이다.

ㄴ. 현재 북반구는 원일점에서 여름, 근일점에서 겨울이다. 약 6500년 후에는 원일점에서 가을, 근일점에서 봄이므로 북반구 겨울에 지구와 태양 사이의 거리는 현재보다 멀어지고, 북반구가 여름일 때 지구와 태양 사이의 거리는 현재보다 가까워진다. 따라서 약 6500년 후 북반구에서 기온의 연교차는 현재보다 커진다.

ㄷ. 지구가 태양과 가장 먼 위치는 원일점이고, 현재 원일점에서 남반구는 겨울이다. 약 13000년 후에는 자전축의 경사 방향이 현재와 반대가 되면 남반구는 원일점에서 여름이다.

469 현재 지구 자전축은 지구 공전 궤도의 수직축에 대하여 약 23.5° 기울어져 있고, 지구 자전축의 경사각은 약 41000년을 주기로 21.5°~24.5° 사이에서 변한다. (나)와 같이 지구 자전축의 경사각이 현재보다 작아지면 북반구 여름에 태양의 남중 고도는 낮아지고, (가)와 같이 지구 자전축의 경사각이 현재보다 커지면 북반구 여름에 태양의 남중 고도가 높아진다.

모범 답안 지구 자전축의 경사각이 현재의 23.5°보다 작아지면 북반구는 여름에 태양의 남중 고도가 현재보다 낮아지고, 겨울에 태양의 남중 고도가 현재보다 높아진다. 따라서 (나) 시기에 우리나라에서 기온의 연교차는 현재보다 작아진다.

470

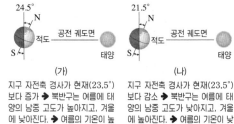

지구 자전축 경사가 현재(23.5°)보다 증가 ➡ 북반구는 여름에 태양의 남중 고도가 높아지고, 겨울에 낮아진다. ➡ 여름의 기온이 높아지고, 겨울의 기온이 낮아진다. ➡ 기온의 연교차가 커진다.

지구 자전축 경사가 현재(23.5°)보다 감소 ➡ 북반구는 여름에 태양의 남중 고도가 낮아지고, 겨울에 높아진다. ➡ 여름의 기온이 낮아지고, 겨울의 기온이 높아진다. ➡ 기온의 연교차가 작아진다.

ㄱ. 연간 지구에 입사하는 태양 복사 에너지양은 지구와 태양 사이의 거리에 따라 달라진다. (가)와 (나)에서 태양과 지구 사이의 거리는 변하지 않았으므로 연간 지구에 입사하는 태양 복사 에너지양은 (가)와 (나)에서 같다.

ㄴ. 적도 지역에서 태양의 남중 고도는 지구 자전축의 경사각이 작을수록 크다. 지구 자전축의 경사각은 (가)보다 (나)일 때 작으므로 적도 지역의 연평균 기온은 (가)보다 (나)일 때 높다.

바로알기 | ㄷ. (가)와 같이 지구 자전축의 경사각이 커지면 북반구는 원일점인 겨울에 태양의 남중 고도가 낮아진다. (나)와 같이 지구 자전축의 경사가 작아지면 북반구는 원일점인 겨울에 태양의 남중 고도가 높아진다. 따라서 원일점일 때 우리나라에서 태양의 남중 고도는 (가)보다 (나)일 때 높다.

ㄹ. 지구 자전축의 경사각이 변하는 주기가 약 41000년이므로 (가) 24.5°에서 (나) 21.5°로 변하는 데 걸린 시간은 약 20500년이다.

471 ㄴ. 현재 북반구는 근일점에서 겨울, 원일점에서 여름이다. (가)와 같이 지구 자전축 경사 방향이 반대가 되면 북반구는 근일점에서 여름, 원일점에서 겨울로 계절이 달라진다.

ㄷ. (나)와 같이 지구 자전축의 경사각이 작아지면 근일점인 남반구 여름철에 태양의 남중 고도가 낮아지므로 남반구 지역의 여름철 평균 기온은 현재보다 낮아진다.

바로알기 | ㄱ. (나)일 때 지구 자전축의 경사각이 현재보다 작아지므로 북반구는 원일점인 여름철 태양의 남중 고도가 낮아지고, 근일점인 겨울철 태양의 남중 고도가 높아져 현재보다 기온의 연교차가 작아진다. 따라서 우리나라의 연교차는 현재보다 작아진다.

[472~473]

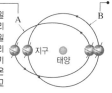

이심률이 크다.
➡ 북반구가 여름일 때(원일점) 태양과 지구 사이의 거리가 멀어지고, 겨울일 때(근일점) 태양과 지구 사이의 거리가 가까워진다. ➡ 여름의 기온은 낮아지고, 겨울의 기온은 높아진다. ➡ 기온의 연교차가 작아진다.

이심률이 작다.
➡ 북반구가 여름일 때(원일점) 태양과 지구 사이의 거리가 가까워지고, 겨울일 (근일점) 태양과 지구 사이의 거리가 멀어진다. ➡ 여름의 기온은 높아지고, 겨울의 기온은 낮아진다. ➡ 기온의 연교차가 커진다.

472 이심률은 공전 궤도의 납작한 정도를 나타내는 것으로, 공전 궤도가 완전한 원일 때는 이심률이 0이며, 타원일 때는 이심률이 0과 1 사이의 값을 나타낸다.

모범 답안 지구 공전 궤도가 B에서 A로 변할 때 이심률이 커지고, 이때 북반구는 겨울에 기온이 높아지고, 여름에 기온이 낮아지므로 북반구 기온의 연교차는 작아진다.

473 ㄴ. 북반구의 여름철인 원일점에서 태양과 지구 사이의 거리는 A보다 B가 가까우므로 북반구의 여름철 기온은 A보다 B에서 높다.

ㄷ. A에서 B로 변하여 이심률이 작아지면 원일점에서 태양과 지구 사이의 거리는 가까워지고, 근일점에서는 멀어진다.

바로알기 | ㄱ. 공전 궤도가 원에 가까울수록 이심률이 작고, 납작한 타원일수록 이심률이 크다. 지구 공전 궤도 A는 B보다 납작한 타원이므로 공전 궤도 이심률은 A보다 B가 작다.

474 ㄱ. 현재 북반구는 근일점에서 겨울, 원일점에서 여름이다. 13000년 후에 북반구는 근일점에서 여름, 원일점에서 겨울이다. 따라서 13000년 후 다른 조건이 동일하고 자전축의 경사 방향만 변한다면 북반구에서 기온의 연교차는 커진다.

바로알기 | ㄴ. 지구 공전 궤도 이심률만 현재보다 커지면 북반구가 겨울인 근일점의 거리는 현재보다 가까워지고, 여름인 원일점 거리는 현재보다 멀어진다. 따라서 북반구에서 기온의 연교차는 작아진다.

ㄷ. 다른 조건이 동일하고, 지구 자전축의 경사각이 현재보다 커지면 북반구가 여름일 때 태양의 남중 고도가 높아지고, 북반구가 겨울일 때 태양의 남중 고도는 낮아진다. 따라서 북반구 기온의 연교차는 커진다.

475 ㄱ. 현재는 ㉡ 시기보다 지구 자전축의 경사각이 작으므로 기온의 연교차도 작다. 따라서 30°S인 남반구에서 기온의 연교차는 현재가 ㉡ 시기보다 작다.

ㄴ. ㉠ 시기는 현재보다 지구 자전축의 경사각이 작았으므로 기온의 연교차도 작았다. 30°N은 북반구이므로 ㉠ 시기에 여름일 때 태양의 남중 고도는 현재보다 더 낮고, 겨울일 때 현재보다 높다.

바로알기 | ㄷ. ㉠ 시기와 ㉡ 시기에 태양과 지구 사이의 거리는 변화이 없으므로 일 년 동안 지구에 입사하는 평균 태양 복사 에너지양은 ㉠ 시기와 ㉡ 시기가 같다.

476 흑점 수가 많을수록 태양 활동이 활발해져 지구에 도달하는 태양 복사 에너지양이 증가하므로 지구의 기온이 상승한다.

모범 답안 A 시기에는 태양 흑점 수가 매우 적으므로 태양 활동이 활발하지 않아 지구에 들어오는 태양 복사 에너지양이 감소하였다. 따라서 지구의 연평균 기온은 낮아졌을 것이다.

477

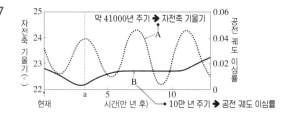

ㄱ. 지구 자전축 기울기는 약 41000년을 주기로 변하고, 지구 공전 궤도 이심률은 약 10만 년을 주기로 변한다. 따라서 변화 주기가 상대적으로 짧은 A는 지구 자전축 기울기의 변화를, 변화 주기가 상대적으로 긴 B는 지구 공전 궤도 이심률의 변화를 나타낸다.

ㄴ. 10만 년 후 지구 공전 궤도 이심률은 현재와 같고, 자전축 기울기도 현재와 유사하다. 따라서 계절 변화에 영향을 주는 요인은 세차 운동이다. 세차 운동의 주기는 약 26000년이고 10만 년 후는 세차 운동이 약 4회 지나 현재와 유사하게 지구가 근일점에 있을 때이므로 우리나라는 겨울이다.

ㄷ. 지구 자전축 기울기는 현재보다 a 시기가 커지므로 북반구 중위도에 위치한 우리나라는 a 시기에 여름과 겨울에 받는 태양 복사 에너지양의 차이가 현재보다 커져 기온의 연교차가 커진다. 또한, 지구 공전 궤도 이심률은 현재보다 a 시기가 작아지므로 북반구가 여름인 원일점에서 지구와 태양 사이의 거리는 현재보다 a 시기가 가깝고, 북반구가 겨울인 근일점에서 지구와 태양 사이의 거리는 현재보다 a 시기가 멀어져 기온의 연교차가 커진다. 따라서 a 시기에 우리나라에서 기온의 연교차는 현재보다 커진다.

478 ㄴ. 현재 근일점에서 남반구는 여름이다. 6500년 후에는 지구 자전축 방향이 현재보다 시계 방향으로 약 90° 회전하므로 근일점에서 남반구는 가을이 된다.

ㄷ. 13000년 전에는 지구 자전축 경사 방향이 현재와 반대이고, 이심률이 현재보다 컸으므로 북반구가 여름일 때 근일점 위치이고, 근일점까지의 거리는 현재보다 태양에 더 가까웠다. 26000년 후에는 지구 자전축 경사 방향이 현재와 같고, 이심률이 작아지므로 북반구가 여름일 때 원일점 위치이고, 원일점까지의 거리는 현재보다 태양에 더 가까울 것이다. 따라서 북반구가 여름일 때 지구에 입사하는 태양 복사 에너지양은 13000년 전이 26000년 후보다 많다.

바로알기 | ㄱ. 13000년 전에는 지구 자전축의 방향이 현재와 반대이고, 지구 공전 궤도의 이심률은 현재보다 더 컸다. 현재 남반구는 근일점에서 여름, 원일점에서 겨울이므로 13000년 전에 남반구는 근일점에서 겨울, 원일점에서 여름이었다. 그리고 지구 공전 궤도 이심률이 현재보다 컸기 때문에 근일점은 현재보다 태양에 더 가까웠고, 원일점은 현재보다 태양에서 더 멀었다. 따라서 약 13000년 전에 남반구 겨울의 평균 기온은 현재보다 높았고, 남반구 여름의 평균 기온은 현재보다 낮았다. 따라서 13000년 전 남반구 기온의 연교차는 현재보다 작았다.

479 기후 변화의 요인 중 지구 내적 요인으로는 수륙 분포의 변화, 빙하 면적의 변화, 화산 폭발로 발생하는 화산재 분출 등이 있고, 지구 외적 요인으로는 지구의 세차 운동, 지구 자전축의 경사각 변화, 지구 공전 궤도 이심률의 변화 등이 있다.

480 ① 화산이 폭발할 때는 수증기, 이산화 탄소, 질소, 이산화 황 등의 화산 기체가 대기로 방출된다. 이 중 수증기와 이산화 탄소는 온실 효과를 일으켜 지구의 기온을 상승시킨다.

② 발산형 경계에서 이산화 탄소가 방출되어 대기 중 이산화 탄소의 농도가 높아지면 온실 효과가 심해져 지구의 평균 기온이 상승한다.

③ 대기 중으로 화산재가 방출되면 태양 빛을 차단하여 지표에 도달하는 태양 복사 에너지양이 감소한다.

⑤ 빙하가 녹아 바다에 유입되면 염분이 낮아져 해수의 밀도가 작아지므로 해수의 침강이 약해지기 때문에 심층 순환이 약해지고 표층 순환에도 영향을 주어 기후가 변한다.

바로알기 | ④ 빙하는 태양 복사 에너지를 잘 반사한다. 빙하의 면적이 감소하면 반사되는 태양 복사 에너지양이 감소하기 때문에 지표에 흡수되는 태양 복사 에너지양이 증가한다.

481

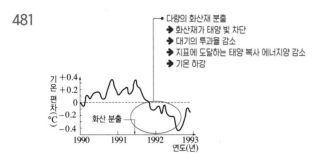

ㄱ. 화산 분출로 지구의 평균 기온이 낮아지는 현상은 지권과 기권의 상호 작용에 해당한다.

ㄷ. 화산 활동 결과 대기로 분출된 화산재는 성층권에 머물면서 태양 빛을 차단하여 대기의 투과율을 감소시켜 지구의 평균 기온을 낮추는 역할을 한다.

바로알기 | ㄴ. 화산 폭발로 대기로 분출된 화산재는 태양 빛을 차단하므로 지표에 입사하는 태양 복사 에너지를 감소시킨다.

482

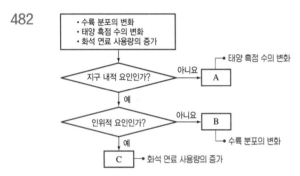

ㄱ. 태양 흑점 수의 변화는 11년 주기로 일어나므로 수륙 분포의 변화보다 지구 기후에 영향을 주는 속도가 빠르다.

ㄴ. 수륙 분포의 변화로 표층 해류의 순환 양상이 달라지며 이 때문에 기후 변화가 나타난다.

ㄷ. 화석 연료의 사용량이 증가하면 대기 중 이산화 탄소 등 온실 기체의 농도가 증가하여 지구의 평균 기온이 급격히 상승한다.

483 ㄴ. 오래된 아스팔트는 반사율이 12 %, 새 아스팔트는 반사율이 4 %이므로 오래된 아스팔트를 걷어내고 새 아스팔트를 깔면 지표면 평균 반사율이 감소한다.

ㄷ. 콘크리트의 반사율은 55 %, 녹색 잔디의 반사율은 25 %이므로 콘크리트 건물을 허물고 잔디 공원을 조성하면 지표면 평균 반사율이 감소한다.

바로알기 | ㄱ. 토양의 반사율은 17 %, 녹색 잔디의 반사율은 25 %이므로 운동장에 잔디를 심어 잔디 구장을 만들면 지표면 평균 반사율이 증가한다.

484 ㄴ. (나) 판의 운동으로 수륙 분포가 변하면 해류의 순환이 변하고, 이 때문에 기후에도 변화가 나타난다.

ㄷ. (다) 화석 연료 사용의 증가로 대기 중 이산화 탄소 농도가 증가하면 온실 효과가 증대되어 지구의 평균 기온이 상승한다.

바로알기 | ㄱ. (가) 지구 공전 궤도 이심률의 변화는 기후 변화를 일으키는 지구 외적 요인에 해당한다.

485 대기 중의 온실 기체는 주로 파장이 짧은 가시광선의 태양 복사 에너지는 거의 투과시키고, 파장이 긴 적외선의 지구 복사 에너지는 흡수하여 지표로 재복사함으로써 지구 온도를 높이는 효과를 일으키는데 이를 온실 효과라고 한다.

486

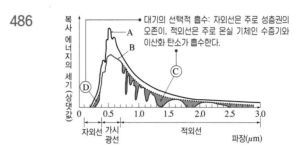

ㄴ. C는 적외선 영역으로, 주로 온실 기체인 대기 중 수증기나 이산화 탄소가 흡수한다.

ㄷ. D는 자외선 영역으로, 주로 성층권의 오존이 흡수한다.

바로알기 | ㄱ. A는 대기 밖에서의 태양 복사 에너지, B는 지표면에서의 태양 복사 에너지를 나타낸다.

487 ㄴ. 지표에서 복사 평형을 이루고 있으므로 지표에서 방출하는 에너지양(133)은 지표가 흡수하는 에너지양(45)+C와 같다. 따라서 C는 88이다.

바로알기 | ㄱ. 우주 공간에서 복사 평형을 이루고 있으므로 A=100−30=70이다. B는 133−4=129이다. 따라서 A는 B보다 작다.

ㄷ. 화석 연료 사용량이 증가하면 대기 중의 온실 기체인 이산화 탄소가 증가하여 지표에서 방출되는 에너지 중 대기가 흡수하는 에너지양(B)이 증가한다.

488 A는 지구에 입사하는 태양 복사 에너지 중 대기와 지표에서 반사되는 에너지양으로 30(=25+5)이다. B는 지구에 입사하는 태양 복사 에너지 중 대기에 흡수되는 에너지양으로 20(=100−25−5−50)이다. C는 지표면 복사 중 대기가 흡수하는 에너지양으로 102(=114−12)이다. D는 대기에서 지표로 재복사되는 에너지양으로 94(=20+23+7+102−58)이다. 온실 효과는 지구 대기가 지표 복사 에너지를 흡수하였다가 지표로 재복사(D)하여 지구의 온도를 높이는 현상이다.

489 ㄱ. 빙하는 반사율이 높아 태양 복사 에너지를 잘 반사한다. 따라서 빙하 면적이 감소하면 지표면에서 반사되는 태양 복사 에너지양이 감소하므로 A는 감소한다.

ㄷ. 대기가 없다면 대기의 반사가 없기 때문에 지구 반사는 30보다 작아지고, 우주로 방출되는 지구 복사 에너지양은 증가할 것이다.

바로알기 | ㄴ. 대기 중 오존은 자외선을 흡수하고, 온실 기체는 적외선을 흡수한다.

490 ① 지표가 흡수하는 에너지양은 A+C이고, 지표가 방출하는 에너지양은 B+25이다. 지구는 복사 평형을 이루고 있으므로 지표가 흡수하는 에너지(A+C)와 방출하는 에너지(B+25)의 양은 같다.

⑥ 성층권의 오존은 태양 복사 에너지 중 자외선을 흡수한다. 만일 성층권의 오존이 감소한다면 지표로 들어오는 태양의 자외선이 증가하기 때문에 A가 증가한다.

⑧ 대기는 지표로 101만큼 에너지를 방출하고, 우주 공간으로 66만큼 에너지를 방출한다.

바로알기 | ② 지표는 적외선 형태로 복사 에너지를 방출한다.

③ A=100-30-25=45이다. B=117+4=121이다. 지표가 흡수하는 에너지양은 45(A)+C이고, 지표가 방출하는 에너지양은 25+121(B)=146이다. 지표가 흡수하는 에너지와 방출하는 에너지의 양이 같아야 하므로 45+C=146이 성립한다. 따라서 C는 101이다.

④ 지구가 흡수하는 태양 복사 에너지양이 70(=100-30)이므로 지구가 방출하는 지구 복사 에너지양(D+4)도 70과 같아야 한다. 따라서 D는 66이다.

⑤ 온실 기체가 증가하면 지표가 방출하는 지구 복사 에너지를 더 많이 흡수하므로 대기에서 지표로 재복사하는 에너지양(C)이 증가한다.

⑦ D는 대기가 우주로 방출하는 에너지양이고, 지표에서 우주로 직접 방출되는 에너지양은 4이다.

491 ㄴ. (나)와 같이 대기가 있을 때 지표에서 방출하는 지구 복사 에너지를 대기에서 흡수한 후 지표로 다시 재복사하기 때문에 (가)와 같이 대기가 없을 때보다 지구의 평균 기온이 더 높다.

ㄷ. (나)에서 대기가 흡수하는 에너지양은 (25+29+A)이고, 대기가 방출하는 에너지양은 (66+88)이다. 대기가 흡수하는 에너지와 방출하는 에너지의 양이 같아야 하므로 A는 100이다.

바로알기 | ㄱ. (가)와 (나)에서 모두 복사 평형이 일어난다.

개념 보충

지구의 복사 평형

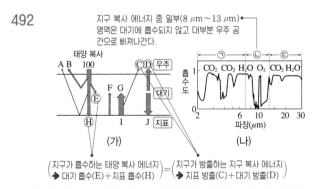

대기가 없을 때	대기가 있을 때
지표가 흡수한 태양 복사 에너지만큼의 지구 복사 에너지를 우주로 방출한다. ➡ 평균 기온이 낮다.	지표가 방출한 복사 에너지를 온실 기체가 흡수하였다가 일부를 지표로 재복사한다. ➡ 평균 기온이 높다.

492

ㄱ. 지구가 흡수하는 태양 복사 에너지양(E+H)은 지구가 방출하는 지구 복사 에너지양(C+D)과 같다. E+H=C+D이므로 E-D=C-H이다.

ㄴ. 지구 복사 에너지 중 일부 파장대(8 μm~13 μm)는 대기에 거의 흡수되지 않고 그대로 우주 공간으로 빠져나가는데, 이 파장대를 대기의 창이라고 한다.

바로알기 | ㄷ. 대규모 화산 분출로 발생한 화산재는 지구에 입사하는 태양 복사 에너지를 반사하여 지구가 흡수하는 에너지양을 감소시킨다. 지구가 흡수하는 에너지양이 감소하면 지구가 방출하는 에너지양도 감소하므로 대규모 화산 분출로 발생한 화산재는 지구가 방출하는 에너지양인 C+D의 값을 감소시킨다.

개념 보충

대기의 창

지표 복사 에너지의 일부 파장대는 대기에 거의 흡수되지 않고 우주 공간으로 방출된다. 특히 파장 8 μm~13 μm 영역에서는 대부분의 에너지가 그대로 우주 공간으로 빠져나가는데, 이 영역을 대기의 창이라고 한다. 인공위성을 이용하여 지구 표면으로부터 오는 적외선 정보를 얻고자 할 때는 이 영역에 속한 파장을 이용하여야 대기의 방해를 줄일 수 있다.

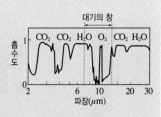

---

493 ② 지구 온난화 때문에 해수의 수온이 상승하면 해수의 열팽창으로 평균 해수면의 높이가 높아진다.

바로알기 | ① 대기 중 에어로졸 농도가 증가하면 대기의 태양 복사 에너지 반사량이 증가하여 지구의 평균 기온이 하강한다.

③ 화산 폭발로 다량의 화산재가 방출되면 대기 중의 화산재가 태양빛을 차단하여 지구의 평균 기온이 하강한다.

④ 빙하의 증가로 태양 복사 에너지의 지표면의 반사율이 증가하면 지구의 평균 기온이 하강한다.

⑤ 수륙 분포가 변하여 해수의 흐름이 달라지면 기후 변화가 일어난다.

494 기체의 용해도는 수온이 높을수록 작다. 지구 온난화가 진행되면 해수 수온이 상승하기 때문에 이산화 탄소의 용해율이 감소한다(D). 또한, 지구 온난화로 빙하 면적이 감소하므로 태양빛의 지표 반사율이 감소한다(E).

바로알기 | 지구 온난화가 진행되면 해수 수온이 상승하고(B), 증발량이 증가하며(C), 대기 중 수증기량이 증가한다(A).

495 지구 온난화는 과거에 비해 점차 강화되고 있으며, 지구 온난화가 진행되면서 북극해의 얼음 면적은 줄어들고, 해수의 열팽창과 대륙 빙하의 용해로 해수면은 상승한다. 따라서 A는 북극해 얼음 면적, B는 전 지구의 평균 해수면 높이이다.

모범 답안 A는 북극해 얼음 면적, B는 전 지구의 평균 해수면 높이이다. ㉠ 기간에 비해 ㉡ 기간에 북극해 얼음 면적이 줄어들고, 평균 해수면 높이가 상승한 것으로 보아 북극 해역의 평균 기온은 ㉠ 기간보다 ㉡ 기간에 더 높아졌다.

496 ㄱ. CO_2 농도가 높아지면 온실 효과가 강화되어 지구의 평균 기온이 상승하고, CO_2 농도가 낮아지면 온실 효과가 약화되어 지구 평균 기온이 하강한다. 따라서 45만 년 동안 기온과 CO_2 농도의 변화 경향이 유사하다.

ㄴ. 약 35만 년 전에는 현재보다 지구의 평균 기온이 낮았으므로 빙하의 면적이 더 넓었을 것이다. 따라서 현재보다 빙하로 인한 지표 반사율이 더 높았을 것이다.

바로알기 | ㄷ. 약 15만 년 전에는 대기 중 CO_2 농도가 현재보다 낮았다. 따라서 대기의 온실 효과는 현재보다 작았을 것이다.

497 ㄴ. 이산화 탄소(CO_2)는 ppm 단위, 메테인(CH_4)이나 산화이질소(N_2O)는 ppb 단위이고, 1000 ppb는 1 ppm과 같다. 따라서 온실 기체 중 이산화 탄소(CO_2)의 농도가 가장 높으므로 지구 온난화에 가장 큰 영향을 준다.

ㄷ. 대기 중 온실 기체의 양이 점점 증가하면 온실 효과가 강화되어 지구의 평균 기온이 상승하고, 이에 따라 대륙 빙하의 용해와 해수의 열팽창으로 해수면이 상승하여 저지대 해안가는 침수될 수 있다.

바로알기 | ㄱ. 1000 ppb는 1 ppm과 같다. 따라서 온실 기체 중 농도가 가장 큰 것은 이산화 탄소(CO_2)이다.

개념 보충

주요 온실 기체의 온실 효과 기여도

온실 기체	수증기	이산화 탄소	메테인	오존
온실 효과 기여도(%)	36~70	9~26	4~9	3~7

• 수증기는 온실 효과 기여도가 가장 크지만 인간의 활동 때문에 나타나는 대기 중 수증기의 농도 변화는 크지 않다.
• 이산화 탄소가 온실 효과에 미치는 영향이 가장 큰 까닭은 다른 온실 기체에 비해 대기 성분 중에 차지하는 절대량이 많기 때문이다.
• 메테인은 같은 농도의 이산화 탄소에 비해 21배 정도 효과가 강하지만 대기 중 농도가 매우 작아 온실 효과 기여도가 낮다.

498 ㄷ. ⓒ 구름의 양이 증가하면 구름의 태양 복사 에너지 반사량이 증가하여 지구 온난화를 완화시키는 역할을 할 수 있다.

바로알기 | ㄱ. ⊙ 화석 연료 사용량이 증가하면 지구의 평균 기온이 상승하는 지구 온난화가 진행되어 극지역에 분포하는 빙하 면적이 감소하므로 극지역의 반사율이 감소한다.
ㄴ. 지구 온난화로 ⓒ 극지역의 빙하가 녹아 빙하량이 감소하면 해수면의 높이가 상승한다.

499 ① 지구 온난화로 기후가 변하면 작물 재배지가 달라지고, 생태계가 교란된다.
② 지구 온난화로 지구의 평균 기온이 상승하면 고산 지대와 남극 대륙 빙하 면적이 감소한다.
③ 지구 온난화로 건조 지역은 고기압이 강화되어 사막화가 확대된다.
④ 지구 온난화로 해수의 수온이 상승하면 적조 현상이 증가하여 어패류 양식 등 수산업에 피해를 준다.
⑥ 지구 온난화로 해수가 열팽창하고, 극지역 빙하가 녹아 해수면이 상승한다.

바로알기 | ⑤ 고위도의 토탄 습지가 따뜻해지면 토탄이 분해되어 메테인을 대기로 배출하므로 메테인 농도가 증가한다.
⑦ 성층권의 오존은 태양의 자외선을 흡수하는 역할을 하지만, 대류권의 오존은 대기 오염과 호흡기 질환의 원인이 된다. 그러나 대류권의 오존 농도가 증가하는 것은 지구 온난화와 직접적인 관련이 없다.

500 ㄱ. 강수 일수는 감소하였지만 집중 호우의 발생 빈도는 증가하여 강수량은 대체로 증가하고 있다.
ㄴ. 평균 기온이 상승하여 여름이 길어지고, 겨울이 짧아졌다.
ㄷ. 지구 온난화로 한반도의 평균 기온이 상승하면서 겨울이 짧아지고 봄꽃의 개화 시기가 빨라지고 있다.

바로알기 | ㄹ. 지구 온난화로 해수의 수온이 상승하여 난류성 어종이 증가하고, 한류성 어종이 감소하고 있다.

501 ㄱ. 태양 변화, 화산 활동 등 자연적 요인만 고려했을 때 장기간 지구의 기온은 크게 변화가 없으며 1960년경이나 1990년경에 약간의 냉각 현상이 있었을 것이다.
ㄴ. 온실 기체의 증가라는 인위적 요인만 고려했을 때 예상되는 기온 변화는 관측 값보다 더 높게 나타난다.
ㄷ. 자연적 요인으로는 지구의 평균 기온이 크게 변화하지 않아야 하고, 인위적 요인으로는 지구의 평균 기온이 급격히 상승해야 한다. 따라서 현재 지구 평균 기온이 계속 상승하고 있는 것은 자연적 요인과 인위적 요인이 함께 작용한 것이고, 주로 인위적 요인으로 나타난다.

502 **모범 답안** 환경적 영향으로는 해수면 상승, 생태계 변화, 기상 이변 등이 있다. 사회적 영향으로는 전염병 증가, 자연 재해로 생긴 피해 증가 등이 있다. 경제적 영향으로는 작물 재배지 변화, 작물 생산성 변화, 수산 자원 변화 등이 있다.

503 ① 대규모 산림을 조성하면 식물의 광합성으로 대기 중 이산화 탄소 흡수량이 증가한다.
③ 에너지 효율을 높이는 기술을 개발하면 화석 연료 사용을 줄여 온실 기체 배출량을 줄일 수 있다.
④ 재생 가능한 에너지 사용을 늘리면 화석 연료의 사용으로 발생하는 온실 기체의 양을 줄일 수 있다.
⑥ 해양 비옥화를 통해 식물성 플랑크톤의 양을 늘리면 식물성 플랑크톤의 광합성이 활발해져 해수에 용해된 이산화 탄소를 소비하므로 대기의 이산화 탄소를 흡수할 수 있다.
⑦ 이산화 탄소를 발생원에서 분리, 포집하여 석탄층이나 심해저에 장기간 저장하면 발생원에서 대기로 배출되는 이산화 탄소의 양을 줄일 수 있다.

바로알기 | ② 성층권에 에어로졸을 뿌리면 지구의 반사율이 증가하여 지구가 흡수하는 태양 복사 에너지양이 줄어든다.
⑤ 우주에 반사막을 설치하면 지구에 흡수되는 태양 복사 에너지양을 줄일 수 있다.

최고 수준 도전 기출 (14~17강)

134~135쪽

504 ③	505 ③	506 ①	507 해설 참조	508 ④
509 ③	510 ③	511 ③		

504 북반구 대륙에 저기압 분포
➡ 북반구 여름

↳ 남반구 대륙에 고기압 분포
➡ 남반구 겨울

ㄱ. 북반구에서 여름에는 대륙에 저기압이 발달하고, 겨울에는 대륙에 고기압이 발달한다. 북반구에 위치한 유라시아 대륙에 저기압이 분포하므로 이 평년 기압 분포는 북반구가 여름인 7월에 해당한다.
ㄴ. A 해역에서는 편서풍으로 형성된 북태평양 해류가 서쪽에서 동쪽으로 흐른다.

바로알기 | ㄷ. B와 C 해역의 고기압은 해들리 순환의 하강으로 형성된 아열대 고기압이다. 해들리 순환의 상승으로는 적도 부근의 저압대가 형성된다.

505 ㄱ. B 해역에는 저위도에서 고위도 쪽으로 난류가 흐르고, C 해역에는 고위도에서 저위도 쪽으로 한류가 흐른다. 난류는 한류에 비해 수온과 염분이 높으므로 (나)의 ⊙은 B 해역, ⓒ은 C 해역의 관측 값이다.

Ⅱ. 대기와 해양

ㄴ. A 해역에 흐르는 해류는 북태평양 해류이고, 편서풍의 영향으로 형성된다.

바로알기| ㄷ. 용존 산소량은 표층 수온이 낮을수록 많고, 표층 수온은 B, C 해역보다 고위도인 A 해역이 가장 낮다. 따라서 용존 산소량은 A 해역에서 가장 많게 관측된다.

506 ㄱ. A 부근 해수의 연령이 가장 낮은 것으로 보아 A 해역에서 침강이 활발하게 일어나고 있으며, 침강한 해수가 다른 해역으로 이동했다는 것을 알 수 있다.

바로알기| ㄴ. 속력=$\dfrac{거리}{시간}$이므로 등연령선의 간격이 좁은 C 해역보다 등연령선의 간격이 넓은 D 해역에서 해수의 흐름이 빠르다. 따라서 수심 4000 m에서 해수의 흐름은 C가 D보다 느리다.

ㄷ. 대서양에서 해수의 연령은 105~655년 정도의 범위를 보이고, 태평양에서 해수의 연령은 대부분 1000년 이상이다. 따라서 해수의 평균 연령은 대서양이 태평양보다 낮다.

507

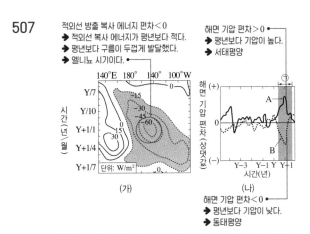

(가)에서 적외선 방출 복사 에너지 편차가 음(−)의 값이면 구름이 평년보다 복사 에너지를 적게 방출함을 뜻하고, 이는 평년보다 구름이 두껍게 형성되었음을 알 수 있다. 동태평양에서 적외선 방출 복사 에너지 편차가 음(−)의 값을 나타내므로 동태평양에 저기압과 구름이 형성되었다. 동태평양에 저기압이 형성되는 시기는 엘니뇨 시기에 해당한다.

모범 답안 (가) 시기는 동태평양에서 구름의 적외선 방출 복사 에너지 편차가 0보다 작으므로 동태평양에 평년보다 구름이 두껍게 형성된 엘니뇨 시기이다. 엘니뇨 시기에는 동태평양에 저기압이 형성되므로 A는 서태평양, B는 동태평양의 해면 기압 편차를 나타낸다.

508 A는 무역풍의 풍속 편차가 대부분 0이므로 평상시를 나타낸다. B는 무역풍의 풍속 편차가 음(−)의 값이므로 평상시보다 무역풍이 약한 엘니뇨 시기이다. C는 무역풍의 풍속 편차가 양(+)의 값이므로 평상시보다 무역풍이 강한 라니냐 시기이다.

ㄴ. 라니냐 시기인 C는 동태평양에서 용승이 활발하기 때문에 동태평양의 온난 수역의 두께가 평년보다 얕아진다. 따라서 동태평양과 서태평양의 온난 수역의 두께 차이는 A보다 C가 크다.

ㄷ. 엘니뇨 시기인 B는 서태평양에 고기압, 동태평양에 저기압이 형성된다. 라니냐 시기인 C에는 서태평양에 저기압, 동태평양에 고기압이 형성된다. 따라서 $\dfrac{동태평양의 해수면 평균 기압}{서태평양의 해수면 평균 기압}$은 B보다 C가 크다.

바로알기| ㄱ. 엘니뇨 시기에는 동태평양 적도 부근 해역의 용승이 약해지고, 라니냐 시기에는 동태평양 적도 부근 해역의 용승이 강해진다. 엘니뇨 시기인 B는 평상시인 A보다 동태평양의 용승이 약하다.

509

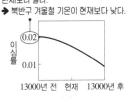

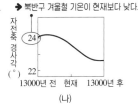

ㄱ. 13000년 전에는 자전축 경사 방향이 현재와 반대이므로 북반구는 원일점에서 겨울이고, 근일점에서 여름이다. 13000년 전에는 지구 공전 궤도 이심률이 현재보다 컸으므로 근일점에서 태양과 지구 사이의 거리는 현재보다 가까웠고, 원일점에서 태양과 지구 사이의 거리는 현재보다 멀었다. 또한 13000년 전에는 지구 자전축 경사각이 현재보다 컸으므로 북반구에서 여름과 겨울에 태양의 남중 고도 차이가 컸다. 따라서 세 요인을 모두 고려하였을 때 30°N에서 기온의 연교차는 현재가 13000년 전보다 작다.

ㄴ. 현재 지구가 원일점에 위치했을 때 남반구는 겨울이고, 13000년 전에는 세차 운동으로 지구가 원일점에 위치했을 때 남반구는 여름이었다. 따라서 원일점에서 30°S의 밤의 길이는 현재가 13000년 전보다 길다.

바로알기| ㄷ. 6500년 후에는 자전축 경사각은 현재보다 작아진다. 따라서 30°S의 겨울철 태양의 남중 고도는 6500년 후가 현재보다 높다.

510

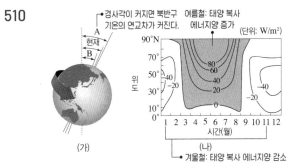

ㄱ. 지구 자전축 경사각이 커지면(A) 북반구 여름철에 태양의 남중 고도가 높아져 태양 복사 에너지 입사량이 증가하고, 지구 자전축 경사각이 작아지면(B) 북반구 여름철에 태양의 남중 고도가 낮아져 태양 복사 에너지 입사량이 감소한다. (나)에서 북반구 여름철에는 현재보다 태양 복사 에너지의 양이 증가하고 북반구 겨울철에는 현재보다 태양 복사 에너지의 양이 감소한다. 따라서 (나)는 지구 자전축 경사가 현재보다 더 큰 A일 때의 에너지 변화를 나타낸다.

ㄴ. (나)와 같이 지구 자전축 경사가 현재보다 더 커지면 6월에 북반구의 평균 기온은 현재보다 상승하고, 남반구의 평균 기온은 현재보다 하강한다. 따라서 6월에 북반구와 남반구의 평균 온도 차는 현재가 (나)보다 작다.

바로알기| ㄷ. (나)에서 북반구 겨울철에 입사하는 태양 복사 에너지양이 (−)이므로 현재보다 적다. 따라서 위도 40°N에서 겨울철에 입사하는 태양 복사 에너지양은 현재가 (나)보다 많다.

511 ㄱ. 북반구 고위도는 평균 기온이 10 °C 정도 상승하지만 적도 지역은 2 °C 정도 상승한다. 따라서 북반구 고위도는 적도에 비해 기온 변화량이 크다.

ㄴ. 수권에서 해수 다음으로 큰 비중을 차지하는 것은 담수인 육지의 빙하이다. 지구의 평균 기온이 상승하면 빙하가 녹아 바다로 흘러들어 가므로 수권에서 담수가 차지하는 비율은 감소할 것이다.

바로알기| ㄷ. 지구의 평균 기온이 상승하면 해수의 열팽창과 대륙 빙하의 융해로 평균 해수면이 상승할 것이다.

18 별의 물리량

512 (1) ○ (2) ○ (3) ○ (4) × (5) ○ (6) ○ (7) × (8) ○

(9) ×

512 (1) 별의 표면 온도가 높을수록 최대 에너지를 방출하는 파장이 짧다. A는 B보다 표면 온도가 높으므로 최대 에너지를 방출하는 파장이 더 짧다.

(2) 별의 표면 온도가 높을수록 색지수가 작다. A는 B보다 표면 온도가 높으므로 색지수가 더 작다.

(3) 분광형이 K형인 별은 표면 온도가 상대적으로 낮은 별로, 스펙트럼에서는 이온화된 헬륨(He II)보다 이온화된 칼슘(Ca II) 흡수선이 강하게 나타난다.

(5) 별의 '겉보기 등급 − 절대 등급'이 클수록 별까지의 거리가 멀다. '겉보기 등급 − 절대 등급'은 A가 5, B가 0이므로 A가 B보다 별까지의 거리가 더 멀다.

(6) 별이 단위 시간 동안 단위 면적에서 방출하는 에너지양(E)은 슈테판·볼츠만 법칙($E=\sigma T^4$)에 따르면 별의 표면 온도(T)가 높을수록 많다. A는 B보다 표면 온도가 높으므로 단위 시간 동안 단위 면적에서 방출하는 에너지양이 더 많다.

(8) 절대 등급은 A가 −8등급, B가 −3등급으로 A가 B보다 5등급 작으므로 광도는 A가 B의 100배이다.

바로알기 | (4) A와 B는 겉보기 등급이 같으므로 같은 밝기로 보인다.

(7) 별이 단위 시간 동안 방출하는 총에너지양은 광도로, 광도는 절대 등급이 작을수록 크다. 절대 등급이 A가 B보다 작으므로 단위 시간 동안 방출하는 총에너지양은 A가 B보다 많다.

(9) A의 표면 온도(T)가 B의 2배이고 광도(L)는 B의 100배이므로 광도를 구하는 식 $L=4\pi R^2 \cdot \sigma T^4$에 따라 반지름($R$)은 A가 B의 2.5배이다.

난이도별 필수 기출

513 ①, ⑥	514 ④	515 ③	516 O, B, A, F, G,
K, M 517 ③	518 ①, ⑤	519 ②	520 해설 참조
521 ④	522 ③, ⑥	523 ③	524 ③
525 ③, ⑦	526 ①	527 ④, ⑥	528 ③
529 ⑤ 530 ⑤	531 해설 참조	532 ②	533 ⑤
534 해설 참조	535 ②	536 해설 참조	
537 해설 참조	538 해설 참조	539 ⑤	540 ①
541 해설 참조	542 ③	543 ⑤	544 ④
545 해설 참조	546 ①		

513 ② 별은 표면 온도에 따라 최대 에너지를 방출하는 파장이 다르므로 색이 다양하게 나타난다.

③ 별의 표면 온도가 높을수록 색지수가 작으므로 색지수를 이용하여 두 별의 표면 온도를 비교할 수 있다.

④ 색지수로는 사진 등급 − 안시 등급, B−V 등을 사용하는데 보통 B−V를 색지수로 많이 활용한다.

⑤ 절대 등급은 별의 실제 밝기를 의미하며, 등급이 작을수록 밝은 별이므로 절대 등급이 작은 별이 실제로 밝은 별이다.

⑦ 광도는 별이 단위 시간 동안 표면에서 방출하는 에너지의 총량이다.

⑧ 광도는 별의 고유 밝기이므로 지구로부터의 거리에 관계없이 일정하다.

바로알기 | ① 별은 표면 온도가 높을수록 짧은 파장의 전자기파를 강하게 방출한다.

⑥ 슈테판·볼츠만 법칙($E=\sigma T^4$)으로 유도되는 별의 광도 식 $L=4\pi R^2 \cdot \sigma T^4$를 사용하여 표면 온도($T$)와 광도($L$)가 알려진 별의 반지름($R$)을 구할 수 있다.

514 분광형(ㄷ)은 별을 표면 온도에 따라 분류한 것이고, 색지수(ㄹ)는 별의 표면 온도에 따라 값이 달라지며, 최대 에너지를 방출하는 파장(ㅅ)은 별의 표면 온도에 반비례하므로 이들을 이용하면 별의 표면 온도를 추정할 수 있다.

515 ㄱ. 분광형은 별을 표면 온도에 따라 흡수선의 종류와 세기가 달라지는 원리를 이용하여 분류한 것이다.

ㄴ. 분광형이 O형인 별은 표면 온도가 30000 K 이상으로 매우 높고, M형으로 갈수록 표면 온도가 낮아진다.

바로알기 | ㄷ. O형 별은 표면 온도가 매우 높은 별로 파란색을 띤다.

516 별의 분광형은 별을 표면 온도가 높은 것부터 순서대로 O, B, A, F, G, K, M형의 7가지로 분류한다.

517 ㄱ. 별은 흑체와 유사하게 온도에 따라 각 파장에서 복사 에너지를 방출하므로 표면 온도와 광도는 별을 흑체로 가정하여 추정한다.

ㄴ. 빈의 변위 법칙($\lambda_{max}=\dfrac{a}{T}$)에 따르면 흑체가 최대 복사 에너지를 방출하는 파장(λ_{max})은 흑체의 표면 온도(T)에 반비례한다.

바로알기 | ㄷ. 표면 온도가 높은 별은 짧은 파장의 빛을 많이 방출하므로 파란색으로 보일 것이다.

개념 보충

전자기파의 파장 영역

• 전자기파를 비슷한 성질에 따라 파장별로 구간을 나누면 파장이 짧은 영역부터 감마(γ)선, X선, 자외선, 가시광선, 적외선, 전파(마이크로파, 라디오파)로 구분할 수 있다.

• 가시광선은 전자기파 중 사람이 눈으로 볼 수 있는 영역으로, 보라색 빛의 파장이 가장 짧고 빨간색 빛의 파장이 가장 길다. ➡ 표면 온도가 높은 별은 최대 에너지를 방출하는 파장이 짧아 파란색에 가깝게 보이고, 표면 온도가 낮은 별은 최대 에너지를 방출하는 파장이 길어 붉은색에 가깝게 보인다.

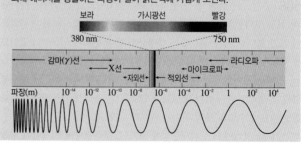

518 ① A의 플랑크 곡선에서 0.5 μm 파장에서 에너지 세기가 최대이므로 최대 에너지를 방출한다.

⑤ $L=4\pi R^2 \cdot \sigma T^4$에서 별 A와 B의 반지름($R$)이 같으므로 단위 시간 동안 방출하는 총에너지양(L)은 표면 온도(T)가 더 높은 A가 B보다 많다.

바로알기 | ② 최대 에너지를 방출하는 파장은 A가 0.5 μm이고 B가 1.0 μm이므로 A가 B보다 짧다.

③ 별이 최대 에너지를 방출하는 파장은 표면 온도에 반비례한다. 최대 에너지를 방출하는 파장이 A가 B의 $\frac{1}{2}$이므로 표면 온도는 A가 B의 2배이다.

④ 표면 온도가 높은 별일수록 짧은 파장의 빛을 많이 방출하므로 표면 온도가 더 높은 A는 B보다 파랗게 보인다.

⑥ 색지수는 표면 온도가 높을수록 작으므로 A가 B보다 작다.

519

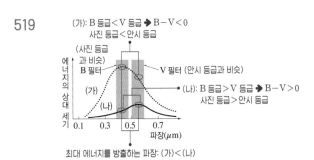

② (가)는 V 필터를 통과하는 복사 에너지 세기가 B 필터를 통과하는 복사 에너지의 세기보다 작으므로 V 등급이 B 등급보다 크다.

바로알기 | ① 별이 최대 에너지를 방출하는 파장은 표면 온도에 반비례한다. 최대 에너지를 방출하는 파장이 (가)가 (나)보다 짧으므로 표면 온도는 (가)가 (나)보다 높다.

③ 색지수(B−V)는 별의 표면 온도가 높을수록 작으므로 표면 온도가 더 높은 (가)가 (나)보다 작다.

④ 사진 등급과 비슷한 밝기는 파란색 파장의 빛을 잘 통과시키는 B 필터를 사용한 B 등급이다.

⑤ (나)는 사진 등급과 비슷한 B 필터보다 안시 등급과 비슷한 V 필터를 통과하는 빛의 세기가 강하므로 사진 등급보다 안시 등급에서 더 밝은 별로 측정된다.

520 (1) 빈의 변위 법칙 $\lambda_{max} = \dfrac{a}{T}$에 따르면, 별 S_1의 표면 온도(T)는 S_2의 $\dfrac{1}{10}$이므로 최대 복사 에너지 파장(λ_{max})은 S_2의 10배이다. 따라서 ㉠은 100 nm의 10배인 1000 nm이다.

(2) 광도(L)는 $L = 4\pi R^2 \cdot \sigma T^4$이므로 별의 반지름($R$)이 클수록, 표면 온도($T$)가 높을수록 크다. 별 S_1과 S_2의 반지름이 같고 표면 온도는 S_2가 S_1의 10배이므로, 광도는 S_2가 S_1보다 10^4배 크다.

다른 해설 (2) 별의 표면에서 방출되는 파장에 따른 복사 에너지의 총량, 즉 광도는 파장에 따른 복사 에너지 세기의 분포 곡선의 밑면적과 같다. 따라서 곡선의 밑면적이 상대적으로 더 넓은 S_2의 광도가 더 크다.

(3) 색지수(B−V)는 별의 표면 온도가 높을수록 작다.

모범 답안 (1) 1000 nm
(2) 광도는 S_2가 S_1보다 10^4배 크다.
(3) S_2가 S_1보다 색지수가 작다. S_2가 S_1보다 표면 온도가 높기 때문이다.

521 ㄴ. 별의 표면 온도가 높을수록 색지수가 작다. (가)가 (나)보다 색지수가 작으므로 표면 온도가 더 높다.

ㄷ. 별의 광도는 반지름의 제곱에, 표면 온도의 네제곱에 비례한다. (가)와 (나)는 반지름이 같으므로 표면 온도가 높은 (가)가 (나)보다 광도가 크다.

바로알기 | ㄱ. 색지수(B−V)는 (가)가 −3, (나)가 0이므로 (가)가 (나)보다 작다.

522 ① (가)는 연속 스펙트럼으로 태양 빛을 프리즘에 통과시킬 때 나타난다.

② (나)는 검은 흡수선이 나타나는 흡수 스펙트럼이고, (다)는 밝은 방출선이 나타나는 방출 스펙트럼이다.

④ (다)는 원소의 주변에 고온의 에너지원이 존재할 때 가열된 원소가 특정 파장의 빛을 방출하기 때문에 나타난다.

⑤ 동일한 원소의 경우 흡수선과 방출선의 위치가 모두 같다. (나)의 흡수선과 (다)의 방출선의 위치가 모두 같으므로 (나)와 (다)는 같은 원소에 의해 나타나는 스펙트럼이다.

바로알기 | ③ (나)의 검은 선은 저온의 기체에 의해 특정 파장의 에너지가 흡수되어 나타난다.

⑥ 백열등은 (가)와 같은 연속 스펙트럼이 나타난다.

523 ㄱ. (가)는 빛이 모든 파장 영역에서 연속적으로 나타나는 연속 스펙트럼이고, (나)는 연속 스펙트럼에 검은 흡수선이 나타나는 흡수 스펙트럼이다. (다)는 검은 바탕에 밝은 방출선이 나타나는 방출 스펙트럼이다.

ㄴ. (나) 흡수 스펙트럼은 별의 대기에 존재하는 저온의 기체에 포함된 원소가 특정 파장의 빛을 흡수하여 나타난다.

바로알기 | ㄷ. 별의 표면 온도에 따른 흡수선의 종류와 세기가 다르므로 별을 표면 온도에 따라 분류할 때 흡수 스펙트럼인 (나)를 이용한다.

524 ㄱ. (가)는 표면 온도가 매우 높은 별로 파란색을 띠고, (다)는 상대적으로 표면 온도가 낮은 별로 붉은색을 띤다.

ㄴ. (나)는 표면 온도가 10000 K으로 분광형이 A형인 별의 스펙트럼에 해당한다.

바로알기 | ㄷ. (가)는 주로 수소와 헬륨 흡수선이 나타나고, (다)는 금속 원소와 분자들에 의한 흡수선이 나타난다.

개념 보충

별의 분광형에 따른 흡수선의 종류와 세기
· 표면 온도가 높은 O형, B형 별에서는 이온화된 헬륨(He Ⅱ) 또는 중성 헬륨(He Ⅰ) 흡수선이 강하게 나타난다.
· 표면 온도가 낮은 K형, M형 별에서는 금속 원소와 분자에 의한 흡수선이 강하게 나타난다.
· 표면 온도가 약 10000 K인 A형 별에서는 중성 수소(H) 흡수선이 가장 강하게 나타난다.

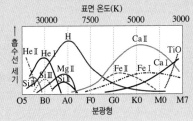

525 ① B0형 별에서 가장 강하게 나타나는 흡수선은 He Ⅰ 흡수선이다.

② He Ⅱ 흡수선이 가장 강하게 나타나는 별은 표면 온도가 높은 O형 별이므로 파란색을 띤다.

④ 상대적으로 표면 온도가 낮은 K형, M형 별에서는 Ca, Fe과 같은 금속 원소나 분자(TiO)의 스펙트럼이 강하게 나타난다.

⑤ 태양의 분광형은 G2형으로, G2형 별의 스펙트럼에서는 H 흡수선보다 Ca Ⅱ 흡수선이 강하게 나타난다.

⑥ H 흡수선이 가장 강하게 나타나는 별은 분광형이 A0형인 별로, 분광형이 G2형인 태양보다 표면 온도가 높다.

바로알기 | ③ G0형보다 표면 온도가 낮은 별 중 H 흡수선이 약하게 나타나는 별이 있다.

⑦ 별의 분광형에 따라 흡수선의 종류와 세기가 다른 까닭은 별의 표면 온도에 따라 원소들이 이온화되는 정도가 다르고, 각각 가능한 이온화 단계에서 특정한 흡수선을 형성하기 때문이다.

526 ㄱ. 중성 수소(H) 흡수선이 가장 강하게 나타나는 (가)는 A0형 별이다.

바로알기 | ㄴ. 칼슘 이온(Ca Ⅱ) 흡수선이 가장 강하게 나타나는 (나)는 K0형 별이고, 중성 헬륨(He Ⅰ) 흡수선이 가장 강하게 나타나는 (다)는 B0형 별이다. 따라서 표면 온도는 (나)가 (다)보다 낮다.

ㄷ. 중성 수소(H) 흡수선은 K0형 별인 (나)보다 B0형인 (다)에서 강하게 나타난다.

527 ④ $L=4\pi R^2 \cdot \sigma T^4$에서 광도($L$)는 별의 표면 온도의 네제곱($T^4$)에 비례한다.

⑥ $L=4\pi R^2 \cdot \sigma T^4$에서 광도($L$)와 표면 온도($T$)를 알면 별의 반지름($R$)을 구할 수 있다.

바로알기 | ① 광도는 단위 시간 동안 별의 전체 표면적에서 방출하는 에너지양이다.

② 별의 실제 밝기가 밝을수록 절대 등급이 작아지므로, 광도가 클수록 절대 등급이 작다.

③ 광도가 같아도 별의 거리가 다르면 별의 겉보기 밝기가 달라진다. 광도가 같으면 별의 절대 밝기가 같다.

⑤ $L=4\pi R^2 \cdot \sigma T^4$에서 광도($L$)는 별의 반지름의 제곱($R^2$)에 비례한다.

528 5등급 사이의 밝기는 100배 차이가 난다. 별 A의 광도는 태양의 100배이므로 절대 등급은 태양보다 5등급 작다. 태양의 절대 등급이 5등급이므로 별 A의 절대 등급은 0등급이다.

529 ㄴ. 별의 겉보기 등급이 작을수록 밝게 보이므로 가장 밝게 보이는 별은 (다)이다. ➡ 겉보기 밝기: (다)>(나)>(가)

ㄷ. '겉보기 등급-절대 등급'이 클수록 먼 거리에 있는 별이다. '겉보기 등급-절대 등급'은 (나)가 +5.0, (다)가 -0.5이므로 (나)는 (다)보다 지구로부터의 거리가 더 멀다. ➡ 거리: (가)>(나)>(다)

바로알기 | ㄱ. 표면 온도는 B형>F형>K형이므로 B형 별인 (다)가 가장 높다. ➡ 표면 온도: (다)>(가)>(나)

530 ㄱ. 연주 시차는 거리에 반비례하므로 거리가 상대적으로 가까운 A가 B보다 크다.

ㄴ. A는 B보다 거리가 가까운데 겉보기 등급은 B와 같으므로 실제 밝기가 B보다 어두운 별이다. 따라서 절대 등급이 B보다 크다.

[다른 해설] ㄴ. A는 10 pc에 있는 별이므로 절대 등급은 겉보기 등급과 같은 10등급이다. 100 pc에 있는 B의 밝기는 10 pc에 있다고 가정할 때의 밝기의 $\frac{1}{10^2}$이므로 B의 절대 등급은 겉보기 등급보다 5등급이 작은 5등급이다.

ㄷ. 표면 온도가 높을수록 색지수가 작으므로, 표면 온도는 상대적으로 색지수가 작은 A가 B보다 높다.

531 [모범 답안] 슈테판·볼츠만 법칙에 의하면 표면 온도가 T인 별의 단위 시간 동안 단위 면적에서 방출되는 복사 에너지(E)는 $E=\sigma T^4$(σ: 슈테판·볼츠만 상수)이다. 반지름이 R인 별의 전체 표면적은 $4\pi R^2$이며, 별의 전체 표면에서 방출되는 총에너지양인 광도 L은 $E=\sigma T^4$과 $4\pi R^2$의 곱인 $L=4\pi R^2 \cdot \sigma T^4$으로 나타낼 수 있다.

532 ㄴ. 광도(L)는 단위 시간 동안 단위 면적에서 방출되는 에너지양($E=\sigma T^4$)에 별의 표면적($4\pi R^2$)을 곱한 $L=4\pi R^2 \cdot \sigma T^4$이다.

바로알기 | ㄱ. 반지름이 R인 별의 표면적은 $4\pi R^2$이다. $\frac{4}{3}\pi R^3$은 별의 부피이다.

ㄷ. 표면 온도가 태양과 같고, 반지름이 태양의 2배인 별의 광도(L)는 $L=4\pi(2R_{태양})^2 \cdot \sigma T^4_{태양}=4L_{태양}$이므로 태양의 4배이다.

533 반지름이 태양의 $\frac{1}{4}$이고, 표면 온도가 태양의 4배인 별의 광도(L)는 $L=4\pi\left(\frac{1}{4}R_{태양}\right)^2 \cdot \sigma(4T_{태양})^4=16L_{태양}$이므로 태양의 16배이다.

534 [모범 답안] (나)의 반지름은 (가)의 3배이고, 표면 온도는 (가)의 $\frac{1}{3}$이므로 광도(L)는 $L=4\pi(3R_{(가)})^2 \cdot \sigma\left(\frac{1}{3}T_{(가)}\right)^4=\frac{1}{9}L_{(가)}$이다. 따라서 (나)의 광도는 (가)의 $\frac{1}{9}$이다.

535 ㄷ. C의 반지름은 A의 20배이고, 표면 온도는 A의 $\frac{1}{2}$이므로 $L=4\pi(20R_A)^2 \cdot \sigma\left(\frac{1}{2}T_A\right)^4=25L_A$에서 C의 광도($L$)는 A의 25배이다. 거리가 같다면 광도가 클수록 밝은 별이므로 C가 A보다 밝다.

바로알기 | ㄱ. 단위 시간 동안 단위 면적에서 방출하는 에너지양(E)은 $E=\sigma T^4$에 따라 표면 온도(T)가 가장 높은 A가 가장 많다.

ㄴ. A의 반지름은 B의 $\frac{1}{5}$이고, 표면 온도는 B의 2배이다. $L=4\pi\left(\frac{1}{5}R_B\right)^2 \cdot \sigma(2T_B)^4=\frac{16}{25}L_B$에서 A의 광도($L$)는 B의 $\frac{16}{25}$이므로 B보다 작다.

536 $L=4\pi R^2 \cdot \sigma T^4$에서 별의 광도($L$)가 같다면 반지름($R$)이 작을수록 표면 온도($T$)가 높다.

[모범 답안] 표면 온도는 반지름이 큰 별이 반지름이 작은 별보다 낮다.

537 (1) 절대 등급은 광도가 작을수록 크므로 B가 A보다 크다.

(2) A의 반지름을 B의 x배라고 하면 A의 광도는 B의 4배, 표면 온도는 B의 $\frac{1}{2}$이므로, $4L_B=4\pi(xR_B)^2 \cdot \sigma\left(\frac{1}{2}T_B\right)^4$으로 나타낼 수 있다.

[모범 답안] (1) B

(2) A의 광도는 B의 4배이고 표면 온도는 B의 $\frac{1}{2}$이므로 A의 반지름을 B의 x배라고 하면, $4=x^2 \cdot \frac{1}{16}$에서 x는 8이다. 따라서 A의 반지름은 B의 8배이다.

538 [모범 답안] A와 B는 색지수가 같으므로 표면 온도가 같다. A의 절대 등급은 B보다 10등급 작으므로 광도는 B보다 $100^2=10000$배 크다. 따라서 B의 광도에 대한 A의 광도의 비 $\frac{L_A}{L_B}=10^4=\frac{4\pi(R_A)^2 \cdot \sigma T^4}{4\pi(R_B)^2 \cdot \sigma T^4}$에서 $\frac{R_A}{R_B}=100$이므로 A의 반지름은 B의 100배이다.

539 분광형이 (가)는 A0형, (나)는 G0형, (다)는 F0형이므로 표면 온도는 (가)>(다)>(나)이다. 절대 등급이 작을수록 광도가 크므로 광도는 (다)>(나)>(가)이다.

ㄱ. $E=\sigma T^4$에 따르면 별이 단위 시간 동안 단위 면적에서 방출하는 에너지양(E)은 표면 온도(T)의 네제곱에 비례한다. 표면 온도는 (가)가 (나)보다 높으므로 단위 시간 동안 단위 면적에서 방출되는 에너지양은 (가)가 (나)보다 많다.

ㄴ. 별이 단위 시간 동안 방출하는 총에너지양은 광도를 의미하므로 광도가 가장 큰 (다)가 가장 많다.

ㄷ. $L=4\pi R^2 \cdot \sigma T^4$에 따르면 (다)는 (가)보다 표면 온도($T$)가 낮은데 광도($L$)는 크므로 별의 반지름($R$)이 (가)보다 크다.

540 (가) A와 B의 겉보기 등급을 각각 m_A, m_B, 겉보기 밝기를 각각 l_A, l_B라고 하자.

1등급 사이의 밝기 차는 $100^{\frac{1}{5}}$배이므로 두 별의 겉보기 등급과 겉보기 밝기 사이에는

$100^{\frac{1}{5}(m_B - m_A)} = 10^{\frac{2}{5}(m_B - m_A)} = \dfrac{l_A}{l_B}$의 관계가 성립하고,

양변에 상용 로그를 취하여 정리하면,

$\log 10^{\frac{2}{5}(m_B - m_A)} = \log \dfrac{l_A}{l_B}$, $\dfrac{2}{5}(m_B - m_A) = \log \dfrac{l_A}{l_B}$

$m_B - m_A = 2.5 \log \dfrac{l_A}{l_B}$, $m_B - m_A = -2.5 \log \dfrac{l_B}{l_A}$

∴ ⊙ $= -2.5 \log \dfrac{l_B}{l_A}$이다.

(나) $m_A = 4$, $m_B = -1$을 대입하면,

$-5 = -2.5 \log \dfrac{l_B}{l_A}$, $2 = \log \dfrac{l_B}{l_A}$, $10^2 = \dfrac{l_B}{l_A}$, $100l_A = l_B$

∴ ⓒ $= 100$이다. 즉, B의 겉보기 밝기는 A의 겉보기 밝기의 100배이다.

541 모범 답안 A와 B의 절대 등급을 각각 M_A, M_B, 광도를 각각 L_A, L_B라고 할 때, 1등급 사이의 밝기 차는 $100^{\frac{1}{5}}$배이므로 두 별 사이에는 $100^{\frac{1}{5}(M_B - M_A)} = 10^{\frac{2}{5}(M_B - M_A)} = \dfrac{L_A}{L_B}$의 관계가 성립한다.

위 식의 양변에 상용 로그를 취하면 $M_B - M_A = -2.5 \log \dfrac{L_B}{L_A}$(포그슨 공식)가 성립한다.

542 ㄱ. $\lambda_{\max} = \dfrac{a}{T}$에 따르면 별이 최대 에너지를 방출하는 파장($\lambda_{\max}$)은 표면 온도(T)에 반비례한다. 최대 에너지를 방출하는 파장은 A가 483 nm, B가 966 nm로 A가 B의 $\dfrac{1}{2}$이므로 표면 온도는 A가 B의 2배이다.

ㄷ. A와 B는 광도(L)가 같고, 표면 온도(T)는 A가 B의 2배이다. 따라서 $\dfrac{L_A}{L_B} = 1 = \dfrac{4\pi(R_A)^2 \cdot \sigma(2T)^4}{4\pi(R_B)^2 \cdot \sigma T^4}$으로부터 $R_B = 4R_A$이므로 반지름(R)은 B가 A의 4배이다.

바로알기 | ㄴ. A와 B는 절대 등급이 같으므로 광도가 같다.

543

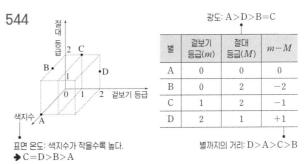

광도: A=C>B
표면 온도: C>B>A
→ 색지수: C<B<A

별	겉보기 등급	절대 등급	겉보기 등급 - 절대 등급	분광형
A	1	1	0	M2
B	6	6	0	G2
C	6	1	5	A0

→ 별까지의 거리: A=B<C

⑤ A와 C는 절대 등급이 같으므로 광도가 같고, 표면 온도는 A가 C보다 낮다. $L=4\pi R^2 \cdot \sigma T^4$에서 광도($L$)가 같을 때 표면 온도($T$)가 낮은일수록 반지름($R$)이 크므로 반지름은 A가 C보다 크다.

바로알기 | ① 색지수는 표면 온도가 높을수록 작다. A~C 중 분광형이 M2형인 A의 표면 온도가 가장 낮으므로 색지수는 가장 크다.

② B는 분광형이 G2형으로 노란색을 띠는 별이다.

③ 거리가 가장 먼 별은 '겉보기 등급-절대 등급'이 가장 큰 C이다.

④ C는 B보다 절대 등급이 5등급 작으므로 광도는 B의 100배이다.

544

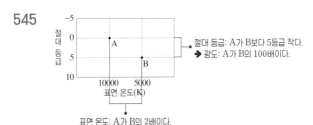

광도: A>D>B=C

별	겉보기 등급(m)	절대 등급(M)	$m-M$
A	0	0	0
B	0	2	-2
C	1	2	-1
D	2	1	+1

표면 온도: 색지수가 작을수록 높다.
→ C=D>B>A

별까지의 거리: D>A>C>B

① (사진 등급-안시 등급)은 색지수에 해당하므로 (사진 등급-안시 등급)이 가장 큰 별은 색지수가 가장 큰 A이다.

② 별의 표면 온도가 낮을수록 색지수가 크다. A는 B보다 색지수가 크므로 표면 온도가 낮다.

③ 단위 시간 동안 방출하는 총 에너지의 양은 광도를 의미한다. B와 C는 절대 등급이 같으므로 광도가 같다.

⑤ '겉보기 등급-절대 등급'이 클수록 별까지의 거리가 멀다. '겉보기 등급-절대 등급'은 C가 -1, D가 +1이므로 별까지의 거리는 C가 D보다 가깝다.

바로알기 | ④ 같은 거리에서의 밝기는 절대 등급이 작은 D가 B보다 밝다.

545

절대 등급: A가 B보다 5등급 작다.
→ 광도: A가 B의 100배이다.

표면 온도: A가 B의 2배이다.

(1) 별 A는 별 B보다 절대 등급이 5등급 작으므로 광도는 별 B의 100배이다.

(2) 별 A의 광도는 별 B의 100배이고, 표면 온도는 별 B의 2배이다.

$\dfrac{L_A}{L_B} = 100 = \dfrac{4\pi(R_A)^2 \cdot \sigma(2T)^4}{4\pi(R_B)^2 \cdot \sigma T^4}$에서 $R_A = 2.5R_B$이므로 별 A의 반지름은 별 B의 2.5배이다.

모범 답안 (1) 별 A의 광도는 별 B의 100배이다.
(2) 별 A의 반지름은 별 B의 2.5배이다.

546

별	A	B
절대 등급	4	
표면 온도(상댓값)	1	$\sqrt{2}$
반지름(상댓값)	1	5
광도(상댓값)	1	100

최대 에너지를 방출하는 파장: 별의 표면 온도에 반비례한다. → A>B

광도는 B가 A의 100배이다.
→ 절대 등급은 B가 A보다 5등급 작다.

ㄱ. 최대 에너지를 방출하는 파장은 별의 표면 온도에 반비례하므로 표면 온도가 낮은 A가 B보다 길다.

바로알기 | ㄴ. $\dfrac{L_B}{L_A} = \dfrac{4\pi(5R)^2 \cdot \sigma(\sqrt{2}T)^4}{4\pi R^2 \cdot \sigma T^4}$에서 $L_B = 100L_A$이므로 광도는 B가 A의 100배이다.

ㄷ. 광도가 B가 A의 100배이므로 절대 등급은 B가 A보다 5등급 작다. 따라서 B의 절대 등급은 -1등급이다.

19 H-R도와 별의 진화

547 (1) ○ (2) × (3) ○ (4) ○ (5) ○ (6) ○ (7) × (8) ×
(9) ×

547 (1) H-R도의 가로축에는 표면 온도 대신 표면 온도를 나타내는 분광형을 쓸 수 있다.

(3) C는 표면 온도가 높지만 반지름이 작아 광도가 작은 백색 왜성이다.

(4) A와 D는 주계열성으로, 주계열성은 표면 온도가 높을수록 질량과 광도가 크므로 A는 D보다 질량과 광도가 크다.

(5) A는 D보다 질량이 큰 주계열성이므로 진화 속도가 D보다 빠르다. 따라서 A는 D보다 원시별에서 주계열 단계에 도달하는 시간이 짧다.

(6) B는 표면 온도가 A보다 낮지만 광도는 A와 비슷하므로 반지름이 A보다 크다.

바로알기 | (2) H-R도의 오른쪽 위로 갈수록 별의 반지름은 커지고 밀도는 작아진다.

(7) C는 백색 왜성으로, 질량이 태양과 비슷한 별의 마지막 진화 단계이다.

(8) C는 백색 왜성으로, 더 이상 핵융합 반응을 할 수 없게 된 중심핵이 수축하여 형성되므로 내부에서 핵융합 반응이 일어나지 않는다.

(9) C는 핵융합 반응이 더 이상 진행되지 않는 진화의 마지막 단계이므로 A~D 중 수소가 차지하는 비율이 가장 낮다.

난이도별 필수 기출

548 ㄱ, ㅂ	549 ⑤	550 (가) 초거성 (나) 거성 (다) 주계열성 (라)
백색 왜성	551 ④	552 ②	553 ⑤, ⑥	554 ②
555 ⑤	556 ⑤, ⑥		557 ④	558 ⑤
559 해설 참조	560 ①	561 ①	562 ②, ④
563 ①	564 ③	565 ③	566 ①	567 해설 참조
568 해설 참조	569 ③	570 ②, ⑧		571 ③
572 해설 참조	573 ⑤	574 해설 참조
575 ④, ⑦		576 ⑤	577 ②	578 ③

548 ㄱ, ㅂ. H-R도의 세로축에는 광도 또는 광도와 관련 있는 절대 등급을 쓸 수 있다.

바로알기 | ㄹ, ㅁ, ㅅ. H-R도의 가로축에는 표면 온도 또는 표면 온도를 나타내는 색지수, 분광형을 쓸 수 있다.

549 ① H-R도에서 가로축에 해당하는 물리량에는 표면 온도와 표면 온도를 나타내는 분광형, 색지수가 있다.

② H-R도의 왼쪽 하단에 위치한 별일수록 반지름이 작고 밀도가 크다.

③ 중성자별이나 블랙홀과 같은 별은 H-R도에 나타나지 않는다.

④ 거성은 표면 온도가 낮고 광도가 크므로 H-R도의 오른쪽 상단에 위치한다.

바로알기 | ⑤ H-R도의 왼쪽 위에서 오른쪽 아래로 길게 이어지는 영역에 분포하는 별은 주계열성이다. 백색 왜성은 H-R도의 왼쪽 하단에 위치한다.

550 (다)는 H-R도의 왼쪽 위에서 오른쪽 아래로 길게 이어지는 영역에 분포하는 주계열성이다.

(나)는 H-R도의 오른쪽 상단에 위치하여 표면 온도가 낮고 광도가 큰 거성이다.

(가)는 거성인 (나)보다 광도가 커서 반지름이 더 큰 초거성이다.

(라)는 H-R도의 왼쪽 아래에 위치하여 표면 온도가 같은 주계열성보다 반지름이 작고 밀도가 큰 백색 왜성이다.

551 A와 C는 주계열성으로, 주계열성은 표면 온도가 높을수록 반지름이 크다. ➡ 반지름: A>C
B는 C와 표면 온도가 같고 광도는 C보다 크다. ➡ 반지름: B>C
B는 A보다 표면 온도가 낮지만 광도는 A와 같다. ➡ 반지름: B>A
따라서 반지름의 크기는 B>A>C이다.

552 ㄷ. (다)는 H-R도의 왼쪽 하단에 분포하는 백색 왜성으로, 세 집단 중 평균 밀도가 가장 크다.

바로알기 | ㄱ. H-R도에서 왼쪽으로 갈수록 별의 표면 온도가 높으므로 (가)는 (다)보다 대체로 표면 온도가 낮다.

ㄴ. (나)는 H-R도의 왼쪽 위에서 오른쪽 아래로 길게 분포하는 주계열성으로, 질량이 클수록 표면 온도가 높고 광도가 크다.

553 A는 주계열성, B와 C는 초거성, D는 백색 왜성이다.

① A는 태양보다 광도가 큰 주계열성이므로 질량이 태양보다 크다.

② A는 B보다 절대 등급이 작으므로 광도가 크다.

③ A는 C보다 절대 등급이 5등급 작으므로 실제로 100배 밝다.

④ B는 분광형이 G형이고 C는 분광형이 K형이므로 B가 C보다 표면 온도가 높다.

⑦ C는 B와 비교하여 표면 온도는 낮지만 절대 등급이 같아 광도가 같으므로, B보다 반지름이 크다.

⑧ D는 분광형이 A형에 가까워 표면 온도가 높지만 광도가 작으므로 반지름이 작은 별이다. 따라서 D는 백색 왜성이다.

⑨ D는 백색 왜성으로, 주계열성인 태양보다 평균 밀도가 크다.

바로알기 | ⑤ B는 태양과 분광형이 같아 표면 온도가 같고, 절대 등급이 태양보다 10등급 작으므로 광도는 태양보다 $100^2=10000$배 크다. 두 별의 표면 온도가 같은 경우, 광도는 반지름의 제곱에 비례하므로 B의 반지름은 태양의 100배이다.

⑥ C는 분광형이 K형으로 주황색을 띤다.

554 집단 A는 초거성, B는 거성, C는 주계열성, D는 백색 왜성이다.

ㄷ. 거성(B)이 백색 왜성(D)보다 광도가 크므로 단위 시간 동안 방출하는 총에너지양이 더 많다.

바로알기 | ㄱ. 가로축(㉠)에는 왼쪽으로 갈수록 값이 커지는 물리량인 표면 온도가, 세로축(㉡)에는 위로 갈수록 값이 커지는 물리량인 광도가 들어갈 수 있다.

ㄴ. 태양은 주계열성(C)이고 안타레스는 거성보다 더 큰 초거성(A)이다. 주계열성은 초거성보다 평균 밀도가 크므로 태양이 안타레스보다 평균 밀도가 크다.

555

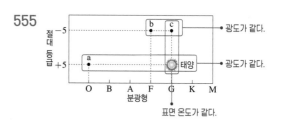

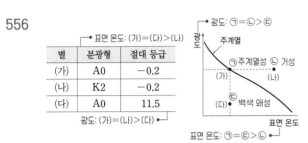

별	a	b	c	태양
분광형	O	F	G	G	→ 표면 온도: a>b>c=태양
절대 등급	+5	−5	−5	+5	→ 광도: b=c>a=태양

ㄱ. a는 분광형이 O형이므로 G형인 태양보다 표면 온도가 높다.

ㄴ. b와 c는 절대 등급이 같으므로 광도가 같다.

ㄷ. 별의 반지름은 표면 온도가 낮을수록, 광도가 클수록 크다. c는 a보다 표면 온도가 낮고 광도가 크므로 반지름이 더 크다. c는 b와 광도는 같지만 b보다 표면 온도가 낮으므로 반지름이 더 크다. 따라서 a~c 중 c의 반지름이 가장 크다.

556

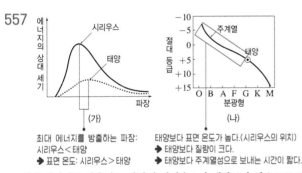

별	분광형	절대 등급
(가)	A0	−0.2
(나)	K2	−0.2
(다)	A0	11.5

→ 표면 온도: (가)=(다)>(나)
→ 광도: (가)=(나)>(다)

(가)는 ㉠에, (나)는 ㉡에, (다)는 ㉢에 해당한다.

① 분광형이 (가)와 (다)는 A0형이고 (나)는 K2형이므로 표면 온도는 (가)와 (다)가 같고, (나)가 가장 낮다.

② 절대 등급이 작을수록 광도가 크므로 광도는 (가)와 (나)가 같고, (다)가 가장 작다.

③ (가)는 (나)보다 표면 온도가 높고 (나)와 광도가 같으므로, (가)는 ㉠에, (나)는 ㉡에 해당한다. (다)는 (가)와 표면 온도가 같고, (가)보다 광도가 작으므로 ㉢에 해당한다.

④ (가)는 ㉠에 해당하므로 주계열성이다.

바로알기 | ⑤ (나)는 H-R도의 오른쪽 위에 위치하여 표면 온도가 낮지만 반지름이 커서 광도가 큰 거성이다. (다)는 H-R도의 왼쪽 아래에 위치하여 표면 온도가 높지만 반지름이 작아 광도가 작은 백색 왜성이다.

⑥ (나)는 거성, (다)는 백색 왜성이므로 (나)가 (다)보다 반지름이 크다.

557

ㄱ. 최대 에너지를 방출하는 파장이 시리우스가 태양보다 짧으므로 표면 온도는 시리우스가 태양보다 높다.

ㄴ. 시리우스는 태양보다 표면 온도가 높은 주계열성이므로 (나)의 H-R도에서 태양의 왼쪽 위에 위치한다.

ㄷ. 시리우스는 H-R도에서 태양의 왼쪽 위에 위치하는 주계열성이므로 태양보다 질량이 크다.

바로알기 | ㄹ. 별의 질량이 클수록 주계열성으로 보내는 시간이 짧으므로 시리우스가 태양보다 주계열성으로 보내는 시간이 짧다.

558 ⑤ 두 별의 분광형(표면 온도)이 같다면, 광도 계급의 숫자가 작을수록 광도와 반지름이 크다. 따라서 광도 계급이 I인 별은 IV인 별보다 반지름이 크다.

바로알기 | ① 광도 계급의 숫자가 작을수록 광도가 크므로 광도 계급이 III인 ㉡은 광도 계급이 Ia인 ㉠보다 광도가 작다.

② 태양은 분광형이 G2형이고 광도 계급은 주계열성인 V로, ㉢과 광도 계급은 일치하지만 분광형이 다르므로 ㉢에 해당하지 않는다.

③ 광도 계급이 V인 별은 주계열성으로, 주계열성은 표면 온도가 높을수록 절대 등급이 작으므로 광도가 크다.

④ 두 별의 광도 계급이 같아도 분광형이 다르면 표면 온도가 다르다.

개념 보충

분광형과 광도 계급
• 분광형이 동일한 별의 스펙트럼이라도 별의 반지름이 클수록 흡수선의 선폭이 좁아진다.
• **광도 계급:** 흡수선의 선폭을 기준으로 별을 광도가 큰 I에서 광도가 작은 VII까지 7개의 계급으로 분류한다. ➡ 초거성(I), 밝은 거성(II), 거성(III), 준거성(IV), 주계열성(V), 준왜성(VI), 백색 왜성(VII)
• 분광형이 같은 경우, 광도 계급의 숫자가 클수록 별의 광도와 반지름이 작아진다.

광도 계급	광도	반지름	별의 종류
I	크다.	크다.	초거성
II	↑	↑	밝은 거성
III			거성
IV			준거성
V			주계열성
VI	↓	↓	준왜성
VII	작다.	작다.	백색 왜성

559

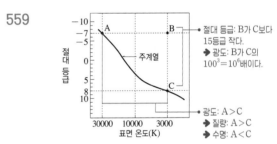

절대 등급: B가 C보다 15등급 작다.
➡ 광도: B가 C의 $100^3 = 10^6$배이다.

광도: A>C
➡ 질량: A>C
➡ 수명: A<C

(1) 주계열성의 질량이 클수록 광도가 크다. A는 C보다 절대 등급이 작아 광도가 큰 주계열성이므로 질량이 더 크다.

모범 답안 (1) 질량이 작은 주계열성일수록 수명이 길므로 C가 A보다 수명이 더 길다.

(2) B는 C보다 절대 등급이 15등급 작으므로 광도가 $100^3 = 10^6$배 크다. 따라서 B와 C의 광도비는 1000000 : 1이다.

(3) B는 C와 표면 온도는 같지만 광도가 C의 10^6배이다. 따라서 $\frac{L_B}{L_C} = 10^6 = \frac{4\pi(R_B)^2 \cdot \sigma T^4}{4\pi(R_C)^2 \cdot \sigma T^4}$에서 $R_B = 1000R_C$이므로 B의 반지름은 C의 1000배이다.

560

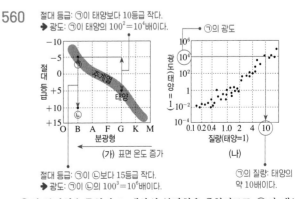

절대 등급: ㉠이 태양보다 10등급 작다.
➡ 광도: ㉠이 태양의 $100^2 = 10^4$배이다.

절대 등급: ㉠이 ㉡보다 15등급 작다.
➡ 광도: ㉠이 ㉡의 $100^3 = 10^6$배이다.

㉠의 질량: 태양의 약 10배이다.

ㄱ. ㉠의 분광형은 B형이고, 태양의 분광형은 G형이므로 ㉠이 태양보다 표면 온도가 높다.

바로알기 | ㄴ. 절대 등급이 5등급 작으면 광도는 100배 크다. ㉠이 ㉡보다 절대 등급이 15등급 작으므로 광도는 ㉠이 ㉡의 $100^3 = 10^6$배이다.

ㄷ. ㉠은 태양보다 절대 등급이 10등급 작으므로 광도는 ㉠이 태양의 $100^2 = 10^4$배이다. 따라서 (나)에서 광도가 10^4인 ㉠의 질량은 태양의 약 10배이다.

561 성운은 주로 분자 상태의 수소(㉠)로 구성되어 있으며, 원시별은 성운 중 중력 수축하여 물질이 뭉쳐지기 쉬운 밀도가 높고(㉡), 온도가 낮은(㉢) 영역에서 형성된다.

562 ① 원시별이 중력 수축하여 표면 온도가 높아져 1000 K 정도에 이르면 빛(가시광선)을 방출하는 전주계열 단계가 된다.
③ 질량이 $0.08\ M_\odot$ 이하인 원시별은 중심 온도가 1000만 K에 이르지 못해 수소 핵융합 반응이 일어나지 않으므로 그대로 식어 갈색 왜성이 된다.
⑤ 질량이 큰 원시별일수록 중력 수축이 빠르게 일어나므로 주계열 단계에 빨리 도달하여, 광도가 크고 표면 온도가 높은 주계열성이 된다.
⑥ 원시별의 질량에 따라 원시별이 주계열 단계에 도달하는 데 걸리는 시간과 진화하는 동안 광도 변화와 표면 온도 변화가 다르게 나타나므로 H-R도에서 진화 경로가 달라진다.
바로알기 | ② 별이 될 수 있는 원시별의 최소 질량은 $0.08\ M_\odot$이므로 질량이 $0.01\ M_\odot$인 원시별은 중력 수축하여도 중심 온도가 1000만 K까지 높아지지 않아 별이 되지 못한다.
④ 질량이 $1\ M_\odot$인 원시별은 중력 수축하는 동안 광도가 크게 변한다.

563

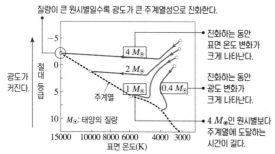

질량이 큰 원시별일수록 광도가 큰 주계열성으로 진화한다.

ㄱ. 질량이 큰 원시별일수록 절대 등급이 작은 주계열성이 되므로 광도가 큰 주계열성으로 진화한다.
바로알기 | ㄴ. 주계열에 도달하는 동안 표면 온도의 변화는 질량이 $4\ M_\odot > 2\ M_\odot > 1\ M_\odot > 0.4\ M_\odot$인 원시별의 순서로 나타나고 있다. 광도의 변화는 원시별의 질량이 작을수록 크게 나타난다.
ㄷ. 원시별의 질량이 클수록 중력 수축이 빠르게 일어나므로 질량이 $4\ M_\odot$인 원시별은 $1\ M_\odot$인 원시별보다 주계열에 도달하는 시간이 짧다.

564 ① 원시별의 에너지원은 원시별이 중력에 의해 수축할 때 발생하는 중력 수축 에너지이다.
② 전주계열 단계에서 중심핵의 온도가 약 1000만 K에 이르면 수소 핵융합 반응이 시작되어 별(주계열성)이 탄생한다.
④ 적색 거성의 헬륨 핵을 둘러싼 바로 바깥의 수소층에서 수소 핵융합 반응이 일어난다.
⑤ 적색 거성의 중심부에서 헬륨 핵융합이 끝나면 더 이상 핵융합 반응이 일어나지 않고 중심핵은 계속 수축하여 백색 왜성이 된다. 따라서 백색 왜성의 중심부에서는 핵융합 반응이 일어나지 않는다.
바로알기 | ③ 별의 중심부에서 일어나는 핵융합 반응으로는 철까지 만들어지며, 초신성 폭발 과정에서 철보다 무거운 원소가 만들어진다.

565 ① 별은 대부분 수소로 이루어져 있으므로, 중심부에서 수소 핵융합 반응이 일어나는 주계열성으로 일생의 대부분을 보낸다.
② 주계열성의 중심부에서는 수소 핵융합 반응이 일어나 헬륨이 생성된다.
④ 주계열성은 내부 기체의 압력 차이로 발생한 힘과 중력이 평형을 이루면서 크기가 일정하게 유지된다.
⑤ 주계열성은 질량이 클수록 중심부에서 핵융합 반응이 활발하게 일어나므로 방출되는 에너지양이 많고 표면 온도가 높다.
바로알기 | ③ 별의 질량이 클수록 수소 핵융합 반응이 빠르게 일어나 중심부의 수소가 빠르게 소진되므로 주계열성으로 짧게 머무른다.

566 질량이 태양과 비슷한 별은 원시별 이후 주계열성 → 적색 거성 → 행성상 성운 → 백색 왜성의 진화 과정을 거친다.

567 **모범 답안** 질량이 태양보다 매우 큰 별은 원시별 이후 주계열성 → 초거성 → 초신성 → 중성자별 또는 블랙홀의 진화 과정을 거친다.

568 별의 질량이 클수록 중력 수축이 빠르게 일어나고, 중심부의 온도가 높아 핵융합 반응이 빠르게 진행되므로 진화 속도가 빠르다.
모범 답안 질량, 별의 질량이 클수록 수명이 짧다.

569 ㄱ. 진화의 마지막 단계의 천체가 백색 왜성이므로 그림은 질량이 태양과 비슷한 별의 진화 과정이고, (가)는 주계열성, (나)는 적색 거성, (다)는 행성상 성운이다.
ㄴ. 적색 거성은 주계열성 이후 별의 바깥층이 팽창하여 형성되므로 적색 거성인 (나)는 주계열성인 (가)보다 반지름이 크고 표면 온도가 낮다.
바로알기 | ㄷ. 행성상 성운인 (다)는 적색 거성 이후 별의 바깥층의 물질이 서서히 우주 공간으로 방출되면서 형성된다.

570

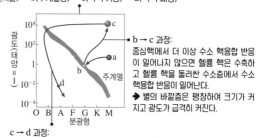

태양과 질량이 비슷한 별의 진화 경로:
a(원시별) → b(주계열성) → c(적색 거성) → d(백색 왜성)

b → c 과정:
중심핵에서 더 이상 수소 핵융합 반응이 일어나지 않으면 헬륨 핵은 수축하고 헬륨 핵을 둘러싼 수소층에서 수소 핵융합 반응이 일어난다.
➡ 별의 바깥층은 팽창하여 크기가 커지고 광도가 급격히 커진다.

c → d 과정:
대기의 물질 일부가 우주 공간으로 방출되어 행성상 성운이 형성되고, 별의 중심부는 더욱 수축하여 밀도가 매우 큰 백색 왜성이 된다.

① 분광형이 M형인 a는 분광형이 A형에 가까운 d보다 표면 온도가 낮으므로 색지수가 크다.
③ 별은 일생의 약 90 %를 주계열성인 b 단계에서 보낸다.
④, ⑤ b(주계열성) → c(적색 거성) 과정에서 별의 중심부는 수축하고 바깥층은 팽창하면서, 표면 온도는 낮아진다.
⑥, ⑦ c(적색 거성) 이후 맥동 변광성과, 행성상 성운 단계를 거친 후 d(백색 왜성)로 진화하면서 별의 밀도가 커진다.
바로알기 | ② 주계열성이 적색 거성으로 진화하는 과정에서 별의 바깥층이 팽창하므로 b(주계열성)는 c(적색 거성)보다 반지름이 작다.
⑧ 철보다 무거운 원소는 태양보다 질량이 매우 큰 별의 진화 단계 중 초신성 폭발 과정에서 생성된다.

571 그림은 태양의 진화 경로이므로 (가)는 원시별, (나)는 주계열성, (다)는 적색 거성, (라)는 백색 왜성이다.

ㄱ. 현재 태양은 주계열성이므로 진화 단계는 (나)이다.

ㄷ. (다)에서 (라)로 진화하는 동안 별의 광도가 작아지므로 절대 등급은 커진다.

바로알기 | ㄴ. 원시별인 (가)에서 주계열성인 (나)로 진화하는 과정의 에너지원은 별이 중력 수축할 때 방출되는 중력 수축 에너지이다.

572 **모범 답안** 광도가 커진다. (나)에서 (다)로 진화하는 동안 별의 표면 온도는 낮아지지만 바깥층이 팽창하면서 반지름이 매우 커지기 때문이다.

573

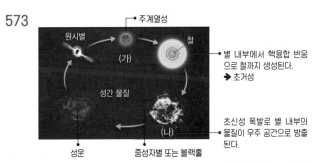

ㄱ. 별의 중심부에서 철까지 생성되는 핵융합 반응이 진행되므로 (가)는 태양보다 질량이 매우 큰 주계열성이다.

ㄴ. (나)는 초신성 폭발 과정으로, 많은 양의 에너지와 별 내부의 물질이 우주 공간으로 방출된다.

ㄷ. (나) 초신성 폭발 이후 별의 중심핵은 더욱 수축하여 밀도가 매우 큰 중성자별이나 블랙홀이 된다.

574 중심핵의 질량이 태양 질량의 약 1.4배보다 크고, 약 3배보다 작은 별은 내부에서 철까지 생성되고 핵융합 반응이 멈추면 급격하게 수축하면서 초신성 폭발이 일어난다. 이 과정에서 철보다 무거운 원소가 만들어지고, 별의 중심부는 수축하여 중성자별이 된다.

모범 답안 중성자별, 초신성 폭발 과정에서 철보다 무거운 원소가 만들어진다.

575 ① 질량이 태양과 비슷한 별의 최종 진화 단계는 백색 왜성이므로 태양은 (가)의 과정으로 진화한다.

② (가)는 질량이 태양과 비슷한 별의 진화 과정, (나)는 질량이 태양보다 매우 큰 별의 진화 과정으로, 진화 경로는 별의 질량에 의해 결정된다.

③ 원시별(A) 단계에서는 별의 중심부에서 핵융합 반응이 일어나지 않고, 주계열성(B) 단계에서는 별의 중심부에서 수소 핵융합 반응이 일어난다. 따라서 별의 중심부 온도는 A보다 B 단계에서 높다.

⑤ 초신성 폭발이 일어나는 C 단계에서 철보다 무거운 원소가 생성된다.

⑥ 별의 질량이 작을수록 수명이 길므로 별의 수명은 (나)보다 상대적으로 질량이 작은 (가)에서 더 길다.

바로알기 | ④ 별의 질량이 클수록 주계열성으로 짧게 머무르므로, 별이 주계열성(B) 단계에 머무는 시간은 (가)보다 상대적으로 질량이 큰 (나)에서 짧다.

⑦ 백색 왜성보다 상대적으로 질량이 큰 별이 수축하여 형성된 중성자별의 밀도가 더 크다.

576 ⑤ (가)의 중심부에는 백색 왜성이 남고, (나)의 중심부에는 중성자별 또는 블랙홀이 남으므로 성운의 중심부에 존재하는 천체의 질량은 (나)가 (가)보다 크다.

바로알기 | ① (가)는 질량이 태양과 비슷한 별의 진화 과정 중 일부이고, (나)는 질량이 태양보다 매우 큰 별의 진화 과정 중 일부이다. 따라서 (가)는 (나)보다 질량이 더 작은 별에서 진화한 것이다.

② 행성상 성운의 중심부에는 별의 중심핵이 수축하여 형성된 백색 왜성이 남는다.

③ 철보다 무거운 원소는 (나)의 형성 과정에서 만들어진다.

④ 별의 질량이 클수록 주계열 단계에 짧게 머무르므로 (나) 과정을 거치는 별이 주계열 단계에 머무는 시간이 더 짧다.

577 ㄴ, ㄷ. 주계열성이(B) 거성(D)으로 진화하는 동안 중심핵은 수축하고 바깥층은 팽창하므로 별의 반지름이 커진다.

바로알기 | ㄱ. 색지수는 별의 표면 온도가 낮을수록 크므로 D가 가장 크고, A가 가장 작다.

ㄹ. C와 D의 중심핵은 주계열 단계일 때 일어난 수소 핵융합 반응으로 수소가 거의 소진된 상태이다.

578 ㄴ. 주계열성의 질량이 클수록 광도가 크며, 주계열 단계에서 A가 B보다 광도가 크므로 질량이 더 크다.

ㄹ. (나)에서 B는 적색 거성으로 진화하는 동안 표면 온도가 낮아지지만 광도는 커지므로 반지름이 커진다.

바로알기 | ㄱ. (가)는 원시별에서 주계열 단계에 도달하는 주계열 이전의 진화 경로이고, (나)는 주계열 단계에서 거성 단계로 진화하는 주계열 이후의 진화 경로이다.

ㄷ. (가)에서 A는 원시별에서 주계열 단계에 도달하는 진화 단계에 있으므로 주요 에너지원은 중력 수축 에너지이다. 수소 핵융합 반응은 주계열 단계에서의 주요 에너지원이다.

20 별의 에너지원과 내부 구조

빈출 자료 보기   153쪽

579 (1) ○ (2) ○ (3) × (4) × (5) × (6) ○ (7) ×

579 질량이 태양과 비슷한 주계열성의 내부 구조는 중심으로부터 '핵 → 복사층 → 대류층'이고, 질량이 태양의 약 2배 이상인 주계열성의 내부 구조는 중심으로부터 '대류핵 → 복사층'이다.

(1) (가)의 내부 구조는 '핵 → 복사층 → 대류층'이므로 (가)는 질량이 태양과 비슷한 주계열성이다.

(2) 질량이 태양과 비슷한 주계열성인 (가)의 중심부 온도는 약 1800만 K보다 낮아 P-P 반응이 우세하게 나타난다.

(6) 별의 질량이 클수록 원시별에서 주계열성이 되는 데 걸리는 시간이 짧다. (가)는 (나)보다 질량이 작으므로 원시별에서 주계열성이 되는 데 걸린 시간이 더 길다.

바로알기 | (3) (나)의 내부 구조는 '대류핵 → 복사층'이므로 (나)는 질량이 태양의 약 2배 이상인 주계열성이다. 따라서 (나)는 (가)보다 질량이 큰 주계열성이다.

(4) 질량이 태양의 약 2배 이상인 주계열성인 (나)의 중심부 온도는 약 1800만 K보다 높으므로 CNO 순환 반응이 우세하게 나타난다.

(5) (가)와 (나)는 주계열성이므로 내부의 기체 압력 차이로 발생한 힘과 중력의 크기가 같은 정역학 평형 상태이다.

(7) 별의 질량이 클수록 주계열성으로 머무는 시간이 짧다. (나)는 (가)보다 질량이 크므로 주계열성으로 머무는 시간이 더 짧다.

난이도별 필수 기출

154~159쪽

580 원시별: 중력 수축 에너지, 주계열: 수소 핵융합 반응   581 ③
582 해설 참조   583 해설 참조   584 ④   585 ④
586 ③   587 ②, ④   588 ①   589 ②, ⑥
590 ②   591 ②, ④   592 ②   593 ⑤   594 ④
595 해설 참조   596 ⑤   597 ③   598 해설 참조
599 ③   600 ①   601 ②   602 ⑧, ⑨
603 해설 참조   604 ⑤   605 ①   606 ⑤, ⑥
607 ⑤   608 ②

580 핵융합 반응이 일어나지 않는 원시별의 주요 에너지원은 중력 수축 에너지이고, 핵융합 반응이 시작되는 주계열성의 주요 에너지원은 수소 핵융합 반응이다.

581 ㄱ. 주계열성의 에너지원은 가장 낮은 온도에서 일어나는 핵융합 반응인 수소 핵융합 반응이다.

ㄴ. 주계열성의 중심부는 표면보다 온도가 높아 1000만 K 이상으로 높아지므로 수소 원자핵이 융합하여 헬륨 원자핵을 생성하는 수소 핵융합 반응이 일어난다.

바로알기 | ㄷ. 수소 핵융합 과정에서 질량 결손이 발생하며, 감소한 질량(Δm)은 질량·에너지 등가 원리($E = \Delta mc^2$, c: 광속)에 따라 에너지(E)로 전환된다. 따라서 핵융합 반응으로 발생하는 에너지는 감소한 질량에 비례한다.

582 **모범 답안** 양성자·양성자 반응(P−P 반응)은 중심부 온도가 약 1800만 K보다 낮은 주계열 하단부의 별에서 우세하게 일어난다.

583 **모범 답안** 탄소·질소·산소 순환 반응(CNO 순환 반응)에서 탄소, 질소, 산소는 촉매 역할을 한다. 이 반응은 중심부 온도가 약 1800만 K보다 높은 주계열 상단부의 별에서 우세하게 일어난다.

584 ①, ③ 태양은 표면 온도가 약 5800 K(G2형)인 주계열성(V)이므로 M−K 분류법에 따르면 G2V로 분류된다.

② 태양의 중심부 온도는 약 1500만 K으로, 중심부에서는 P−P 반응이 우세하게 일어난다.

⑤ 수소 핵융합 반응이 태양의 에너지원임을 에딩턴이 주장하였고, 베테가 이를 입증하였다.

바로알기 | ④ 주계열성으로서 태양의 수명은 약 100억 년으로, 현재 약 50억 년이 지났고, 앞으로 약 50억 년을 더 주계열 단계에 머무를 것이다.

585 ④ 별 내부에서 헬륨 핵융합 반응이 일어날 수 있는 최저 온도는 약 1억 K이다.

바로알기 | ② 별의 내부 온도가 약 1000만 K에 도달하면 수소 핵융합 반응이 일어나기 시작한다.

586 ① 원시별의 주요 에너지원은 자체 중력에 의해 수축이 일어날 때 생성되는 중력 수축 에너지이다.

② 원시별에는 기체 압력 차이로 발생한 힘보다 중력이 크게 작용하므로 중력 수축이 일어난다.

④, ⑤ 원시별에서 중력 수축으로 발생한 에너지의 일부는 방출되어 빛을 내고, 일부는 원시별의 중심부 온도를 높인다. 원시별이 계속 중력 수축하여 중심부 온도가 1000만 K 이상이 되면 수소 핵융합 반응이 시작되고, 이때부터 주계열성이라고 한다.

바로알기 | ③ 원시별에서는 중력 수축으로 에너지가 발생한다. 중심부에서 수소 핵융합 반응으로 에너지가 발생하는 진화 단계는 주계열성이다.

587 ① 결과적으로 수소 원자핵 4개가 융합하여 헬륨 원자핵 1개를 만드는 핵융합 반응이므로 수소 핵융합 반응의 원리이다.

③ 수소 핵융합 반응은 별의 중심부 온도가 약 1000만 K 이상일 때 일어난다.

⑤ 모든 핵융합 과정 중 감소한 질량(Δm)은 $E = \Delta mc^2$만큼 에너지(E)로 전환된다.

⑥ 중심핵에서 수소 핵융합 반응이 일어나는 별의 진화 단계는 주계열성으로, 주계열성은 정역학 평형 상태를 유지하여 크기가 일정하게 유지된다.

바로알기 | ② 수소 핵융합 반응은 주계열성에서는 중심핵에서 일어나며, 거성 단계에서는 별의 헬륨 핵을 둘러싼 바로 바깥의 수소층에서 일어난다(수소각 연소).

④ 4개의 수소 원자핵이 융합하는 과정에서 질량 결손이 일어나므로 1개의 헬륨 원자핵의 질량은 4개의 수소 원자핵 질량의 합보다 작다.

588 주계열성의 중심부에서는 수소 핵융합 반응이 일어나고, 수소 핵융합 반응에는 P−P 반응과 CNO 순환 반응이 있다.

ㄱ. 그림은 수소 원자핵 6개가 헬륨 원자핵 1개와 수소 원자핵 2개로 바뀌면서 에너지를 생성하므로 P−P 반응에 해당한다.

바로알기 | ㄴ. P−P 반응은 중심부 온도가 약 1800만 K보다 낮은 질량이 작은 별의 중심부에서 우세하게 일어난다. 질량이 태양의 3배인 별은 중심부의 온도가 1800만 K보다 높으므로 CNO 순환 반응이 우세하게 일어난다.

ㄷ. 핵융합 과정에서 별의 질량은 감소하고, 감소한 질량만큼의 에너지가 방출된다.

589 ② 4개의 수소 원자핵이 융합하여 1개의 헬륨 원자핵이 생성되는 과정에서 탄소, 질소, 산소는 촉매 역할을 한다.

⑥ $^{13}N \rightarrow$ (가) 과정에서 ^{13}N는 양성자 하나가 중성자로 변하면서 양전자와 중성미자를 방출하여 질량수는 같지만 원자 번호가 1 작아져 ^{13}C가 된다. $^{14}N \rightarrow$ (나) 과정에서 ^{14}N는 양성자가 하나 더해져 질량수와 원자 번호가 1 커진 ^{15}O가 된다.

바로알기 | ① 탄소, 질소, 산소가 촉매 역할을 하여 수소 원자핵을 융합시켜 헬륨 원자핵을 생성하는 반응으로, 수소 핵융합 반응 중 하나이다.

③, ④ 태양과 같이 중심부 온도가 약 1800만 K보다 낮은 주계열성의 중심핵에서는 P−P 반응이 우세하게 일어난다. CNO 순환 반응은 태양보다 질량이 약 2배 이상 커서 중심부 온도가 약 1800만 K보다 높은 주계열성의 중심핵에서 우세하게 일어난다.

⑤ 이 반응이 우세하게 일어나는 별은 질량이 큰 별로, 중심에는 대류로 에너지가 전달되는 대류핵이 존재한다. 대류는 온도 차가 클 때 에너지를 효과적으로 전달하는데, 질량이 큰 별일수록 중심부의 온도가 매우 높아 표면과 온도 차가 크다.

590 ㄱ. (가)는 탄소, 질소, 산소가 촉매 역할을 하여 수소 원자핵을 융합시켜 헬륨 원자핵을 만드는 CNO 순환 반응이고, (나)는 수소 원자핵 6개가 헬륨 원자핵 1개와 수소 원자핵 2개로 바뀌면서 에너지를 생성하는 P−P 반응이다.

ㄹ. CNO 순환 반응인 (가)에서 탄소, 질소, 산소는 반응물에 영향을 주지 않고 촉매 역할을 한다.

바로알기| ㄴ. (가)와 (나)는 모두 수소 핵융합 반응으로, 최종적으로 헬륨 원자핵이 생성된다.

ㄷ. (가)는 약 1800만 K보다 높은 온도에서, (나)는 약 1800만 K보다 낮은 온도에서 우세하게 일어난다. 따라서 (나)는 (가)보다 중심부의 온도가 낮은 별에서 우세하게 나타난다.

591

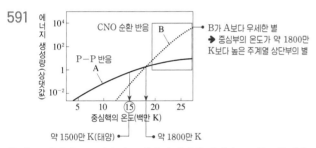

① A는 상대적으로 낮은 온도에서 우세하게 일어나므로 P−P 반응이고, B는 상대적으로 높은 온도에서 우세하게 일어나므로 CNO 순환 반응이다.

③ 중심부 온도가 1000만 K인 별에서 B 반응은 일어나지 않는다.

⑤ 태양은 중심부 온도가 약 1500만 K이므로 중심부에서는 A 반응이 B 반응보다 우세하게 일어난다.

⑥ 분광형이 O형인 별은 주계열 상단부의 별로, 표면 온도는 30000 K 이상이고 질량이 매우 크다. 별의 중심부는 온도가 약 1800만 K보다 높은 상태이므로 중심부에서는 B 반응이 더 우세하게 일어난다.

바로알기| ② A와 B는 모두 수소 핵융합 반응으로 헬륨 원자핵을 생성한다.

④ 그림에서 중심부 온도가 약 1800만 K보다 높은 별에서의 에너지 생성률은 A 반응이 B 반응보다 낮다.

592 ㄴ. 백색 왜성 단계에서는 별 내부에서 핵융합 반응이 일어나지 않으며 별은 천천히 식어간다.

바로알기| ㄱ. 주계열 단계 이후에 별의 중심부 온도가 1억 K이 되면 헬륨 핵융합 반응이 일어나기 시작한다.

ㄷ. 질량이 태양보다 매우 큰 별은 주계열 단계 이후에 별의 중심에서 He → C → Ne → O → Si의 순서로 핵융합 반응이 일어난다.

593

주계열성	질량(태양=1)	수소 핵융합 반응	최종 진화 단계
(가)	$0.26 \le M \le 1.5$	P−P 반응 우세	A 백색 왜성
(나)	$8 \le M < 25$	CNO 순환 반응 우세	중성자별
(다)	$M \ge 25$	CNO 순환 반응 우세	B 블랙홀

ㄱ. (가)는 질량이 태양 정도인 별이므로 최종 진화 단계(A)가 백색 왜성이고, (다)는 질량이 태양보다 매우 큰 별이므로 최종 진화 단계(B)가 블랙홀이다.

ㄴ. 별의 질량이 클수록 주계열 단계에 머무는 시간이 짧다. (가)는 (나)보다 질량이 작으므로 주계열 단계에 머무는 시간이 더 길다.

ㄷ. (다)는 질량이 태양 질량의 25배 이상으로, 질량이 매우 커서 중심부의 온도가 약 1800만 K보다 높다. 따라서 (다)의 중심부에서는 CNO 순환 반응이 우세하게 나타난다.

개념 보충

별의 진화의 최종 단계
• **행성상 성운과 백색 왜성:** 적색 거성 중심핵에서 핵융합 반응 중지 → 질량이 태양과 비슷한 별은 바깥층의 물질 일부가 우주 공간으로 방출되어 행성상 성운 형성, 중심핵은 수축하여 밀도가 높은 백색 왜성 형성
• **초신성과 중성자별, 블랙홀:** 초거성 중심핵에서 철이 생성된 후 핵융합 반응 중지 → 질량이 태양보다 매우 큰 별은 급격한 중력 수축이 일어나면서 초신성 폭발 → 중심핵은 계속 수축하여 밀도가 매우 큰 중성자별 또는 블랙홀 형성

594

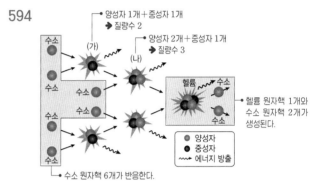

주계열성인 태양의 중심부에서는 수소 핵융합 반응이 일어나며, P−P 반응이 우세하게 일어난다.

ㄱ. 수소 원자핵 6개가 헬륨 원자핵 1개와 수소 원자핵 2개로 바뀌면서 에너지를 생성하는 반응이므로 P−P 반응을 나타낸 것이다.

ㄴ. (가)는 양성자 1개+중성자 1개이므로 질량수는 2이고, (나)는 양성자 2개+중성자 1개이므로 질량수는 3이다.

ㄷ. 수소 원자핵 6개가 반응하여 헬륨 원자핵 1개와 수소 원자핵 2개를 생성하며 에너지를 방출하는 반응이다.

바로알기| ㄹ. P−P 반응은 중심부의 온도가 약 1800만 K보다 낮은 별에서 우세하게 일어나므로 주계열 하단부에 위치하여 질량이 작은 별의 중심부에서 우세하게 일어난다.

595 (1) 태양 전체 질량 2×10^{30} kg 중 수소 핵융합 반응에 참여하는 중심핵의 질량은 10 %이고, 그중 0.7 %가 결손되며, 이때 결손된 질량이 에너지로 전환된다. 결손된 질량(Δm)과 광속(c)을 질량·에너지 등가 원리 $E = \Delta mc^2$에 대입하면 태양이 수소 핵융합 반응으로 방출할 수 있는 총 에너지양(E)을 구할 수 있다.

(2) 총 에너지양인 1.26×10^{44} J을 태양의 광도인 4×10^{26} J/s로 나누면 태양이 주계열 단계에 머무르는 시간이 된다.(약 100억 년)

모범 답안 (1) $E = \Delta mc^2$에서 Δm은 2×10^{30} kg$\times 0.1 \times 0.007$이고, $c = 3 \times 10^8$ m/s이므로 $E = 2 \times 10^{30}$ kg$\times 0.1 \times 0.007 \times (3 \times 10^8$ m/s$)^2$ $= 1.26 \times 10^{44}$ J이다.

(2) 태양의 광도

596 → 원시별에서 주계열성으로 진화할 때 광도 변화가 크다.

주계열성	중심핵 질량(태양=1)	수소 핵융합 반응	최종 진화 단계
(가)	$M < 1.4$	P−P 반응 우세	백색 왜성
(나)	$1.4 < M < 3$	CNO 순환 반응 우세	중성자별
(다)	$M > 3$	CNO 순환 반응 우세	A 블랙홀

→ 원시별에서 주계열성으로 진화할 때 표면 온도 변화가 크다.
→ 초신성 폭발을 거쳐 형성된다.

① (다)는 중심핵 질량이 태양의 3배보다 커서 질량이 매우 큰 별로, 최종 진화 단계에서 블랙홀(A)이 된다.

② A는 블랙홀이므로 초신성 폭발을 거쳐 형성되었다.

③ (가)는 질량이 태양 정도인 별로, 중심부에서는 상대적으로 저온에서 일어나는 P-P 반응이 우세하게 일어난다.

④ 별의 수명은 질량이 작은 (가)가 질량이 큰 (나)보다 길다.

바로알기 | ⑤ 질량이 큰 원시별은 주계열에 도달하는 동안 광도 변화에 비해 표면 온도의 변화가 크고, 질량이 작은 원시별은 표면 온도 변화에 비해 광도 변화가 크다. 따라서 원시별에서 주계열성으로 진화할 때 광도 변화는 질량이 상대적으로 작은 (가)에서 더 크다.

> **개념 보충**
>
> **찬드라세카르 한계**
> 인도의 천문학자 찬드라세카르는 백색 왜성으로 최후를 맞는 별은 중심핵 질량이 태양 질량의 1.4배를 넘지 않는다는 것을 밝혀내었고, 이를 찬드라세카르 한계라고 한다. 따라서 최종 진화 단계에서 별의 중심핵 질량이 태양 질량의 1.4배가 넘지 않으면 백색 왜성이, 1.4배가 넘으면 중성자별이 되며, 특히 태양 질량의 3배가 넘는 경우에는 중력 수축이 계속 일어나 밀도와 중력이 매우 커져 블랙홀이 된다.

597 ㄱ. 정역학 평형 상태일 때 별은 구형을 이루며, 중력과 기체 압력 차이로 발생한 힘이 평형을 이루어 크기가 변하지 않는 안정적인 상태를 유지한다.

ㄴ. 대류는 에너지 전달률이 좋은 열전달 방법으로, 별 내부의 온도 차가 클 때 에너지를 효과적으로 전달하는 방식이다.

바로알기 | ㄷ. 질량이 태양의 약 2배 이상인 주계열성의 중심부는 에너지 발생량이 많아 온도가 매우 높으므로 표면과 온도 차가 크다. 따라서 중심부에서는 대류의 형태로 에너지를 전달한다.

598 **모범 답안** 주계열성은 중력과 기체 압력 차이로 발생한 힘이 평형을 이루는 정역학 평형 상태에 있으므로 수축이나 팽창을 하지 않고 크기가 일정하게 유지된다.

599 ㄱ. 별의 크기가 일정하게 유지되고 있고 중심핵에서 수소 핵융합 반응이 일어나고 있는 별은 주계열 단계에 있는 별이다.

ㄷ. 기체 압력 차이로 발생한 힘(A)과 중력(B)의 크기가 같아 힘의 평형을 이루고 있으므로 별의 크기가 일정하게 유지된다.

바로알기 | ㄴ. A는 바깥쪽으로 작용하는 기체 압력 차이로 발생한 힘이고, B는 중심 쪽으로 작용하는 중력이다.

600
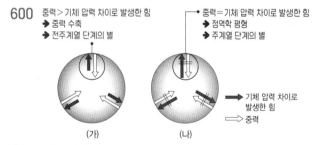

② 전주계열 단계의 별은 중력이 기체 압력 차이로 발생한 힘보다 커서 중력 수축이 일어나므로 (가)에 해당한다.

③ 주계열 단계의 별은 중력과 기체 압력 차이로 발생한 힘의 크기가 같아 정역학 평형 상태이므로 (나)에 해당한다.

④ (가)는 중력 수축이 일어나므로 시간이 지날수록 중심부의 밀도가 커진다.

⑤ (나)는 정역학 평형 상태이므로 별의 크기가 일정하게 유지된다.

바로알기 | ① (가)는 중력이 기체 압력 차이로 발생한 힘보다 크므로 정역학 평형 상태가 아니며, 중력에 의해 수축이 일어난다.

601 에너지는 전도, 대류, 복사의 형태로 전달되는데, 별은 물질의 밀도가 매우 작으므로 전도를 통한 에너지 전달은 거의 일어나지 않으며 주로 복사와 대류로 에너지가 전달된다. 질량이 태양과 비슷한 별의 내부는 중심으로부터 '핵-복사층-대류층'으로 구성되어 에너지를 전달한다. 따라서 A는 복사층, B는 대류층이다.

ㄷ. B는 대류층으로 대류에 의해 에너지를 전달한다.

바로알기 | ㄱ. 주계열성의 중심핵에서는 수소 핵융합 반응이 일어나며, 수소 핵융합 반응으로 헬륨이 생성된다.

ㄴ. A는 복사층이므로 복사 형태로 물질의 이동 없이 에너지의 이동만 일어난다.

602
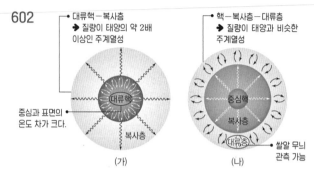

⑧ P-P 반응은 중심부 온도가 약 1800만 K보다 낮은 별에서 우세하게 일어나므로 (가)보다 질량이 작은 (나)에서 우세하게 일어난다.

⑨ (가)와 (나)는 모두 주계열성이므로 정역학 평형 상태이다.

바로알기 | ① 태양의 내부 구조는 (나)와 같이 '핵-복사층-대류층'으로 이루어져 있다.

② (가)는 내부 구조가 '대류핵-복사층'으로 이루어져 있으므로 질량이 태양의 약 2배 이상인 주계열성이다. 따라서 (가)는 (나)보다 질량이 크다.

③ 진화 속도는 상대적으로 질량이 큰 (가)가 (나)보다 빠르다.

④ 중심 온도는 상대적으로 질량이 큰 (가)가 (나)보다 높다.

⑤ 표면 온도는 질량이 더 크고 중심핵에서 에너지 발생량이 더 많은 (가)가 (나)보다 높다.

⑥ 주계열성은 질량이 클수록 반지름이 크다. 따라서 질량이 더 큰 (가)가 (나)보다 반지름이 더 크다.

⑦ 쌀알 무늬는 태양의 표면에서 물질의 대류에 의해 형성되므로 바깥층이 복사층인 (가)에서는 관측되지 않고, 바깥층이 대류층인 (나)에서 잘 관측된다.

> **개념 보충**
>
> **질량에 따른 주계열성 비교**
>
> | 질량 | $M \leq 2 M_\odot$ | $2 M_\odot \leq M$ |
> | --- | --- | --- |
> | 수소 핵융합 | P-P 반응 우세 | CNO 순환 반응 우세 |
> | | 중심부와 주변부의 온도 차가 작다. ➡ 중심부에서는 복사를 통해, 바깥층에서는 대류를 통해 에너지를 전달한다. | 중심부와 주변부의 온도 차가 매우 크다. ➡ 빠른 에너지 전달을 위해 중심부에서는 대류를 통해, 바깥층에서는 복사를 통해 에너지를 전달한다. |
> | 에너지 전달 방식 | | |
>
> ▲ 질량에 따른 에너지 전달 방법

603 (1) 중심에서 헬륨 핵은 수축하고, 바깥층(외층)은 헬륨 핵을 둘러싼 바로 바깥의 수소층에서 일어난 수소 핵융합 반응에 의해 팽창하므로 별은 주계열성에서 거성으로 진화하고 있는 단계이다.
(2) 바깥층(외층)이 팽창함에 따라 별의 표면 온도는 낮아지고, 표면 온도가 낮아지지만 반지름이 매우 커지면서 광도는 커진다.
(3) 중심핵이 수축하면서 방출되는 중력 수축 에너지에 의해 중심핵의 온도는 높아진다.

> **모범 답안** (1) 주계열성에서 거성으로 진화하는 단계이다.
> (2) 표면 온도는 낮아지고, 광도는 커진다.
> (3) 중심핵의 온도는 높아진다.

604 ⑤ 헬륨 핵의 중력 수축으로 발생한 에너지가 중심부 외곽에 공급되어 헬륨 핵 바로 바깥의 수소층에서 수소 핵융합 반응(수소각 연소)이 일어난다.

바로알기 | ① 별의 바깥층이 팽창하여 별의 반지름이 커지면서 광도는 커진다.
② 별이 팽창하면서 표면 온도는 낮아진다.
③ 별의 크기가 커지므로 정역학 평형 상태가 아니다.
④ 헬륨 핵이 수축하지만 바깥층은 팽창하므로 별의 반지름은 커진다.

605

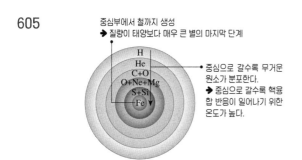

별의 중심에 철이 분포하므로 질량이 태양보다 매우 큰 별의 마지막 단계의 내부 구조이다.
ㄱ. 중심핵에서 점점 높은 온도에서 핵융합 반응이 일어나면 중심으로 갈수록 무거운 원소가 만들어진다.
ㄴ. 중심으로 갈수록 무거운 원소가 분포하므로 핵융합 반응이 일어나기 위한 온도가 높다.

바로알기 | ㄷ. 별의 질량이 충분히 크면 중심핵에서 더 무거운 원소를 만드는 핵융합 반응이 연속적으로 일어나므로 중심에 분포한 원소일수록 나중에 생성된 것이다.
ㄹ. 이 별은 중심부에서 핵융합 반응으로 철까지 형성된 매우 큰 질량의 별이므로 최종적으로 중성자별이나 블랙홀로 진화할 것이다.

606 (가)는 중심핵에 탄소가 생성되어 있으므로 질량이 태양 정도인 별이 적색 거성 단계를 거쳐 중심에서 핵융합 반응이 멈춘 후이다. (나)는 중심핵에 철이 생성되어 있으므로 질량이 태양보다 매우 큰 별이 초거성 단계를 거쳐 중심에서 핵융합 반응이 멈춘 후이다.
① 질량이 태양 정도인 별의 중심에서는 (가)와 같이 탄소, 산소까지 생성될 수 있다.
② (나)는 질량이 태양보다 매우 큰 별의 내부 구조로, 별은 이후 초신성 폭발이 일어나 블랙홀로 진화할 수 있다.
③ 질량이 큰 별일수록 중심핵에서 무거운 원소가 생성되므로 주계열성일 때 별의 질량은 (가)보다 (나)가 더 크다.
④ 별의 중심부 온도가 높을수록 무거운 원소가 생성되므로 철이 생성된 (나)가 탄소가 생성된 (가)보다 중심부 온도가 더 높다.

바로알기 | ⑤ (가)는 별의 바깥 물질이 우주 공간으로 서서히 방출되어 행성상 성운을 형성하지만, (나)는 초신성 폭발로 별의 바깥 물질이 급격하게 우주로 방출된다.
⑥ (가)와 (나)를 구성하는 원소 중 대부분은 핵융합 반응으로 생성되었지만 수소는 핵융합 반응으로 생성될 수 없고 빅뱅 과정에서 생성되었다.

607 (가)에서 a와 c는 주계열성, b는 거성, d는 백색 왜성에 해당한다. (나)는 중심핵에서 수소 핵융합 반응이 일어나고, 내부 구조가 '핵-복사층-대류층'이므로 질량이 태양과 비슷한 주계열성의 내부 구조이다.
⑤ (나)와 같은 내부 구조가 나타나는 별은 태양과 질량이 비슷한 주계열성이므로 c이다.

바로알기 | ① a는 c보다 절대 등급이 10등급 작으므로 광도는 약 $100^2 = 10000$배 크다.
② 별의 광도는 반지름의 제곱에, 표면 온도의 네제곱에 비례한다. b는 분광형이 K형으로, G형인 c보다 표면 온도는 낮지만 절대 등급이 작아서 광도가 크므로 반지름이 더 크다.

> **다른 해설** ② b는 c보다 H-R도의 오른쪽 위에 위치하므로 반지름이 크다.

③ 진화 단계를 가장 많이 거친 별은 진화의 마지막 단계의 별인 d(백색 왜성)이다.
④ (나)는 질량이 태양 정도로 중심부 온도가 약 1800만 K보다 낮은 별의 내부 구조이므로 중심부에서 P-P 반응이 우세하게 일어난다.

608

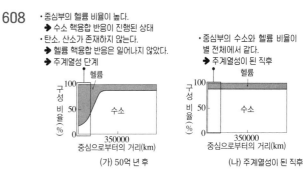

ㄷ. 50억 년 후에도 별은 주계열성이므로 (가)와 (나) 사이의 기간 동안 별은 주계열성으로 머물고 있다. 주계열성은 정역학 평형 상태이므로 이 기간 동안 별의 크기는 일정하게 유지된다.

바로알기 | ㄱ. (가)는 중심핵의 헬륨 비율이 수소 비율보다 높으므로 수소 핵융합 반응이 많이 진행된 50억 년 후이고, (나)는 수소와 헬륨 비율이 중심핵을 포함하여 별 전체에서 같으므로 수소 핵융합 반응이 일어나기 시작한 주계열성이 된 직후이다.
ㄴ. (가)에서 중심핵에 수소가 일부 남아 있는 것으로 보아 별은 수소 핵융합 반응이 일어나는 주계열성이다. 앞으로 중심부의 수소 핵융합 반응이 멈춘 후 중심부가 중력 수축하여 온도가 높아지면 헬륨 핵융합 반응이 일어날 수 있다.

21 외계 행성계와 외계 생명체 탐사

빈출 자료 보기   161쪽
609 (1) ○ (2) × (3) × (4) ○ (5) ○ (6) ×
610 (1) ○ (2) ○ (3) × (4) ×

609 (1) 중심별과 행성이 공통 질량 중심 주위를 공전함에 따라 중심별의 시선 속도가 변하므로 별빛의 도플러 효과가 나타난다. 따라서 중심별의 스펙트럼에서 흡수선의 파장 변화를 관측하여 행성의 존재를 확인할 수 있다.

(4) 중심별이 관측자의 시선 방향에서 멀어질 때 별빛의 파장이 길어지므로 흡수선의 적색 편이가 나타난다.

(5) 행성의 질량이 클수록 중심별의 공전 궤도 반지름이 커지므로 시선 속도 변화가 크게 나타난다.

바로알기 | (2) 중심별과 행성은 공통 질량 중심을 서로 공전하며, 천체의 질량이 클수록 공통 질량 중심에 가깝게 공전한다. 별은 행성에 비해 질량이 매우 크므로 공통 질량 중심을 가깝게 공전하는 A는 중심별이고, B는 행성이다.

(3) 행성의 질량이 클수록 공통 질량 중심은 중심별에서 멀어진다.

(6) 행성의 공전 궤도면이 관측자의 시선 방향과 수직이면 중심별의 시선 속도 변화가 거의 나타나지 않는다.

610 (1), (2) 지구는 태양으로부터 1 AU 거리에 위치한다. 태양계의 생명 가능 지대에 유일하게 지구가 포함되어 있으므로 태양계에서 약 1 AU 내외의 범위에 생명 가능 지대가 존재한다.

바로알기 | (3) 화성은 생명 가능 지대 바깥쪽에 위치하므로 지구보다 표면 온도가 낮아 표면에는 물이 고체 상태로 존재할 것이다.

(4) 태양의 질량이 현재보다 작았다면 방출하는 복사 에너지양도 현재보다 적었을 것이므로 생명 가능 지대는 현재보다 태양에 가까운 곳에 위치하였을 것이다.

611 외계 행성계 탐사 방법은 주로 간접적인 방법을 이용하면 중심별의 시선 속도 변화를 이용하는 방법, 행성에 의한 식 현상을 이용하는 방법, 미세 중력 렌즈 현상을 이용하는 방법이 있다.

612 ㄴ. 중심별과 행성이 공통 질량 중심 주위를 공전하면서 중심별의 시선 속도가 변하므로 도플러 효과가 나타난다. 따라서 중심별의 스펙트럼에 나타나는 흡수선의 파장 변화를 관찰하면 행성의 존재를 확인할 수 있다.

ㄹ. 행성의 중력에 의해 배경별의 밝기가 불규칙하게 변하는 미세 중력 렌즈 현상을 이용하면 행성의 존재를 확인할 수 있다.

바로알기 | ㄱ. 행성은 크기가 작고 매우 어둡기 때문에 사진을 촬영하여 외계 행성을 관측하는 직접적인 방법보다는 간접적인 방법을 주로 이용한다.

ㄷ. 행성이 중심별의 앞쪽을 지날 때 중심별의 밝기가 변하는 현상인 식 현상을 이용하면 행성의 존재를 확인할 수 있다.

613 ㄱ. 중심별이 1에 위치할 때 지구(관측자)로 다가오면서 별빛의 파장이 짧아지므로 스펙트럼에서 청색 편이가 나타난다.

바로알기 | ㄴ. 중심별이 2에 위치할 때 지구(관측자)로부터 멀어지면서 별빛의 파장이 길어져 스펙트럼에서 적색 편이가 나타나므로 흡수선은 파장이 긴 쪽으로 이동한다.

ㄷ. 중심별과 행성은 공통 질량 중심 주위를 같은 주기로 공전한다.

614 ㄱ. 행성과 중심별은 같은 방향으로 공전하므로 행성은 ㉡ 방향으로 공전한다.

ㄴ. 행성이 A에 위치할 때 중심별은 지구에서 멀어지고 있으므로 스펙트럼에서 적색 편이가 관측된다.

ㄷ. 행성의 질량이 클수록 공통 질량 중심이 행성 쪽으로 이동하면서 중심별의 공전 궤도 반지름이 커진다. 그에 따라 중심별의 시선 속도 변화가 커지면서 도플러 효과가 크게 나타난다.

615

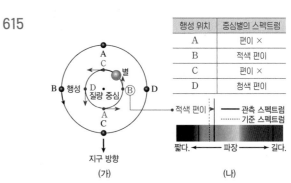

(1) (나)는 스펙트럼에서 적색 편이가 나타나므로 중심별이 지구에서 멀어지고 있을 때 관측한 것이다. 행성이 B에 위치할 때, 행성은 지구에 가까워지지만 중심별은 지구로부터 멀어지므로 스펙트럼에서 적색 편이가 관측된다.

(2) 행성이 A 또는 C에 위치할 때 중심별의 공전 방향과 관측자의 시선 방향이 수직이므로 시선 속도가 0이다. 따라서 중심별의 스펙트럼에서 적색 편이와 청색 편이가 모두 나타나지 않는다.

(3) 행성의 공전 궤도면과 관측자의 시선 방향이 수직인 경우에는 공전하는 동안 중심별의 시선 속도 변화가 나타나지 않는다. 행성의 질량이 작거나 행성이 중심별에서 멀리 떨어져 있는 경우 중심별의 시선 속도 변화가 작게 나타나므로 행성의 존재를 확인하기 어렵다.

모범 답안 (1) B

(2) A, C

(3) 행성의 공전 궤도면과 관측자의 시선 방향이 수직일 때에는 관측이 불가능하다. 행성의 질량이 작은 경우에는 행성을 발견하기 어렵다. 행성이 중심별에서 멀리 떨어져 있는 경우에는 행성을 발견하기 어렵다.

616 ③ 행성의 공전 주기에 따라 행성이 중심별을 가리는 식 현상이 반복되므로 중심별의 밝기 변화가 공전 주기를 따라 주기적으로 나타난다.

⑥ 식 현상이 일어날 때 행성의 대기 성분에 의해 특정 파장의 별빛이 흡수되므로 행성의 대기를 통과하는 별빛의 스펙트럼을 분석하면 행성의 대기 성분을 알 수 있다.

바로알기 | ① 행성이 중심별을 가리는 식 현상에 의해 중심별의 밝기가 변한다.

② 행성의 크기가 클수록 행성이 중심별을 가리는 면적이 커지므로 중심별의 밝기 변화가 크게 나타난다.

④ 식 현상이 일어났으므로 관측자의 시선 방향과 행성의 공전 궤도면이 거의 나란할 때 관측한 것이다.

⑤ 행성이 3의 위치에 있을 때 중심별은 시선 방향과 수직인 방향으로 이동하므로 시선 속도 변화가 나타나지 않는다. 따라서 중심별의 스펙트럼에서 편이량은 0이 된다.

617 ㄱ. A는 식 현상이 일어나는 주기로 행성의 공전 주기와 같다. 따라서 행성의 공전 주기가 길수록 A가 길어진다.

바로알기 | ㄴ. 행성의 반지름(R)이 2배가 되면 행성의 단면적(πR^2)은 4배가 되므로 행성이 중심별을 가리는 면적도 4배가 된다. 따라서 중심별의 밝기 변화량인 a는 4배로 커진다.

ㄷ. 중심별의 밝기가 최소일 때 중심별은 시선 방향에 수직이거나 수직에 가깝게 이동하므로 스펙트럼의 파장 변화가 거의 나타나지 않는다. 따라서 스펙트럼의 파장 변화를 거의 관측할 수 없다.

618 **모범 답안** 거리가 다른 두 별이 같은 시선 방향에 위치할 때, 배경별의 빛이 중심별의 중력에 의해 미세하게 굴절되면서 배경별의 밝기가 변한다. 이때 중심별이 행성을 거느리고 있다면 행성의 중력에 의해 배경별의 밝기가 추가적으로 변한다.

619 ㄱ. 미세 중력 렌즈 현상을 이용하여 외계 행성을 탐사하는 방법은 중심별 A와 행성의 중력에 의해 배경별인 B의 밝기가 변하는 현상을 관측하여 행성의 존재를 확인하는 방법이다.

바로알기 | ㄴ. 행성의 공전 궤도 반지름이 큰 것이 배경별의 추가적인 밝기 감지에 유리하므로 행성의 존재를 확인하는 데 유리하다.

ㄷ. 관측자의 시선 방향과 행성의 공전 궤도면이 나란하지 않아도 중력이 작용하므로 행성의 중력에 의해 배경별의 추가적인 밝기 증가가 나타날 수 있다.

620 ㄱ. 별 X와 행성의 중력에 의해 별 S의 밝기가 변하므로 미세 중력 렌즈 현상을 이용하는 방법이다.

ㄷ. X 항성계에 행성이 많을수록 행성의 중력에 의해 별 S의 추가적인 밝기 변화가 여러 번 나타날 수 있으므로 별 S의 밝기는 더 불규칙하게 변할 것이다.

바로알기 | ㄴ. 별 S는 A에서 C로 이동하는 동안 별 X의 중력에 의한 미세 중력 렌즈 효과가 최대일 때(B) 가장 밝게 관측된다.

621 ① 미세 중력 렌즈 현상을 이용한 외계 행성 탐사는 배경별인 A의 밝기 변화를 관측한다.

③ a는 별 S의 중력에 의해 나타나는 별 A의 밝기 변화이다.

④ b는 행성의 중력에 의해 나타나는 별 A의 추가적인 밝기 변화이다.

⑤ 관측자—별 S—별 A가 일직선상에 위치할 때의 미세 중력 렌즈 현상으로 별 A의 최대 밝기가 나타난다.

⑥ 행성의 질량이 클수록 행성의 중력이 크므로 행성에 의한 추가적인 밝기 변화인 b의 변화가 크게 나타난다.

⑦ 미세 중력 렌즈 효과는 지구 정도의 크기나 질량을 가진 행성을 찾는 데 이용할 수 있으므로 다른 탐사 방법에 비해 질량이 작은 행성 탐사에 유리하다.

바로알기 | ② 배경별은 중심별과 중력으로 묶여 있지 않아 외계 행성계가 배경별 앞을 여러 번 지나가지 않으므로 밝기 변화가 주기적으로 나타나지 않는다.

⑧ 미세 중력 렌즈 현상을 이용한 행성의 탐사는 다른 탐사 방법에 비해 공전 궤도 반지름이 큰 행성의 탐사에 유리하다. 행성의 공전 궤도 반지름이 크면 언제 식 현상이 일어날지 몰라 식 현상을 이용하기 어렵고, 행성과 별의 공전 속도가 너무 느려 별빛의 스펙트럼 편이량이 매우 작게 나타나기 때문에 시선 속도 변화를 이용하기 어렵다.

622 미세 중력 렌즈 현상으로 배경별의 밝기가 추가적으로 변하는 현상은 드물게 일어나므로 항상 하늘을 관측해야 하며, 주기적인 관측이 불가능하다.

모범 답안 미세 중력 렌즈 현상은 드물게 일어난다. 주기적인 관측이 불가능하다.

623 (가)는 중심별의 시선 속도 변화를 이용하는 방법이고, (나)는 식 현상을 이용하는 방법이다.

② (가)에서 중심별의 시선 속도 변화가 클수록 도플러 효과가 크게 나타나므로 스펙트럼 흡수선의 파장 변화가 크게 나타난다.

③ (나)에서 중심별의 밝기가 감소하는 주기를 구하면 행성의 공전 주기를 구할 수 있다.

④ (나)에서 식 현상을 일으키는 행성의 반지름이 클수록 행성에 의해 가려지는 중심별의 면적이 넓어지므로 중심별의 밝기 변화가 크게 나타난다.

⑤ 행성의 공전 궤도면이 시선 방향과 나란한 경우, (가)에서 중심별의 스펙트럼 변화와 (나)에서 중심별의 밝기 변화 관측에 유리하다.

바로알기 | ① (가)는 중심별의 스펙트럼에 나타나는 흡수선의 변화를, (나)는 중심별의 밝기 변화를 관측한다. 행성의 스펙트럼 변화나 밝기 변화는 관측할 수 없다.

624 ㄱ. 그림에서 세로축의 수치를 보면 발견된 행성의 대부분은 지구보다 질량이 크다.

바로알기 | ㄴ. 그림에서 미세 중력 렌즈 현상을 이용하여 발견한 행성이 가장 적다.

ㄷ. 공전 궤도 반지름이 1 AU가 넘는 행성은 중심별의 시선 속도 변화를 이용한 방법으로 많이 발견되었으므로 이를 이용하여 탐사하는 것이 유리하다.

625

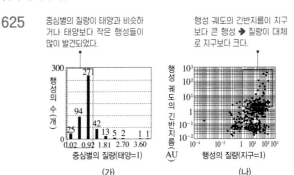

중심별의 질량이 태양과 비슷하거나 태양보다 작은 행성들이 많이 발견되었다.

행성 궤도의 긴반지름이 지구보다 큰 행성 ➔ 질량이 대체로 지구보다 크다.

(가)   (나)

ㄷ. 대부분의 외계 행성들은 시선 속도 변화, 식 현상 등을 이용한 간접적인 탐사 방법을 통해 발견되었다.

바로알기 | ㄱ. (가)에서 외계 행성이 많이 발견되는 중심별은 질량이 태양과 비슷하거나 태양보다 작은 경우가 많다.

ㄴ. 발견된 행성 중 행성 궤도의 긴반지름이 지구보다 큰 행성들은 대체로 질량이 지구보다 크다.

626

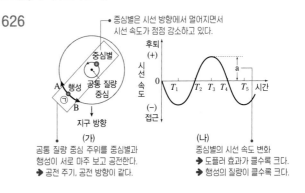

중심별은 시선 방향에서 멀어지면서 시선 속도가 점점 감소하고 있다.

(가)
공통 질량 중심 주위를 중심별과 행성이 서로 마주 보고 공전한다.
➔ 공전 주기, 공전 방향이 같다.

(나)
중심별의 시선 속도 변화
➔ 도플러 효과가 클수록 크다.
➔ 행성의 질량이 클수록 크다.

ㄴ. 행성이 ㉠에 위치할 때 중심별은 시선 방향에서 멀어지면서 시선 속도가 점점 감소하므로, 이때의 시간은 (나)에서 $T_3 \sim T_4$에 해당한다.

ㄷ. 행성의 질량이 클수록 중심별이 공통 질량 중심에서 멀어지므로 중심별의 시선 속도 변화가 크게 나타난다. 따라서 (나)에서 a가 크게 나타난다.

바로알기 | ㄱ. 행성과 중심별은 공통 질량 중심 주위를 같은 방향으로 공전하므로 행성은 B 방향으로 공전한다.

ㄹ. 행성의 공전 궤도면과 관측자의 시선 방향이 수직에 가까울수록 중심별의 시선 속도 변화가 작아지므로 (나)에서 a가 작게 나타난다.

627

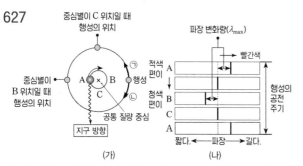

(가)　　　(나)

① (나)에서 중심별이 A 위치일 때 흡수선의 적색 편이가 나타나므로 중심별은 지구에서 멀어지고 있다. 따라서 중심별은 시계 방향으로 공전하고 있으며, 행성도 시계 방향인 ㉡ 방향으로 공전한다.

② 중심별이 A 위치일 때 흡수선의 적색 편이가 가장 크게 나타나므로 중심별의 시선 속도는 최대가 된다.

④ 행성의 질량이 클수록 별의 움직임이 커서 별빛의 시선 속도 변화가 크게 나타나므로 스펙트럼의 파장 변화가 크게 나타난다.

⑥ 중심별이 C 위치일 때 지구-중심별-행성 순으로 시선 방향에 나란하게 위치한다. 따라서 지구에서 관측한 외계 행성과 중심별의 각 거리는 C에서 최소가 되고, A와 B에서 최대가 된다.

바로알기 | ③ 중심별이 B 위치일 때 흡수선의 청색 편이가 가장 크므로 행성의 위치는 중심별이 A일 때의 행성의 위치와 정반대이다. 행성과 지구의 거리는 중심별이 C 위치일 때 가장 멀다.

⑤ 행성의 공전 주기는 중심별이 A부터 다시 A에 위치할 때까지 걸린 시간이다. A부터 C까지 관측하는 데 걸린 시간은 행성의 공전 주기보다 짧다.

628

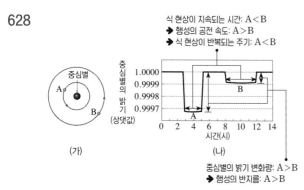

(가)　　　(나)

ㄴ. (나)에서 식 현상이 지속되는 시간은 최소 밝기가 지속되는 시간이므로 B가 A보다 길다.

ㄷ. 식 현상이 지속되는 시간이 B가 A보다 길므로 공전 속도는 B가 A보다 느리다. 따라서 B가 중심별을 공전하는 시간이 A보다 길므로 B에 의해 식 현상이 반복되는 주기가 A보다 길다.

바로알기 | ㄱ. 행성의 식 현상에 의한 중심별의 밝기 변화량이 A가 B보다 크므로 행성의 반지름은 A가 B보다 크다.

629 ① 생명 가능 지대는 중심별의 주변 공간에서 물이 액체 상태로 존재할 수 있는 거리의 영역을 의미한다.

② 물이 액체 상태로 존재하기 위해서는 행성이 생명 가능 지대에 위치하여 표면 온도가 적절하게 유지되어야 한다.

④, ⑤ 주계열성인 중심별의 질량이 클수록 광도가 크므로 생명 가능 지대는 중심별에서 멀어지고, 생명 가능 지대의 폭이 넓어진다.

바로알기 | ③ 생명 가능 지대는 물이 액체 상태로 존재할 수 있는 범위를 의미하며, 생명체가 존재하는 범위를 의미하는 것은 아니다.

630 ① 행성에 외계 생명체가 존재하기 위해서는 생명체에 필요한 물질을 쉽게 공급할 수 있는 액체 상태의 물이 존재해야 한다.

② 적절한 두께의 대기는 우주에서 오는 유해 광선을 막아주고, 온실 효과를 일으켜 생명체가 살기에 적절한 온도를 유지해 준다.

③ 자기장은 우주에서 오는 고에너지 입자를 차단할 수 있다.

⑤ 행성의 자전축이 안정적으로 유지되어 기후 시스템에 급격한 변화가 생기는 것을 방지할 수 있어야 한다.

바로알기 | ④ 생명체가 탄생하여 진화하기까지 상당한 시간이 필요하므로 중심별의 진화 속도가 느리고, 수명은 충분히 길어야 한다.

631 ① 액체 상태의 물이 존재할 가능성은 A~C 중 생명 가능 지대에 위치한 B가 가장 높다.

② 행성의 표면 온도는 생명 가능 지대보다 중심별로부터 가까이에 위치한 A가 생명 가능 지대에 위치한 B보다 높다.

③ 주계열성인 중심별의 질량이 클수록 수명이 짧다. 중심별의 질량은 A보다 C의 중심별이 크므로 중심별의 수명은 C가 더 짧다.

④ 주계열성인 중심별의 질량이 클수록 광도가 크고, 생명 가능 지대의 폭은 중심별의 광도가 클수록 넓어진다.

바로알기 | ⑤ 중심별의 절대 등급이 작을수록 광도가 크므로 생명 가능 지대까지의 거리가 멀어진다.

⑥ 중심별의 질량이 클수록 별의 진화 속도가 빨라 행성이 생명 가능 지대에 머무는 시간이 짧으므로 생명체가 탄생하여 진화할 시간이 충분하지 않다.

632 (1) 생명 가능 지대의 폭과 중심별로부터의 거리는 중심별의 광도에 영향을 받으며 주계열성은 질량이 클수록 광도가 크다. 따라서 A에는 광도, 질량이 들어갈 수 있다.

(2) (가)는 (나)보다 질량이 큰 주계열성으로, 주계열성의 질량이 클수록 수명이 짧으므로 (가)가 (나)보다 수명이 짧다.

(3) (가)의 물리량인 광도가 매우 큰 경우 중심별의 질량이 매우 커서 수명이 짧으므로, 행성이 생명 가능 지대에 머무는 시간이 짧다. 이 경우 행성에서 생명체가 탄생하여 진화할 시간이 부족해지므로 생명체가 존재하기 어려워진다.

모범 답안 (1) 광도, 질량
(2) (가)가 (나)보다 수명이 짧다.
(3) 생명체가 탄생하여 진화할 수 있는 시간이 부족하기 때문이다.

633

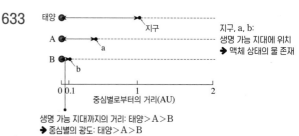

생명 가능 지대까지의 거리: 태양>A>B
➔ 중심별의 광도: 태양>A>B
➔ 생명 가능 지대의 폭: 태양>A>B

ㄱ. 행성 a와 b는 생명 가능 지대에 위치하므로 행성 a와 b에는 액체 상태의 물이 존재할 것이다.

ㄴ. 생명 가능 지대까지의 거리는 별 A보다 태양이 더 멀므로 광도는 태양이 별 A보다 크다. 주계열성은 질량이 클수록 광도가 크므로 질량은 태양이 별 A보다 크다.

ㄷ. 생명 가능 지대의 폭은 중심별의 광도가 클수록 넓다. 태양은 별 B보다 광도가 크므로 생명 가능 지대의 폭이 더 넓다.

634 (가)에서 태양의 생명 가능 지대까지의 거리는 1 AU 부근이고, (나)에서 별 A의 생명 가능 지대까지의 거리는 1 AU보다 가깝다.

① 중심별의 광도가 클수록 생명 가능 지대까지의 거리가 멀므로, 광도는 태양이 별 A보다 크다.

② 주계열성의 질량이 클수록 광도가 크다. 광도는 태양이 별 A보다 크므로 질량도 태양이 별 A보다 크다.

④ 중심별의 광도가 클수록 생명 가능 지대의 폭이 넓다. 광도는 태양이 별 A보다 크므로 생명 가능 지대의 폭은 태양이 별 A보다 넓다.

⑤ 별 A는 태양보다 표면 온도가 낮고 광도가 작은 주계열성이므로 H-R도상에서 태양의 오른쪽 아래에 위치한다.

바로알기 | ③ 행성 a는 생명 가능 지대보다 바깥쪽에 위치하므로 표면 온도가 낮아 물이 고체 상태로 존재할 것이다.

⑥ 질량이 큰 주계열성일수록 별이 진화하는 데 걸리는 시간이 짧다. 질량은 태양이 별 A보다 크므로 주계열성에서 거성으로 진화하는 데 걸리는 시간은 태양이 별 A보다 짧다.

635

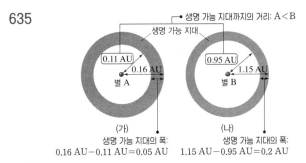

ㄱ 생명 가능 지대까지의 거리: A < B
생명 가능 지대

0.11 AU ← 0.16 AU
별 A

0.95 AU ← 1.15 AU
별 B

(가)
생명 가능 지대의 폭:
0.16 AU−0.11 AU=0.05 AU

(나)
생명 가능 지대의 폭:
1.15 AU−0.95 AU=0.2 AU

모범 답안 (1) 별 B
(2) 별 B, 중심별의 질량이 클수록 광도가 커서 중심별에서 생명 가능 지대까지의 거리가 멀고 생명 가능 지대의 폭이 넓으므로, 별 B가 별 A보다 질량이 크다.

636 • 물은 비열이 커서 많은 양의 열을 오래 보존할 수 있으므로 생명체의 항상성을 유지하는 데 중요한 역할을 한다.

• 물은 다양한 물질을 녹일 수 있는 용매이므로 생명체가 생명 활동에 필요한 물질들을 흡수하기에 용이하다.

• 물은 액체보다 고체의 밀도가 작아 표면의 물이 얼더라도 얼음 아래쪽에 수중 생태계가 유지될 수 있다.

모범 답안 비열이 크다. 다양한 물질을 녹일 수 있는 용매이다. 고체가 될 때 밀도가 작아진다.

637 ㄱ. 태양 탄생 시점부터 시간이 지날수록 생명 가능 지대의 폭이 넓어지고 있다.

ㄹ. 40억 년 후 태양의 광도가 현재보다 커서 지구가 생명 가능 지대보다 안쪽에 위치하므로 지구의 표면 온도는 현재보다 높을 것이다.

바로알기 | ㄴ. 태양이 탄생했을 당시 금성은 생명 가능 지대보다 안쪽에 위치하였으므로 액체 상태의 물이 존재하지 않았을 것이다.

ㄷ. 40억 년 후 생명 가능 지대의 폭은 현재보다 넓고, 생명 가능 지대까지의 거리는 현재보다 멀므로 태양의 광도는 현재보다 클 것이다.

638 ㄱ. t_1일 때가 t_0일 때보다 생명 가능 지대까지의 거리가 멀므로 별의 광도가 더 크다.

ㄹ. 행성 A는 t_0일 때, 행성 B는 t_0~t_1일 때 생명 가능 지대에 위치하므로 행성 B가 행성 A보다 생명 가능 지대에 오래 머물 수 있다.

바로알기 | ㄴ. t_1일 때가 t_0일 때보다 별의 광도가 크므로 생명 가능 지대의 폭이 더 넓다.

ㄷ. 행성 A는 t_0일 때 생명 가능 지대에 위치하고, t_1일 때 생명 가능 지대보다 안쪽에 위치하므로 표면 온도가 t_1일 때가 t_0일 때보다 높다.

639 ② ㉡ 시기에 A의 표면 온도는 물이 액체 상태로 존재할 수 있는 온도 범위 안에 있으므로 A는 생명 가능 지대에 위치한다.

바로알기 | ① 중심별이 탄생한 시기(0억 년)에 A의 표면 온도는 물이 액체 상태로 존재할 수 있는 온도보다 낮았으므로 A에는 물이 고체 상태로 존재했을 것이다.

③ 중심별의 나이가 20억 년일 때 A는 생명 가능 지대에 위치하지 않았으므로 A에는 생명체가 살지 않았을 것이다.

④ A의 표면 온도는 ㉠ 시기보다 ㉡ 시기에 높았으므로, A에 도달하는 중심별의 복사 에너지는 ㉠ 시기보다 ㉡ 시기에 많다.

⑤ 중심별의 나이가 많아지면서 A의 표면 온도가 높아지므로 중심별의 광도는 커진다. 따라서 생명 가능 지대의 폭은 점점 넓어지고 있다.

최고 수준 도전 기출 (18~21강)

168~169쪽

640 ②	641 해설 참조	642 ④	643 ⑤
644 ④	645 해설 참조	646 ④	647 ②

640 • 표면 온도: 분광형이 O → B → A → F → G → K → M으로 갈수록 낮으므로 표면 온도는 (다)>(나)>(가)이다.

• 광도: 절대 등급이 (가)<(다)<(나)이므로 광도는 (가)>(다)>(나)이다.

ㄱ. 최대 에너지를 방출하는 파장은 표면 온도에 반비례한다. (다)는 분광형이 A1형으로 표면 온도가 가장 높으므로, 최대 에너지를 방출하는 파장이 가장 짧다.

ㄹ. (가)는 분광형이 M2형이므로 분광형이 A1형인 (다)보다 표면 온도(T)가 낮지만 절대 등급이 (다)보다 작아 광도(L)가 크다. 따라서 $L=4\pi R^2 \cdot \sigma T^4$에 의해 반지름($R$)은 (가)가 (다)보다 크다.

바로알기 | ㄴ. 단위 시간당 단위 면적에서 방출하는 에너지양(E)은 $E=\sigma T^4$에서 표면 온도(T)가 높을수록 많으므로 (다)가 가장 많다.

ㄷ. 단위 시간 동안 방출하는 에너지의 총량은 광도를 의미하며, 광도는 절대 등급이 더 작은 (가)가 (나)보다 크다. (가)와 (나)의 절대 등급의 차가 5등급보다 크므로 광도는 (가)가 (나)의 100배보다 크다.

641 (1) 별의 표면 온도가 높을수록 색지수가 작다.

(2) 거리가 10 pc인 A의 절대 등급은 겉보기 등급과 같은 −3등급이고, 겉보기 등급(m)이 −3등급, 거리(r)가 100 pc인 B의 절대 등급(M)은 $m-M=5\log r-5$에서 −8등급이다. B가 A보다 절대 등급이 5등급 작으므로 광도는 B가 A의 100배이다.

(3) 광도는 B가 A의 100배이고, 표면 온도는 B가 A의 2배이다.

$\dfrac{L_B}{L_A}=100=\dfrac{4\pi (R_B)^2 \cdot \sigma (2T)^4}{4\pi (R_A)^2 \cdot \sigma T^4}$에서 $R_B=2.5R_A$이므로 B의 반지름은 A의 2.5배이다.

모범 답안 (1) B가 A보다 색지수가 작다.
(2) A의 절대 등급은 −3등급, B의 절대 등급은 −8등급으로 B가 A보다 절대 등급이 5등급 작으므로 광도는 B가 A의 100배이다.
(3) 광도는 B가 A의 100배, 표면 온도는 B가 A의 2배이고, 광도는 반지름의 제곱과 표면 온도의 네제곱에 비례하므로 B의 반지름은 A의 2.5배이다.

642

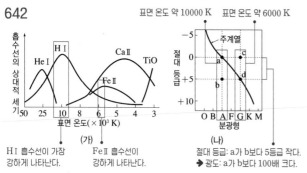

① a와 b는 A형 별로, 표면 온도가 약 10000 K이므로 모두 HI 흡수선이 가장 강하게 나타난다.
② c는 G형 별로, 표면 온도가 약 6000 K이므로 FeII 흡수선이 강하게 나타난다.
③ a와 d는 주계열성이므로 광도 계급이 모두 V이다.
⑤ 태양은 분광형이 G2형으로, 표면 온도가 약 5800 K이므로 CaII 흡수선이 HI 흡수선보다 강하게 나타난다.

바로알기 | ④ a와 b는 표면 온도가 같고, a는 b보다 절대 등급이 5등급 작으므로 광도가 100배 크다. 표면 온도가 같은 경우 광도는 반지름의 제곱에 비례하므로 a는 b보다 반지름이 10배 크다.

643 (가)는 질량이 태양과 비슷한 별의 진화 과정이고, (나)는 질량이 태양보다 매우 큰 별의 진화 과정이다.
ㄱ. 진화의 최종 단계가 (가)는 백색 왜성이고, (나)는 중성자별 또는 블랙홀이므로 (가)가 (나)보다 질량이 작은 별의 진화 과정이다.
ㄴ. 주계열성 이후 (가)는 적색 거성 단계로, (나)는 초거성 단계로 진화하고, 이 단계에서 중심핵에서 헬륨 핵융합 반응이 일어난다.
ㄷ. 주계열 단계인 별의 중심부에서는 (가)에서 P−P 반응이, (나)에서 CNO 순환 반응이 우세하게 일어나므로 $\dfrac{\text{P−P 반응에 의한 에너지 생성량}}{\text{CNO 순환 반응에 의한 에너지 생성량}}$ 은 (나)보다 (가)에서 크다.

644 ㄴ. (가) P−P 반응과 (나) CNO 순환 반응에서 수소 원자핵이 융합하여 모두 헬륨 원자핵(^{4}He)이 생성된다.
ㄷ. (나) CNO 순환 반응이 우세하게 일어나는 별은 질량이 큰 별로 중심부와 표면의 온도 차가 커 중심부에서 대류로 에너지를 전달한다. 따라서 중심부에 대류핵이 존재한다.

바로알기 | ㄱ. (가)와 (나)는 수소 핵융합 반응으로 (가)는 P−P 반응이고, (나)는 CNO 순환 반응이다. 수소 핵융합 반응으로 헬륨 원자핵 1개가 생성되는 과정에서 (가)에서는 수소 원자핵 6개가 필요하고, (나)에서는 수소 원자핵 4개가 필요하다.

645

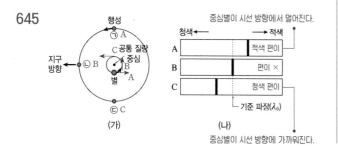

(1) 행성이 ㉠에 위치할 때 중심별은 (가)와 같은 위치에 있으므로 시선 방향에서 멀어지고 있으며, 시선 속도가 최대이다. 따라서 중심별의 스펙트럼에서 흡수선의 적색 편이가 최대로 나타난다.
(2) 행성이 ㉠에 위치할 때 중심별은 시선 방향에서 멀어지므로 스펙트럼에서 적색 편이가 나타나는 A에 해당하고, 행성이 ㉡에 위치할 때 중심별은 시선 속도가 0이므로 스펙트럼에서 편이가 나타나지 않는 B에 해당한다. 행성이 ㉢에 위치할 때 중심별은 시선 방향으로 다가오므로 스펙트럼에서 청색 편이가 나타나는 C에 해당한다.
(3) 행성의 질량이 지금보다 클 경우 공통 질량 중심이 행성 쪽으로 치우치면서 중심별의 공전 궤도 반지름이 커진다. 따라서 중심별의 시선 속도가 커지므로 스펙트럼의 편이량도 커진다.

모범 답안 (1) 스펙트럼에서 흡수선의 적색 편이가 최대로 나타난다.
(2) ㉠ A, ㉡ B, ㉢ C
(3) 스펙트럼의 편이량은 지금보다 크게 나타난다.

646

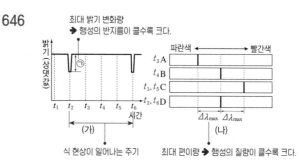

ㄱ. 행성의 공전 주기는 식 현상이 일어나는 주기와 같으므로 t_2에서 t_6까지의 시간이다.
ㄷ. 행성의 반지름이 클수록 식 현상으로 가려지는 별의 면적이 넓어지므로 최대 밝기 변화량인 ㉠이 크게 관측된다.
ㄹ. 행성의 질량이 클수록 공통 질량 중심이 중심별에서 멀어지면서 중심별의 공전 궤도 반지름이 커지므로 시선 속도 변화량이 커진다. 따라서 (나)에서 스펙트럼의 편이량인 $\Delta\lambda_{max}$가 크게 관측된다.

바로알기 | ㄴ. (가)의 t_2는 식 현상이 일어난 때이므로 지구−행성−중심별이 시선 방향과 나란하게 위치한다. 따라서 별의 시선 속도가 0이므로 스펙트럼 편이량이 0이고, 식 현상 이후 행성은 시선 방향에서 멀어지고 중심별은 시선 방향으로 다가오므로 스펙트럼의 청색 편이가 나타난다. 따라서 t_2에 관측한 스펙트럼은 (나)에서 D에 해당한다.

647 생명 가능 지대에 위치한 행성의 공전 궤도 반지름이 B>A>C이므로 생명 가능 지대까지의 거리는 B>A>C이다. 따라서 주계열성인 중심별의 광도와 질량은 B>A>C이다.
ㄴ. 항성계 C의 생명 가능 지대까지의 최소 거리는 0.3 AU로, 항성계 A보다도 중심별에 가까이 위치한다. 중심별의 질량이 작을수록 생명 가능 지대까지의 거리가 가까우므로 ㉠은 항성계 A의 중심별의 질량인 1.2보다 작다.

바로알기 | ㄱ. 항성계 A의 생명 가능 지대는 1.2 AU~2.0 AU로 태양계의 생명 가능 지대보다 먼 거리에 분포하므로 항성계 A의 중심별은 태양보다 광도가 크다. 주계열성은 광도가 클수록 질량이 크고 표면 온도가 높으므로 항성계 A의 중심별은 태양보다 표면 온도가 높다.
ㄷ. 생명 가능 지대의 폭은 항성계 A가 0.8 AU(=2.0 AU−1.2 AU)이고, 항성계 C가 0.2 AU(=0.5 AU−0.3 AU)이다. 항성계 B의 중심별의 질량이 가장 크므로 생명 가능 지대의 폭은 항성계 A의 0.8 AU와 항성계 C의 0.2 AU보다 넓다. 따라서 항성계 B의 생명 가능 지대의 폭은 0.8 AU보다 넓다.

22 외부 은하

빈출 자료 보기   171쪽

648 (1) × (2) ○ (3) ○ (4) × (5) ○ (6) ○ (7) ×
649 (1) × (2) × (3) × (4) ○ (5) ○ (6) ○

648 (2) (가)는 나선팔이 없고 타원 모양이므로 타원 은하이고, (나)와 (다)는 나선팔이 있으므로 나선 은하이다.
(3) (라)는 불규칙 은하로, 규칙적인 형태가 없는 은하이다.
(5) 타원 은하는 성간 물질이 적어 늙은 별의 비율이 높다. 따라서 나이가 많은 별의 비율은 타원 은하인 (가)가 나선 은하인 (나)보다 높다.
(6) 나선 은하의 은하핵에는 나선팔과 달리 성간 물질이 적어 늙은 별들의 비율이 높다.
바로알기 | (1) 허블은 외부 은하를 모양(형태)에 따라 (가)~(라)로 분류하였다.
(4) (나)와 (다)는 모두 나선 은하로, 나선팔이 있다. (나) 은하의 중심부에는 막대 구조가 없고, (다) 은하의 중심부에는 막대 구조가 있다.
(7) 불규칙 은하인 (라)는 성간 물질이 많아 별의 탄생이 활발하므로 주로 나이가 적은 파란색을 띠는 별들로 구성되어 있다.

649 (4) 가시광선 영역에서 관측하면 허블의 분류 기준으로 (나) 세이퍼트은하는 대체로 나선 은하로 분류되고, (가) 전파 은하는 대체로 타원 은하로 분류된다.
(5) 퀘이사인 (다)는 매우 먼 거리에 있는 은하로, 빠른 속도로 멀어지고 있으므로 스펙트럼에서 적색 편이가 매우 크게 나타난다.
(6) 특이 은하인 (가)~(다) 모두 중심부에 거대 블랙홀이 있을 것으로 추정된다.
바로알기 | (1) (가)는 제트로 이어진 로브가 관측되는 전파 은하, (나)는 상대적으로 밝은 핵이 있는 세이퍼트은하, (다)는 하나의 별처럼 보이는 퀘이사이다.
(2) 별처럼 점 모양으로 관측되는 것은 퀘이사인 (다)이다.
(3) (나) 세이퍼트은하는 은하 전체 광도에 대한 중심부의 광도가 크다.

난이도별 필수 기출   172~175쪽

650 ②   651 ③, ④, ⑦   652 해설 참조
653 B, D, C   654 ①   655 A: 불규칙 은하, B: 타원 은하, C: 정상 나선 은하, D: 막대 나선 은하   656 ⑤   657 ③
658 ⑤   659 ⑤   660 퀘이사   661 ①, ⑥
662 ④   663 ④   664 ①   665 ③   666 ①
667 해설 참조   668 ③, ⑤

650 ㄷ. 허블의 은하 분류에 따르면 우리은하는 나선팔과 은하 중심을 가로지르는 막대 구조가 있는 막대 나선 은하에 해당한다.
바로알기 | ㄱ. 허블의 은하 분류에 따르면 은하들은 모양에 따라 크게 타원 은하, 나선 은하, 불규칙 은하로 분류된다.
ㄴ. 허블의 은하 분류는 은하를 모양에 따라 분류한 것으로, 은하의 진화와 관계가 없다. 따라서 타원 은하가 시간이 지나 나선 은하가 되는 것은 아니다.

651

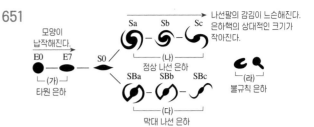

③ 타원 은하인 (가)는 성간 물질이 적어 대부분 늙은 별들로 구성되어 있다.
④ 정상 나선 은하인 (나)는 나선팔이 감긴 정도와 은하핵의 상대적인 크기에 따라 Sa, Sb, Sc로 구분한다.
⑦ 나선 은하에서 젊은 별은 나선팔에 많이 분포한다.
바로알기 | ① 타원 은하인 (가)는 납작한 정도(편평도)에 따라 E0~E7로 구분한다.
② (가)에서 E0은 E7보다 구에 가까우므로 편평도가 작다.
⑤ (나)는 Sa에서 Sc로 갈수록 나선팔의 감긴 정도가 작다.
⑥ 우리은하는 막대 나선 은하로 분류되므로 (나)보다 (다)에 가깝다.
⑧ 규칙적인 구조가 없는 은하들은 허블의 은하 분류에서 (라) 불규칙 은하로 분류된다.
⑨ 타원 은하인 (가)보다 불규칙 은하인 (라)에 성간 물질이 많고 젊은 별이 많이 분포한다.

652 B는 불규칙 은하, C는 타원 은하, D는 나선 은하, E는 정상 나선 은하, F는 막대 나선 은하이다.
(1) A는 규칙적인 구조가 있고, B는 규칙적인 구조가 없다.
(2) C는 나선팔이 없고, D는 나선팔이 있다.
(3) E는 중심부에 막대 구조가 없고, F는 중심부에 막대 구조가 있다.
모범 답안 (1) 모양의 규칙성 유무에 따라 분류하였다.
(2) 나선팔의 유무에 따라 분류하였다.
(3) 막대 구조의 유무에 따라 분류하였다.

653 성간 물질이 많을수록 별이 활발하게 탄생한다. 따라서 성간 물질은 젊은 별의 비율이 가장 높은 불규칙 은하(B)에 가장 많고 젊은 별의 비율이 가장 낮은 타원 은하(C)에 가장 적다.

654 ㄱ. 불규칙 은하인 B에는 성간 물질이 많으므로 새로운 별의 탄생이 활발하여 젊은 별의 비율이 높다.
바로알기 | ㄴ. 허블의 은하 분류는 은하를 모양에 따라 분류한 것으로, 은하의 진화 방향이나 모양 변화와는 관계가 없다.
ㄷ. 나선 은하인 E와 F에는 공통적으로 나선팔과 은하핵이 있다.

655 • A: 모양에 규칙성이 없는 은하는 불규칙 은하이다.
• B: 모양에 규칙성이 있고, 나선팔이 없는 은하는 타원 은하이다.
• C: 나선팔이 있는 은하는 나선 은하로, 그중 은하 중심을 가로지르는 막대 구조가 없는 은하는 정상 나선 은하이다.
• D: 나선팔이 있는 은하는 나선 은하로, 그중 은하 중심을 가로지르는 막대 구조가 있는 은하는 막대 나선 은하이다.

656 ① 타원 은하인 B는 납작한 정도인 편평도에 따라 세분된다.
② 타원 은하(B)에는 성간 물질이 매우 적고 늙은 별의 비율이 높다.
③ 표면 온도가 높은 젊은 별의 비율은 타원 은하(B)보다 정상 나선 은하(C)에서 높다.
④ 우리은하는 막대 나선 은하인 D에 해당한다.
바로알기 | ⑤ 허블의 은하 분류는 은하의 진화 순서와는 관계가 없다.

657 ㄴ. 표면 온도가 높아 파란색을 띠는 젊은 별의 비율은 (나)가 (가)보다 높다.

ㄷ. (나)의 나선팔은 은하핵에 비해 파란색을 띠는 젊은 별의 비율이 높으므로 표면 온도가 높은 별의 비율이 높다.

바로알기| ㄱ. (가)는 나선팔이 없고 타원 모양이므로 타원 은하이고, (나)는 나선팔이 있는 나선 은하이다. 타원 은하는 성간 물질이 매우 적고, 나선 은하는 나선팔에 성간 물질이 풍부하므로 성간 물질의 비율은 (가)보다 (나)에서 높다.

ㄹ. 어떤 모양의 은하가 시간이 지나면 다른 특정한 모양의 은하로 진화하지 않는다.

658 ① (가)는 규칙적인 구조가 없는 불규칙 은하이다.

② (나)는 타원 은하로, 납작한 정도에 따라 E0~E7로 세분된다.

③ 우리은하는 막대 나선 은하로 분류되므로 (가)~(다) 중 막대 나선 은하인 (다)와 형태가 가장 비슷하다.

④ (다)의 나선팔에는 은하핵보다 성간 물질이 많으므로 젊고 표면 온도가 높은 파란색 별이 많이 분포한다.

바로알기| ⑤ (나) 타원 은하는 성간 물질이 매우 적어 새로운 별의 탄생이 활발하지 않으므로 성간 물질을 많이 포함하는 (가) 불규칙 은하보다 젊은 별의 비율이 낮다.

659 ㄱ. 은하핵이 유난히 밝은 특이 은하의 중심에는 엄청난 양의 에너지를 방출하는 거대 질량의 블랙홀이 있을 것으로 추정된다.

ㄴ. 가시광선 영역에서 관측되는 은하를 허블의 분류 기준(모양)에 따라 분류하면, 전파 은하는 대체로 타원 은하로 분류되고, 세이퍼트은하는 대체로 나선 은하로 분류된다.

ㄷ. 별의 크기에 비해 별 사이의 공간이 훨씬 크기 때문에 은하의 충돌이 일어나는 동안에도 별들은 거의 충돌하지 않는다.

660 퀘이사는 은하이지만 하나의 별처럼 보이므로 준항성체라고도 한다. 퀘이사는 지구에서 매우 멀리 떨어져 있어 후퇴 속도가 매우 빠르므로 스펙트럼에서 적색 편이가 매우 크게 나타난다.

661

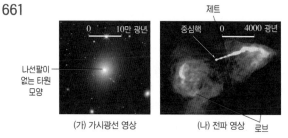

(가) 가시광선 영상　(나) 전파 영상

② 보통의 은하에 비해 매우 강한 전파를 방출하는 은하를 전파 은하라고 한다.

③ 전파 영상인 (나)에서는 중심핵 양쪽에 강력한 전파를 방출하는 로브라고 하는 둥근 돌출부가 있고, 중심핵에서 로브로 이어지는 제트가 관측된다.

④ 로브와 제트 영역에서는 강한 X선을 방출하는데, 이것은 블랙홀에 의해 고속으로 움직이는 전자와 강한 자기장 때문으로 추정된다.

⑤ 특이 은하의 중심에는 거대 블랙홀이 있을 것으로 추정된다.

바로알기| ① 전파 은하는 가시광선 영상인 (가)에서 나선팔이 없는 타원 모양으로 관측되며 허블의 은하 분류 체계에 따라 타원 은하로 분류된다.

⑥ 빛을 내는 영역인 로브는 블랙홀에 의해 고속으로 가속된 전자와 강한 자기장 때문에 형성되는 것으로 추정된다.

662 ㄱ. (가)는 나선팔이 존재하므로 모양에 따라 분류하면 나선 은하에 해당한다.

ㄷ. (나)에서 폭이 넓은 수소 방출선(H_α)이 나타난다.

ㄹ. 세이퍼트은하는 중심핵이 매우 밝고 스펙트럼에서 폭넓은 방출선이 관측되는데, 이는 중심부에 거대 블랙홀이 있기 때문으로 추정된다.

바로알기| ㄴ. 스펙트럼 파장이 대부분 가시광선 영역(약 380 nm~약 750 nm)에서 나타나므로, (나)는 주로 가시광선 영역에서 관측한 것이다.

663

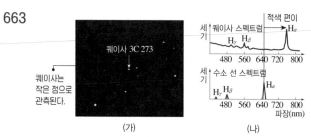

(가)　(나)

① (가)에서 퀘이사는 은하이지만 매우 멀리 있어 작은 점으로 보인다.

② (나)에서 비교 수소 선 스펙트럼과 비교하여 퀘이사 스펙트럼에서는 수소 방출선 파장이 길어졌으므로 적색 편이가 크게 나타난다.

③ 광원이 관측자에게서 빠른 속도로 멀어질수록 적색 편이가 크게 나타난다. 퀘이사는 스펙트럼의 적색 편이가 크게 나타나므로 우리은하로부터 빠른 속도로 멀어지고 있다.

⑤ 퀘이사가 우리은하로부터 매우 먼 거리에 있다는 것은 그만큼 오래 전에 형성된 천체라는 것으로, 우주 탄생 초기에 형성된 것이다.

바로알기| ④ 퀘이사는 우리은하로부터 매우 빠른 속도로 멀어지고 있으므로 우리은하로부터 매우 먼 거리에 위치한 천체이다.

664 ㄱ. 전파 은하인 (가)는 전파 영역에서 관측하면 중심핵 양쪽에 강력한 전파를 방출하는 로브와 중심핵에서 로브로 이어지는 제트가 대칭적으로 나타난다.

ㄷ. 세이퍼트은하인 (나)는 보통의 은하에 비해 아주 밝은 핵을 가지고 있어 은하 전체의 광도에 대한 중심부의 광도가 매우 크다.

바로알기| ㄴ. (나)는 중심부에 블랙홀이 있는 것으로 추정되므로 중심부의 밀도가 주변보다 매우 크다.

ㄹ. 가시광선 영역에서 (가)는 대체로 타원 은하로 관측되고, (나)는 대체로 나선 은하로 관측된다.

665 ㄴ. 두 은하가 충돌하는 과정에서 큰 은하가 작은 은하를 흡수하여 형태가 변하기도 한다.

ㄷ. 은하 내의 분자 구름들이 충돌하고 압축되어 가스와 티끌의 밀도가 증가하면서 새로운 별이 탄생하기도 한다.

바로알기| ㄱ. 은하끼리 충돌하더라도 별의 크기보다 별 사이의 공간이 훨씬 크기 때문에 별들은 거의 충돌하지 않는다.

ㄹ. 허블 법칙은 멀리 있는 은하일수록 빠르게 멀어진다는 내용이다. 충돌하는 은하들은 서로 가까워지므로 허블 법칙이 성립하지 않는다.

666

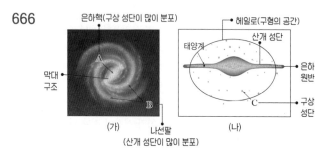

(가)　(나)

ㄱ. 우리은하는 나선팔과 중심을 가로지르는 막대 구조가 있는 막대 나선 은하이다.

ㄷ. 은하 원반을 둘러싸고 있는 거대한 구형의 헤일로에 분포하는 C는 구상 성단이다.

바로알기 | ㄴ. 은하핵인 A보다 나선팔인 B에 성간 물질이 많이 분포한다.

ㄹ. 구상 성단이 많이 분포하는 A와 구상 성단인 C는 늙고 붉은색 별의 비율이 높고, 나선팔인 B는 젊고 파란색 별의 비율이 높다.

667 스펙트럼에서 수소 방출선의 폭이 일반 은하에 비해 매우 넓게 나타나는 (가)는 세이퍼트은하이고, 스펙트럼의 적색 편이가 매우 크게 나타나는 (나)는 퀘이사이다.

모범 답안 스펙트럼의 적색 편이가 더 크게 나타나는 (나)가 퀘이사이다.

668

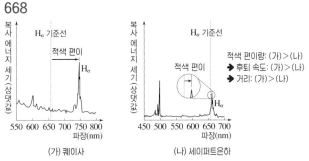

(가) 퀘이사   (나) 세이퍼트은하

① 스펙트럼의 적색 편이가 더 크게 나타나는 (가)가 퀘이사이고, (나)는 세이퍼트은하이다.

② 퀘이사인 (가)는 은하이지만 매우 먼 거리에 있어서 하나의 별처럼 관측된다.

④ (가)는 (나)보다 적색 편이가 크게 나타나므로 우리은하로부터 더 빠르게 멀어지고 있다. 허블 법칙에 따르면 은하의 후퇴 속도는 거리에 비례하므로 (가)가 우리은하로부터 더 먼 거리에 있다.

⑥ (가)와 (나)는 일반적인 은하에 비해 전파나 X선 영역에서 강한 에너지를 방출할 뿐만 아니라 그 밝기가 시간에 따라 변하는 특이 은하로, 모두 중심부에 거대 블랙홀이 있을 것으로 추정된다.

바로알기 | ③ 세이퍼트은하인 (나)는 가시광선 영상에서 대체로 나선 은하로 관측된다.

⑤ (가)와 (나)는 모두 스펙트럼의 적색 편이가 나타나므로 우리은하로부터 멀어지고 있다.

23 허블 법칙과 우주 팽창

빈출 자료 보기   177쪽
669 (1) ○ (2) ○ (3) ○ (4) × (5) ○ (6) × (7) × (8) ×

669 (1) A 시기와 B 시기 모두 은하의 후퇴 속도가 거리에 비례하므로 멀리 있는 은하일수록 후퇴 속도가 빠르다.

(2) 그래프는 멀리 있는 은하일수록 후퇴 속도가 빠르다는 사실을 나타내고 있으며, 이는 우주가 팽창하고 있음을 의미한다.

(3) 100 Mpc의 거리에서 은하의 후퇴 속도는 A 시기가 B 시기보다 빠르다. 같은 거리에 있는 은하의 후퇴 속도는 A 시기가 더 빠르므로 1 Mpc당 우주가 팽창하는 속도, 즉 허블 상수 또한 A 시기가 B 시기보다 크다.

(5) 허블 법칙 $v = H \cdot r$에 A 시기에 측정한 은하의 거리(r)와 후퇴 속도(v)를 적용하면, $7000\ km/s = H \cdot 100\ Mpc$이므로 허블 상수($H$)는 70 km/s/Mpc이다.

바로알기 | (4) 허블 법칙은 $v = H \cdot r$(v: 후퇴 속도, r: 거리)이므로 그래프의 기울기(H)가 허블 상수에 해당한다.

(6) B 시기 그래프의 기울기가 A 시기보다 작으므로 B 시기의 허블 상수는 A 시기의 허블 상수인 70 km/s/Mpc보다 작다.

(7) 우주의 나이는 허블 상수의 역수($\frac{1}{H}$)이므로 허블 상수가 큰 A 시기가 B 시기보다 적게 계산된다.

(8) 우주의 크기는 $\frac{c}{H}$(c: 빛의 속도)이므로 허블 상수가 큰 A 시기가 B 시기보다 작게 계산된다.

난이도별 필수 기출   178~181쪽

670 ②	671 ①	672 ③	673 해설 참조	674 ③
675 ③, ⑤, ⑨	676 ①	677 ②	678 ①	
679 ①, ⑥	680 ③	681 ⑤	682 해설 참조	
683 해설 참조	684 ③	685 ①	686 해설 참조	

670 별빛은 빛의 속도(c)로 이동한다. 정지 상태인 은하에서 온 별빛이 관측자에게 도착할 때의 흡수선 파장을 λ_0이라고 하면, 관측자에게 속도 v로 멀어지는 은하에서 온 별빛은 도플러 효과에 의해 $\Delta\lambda$ 만큼 파장 변화가 생긴다. 따라서 $c : \lambda_0 = v : \Delta\lambda$의 관계가 성립하므로 $\frac{\Delta\lambda}{\lambda_0} = \frac{v}{c}$에서 $v = c \times \frac{\Delta\lambda}{\lambda_0}$이다.

671 ㄱ. (가)~(다)는 모두 스펙트럼에서 흡수선의 적색 편이가 나타나므로 우리은하로부터 멀어지고 있다.

바로알기 | ㄴ. 흡수선의 적색 편이량이 클수록 은하의 후퇴 속도가 빠르다. (가)는 (나)보다 흡수선이 적색 편이된 정도가 작으므로 느린 속도로 멀어지고 있다.

ㄷ. 허블 법칙에 따르면 거리가 먼 은하일수록 후퇴 속도가 빠르다. (나)는 (다)보다 적색 편이된 정도가 작아 후퇴 속도가 느리므로 우리은하로부터 더 가까운 거리에 있다.

672 은하의 후퇴 속도가 v, 원래의 파장이 λ_0, 파장 변화량이 $\Delta\lambda$, 빛의 속도가 c일 때, 후퇴 속도와 적색 편이량 사이에는 $v = c \times \frac{\Delta\lambda}{\lambda_0}$의 관계식이 성립한다. $\lambda_0 = 400\ nm$, $\Delta\lambda = 10\ nm$이므로 $v = 3 \times 10^5\ km/s \times \frac{10\ nm}{400\ nm} = 7500\ km/s$이다.

673

외부 은하	(가)	(나)
칼슘 이온 흡수선의 파장	425 nm	410 nm
칼슘 이온 흡수선의 원래 파장	395 nm	395 nm
파장 변화량	30 nm	15 nm
후퇴 속도(c: 빛의 속도)	$c \times \dfrac{30\ \text{nm}}{395\ \text{nm}}$	$c \times \dfrac{15\ \text{nm}}{395\ \text{nm}}$
후퇴 속도의 비	2	1

(가) 은하의 적색 편이량은 $\dfrac{(425-395)\ \text{nm}}{395\ \text{nm}}$이므로 후퇴 속도는

$c \times \dfrac{30\ \text{nm}}{395\ \text{nm}}$이다.

(나) 은하의 적색 편이량은 $\dfrac{(410-395)\ \text{nm}}{395\ \text{nm}}$이므로 후퇴 속도는

$c \times \dfrac{15\ \text{nm}}{395\ \text{nm}}$이다.

따라서 외부 은하 (가)와 (나)의 후퇴 속도의 비는 2 : 1이다.

모범 답안 빛의 속도를 c라고 하면, (가)의 후퇴 속도는 $c \times \dfrac{30\ \text{nm}}{395\ \text{nm}}$이고,

(나)의 후퇴 속도는 $c \times \dfrac{15\ \text{nm}}{395\ \text{nm}}$이므로 (가)와 (나)의 후퇴 속도의 비는

2 : 1이다.

674 ③ 우주가 팽창함에 따라 공간이 확장되면서 은하들은 서로 멀어지고 있다.

바로알기 | ① 허블 법칙 $v = H \cdot r (H$: 허블 상수)에 따르면 은하의 후퇴 속도(v)는 은하까지의 거리(r)에 비례한다.

② 어느 은하를 기준으로 하여도 은하가 서로 멀어지고 있으므로 우주 팽창의 중심은 없다.

④ 우주가 팽창하여도 은하 내의 별들은 중력에 의해 서로 붙들려 있으므로 별과 별 사이가 멀어져 은하 자체의 크기가 커지지는 않는다.

⑤ 우리은하뿐만 아니라 다른 은하에서 관측하는 경우에도 허블 법칙이 성립한다.

675

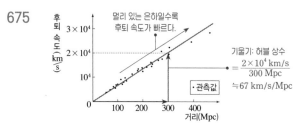

① 그래프에서 은하까지의 거리가 멀수록 후퇴 속도가 빠르다. 이처럼 은하의 후퇴 속도가 거리에 비례한다는 것을 허블 법칙이라고 한다.

② 은하의 후퇴 속도(v)를 알면, 허블 법칙($v = H \cdot r$, H: 허블 상수)을 이용하여 은하까지의 거리(r)를 구할 수 있다.

④ 허블 법칙 $v = H \cdot r$에서 허블 상수(H)는 비례 상수로, 1 Mpc당 우주가 팽창하는 속도(km/s)를 의미한다.

⑥ 허블 상수(H)는 그래프에서 기울기를 의미하므로, $v = H \cdot r$에서 후퇴 속도(v)를 거리(r)로 나누어 구할 수 있다. 따라서

$H = \dfrac{2 \times 10^4\ \text{km/s}}{300\ \text{Mpc}} \fallingdotseq 67\ \text{km/s/Mpc}$이다.

⑦ 허블 법칙에서 허블 상수는 우주의 팽창 비율에 해당하는 상수이므로 우주는 일정한 비율로 팽창하고 있음을 의미한다.

⑧ 우주의 질량이 일정하다면, 허블 법칙을 통해 우주가 팽창함에 따라 우주의 온도가 낮아지며 냉각되고 있음을 추측할 수 있다(빅뱅 우주론).

바로알기 | ③ 외부 은하까지의 거리가 멀수록 후퇴 속도가 빠르므로 은하의 스펙트럼에서 적색 편이가 크게 나타난다.

⑤ 허블 법칙을 나타낸 그래프의 기울기는 허블 상수를 의미한다. 기울기의 역수는 허블 상수의 역수로, 우주의 나이를 의미한다.

⑨ 우주의 질량이 일정하다면, 허블 법칙을 통해 우주가 팽창함에 따라 우주의 밀도는 작아지고 있음을 추측할 수 있다(빅뱅 우주론).

676 ㄱ. 그래프에서 후퇴 속도는 A가 B보다 작다.

바로알기 | ㄴ. 은하 A와 B의 광도가 같고, B는 A보다 우리은하로부터 먼 거리에 있으므로 겉보기 밝기는 거리가 더 먼 B가 A보다 어둡게 보인다. 따라서 겉보기 등급은 B가 A보다 크다.

ㄷ. 우주 팽창의 중심은 없으므로 우주가 팽창함에 따라 B에서 관측하더라도 A가 멀어진다. 따라서 B에서 관측한 A의 스펙트럼에서 적색 편이가 나타날 것이다.

677 ㄷ. 그래프의 기울기가 허블 상수이므로 외부 은하 B의 거리와 후퇴 속도를 허블 법칙에 적용하여 허블 상수를 구하면,

$\dfrac{3 \times 10^4\ \text{km/s}}{500\ \text{Mpc}} = 60\ \text{km/s/Mpc}$이다.

바로알기 | ㄱ. 우주는 팽창의 중심이 없으므로 어느 은하를 기준으로 하여도 주변 은하는 멀어지고 있다. 따라서 B에서 관측하면 A와 C는 모두 후퇴할 것이다.

ㄴ. A~C가 시선 방향으로 일직선상에 위치하므로 C에서 관측하면 B보다 A가 더 멀리 떨어져 있다. 따라서 C에서 관측하면 A가 B보다 더 빠른 속도로 후퇴하므로 A의 스펙트럼에서 적색 편이가 더 크게 나타날 것이다.

678 ㄱ. 허블 법칙($v = H \cdot r$)에 은하 A의 거리(r)와 후퇴 속도(v)를 적용하면, $42000\ \text{km/s} = H \cdot 600\ \text{Mpc}$이므로 허블 상수($H$)는 70 km/s/Mpc이다.

바로알기 | ㄴ. 허블 상수는 70 km/s/Mpc이므로 은하 B의 거리(㉠)는 은하 B의 후퇴 속도 10500 km/s를 허블 법칙에 적용하여 구할 수 있다. 따라서 $10500\ \text{km/s} = 70\ \text{km/s/Mpc} \cdot ㉠$에서 ㉠=150 Mpc이다.

ㄷ. 스펙트럼에서 적색 편이가 가장 크게 나타나는 은하는 후퇴 속도가 가장 빠른 A이다.

679

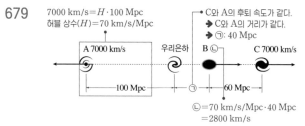

② 은하 A의 거리 100 Mpc과 후퇴 속도 7000 km/s를 허블 법칙에 적용하면, $7000\ \text{km/s} = H \cdot 100\ \text{Mpc}$이므로 허블 상수($H$)는 70 km/s/Mpc이다.

③ 우리은하에서 관측한 A와 C의 후퇴 속도가 같으므로 A와 C는 우리은하로부터 같은 거리에 있다. C까지의 거리가 100 Mpc이므로 B까지의 거리(㉠)는 40 Mpc이다.

④ 허블 상수는 70 km/s/Mpc이고 B까지의 거리가 40 Mpc이므로, 이를 허블 법칙에 적용하면 B의 후퇴 속도(㉡)는

$70\ \text{km/s/Mpc} \cdot 40\ \text{Mpc} = 2800\ \text{km/s}$이다.

⑤ A는 우리은하에서 멀어지고 있으므로 A에서 우리은하를 관측하면 우리은하가 멀어지고 있다. 따라서 A에서 우리은하의 스펙트럼을 관측하면 적색 편이가 나타날 것이다.

바로알기 | ① 그림은 우리은하에서 관측한 외부 은하의 거리와 후퇴 속도를 나타낸 것으로, 우리은하는 관측한 기준일 뿐 팽창하는 우주의 중심은 아니다.

⑥ 은하의 후퇴 속도는 거리에 비례한다. A에서 측정하면, A로부터 우리은하까지의 거리와 A로부터 C까지의 거리의 비가 1 : 2이므로 A에서 측정한 우리은하와 C의 후퇴 속도의 비도 1 : 2이다.

680

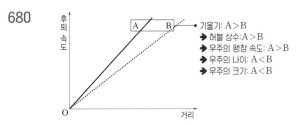

ㄴ. 우주의 나이는 허블 상수의 역수에 해당하므로 허블 상수가 작은 B가 A보다 우주의 나이가 많게 계산된다.

ㄷ. 관측 가능한 우주의 크기는 $\dfrac{c}{H}$(c: 빛의 속도, H: 허블 상수)이므로 허블 상수가 작은 B가 A보다 우주의 크기가 크게 계산된다.

바로알기 | ㄱ. 허블 상수는 그래프의 기울기에 해당하므로 기울기가 큰 A가 B보다 허블 상수가 크다.

ㄹ. 그래프에서 같은 거리에 있는 은하의 후퇴 속도는 A가 B보다 빠르다. 허블 상수가 클수록 1 Mpc당 우주가 팽창하는 속도(km/s)가 빠르므로 같은 거리에 있는 은하의 후퇴 속도는 A가 B보다 빠르다.

681 ㄱ. 은하의 후퇴 속도는 거리에 비례한다. 우리은하로부터 멀리 떨어진 외부 은하일수록 후퇴 속도가 빨라서 적색 편이가 크게 일어나므로 $\Delta\lambda$가 커진다.

ㄴ. 은하의 후퇴 속도를 v, 흡수선의 원래의 파장을 λ_0, 파장 변화량을 $\Delta\lambda$라고 할 때, $v = c \times \dfrac{\Delta\lambda}{\lambda_0}$($c$: 빛의 속도)의 관계식이 성립한다.

그림에서 λ_0은 400 nm, $\Delta\lambda$는 20 nm이므로 외부 은하 X의 후퇴 속도를 구하면, $v = 3 \times 10^5 \text{ km/s} \times \dfrac{20 \text{ nm}}{400 \text{ nm}} = 15000 \text{ km/s}$이다.

ㄷ. X의 후퇴 속도와 거리를 허블 법칙에 적용하면, $15000 \text{ km/s} = H \cdot 300 \text{ Mpc}$이므로 허블 상수($H$)는 50 km/s/Mpc이다.

682 **모범답안** (1) $v = c \times \dfrac{\Delta\lambda}{\lambda_0}$($v$: 후퇴 속도, c: 빛의 속도)에 $\lambda_0 = 400 \text{ nm}$, $\Delta\lambda = 30 \text{ nm}$를 적용하면, $v = 3 \times 10^5 \text{ km/s} \times \dfrac{30 \text{ nm}}{400 \text{ nm}} = 22500 \text{ km/s}$이다.

(2) 허블 법칙($v = H \cdot r$)에 $v = 22500 \text{ km/s}$, $r = 430 \text{ Mpc}$을 적용하면, $22500 \text{ km/s} = H \cdot 430 \text{ Mpc}$이므로 허블 상수($H$)는 약 52 km/s/Mpc이다.

683

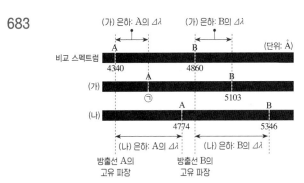

(1) 도플러 효과에 의해 적색 편이가 클수록 은하의 후퇴 속도가 빠르고, 허블 법칙에 의해 후퇴 속도가 빠를수록 더 멀리 있는 은하이다.

(2) 동일한 은하의 스펙트럼에서 각 방출선의 적색 편이가 일어난 양을 이용하여 구한 후퇴 속도는 서로 같아야 한다. 따라서 방출선 B를 이용하여 구한 후퇴 속도와 A를 이용하여 구한 후퇴 속도를 비교한다.

(3) 방출선의 적색 편이가 일어난 양을 이용하여 후퇴 속도를 구하고, 후퇴 속도와 거리를 허블 법칙에 적용하여 허블 상수를 구한다.

모범답안 (1) (나), (나)가 (가)보다 적색 편이가 크므로 후퇴 속도가 빠르다. 은하의 후퇴 속도는 거리에 비례하므로 (나)가 (가)보다 멀리 떨어져 있다.

(2) (가)의 후퇴 속도는

$3 \times 10^5 \text{ km/s} \times \dfrac{(5103 - 4860)\text{Å}}{4860 \text{Å}} = 3 \times 10^5 \text{ km/s} \times \dfrac{(\text{⊙} - 4340)\text{Å}}{4340 \text{Å}}$

이므로 ⊙은 4557 Å이다.

(3) (나)의 후퇴 속도는

$3 \times 10^5 \text{ km/s} \times \dfrac{(5346 - 4860)\text{Å}}{4860 \text{Å}} = 30000 \text{ km/s}$이다. 후퇴 속도와 거리 600 Mpc을 허블 법칙에 적용하면, $30000 \text{ km/s} = H \cdot 600 \text{ Mpc}$이므로 허블 상수($H$)는 50 km/s/Mpc이다.

684

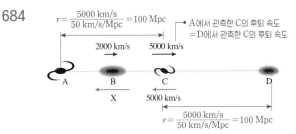

ㄱ. 후퇴 속도는 은하 사이의 거리에 비례한다. A에서 관측한 C의 후퇴 속도가 D에서 관측한 C의 후퇴 속도와 5000 km/s로 같으므로 A와 C 사이의 거리는 C와 D 사이의 거리와 같다.

ㄴ. C에서 관측한 B의 후퇴 속도는 5000 km/s − 2000 km/s = 3000 km/s이다. 따라서 D에서 관측한 B의 후퇴 속도 X는 5000 km/s + 3000 km/s = 8000 km/s이다.

바로알기 | ㄷ. C에서 관측한 B의 후퇴 속도는 3000 km/s이고, 허블 상수는 50 km/s/Mpc이므로 B와 C 사이의 거리(r)는 $3000 \text{ km/s} = 50 \text{ km/s/Mpc} \cdot r$에서 $r = 60 \text{ Mpc}$이다.

685

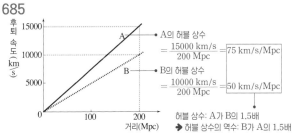

ㄱ. 후퇴 속도가 빠를수록 적색 편이가 크게 나타나므로 같은 거리에 있는 은하의 적색 편이는 A가 B보다 크게 나타난다.

ㄴ. A와 B는 모두 거리가 멀어지면서 후퇴 속도가 빨라지므로 우주가 팽창하고 있음을 나타낸다.

바로알기 | ㄷ. B에서 허블 법칙을 적용하여 허블 상수(H)를 구하면 $10000 \text{ km/s} = H \cdot 200 \text{ Mpc}$에서 $H = 50 \text{ km/s/Mpc}$이다.

ㄹ. A에서 허블 법칙을 적용하여 허블 상수(H)를 구하면 $15000 \text{ km/s} = H \cdot 200 \text{ Mpc}$에서 $H = 75 \text{ km/s/Mpc}$이다. 허블 상수(H)는 A가 B의 1.5배이고, 우주의 나이는 허블 상수의 역수 $\left(\dfrac{1}{H}\right)$이므로 B가 A의 1.5배이다.

686 (1) 허블 상수는 그래프의 기울기에 해당하므로 A~C의 허블 상수의 크기를 비교하면 A>B>C이다.

모범 답안 (1) A>B>C

(2) C, 우주의 나이는 허블 상수의 역수이므로 우주의 나이가 가장 많은 것은 허블 상수가 가장 작은 C이다.

(3) C, 관측 가능한 우주의 크기는 $\frac{c}{H}$(c: 빛의 속도, H: 허블 상수)이므로 관측 가능한 우주의 크기가 가장 큰 것은 허블 상수가 가장 작은 C이다.

24 빅뱅 우주론

빈출 자료 보기 184쪽
687 (1) ○ (2) × (3) ○ (4) × (5) ○
688 (1) × (2) ○ (3) × (4) × (5) ○ (6) ○

687 (1) (가)는 우주의 밀도가 시간이 지남에 따라 작아지고 있으므로 빅뱅 우주론이고, (나)는 우주의 밀도가 시간이 지나도 일정하므로 정상 우주론이다.

(3) (나) 정상 우주론에서는 시간이 지날수록 우주가 팽창하지만 우주의 빈 공간에 새로운 은하가 만들어지면서 우주의 밀도는 일정하다.

(5) 오늘날에는 여러 관측적 증거들이 발견된 (가) 빅뱅 우주론이 더 설득력 있게 받아들여지고 있다.

바로알기 | (2) (가) 빅뱅 우주론에서는 시간이 지날수록 우주의 부피는 증가하지만 질량은 일정하게 유지된다.

(4) 우주 배경 복사와 우주를 구성하는 수소와 헬륨의 질량비 약 3 : 1은 빅뱅 우주론인 (가)를 뒷받침하는 관측적 증거이다.

688 (2) 암흑 에너지(A)는 우주에서 척력으로 작용하여 우주의 팽창을 가속화한다.

(5) 보통 물질(C)은 대부분 빅뱅 초기에 만들어진 수소와 헬륨으로 이루어져 있다.

(6) 보통 물질(C)은 광학적으로 관측 가능하지만 암흑 에너지(A)와 암흑 물질(B)은 광학적으로 관측되지 않으므로, 우주에는 광학적으로 관측 가능한 요소(C)보다 관측할 수 없는 요소(A+B)의 비율이 더 높다.

바로알기 | (1) 현재 우주를 구성하는 요소의 분포비는 암흑 에너지(A)>암흑 물질(B)>보통 물질(C)이다.

(3) 암흑 물질(B)은 광학적으로 관측되지 않고, 중력적인 방법으로만 존재를 추정하고 있다.

(4) 우주가 팽창할수록 공간이 거지므로 암흑 에너지(A)의 비율이 커지면서 우주 팽창에 미치는 영향이 커진다.

---

689 해설 참조	690 ⑤	691 ①	692 ③
693 해설 참조	694 ②, ⑥	695 ③	696 ③
697 ③	698 ⑤	699 ①	700 해설 참조	701 ②
702 ⑤	703 해설 참조	704 ③	705 ⑤	706 ⑤
707 ④	708 ①	709 ②, ⑥	710 ③	711 ②
712 해설 참조	713 해설 참조	714 ③	715 ②
716 ②	717 ③	718 ①	719 ②

689 빅뱅 이후 시간이 지나면서 우주는 질량이 일정한 가운데 팽창하므로 우주의 부피는 증가하고, 밀도와 온도는 감소한다.

모범 답안 우주의 부피는 증가하고, 질량은 일정하며 밀도와 온도는 감소한다.

690 빅뱅 우주론에서는 시간이 지남에 따라 우주의 부피는 증가하고, 질량은 일정하며 밀도와 온도는 감소한다. 따라서 A에는 부피가, B에는 질량이, C에는 온도가 적합하다.

691 정상 우주론에서는 시간이 지남에 따라 우주가 팽창하면서 새로운 물질이 계속 만들어지므로 우주의 부피와 질량은 증가하고, 우주의 밀도와 온도는 일정하게 유지된다.

692 ㄴ. 빅뱅 우주론에서는 현재 우주 배경 복사의 온도가 약 2.7 K이라는 것을 예측하였는데, 이에 해당하는 우주 배경 복사가 관측되어 빅뱅 우주론의 증거가 되었다.

ㄷ. 빅뱅 우주론에서 예측한 우주에 분포하는 수소와 헬륨의 질량비는 약 3 : 1이었으며, 이는 별의 스펙트럼을 분석한 결과와 일치하여 빅뱅 우주론의 증거가 되었다.

바로알기 | ㄱ. Ia형 초신성의 밝기 분포 자료는 가속 팽창 우주의 증거가 된다.

ㄹ. 나선 은하의 중심으로부터의 거리에 따른 회전 속도는 암흑 물질의 존재를 확인할 수 있는 자료이다.

693 **모범 답안** 우주가 팽창함에 따라 우주 배경 복사의 온도는 낮아지고, 파장은 길어진다.

694 ① (가)는 시간이 지나도 우주의 밀도가 일정한 정상 우주론 모형이고, (나)는 시간이 지날수록 우주의 밀도가 감소하는 빅뱅 우주론 모형이다.

③, ④ (가) 정상 우주론에서는 우주의 빈 공간에서 새로운 물질이 계속 만들어지므로 시간이 지나도 우주의 밀도가 일정하게 유지된다.

⑤ (나) 빅뱅 우주론에서 고온·고밀도의 한 점에서 대폭발이 일어나 형성된 우주는 시간이 지날수록 팽창하면서 온도가 낮아지고 밀도가 감소한다.

⑦ (나) 빅뱅 우주론에서 우주 배경 복사의 파장은 우주가 팽창함에 따라 점점 길어진다.

⑧ (나) 빅뱅 우주론에서 현재 수소와 헬륨이 우주 구성 원소의 대부분을 차지하며 그 질량비는 약 3 : 1이다. 따라서 우주 구성 원소 중 수소가 가장 큰 질량비를 차지한다.

바로알기 | ② 온도와 밀도가 매우 높은 한 점에서 빅뱅(대폭발)이 일어나 우주가 형성되었다는 이론은 빅뱅 우주론인 (나)이다.

⑥ (나) 빅뱅 우주론에서는 시간이 지나면서 우주가 팽창하여도 우주 전체의 질량은 일정하다.

695 ① 현재 우주 배경 복사는 온도가 2.7 K인 흑체 복사와 같은 파장과 복사 강도로 관측되므로 온도가 약 2.7 K으로 관측된다.
② 우주 배경 복사는 빅뱅 약 38만 년 후 우주의 온도가 약 3000 K일 때 물질로부터 빠져나와 우주 전역으로 퍼져 나간 빛이다.
④ 우주 배경 복사는 우주 전체에 균일하게 퍼져 있어 우주 전역에서 관측된다.
⑤ 빅뱅 우주론에서 빅뱅 우주 초기에 방출된 빛이 우주가 팽창함에 따라 파장이 길어져 2.7 K의 복사로 관측될 것으로 예측한 내용과 실제로 관측한 결과가 거의 일치한다.
바로알기 | ③ 우주가 팽창함에 따라 우주의 온도는 점점 낮아진다. 최대 에너지를 나타내는 파장은 온도에 반비례하므로 우주 배경 복사가 최대 에너지를 나타내는 파장은 우주 탄생 초기보다 현재가 더 길다.

696 ㄱ. 우주 배경 복사 분포가 대체로 균일하지만, 완벽히 균일하지는 않고 위치에 따라 미세한 온도 차이가 관측된다.
ㄴ. 그림은 빅뱅 약 38만 년 후 우주의 온도가 약 3000 K일 때 형성된 우주 배경 복사의 흔적이다.
바로알기 | ㄷ. 관측된 우주 배경 복사는 빅뱅 우주론에서 예측한 내용과 일치하므로 빅뱅 우주론의 증거가 된다.

697 ㄱ. 풍선의 표면이 팽창함에 따라 A, B, C는 서로 멀어진다.
ㄷ. 우주가 팽창할수록 우주의 온도가 낮아지므로 우주 배경 복사의 파장은 길어진다.
바로알기 | ㄴ. A, B, C 중 어느 단추를 중심으로 보아도 나머지 단추들이 모두 멀어지므로 우주는 팽창의 중심이 없다.

698

양성자 14개　중성자 2개 ➡ 7 : 1

(가)

↓

양성자 중성자

헬륨 핵

(나)

수소 원자핵 12개　헬륨 원자핵 1개　질량비
원자 질량 약 12 : 원자 질량 약 4 ➡ 약 3 : 1

ㄱ. (가)에서 양성자와 중성자의 개수비는 14 : 2 = 7 : 1이다.
ㄴ. (나)에서 수소 원자핵과 헬륨 원자핵의 개수비는 12 : 1이고, 헬륨 원자핵 1개의 질량이 수소 원자핵 1개 질량의 약 4배이므로 수소 원자핵과 헬륨 원자핵의 질량비는 약 12 : 4 = 약 3 : 1이다.
ㄷ. 우주에 분포하는 수소와 헬륨의 질량비는 빅뱅 우주론에서 예측한 값과 관측한 값이 일치하므로 빅뱅 우주론의 증거가 된다.

699 ㄱ. 빅뱅 우주론에서 우주는 온도와 밀도가 매우 높은 한 점에서 폭발하여 형성되었고, 계속 팽창하였다.
바로알기 | ㄴ. 우주 배경 복사는 빅뱅 약 38만 년 후 우주의 온도가 약 3000 K일 때, 원자가 생성되는 B 시기에 방출되어 우주 전역으로 퍼져 나갔다.
ㄷ. A 시기에 수소 원자핵과 헬륨 원자핵의 개수비는 12 : 1이고, 원자핵 1개의 질량은 헬륨이 수소의 약 4배이므로 수소 원자핵과 헬륨 원자핵의 질량비는 약 3 : 1이다. 전자의 질량은 매우 작으므로 B 시기에 우주에 존재하는 수소와 헬륨의 질량비는 약 3 : 1이다.

700 우주에 존재하는 수소와 헬륨의 질량비는 약 3 : 1이다. 헬륨은 초기 우주에는 빅뱅에 의한 핵합성으로 생성되었고, 별이 탄생한 이후에는 별 내부에서 일어나는 수소 핵융합 반응으로 생성되었다.

모범답안 약 3 : 1, 빅뱅 핵합성으로 헬륨이 생성되었다. 별 내부에서 일어나는 수소 핵융합 반응으로 헬륨이 생성된다.

701

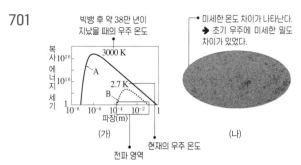

① 빅뱅 후 약 38만 년이 지났을 때 우주의 온도는 약 3000 K이었고 우주가 팽창함에 따라 점점 냉각되어 현재 우주의 온도는 약 2.7 K이다.
③ 최대 복사 에너지의 세기가 나타나는 파장은 온도에 반비례하므로 현재가 빅뱅 후 약 38만 년이 지났을 때보다 더 길다.
④ 현재의 우주 배경 복사는 온도가 약 2.7 K으로 전파 영역에서 나타난다.
⑤ (나)에서 나타나는 온도 차이는 초기 우주에 물질이 불균일하게 분포하여 미세한 밀도 차이가 있었음을 의미한다.
바로알기 | ② 현재 우주의 온도는 약 2.7 K이므로 현재의 우주 배경 복사 곡선은 B에 해당하고, 빅뱅 후 약 38만 년이 지났을 때의 우주 배경 복사 곡선은 A에 해당한다.

702 (가)는 가속 팽창 우주(1990년대 이후), (나)는 급팽창 이론(1980년), (다)는 빅뱅 우주론(1948년)으로, 우주론이 발전한 순서는 (다) → (나) → (가)이다.

703 (1) • 우주의 지평선 문제: 빅뱅 우주론에서는 빛의 속도로 팽창하는 우주의 지평선에 있는 양 끝 지점은 서로 정보를 교환할 수 없기 때문에 우주 배경 복사의 균일성을 설명하기 어렵다.
• 우주의 편평성 문제: 빅뱅 우주론에서는 편평한 현재의 우주를 설명하기 위해 우주의 밀도가 특정 값을 가져야 하는 까닭을 설명하기 어렵다.
• 자기 홀극 문제: 빅뱅 우주론에서는 빅뱅 초기에 생성된 자기 홀극이 현재 우주에서 발견되지 않는 까닭을 설명하기 어렵다.
(2) 빅뱅 우주론으로 설명할 수 없는 대표적인 문제점들은 1980년 앨런 구스가 제안한 빅뱅 직후 빛보다 빠른 속도로 우주가 급팽창하였다는 급팽창 이론으로 설명할 수 있게 되었다.
모범답안 (1) 우주의 지평선 문제, 우주의 편평성 문제, 자기 홀극 문제
(2) 급팽창 이론

704 ① A는 기존의 빅뱅 우주론이고, B는 (가) 시기에 우주 반지름이 급격히 증가하였으므로 급팽창 이론이다.
② 급팽창 이론(B)에 따르면 (가) 시기에 우주가 빛보다 빠른 속도로 급격히 팽창하였다.
④ 급팽창 이전에는 우주의 크기가 우주의 지평선보다 작았지만, 급팽창 이후에는 우주의 크기가 우주의 지평선보다 커졌다.
⑤ 급팽창 이론(B)에서는 빅뱅 우주 초기에 우주의 급팽창으로 우주 공간이 매우 커지면 관측되는 우주의 영역은 편평하게 보인다고 설명한다.
바로알기 | ③ 우주 배경 복사는 빅뱅 약 38만 년 후 방출되었고, 우주가 급팽창한 (가) 시기는 빅뱅 후 약 10^{-36}초~10^{-34}초이므로 우주 배경 복사가 방출되기 전이다.

급팽창 이론

· 우주의 지평선: 우주가 빛의 속도로 팽창한다고 가정할 때의 우주의 크기로, 우주의 지평선의 반지름은 빛의 속도와 우주의 나이를 곱한 값이다.

· 우주는 기존의 빅뱅 우주론에서는 빛의 속도로 팽창하였고, 급팽창 이론에서는 빅뱅 초기에 빛보다 빠른 속도로 팽창하였다. ➡ 급팽창 이론에 따르면 급팽창 이전에는 우주의 크기가 우주의 지평선보다 작았으나 급팽창 이후에는 우주의 크기가 우주의 지평선보다 커졌다.

· 급팽창 이론에서는 빅뱅 우주 초기에 우주가 급팽창하여 우주의 밀도와 임계 밀도가 같은 값을 가지는 것으로 계산되므로 관측되는 우주는 편평하다.

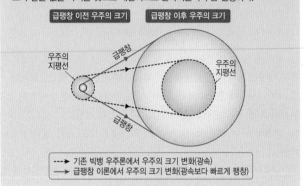

┈▶ 기존 빅뱅 우주론에서 우주의 크기 변화(광속)
──▶ 급팽창 이론에서 우주의 크기 변화(광속보다 빠르게 팽창)

705 ㄱ. 기존의 빅뱅 우주론에서 빛의 속도로 팽창하는 우주의 크기는 우주의 지평선까지이므로 우주 크기 변화는 (가)에 해당한다.

ㄴ. (나)는 급팽창 이론에서의 우주의 크기 변화로, 급팽창 이전에는 우주의 크기가 우주의 지평선보다 작았고, 급팽창 이후에 우주의 크기가 우주의 지평선보다 커졌다.

ㄷ. 우주의 지평선 문제는 현재 우주의 지평선의 양 끝 지점은 서로 정보를 교환할 수 없는데, 관측되는 우주 배경 복사가 우주 전역에서 어떻게 거의 균일할 수 있는가에 관한 문제이다. (나) 급팽창 이론에서는 우주가 급팽창하기 전 우주의 크기가 우주의 지평선보다 작아 서로 정보 교환이 가능하여 우주의 온도 분포가 균일해질 수 있었다. 따라서 (나)는 우주 지평선 문제를 설명할 수 있다.

706 ① Ia형 초신성은 거의 일정한 질량에서 폭발하기 때문에 절대 등급이 항상 거의 일정하다.

② 적색 편이량이 큰 멀리 있는 초신성일수록 관측된 겉보기 등급이 허블 법칙으로 구한 겉보기 등급보다 크므로 허블 법칙으로 구한 밝기보다 어둡게 관측되는 경향이 있다.

③ Ia형 초신성은 허블 법칙으로 구한 밝기보다 대체로 어둡게 관측되므로 예상보다 먼 거리에 위치한다.

④ 관측 결과에 따르면 Ia형 초신성은 우주가 일정한 비율로 팽창해 왔다고 가정할 때보다 더 멀리 있으므로, 우주는 가속 팽창하고 있다.

바로알기 | ⑤ 관측 결과와 허블 법칙으로 구한 결과가 다른 까닭은 우주가 가속 팽창하기 때문으로, 우주의 가속 팽창은 우주에서 척력으로 작용하는 암흑 에너지에 의한 것으로 추정된다.

707 ㄴ. 암흑 에너지는 우주에서 척력으로 작용하며, 우주가 팽창할수록 영향력이 커지므로 우주가 가속 팽창하는 원인이 된다.

ㄷ. 보통 물질은 현재의 관측 기술로 관측이 가능한 우주 구성 요소이다.

바로알기 | ㄱ. 우주 구성 요소 중 가장 많은 비율을 차지하는 것은 암흑 에너지이다.

708 ㄱ. 은하의 회전 속도가 은하 중심에서 멀어져도 거의 일정한 A가 실제 관측한 우리은하의 회전 속도 곡선이고, B는 눈에 보이는 물질만을 고려하여 이론적으로 계산한 회전 속도 곡선이다.

바로알기 | ㄴ. 이론적으로 계산한 결과(B)와 달리 관측 결과 은하 중심에서 멀어져도 은하의 회전 속도가 거의 일정(A)한 것으로 보아 은하의 외곽부에 보이지는 않지만 질량을 가진 암흑 물질이 존재한다는 것을 추정할 수 있다.

ㄷ. 우리은하에는 보이지 않는 암흑 물질이 분포하고 있으므로 눈에 보이는 물질만을 고려하여 계산한 은하의 질량은 실제 관측으로 추정한 은하의 질량보다 작다.

709 ① A는 현재 우주의 구성 요소 중 가장 많은 분포비를 차지하는 암흑 에너지이고, B는 암흑 물질, C는 보통 물질이다.

③ 암흑 물질(B)의 존재는 나선 은하의 회전 속도의 예측값과 관측값의 차이를 통해 추정할 수 있다.

④ 우리은하의 질량 중 광학적으로 관측 가능한 물질의 질량은 극히 일부이며 나머지는 암흑 물질의 질량이다. 따라서 암흑 물질(B)이 우리은하 질량의 대부분을 차지한다.

⑤ 보통 물질(C)의 가장 작은 단위는 쿼크, 전자 등 여러 종류의 기본 입자이다.

바로알기 | ② 암흑 에너지(A)는 시간이 지나도 우주에서 밀도가 일정하게 유지되므로 우주가 팽창할수록 상대적인 영향력이 커진다.

⑥ 급팽창 이후 우주 팽창 초기에는 척력으로 작용하는 암흑 에너지(A)보다 물질에 의한 중력의 영향이 커서 우주가 감속 팽창하였다.

710 ① 우주는 보통 물질, 암흑 물질, 암흑 에너지로 구성되며, (가)는 현재 우주의 구성 요소 중 가장 많은 분포비를 차지하므로 암흑 에너지이고, (나)는 암흑 물질이다.

② (나) 암흑 물질이 보통 물질보다 상대적으로 높은 비율을 차지하므로 A가 B보다 크다.

④ (나) 암흑 물질은 나선 은하의 회전 속도 및 중력 렌즈 현상 등을 통해 간접적으로 그 존재를 추정할 수 있다.

⑤ 보통 물질은 대부분 수소와 헬륨으로 이루어져 있으며, 약 3:1의 질량비로 우주에 분포한다.

바로알기 | ③ 우주에서 척력으로 작용하는 (가) 암흑 에너지에 의해 우주가 가속 팽창한다.

[711~712]

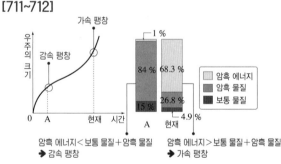

암흑 에너지<보통 물질+암흑 물질
➡ 감속 팽창

암흑 에너지>보통 물질+암흑 물질
➡ 가속 팽창

711 ㄴ. 암흑 물질의 비율은 A 시점에서 84 %이고 현재가 26.8 %이므로 A 시점이 현재보다 높다.

바로알기 | ㄱ. A 시점에서 곡선의 기울기가 작아지고 있으므로 우주의 팽창 속도는 감소하고 있다.

ㄷ. 우주는 팽창하고 있으므로 밀도는 현재가 A 시점보다 작다.

712 **모범 답안** 현재가 A 시점보다 우주의 팽창 속도가 빠르다. A 시점에는 물질(보통 물질+암흑 물질)의 비율이 암흑 에너지의 비율보다 커서 우주는 감속 팽창하였고, 현재는 암흑 에너지의 비율이 물질의 비율보다 커서 우주는 가속 팽창하기 때문이다.

[713~714]

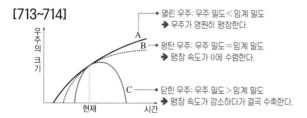

열린 우주: 우주 밀도 < 임계 밀도
➡ 우주가 영원히 팽창한다.

평탄 우주: 우주 밀도 = 임계 밀도
➡ 팽창 속도가 0에 수렴한다.

닫힌 우주: 우주 밀도 > 임계 밀도
➡ 팽창 속도가 감소하다가 결국 수축한다.

713 A는 우주가 영원히 팽창하고 있으므로 열린 우주, B는 우주의 팽창 속도가 0에 수렴하고 있으므로 평탄 우주, C는 우주가 팽창하다가 다시 수축하고 있으므로 닫힌 우주이다.

모범 답안 A는 열린 우주, B는 평탄 우주, C는 닫힌 우주이다. 열린 우주(A)는 우주의 평균 밀도가 임계 밀도보다 작고, 평탄 우주(B)는 우주의 평균 밀도가 임계 밀도와 같다. 닫힌 우주(C)는 우주의 평균 밀도가 임계 밀도보다 크다.

714 ㄱ. A는 열린 우주로, 음(−)의 곡률을 갖는다.
ㄴ. B는 평탄 우주로, 팽창 속도가 점점 느려지다가 0에 수렴한다.
바로알기 | ㄷ. C는 닫힌 우주로, 중력이 우세하게 작용하여 우주의 팽창 속도가 감소한다.

715 (가)는 우주의 평균 밀도가 임계 밀도와 같으므로 평탄 우주이고, (나)는 우주의 평균 밀도가 임계 밀도와 같지 않고 음(−)의 곡률을 갖는 우주이므로 열린 우주이다. (다)는 닫힌 우주이다.
① (가)는 평탄 우주로, 곡률은 0이다.
③ (나)는 열린 우주로, 영원히 팽창한다.
④ (다)는 닫힌 우주로, 우주의 팽창 속도가 점점 감소하다가 결국 우주의 크기가 작아진다.
⑤ (나) 열린 우주는 우주의 평균 밀도 < 임계 밀도이고, (다) 닫힌 우주는 우주의 평균 밀도 > 임계 밀도이므로 우주의 평균 밀도는 (나)가 (다)보다 작다.
바로알기 | ② (가) 평탄 우주는 우주에서 척력으로 작용하는 암흑 에너지의 영향이 물질의 영향보다 커지면 가속 팽창한다.

716

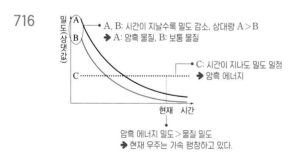

A, B: 시간이 지날수록 밀도 감소, 상대량 A > B
➡ A: 암흑 물질, B: 보통 물질

C: 시간이 지나도 밀도 일정
➡ 암흑 에너지

암흑 에너지 밀도 > 물질 밀도
➡ 현재 우주는 가속 팽창하고 있다.

ㄷ. 시간이 지나면서 우주가 팽창함에 따라 암흑 에너지(C)는 밀도가 일정하게 유지되고 암흑 물질(A)과 보통 물질(B)은 밀도가 점점 감소한다. 따라서 암흑 에너지(C)가 우주에서 차지하는 비율은 시간이 지날수록 높아진다.
바로알기 | ㄱ. A와 B는 우주가 팽창함에 따라 밀도가 감소하므로 물질에 해당하며, 상대적으로 밀도가 큰 A는 암흑 물질이고 B는 보통 물질이다.
ㄴ. 우주의 팽창에 가장 큰 영향을 미치는 것은 우주에서 척력으로 작용하는 암흑 에너지(C)이다.

717 (가)는 물질(보통 물질 + 암흑 물질)에 암흑 에너지까지 고려한 모델로 암흑 에너지에 의해 가속 팽창하는 우주 모델이고, (나)는 물질만을 고려한 감속 팽창하는 우주 모델이다.

ㄱ. 그림에서 Ia형 초신성의 관측 결과와 잘 일치하는 것은 (가) 모델이다.
ㄷ. 관측 결과 우주는 가속 팽창하고 있으므로 과거보다 최근에 우주가 빠르게 팽창하고 있다.
바로알기 | ㄴ. (가)는 가속 팽창 우주 모델, (나)는 감속 팽창 우주 모델이므로 우주의 크기는 (나)보다 (가) 모델에서 크다.

718 A는 은하 사이의 거리가 점점 더 빠르게 멀어지는 가속 팽창 우주이고, B는 열린 우주, C는 평탄 우주, D는 닫힌 우주이다.
ㄱ. A~D 모두에서 빅뱅 이후 현재까지 은하 사이의 거리가 멀어졌으므로 우주가 팽창하였다.
ㄴ. Ia형 초신성의 관측 결과로 우주가 가속 팽창한다는 것을 알 수 있으므로, Ia형 초신성의 관측 자료는 가속 팽창 우주인 A를 뒷받침하는 증거이다.
바로알기 | ㄷ. 현재 우주는 팽창 속도가 점점 빨라지고 있으므로 현재의 우주에 가장 가까운 모형은 가속 팽창 우주(A)이다.
ㄹ. 닫힌 우주(D)는 우주가 팽창하려는 힘보다 물질에 의한 중력이 커서 우주의 크기가 다시 작아진다.

719

우주 모형	A	B	C
$\dfrac{\rho_\Lambda}{\rho_c}$	0 (암흑 에너지 고려 ×)	0.6	0 (암흑 에너지 고려 ×)
$\dfrac{\rho_m}{\rho_c}$	1.0	0.4	0.4
	$\rho_m = \rho_c$ ➡ 평탄 우주	$\rho_\Lambda + \rho_m = \rho_c$ ➡ 평탄 우주	$\rho_m < \rho_c$ ➡ 열린 우주

ρ_Λ(암흑 에너지 밀도) > ρ_m(물질 밀도)
➡ 가속 팽창 우주

ㄷ. C는 물질 밀도(ρ_m) < 임계 밀도(ρ_c)이므로 열린 우주이다. 열린 우주(C)는 팽창 속도가 점점 감소하고 가속 팽창 우주(B)는 팽창 속도가 점점 빨라지므로, 우주의 온도는 B가 C보다 빠르게 감소한다.
바로알기 | ㄱ. A는 물질 밀도(ρ_m) = 임계 밀도(ρ_c)이므로 평탄 우주이고, 평탄 우주(A)의 곡률은 0이다.
ㄴ. B는 암흑 에너지 비율$\left(\dfrac{\rho_\Lambda}{\rho_c}\right)$이 물질 비율$\left(\dfrac{\rho_m}{\rho_c}\right)$보다 큰 가속 팽창 우주이고, 암흑 에너지를 포함한 우주의 밀도($\rho_\Lambda + \rho_m$)가 임계 밀도(ρ_c)와 같으므로 평탄 우주이다.

최고 수준 도전 기출 (22~24강) 191쪽

720 ①	721 해설 참조	722 해설 참조	723 ④
724 ④			

정답과 해설 **95**

720

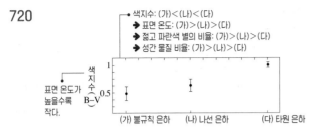

색지수: (가)<(나)<(다)
➜ 표면 온도: (가)>(나)>(다)
➜ 젊고 파란색 별의 비율: (가)>(나)>(다)
➜ 성간 물질 비율: (가)>(나)>(다)

표면 온도가 높을수록 색지수 B−V 작다.

(가) 불규칙 은하   (나) 나선 은하   (다) 타원 은하

ㄱ. 젊은 별의 표면 온도가 대체로 높으며, 표면 온도가 높은 은하일수록 색지수가 작다. (가)의 색지수가 가장 작으므로 (가)에서 새로운 별의 탄생이 가장 활발하다.

바로알기 | ㄴ. 색지수로 미루어 보아 (가)는 젊은 별의 비율이 가장 높은 불규칙 은하, (다)는 늙은 별의 비율이 가장 높은 타원 은하, (나)는 나선 은하이다. 따라서 편평도에 따라 세분하는 것은 (다) 타원 은하이다.

ㄷ. 은하 전체에서 성간 물질이 차지하는 비율은 (나) 나선 은하가 (다) 타원 은하보다 높으므로 $\dfrac{\text{성간 물질 질량}}{\text{보통 물질 질량}}$ 은 (나)가 (다)보다 크다.

721 (2) 우주의 나이는 허블 상수의 역수이다. 이 기간 동안 측정한 허블 상수가 대체로 작아지는 경향을 띠므로 계산한 우주의 나이는 많아진다.

(3) 관측 가능한 우주의 크기$=\dfrac{c}{H}$(c: 빛의 속도)이다. 이 기간 동안 허블 상수(H)가 대체로 작아지는 경향을 띠므로 계산한 우주의 크기는 더 커진다.

모범 답안 (1) 1920년대 이후 측정한 허블 상수는 시간이 지날수록 대체로 작아졌다. 점차 관측 결과가 많아지고, 정밀한 관측이 가능해졌기 때문이다.
(2) 우주의 나이는 더 많게 계산된다.
(3) 우주의 크기는 더 크게 계산된다.

722 외부 은하의 거리 $r=300$ Mpc과 후퇴 속도 $v=21000$ km/s를 허블 법칙($v=H \cdot r$)에 적용하여 허블 상수 H를 구하면,
21000 km/s$=H \cdot 300$ Mpc에서 $H=70$ km/s/Mpc이다.

1 Mpc은 10^6 pc이고, 우주의 나이는 허블 상수의 역수$\left(\dfrac{1}{H}\right)$이므로,

$\dfrac{1}{H}=\dfrac{1}{70\ \text{km/s/Mpc}}=\dfrac{1}{70\ \text{km}}\times \text{s(초)}\times(3\times10^{13}\times10^6\ \text{km})$

$=\dfrac{1}{70}\times3\times10^{19}$초이다.

이를 1년 단위로 나타내기 위해 1년(3.2×10^7초)으로 나눈 후 천만 년 자리에서 반올림하여 우주의 나이를 구한다.

모범 답안 허블 법칙($v=H \cdot r$)을 적용하여 구한 허블 상수(H)는 21000 km$=H \cdot 300$ Mpc에서 70 km/s/Mpc이다. 우주의 나이는 허블 상수의 역수이므로 $\dfrac{1}{70}\times(3\times10^{13}\times10^6)$(초)이고, 이를 1년($3.2\times10^7$초)으로 나누면 약 134억 년이다.

723 ㄴ. Ia형 초신성은 계산된 것보다 더 어둡게 관측되므로 예상보다 먼 거리에 위치한다.

ㄷ. Ia형 초신성의 관측 결과는 우주가 가속 팽창하고 있음을 의미하므로, 이를 설명하기 위해서는 암흑 에너지를 고려해야 한다.

바로알기 | ㄱ. 평탄한 우주에서 계산된 겉보기 등급보다 실제로 관측한 Ia형 초신성의 겉보기 등급이 크므로 실제로 관측한 Ia형 초신성의 겉보기 밝기가 더 어둡다.

724 ㄴ. B 구간에서는 은하 중심에서 멀어질수록 회전 속도가 느려지는 케플러 회전을 한다.

ㄷ. C 구간에서는 은하 중심에서 멀어져도 회전 속도가 감소하지 않고 거의 일정한데, 이는 은하의 외곽부에 관측할 수 없지만 질량이 있는 암흑 물질이 분포하기 때문으로 추정된다.

바로알기 | ㄱ. A 구간에서는 강체 회전하므로 은하 중심에서 멀어질수록 회전 속도가 빨라지지만, 회전 주기는 일정하다.

개념 보충

우리은하의 회전 속도 곡선 – 강체 회전과 케플러 회전
• **강체 회전:** 회전 중심으로부터의 거리에 상관없이 모든 지점에서 회전 주기가 동일한 회전
• **케플러 회전:** 중심에서 멀어질수록 회전 속도가 감소하는 회전

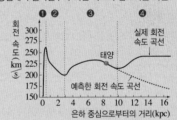

▲ 우리은하의 회전 속도 곡선

구간	회전 속도 분포
❶	회전 속도가 급격히 증가하여 최댓값을 나타내며, 강체 회전을 한다.
❷	은하 중심에서 멀어질수록 회전 속도가 감소하는 케플러 회전을 한다.
❸	3 kpc 이후부터 회전 속도가 다시 증가하다가 태양 부근에서 감소한다.
❹	회전 속도가 증가하다가 약 15 kpc 이후부터는 거의 일정해진다.